# Perfidia

# JAMES ELLROY

# Perfidia

Traduit de l'anglais (États-Unis)
par Jean-Paul Gratias

RIVAGES/THRILLER
Collection dirigée par François Guérif

**RIVAGES**

Titre original : *Perfidia*

© 2014, James Ellroy
© 2015, Éditions Payot & Rivages
pour la traduction française
106, boulevard Saint-Germain – 75006 Paris

*à Lisa Stafford*

*Ne sois pas jaloux de l'homme violent,*
*Et ne choisis aucune de ses voies.*

Proverbes 3, 31

*Cinquième colonne* : Expression familière très courante dans l'Amérique de 1941. Ce terme est un emprunt au vocabulaire employé pendant la guerre d'Espagne, finie depuis peu. Pendant celle-ci, quatre colonnes de soldats participèrent au combat. Les gens de la cinquième colonne restèrent où ils se trouvaient pour se livrer au sabotage industriel, diffuser leur propagande, et commettre divers actes de subversion moins voyants. Les membres de la cinquième colonne cherchaient à rester anonymes ; leur statut de personnages ambigus, ou même totalement insoupçonnables, les faisait paraître aussi dangereux, voire plus dangereux que les quatre colonnes visibles engagées dans la guerre qu'elles menaient jour après jour.

Reminiscenza

Je me suis égaré dans la prairie, en pleine tempête de neige, il y a quatre-vingt-cinq ans. Le froid m'a envoûté et vacciné contre toute idée raisonnable. Mais comme j'ai vécu plus longtemps que n'a duré ce sortilège, je découvre à présent que j'ai peur de mourir. Je ne suis plus capable de provoquer des orages comme je savais le faire autrefois. Mon seul recours est de rassembler mes souvenirs avec une fureur plus grande encore.

C'était une frénésie alors. Cela reste une frénésie aujourd'hui. Je ne mourrai pas tant que je vivrai cette aventure. L'Histoire, c'est la longue chaîne d'une mémoire que nous sommes nombreux à partager. Cette époque et ce lieu dont je me souviens, c'est mon arrogance vue à travers une ultime réfraction. Je me rue vers Alors pour me procurer un répit Aujourd'hui.

Vingt-trois jours.

Calomnies xénophobes.

Un policier frappe à la porte d'une jeune femme. Les drapeaux des assassins flottent au vent.

Vingt-trois jours.

Cette tempête.

Reminiscenza.

# L'ÉMISSION CHOC

## GERALD L. K. SMITH | RADIO KLAN, LOS ANGELES
### ÉMETTEUR PIRATE/TIJUANA, MEXIQUE
### VENDREDI 5 DÉCEMBRE 1941

C'est l'Appareil de l'Hégémonie Juive qui a rendu cette guerre inéluctable – et à présent, cette guerre est la nôtre, qu'on le veuille ou
non. On a pu dire autrefois : *Pas de nouvelles, bonnes nouvelles,* mais
cette maxime est antérieure à une merveilleuse invention nommée
*radio,* qui a le pouvoir de faire connaître *toutes* les nouvelles – les
bonnes *et* les mauvaises – à la vitesse d'une fusée. Malheureusement,
les nouvelles de ce soir sont *toutes mauvaises,* car les nazis et les Japs
se livrent à un déferlement de violence sans précédent – et c'est dans
*notre* direction que la guerre avance de plus en plus vite, cette guerre
que nous n'avons pas méritée et dont nous ne voulons pas.

Dépêche : Au début de l'été, rompant le pacte qu'il avait conclu
avec le Patron des Rouges Joseph Staline, Adolf Hitler a envahi les
vastes étendues désertiques de la répugnante Russie Rouge. En ce
moment, les armées de la faucille et du marteau sont en train de
réduire en chair à saucisse les vaillants soldats du Führer devant
Moscou – mais les fringants nazis ont *déjà* bombardé la Grande-
Bretagne, la réduisant en miettes, et placé la moitié de l'Europe
centrale sous la férule du Nationalisme Nordique. Hitler a *encore*
assez de punch pour opposer une belle résistance à l'armée de terre
américaine – ce qui se produira assurément dans un avenir pas si
lointain pour notre grande nation. Cette perspective suscite-t-elle en
vous, mes amis, un douloureux déchirement ? Nous ne voulons pas
de cette guerre – mais s'il faut la faire, allons-y franchement.

Dépêche : L'illustre *Il Duce,* Benito Mussolini, rencontre beaucoup de difficultés dans sa campagne nord-africaine – mais ne
l'écartez pas pour autant. Les Italiens sont davantage des amants que

15

des combattants, a-t-on dit – leur style, c'est plutôt le grand opéra que les manœuvres militaires. C'est certainement vrai – mais ces bambinos qui braillent du bel canto représentent *encore* une menace stratégique sur les théâtres d'opérations du sud de l'Europe. Oui, des nuages d'orage se forment à l'est. Et des nuages d'orage *éclatent* à l'ouest de chez nous, j'ai le regret de le dire – et ils ont l'aspect de nos ennemis *présumés* les mieux préparés au moment où je vous parle : Les Japs.

Cela rend-il votre déchirement plus douloureux encore, mes amis ? Comme moi, vous avez ouvert les bras au mouvement *L'Amérique d'Abord*. Mais les frelons féroces d'Hirohito traversent déjà le vaste océan – et ça ne me dit rien qui vaille.

Dépêche : Le Département d'État vient de publier un communiqué. Des convois de soldats japonais se dirigent actuellement vers le Siam, et on s'attend à une invasion imminente de ce pays.

Dépêche : Les civils fuient Manille, la capitale des Philippines.

Dépêche : Le Président Franklin « Déloyal » Rosenfeld a envoyé un message personnel à l'Empereur jap. Ce message est à la fois une requête et un avertissement : Renoncez à vos agressions, ou vous courrez le risque d'une intervention américaine de grande envergure.

L'Oncle Sam commence à s'énerver. C'est à *nous* qu'appartiennent les îles Hawaï et l'accès au continent américain par le Pacifique. Les luxuriants atolls tropicaux qui mènent tout droit à nos côtes sont à présent dans les collimateurs des Japs. Cette guerre que nous ne méritons pas, que rien ne justifie, et dont nous ne voulons pas, se dirige droit sur *nous* – qu'on le veuille ou non.

Dépêche : Le Président Rosenfeld veut savoir pourquoi les trublions d'Hirohito se massent en Indochine française.

Dépêche : Radio Bangkok a diffusé des alertes concernant une attaque sournoise des Japs contre la Thaïlande. En ce moment même, des émissaires japs s'entretiennent avec le secrétaire d'État Cordell Hull. Les Japs à la langue fourchue lui mentent effrontément – car ils affirment vouloir la paix tandis que le ministre jap des Affaires étrangères Shigeto Togo reproche à l'Amérique son refus de comprendre les « idéaux » japonais et ses protestations incessantes contre les pogroms *censément* commis par les Japonais en Asie de l'Est et dans le Pacifique.

Oui, mes amis – cela devient *Youpin*iversellement apparent. Cette guerre concoctée par les communistes se dirige droit sur *nous* – qu'on le veuille ou non.

Aucun Américain sain d'esprit ne désire se battre pour les youpins dans une guerre étrangère. Aucun Américain sain d'esprit n'a envie d'envoyer nos fils au loin courir un péril certain. Aucun Américain sain d'esprit ne conteste qu'il n'est pas possible de maintenir cette guerre-*ci* à l'écart de *nos* côtes si nous n'y mettons pas fin en terre *étrangère*.

J'ai radicalement raison sur ce sujet, mes amis – l'apostasie me fait monter le rouge aux joues.

Ce n'est pas *nous* qui avons commencé cette guerre. Ce n'est pas non plus Adolf Hitler et l'épatant Hirohito qui l'ont commencée. Ce sont les apparatchiks de l'Hégémonie Juive qui ont mitonné ce bortsch Rouge et ont dressé des amis les uns contre les autres, dans le monde entier. Votre déchirement confine-t-il à l'apoplexie, mes chers amis ?

Oui, la guerre fond sur l'Amérique, même si nous n'avons pas plus envie de la faire que d'aller nous faire pendre. Et l'Amérique ne se dérobe *jamais* devant un combat à mener.

# PREMIÈRE PARTIE
# LES JAPS

(6 décembre – 11 décembre 1941)

# 6 décembre 1941

# 1

## HIDEO ASHIDA

### LOS ANGELES | SAMEDI 6 DÉCEMBRE 1941

**9 h 08**

C'est ici – le drugstore Whalen, à l'angle de Spring Street et de la 6ᵉ Rue. La cible de quatre braquages récents. Vol à main armée – Section 211 du code pénal de Californie.

Ce magasin est trop vulnérable. Quatre attaques en un mois en présagent une cinquième. Il s'agit sans doute du même malfaiteur. Ce type agit seul. Il se masque le visage avec un foulard et il est armé d'un pistolet à canon long. Il rafle toujours des narcotiques et l'argent liquide du tiroir-caisse.

La brigade de répression des vols manque de personnel. Un cinglé portant un masque de Hitler a braqué trois bars dans le quartier de Silver Lake. Vol à main armée et dégradations diverses. Le cinglé a assommé les serveurs avec son pistolet et tripoté les clientes. Il adore appuyer sur la détente. Il a criblé de balles les juke-boxes et les étagères remplies de bouteilles d'alcool.

La brigade de répression des vols est débordée. C'est Ashida qui a construit le bidule photographique à déclenchement automatique, et il a aussi choisi l'endroit où il pourrait le tester. Il a créé le prototype quand il était encore au lycée. À l'époque, il a fait ses premiers tests dans les douches du lycée Belmont. Il s'est servi de son invention pour photographier Bucky après l'entraînement de basket-ball.

Une voiture fait une embardée en s'engageant dans Spring Street en direction du nord. Le conducteur remarque Ashida. Évidemment – il hurle :

– Saloperie de Jap !

C'est Ray Pinker qui réagit. Évidemment – il hurle :

23

– Va te faire foutre !

Ashida examine le sol. Le câble de déclenchement traverse la chaussée et s'arrête au trottoir opposé, devant le drugstore. Le malfaiteur s'est garé quatre fois au même endroit. Le câble est relié à un appareil photographique protégé par un bloc de caoutchouc dur. Quand une voiture se gare, le passage des roues sur le câble active le mécanisme. L'obturateur se déclenche, et une photo est prise de la plaque d'immatriculation arrière. Les clichés sont enregistrés sur du film 35 millimètres contenu dans un chargeur de 250 vues. Selon la fréquence des déclenchements, un seul chargeur suffit à enregistrer les plaques de toutes les voitures susceptibles de se garer en une journée, voire pendant plusieurs jours.

Pinker allume une cigarette.

– Nous perdons notre temps. Nous ne sommes pas des flics, mais des civils spécialisés en criminologie. Nous savons bien que ce foutu bidule fonctionne, alors pourquoi sommes-nous là ? Ce n'est pas comme si nous avions reçu un tuyau pour nous indiquer un nouveau braquage.

Ashida sourit.

– Vous la connaissez, la réponse à cette question.

– Si la réponse est : *nous n'avons rien de mieux à faire*, ou encore : *nous sommes des scientifiques dont la vie personnelle ne vaut rien*, alors, vous avez raison.

Un bus passe, cap au sud. Par la fenêtre, un Mexicain lance des ronds de fumée. Il voit Ashida. Il hurle :

– *Puto* Jap !

D'une pichenette, Pinker lance sa cigarette dans sa direction. Elle retombe avant d'atteindre le bus.

– Lequel d'entre vous est né ici ? Lequel d'entre vous n'a *pas* traversé le Rio Grande à la nage ?

Ashida rectifie la position de son nœud de cravate.

– Répétez-moi ce que j'aime entendre. Vous étiez exaspéré la première fois que vous me l'avez dit, donc je sais bien que c'était une réaction sincère.

Pinker sourit.

– Vous êtes mon protégé, alors, vous êtes *mon* Jap, ce qui fait que je m'intéresse tout particulièrement à vous. Vous êtes le seul Jap employé par la police de Los Angeles, ce qui vous rend encore plus unique, et me confère un cachet d'autant plus exceptionnel.

Ashida rit de bon cœur. Une DeSoto 38 se gare devant le drugstore.

Les roues passent sur le câble, l'obturateur se déclenche. Un homme de grande taille sort de la voiture. Il a les cheveux bruns et les petits yeux marron de Bucky Bleichert. Ashida le regarde entrer dans le magasin.

Ashida scrute la vitrine du drugstore et suit l'homme des yeux. La vitre déforme ses traits. Ashida *identifie* cet homme comme étant Bucky. Il ferme les yeux, il cligne des yeux, il ouvre les yeux et le transforme. À présent, les mouvements de l'homme possèdent la grâce propre à Bucky. Il ne se déplace pas, il *plane*. Il sourit, révélant de grandes dents en avant.

L'homme ressort du drugstore. La voiture s'éloigne. Ashida bat des paupières. Le monde perd l'éclat particulier que lui a donné pendant une minute la présence de Bucky Bleichert.

Pinker et Ashida reprennent leur surveillance. Pinker s'adosse à un réverbère et fume cigarette sur cigarette. Ashida reste figé et s'imprègne du bruissement de Los Angeles.

La guerre approche. Les échos de la ville n'évoquent pas autre chose. Hideo Ashida est un *Nisei* : il est né en Amérique de parents japonais immigrés. Il est leur deuxième fils. Son père est poseur de rails. Papa avale des lampées de sirop à la terpine et se tue à la tâche dans son métier. Sa mère a un appartement à Little Tokyo. Fidèle soutien de l'empereur, elle parle le japonais uniquement pour contrarier son fils.

La famille possède une exploitation maraîchère dans la vallée de San Fernando. C'est son frère Akira qui la dirige. Dans cette région, la plupart des terres cultivées appartiennent à des Nisei. Leurs légumes sont ramassés par des Mexicains sans papiers. Cette pratique est courante chez les Nisei. Elle est déplorable, elle est prudente, c'est une façon de s'assurer une main-d'œuvre bon marché. Cet usage frise l'esclavage contractuel. Mais il assure la solvabilité des fermiers Nisei.

C'est aussi une pratique qui entraîne la collusion : la famille verse des pots-de-vin à un capitaine de la police nationale du Mexique. Les paiements évitent aux sans-papiers d'être renvoyés au Mexique. Akira accepte cette pratique et la met en œuvre sans se demander si elle est conforme à la morale. Elle permet à son frère Hideo, le deuxième fils, de ne pas se préoccuper de l'entreprise familiale et de s'adonner à sa passion pour la criminologie.

Il possède des diplômes universitaires en chimie et en biologie. Il a obtenu un doctorat à Stanford à vingt-deux ans. Il n'ignore rien de la sérologie, des empreintes digitales, de la balistique. Voilà un an qu'il a intégré la police de Los Angeles. Il souhaitait travailler avec son légendaire chef de laboratoire. C'était un protégé à la recherche d'un mentor. Ray Pinker était un pédagogue à la recherche d'un disciple. Telles sont les bases sur lesquelles leur association s'est formée. Les frontières entre leurs rôles respectifs n'ont pas tarder à s'effacer.

Ils sont devenus collègues. Pinker était d'une cécité remarquable en ce qui concernait toutes les questions raciales. Il compara Ashida au fils numéro un de Charlie Chan[1]. Ashida apprit à Pinker que Charlie Chan était chinois. Pinker lui répondit :

– Tout ça, pour moi, c'est de l'hébreu.

Spring Street est bordée de sapins de Noël blanchis avec de la fausse neige. Ils sont couverts de fientes et de suie. Devant le drugstore, un gamin vend le *Herald* à la criée. Il braille la manchette du journal : *FDR[2] et les Japs : Discussions de la dernière chance !*

Pinker dit :

– Ce sacré bidule fonctionne.

– Je sais.

– Vous êtes un sacré génie.

– Je sais.

– Ce violeur en liberté a encore frappé. La brigade des mœurs pense qu'il appartient à la police militaire. Il a encore forcé une femme il y a deux soirs.

Ashida hoche la tête.

– La première victime a arraché un bout de son brassard. Il portait sa chemise d'uniforme sous la veste de sa tenue civile. J'ai des échantillons de fibres textiles dans mon labo, à l'appartement de ma mère.

Pinker reluque une grosse blonde qui enlace langoureusement un marin. Le marin lance à Ashida un regard noir.

– Bucky Bleichert monte sur le ring à l'Olympic demain soir. De source bien informée, il va encore livrer quelques combats et puis il va entrer dans la police.

Ashida rougit.

– J'ai connu Bucky au lycée.

– Je le sais. C'est pour ça que j'ai parlé de lui.

– Il boxe contre qui ?

---

1. Détective américain d'origine chinoise créé par le romancier Earl Derr Biggers.
2. Le président Franklin Delano Roosevelt.

– Un tocard nommé Junior Wilkins. Elmer Jackson l'a coincé une fois pour escroquerie. Avec un pasteur noir, il avait monté une arnaque sur le thème *Retour en Afrique*.

Un coupé Ford 1937 se gare devant le drugstore. Instinctivement, Ashida regarde le numéro de la plaque et le note aussitôt, par précaution. Cal KFE-621. Et voilà : les roues touchent le câble, l'obturateur se déclenche. Si la photo est bonne, l'immatriculation sera confirmée.

Pinker tousse et se détourne d'Ashida. Un homme sort de la voiture. Il porte un feutre et un manteau au col relevé. Ce détail fait tiquer Ashida. La température est *trop douce* pour qu'on sorte en pardessus.

Pinker tousse de nouveau, à répétition. Il est presque plié en deux. L'homme remonte un mouchoir devant son visage. Ashida sent passer un frisson.

C'est parfait. C'est idéal. Pinker n'a pas vu l'homme. Ils ont le numéro de la plaque. Il peut laisser le braquage s'accomplir. Il pourra mener son enquête scientifique depuis le tout début.

L'homme entre dans le drugstore.

Ashida regarde sa montre. Il est 9 h 24.

Pinker se retourne et allume une cigarette. Ashida scrute la vitrine du drugstore. L'homme longe le rayon des dentifrices. Ashida consulte sa montre discrètement.

L'homme s'accroupit et disparaît de son champ de vision ; 9 h 25, 9 h 26, 9 h 27.

Pinker dit :

– Ma femme pense que je tousse à cause des poussières dans l'atmosphère, mais moi, je crois que c'est simplement un excès de mucus.

L'homme ressort du drugstore en courant. Il tient un sac en papier et un pistolet qu'il dissimule à moitié. Il bouscule et fait tomber le crieur de journaux, saute dans sa voiture et démarre en trombe.

Pinker lâche :

– Nom de Dieu !

Sa cigarette lui tombe des lèvres.

Le crieur de journaux entre en courant dans le drugstore. Pinker fonce vers une borne d'appel de la police. Ashida se précipite vers son système de prise de vues.

Il rembobine la pellicule et la sort du boîtier. Il la range soigneusement pour la développer au labo.

Une voiture passe au ralenti. Le conducteur est un Shriner[1] en grande tenue, fez compris. Il voit Ashida et fait toutes sortes de grimaces. Ashida se relève et brandit les poings. La voiture s'éloigne.

– *FDR et les Japs : Discussions de la dernière chance !* braille de nouveau le petit vendeur de journaux en fixant Ashida.

Enfin – une sirène de police à 9 h 31.

Ashida ne bronche pas. Une voiture de police tourne le coin de la rue et s'arrête en dérapage à quelques centimètres du bidule photographique. Ashida est tout près du véhicule. Il en reconnaît les occupants : Buzz Meeks et Lee Blanchard.

Les deux hommes descendent de la voiture. Meeks travaille au Q.G. de la répression des vols. Blanchard travaille au Q.G. de l'îlotage. Meeks porte un costume qui sort de la teinturerie. Blanchard porte l'uniforme dans lequel il a dormi la nuit précédente.

Meeks demande :

– Que se passe-t-il, mon petit ? Comment se fait-il que vous soyez arrivé avant nous ?

Blanchard demande :

– Que se passe-t-il, Hirohito ?

Meeks tire d'un cou sec la cravate de Blanchard pour lui secouer vivement la tête. Blanchard rougit.

Ashida désigne son invention.

– Monsieur Pinker et moi étions en train de tester ce dispositif. Ce drugstore est fréquemment attaqué, c'est pourquoi nous l'avons choisi pour nos essais. Les roues d'une voiture qui se gare déclenchent un appareil photographique caché sous cette tubulure. Nous avons la chance de tomber sur un vol à main armée. La voiture du suspect est immatriculée KFE-621.

Meeks fait un clin d'œil et s'accroupit près du bidule photographique. Blanchard remonte dans la voiture de police pour lancer l'alerte. Meeks est un ancien volontaire employé au reboisement des régions touchées par les tempêtes de sable des années 1930. Il a été acteur de western. Il est entré dans la police de Los Angeles sous le règne de James Edgar « Deux-Flingues » Davis. Il a porté des valises pour livrer à domicile les pots-de-vin distribués par le maire

---

1. Membre d'une société philanthropique d'obédience maçonnique (*Ancient Arabic Order of Nobles of the Mystic Shrine*) qui se consacre aux programmes de santé, aux œuvres caritatives, etc.

Frank Shaw. Le jury d'accusation du Comté a démis Shaw et Davis de leurs fonctions. Meeks a échappé à quatorze inculpations.

Blanchard est un ancien boxeur, autrefois prétendant au titre de champion dans la catégorie poids lourd. Avec l'argent de ses combats, il a acheté une maison, au-dessus du Sunset Strip. En 1939, il a résolu une grosse affaire de braquage de banque, ce qui a assis sa réputation chez les flics. Il vivait en concubinage avec une certaine « Kay » quelque chose. Le concubinage était *verboten* sous le règne du directeur de la police C.B. Horrall. Le directeur avait Lee Blanchard à la bonne. Il a fait semblant de ne rien voir. Meeks et Blanchard attirent les rumeurs comme des aimants. La plus répandue : Lee est très lié avec Ben Siegel et la mafia juive.

Dans le drugstore le brouhaha est total. Les voix sont répercutées par les vitres. Ashida regarde à l'intérieur du magasin. Pinker a rassemblé tous les témoins.

Meeks se cure les dents et admire le bidule photographique. Blanchard sort de la voiture de police.

– La voiture a été volée devant une salle de billard d'East Slauson Avenue. Le commissariat de la 77e Rue a enregistré la plainte à 8 h 16. C'est forcément un moricaud. Aucun Blanc ne survit au sud de Jefferson Boulevard.

Meeks regarde sa montre.

– Appelle la division des polices urbaines. Dis-leur de diffuser un avis de recherche, en le pimentant un peu : une série de braquages de commerces, par un homme seul, armé et dangereux. Arrange-toi pour faire croire que c'est un boulot de pure routine.

Blanchard fait le V de la victoire, à la Churchill. Meeks se recoiffe en regardant son reflet dans la vitrine. Ashida entre dans le drugstore. Bon – il va pouvoir noter tous les détails depuis le début.

Mentalement, il prend note de la disposition des lieux. Il mémorise les visages des témoins. Il évalue géométriquement les distances. Son regard se déplace, les détails s'accumulent, son odorat capte des odeurs corporelles chargées d'adrénaline.

Deux pharmaciens en blouse blanche, l'un corpulent, l'autre maigre. Le gérant, portant costume et cravate. Deux vieilles dames – des clientes. Le gros pharmacien a un furoncle dans le cou. Le pharmacien maigre a la tremblote. L'une des vieilles dames est obèse. Ses veines épaisses indiquent qu'elle souffre d'athérosclérose.

Les témoins sont rassemblés en un groupe compact. Meeks passe derrière le comptoir et leur fait face. Il sourit – façon cow-boy brave type.

– Je me présente : Sergent Meeks. Je vous écoute.

Le gérant dit :

– Il est entré et il est allé tout droit vers la section pharmacie. Il portait un masque et il avait un pistolet, mais je ne pense pas que c'était l'homme qui nous a dévalisés les autres fois. Celui-ci, il était plus grand et plus mince.

Les pharmaciens hochent la tête – Oui, patron, c'est bien ça.

Meeks demande :

– Que s'est-il passé ensuite ?

Le gros pharmacien répond :

– Il nous a fait mettre en rang et il nous a volé nos portefeuilles. Il nous a fait avancer jusqu'au bout de la première travée des pilules et des comprimés, il a pris un flacon de phénobarbital, et il a tiré un coup de feu dans le plafond.

Ashida tressaille. Là – le détail incongru.

– Monsieur Pinker et moi étions de l'autre côté de la rue. Nous aurions entendu la détonation.

Le gros pharmacien secoue la tête.

– Le pistolet était muni d'un silencieux, bien visible au bout du canon.

Ashida passe derrière le comptoir du drugstore. Il examine la caisse enregistreuse, les barres chocolatées, les cartes de Noël sur leur présentoir. Il tape sur le clavier une vente d'un dollar. Le tiroir-caisse s'ouvre. Les cases sont remplies de billets de banque, d'un à vingt dollars.

L'instinct parle.

Le braqueur avait davantage besoin de drogue que d'argent liquide. Le vol des portefeuilles est secondaire. Il a été commis pour détourner l'attention de son vrai mobile.

Anomalie :

Pourquoi voler un seul flacon de phénobarbital ? Ce geste ne cadre pas avec l'archétype du voleur en manque de drogue.

Ashida repasse de l'autre côté du comptoir et parcourt la première travée. Au sol : pas de douille éjectée par l'arme du braqueur. Donc : deux solutions.

Soit le braqueur l'a ramassée, soit il a utilisé un revolver.

Au plafond : l'orifice résultant de l'impact. Juste au-dessous, des fibres métalliques sur le plancher – des bribes de laine d'acier arrachées par la balle au passage.

Ashida s'agenouille et les examine. Les bords ont brûlé sous la chaleur dissipée par la bouche du canon. Les bribes de laine d'acier retombent de ses mains en virevoltant sur elles-mêmes.

Ashida retourne vers le comptoir. Pinker a sorti sa trousse d'identification criminelle. Meeks débouche une bouteille d'alcool fort prise sur un rayonnage du drugstore, et il la fait circuler. Blanchard fait une descente sur le présentoir à chewing-gum. Meeks se bourre les poches de préservatifs.

La bouteille d'alcool fort passe de main en main. Ashida refuse d'en boire. Les pharmaciens avalent de solides lampées. Les vieilles dames gloussent et en prennent une gorgée.

Blanchard annonce :

– Il y a du nouveau, d'après la police urbaine. La voiture a été abandonnée à trois pâtés de maisons d'ici. Pour l'instant, on n'a relevé que des traces laissées par des gants, sur le tableau de bord.

Meeks allume un cigare.

– Est-ce qu'il a touché à quoi que ce soit à l'intérieur du magasin ? Vous avez remarqué un détail qui pourrait m'aider ?

Le gros pharmacien tousse.

– En ressortant, il a frôlé le présentoir des illustrés. Il me semble que des fibres de son manteau ont pu s'y accrocher.

Pinker s'éclipse à ce moment précis. Ashida s'en aperçoit et passe rapidement devant les témoins. Le présentoir est rempli d'exemplaires de *Mickey Mouse* et de *Tarzan*. Ashida le fait tourner deux fois. Rien, et puis rien. Ah, si – juste là.

Des fils rouge vif, coincés sur un ergot métallique.

De la laine feutrée, très dense, à la texture *familière*.

Ashida sort un stylo et une enveloppe. Il saisit les fils de laine et les glisse dans l'enveloppe qu'il cachette. Il y inscrit : *C.P. 211/ Drugstore Whalen/6-12-41.*

On rit bien, à l'autre bout du magasin – Blanchard et Meeks font une imitation des Ritz Brothers. Ashida renifle l'enveloppe. Il capte l'odeur de la laine à travers le papier. Tout à coup, le rapprochement s'impose à lui.

*Le policier militaire soupçonné de viol. Ces fibres de laine proviennent de son brassard. Pinker a dit qu'il venait encore de violer une femme. Ce crétin porte son brassard quand il cherche une nouvelle victime.*

Le manteau du braqueur n'était pas rouge. Les ergots du présentoir se trouvent au niveau de la ceinture du braqueur. Le manteau possédait des poches accessibles par le dessus. Les fibres textiles ont pu être arrachées à un objet dépassant de l'ouverture de la poche. Ashida possède divers types de fibres textiles dans son labo, installé dans l'appartement de sa mère. Il pourrait confirmer ou exclure son hypothèse concernant leur nature.

Un coup de sifflet – Pinker lui fait savoir qu'il a besoin de lui tout de suite.

Ashida remonte vers la source du signal. Pinker se trouve de nouveau dans la section pharmacie du magasin. Il a sorti son appareil de prise de vues pour illustrer ses constatations. Il prend trois clichés du point d'impact de la balle, et trois clichés des débris métalliques issus du silencieux.

– Ce braquage m'intrigue. Ce type n'a pas terrorisé les témoins avec son arme, il n'a pas volé l'argent de la caisse, il a pressé la détente pour le plaisir.

Ashida acquiesce.

– Comme s'il voulait tester son silencieux. Et pourquoi n'a-t-il volé qu'un seul flacon de phénobarbital ?

Pinker hoche la tête.

– J'aime bien l'hypothèse du tir d'essai. De toute évidence, il s'agit d'un réducteur de son de fabrication artisanale, parce qu'on a trouvé des fragments de laine d'acier alors qu'une seule balle a été tirée. Huit ou dix coups de feu auraient rendu le dispositif inefficace.

– Vous avez raison, et le gérant dit que ce n'est pas cet homme-là qui a dévalisé son magasin à quatre reprises. Quel que soit son mobile principal ou secondaire, il a choisi une cible facile.

Pinker rassemble les restes de laine d'acier dans une enveloppe.

– Il y a probablement des combles entre le plafond et le toit.

Le plafond est constitué de plaques de plâtre simplement posées sur un cadre métallique. Ashida saute en l'air et déloge celle qui est la plus proche de l'impact de la balle. Pinker lui fait la courte échelle. Ashida profite de son aide et atteint l'ouverture.

Les combles ne sont que planches moisies et toiles d'araignées. Ashida se hisse à l'intérieur. Il perçoit des relents de déflagration. Quand il se met debout, il se prend dans une toile d'araignée. Il s'en débarrasse du plat de la main et sort sa petite lampe torche. Le faisceau révèle des essaims d'insectes et un rat qui détale. Là – six fragments d'une balle désagrégée.

*Fais bien attention. Tu es sur cette affaire depuis le début. Il y a ta mission officielle – et il y a Toi.*

Il jette un coup d'œil à sa montre. Il tient sa lampe électrique entre ses dents et sort une autre enveloppe. Il y inscrit : *C.P. 211/Drugstore Whalen/10 h 16, 6-12-41.* Il glisse quatre fragments de la balle dans l'enveloppe. Il met les deux autres dans sa poche.

Le rat se faufile entre ses pieds. Ashida s'époussette et saute par l'ouverture. Il atterrit en souplesse. Il remarque que Buzz Meeks examine les étagères des narcotiques.

– Regardez ça, mon petit.

Ashida regarde. Gagné ! Quatre rangées de flacons impeccablement alignées. La cinquième rangée – *en désordre.* Celle des flacons d'élixir parégorique à la morphine – pillée, c'est sûr.

– Le pharmacien a dit qu'il n'avait volé que du phénobarbital.

– Ouais, dit Meeks, et je veux bien le croire. Mais l'autre pharmacien, le maigre, il a la tremblote, et son col de chemise est trempé. À mon avis, il se drogue.

– Oui. Il a profité du braquage pour voler un flacon. Il n'a pris que ce que le voleur aurait pu emporter dans sa poche, et que lui-même pouvait cacher sur lui.

Meeks lui adresse un clin d'œil.

– C'est *puissamment* raisonné, Charlie Chan.

– Je suis japonais, sergent. Je sais que vous ne voyez pas la différence, mais je ne suis pas un de ces foutus Chinois.

Meeks sourit jusqu'aux oreilles.

– Pour moi, vous ressemblez à un Américain.

Ashida frise la pâmoison. Les compliments le font toujours palpiter comme une …

Il jette un regard vers l'autre bout du magasin. Pinker relève des empreintes sur la porte. Blanchard extorque des lames de rasoir au gérant. Le pharmacien toxicomane est plutôt verdâtre. Ses mains s'agitent convulsivement, sa pomme d'Adam fait l'ascenseur.

Meeks s'approche de lui et empoigne son nœud de cravate. La cravate devient une laisse. Meeks le ramène vers la section pharmacie et le pousse contre Ashida. Le drogué pisse dans son pantalon. Ashida le plaque contre le comptoir et vérifie qu'il n'a pas reçu d'éclaboussures. Le drogué tremble violemment. L'auréole d'urine s'agrandit. Meeks décroche sa matraque de son ceinturon.

– T'as piqué un flacon de parégorique ? C'est une habitude, chez toi ?

– Une fois par semaine, chef. Je réduis les doses. Si je mens, je vais en enfer.

– Je te donne 30 secondes pour me convaincre que ce n'est pas toi qui as indiqué cette boutique au braqueur. Il te reste 29 secondes à partir de maintenant.

Le drogué joint les mains comme pour le supplier.

– C'est pas moi, chef. J'ai étudié la pharmacie à l'Université catholique Saint-Jean Bosco. J'ai été élevé par les frères dominicains.

Meeks rafle un flacon de parégorique sur l'étagère. Le drogué se passe la langue sur les lèvres.

– Alors, qui tu vas appeler pour cafter les revendeurs de came, et recevoir en échange de la marchandise qu'on a confisquée ? Qui c'est ton papa, né et puis élevé en Oklahoma ?

– C'est le S… S… Sergent T… T… Turner M… M… Meeks. C'est mon papa – et si je mens, je vais en enfer.

Meeks lui lance le flacon. Le drogué détale vers l'autre bout de la travée. Meeks dit :

– Vous êtes tellement méticuleux, Ashida. Je ne sais pas pourquoi vous êtes aussi fasciné par ce genre de travail.

À l'autre bout du drugstore, la petite fête touche à sa fin. Blanchard serre les vieilles dames contre lui. Le gérant sort un appareil et prend des photos. Il cadre Pinker avec son pinceau à déposer la poudre et Big Lee, le dos rond, les poings devant lui, comme sur un ring. Meeks le rejoint et fait semblant d'échanger des coups avec lui. Les vieilles dames poussent des cris aigus.

Ils se disent tous au revoir sur le trottoir. Ashida défroisse sa veste et les laisse se disperser. Pinker, Blanchard et Meeks sont plantés devant le bidule photographique. Blanchard et Meeks ont l'air sacrément impressionnés.

Ashida sort du drugstore et les rejoint. Une voiture de police tourne l'angle en direction du nord et frôle le trottoir. Pinker, Blanchard et Meeks se mettent au garde-à-vous.

Pinker dit :

– Tenez-vous à carreau, maintenant.

Meeks dit :

– C'est Whiskey Bill.

Blanchard dit :

– Ce salopard hypocrite.

Un capitaine en uniforme sort de la voiture et inspecte l'invention d'Ashida. Il porte des lunettes. Il est brun, de taille moyenne, et mince. Pas d'erreur possible : c'est le capitaine William H. Parker.

Ashida se met au garde-à-vous. Parker examine le câble de déclenchement. Pinker, Blanchard et Meeks adoptent la position *repos*.

Parker touche le câble du bout de sa chaussure.

– C'est ingénieux, mais les applications pratiques dans un domaine plus large m'échappent encore. Développez cet aspect, décrivez en détail la genèse de votre invention et son fonctionnement d'un point de vue mécanique, et je veux avoir votre rapport sur mon bureau avant 9 heures demain matin.

Ashida et Pinker hochent la tête.

Parker regarde Meeks.

– Votre corpulence est franchement disgracieuse. Perdez 15 kilos dans les 30 prochains jours, sinon je demande au directeur C.B. Horrall de vous mettre au « Régime pour mari obèse » qui a récemment reçu les louanges du *Ladies' Home Journal*.

Meeks hoche la tête.

Parker regarde Blanchard.

– Baissez vos manches de chemise. Cette sirène tatouée sur votre bras, c'est répugnant.

Blanchard s'exécute.

Parker tapote le cadran de sa montre.

– Il est maintenant 10 h 31. Je veux un rapport sur le vol de la voiture, ainsi qu'un synopsis de l'attaque du drugstore, sur mon bureau dans 59 minutes.

Pinker hoche la tête. Ashida hoche la tête. Blanchard et Meeks idem. Parker remonte dans sa voiture et disparaît.

Meeks dit :

– Whiskey Bill.

Blanchard dit :

– Il a perdu de l'argent sur mon combat contre Jimmy Bivens. Il ne l'a jamais digéré.

Pinker dit :

– Le combat était truqué. Vous auriez dû l'en informer.

**10 h 32**

Des blindés semi-chenillés descendent Spring Street. Ils sont suivis par des camions tractant des obusiers. Le convoi s'étire sur plusieurs pâtés de maisons. On ne parle que de ça à la radio. Des renforts pour protéger les usines d'armement et le camp MacArthur.

Les soldats-chauffeurs saluent les autochtones. Les piétons s'arrêtent pour les applaudir. Les hommes se découvrent sur leur passage, les gamins les acclament, les femmes leur envoient des baisers.

Le vacarme des véhicules militaires est assourdissant. Ashida tourne dans la 4ᵉ Rue en direction de l'est puis s'engage dans Broadway pour monter vers le nord. Les passants continuent de le regarder de travers.

Il se sent désincarné. Il a enfreint la loi pour observer la façon dont un criminel la bafoue dès le début de son acte délictueux. Il a succombé à la pathologie du crime. Il a lancé une expérience. Un accès précoce aux données du problème et une empathie distanciée lui permettront-ils de comprendre plus clairement les criminels ?

Égoïsme, orgueil immodéré. Prérogative perverse. Intrinsèquement japonais.

Il pressent une occasion d'entrer dans les annales grâce à une publication qui fera date. Il faut qu'il soit le premier à définir la pathologie d'un banal braquage et à faire connaître ses découvertes. Il se pourrait que lesdites découvertes servent la cause plus générale de la criminologie médico-légale. Il se pourrait que ses découvertes ne servent à rien du tout. Mais Ashida se sent poussé à *agir*. Il est typiquement japonais. Les Japonais viennent au monde pour incarner le concept d'*Action*.

Ashida se dirige vers l'est et atteint Little Tokyo. Son rythme cardiaque ralentit, sa respiration s'apaise. Une voiture de police passe à faible allure. Le conducteur le reconnaît et lui adresse un signe de la main.

Sa mère a un appartement dans un immeuble sans ascenseur, à l'angle de la 2ᵉ Rue et de San Pedro Street. Les couloirs empestaient constamment l'anguille grillée. Ashida a un appartement à lui, en face de Belmont. Il est bourré de matériel de laboratoire. Le trop-plein de son équipement remplit son ancienne chambre, chez sa mère. Mariko se réjouissait de ses intrusions. Elles lui permettaient de le harceler à loisir.

Ashida entre dans l'immeuble et déverrouille la porte de l'appartement. Le silence y règne. Mariko est partie quelque part. Pour s'alcooliser, sans doute, et ruminer de nouvelles machinations. Ashida se rend dans son ancienne chambre et s'y enferme.

Des étagères remplies d'ouvrages de référence. Des fioles et des bacs. Des vases à bec, des becs Bunsen, une plaque chauffante. Un spectrographe et trois microscopes vissés à une table.

Ashida pose sur la table les débris du projectile et ouvre son manuel d'identification des munitions. Une loupe en main, il observe les rayures et les déformations.

La balle a traversé une plaque de plâtre. Le manuel comprend un système de références croisées – types de munitions et matériaux sur lesquels elles sont projetées. Page 68 : plaque de plâtre. Deux pages plus loin : un fragment de balle aux rayures et déformations quasi identiques.

L'arme de poing classique de fabrication allemande. Le Luger 9 millimètres.

Le système d'éjection du Luger est particulier. Les douilles décrivent un arc de cercle à vitesse modérée. Un tireur habile peut les attraper au vol au moment où elles sont éjectées.

Ashida a identifié le projectile par ses propres moyens. Il en a gardé deux fragments pour lui. Il a donné les quatre autres à Pinker. Qui parviendra ou non à les identifier de son côté.

Pinker n'a pas les mêmes compétences que lui en la matière. Ashida a décidé d'exploiter seul cette piste matérielle particulière.

Deuxième étape : les fibres.

Pinker sait qu'il a conservé les fibres trouvées sur le tourniquet métallique. Pinker sait qu'il a ici même des fibres provenant d'un brassard. Cette piste-là, ils la partagent. Jusqu'à présent, elle n'est qu'hypothétique.

Ashida sort les deux échantillons de fibres. À l'œil nu, elles semblent identiques. Il les présente sous l'objectif du microscope qu'il utilise pour les comparaisons.

Il choisit un fort grossissement. Il examine la texture et l'homogénéité de la couleur. *C'est presque ça, c'est presque ça, augmente encore le grossissement.* Oui – les fibres trouvées sur le tourniquet proviennent du même type de brassard.

Il pourrait en extraire la teinture par ébullition et la recueillir sur du buvard. Il pourrait lui faire subir des tests chimiques. Mais ces tests possèdent certains défauts intrinsèques. Les résultats risqueraient de ne pas être concluants.

Le bruit d'une clé tournant dans une serrure le fait sursauter. Il se rend dans le salon. Mariko a son haleine chargée des fins de matinée.

Il lui dit :

– Bonjour, Mère.

Elle lui répond en japonais, la bouche pâteuse. Il s'incline et tente de lui prendre la main. Elle se dérobe et lui brandit un magazine sous le nez.

Une feuille de chou : *Votre future épouse*. Choisissez une jeune femme d'après photo et faites-la venir en Amérique. On vous l'envoie depuis le Japon. Le prix comprend la traversée en bateau d'une valeur de 500 dollars. Toutes les futures épouses sont garanties fertiles et dociles.

– Je vous l'ai dit, Mère. Je n'ai pas l'intention d'épouser une gamine de quinze ans qu'on vient de sortir d'un bordel.

– Tu es trop vieux pour rester célibataire. Les voisins commencent à avoir des soupçons.

– Les voisins, je m'en moque. Akira est célibataire comme moi, pourquoi ne le harcelez-vous pas, lui aussi ?

Mariko continue en *pidgin-English*. Elle l'a appris dans les camps des poseurs de rails, vers 1905. Elle fait exprès de parler ce sabir pour rabaisser son fils et son éducation universitaire.

– Exprimez-vous en bon anglais, Mère. Cela fait trente-six ans que vous vivez ici.

Mariko se laisse choir sur le canapé.

– Franklin Déloyal Rosenfeld se couche devant le ministre japonais Shigeto Togo. *La capitulation des États-Unis devant la Chine est imminente*, affirme Tchang Kaï-chek.

Cela fait rire Ashida.

– Vos notions de géopolitique sont très confuses, Mère. Je vous demanderais bien de citer vos sources, mais je redoute précisément que vous me les citiez.

Mariko glousse.

– Le Père Coughlin. Le Front Chrétien. Et Gerald L. K. Smith, il a dit : *On ne fera pas la guerre pour les banquiers juifs*. Et puis Lucky Lindy[1] *ichi-ban*[2]. Il a traversé l'Atlantique en solitaire, maintenant il peut atterrir aux pieds de Hirohito.

Ça suffit.

Ashida se rend dans la cuisine. La bouteille de bourbon Hiram Walker Ten High est posée près de l'égouttoir. Ashida en verse une double dose dans un verre qu'il apporte à Mariko. Elle l'avale en une seule fois et glousse de nouveau. Elle tapote le canapé.

Il s'assied.

---

1. Surnom de Charles Lindbergh, et titre d'une chanson à sa gloire.
2. Le Numéro Un, le Meilleur.

– Dites-moi quelque chose de sensé. Faites comme si j'étais Akira et que nous devions parler affaires.

– Bénéfices fermiers plus 16 % trimestre dernier. Comptable juif pense possible trouver moyen déduire pots-de-vin capitaine Madrano. Il dit : *soins et nourriture clandestins mexicains bonne déduction.*

Ashida lui tapote le bras.

– Et la syntaxe, Mère ? Vous oubliez les articles. Vous les omettez toujours quand vous avez bu.

Mariko lui plante son index dans le bras.

– Et comme ça, c'est mieux ? J'ai lu un article sur Bucky Bleichert dans le *Herald*. Il dit que Bucky a un combat à disputer bientôt, mais il ne dit pas que l'ami de mon fils est une mauviette qui affronte seulement les tocards qu'il est capable de battre. Il ne dit pas que mon fils pense que sa maman appartient à la cinquième colonne, mais le papa de Bucky appartient à la cinquième colonne, parce qu'il est membre du Bund[1].

Un coup en traître. Elle est ivre, elle fait l'idiote, elle vise bas.

– Ne parlez pas de Bucky de cette façon, Mère. Vous savez que ce n'est pas vrai.

– Bucky poule mouillée. Pas courage combattre Mexicain. Papa au Bund, Bucky mauviette.

Ashida se lève et renverse un lampadaire. Mariko pose deux doigts sur ses lèvres et lance *Sieg Heil !* Ashida fonce vers sa chambre et claque la porte derrière lui.

Il fait trop chaud dans la chambre, à présent. La chaleur altère ses produits chimiques et provoque des émanations. Il met le ventilateur en marche et appelle sans attendre la permanence de la répression des vols.

Après trois sonneries, il entend :

– Ici Meeks. J'écoute.

– Hideo Ashida, sergent.

– Ouais, et vous êtes toujours sur la brèche, vu l'heure qu'il est. Vous m'appelez pour m'apprendre du nouveau ?

– Oui, c'est ça.

Meeks tousse.

– Alors, dites-le-moi, parce que je vous écoute.

– Les fibres trouvées sur le présentoir sont identiques à celles du brassard. C'est *exactement* le même tissu, il est donc très probable

---

1. *German American Bund* : pendant les années 1930 et 1940, organisation rassemblant les nazis américains et leurs sympathisants.

qu'elles proviennent d'un brassard de l'armée. Ça pourrait être ou non le *même* brassard porté par le même homme, mais de toute façon c'est bien le même tissu, et la chronologie des deux crimes fait du violeur un suspect pour le vol à main armée.

Meeks siffle.

— Bon, je crois que je devrais en informer Dudley Smith. Il verra ce que Jack Horrall décide de faire.

— Que voulez-vous dire ? demande Ashida.

— Eh bien, vous avez découvert le lien entre le viol et l'attaque à main armée, et la probabilité qu'un type dangereux appartenant à l'armée américaine se défoule dans cette ville. Il me semble que le bonhomme ne va pas en rester là, et qu'il doit mijoter une autre saloperie. On pourrait se faire bien voir de l'armée si on l'en empêchait avant que ça ne se termine devant la cour martiale.

Ashida avale sa salive.

— Ou par un procès civil ?

— Vous avez compris, mon petit. Madame Ashida a élevé des enfants intelligents.

Ashida en lâche le combiné. Les échos de la permanence sont renvoyés par le plancher.

*C'est lui qui a choisi cet univers viril. Il en apprend les coutumes et les codes. C'est terriblement excitant.*

# 2

## JOURNAL DE KAY LAKE

### (COMPILÉ ET INSÉRÉ PAR LE MUSÉE DE LA POLICE DE LOS ANGELES EN RESPECTANT LA CHRONOLOGIE)

### LOS ANGELES | SAMEDI 6 DÉCEMBRE 1941

**11 h 23**

J'ai commencé ce journal intime sur un coup de tête. Une scène extraordinaire s'est déroulée sous mes yeux alors que je me trouvais sur la terrasse de ma chambre. Je faisais un croquis de la vue qu'offre le balcon sur la partie sud de la ville lorsque j'ai entendu le grondement des véhicules qui descendaient le Strip. Aussitôt, je me suis levée pour noter précisément l'heure et la date. Je pressentais ce qu'annonçait ce vacarme, et je ne me trompais pas. Une colonne de véhicules blindés progressait bruyamment sur Sunset, sous le regard et les applaudissements fiévreux des badauds. Il a fallu dix bonnes minutes à cette armada pour disparaître. Le vacarme était énorme, les acclamations l'étaient plus encore. Les gens arrêtaient leurs voitures et en sortaient pour saluer les jeunes soldats. Cela semait une pagaille considérable dans la circulation – mais personne ne semblait s'en soucier. Les soldats étaient ravis de ces manifestations de respect et d'affection. Ils adressaient à la foule des signes de la main, ils lui envoyaient des baisers ; une demi-douzaine de serveuses du bar Daves's Blue Room sont sorties en courant pour leur donner des cartons de bouteilles d'alcool. Quelqu'un a crié : *L'Amérique !* Et c'est à ce moment que j'ai compris.

La guerre approche. Je vais m'engager.

Je fais toujours ce que je promets de faire. Je formule mon intention de façon catégorique et je m'y tiens. Ce carnet que je commence, je suis bien décidée à le compléter chaque jour sans exception, jusqu'à ce que le conflit mondial actuel se termine ou que la planète explose. Je vais tourner le dos à ma paisible existence et solliciter un poste officiel proche du front. Je mène à présent une vie de dilettante. Mon besoin compulsif de prendre à tout moment des croquis de ce que je vois est une naïve tentative pour capturer une réalité déroutante. Mes cours de piano et ma facilité, confirmée de jour en jour, à jouer les premiers nocturnes de Chopin m'éloignent de ma recherche d'une vraie cause à défendre. Cette maison ravissante ne soulage aucunement ma souffrance psychique ; l'indulgence de Lee Blanchard est plus déconcertante qu'autre chose. Ce journal est une réaction contre l'immobilisme et l'insatisfaction.

Je me suis toujours sentie supérieure au cadre dans lequel je vis. Cette maison le confirme de façon éloquente. J'ai choisi moi-même chacune de ces gravures expressionnistes allemandes et chacun de ces meubles en bois clair. Je suis une fille de la Prairie qui vient de Sioux Falls, Dakota du Sud – et une arriviste douée.

Je retourne m'installer dans ma chambre, à présent. Mes propres œuvres sont exposées, avec impudence, parmi des reproductions de Klee et de Kandinsky. Il y a une douzaine de dessins qui représentent un boxeur mi-lourd nommé Bucky Bleichert. Il a un corps de jeune homme famélique et de grandes dents en avant. J'ai fait de nombreux dessins de lui, depuis mon siège du premier rang à l'Olympic. Bucky Bleichert est une célébrité locale qui comprend que la renommée est passagère et ne considère pas la boxe comme une véritable cause. La circonspection dont il fait preuve sur le ring me ravit. Je n'ai jamais parlé à Bucky Bleichert, mais je suis sûre de le comprendre.

Car j'ai moi-même été une célébrité locale, un jour. C'était en février 1939. J'avais 19 ans. Tout cela avait un rapport avec un vol commis dans une banque et la prétendue résolution de l'affaire.

Cette maison. Un refuge il y a quelques années, un piège aujourd'hui.

C'est l'attaque de la banque qui m'a fourni cette maison, mais pas les primes que ses combats ont rapportées à Lee et qu'il a investies avec prudence. Lee Blanchard n'est pas un investisseur rusé, comme on le croit communément. Il n'est pas non plus mon amant, au sens habituel du terme. Il est entré dans ma vie pour m'aider à accomplir mon destin – quel qu'il soit. Je le sais, à présent.

Le destin que m'offrait Sioux Falls ne me suffisait pas. Les périodes de froid en hiver, les vagues de chaleur en été laissaient des morts derrière elles. Des Indiens venus des réserves voisines échangeaient des coups de couteau dans des bars clandestins. Un jour, des membres du Klan ont sorti de force un Noir de la prison du Comté. On l'accusait d'avoir violé une Blanche un peu simple d'esprit. Les Klansmen ont constitué un tribunal irrégulier. La fille s'est montrée très lente à condamner ou à disculper l'accusé. Les Klansmen ont attaché celui-ci à un poteau planté au-dessus d'une colonie de fourmis rouges. Est-il mort à cause du soleil d'été ou des fourmis ? Sur cette question, les opinions sont partagées.

Les protestants méprisaient les rares catholiques de la région. Les groupes nativistes ont prospéré pendant toute la période de la Grande dépression. Les méthodistes étaient en conflit avec les luthériens et les baptistes et vice-versa. Une guerre spontanée autour du prix du bétail a éclaté en 1934. Quatorze homme furent tués près de la frontière de l'Iowa.

Mes parents et mon frère aîné étaient de nature aimable et satisfaits de leur sort. Leur seul péché était leur manque d'imagination. Je feignais d'être pareille à eux afin de vivre en moi-même sans encombre. Ma vie, c'était lire, dessiner, et flâner. Les gens parlaient de moi. À l'église, je lâchais quelques bons mots plutôt scabreux et je créais des remous. Je ne me préoccupais guère de ma famille. Cette évidence m'horrifiait un peu et me soulageait grandement. J'avais envie de m'enfuir à Los Angeles et de devenir quelqu'un d'autre une fois installée là-bas. J'ai trouvé un emploi dans une librairie et j'ai volé la recette d'un mois entier. J'ai laissé à mes parents un mot d'adieu de pure forme.

C'était en novembre 1936. J'avais seize ans. Le voyage vers l'ouest en autocar fut marqué par des tempêtes de sable et une crue subite près d'Albuquerque. Des sbires armés étaient stationnés à la frontière de la Californie. Ils étaient chargés de refouler les indigents venus de l'Oklahoma. C'étaient des policiers de Los Angeles qui travaillaient au noir.

J'ai loué à Hollywood une petite chambre dans une résidence pour jeunes filles en route vers la gloire. J'ai trouvé un emploi de serveuse au restaurant Simon's Drive-In, sur le Miracle Mile. C'est en patins à roulettes que j'apportais leurs commandes aux clients, et je tournoyais avec panache à la fois pour m'amuser et pour leur arracher des pourboires. Les autres filles me détestaient. Elle firent courir une rumeur sur mon compte : j'étais une prostituée. Cela m'a valu d'être renvoyée. Je me suis réfugiée dans une vie de bohème et de désœuvrement.

La Grande dépression touchait à sa fin ; les privations et les injustices étaient encore très présentes. Je traînais dans L.A. avec mon carnet de croquis. Je rendais compte par des dessins polémiques des conflits locaux qui survenaient dans le monde du travail. Je lisais Karl Marx, je n'adhérais qu'au tiers de ce que je lisais, et je me rendais à de nombreuses soirées où se retrouvaient des gens de gauche. J'étais de gauche parce que la Gauche n'était pas la Droite et que les réformes de FDR n'étaient guère enthousiasmantes. Je méprisais les gens de gauche parce qu'ils étaient outranciers et franchement extravagants. Il leur manquait la grandeur à laquelle j'estimais avoir droit de par ma naissance.

J'aimais les hommes, et réprimer mon désir me rendait folle. Je passais de longues heures à la bibliothèque publique, à écouter de la musique symphonique sur des phonographes munis d'écouteurs. C'était tout à fait ridicule et terriblement érotique. Cela m'a poussée vers une série de liaisons avec des musiciens de jazz de réputation douteuse. Le sexe n'était pas ce que j'imaginais. Ce n'était que tensions, effluves, et prosaïque mésalliance. C'était une révélation douce et triste, et l'anéantissement de toutes mes espérances.

J'ai prêté de l'argent à mes nombreux amants, dilapidant les économies que j'avais gardées de mon emploi de serveuse. Je me suis fait expulser de ma résidence, et j'ai pris ce coup du sort avec un optimisme flamboyant. J'ai commencé à me nourrir dans les soupes populaires et à dormir dans Griffith Park, enroulée dans un tapis de couchage. Je me lavais chaque jour à la YWCA[1] et je n'ai jamais paru en public sous un aspect négligé. Mon esprit était un mélange à parts égales d'innocence et de ténacité délirante. J'étais insensible au danger et trop déconcertée par les hommes pour être capable de les juger au-delà du désir qu'ils m'inspiraient.

Bobby De Witt était batteur de jazz. C'était l'incarnation même du séducteur sapé comme un prince. Il portait des pantalons de flanelle à taille haute et des vestes amples bicolores ; il continuait de fréquenter ses copains de dortoir – des zazous mexicains – de la maison de redressement de Preston. Il m'a vue crayonner son portrait. J'ai voulu me persuader qu'il reconnaissait mon talent et mon assurance digne d'une actrice comme Norma Shearer. C'est en quoi je me trompais. Il ne reconnaissait rien d'autre que mon penchant pour l'outrance.

Il possédait une petite maison à Venice Beach. J'y avais une chambre à moi. Elle me permit de rattraper mon déficit de sommeil, accumulé pendant des mois éprouvants où j'avais passé en plein air des journées trop chaudes et des nuits trop froides. Je pus me sustenter décemment, m'éloignant du seuil de la malnutrition, et réfléchir à ce que j'allais faire ensuite.

C'est alors que Bobby m'a séduite. J'ai cru que c'était moi qui le séduisais. J'avais tort. Remarquant qu'il me poussait des ailes, il entreprit de me les couper.

« Batteur de jazz » est toujours synonyme de « revendeur de drogue » et de « maquereau ».

Bobby s'est montré très gentil avec moi, au début. Cela a commencé à changer peu de temps après le Nouvel An. Ses affaires ont prospéré. Il m'a rendue dépendante au laudanum et m'a fait rester à la maison pour répondre au téléphone et prendre les rendez-vous entre les filles qui travaillaient pour lui et leurs « clients ». Puis cela a empiré. Il m'a menacée de me priver de drogue et m'a enrôlée de force dans son cheptel de gagneuses. J'ai pour le prouver des cicatrices de coups de couteau derrière les cuisses.

---

1. Young Women's Christian Association : association d'entraide pour jeunes femmes chrétiennes, qui leur fournit entre autres des lieux d'hébergement.

C'était l'hiver 39, à ce moment-là. Mon accession à la célébrité – sur le plan local – n'allait plus tarder. Les journaux et la radio ont leur version. La police de Los Angeles a la sienne. Les deux versions s'accordent sur ce point : Kay Lake a rencontré Lee Blanchard au procès de Bobby De Witt.

Ce n'est pas vrai. Je connaissais déjà Lee avant le braquage de la banque Boulevard-Citizens. Nous nous sommes croisés à l'Olympic Auditorium. Bobby m'avait laissée sortir « en permission » de sa maison-lupanar. Depuis un an déjà je m'étais entichée de Bucky Bleichert et j'assistais à tous ses combats.

Bucky a envoyé son adversaire au tapis à la sixième reprise. J'ai traîné dans la foule des spectateurs alors qu'ils quittaient la salle. Lee m'a abordée et s'est présenté. J'ai reconnu en lui un ancien boxeur. Je ne savais pas qu'il était flic.

Nous avons bavardé. Lee m'a plu. J'ai fait de mon mieux pour masquer ma dépravation avancée. Je me suis hâtée de rentrer à la maison pour retrouver mon laudanum et ma condition d'esclave blanche. Lee m'a suivie jusqu'à Venice Beach. Sur le moment, je n'en ai rien su.

Deux autres permissions pour cause de match de boxe ont suivi. J'ai revu Lee à chaque fois. Il m'avait suivie depuis la maison jusqu'à l'Olympic. Sans que je m'en doute.

Lee m'a extirpée de là en douceur. Il a vu clair dans mes mensonges et mes euphémismes et cela l'a rendu furieux. Il m'a dit qu'il allait bientôt avoir l'occasion d'améliorer son statut. Il m'a laissé entendre qu'il pourrait en profiter pour « remédier à ma situation ».

Le 11 février 39 est arrivé. Les journaux ont rendu compte des faits concrets avec exactitude. La banque était située à Hollywood, au carrefour de Yucca Street et d'Ivar Avenue. Quatre hommes ont attaqué un fourgon blindé qui s'y rendait. Une moto couchée sur la chaussée a fait diversion. Les braqueurs ont maîtrisé et chloroformé trois convoyeurs. Ils ont échangé six sacs d'annuaires téléphoniques réduits en lambeaux de papier contre six sacs remplis de billets de banque.

Ils se sont cachés au fond du fourgon pour revêtir les uniformes des convoyeurs et sont allés jusqu'à la banque. Le directeur a vu les sacs de lambeaux de papier et leur a ouvert la salle des coffres. Ils l'ont assommé et ajouté l'argent des coffres à leur butin. Ils ont enfermé les caissiers dans la salle des coffres et sont ressortis par la porte principale.

Un caissier avait déclenché une alarme. Quatre voitures de police qui circulaient dans le quartier sont arrivées pleins gaz. Une fusillade a éclaté. Deux braqueurs ont été tués, les deux autres ont pris la fuite. Aucun policier n'a eu à subir la moindre blessure.

Les deux braqueurs tués furent identifiés comme étant des « hommes de main venus de l'extérieur ». Les deux braqueurs en fuite ne furent pas identifiés.

Les journaux ont rapporté fidèlement tous ces faits. Ils ont continué à dire la vérité pendant les deux semaines suivantes. Le 28 février, le *Herald* titrait : « Le tuyau d'un ex-boxeur élucide le braquage sanglant de la banque. »

Cette information était totalement fausse.

La version officielle :

L'agent Lee Blanchard a amassé des renseignements divers. Ses informateurs et des « relations appartenant au milieu de la boxe » lui ont révélé « l'épouvantable vérité ». Ces gens-là lui ont désigné Bobby De Witt comme étant « le cerveau derrière l'attaque de la Boulevard-Citizens ».

Évidemment, c'était un mensonge. Bien sûr, le « quatrième homme » n'a jamais été identifié. Je sais qui c'est. Le public et la police de Los Angeles ne le savent pas.

La vraie version :

C'est Lee Blanchard qui a monté le braquage de la Boulevard-Citizens. Je le savais à ce moment-là ; je le sais aujourd'hui. Lee et moi n'en avons jamais parlé. Nous partageons tout simplement cette vérité de la même façon que nous ne partageons pas un même lit.

Bobby a été jugé en juin. Des pièces à conviction dissimulées sciemment à cet effet l'ont fait condamner. Lee Blanchard est beaucoup plus intelligent et rusé qu'il ne le donne à penser. Bobby a été condamné à une peine incompressible de dix ans. Le *Herald* a publié un article qui jouait sur la corde sensible. La chute en était plutôt perverse :

« L'amie du gangster tombe amoureuse – d'un flic ! Va-t-elle marcher droit – jusqu'à l'autel ? »

J'ai assisté au procès et témoigné contre Bobby. J'ai diminué progressivement mes prises de laudanum pour offrir au public une prestation poignante à la barre des témoins. Le représentant du ministère public a présenté des arguments rebattus. C'est le récit de l'avilissement que Bobby m'a fait subir qui a décidé de sa condamnation, joué le rôle d'argument décisif, et motivé la sentence que méritait ma damnation proclamée. J'ai entériné le mensonge selon lequel j'avais fait la connaissance de Lee Blanchard dans l'enceinte du tribunal. Lee n'a pas eu besoin de me raconter la vérité – je l'avais déjà devinée.

Nous ne sommes pas allés tout droit jusqu'à l'autel. Lee nous a acheté cette maison. Bobby De Witt fut incarcéré à San Quentin. Lee tenta maladroitement de me faire l'amour en plusieurs occasions d'une tristesse poignante, puis il renonça à cet aspect de notre union. Je vis grâce au salaire que gagne Lee en tant que policier, et aux économies qu'il est censé avoir accumulées pendant sa carrière sur le ring. J'étudie pour décrocher mes diplômes à l'université de Los Angeles ; mon professeur de piano loue la fougue avec laquelle je joue mes pièces de Chopin pour débutants. Je couche avec des hommes quand l'idée m'en vient – parce que j'en ai envie et parce que j'ai besoin d'effacer le pouvoir de Bobby De Witt. J'amène des hommes ici, dans la maison que Lee Blanchard a achetée pour moi. Lee n'en exprime aucun ressentiment. La plupart du temps, il dort sur un canapé dans les locaux de la brigade. Il a terriblement envie d'obtenir son transfert dans un autre service. Il est subjugué par un flic d'une onctueuse brutalité, un certain Dudley Smith, et il rêve d'intégrer son équipe de nervis.

Je possède mon univers de dilettante, et celui, plus fascinant, des criminels et des policiers. Je passe de l'un à l'autre sans encombre en faisant preuve, incontestablement, d'une assurance à la Norma Shearer. Je me délecte de mon statut d'infiltrée. Je le dois à Bobby De Witt. C'est lui qui m'a invitée à entrer dans cet univers. De cela, je lui suis redevable.

Bobby m'a fait connaître une entremetteuse nommée Brenda Allen qui travaille par téléphone. C'est Brenda qui m'a débarrassée de ma dépendance à la drogue. Nous sommes restées en relation. Nous prenons le café ensemble, nous bavardons, et nous fumons tellement que nos voix en deviennent rauques. Brenda dirige une équipe de filles grâce à un central téléphonique et ne les propose qu'à une clientèle triée sur le volet. Son amant est un sergent de la brigade des mœurs nommé Elmer Jackson. Elmer est amusant et il aime faire le pitre ; il favorise dans la bonne humeur cette catégorie unique de prostitution cautionnée par la police. Le directeur Jack Horrall touche une commission de 7 %.

J'aime pareillement mes deux univers. Je m'implique beaucoup plus dans celui des flics et des criminels. J'ai payé cher pour y entrer.

Un nouveau convoi traverse le carrefour Sunset Boulevard-Doheny Drive. Je ressens dans tout mon corps les vibrations des engins blindés.

Paul Robeson chante au Philarmonic Hall lundi soir. J'irai peut-être. Il n'est pas impossible que j'y retrouve certains de mes anciens copains de gauche. Je pourrais les traiter avec suffisance du haut de ma célébrité locale, et soutenir que Staline est aussi exécrable que Hitler. Je me permettrais même de provoquer un esclandre.

Je m'ennuie. Je passe ma vie à accomplir des tâches sans intérêt. Lee m'a rapporté une rumeur qui circule à l'hôtel de ville : Bucky Bleichert a posé sa candidature pour entrer dans la police de Los Angeles.

J'espère qu'il sera pris. J'irai à sa remise de diplôme à l'école de police et je le dessinerai vêtu de son uniforme. Samedi soir prochain aura lieu son dernier combat de boxe, celui de ses adieux au ring. Je serai présente pour capturer le dernier coup qu'il portera. Depuis quelque temps, les journaux publient des caricatures de Hirohito. Les dessinateurs le dotent toujours des grandes dents de Bucky.

Le convoi est à présent trop loin pour que je puisse encore l'entendre. Les vibrations ne me font plus frémir.

Tout ce qui a précédé ce moment cesse d'exister. La guerre arrive. Je vais m'enrôler.

# 3

## WILLIAM H. PARKER

### LOS ANGELES | SAMEDI 6 DÉCEMBRE 1941

### 13 h 02

Encore un de ces foutus convois. La circulation est bloquée au carrefour de Pico Boulevard et Crenshaw Boulevard.

C'est une intersection de première importance. Les six voies sont immobilisées. Les civils au volant donnent des coups de klaxon – en partie par ferveur patriotique, en partie par frustration.

Parker regarde sa montre. Il a déjà deux minutes de retard. Il a rendez-vous avec Carl Hull au commissariat de Wilshire Boulevard.

C'est Carl qui archive les dossiers de la police sur la cinquième colonne. Carl est moitié flic, moitié agent de renseignement.

Un minus en moto se glisse entre deux blindés et fonce vers l'ouest. Sa manœuvre compte quatre infractions au code de la route. L'appel au sujet du braquage en voiture volée a déjà coûté une heure à Parker. Le bidule du jeune Ashida constitue une compensation.

Les soldats applaudissent la manœuvre du motard. Le minus leur fait un doigt d'honneur.

Parker sort de sa voiture. Le convoi s'étire jusqu'à Olympic Boulevard vers le nord et jusqu'à Washington Boulevard vers le sud. Flots de circulation qui se croisent, véhicules balourds, des militaires imbéciles qui brûlent les feux rouges.

La sirène de sa voiture ne servirait à rien. Elle serait noyée par le vacarme de la rue. Les renforts sont destinés aux usines d'armement. Deux obusiers vont aller défendre l'usine de construction aéronautique Douglas Aircraft. C'est l'ancien patron de Parker qui dirige la police interne de l'usine. James Edgar « Deux-Flingues » Davis va recevoir deux canons supplémentaires.

Il est coincé dans les embouteillages. Il est coincé à la Division des polices urbaines. Il est l'Homme qui Voudrait être le Chef. Il est coincé de tous côtés.

Il vient de Deadwood, Dakota du Sud. Il est fils de la Sainte Église et fils d'un juge de paix qui exerce dans une région minière. Mais tôt ou tard, il *sera* le Chef, le nouveau directeur de la police. Il mettra fin à cette série de directeurs d'obédience protestante. Il promulguera des réformes rigoureuses. Son zèle de réformateur d'humeur brutale est un don de Dieu. Il *sera* le Chef. Voilà des années qu'il prépare le terrain.

Il s'appelle William H. Parker, troisième du nom. Le premier William H. Parker a été colonel dans l'armée nordiste et procureur fédéral. Le premier Bill Parker a obtenu la fermeture des bordels de Deadwood et des tripots où l'on vend de la drogue. Le premier Bill Parker a été élu au Congrès en 1906. Il est mort d'une cirrhose à 61 ans.

Le premier Bill Parker était alcoolique. Quant à sa lignée : le deuxième et le troisième Bill Parker ont hérité de sa dépendance à l'alcool.

Dans la police de Los Angeles, il est connu sous le sobriquet de « Whiskey Bill ». C'est pittoresque, mais réducteur. Cela ne rend pas compte de l'influence sur son comportement de sa dépendance à l'alcool.

Il est resté sobre pendant toute la durée de la prohibition. L'alcool était *illégal* à cette époque. La loi fut abrogée en 1933. Depuis, Parker boit à intervalles irréguliers.

Deadwood, Dakota du Sud. C'est *là* qu'il a acquis le goût de l'alcool.

Deadwood l'a formé, de la même façon que Los Angeles l'a révélé. Il a terminé ses études secondaires en 1920. Il était l'élève le plus brillant de sa classe. Sa mère a divorcé du deuxième Bill Parker en 1922. C'est alors qu'elle est partie s'installer à L.A. Son fils l'a aidée à déménager et il est resté là-bas.

L.A. était cent fois plus vaste que Deadwood et cent fois plus corrompue. Il a travaillé comme ouvreur dans un cinéma et comme chauffeur de taxi. La dépravation de L.A. le rendait fou de rage. L'immensité de la ville l'attirait.

Il se maria jeune, et cette union fut épouvantable. Sa femme était une traînée. Il se comporta envers elle de façon ignoble. Il refuse de prononcer le nom de cette femme. Il avoua ses vilenies à un prêtre et reçut l'absolution.

Il parvint à faire annuler son union par l'église et se maria de nouveau. Il avait choisi sa seconde épouse, Helen Schultz, avec une extrême prudence. Elle avait appartenu à la police. Sa première femme était un lamentable rêve d'ivrogne. Helen était l'incarnation de la probité.

Il conduisait des taxis et suivait des cours de droit. Il entra dans la police de Los Angeles en 1927. Il y régnait une corruption écœurante. La maison était dirigée par des truands protestants. Parker tint sa langue et monta en grade. Il devint l'homme de main de « Deux-Flingues » Davis. Ce type était pourri jusqu'à la moelle. Parker accéda aux exigences de son supérieur pour que celui-ci puisse réaliser ses projets. Il entendit des choses qu'il n'aurait pas dû entendre et il fit des choses qu'il n'aurait pas dû faire. Son ambition brutale se forgea au cours de ce lamentable avilissement.

Parker entama alors son ascension. Elle commença par son diplôme de droit et sa brillante prestation à l'examen du barreau. Jim Davis lui avait appris la loi d'un point de vue amoral. Parker changea la loi pour assurer son plan de carrière.

Jim Davis et le maire Frank Shaw furent évincés. Fletcher Bowron fut élu maire. Bowron était un crétin et un réformateur inepte.

Bowron vira le directeur de la police Art Hohmann avant de faire élire « Appelez-moi-Jack » Horrall. *Appelez-moi-Jack* était ce genre de directeur qui pratiquait la politique de l'autruche – il ne voyait rien, il n'entendait rien. Il entretenait une façade immaculée. Ceux qui servaient de tampons, c'étaient des hommes de main et des porteurs de valises. Le capitaine William H. Parker restait figé sur place. La liste des prochains promus était une banquise flottante. Il utilisa ses compétences dans le domaine du droit pour se détacher de ladite banquise.

Il concocta des documents juridiques. Ceux-ci renforcèrent les statuts des agents de l'administration, restreignirent l'influence des politiques et servirent à étayer l'autonomie de la police. Il fit introduire ses mesures par des juristes favorables aux réformes. C'étaient des hommes de paille qui lui permirent de ne pas associer son nom à ces opérations. Les premières mesures modifièrent la Charte de la ville de Los Angeles et furent entérinées par une loi dûment votée. Une ultime mesure accorda aux directeurs de la police la protection dont jouissaient les agents de l'administration. Cette loi protégea désormais Appelez-moi-Jack Horrall. Elle le protégerait lui-même un jour.

La police de Los Angeles était une fosse aux serpents. Querelles intestines endémiques entre flics se comportant comme des chefs de guerre de l'époque féodale. L'hôtel de ville était truffé de micros. Les locaux de la brigade de recherche étaient remplis de postes d'écoutes installés dans des placards à balais et de gadgets planqués dans les lampes et sous les rebords de fenêtres. Des flics parlaient sans méfiance, d'autres flics prenaient des notes. Les flics les plus malins passaient leurs appels louches depuis des cabines publiques.

Comme Dudley Smith.

Tout le monde espionnait tout le monde. Tout en jouant la comédie de la courtoisie. C'est là que se révélait utile l'éducation catholique qu'ils partageaient. Ils dînaient une fois par mois avec l'archevêque Cantwell. Appelez-moi-Jack laissa Dudley recruter un clan de revendeurs de drogue nommés Kafesjian. Ils fourguaient des narcotiques aux Noirs des quartiers sud. Appelez-moi-Jack adhérait aux immondes théories sur la sédation systématique ciblée sur certaines races. Dudley était disciple du Père Coughlin et membre du mouvement *L'Amérique d'Abord*. Il est né en Irlande. Il hait les Anglais. Il se réjouissait avec morgue du bombardement de Londres par les nazis.

Parker s'appuie contre sa voiture de police. La circulation qui se dirige vers le nord s'entasse depuis Adams Boulevard, à présent. Les soldats acclament la sortie des filles du lycée Dorsey. L'une d'elles fait voler sa jupe et laisse voir sa culotte. Cela déclenche un vrai tintamarre.

Parker est coincé dans les embouteillages. Il est coincé à la Division des polices urbaines. Il dirige le service d'enquêtes sur les accidents de la circulation. C'est un travail ingrat, un travail crucial, mais qui ne fait pas avancer une carrière. L'essor de la ville continue. Celui de l'automobile devient exponentiel. Davantage de voitures, davantage d'accidents, davantage de blessés et de tués.

L'an dernier, Appelez-moi-Jack l'a envoyé à l'université North-western. Il s'est inscrit à un cours pour apprendre à évaluer les flics qui règlent la circulation. Ses professeurs ont prédit « une apocalypse d'accidents de la route ». Sur le campus, il voyait régulièrement une grande jeune femme rousse, d'environ 25 ans. Il a interrogé plusieurs étudiants à son sujet. Ils lui ont appris qu'elle était infirmière diplômée, et qu'elle s'était spécialisée en biologie. Elle s'appelait Joan quelque chose. Elle venait d'un trou perdu du Wisconsin. Elle aimait bien boire.

Il est 13 h 14. Le convoi est infranchissable. Attends... un blindé en route vers le nord vient de caler.

Saute sur l'occasion. Engouffre-toi dans la faille.

Parker remonte dans sa voiture et active les feux d'avertissement et la sirène. Sur le trottoir, des gamins poussent des cris. Il accélère à fond et se glisse dans l'ouverture. Il arrive au commissariat de Wilshire Boulevard à 13 h 16.

Il se gare et monte l'escalier en courant. De jeunes flics restent bouche bée en voyant un capitaine piquer un sprint.

Carl Hull a un bureau en face de la salle de permanence. Dans les années 1930, c'est lui qui a dirigé la Brigade Anti-Rouges et qui l'a réformée. La police de L.A. proposait contre rétribution les services de ses flics en tant qu'hommes de main-briseurs de grèves. Hull a enterré cette pratique puis il a pris cet emploi d'archiviste.

Parker entre dans le bureau. Hull est assis derrière sa table de travail, les pieds posés sur celle-ci. Une carte de la guerre couvre deux des murs. Des épingles à tête bleue, d'autres à tête rouge, marquent la position des troupes en Europe. Les épingles à tête jaune matérialisent l'avancée des Japonais dans le Pacifique.

Hull dit :

– Vous avez 17 minutes de retard.

Parker s'installe à califourchon sur une chaise.

– J'ai été retenu par un vol de voiture et une attaque de drugstore.

– J'ai entendu quelques rumeurs à ce sujet.

– Racontez-moi.

Hull bourre sa pipe.

– Des indiscrétions en provenance de la Criminelle. Ce scientifique japonais a appelé Buzz Meeks. Il a identifié les fibres textiles arrachées à ce violeur de la police militaire.

– Formellement ?

– Non, et le jeune homme l'a bien précisé à Meeks.

Parker pianote sur les lattes de sa chaise.

– À qui Meeks en a-t-il parlé ?

– Dudley Smith.

– Et Dudley est allé voir Appelez-moi-Jack, qui lui a dit : « Enquêtez là-dessus, Dud. »

Hull allume sa pipe.

– Oui, et dans un monde idéal, je préférerais la procédure réglementaire.

Parker allume une cigarette.

– J'ai beau détester les violeurs et les braqueurs, j'aimerais mieux ça aussi.

Un courant d'air fait onduler la carte des conflits. Parker examine les épingles du front russe. Les résistants rouges submergent les attaquants bleus. C'est presque une débâcle.

– Après la guerre, Carl, nous devrons affronter les Russes.

– Sauf si nous intervenons une fois que Hitler les aura saignés à blanc.

Parker secoue la tête.

– Ce sont nos alliés, à présent. Nous avons besoin d'eux pour gagner cette guerre-*ci*, qui pour nous n'a même pas encore commencé.

Hull sourit.

– Staline penchera pour un partage des territoires en Europe de l'Est. Nous devrons renoncer à certains d'entre eux et ne pas lâcher nos possessions stratégiques.

Parker désigne la carte.

– À ce moment-là, le conflit sera en grande partie idéologique. C'est ainsi qu'ils voient les choses depuis leur foutue révolution. Ils nous haïssent, nous les haïssons. Nous ne pouvons pas laisser une alliance de circonstance nous empêcher de voir que le monde n'est pas assez grand pour nous deux.

Hull fait tourner un cendrier.

– Vous me grillez la politesse, William. Vous êtes un juriste éclairé, mais je suis le petit lieutenant de police qui possède des diplômes universitaires en histoire.

Parker sourit.

– Je suis prêt pour le contre-interrogatoire, alors. Est-ce que vous prédisez, entre les États-Unis et la Russie, une guerre de territoire précédée sur notre sol par une campagne de propagande, perpétrée par des membres de la cinquième colonne suffisamment rusés et intelligents pour avoir prévu cet ultime conflit ?

Hull répond :

– C'est un bon résumé. Et ma réponse est : oui, c'est à cela que je m'attends.

– En ce cas, je vais vous considérer comme témoin bienveillant et m'appuyer sur cette concession. Considérez-vous ces membres de la cinquième colonne comme suffisamment intelligents et prévoyants pour entreprendre leurs activités *avant* notre engagement inévitable dans le conflit mondial actuel ?

Hull désigne la carte.

– Oui. Ils savent très bien, tout comme nous, que Hitler ne peut pas mener une guerre sur deux fronts et la gagner. Ils vont exploiter le fait que le chemin qui nous mènera à la victoire ruisselle du sang des Russes, ils nous traiteront de panfascistes et d'ingrats, et à partir de là, ils utiliseront tous les clichés disponibles dans les livres.

Parker sort un tract de petit format.

– Je vais vous citer quelques passages de ce document. « Une politique draconienne d'agression U.S. contre la Russie, notre courageux allié actuel, une fois que la guerre sera gagnée » ; « une hystérie guerrière grandissante et un emprisonnement massif, d'inspiration raciste, de citoyens japonais innocents, une collusion inextricable de la police de Los Angeles et du FBI ».

Hull tasse le tabac dans le fourneau de sa pipe.

– Je vais me faire l'avocat du Diable, William. Les fédéraux ont *vraiment* une liste d'éléments subversifs japonais, et nous pouvons être *sûrs* qu'ils s'en serviront si une détention quelconque se révèle nécessaire. Sur ce plan-là, on ne peut pas prendre en défaut la logique de ces salopards.

Parker réplique :

– Leur logique est spécieuse, séditieuse, fourbe et coupablement diffamatoire. Ces ordures prétendent être antifascistes, mais ça ne les empêche pas d'apporter leur aide et leur soutien à l'ennemi fasciste que nous avons en commun par la rédaction même et la publication du tract que voici. Et s'il fallait une vérification supplémentaire de la logique perversement tortueuse de leur système, il est facile de voir que ce document sort de la même imprimerie que les tracts racistes de L. K. Smith.

Hull regarde les cartes murales. Parker lance le tract sur ses genoux. Hull le parcourt du regard.

– Je sais qui a écrit ceci. J'ai mémorisé son style et son vocabulaire.

– Je vous écoute.

– C'est une femme. Une mondaine, à défaut d'une description moins flatteuse, et elle dirige une cellule communiste. Elle règne non sans condescendance sur un cénacle d'acteurs et de scénaristes. Ils participent à des rassemblements, ils font des discours et provoquent des esclandres. Les fédéraux ont un informateur dans cette cellule. C'est un psychiatre de Beverly Hills auquel tous les Rouges racontent leurs malheurs. J'ai un copain chez les fédéraux qui me rapporte tous les ragots récoltés par ce brave docteur. Je vous montrerai mon dossier, si vous cessez de me mener en bateau pour enfin jouer franc jeu avec moi.

Parker secoue la tête.

– Donnez-moi d'abord quelques noms. Allons, Carl. Je suis votre supérieur hiérarchique.

Hull rit.

– Le médecin s'appelle Saul Lesnick. Sa fille purgeait à Tehachapi une peine de prison pour homicide par imprudence après avoir écrasé un piéton avec sa voiture. Les fédéraux l'ont relâchée à condition que son père devienne leur informateur.

– Les autres ?

– La femme s'appelle Claire De Haven. Ses principaux acolytes sont un acteur homosexuel nommé Reynolds Loftis et l'amant de cœur de ce dernier, Chaz Minear.

Ces noms n'évoquent rien pour Parker. Surgie de nulle part, la Soif lui tombe dessus. Allez – révoque la Promesse. Un verre ne te fera pas de mal.

– Les Rouges diffament notre police, Carl. On ne peut pas tolérer ça.

– Vous serez directeur un jour, William. J'ai hâte que cela arrive, et je servirai fièrement sous vos ordres. Pour le moment, quoi qu'il en soit, je serais ravi d'avoir une explication.

Parker se lève.

– Nous allons introduire quelqu'un dans cette cellule. Notre propre informateur. Une personne sur qui nous pouvons exercer des pressions.

Hull ouvre un tiroir et en sort quatre photographies. Parker se penche par-dessus le bureau.

Hull étale les photos.

– Il y a quelques semaines, j'ai passé en revue les dossiers des personnes sous surveillance. Ces clichés m'ont sauté aux yeux. J'ai pensé qu'ils pourraient nous être utiles à un moment ou un autre, on pourrait donc dire que le hasard fait bien les choses.

Quatre instantanés pris à l'insu des intéressés. Des photos de groupe. Deux réunions en salle, deux rassemblements en plein-air. Les dates : du deuxième semestre 1937 à l'automne 1938. Un visage de jeune femme, entouré d'un cercle, sur chacun des quatre tirages.

Elle est brune. Elle fixe *quelque chose* d'un regard intense. Son attitude est provocante.

– Qui est-ce ?

– Katherine Ann Lake, 21 ans. Voici un indice : son petit ami, c'est l'agent en uniforme que vous avez vu sur les lieux de votre braquage, il y a quelques heures.

La connexion s'établit dans l'esprit de Parker. Provocante… *évidemment*.

L'attaque de la banque Boulevard-Citizens. Une rumeur persistante : c'est Blanchard qui a monté le coup et qui a fait tomber à sa place un bouc émissaire. On prétend que Blanchard est très lié avec Ben Siegel. « Bugsy » se trouve actuellement dans la prison du palais de justice. On le soupçonne d'avoir assassiné un truand nommé Greenie Greenberg. C'était une liquidation décidée par la mafia juive – en novembre 39.

Siegel va sortir bientôt. Le témoin-clé de l'accusation a fait un plongeon depuis une fenêtre. Le mois dernier – à Coney Island, État de New York. Abe Reles, membre de la pègre, fait une chute mortelle. Des hommes de la police de New York assurent sa garde. Il confectionne une corde de fortune avec un drap de lit et tente de s'échapper. Il s'écrase huit étages plus bas.

Katherine Ann Lake. La fille dont Blanchard a fait la connaissance au procès du pillage de la banque. Le témoin vedette de l'accusation.

Parker examine les photos.

– Blanchard est une pourriture. Vous avez entendu les rumeurs.

Hull tousse.

– Oui. Et je les crois fondées. Si vous pensez au braquage de la Boulevard-Citizens pour faire pression sur la fille, vous n'êtes pas loin du but.

– Blanchard est une pourriture, répète Parker. Il veut rejoindre Dudley et sa bande. Vous avez entendu les rumeurs.

– Voici quelque chose que vous n'avez pas encore entendu, dit Hull. La brigade du renseignement de la police de New York a repéré Blanchard à Coney Island, juste avant que ce témoin au procès Siegel ne tombe par la fenêtre. Les flics l'ont reconnu parce qu'ils se souvenaient du temps où il était boxeur.

Parker scrute les photos. La netteté est excellente. Cette Katherine Ann Lake a des yeux noirs au regard farouche.

# 4

## DUDLEY SMITH

### LOS ANGELES | SAMEDI 6 DÉCEMBRE 1941

### 14 h 16

Séance d'identification.

Cinq hommes soupçonnés de viol, quatre victimes de viol, une glace sans tain pour les séparer. Une estrade surélevée et des lignes sur le mur pour matérialiser la taille des suspects.

Des sièges pour les témoins oculaires. Des cendriers sur pied. Une affiche déconcertante punaisée sur un mur.

On y voit des drapeaux et des aigles assoiffés. C'est une incitation à acheter des bons de la défense nationale. Elle encourage le citoyen à soutenir l'intervention de son pays dans cette guerre inspirée par les Juifs.

Lui, il est partisan de *L'Amérique d'Abord*. Il adore les émissions hebdomadaires du Père Coughlin. Il apprécie les tirades de Gerald L. K. Smith. Il partage le nom de famille du Pasteur Smith, sans avoir avec lui le moindre lien de parenté. Le Pasteur est odieusement antipapiste.

Mike Breuning annonce :

– Les femmes victimes de viol sont dans la pièce voisine. Elles se disent toutes, sans exception, capables d'identifier le type, ce qui est une chance pour nous. Les gars qu'elles vont voir se trouvent dans les coulisses. Ils sont tous flics dans la police militaire du bataillon de Camp MacArthur, et ils ressemblent tous au signalement du suspect.

Dick Carlisle fait craquer ses phalanges. Elmer Jackson feuillette son calepin. Il suit cette série de viols depuis le début.

Dudley le regarde lire. Oui – les viols peuvent être liés au braquage du drugstore perpétré ce matin. Ce génie japonais du labo a raison – les fibres de vêtement trouvés sur le présentoir des illustrés ne prouvent pas *formellement* la présence du violeur dans le drugstore. Imaginer que les deux forfaits ont *peut-être* le même auteur ne mène à rien. Une femme victime de viol en reste anéantie. Pareil outrage équivaut à un meurtre. C'est ce qu'il a dit à Appelez-moi-Jack. Et Appelez-moi-Jack a prononcé ces fortes paroles :

– Enquêtez là-dessus, Dud.

Elmer mâche son cigare. Elmer cornaque des prostituées avec Brenda Allen. Les lignes téléphoniques de la brigade des mœurs sont piégées. Tout le monde est au courant de ce que font tous les autres. L'hôtel de ville est un immense poste d'écoute.

Dick Carlisle allume une cigarette. Mike Breuning se tient prêt à recevoir des ordres. Elmer agite son cigare.

– Ça me revient. On a eu quatre agressions. Les victimes ont toutes décrit le violeur de la même façon : blond, taille moyenne, vingt-cinq ans environ. Nos gars correspondent à ce signalement, et ils étaient tous en permission de vingt-quatre heures quand les agressions ont eu lieu. Par-dessus le marché, ils ont tous été inculpés pour des faits de violence sur des femmes avant leur incorporation. Comme mode opératoire, on a ceci : chacune des quatre victimes se promène seule dans les quartiers ouest de L.A. Le violeur les enlève, les bâillonne, et les emmène dans un terrain vague voisin, différent à chaque fois. Et c'est là que ça devient dingue : le violeur les frappe à deux reprises, enfile une capote, et il hurle de douleur tout le temps qu'il les saute.

Dudley sourit. Mike Breuning se penche tout près de lui. Dudley lui entoure les épaules de son bras.

– Appelle l'infirmerie de Camp MacArthur, mon grand. Procure-toi les noms de tous les soldats soignés pour la syphilis et la chaude-pisse au cours des six derniers mois, que ce soit dans le bataillon de la police militaire ou dans l'ensemble du camp. Ensuite, tu établis deux listes séparées et tu me rends ça dans une demi-heure.

Mike Breuning décampe. Elmer demande :

– Qu'est-ce qu'il y a, patron ?

– Une intuition et une hypothèse, mon gars. Supposons que le brassard de la police militaire soit une ruse pour fausser l'identification du suspect, parce que le fait de porter un signe distinctif aussi voyant pour commettre un viol, c'est pratiquement suicidaire. Supposons qu'il ait une rancune tenace contre une femme qui l'a plombé il y a longtemps. Supposons que ce soit un type malin armé de connaissances scientifiques. Il sait qu'on peut déterminer un groupe sanguin à partir d'une goutte de pus ou de sperme. Supposons que pour une raison odieusement insondable, il désire que ces viols lui infligent une douleur physique.

Elmer lâche :

– Hein ?

Carlisle dit :

– Ah, ouais, je comprends.

Dot Rothstein fait entrer les victimes. Dot est une infirmière attachée aux services du shérif et une lesbienne hommasse à la carrure imposante. Sa coiffure – plate sur le dessus du crâne, en queue de canard sur la nuque – est des plus seyantes. Elle mesure 1,85 mètre et pèse 110 kilos. En sa présence, les flics de sexe masculin se redressent de toute leur hauteur.

Les quatre victimes ont toutes ce style institutrice qui excite les violeurs. Pour venir à cette séance d'identification, elles ont mis des robes longues, comme pour se rendre à l'église. Carlisle fait passer des cigarettes et leur présente la flamme de son briquet.

La salle s'enfume. Les quatre femmes examinent l'estrade et font la grimace. La maîtresse femme Dot Rothstein s'éclipse.

Dudley déclare :

– Vous êtes toutes les quatre des femmes remarquablement courageuses pour accepter de subir cette épreuve, et nous allons donc faire de notre mieux pour qu'elle soit aussi brève que possible. Cinq hommes vont entrer et prendre place sur cette estrade, sous les numéros un à cinq peints sur le mur. Vous les verrez, mais eux ne pourront pas vous voir. Si vous reconnaissez l'homme qui vous a agressées de cette manière abjecte, je vous prie de m'en informer.

Ces dames en ont la gorge serrée. Elmer actionne un interrupteur mural. Cinq militaires montent sur l'estrade et font face à la salle. Ils portent l'uniforme kaki et un brassard rouge. Ils ressemblent au signalement du violeur.

Deux des quatre femmes plissent les paupières. La troisième laisse échapper quelques larmes. La dernière met ses lunettes. Elle scrutent l'estrade. L'instant s'éternise. Elle secouent toutes la tête en signe de dénégation.

Elmer manipule l'interrupteur mural. Les militaires quittent l'estrade l'un derrière l'autre, de la gauche vers la droite. Les femmes se rassemblent autour d'un cendrier pour éteindre leurs cigarettes.

La première dit :

– Aucun d'eux ne lui ressemblait.

La deuxième se frotte les yeux.

– Lui, il avait l'air beaucoup plus cruel.

La troisième hoche la tête. La dernière ajoute :

– Il avait un regard mauvais.

Dudley leur sourit. Dudley leur touche le bras. Cela signifie : *c'est fini, c'est fini.*

Breuning revient. Il a le souffle court. Sa chemise est trempée. Il agite une bande de papier photo où figure une série de portraits anthropométriques.

Dudley le rejoint. Breuning se penche vers lui dans l'encadrement de la porte.

– J'ai trouvé un cas. Le type est caporal-chef dans la police militaire, et il correspond au signalement. Il était en permission de vingt-quatre heures à la date de chacune des quatre agressions, et il s'est fait soigner pour sa syphilis *après* le dernier viol. Son capitaine m'a appris qu'on l'avait soupçonné d'une série de viols à Seattle, mais que l'armée l'avait accepté quand même. Il est en permission en ce moment. C'est un fou des champs de courses, et il y a une réunion hippique à Santa Anita aujourd'hui. J'ai le numéro d'immatriculation de sa voiture.

Dudley s'empare de la bande de photos. *Aha !* Jerome Joseph Pavlik. Jeune, blond, syphilitique et l'air *mauvais.*

Deux des femmes se rapprochent. Dudley leur montre la série de portraits. Les deux victimes l'examinent.

La première pousse un cri. L'autre se met à pleurer.

Dudley sort de sa poche deux breloques en forme de trèfle. Elles sont en or quatorze carats. Il les achète en gros à un bijoutier juif.

Il fait signe aux deux femmes de s'approcher. Il pose une breloque au creux de leur main.

— Je vais régler ça.

Le départ de la dernière course a lieu à 15 h 30. L'hippodrome de Santa Anita est adjacent à l'Arroyo Seco Parkway[1]. Il ne faut pas traîner.

Ils traversent au pas de course le garage de l'hôtel de ville. Mike Breuning possède une Ford au moteur gonflé. Ils s'y enfournent et démarrent à fond.

Breuning est au volant. Dudley est assis à côté de lui. Carlisle est à l'arrière, avec trois fusils à canon scié.

À canon double de calibre 10. Ils sont conçus pour la chasse à l'ours et prennent de la chevrotine triple zéro.

Les trois hommes s'engagent dans Spring Street et traversent Chinatown. Ils atteignent la voie rapide, sans perdre de temps.

Breuning écrase l'accélérateur. L'aiguille du compteur bondit jusqu'à 140. Dudley fume et regarde par la fenêtre. Il voit un accident sur la voie qui mène vers le sud.

Traces de freinage, fusées éclairantes, collision. L'impact : un camion-plateau de la marine contre une Cadillac de nègres. Un drame de la route. Cela le fait penser à Whiskey Bill Parker. Il a des renseignements compromettants sur son compte.

*Vous n'auriez pas dû céder à la tentation d'épouser une femme si jeune. Vous pensiez que vos écarts de conduite échapperaient à ma vigilance ?*

Whiskey Bill s'est remarié. Sa seconde union est manifestement plan-plan. Pour sa part, Dudley a épousé une Irlandaise avec laquelle il a eu quatre filles. Il a une cinquième fille, clandestine, à Boston. Elle a dix-sept ans, à présent. Ils échangent fréquemment des lettres et des appels téléphoniques.

Elle s'appelle Elizabeth Short, cette enfant naturelle qu'il a eue avec une femme mariée prénommée Phoebe. Une femme très convenable qui a eu d'autres filles avec son mari.

Toutes les filles Short ressemblent à Phoebe, leur mère. Ce qui masque chez Elizabeth l'apport du sang paternel. Phoebe est plus

---

1. Autoroute bordée d'espaces verts et à terre-plein central arboré.

âgée que Dudley. Il avait dix-neuf ans quand ils ont conçu cette enfant ensemble. Lui, il était conscrit, mal dégrossi, et irlandais.

Joe Kennedy vivait à Boston. Il était outrageusement riche et faisait des dons en argent aux causes irlandaises. C'est Joe qui a financé la naturalisation de Dudley. Pour Dud, le prix à payer, c'était de lui servir d'homme de main.

Beth sait que Dudley est son père. Elle l'aime et elle tient énormément à cette idée que son papa est un dur qui gagne sa vie comme flic. Il vient de lui envoyer un billet d'avion. Elle a envie de voir Los Angeles à Noël. La dernière lettre que Dudley a reçue d'elle l'inquiète beaucoup. Elle y fait allusion à « une chose horrible ». Beth a un copain aveugle nommé Tommy Gilfoyle. Il devrait appeler Tommy et lui poser des questions sur cette « chose horrible ».

La famille.

Les hommes intrépides ont besoin d'elle. Les contraintes sont minimes. Les promesses sont risibles. Les joies sont intenses. La famille est une attache nécessaire. Sans elle, le chien enragé qui est en Dudley deviendrait fou furieux. Whiskey Bill, lui, n'a pas d'enfant. Il n'a pas de famille pour l'amadouer et le retenir. Il se rue sans retenue dans sa folie puritaine.

Famille. Patriarcat.

Dudley a recruté un clan d'Arméniens. Ils vendent de la drogue aux bronzés et caftent les méfaits commis à Nègreville. À l'origine, c'est Jim Davis qui a couvert ce système. La pratique continue sous le règne d'Appelez-moi-Jack Horrall. Les deux directeurs ont bien compris son objectif : calmer les énergumènes et empêcher les débordements. Leur vie d'hommes mariés et infidèles les rend lucides.

Tout comme Bill Parker, Dudley méprise le dénommé Jim Davis. Parker a de la haine pour ce corrompu sans complexe. Dudley, pour sa part, méprise son manque de maturité et son ostentation. Davis incarne l'art de vivre de façon voyante plutôt que dans la discrétion. Sur le plan esthétique, Davis est une agression pour le regard.

La voie rapide est presque déserte. Breuning prend à fond un virage en épingle à cheveux. L'aiguille du compteur fait des bonds dans les lignes droites.

Dudley regarde sa montre. Il est 14 h 54. Le départ de l'avant-dernière course est à 15 heures. La plupart des habitués quittent le champ de courses avant la dernière.

Lincoln Heights défile à toute vitesse. On tourne un western sur les collines. On entrevoit une fusillade l'espace d'un instant. Dudley reconnaît un homme vêtu d'un pagne. Il joue le rôle d'un Apache – c'est un bookmaker des bas-quartiers trois fois condamné et qui sort de San Quentin.

Dudley fume. Ses pensées vagabondent.

Il travaille pour la Columbia à temps partiel. Il tient pour Harry Cohn le rôle du garant de la moralité. Les stars de cinéma sont intrinsèquement indisciplinées. Les führers des studios les contrôlent en leur prescrivant des règles de conduite contraignantes. Violer ces règles constitue une rupture de contrat. Dudley a épinglé des stars de cinéma homosexuelles. Il a épinglé une foule d'alcooliques et de drogués. Il a des légions de grooms, de voituriers et de prostituées qu'il soudoie pour récolter des indiscrétions. Il constitue peu à peu la grande encyclopédie des dessous de Hollywood.

Bette Davis va adorer ses instantanés pris sur le vif. Elle sera au Shrine Auditorium vendredi soir. Le quotidien *The Examiner* y donnera sa fête de Noël destinée à ses vendeurs à la criée. Dudley sera présent, pour provoquer une rencontre *fortuite*.

Des Mexicains sans papiers labourent la terre au-dessus du site du tournage. C'est sans doute Carlos Madrano qui a fourni la main-d'œuvre. Carlos. *El Capitan*, de la police nationale du Mexique. Un bon copain d'Appelez-moi-Jack et de « Deux-Flingues » Davis. Carlos partage l'antipathie de Dudley pour les Rouges et les Juifs. Carlos voit les Japonais comme les cousins mal élevés du Führer.

Dudley regarde la série de portraits anthropométriques. Le violeur ressemble à Lee Blanchard, en moins grand.

*Aaaah, Leland. Tu penses toujours à ce qui s'est passé à Coney Island le 12 novembre ? Tu rêves d'intégrer mon équipe, mais as-tu les ressources nécessaires pour accomplir le travail demandé ?*

Benny Siegel voulait la peau d'Abe Reles. Lee Blanchard avait une dette envers Ben, en rapport avec l'affaire de la Boulevard-Citizens. Des syndicalistes juifs ont soudoyé les flics du NYPD qui gardaient Reles au Half Moon Hotel. Ceux-ci ont laissé quelques portes ouvertes.

Ils ont drogué la nourriture de Reles. Le boulot a été vite fait, par deux hommes seulement. C'est Blanchard qui a confectionné la corde censée aider Reles à s'évader – un euphémisme, c'était la corde pour le pendre. Mais c'est Dudley qui a hissé le corps.

Le *New York Daily News* a bien résumé l'événement : « Chute mortelle du Canari ! Il savait chanter, mais il ne savait pas voler ! »

Le retour en train a été pénible. Blanchard n'a pas dessoûlé de tout le voyage, virant même pleurnichard. Il est retourné travailler pour Benny Siegel. Benny a racheté son contrat de boxeur professionnel et conseillé à Lee d'accepter quelques combats de plus et de se coucher par prudence. Lee a refusé, Lee avait une dette envers Benny, Lee s'est montré imprudent dans l'affaire du braquage de la banque Boulevard-Citizens. Benny avait un compte à la Boulevard-Citizens et jouait au golf avec le Président. Benny était complètement fou et obsédé par son désir de respectabilité. Cette combine s'est soldée par un immense gâchis.

Breuning quitte la voie rapide. Il est 15 h 01. Carlisle charge les fusils. Les trois hommes traversent les quartiers sud de Pasadena. Ils atteignent Arcadia et Santa Anita en deux minutes pile.

Les monts San Gabriel se profilent derrière l'hippodrome. La ligne de crête fait ressortir la tribune et le pavillon. Le parking est aux deux tiers vide. Les haut-parleurs annoncent que la tête de la course aborde la dernière ligne droite.

Breuning parcourt au pas les rangées du parking. Dudley et Carlisle déchiffrent les plaques d'immatriculation. Des acclamations couvrent le bruit des haut-parleurs. Les mordus de courses hippiques sortent du pavillon pour regagner leurs voitures.

Dick Carlisle annonce :

– Là !

*Oui* – Une berline Oldsmobile 36. Vert foncé, antenne fouet, California ADL-642.

Breuning s'engouffre dans un emplacement libre et laisse le moteur tourner au ralenti. Dudley fume cigarette sur cigarette. La foule se disperse entre les rangées de voitures. Un homme et deux femmes se détachent de la masse. *Oui* – Jerome Joseph Pavlik et une paire de prostituées de Chinatown.

Carlisle commente :

– Des putes de la mafia chinoise.

Breuning précise :

– Elles sont protégées par les Quatre Familles. Le Chinetoque en chef joue aux dominos chinois avec Appelez-moi-Jack.

Ils paraissent éméchés. Le violeur porte un uniforme défraîchi. Les putains ont sur le dos un manteau de fourrure mangé aux mites.

Ils montent tous les trois dans l'Oldsmobile.

– Suis-les, dit Dudley.

Ils sortent du parking en dérapage contrôlé. Breuning les suit de près. Ils sont bourrés, ils ne vont rien remarquer. Breuning leur colle au train – *carrément*.

C'est comme un convoi de deux véhicules. Quartier résidentiel, Fair Oaks Boulevard. La voie rapide, plein sud.

L'Oldsmobile chasse de l'arrière et serpente. Breuning lève le pied. Une Packard s'intercale. L'antenne fouet reste en vue.

Carlisle enveloppe les fusils dans des couvertures. Breuning dit :

– Bon voyage, chéri.

L'Oldsmobile quitte la voie rapide à Alameda, en direction du sud. Chinatown se trouve juste en face. Le restaurant de Kwan, La Pagode, est tout près.

L'Oldsmobile heurte le trottoir et s'arrête. Les prostituées en sortent en trébuchant. Elles retrouvent le sens de l'équilibre. Elles coincent des liasses de billets dans leur porte-jarretelles et envoient des baisers au violeur en guise d'au-revoir. D'une démarche sinueuse, elles s'éloignent dans une ruelle derrière une gargote chinoise.

Carlisle distribue les fusils. Jerome Joseph Pavlik descend de sa voiture et scrute les alentours, l'air hébété. Il repère un terrain vague, à l'angle opposé de l'intersection. Il est envahi par les palmiers et les hautes herbes.

Il s'enfonce dans la parcelle en titubant. Il s'approche d'un palmier et sort sa queue. Il commence à pisser interminablement, comme pour battre un record du monde.

Dudley annonce :

– Maintenant, les gars.

La rue est calme. Personne à l'horizon. Les trois hommes se dirigent tout droit vers le terrain vague. La terre meuble masque le bruit de leurs pas. Le violeur oscille sur ses jambes et arrose l'herbe.

Ils s'approchent de lui derrière son dos. Il n'entend rien.

Dudley dit :

– Ces femmes courageuses ne vivront plus jamais comme avant, à présent. On va leur épargner un nouveau drame.

Le type commence à se retourner, à demander :

– De quoi… ?

Six détentes claquent. Le violeur explose. Des éclats d'os font tomber des branches. Les lunettes de Carlisle sont constellées de sang.

Le vacarme, c'est celui des déflagrations qui se superposent. Les impacts de chevrotine sur le palmier renvoient des échos. Les cloches d'église sonnant 15 h 30 ont retenti au même moment.

La Pagode est flanquée de dragons aux yeux protubérants. La nuit, leurs langues s'allument et s'agitent de droite à gauche. Le patron du Hop Sing Tong[1], c'est Oncle Ace Kwan. Sa gargote a pour clients des Blancs radins et des Chinetoques aux papilles gustatives occidentales. Les flics de L.A. y dînent gratis.

Dudley traverse le restaurant. Il reconnaît le maire, Bowron, et le D.A.[2] McPherson, le nez plongé dans leurs nouilles sautées ; Fretch B., animateur infatigable de manifestations promotionnelles et crétin parfait ; McPherson, gros consommateur de neuroleptiques et notoirement amateur de bois d'ébène. Il fréquente la Casbah de Minnie Roberts où il se paye deux coquettes Congolaises en même temps.

Une porte encastrée mène au sous-sol. Dudley descend l'escalier. Il exerce une pression sur un panneau mural. Le panneau coulisse. Des émanations le prennent aussitôt à la gorge.

Une fumerie d'opium. Lumière pauvre, une vingtaine de couchettes sur le sol. Des cuvettes d'eau, des tasses et des louches. Des Chinois décharnés en sous-vêtements, qui tètent leur pipe.

Dudley compte les fumeurs. *Aaaah*, seize camés dans les vapes.

Dudley referme le panneau. Le sous-sol recèle des labyrinthes sous la *Wolfsschanze*[3]. Des murs en ciment, des moisissures, des portes en fer forgé. Le bureau d'Ace Kwan – un vrai bunker SS.

Dudley frappe et entre. Oncle Ace est accroupi sur le coffre-fort posé au sol. Il a 66 ans et il est d'une maigreur de phtisique. Il porte un bonnet de Père Noël. Il amalgame l'atroce et l'ambiance des fêtes.

– Alors, quoi de neuf, Dudster ?

– Une situation délicate, mon frère jaune.

– Comment se fait-il ?

– Il y a un cadavre de Blanc dans le terrain vague, de l'autre côté de la rue. Vos hommes devraient le recouvrir de chaux vive et poster un vigile le temps que la terre l'absorbe.

Ace s'assied et croise les jambes. Il est célèbre pour son agilité. C'est l'une des particularités de ces païens.

---

1. Tongs : associations formées au sein des communautés d'immigrants chinois et souvent rivales, comme ici le Hop Sing et les Quatre Familles.
2. District attorney.
3. La tanière du loup.

– La dernière fois que ce type a été vu, il était en compagnie de deux prostituées tongs.

– Hop Sing ?

– Les Quatre Familles. Vous pourriez juger utile de faire disparaître aussi sa berline verte. Je ne voudrais pas que des histoires de Blancs aussi banales irritent votre clientèle.

Ace s'incline.

– Les membres des Quatre Familles ont manqué de respect à ma nièce préférée. Ils ont eu le mauvais goût de faire une chose pareille.

– Souhaitez-vous que je réprimande les individus concernés ? Je tiens absolument à empêcher une nouvelle querelle.

Ace se lève.

– Non. Mais mon frère irlandais m'honore en me faisant cette proposition.

Dudley s'incline. Ace désigne une porte latérale en lui faisant signe – *faites comme chez vous*. Dudley ouvre la porte. Ace disparaît quelque part. Les Chinetoques sont furtifs et prévenants.

Sa chambre secrète. La couchette, la cuvette, la louche. La pâte de résine étalée sur une soucoupe. Comme toujours – La Pipe.

Dudley suspend sa veste et son étui d'aisselle à une patère. La couchette est conçue pour une homme de haute taille. Dudley garnit la pipe et l'allume.

La combustion commence, la chaleur l'atteint, la fumée s'engouffre en lui. Ses épaules s'affaissent. Ses poumons jouent les montgolfières. Ses membres n'existent plus.

Les volutes, à présent. *On ne sait jamais ce qu'on va voir.*

Oui – là :

Dublin. Grafton Street, en 1921. Des Black-and-tans[1] armés de fusils qui tirent des balles en caoutchouc. Ils visent les reins. Ça le fait encore souffrir quand il se baisse.

Un rassemblement. L'indépendantiste Patrick Pearse à pleins poumons :

– *Irlandais, Irlandaises – au nom de notre Seigneur et des générations passées qui ont fait d'elle une nation, l'Irlande, par notre voix, ordonne à ses enfants de se rallier à son drapeau et de se battre pour sa liberté.*

Un presbytère. Une cache d'armes dans la chambre d'un prêtre.

---

1. Recrues venues d'Angleterre aider la police royale irlandaise à combattre les républicains.

Une crosse de fusil lui atterrit dans les mains. Il est dans la rue, maintenant. Il ajuste sa ligne de mire. Le visage d'un soldat anglais explose.

Le voilà dans Sackville Street. Le choc du recul de l'arme s'estompe. Il pille une boutique appartenant à un protestant. Patrick Pearse lui ébouriffe les cheveux.

– *À présent, elle passe à l'action, soutenue par ses enfants exilés en Amérique.*

Joe Kennedy sourit. Il a des sacoches remplies d'argent liquide. Il est accueilli par les hommes de l'armée des citoyens irlandais. Les Black-and-tans assassinent Patrick Pearse. On forme un peloton d'exécution. On lui épingle une cible sur la poitrine.

Joe Kennedy dit à Dudley :

– Tu es un garçon intelligent. Tu devrais venir en Amérique. La prohibition, c'est la permission de voler. Tu pourrais transporter de la gnôle pour moi.

Le voici au Canada, sur le lac Érié, à bord d'un chaland au mouillage. Il tient une mitraillette. Le pont est recouvert de caisses de whiskey.

Boston. Une maison immense. Une bonne yankee lui jette un regard noir. Il promène le petit Jack, qui a six ans.

Joe Kennedy lui dit :

– Dud, ce banquier suisse m'a baisé sur une affaire. Occupe-toi de lui, tu veux bien ?

Ses membres n'existent plus. La résine se consume toujours. Il sait à quel moment ranimer la flamme. Le temps qui passe est une salle de projection. Il fait défiler des images à travers des yeux qui se trouvent à l'arrière du crâne.

Il a trop cogné sur le Juif. Il n'aurait pas dû le tuer. Joe Kennedy est en rogne.

– Ton avenir est à Los Angeles, mon garçon. Je peux te faire entrer dans la police. Tu pourras baiser des vedettes de cinéma et semer la pagaille.

Il se tient droit, tout fier dans son uniforme aux plis impeccables. Il frappe un voleur de sac à main à coups d'annuaire téléphonique. Jack Horrall porte un toast en son honneur à la table de l'archevêque Cantwell. Le voici maintenant dans le bureau de Harry Cohn. Harry tapote un buste de Benito Mussolini. Il est devant une maison luxueuse de Bel Air, armé d'un appareil photo. À travers une fenêtre, il voit ce qui se passe à l'intérieur. Cary Grant participe à un 69 entre mâles.

*Tu pourras baiser des vedettes de cinéma et semer la pagaille.*

*Photoplay*, *Screenworld* – les pages de magazines défilent. Bette Davis – le rouge aux joues à cause de ce qu'il vient de lui dire.

Changement de décor. Nouveau reportage instantané. Il se trouve à Coney Island, au Half Moon Hotel. Il fait passer le Canari par la fenêtre. Ne pleure pas, Lee Blanchard – ce n'est pas viril.

Encore un changement de décor. Retour à Boston. Le jeune Jack est enseigne de vaisseau, à présent. Il a prévu d'arriver à L.A. pour Noël. Il a envie de sauter des vedettes de cinéma.

Jack se met à chanter, en espagnol. Sa voix ne convient pas du tout à la mélodie. Plan suivant : le café Trocadero orné d'une banderole : *Bienvenue à l'année 1938 !*

Dud est installé à une table en compagnie de Ben Siegel et du shérif Biscailuz. L'orchestre de Glenn Miller joue *Perfidia*. Bette Davis danse avec un jeune homme efféminé. Une lumière s'immisce. Le projecteur a des hoquets. L'obturateur se referme et met fin brutalement à son reportage intérieur.

Dudley sent de nouveau ses membres. Il voit sa veste et son arme à la patère.

Une Chinoise apparaît. Elle lui apporte un *apéritif* : trois comprimés de benzédrine et du thé vert.

Dudley se relève. La pièce conserve une sorte de halo.

– Quelle heure est-il, s'il vous plaît ?

– Il est 16 h 42.

*Perfidia* se termine sur un couac. Bette Davis lui envoie un baiser.

# 5

## LOS ANGELES | SAMEDI 6 DÉCEMBRE 1941

**18 h 43**

Bucky est en retard. Le week-end, il passe toujours au labo. Il s'entraîne à la salle de boxe de Main Street. Le commissariat central est tout près.

Le labo est désert. La plupart des chimistes travaillent du lundi au vendredi. Ashida travaille sept jours et sept nuits.

Le bureau du capitaine est mitoyen. La voix d'Elmer Jackson parvient à Ashida par un conduit d'aération. Il picole avec le capitaine Bergdahl. Les deux hommes parlent de la séance d'identification avec Dudley Smith.

Les victimes ont identifié leur violeur grâce à un portrait anthropométrique.

– Ce type pourrait bien être l'auteur du braquage de ce matin, dit Elmer, mais c'est sans doute à la morgue que le D.A. devra lui signifier son inculpation.

Bergdahl rit. Ashida prépare un microscope et les débris de balle du drugstore. Ray Pinker a fait ses propres tests. Il a laissé son rapport sur le bureau d'Ashida. Sa conclusion : l'arme utilisée est un Browning 9 millimètres, équipé d'un récupérateur de douilles.

C'est faux. Les documents de référence de Pinker sont trop anciens. *Confirme tes certitudes sans attendre. Refais le test toi-même.*

Ashida choisit le grossissement approprié. Il observe les mêmes caractéristiques que ce matin. Il estime que ce second examen est concluant. Une balle de Luger qui frappe une dalle de plâtre.

Bergdahl raconte une blague. Le conduit d'aération amplifie sa voix. Ha, ha, ha… Mè-Lao-Li, la pute chinoise.

– C'est mignon, dit Elmer, mais je la connaissais déjà.

Bergdahl demande :

– Tu arrives à faire la différence, toi ? Entre les Japs et les Chinetoques, je veux dire. J'ai un copain chez les fédés. Il m'a dit qu'ils avaient une liste de Japs à mettre au frais si jamais on s'embarque dans cette foutue guerre. Moi, de mon point de vue de Blanc, je n'arrive pas à les reconnaître.

Bucky est en retard. Il a un combat demain. Il a peut-être dû se rendre à une pesée d'avant-match.

Ashida déverrouille son tiroir à outils. C'est là qu'il range ses photos.

En voici une de Bucky. Vêtu d'un short de boxeur, il est en position de garde ramassée. Il est grand, il est mince. Ses muscles sont davantage liés entre eux que réellement protubérants. C'est un Allemand luthérien, une étoile de David orne son short pour exprimer son opposition au nazisme.

Il se déplace latéralement sur la pointe des pieds sans jamais s'emmêler les jambes. Il possède une gauche puissante qu'il déclenche après une feinte. Mariko dit de lui qu'il a les dents du général Tojo. Son père appartient au Bund germano-américain.

Ses yeux sont petits et très enfoncés. Hors du ring, il est plutôt maladroit. Son sourire suffit à illuminer la pièce où il se trouve.

Il arrive. Il monte l'escalier à grandes enjambées.

Ashida remet les photos sous clé. Bucky entre et traîne une chaise pour s'asseoir près de lui. Il porte un pantalon de flanelle et sa veste à monogramme du lycée Belmont. Le « B » de couleur verte lui a été attribué pour ses prouesses au basket-ball et en athlétisme.

Les deux hommes se serrent la main. Ashida demande :

– Alors, c'est vrai ?

Bucky sourit.

– Qui te l'a dit ?

– D'après Ray Pinker, tout le monde est au courant, ce qui veut sans doute dire que je suis le seul à ne pas le savoir.

– Je suis accepté pour la promotion du mois de mai. J'ai réussi tous les examens, et on m'a informé que l'enquête sur mes antécédents était satisfaisante.

Ashida sourit.

– Tu as préféré attendre avant de m'annoncer la nouvelle. Pour conjurer le mauvais sort, tu as voulu avoir la confirmation de ta réussite pour m'en parler.

Bucky se balance sur sa chaise.

– Ou alors, je te l'aurais dit demain, après le combat. J'aurai l'estomac dans les talons, et je t'inviterai à dîner. La pesée est à midi, et j'aurai le trac jusqu'à ce que ce soit terminé. Je n'arrive plus à perdre du poids aussi facilement qu'avant. Je suis encore à 80 kilos.

Ashida suggère :

– Va prendre un bain de vapeur au Shotokan.

– Il y a mieux que ça. J'ai une entrée permanente au Jonathan Club. Le D.A. a laissé un petit mot à la salle d'entraînement. « Mon petit, j'ai parié sur vous. »

Ashida se tape sur les cuisses.

– Je pourrais te raconter des histoires sur son compte.

– Je les ai déjà entendues. À un combat de Lee Blanchard, il est arrivé soûl, accompagné de deux filles noires.

Ashida s'étonne :

– Junior Wilkins ? Ce n'est pas très prometteur, pour un combat d'adieu au ring.

– Non, mais c'est un match que je peux gagner.

Ashida joint les mains.

— Tu as lu la chronique de Braven Dyer ? Il a écrit que tu préfères fuir devant Ronnie Cordero.

Cela fait tiquer Bucky.

— Je ne veux pas mettre fin à ma carrière sur une défaite, Hideo.

— Tu ne perdrais pas.

— Si. Il m'écraserait. Contre lui, je n'aurais pas plus de chances que contre Joe Louis.

— Je suis navré que tu le prennes mal. Je ne voulais pas…

Bucky balaie ses excuses d'un geste.

— Je suis tombé sur Jack Webb par hasard. Il vend des costumes chez Silverwood's. Il m'a dit que les flics de la brigade de recherche achetaient au prix de gros dans ce magasin.

— C'est incroyable, cette fascination de Jack Webb pour les flics. Il n'arrête pas d'apporter du café et des cigarettes aux collègues de la brigade.

Bucky caresse le « B » brodé sur sa veste du lycée Belmont.

— Vive les garants de l'ordre public ! C'est normal que Jack nous laisse acheter des costumes au prix de gros. On l'a élu chef de classe.

Ashida ne peut s'empêcher de lâcher :

— Tu as une admiratrice.

— Qui est-ce ? Et qu'est-ce que tu lui reproches ?

— Je l'ai vue à tes combats. Elle n'arrête pas de faire ton portrait.

Brièvement, Bucky dévoile ses dents.

— Je me réserve pour Carole Lombard. Tu crois que je vais la séduire avec des dents pareilles ?

*Voilà qu'Ashida se met à rougir. Cela arrive à chaque fois. Bucky est tellement gentil qu'il ne s'en aperçoit jamais.*

# 6

### LOS ANGELES | SAMEDI 6 DÉCEMBRE 1941

**19 h 03**

Le Strip grouille de militaires. Sur les trottoirs, devant leur porte, le Dave's Blue Room, le Bit O' Sweden et le Trocadero distribuent de l'alcool gratuitement. Je viens d'écouter les informations à la radio. L'armée envoie ses hommes vers la base navale de Chavez Ravine, le camp MacArthur à San Pedro, et le camp Roberts, au nord, près de San Luis Obispo. Los Angeles constitue le centre de ce déploiement de troupes ; l'artillerie qui traverse la ville a pour destinations les bases de défense côtière et les usines de construction aéronautique Lockheed, Boeing, Douglas et Hughes. À la tête de la police privée de l'usine Douglas, il y a l'ancien directeur du LAPD[1] Jim Davis ; il a palabré pendant une bonne dizaine de minutes sur la nécessité de protéger les usines civiles contre les saboteurs de la cinquième colonne et les attaques par ballons dirigeables. Davis est un cinglé local plutôt pittoresque ; l'an dernier, à la fête de Noël de la P. J., je l'ai vu arracher une cigarette de la bouche de Lee d'un coup de revolver.

J'ai commencé mon journal ce matin seulement. Et déjà, j'ai le sentiment que c'est un remède contre la stagnation. Je regarde l'intérieur de ma chambre personnelle ; la première chose que j'y vois, ce sont mes croquis de Bucky Bleichert. Ils concrétisent mon besoin de m'attacher à un homme de façon abstraite et anonyme. Écrire quelque chose au sujet de Bucky me force à le voir sous un éclairage plus critique.

Lee Blanchard méprise Bucky à cause de son style de « danseur mondain » et sa façon de choisir soigneusement « des lavettes » comme adversaires. J'adore Bucky pour toutes les façons qu'il a de ne pas être Lee, parce que mes obligations envers Lee ont d'étranges origines, et le besoin que j'ai de lui est lié directement à l'histoire que nous partageons.

Il y a quelques heures, nous avons eu une horrible dispute. Elle

---

1. Los Angeles Police Department.

concernait la façon dont Lee se comporte depuis quelque temps. Cela fait près d'un mois, à présent, qu'il semble mortifié. De plus en plus souvent, il dort dans une petite pièce de la brigade pourvue d'un lit de camp, et il passe de plus en plus de temps avec la « Mascotte » de la Criminelle, un vendeur de confection pour hommes nommé Jack Webb. À la mi-novembre, Lee a disparu pendant une semaine, et il a expliqué son absence par une « mission pour piéger un suspect » dans une affaire de vol. J'y ai cru – mais pas très longtemps. Cet après-midi, sur un coup de tête, j'ai fouillé la commode de sa chambre. J'ai trouvé un reçu pour un aller-retour L.A.-New York, aux dates des 8 et 15 décembre.

J'ai ressassé ma découverte toute la journée. Lee est rentré et s'est débarrassé de sa tenue civile pour remettre son uniforme. Il m'a annoncé son intention de passer la nuit à l'hôtel de ville. C'est le moment que j'ai choisi pour lui demander des explications, au sujet de ce reçu et de ses agissements récents. Et c'est ce moment-là que Lee a choisi pour me remettre à ma place. Il m'a dit : « Tu te considères comme une femme indépendante, mais c'est *à mes crochets* que tu vis, et c'est dans *ma* maison que tu t'envoies en l'air avec des types, et pendant ce temps-là c'est *moi* qui paye les factures. Tu es une dilettante et une parasite, et si tu désapprouves mon comportement, fous le camp de *chez moi.* »

Sur ces paroles, Lee est ressorti en trombe de *sa* maison, il est monté dans *sa* voiture, et il est parti vivre dans *son* univers – un univers qui m'a phagocytée. Un univers dans lequel je suis tombée, et dont je ne suis pas lassée.

Brenda Allen, Elmer Jackson et le vice approuvé par la police. Lee et son allégeance servile à Dudley Smith. Bobby de Witt à San Quentin et les cicatrices sur mes jambes. Ce que Lee *devait* ou *ne devait pas* à Ben Siegel, qui attend actuellement qu'on le laisse sortir de la prison du palais de justice. Le braquage de la banque que Lee a mis sur pied en grande partie parce qu'il s'était donné pour mission de me sauver. Le *deus ex machina* : une petite fille disparaît en 1929.

La petite sœur de Lee, Laurie, 12 ans. Lee a 15 ans à l'époque. Laurie s'évapore. À un moment précis, elle jouait encore dans un jardin public, et l'instant d'après, elle avait disparu à tout jamais. Lee était censé veiller sur elle. Mais il a préféré s'isoler pour sauter la traînée du quartier.

Lee porte comme un fardeau le sentiment de sa culpabilité. Depuis ce jour-là, il n'a plus au sens strict possédé une femme. C'est pourquoi il m'offre un logis confortable et ne me fait pas l'amour. C'est une punition supportée et une punition infligée. Cela m'enrage et m'émeut aux larmes. C'est pourquoi j'aime Lee si profondément et c'est pourquoi je refuse de le quitter. C'est pourquoi je couche avec des hommes dans sa propre maison.

Dans les habitations voisines, de part et d'autre de celle-ci, la radio diffuse les informations à plein volume ; j'entends clairement les deux émissions. FDR tance le Japon pour ses infâmes agressions. Le Père Coughlin tance FDR et l'Hégémonie Juive.

L'un et l'autre possèdent la postérité. La guerre donne à faire aux hommes quelque chose de simple. Il y a une altercation plus bas, sur le Strip. Les radios deviennent un bourdonnement sourd derrière les hurlements.

Lee Blanchard a livré quarante-neuf combats en tant que professionnel et il a monté de toutes pièces un vol audacieux. Il possède la postérité d'une façon qui ne me sera jamais accessible. Cette évidence me fait enrager.

Je n'ai rien d'autre qu'une perception dévastatrice. Les femmes tiennent des journaux intimes dans l'espoir que leur prose séduira le destin.

# 7

## LOS ANGELES | SAMEDI 6 DÉCEMBRE 1941

**19 h 49**

Le bulletin d'information se termine. Un castor qui parle prend le relais pour vanter les mérites d'un dentifrice. Parker ferme sa porte d'un coup de pied.

Il n'y a pas âme qui vive à la division des polices urbaines. Les embouteillages gagnent la ville entière. Il est l'unique homme à son poste. Personne d'autre que lui ne s'inquiète de la situation.

La division occupe un bâtiment à elle seule. À l'angle de la 1re Rue et de Figueroa Street – à six pâtés de maisons de l'hôtel de ville. C'est une idée qui vient de lui seul : acheter un ancien entrepôt et l'aménager, se rendre autonome. Restreindre les visites de Jack Horrall.

Parker prie. Il demande à Dieu de lui donner le courage de ne pas boire ce soir. Il demande à Dieu de le guider tout au long de son incursion.

Il est à cran. Son besoin d'alcool le harcèle. La patrouille de Los Angeles Ouest a coincé deux soldats pour conduite en état d'ivresse. Il y a trois blindés semi-chenillés au carrefour de Pico Boulevard et Bundy Drive. Dix hommes du commissariat central ont dû prendre une déviation. Pour l'équipe de nuit, l'effectif du Central est réduit au minimum.

Parker fait du rangement sur son bureau. Parker regarde les cinq dossiers posés sur son sous-main.

Le dossier administratif de Lee Blanchard. Les dossiers constitués par Carl Hull : Claire De Haven, Reynolds Loftis, Chaz Minear, Saul Lesnick. Le mémento concernant Katherine Ann Lake, rédigé par Carl pour son fichier de séditieux présumés.

*Américaine de race blanche. Née le 9/3/1920 à Sioux Falls, Dakota du Sud.*

Elle vient de la Prairie, comme lui. Carl surnomme Claire De Haven « La Reine Rouge ». Il n'y a pas de dossiers sur les autres membres de la cellule. Les « adhérents de second niveau » constituent un groupe fluctuant. La Reine avance ou retire ses pions à loisir. Elle ne sait pas que le D$^r$ Lesnick est depuis longtemps une taupe des fédéraux.

D'abord, Blanchard – un dossier mince, trois pages.

Rapports de condition physique : Classe « B ». Pas de compte rendu d'informateur sur le braquage de la Boulevard-Citizens. Rien sur ses prétendus liens d'amitié avec Benjamin « Bugsy » Siegel. Quatre plaintes déposées par des civils. Les plaignants accusent Blanchard de les avoir roués de coups dans leur cellule. Les plaintes n'ont pas été retenues – les plaignants étaient des pervers et des drogués.

Pas de surprises. Pas d'informations nouvelles et révélatrices. Son instinct de longue date se confirme. Blanchard est strictement non-casher.

La Reine et ses pions majeurs – nettement plus sinistres.

Parker feuillette les dossiers. Il saisit très vite l'essentiel. Les impressions du D$^r$ Lesnick semblent fondées. Claire De Haven pratique le chantage. Reynolds Loftis et Chaz Minear sont homosexuels. La Reine détient des photos compromettantes.

Ils se sont rendus en robe longue à un bal homo. Les rapports d'arrestations des services du shérif confirment ce que révèlent les photos. Loftis et Minear se font régulièrement incarcérer à la suite de descentes de police anti-homos. Les détentions se succèdent jusqu'en 1940. Loftis et Minear fréquentent les lieux de rencontre des homos et se joignent à d'autres dégénérés.

La Reine Rouge les tient en son pouvoir. Elle impose à Loftis les films dans lesquels il doit jouer et à Minear la façon dont il doit écrire ses scénarios. Carl joint au dossier un échantillon de dialogue. C'est typiquement dans le style cinquième colonne.

Dans les films de guerre : les soldats russes condamnent le sort funeste des Noirs américains. Dans les films de gangsters : les truands narguent les autorités et vantent les charmes délétères du renoncement. Dans les comédies : des personnages sophistiqués lâchent quelques bons mots gauchisants et diabolisent Adolf Hitler. L'assassin Joseph Staline n'est jamais mentionné.

Parker allume une cigarette. Le dossier de cette demoiselle Lake compte seize pages, bourrées de photos.

Voici Miss Lake à des rassemblements de Rouges. Les banderoles abondent. Les causes à défendre sont contestables, elles attirent la racaille.

*Justice pour les Scottsboro Boys ! – N'oublions pas Sacco & Vanzetti ! – Roosevelt, valet de Wall Street ! – Du pain dans chaque assiette, tout de suite !*

Les participants à ces meetings sont débraillés. Miss Lake est soignée de sa personne et vêtue avec élégance. Elle sait s'habiller.

Les clichés en noir et blanc sont parfaitement nets. Parker a l'impression qu'elle porte toujours du rouge. Elle est coiffée d'un chapeau cloche à un rassemblement *Interdisons le Ku-Klux-Klan*. Les hommes s'agglutinent autour d'elle. Elle n'est pas ravissante au sens classique du terme. Elle fait de son mieux avec ce qu'elle a.

Son chapeau ne peut *pas* être d'une autre couleur que rouge. Elle parodie les opinions qu'elle affiche. Elle garde ses distances avec les causes qu'elle soutient.

À l'université de Californie, elle n'obtient que des notes maximales. Elle a étudié la musique, la littérature et les sciences politiques. Ses professeurs ont laissé à son sujet des commentaires élogieux. Ils citent ses « lumineuses » dissertations trimestrielles. Deux d'entre eux mettent en exergue son essai : « Beethoven et Luther : L'Art et Dieu au plus profond de soi ». Ce texte fut publié dans une revue prestigieuse.

Carl Hull s'est procuré la liste des livres qu'elle a empruntés à la bibliothèque. Elle paraît emblématique. Des biographies qui penchent à gauche. De la poésie de l'époque romantique. De longs pamphlets syndicalistes pour dénoncer des scandales.

Pressions, points sensibles, coercition.

Heureux hasards.

Que fait donc une jeune femme *comme elle* avec un voyou tel que Lee Blanchard ? L'affaire de la banque Boulevard-Citizens ne suffit pas à l'expliquer. Carl Hull a vu Miss Lake témoigner au procès de Bobby De Witt. Miss Lake a prêté serment entre deux sanglots. Elle a mis tout le monde dans sa poche, immédiatement.

Parker passe deux coups de téléphone depuis le bureau de Carl. Il appelle d'abord le FBI. Il veut parler à l'agent fédéral qui manipule le D^r Lesnick. Le type en question est parti pêcher dans l'Oregon. À défaut, on lui passe l'agent spécial Ward Littell.

Heureux hasard.

Il a connu Ward à l'église. Il avait étudié au séminaire et c'était plutôt une âme sensible. Ward ne sait rien sur Lesnick. Ward lui glisse une information confidentielle.

Les fédés s'apprêtent à enquêter sur les écoutes téléphoniques de l'hôtel de ville. L'offensive aura lieu au début de l'année 1942. C'est Hohmann, son ancien directeur, qui a lui-même cafté le LAPD. Le maire Fletch Bowron l'a viré pour le remplacer par Jack Horrall. Ce crétin de Hohmann veut récupérer son poste. Les micros cachés et les écoutes sont un secret de polichinelle. Fletch et Appelez-moi-Jack sont des réformateurs bidon. Jack se concentre à 100 % sur les arnaques. Jack a la main moins lourde que Jim-Davis-Le-Dingue.

Parker appelle ensuite Sid Hughens. Sid est journaliste au *Mirror-News*. Sid confirme les informations de Ward Littell.

Art Hohmann est une taupe des fédéraux. Ce salopard rêve de revanche. Vous ne réagiriez pas comme lui, Bill ? Le Gros Jack lui a pris sa place.

*Pressions, points sensibles, coercition.*

Il est 21 h 05. Parker prend son téléphone.

– Brigade criminelle, sergent Ludlow.

– Ici Bill Parker, division des polices urbaines.

– Euh, oui, capitaine ?

– Est-ce que Blanchard est là ?

– Oui, capitaine, répond Ludlow. Il fait un petit somme sur le canapé de Dudley Smith.

– Ne le réveillez pas, dit Parker. Et ne lui dites pas que j'ai appelé.

Ludlow marmonne quelque chose. Parker raccroche. Les photos clandestines attirent son regard. Le chapeau de Miss Lake. Il ne peut *pas* être d'une autre couleur.

## 21 h 07

Parker reprend sa voiture et quitte la 1<sup>re</sup> Rue en direction de l'ouest. Il allume sa radio et balaie toutes les fréquences pour écouter les bulletins d'informations. Ils ne parlent que des JAPS.

Les Japs foncent vers le Siam, les Japs foncent vers les Philippines. FDR n'arrive pas à se dépêtrer des émissaires japonais. Le Jap suprême Hirohito pratique la dérision.

Parker baisse le son de la radio. La 1<sup>re</sup> Rue se fond dans Beverly Boulevard. Des guirlandes de Noël clignotent sur les pelouses et encadrent les portes des maisons. Un panneau publicitaire pour le whiskey Schenley ravive son besoin d'alcool. Une affiche de la firme Maytag le titille. Elle représente une famille qui s'extasie devant une cuisinière à gaz. La mère ressemble à cette rousse de Northwestern. Joan quelque chose. En cachette de sa femme Helen, il se soûlait en pensant à *elle*.

Parker tourne en direction du nord dans La Cienega Boulevard. Le Strip est en effervescence. Il fait une embardée pour contourner un camion-plateau en panne qui vomit son chargement de masques à gaz. Des soldats ivres se mettent un masque sur le nez et font les imbéciles. Deux marins échangent des coups de poing près du Mocambo. Ils titubent et renversent un sapin de Noël factice.

Parker remonte Wetherly Drive. Voilà le nid d'amour Lake-Blanchard – vers le milieu du pâté de maisons.

Élégant et recherché. Le jardin est paysagé avec goût. Rien à voir avec un domicile de flic. Trop cher, trop beau.

Une Packard décapotable est garée dans l'allée. Parker laisse sa voiture juste derrière elle. Il y a de la lumière dans la maison. Une fumée de cigarette s'élève depuis une terrasse.

Parker sort de son véhicule et s'étire. Il rectifie son nœud de cravate et remonte son étui d'épaule. Il traverse la véranda et sonne à la porte.

Un bruit de pas lui parvient. La jeune femme lui ouvre en grand.

Elle le dévisage. Elle porte un pantalon de gabardine et une chemise d'homme de couleur blanche. Elle s'habille pour rester à la maison.

– Bill Parker, Miss Lake. J'espérais pouvoir vous parler quelques instants.

Elle regarde l'heure, à sa montre en or massif. Elle porte des chaussures basses bicolores. Ses cheveux sont maintenus par une barrette en écaille.

– Il est 21 h 41, capitaine.

– Oui, je sais qu'il est tard. Si je vous dérange, je peux revenir demain.

Elle s'avance vers lui. Son attitude signifie clairement qu'elle ne le laissera pas entrer.

– Votre visite a un rapport avec Lee, alors ? Je vois sur votre manche l'écusson des polices urbaines. Il y a eu un accident ?

Elle a le même accent que lui, celui des gens de la Prairie. Il se rend compte qu'elle se fait la même réflexion. Cet accent, elle pourrait le perdre ou le modifier. Miss Lake, c'est l'affectation personnifiée.

– L'agent Blanchard va bien, Miss Lake. Il s'agit de tout autre chose. J'espère que vous aurez la curiosité de m'écouter jusqu'au bout.

Elle s'écarte. Il entre. Le salon ressemble à un décor de cinéma. Murs mauves, fauteuils chesterfield, méridiennes tubulaires. Œuvres d'art porteuses d'un message de gauche et bar en acier chromé.

– Vous avez une maison ravissante, Miss Lake.

Elle referme la porte.

– Lee a fait une belle carrière dans la boxe. Et puis il a été bien conseillé sur le plan financier.

– Ben Siegel gère très habilement son argent. Je suis sûr qu'il a personnellement fait profiter Lee Blanchard de ses conseils.

Elle s'adosse à la porte. Elle prend la pose pour faire oublier sa moue. Un bref instant : derrière sa façade de jeune femme raffinée, elle laisse voir une enfant irresponsable.

– Nous avons tous entendu les rumeurs, capitaine. Quelques-uns d'entre nous savent qu'elles sont fausses.

Parker désigne une chaise.

– Vous permettez ?

Elle hoche la tête et se dirige vers le bar. Parker s'assied. Elle remplit deux verres d'eau gazeuse et lui en apporte un. Elle approche une chaise identique près de celle de Parker.

Ils font tinter leurs verres.

— À ce que l'avenir me réserve, dit-elle.

Parker boit une gorgée.

— Dites-moi comment vous avez su que je ne buvais pas d'alcool.

— J'ai assisté au banquet de Pâques donné par le maire en l'honneur de l'archevêque Cantwell. Il y avait un bar gratuit. Vous avez hésité entre une sélection d'alcools divers et le plateau des boissons non alcoolisées. En fin de compte, vous avez pris une eau gazeuse. Vous aviez l'air à la fois déçu et soulagé.

— Vous observez toujours des détails aussi secondaires avec autant d'attention ? demande Parker.

— Oui. Et vous en êtes conscient, et c'est pourquoi vous êtes ici.

Parker en pique une suée.

— Vous êtes de Sioux Falls ?

— Oui, et vous êtes de Deadwood.

— Comment le savez-vous ?

— C'est Elmer Jackson qui me l'a dit.

— Vous êtes amie avec le sergent Jackson ?

— Oui.

— Vous êtes au courant des rumeurs qui courent sur son compte ?

— Oui, et je sais qu'elles sont vraies, tout autant que celles qui concernent Lee sont fausses.

Parker sent la transpiration s'amasser à la naissance de ses cheveux. Cette satanée fille s'en aperçoit. Elle s'approche et ouvre une fenêtre.

Un courant d'air entre dans la pièce. Des klaxons retentissent dans Doheny Drive. Miss Lake prend une pose décontractée.

Un feu d'artifice éclate. Parker est aux premières loges pour en profiter. Les soldats s'offrent des réjouissances illégales. Des étoiles rouges, blanches et bleues explosent.

— La guerre approche, dit-elle.

— Oui. Qu'est-ce que cela vous inspire ?

— Je conçois les grands événements comme des occasions à saisir. Ce n'est sans doute pas ma plus grande qualité.

Parker sourit.

— Par exemple ?

Elle s'assied et croise les jambes. Ses socquettes jurent avec ses chaussures basses bicolores. C'est un choix délibéré qui signifie : Allez vous faire foutre.

– La Grande dépression. C'est elle qui m'a permis de m'arracher à Sioux Falls.

– Que pensez-vous de la campagne du front de l'Est ?

– Je hais les Allemands et je ne sais pas trop ce que je dois penser des Russes, si c'est ce que vous voulez savoir.

Parker tapote ses poches à la recherche de ses cigarettes. La jeune femme plonge la main dans sa poche de pantalon et lui lance les siennes. Il en prend une et lui renvoie le paquet.

Chacun allume la sienne. Un répit de deux secondes s'ensuit. Les feux d'artifice illégaux font *wouf.*

– Vous ne m'avez pas demandé ce que je fais ici.

– Vous êtes sorti pour éliminer les embouteillages. Vous étiez dans le quartier, alors vous avez eu l'idée de rendre visite à l'improviste à une femme que vous n'avez jamais rencontrée.

– C'est tout ?

– Non. Vous avez d'abord appelé la brigade. Vous vouliez être sûr que l'agent Lee Blanchard dormait sur le canapé du sergent Dudley Smith.

Parker agrippe sa chaise et regarde autour de lui pour trouver un cendrier. La jeune femme écrase sa cigarette et lui passe le sien. Leurs mains tremblent et se frôlent.

– *C'est tout ?*

– Non, mais il y a une autre explication possible. Nous sommes samedi soir, et vous avez pensé que je pourrais être désœuvrée.

– Et pourquoi aurais-je pensé une chose pareille ?

– Parce que vous êtes désœuvré vous-même ? Parce que les rumeurs ne sont pas à sens unique ? Parce que vous avez lu je ne sais quel dossier à mon sujet, et que vous avez extrapolé ?

Les feux d'artifice se succèdent à flot continu. Ils illuminent Sunset Boulevard. Des couples dansent le jitterbug sur un camion-plateau.

Ils se regardent les yeux dans les yeux. Les manchettes de la jeune femme glissent le long de ses bras. Elle se penche en avant et prend le cendrier sur les genoux de Parker.

Il tressaille. Ses lunettes glissent sur l'arête de son nez. La jeune femme tend le bras vers la fenêtre ouverte.

– Que fêtent-ils ?

– Une occasion à saisir.

– Je le crois volontiers.

– Vous voulez bien me montrer la maison ?

Elle se lève et parodie une révérence. Parker la suit. Quelle affectation ! Regarde ça…

De l'art cinquième colonne présenté sous une forme respectable. La rencontre du cubisme et de l'oppression. Étonnant – un flic vit dans ces murs.

Ils montent à l'étage. Le palier est doté de lampadaires et de murs rouge sombre sur lesquels sont collés des croquis au crayon. Des files d'attente pour la soupe populaire, des forçats enchaînés les uns aux autres, des grévistes et des policiers qui chargent.

Elle entre dans une chambre et actionne un interrupteur mural. La lumière fait jaillir une nature morte : une vie de flic.

Un lit défait. Un uniforme jeté en vrac et divers objets échoués sur une table : un .38 Spécial, une matraque télescopique. Sur les murs, des coupures de presse datant de la carrière de boxeur de Big Lee.

Elle bascule l'interrupteur. La chambre redevient obscure. Plantée sur le palier trop éclairé, elle regarde Parker resté à l'intérieur. Elle prend la pose. Il comprend.

Elle a observé les vedettes de cinéma et des photos glanées çà et là. Elle a emprunté des images pour donner de la cohérence à son propre personnage. Elle est merveilleusement douée pour incarner une apparence. Privée de cette apparence, elle est trop malléable.

Les cheveux auburn, les murs rouge sombre, l'éclairage intense. Elle va se tourner, maintenant, pour…

Elle se tourne. Elle s'approche d'une seconde porte, de l'autre côté du couloir. Parker la suit.

La porte est verrouillée. La poignée de porte reste bloquée tant qu'on n'a pas donné un tour de clé. Cette anomalie stupéfie Parker.

Il se tient à côté d'elle. Elle sort une clé et déverrouille la porte. C'est sa chambre personnelle. Elle lui a fourni un indice et a gardé la confirmation pour la fin.

Des murs peints en rose, une table à dessin qui se transforme en chevalet. Le piano droit contre l'un des murs. Les bustes de Beethoven et de Luther.

Des portraits au crayon sur une étagère. Ceux d'un boxeur mi-lourd plutôt malin nommé Bucky Bleichert.

Parker les montre du doigt.

– Il a posé sa candidature pour entrer au LAPD.

– Je le sais, répond Kay Lake.

– Pourquoi lui ? Vous avez déjà votre boxeur.

– Vous jouez les naïfs, capitaine. Si vous m'annoncez que vivre en concubinage est interdit par la charte de la police de Los Angeles, je vous donnerai des éclaircissements nettement plus explicites.

Parker sort sur la terrasse. Le Strip est toujours en effervescence. Des soldats ivres fraternisent devant le Trocadero. Ils braillent en agitant des cierges magiques. La circulation est bloquée à perte de vue.

Parker s'appuie à la balustrade. Kay Lake sort à son tour et le rejoint sur la terrasse. Parker sent que la tête lui tourne.

Elle lui tend une cigarette et l'allume. Elle en allume une autre pour elle-même.

– Parfois, je reste ici sous la pluie. Les couleurs changent de façon somptueuse.

Parker la regarde. Il sent une odeur de santal. Elle s'est parfumée, tout à l'heure, dans sa chambre. Affectation, apparence – elle maîtrise même sa propre transpiration.

– Quels sont vos projets immédiats, Miss Lake ?

– Je vais m'enrôler.

– Dans quelle arme ?

– Celle dont les uniformes ont le plus de chic.

Parker sourit.

– Vous êtes bien décidée ?

Elle repousse ses cheveux en arrière.

– À moins que vous ne me proposiez quelque chose de plus séduisant.

D'une pichenette, il expédie sa cigarette par-dessus la balustrade. Elle atterrit sur le capot de sa voiture et continue de se consumer.

– Dans tous les bureaux de l'hôtel de ville, les téléphones sont sur écoute, et il y a plusieurs postes de surveillance pour les espionner. J'ai besoin de vous pour retranscrire les enregistrements des appels de la brigade de recherche. Vous allez devoir le faire sur place.

Kay Lake sourit franchement.

– *Vous jouez encore les naïfs, capitaine.* J'ai l'impression que ces enregistrements contiennent des informations que vous tenez à me faire entendre, et qu'elles sont liées à cette menace que vous tenez en réserve.

Parker rougit.

– Vous pouvez commencer lundi matin.

Elle secoue la tête.

— Si vous me garantissez que Lee ne me verra pas, je préfère commencer ce soir.

Les feux d'artifice illuminent le ciel comme le soleil à midi. Le Strip s'embrase d'une grande lueur blanche qui vire au rose.

— J'ai vu une photo de vous. Vous portiez un chapeau cloche, et je me demandais s'il était de couleur rouge.

Kay Lake entre dans sa chambre et en ressort aussitôt. Elle a mis son chapeau. Elle prend la pose dans l'encadrement de la porte. Le chapeau est du même bleu marine austère que ceux de la police.

# 8

## LOS ANGELES | SAMEDI 6 DÉCEMBRE 1941

**22 h 56**

Lee Blanchard ronfle. Ce garçon est en ménage avec une fille ravissante. Inexplicablement, il préfère dormir à l'hôtel de ville.

Les ronflements traversent les locaux de la Criminelle. À part ça, le calme règne dans la salle de garde. Pas de téléscripteurs, pas de sonneries de téléphone.

Deux flics en uniforme viennent de partir au Congo — le quartier noir. Un Noir nommé Jefferson a poignardé un autre Noir nommé Washington. C'est une femme noire du nom de Lincoln qui est à l'origine de l'incident. Dudley a décliné la corvée.

— Allez-y, les gars. Le Dudster vous accompagnera par la pensée dans un esprit de justice impartiale.

Blanchard ronfle. Dudley a un petit box pour lui tout seul. Le bruit se répercute. Jack Webb est planté près du téléscripteur. Il a un faible inconvenant pour les policiers. Il est agréablement efficace quand il faut faire un saut à la Pagode Chinoise de Kwan pour rapporter des nouilles sautées.

Dudley écrit une lettre à Beth Short. « Consacre-toi plus rigoureusement à tes études, ma grande. Amène ton copain aveugle Tommy Gilfoyle avec toi quand tu viendras à la fin du mois. Je vais t'envoyer un second billet d'avion. Je veux te regarder lui décrire un film, avec ce talent magnifique que tu possèdes. »

Il ressent encore le coup de fouet de la benzédrine. Un type du Hop Sing monte la garde près de l'épandage de chaux vive et du violeur rongé de cloques. Il a appelé un fleuriste pour faire envoyer un bouquet à chacune des quatre victimes, en y joignant ses pensées respectueuses.

Blanchard ronfle. Ce type est cocufié en permanence. Les rumeurs sur ce sujet se répercutent sans cesse.

Dudley prend un numéro du magazine *Screenworld*. Les pages sont fatiguées. Il a lu l'article sur Bette Davis un milliard de fois. Le papier est déchiré. Le visage de Bette Davis est taché d'encre.

Harry Cohn trouve Bette trop froide. Elle refuse de quitter la Warner pour la Columbia. Harry lui a dit :

– Je ne comprends pas pourquoi, Dud. Elle doit être antisémite.

Dudley a répondu :

– Toutes les femmes qui ont du caractère le sont. Mais vous, les magnats du cinéma, vous n'êtes pas tous youpins ?

Harry a éclaté de rire. Harry est un Blanc à titre honoraire. Il dirige la Columbia d'une main de fer. Au studio, les avortements sont effectués par une lesbienne, Ruth Mildred Cressmeyer. Ruthie possède une cave remplie d'esclaves sexuelles, en partenariat avec l'adjointe du shérif, Dot Rothstein. Ruthie a perdu son droit à exercer la médecine après un avortement raté sur une Noire – la maîtresse de Bill McPherson. Le fils de Ruthie, Huey, commet des braquages et assiste aux rassemblements du Bund, l'organisation germano-américaine pronazi. Huey sert d'indicateur à Dudley. Huey renifle de la colle. Huey est un grand psychopathe.

Son téléphone sonne. Le bouton rouge s'allume – le lieutenant Thad Brown.

Il décroche.

– Oui, Thad ?

– J'ai besoin d'un service. C'est une tâche subalterne, mais Blanchard et vous êtes les deux seuls hommes que j'aie sous la main.

– Bien sûr.

– On nous signale un tapage nocturne dans Highland Park. Au numéro 2108, Avenue 45. Le commissariat du quartier est débordé, et le Central manque d'effectifs. La moitié de la garde de nuit travaille sur cet accident de la route avec un camion de l'armée.

Dudley note l'adresse. Des parasites coupent la parole à Brown. La Belle au bois dormant s'ébroue.

— Debout là-dedans ! On a du boulot, mon gars.

Blanchard se frotte les yeux. Dudley lui sert un café. Blanchard bâille à s'en décrocher la mâchoire.

Il a dormi sans ôter sa veste. Il a besoin de se raser. C'est un mécontent chronique. Il a réussi un braquage hasardeux en 1939 et sauvé une jeune femme aux mœurs douteuses. Il n'a plus rien accompli depuis.

Dudley saisit l'étui qui contient son arme. Il entraîne Blanchard à travers le bloc cellulaire et le voit se remettre les idées en place. Ils se rendent au garage en ascenseur et prennent une voiture de patrouille. Ils s'engagent dans Spring Street, en direction du nord.

L'horloge du tableau de bord indique 23 h 41. Blanchard *bâââââââille* et entrouvre son déflecteur.

— Benny sort bientôt.

— Oui, mon petit gars. Je le sais.

— Il va sans doute donner une fête.

— Il a échappé à la chambre à gaz. Ça s'arrose.

Blanchard allume une cigarette.

— S'il a échappé à la chambre à gaz, c'est grâce à nous.

— Ne m'oblige pas à te tirer les vers du nez, petit. Exprime-toi, va jusqu'au bout de ta pensée.

Blanchard frissonne.

— Je revois encore son visage. Celui du Canari, je veux dire. Je fais des rêves, parfois.

Dudley baisse sa vitre. L'air froid annule l'effet de la benzédrine.

— Calme-toi, petit. Il vaudrait mieux que tu te tortures la conscience pour ceux qui méritent tes regrets.

Blanchard déglutit et jette sa cigarette. Dudley prend Broadway pour traverser Chinatown. Ils contournent la voie rapide et prennent Figueroa vers le nord. Un vieux souvenir : le collège Nightingale.

Printemps 38. Un prédateur sexuel prend en otage une femme professeur de gymnastique. Le type la force à se déshabiller dans les douches. Dudley les rejoint sans être vu et fait sauter la cervelle de l'obsédé. Chaque année, à Noël, il envoie des fleurs à l'otage.

Ils traversent le quartier mexicain. Des couche-tard jouent aux dés devant les *cantinas*. Ils prennent une transversale pour rejoindre l'Avenue 45. Les *cholos* disparaissent. La rue est impeccable, blanche et propre.

Des maisons en bois, avec vue sur les espaces verts qui bordent la voie rapide, un refuge de bourgeois.

Alors, ce tapage nocturne ? Un peu plus loin sur la droite.

La maison est éclairée à flots, la musique tonitruante. Des matelots et des auxiliaires féminines de la Marine font connaissance sur la terrasse. Un quartier-maître sert à la louche du punch que contient une soupière. Les auxiliaires féminines battent la mesure au rythme de la musique en agitant des drapeaux américains fixés au bout d'une baguette en bois.

Dudley gare la voiture. Blanchard en sort et s'étire. Quelqu'un dit :
– Les flics.

Quelqu'un éteint la musique.

Blanchard s'approche de la terrasse. Les festivités se figent. Blanchard dit *Chuuuut !* Des rires nerveux circulent.

Un marin dit :
– Je vous ai vu boxer contre ce nègre à Tijuana.

Blanchard incline la tête dans sa direction. Une auxiliaire lui tend un gobelet de punch. Blanchard le vide d'un trait et fait *ouuuuh !* Une cloche d'église sonne minuit quelque part.

Dudley sort de la voiture. L'écho de la cloche s'estompe. Il lui semble entendre quelque chose.

C'est un son aigu et plutôt faible. Ce n'est pas le bruit de la rue venant de Figueroa, derrière eux.

Les autochtones sont sous le charme de Blanchard. L'auxiliaire féminine lui remplit son gobelet. Ce son strident. Cela ressemble à des violons qui se superposent.

Dudley repère la direction – la maison voisine, sur la droite. C'est une construction en bois. Bien entretenue. Sur deux niveaux, avec une terrasse couverte. Il sort sa lampe torche et s'en approche. Des silhouettes traversent la terrasse.

Des coyotes. Des bêtes aux cris aigus.

Blanchard retourne vers la voiture en zigzaguant. Dudley traverse la pelouse et braque le faisceau de sa lampe sur la terrasse. Les coyotes lèchent le seuil à ras de la porte.

La lumière de la torche les effraie. Ils se dispersent. Ils ont le museau rouge vif.

Dudley regarde sa montre. Il est 0 h 02. Blanchard le voit et vient le rejoindre. Dudley monte sur la terrasse.

Il braque sa lampe sur le bas de la porte. Évidemment – il y a du sang.

Qui suinte sous la porte. Du *sang* qui coagule.

Blanchard saute sur la terrasse. Son haleine empeste le rhum bon marché. Dudley dit *Chuuuut !* Blanchard suit des yeux le faisceau de la lampe et sent venir la nausée.

Dudley sort son arme de service.

— Enfonce la porte. Regarde bien où tu mets les pieds.

Blanchard vise un endroit faiblard vers le milieu du montant. Le premier choc fait sauter la serrure. La porte s'ouvre en grand vers l'intérieur. Une puanteur se répand au dehors.

Un mélange de sang et de chair en décomposition.

— Tu vas entrer, mon gars. Rase le mur et trouve un interrupteur. Sors ton mouchoir. Fais attention à l'endroit où tu poses les pieds, et ne touche à rien.

Blanchard se couvre le nez et entre dans la maison. Ce garçon est habile – il se colle au mur et avance en biais. La pièce est plongée dans le noir absolu de minuit passé. Les chaussures de Blanchard raclent le plancher.

Lumière.

Un plafonnier, des ampoules claires, une lumière blanche qui tombe sur ceci :

Un salon. Un tapis persan aux dimensions de la pièce. Trempé de sang, *saturé* de sang. Le sang de quatre païens morts. Une famille de Jaunes : le père, la mère, la fille, le fils.

Blanchard dit :

— Des Japs.

Ils sont étendus sur le dos. Ils sont éviscérés. Totalement étripés. Leurs intestins sortent de leur ventre et se répandent sur le sol. Ils sont l'un à côté de l'autre, tous les quatre. On dirait qu'on les a *disposés* avec soin. Près de chacun d'eux : un sabre couvert de sang.

Une longue lame courbe. Une poignée garnie de cuir épais. Des sabres appartenant à la tradition japonaise.

Blanchard ressort en titubant. Dudley l'entend vomir. En frôlant le mur, il fait le tour de la pièce. Il examine les Japonais. Le père : mince, la cinquantaine. Bronzé, mains calleuses – un cultivateur typique. La mère : le même âge que son conjoint, dodue. Le garçon : dans les vingt-deux ans, musclé, une coupe de cheveux insolente de zazou mexicain. La fille : svelte, seize ans environ.

*Tradition jap. Seppuku, hara-kiri, suicide rituel. Le déshonneur impose l'auto-annihilation.*

Blanchard hésite sur le pas de la porte. Ses genoux tremblent. Dehors, une musique entraînante se fait entendre tout à coup.

Dudley dit à Blanchard :

– Appelle la brigade et le labo. Explique au lieutenant Brown ce qu'on a découvert, et laisse-le décider s'il faut prévenir ou non le directeur Horrall. Fais venir Ray Pinker, et dis-lui d'amener ce jeune et brillant D\u0072 Ashida.

Blanchard parle à travers son mouchoir.

– Et si on faisait du porte-à-porte ? Vous savez, pour interroger les voisins ?

– Hors de propos, mon garçon. À mon avis, nous sommes en présence d'un suicide. Dis à Pinker d'appeler Nort Layman à la morgue. C'est un crack quand il s'agit de déterminer la cause d'un décès.

– Mais qui c'est, d'abord ? Vous les avez identifiés ?

Dudley s'accroupit sur le seuil.

– Ce ne sont pas des criminels au sens habituel. On n'*identifie* pas des païens pris de folie qui se plient apparemment aux lois des Blancs civilisés. Interroge le propriétaire de la maison d'à côté. Détermine ce qu'il sait. Appelle la permanence de nuit aux archives. Demande l'identité du propriétaire de la maison et cherche à savoir depuis combien de temps les Japs l'occupaient, qu'ils l'aient louée ou achetée.

Blanchard déguerpit. Dudley sort son calepin et son stylo.

Il dessine le salon. Au jugé, il évalue les dimensions du plancher et du tapis. Il dessine un canapé et deux fauteuils. Du sang recouvre le bas des pieds des fauteuils, jusqu'à une hauteur qu'il estime à cinq centimètres.

Sur le mur : des portraits sépia de Japonais morts depuis longtemps et une carte encadrée du Japon. Toutes les apparences d'une vie familiale équilibrée.

La salle à manger est contiguë au salon. Dudley dessine la table, les fenêtres et les sièges. Les flaques s'arrêtent juste avant la salle à manger. Le tapis du salon a absorbé tout le sang répandu.

Ils sont morts asphyxiés, la bouche grande ouverte. Leurs mâchoires sont restées bloquées dans cette position. Ils se sont étendus côte à côte juste avant de mourir.

Dudley tend la main et plante son index dans le bras du père. Le bras ne bouge pas. La rigidité cadavérique s'est installée.

Il entre dans la cuisine. Elle est entièrement recouverte de carrelage blanc. Immaculée et bien rangée – elle a l'aspect d'une cuisine utilisée par une famille équilibrée.

La vaisselle est empilée sur l'égouttoir. Le réfrigérateur contient de la nourriture jap. Légumes, riz, anguille et encornet.

Dudley dessine la cuisine et la buanderie. Plancher couvert de linoléum, une machine à laver, une corde à linge installée dans la pièce. Des vêtements humides tenus par des pinces sur le fil. *Pourquoi faire la lessive le jour où on a décidé de se suicider ?*

Dudley monte à l'étage et reste un moment sur le palier. Deux chambres, sur la gauche. Une seule sur la droite. Sur les murs, d'autres portraits de Japonais morts depuis longtemps.

Il entre dans la chambre de gauche la plus proche du palier. C'était celle de la fille. La décoration est purement *demoiselle japonaise*.

La petite dormait sur un tapis en bambou. Elle avait un bonsaï sur son bureau. Ses jouets en peluche ont les yeux bridés.

Ses penderies sont remplies de kimonos et de tenues classiques de collégienne.

La porte de communication entre les deux chambres est fermée par un cadenas. Dudley ressent des picotements au cuir chevelu. Il ressort de la chambre pour entrer dans celle d'à côté. Elle est purement *jeune mâle japonais*.

Le gamin mort devait être du genre turbulent. Il avait adopté cette coiffure à la mexicaine. Hypothèse : sa sœur avait peut-être condamné la porte de communication pour qu'il la laisse *tranquille*.

Les portes de chambres donnant sur le couloir sont munies de serrures. Deux serrures, cela veut dire que la jeune fille pouvait s'*enfermer à clé*.

La chambre de son frère, celle d'un garçon turbulent ? Assurément – et c'est peu dire.

Deux clubs de golf calés debout dans un coin. Un fanion du lycée Franklin au-dessus du lit. Des illustrés en vrac sur la commode. *À noter* : toutes leurs couvertures représentent des espions nazis.

Un broc près du lit. Il en monte une odeur d'urine.

Pas de toilettes dans les chambres de la fille et du fils. Pas d'intimité possible dans une pareille cohabitation.

Dudley fouille le placard et la commode. Voici ce que ces meubles révèlent :

Des vêtements d'homme anodins. Un pull aux couleurs du lycée Franklin orné de la lettre « F ». Quatre costumes de style zazou. D'autres illustrés. Deux couteaux à cran d'arrêt. Des magazines remplis de photos de filles en petite tenue et des suspensoirs rembourrés.

Il examine les suspensoirs. Ce qui tient lieu de rembourrage, ce sont des petits drapeaux japonais, et aussi des culottes de femme – identiques à celles trouvées dans la chambre de la petite sœur.

Une seule chambre encore à visiter : celle des parents.

Dudley y entre. Il examine d'abord la salle de bains. Il voit quatre brosses à dents dans un même gobelet. Une boîte de brillantine de zazou mexicain sur le rebord du lavabo.

Il examine la chambre. Il remarque une feuille de papier collée au mur.

*Deux lignes. En caractères japonais. Bien en évidence, le message d'adieu des suicidés.*

La penderie est pleine à craquer. La maman portait des kimonos. Le père préférait les bleus de travail et les tenues de chef de guerre japonais. On a fait entrer de force une commode dans la penderie. Dudley ouvre le tiroir du haut.

*À noter* : des liasses de yens japonais et de marks allemands. *À noter* : une petite brochure comme on en distribue dans la rue, intitulée *L'oppresseur de Los Angeles*.

Dudley en parcourt les huit pages. C'est une polémique délirante. L'auteur anonyme s'en prend aux préjugés antijaponais. Il en rend responsables « Les fa*KKK*tions KK*K*orrompues au sein de la machine politique de L.A. ». Leurs laquais : « Les fli*KKK*s KK*K*orrompus infiltrés dans la police de Los Angeles et les services du shérif. » Le maire, Fletch Bowron, est fustigé. Le shérif Gene Biscailuz n'est pas épargné. L'ancien directeur de la police, Jim Davis, et le nouveau, C. B. « Jack » Horrall, en prennent pour leur grade. L'auteur lance quelques piques contre les Juifs, les Britanniques et les Chinetoques.

Blanchard rejoint Dudley dans la chambre des parents. Il tient son calepin et une bouteille de bière. Il a traversé le rez-de-chaussée sans regarder où il mettait les pieds. Ses chaussures sont constellées de caillots de sang.

– Le nom de la famille, c'est Watanabe. Le père s'appelait Ryoshi, sa femme Aya, et les enfants avaient pour prénoms Nancy et Johnny. La maison est au nom du père. Il possède des cultures maraîchères dans la vallée, comme tous les Japs – à part ceux qui vendent des babioles au porte-à-porte ou qui pratiquent la pêche en mer depuis San Pedro. Le voisin dit que c'étaient des Japs très corrects qui évitaient de fréquenter des Blancs et restaient entre eux, et apparemment, c'étaient les seuls Japs de Highland Park.

Dehors, des portières claquent. Dudley entre dans la chambre de Johnny et regarde par la fenêtre. Deux voitures dont les passagers descendent : Ray Pinker, Nort Layman. Le jeune docteur Ashida et le lieutenant Thad Brown.

Ils courent vers la maison. Un puissant *Oh, merde !* retentit. Le charmant Lee Blanchard rejoint Dudley dans la chambre de Johnny. Il tripote les illustrés du môme. Il lâche un rot qui sent la bière.

Dudley lui confisque sa bouteille.

– Descends tout de suite et envoie-moi le Jap. Et fissa, Leland !

Blanchard fonce. Dudley entre dans la chambre des parents. Dudley regarde la lettre.

いま迫り来たる災厄は　　われらの招きたるものに非ず
われらは善き市民であり　かかる事態を知る身に非ざれば

Le Jap entre dans la chambre. À 1 h 30 du matin, il est impeccable et il a les yeux rouges.

– Vous lisez le japonais, docteur Ashida ?

– Oui, sergent.

Dudley désigne la lettre. Ashida l'examine.

– *L'apocalypse qui s'annonce n'est pas de notre fait. Nous avons été de bons citoyens et nous ne savions pas qu'elle allait se produire.*

# 7 décembre 1941

# 9

**1 h 31**

Dudley Smith commente :

– C'est sûrement une lettre justifiant le suicide.

– Oui, c'est très probable, dit Ashida.

– Êtes-vous un Nisei, docteur Ashida ?

– Oui, sergent.

– Vos origines culturelles vous fournissent-elles des perspectives qui pourraient nous éclairer dès maintenant ?

*La disposition des corps paraît suspecte. La maison est trop bien rangée. Le recours au seppuku est souvent précipité par une vie de famille devenue chaotique. Ici, le désordre devrait être bien plus grand.*

Ashida répond :

– La lettre justifie plutôt qu'elle n'avoue le déshonneur et la honte. « L'apocalypse qui s'annonce » est une formule ambiguë. La plupart des lettres laissées par des Japonais qui se suicident en groupe sont un peu plus spécifiques et insistent sur le concept de l'honneur retrouvé.

Dudley Smith sourit. Il est grand et athlétique. Il a de petits yeux marron. Son soupçon d'accent irlandais séduit les suspects. L'étape suivante, c'est la chambre à gaz.

– Je vous remercie pour vos commentaires. Je vais rester dans cette chambre et y réfléchir pendant que vous irez aider vos collègues au rez-de-chaussée.

Ashida s'incline et retourne vers l'escalier. Il identifie la pestilence : un mélange d'humeurs viscérales et d'air vicié. Il descend au salon. Blanchard et Brown sont à l'écart du tapis. L'un d'eux s'exclame : *Ce que ça pue !* et ils allument une cigarette.

Ray Pinker prend des photos des cadavres. Nort Layman étudie les corps. Il porte des bottes de pêcheur qui montent jusqu'aux genoux. Il s'est préparé pour affronter la pourriture liquide.

— Elle me plaît, la petite, déclare Blanchard. Si elle était encore en vie, j'aimerais bien la sauter.

— Cette histoire risque de nous prendre un temps fou, constate Brown. Tu crois qu'Ace Kwan pourrait nous faire livrer de quoi manger un morceau ?

— Le Hop Sing Tong et les Quatre Familles sont de nouveau à couteaux tirés. Ace a autre chose à faire.

— Dudley est en affaires avec Ace. Il nous fera bien apporter quelque chose à nous mettre sous la dent.

— Attention, prévient Blanchard. Il ne faut pas dire à Ace qu'on a des cadavres de Japs ici. Historiquement parlant, les Japs et les Chinetoques n'ont jamais pu se sentir.

Deux aides de la morgue apportent des bidons pour transporter le sang. Layman inscrit l'heure et la date sur des étiquettes adhésives. Les aides portent des gants de caoutchouc et sont munis d'écopes en métal. Layman leur désigne les cadavres.

— Dégagez l'accès tout autour. Scellez les bidons avec une bande adhésive. Réfrigérez le sang, pour que je puisse observer les cellules.

Les aides de la morgue entrent dans le salon. Ils prélèvent des blocs de sang solidifié et les glissent un par un dans les bidons. Layman leur passe quatre bidons supplémentaires. Le sang est complètement coagulé, à présent. Presque sec, il se détache aisément du tapis.

L'un des hommes déblaie un passage pour atteindre Ryoshi Watanabe. Un autre fait de même pour Johnny. Ils remplissent six bidons. Ils glissent leurs bras dans les anses et les transportent hors du tapis.

— Nom de Dieu ! lâche Blanchard.

Layman s'approche des corps. Il ramasse les sabres. Il les pose sur le tapis. Il retourne les corps pour les étendre sur le ventre et baisse leurs pantalons, jupes et sous-vêtements. Pinker lui lance quatre thermomètres tenus ensemble par un élastique. Il les leur enfonce dans le rectum et regarde sa montre pour les y laisser le temps nécessaire.

Ashida aussi compte les secondes. Layman retire les thermomètres et relève les températures. Il fait signe aux aides de la morgue : *Les cadavres, maintenant*. Ils regagnent leur fourgon.

Layman tousse.

— À mon avis, ils sont morts depuis une dizaine d'heures. On les a éviscérés, donc la nourriture contenue dans leurs intestins a pu se disperser en partie, avec leur sang, sur le tapis. Si je parviens à déterminer l'état d'avancement de leur digestion, je pourrai sans doute préciser davantage l'heure de leur décès.

Les types de la morgue font entrer dans la maison quatre chariots brancards en métal. Les bords du tapis ressemblent à des gouttières remplies de sang. Pinker se poste au-dessus des corps et les photographie de dos.

Brown déclare :

– C'est un suicide. J'ai parlé au directeur. Il dit qu'on doit boucler le travail rapidement et enterrer l'affaire.

Dudley Smith entre à son tour.

– Je penche pour un suicide, mais nous ferons connaître nos conclusions quand le moment sera venu.

Les aides de la morgue s'appuient à leurs chariots. Layman leur fait signe : *au travail*. Ils se mettent en place pour charger les corps avec méthode. Le premier soulève un corps du sol. Le second le saisit et le pose sur un chariot. Layman le retourne pour qu'il repose sur le dos.

Ashida les observe. Ashida avale sa salive et déclare :

– La pratique du *seppuku* comporte un repas rituel avant les éventrements. Le docteur Layman devrait pouvoir déterminer la quantité de nourriture encore présente dans leurs voies digestives.

Layman rit.

– Il me plaît, ce garçon. Il pourrait m'appeler *Nort*, mais il m'appelle *docteur*.

Pinker rit.

– Il est lui-même docteur. Il a soutenu une putain de thèse à Stanford.

Blanchard mime une branlette. Dudley Smith adresse un clin d'œil à Ashida.

Ashida se trouble. Ses jambes fléchissent. Huit Blancs ne le quittent pas des yeux.

Il s'approche des chariots. Il enfile des gants de caoutchouc. Les aides de la morgue lui jettent un regard qui signifie : *Qui c'est, ce gamin ?*

Ashida examine Ryoshi. Oui – son intuition se confirme. Il examine Johnny – oui, même constatation. Il examine Aya et Nancy. Oui – encore et encore.

Son public est en haleine. Huit Blancs le regardent fixement.

– Juste au-dessous des perforations causées par le sabre, on voit des traces d'une première tentative manifestement hésitante. Cela n'a rien d'étonnant, compte tenu de l'énormité de l'acte. Ce qui est anormal, c'est que ces traces soient identiques, étant donné que ces quatre personnes sont censées s'être éviscérées par leurs propres moyens. Dans les affaires de *seppuku*, les signes d'hésitation sont en général une incision de haut en bas. Ici, dans chacun des quatre cas, les incisions sont pratiquées latéralement, d'un flanc à l'autre, comme si ces personnes avaient cherché à se débattre ou à refouler leur désir de se donner la mort, d'une façon qui n'a jamais été documentée dans une revue de criminalistique.

Pinker et Layman s'approchent. Ashida leur désigne les marques sur les corps de Nancy et Johnnie. De la main, Layman écarte les croûtes de sang coagulé. Pinker lâche un sifflement admiratif. Layman commente :

– Ce garçon a raison.

Ashida explique :

– La position des corps me paraît étrange. J'ai vu des photos de *seppukus* collectifs dans des manuels japonais. Invariablement, les membres d'une même famille s'agrippent les uns aux autres au moment de mourir, même si au départ leur intention était de rester alignés côte à côte. On retrouve toujours les cadavres entassés les uns sur les autres.

Dudley Smith allume une cigarette.

– Supposons que l'on attribue les signes d'hésitation au père. Il craignait que sa femme, son fils et sa fille manquent de courage au dernier moment et soient incapables de manipuler le sabre. Il leur a tenu la main, les a tués, il a disposé les corps, et puis il s'est suicidé. Il a hésité au moment de se supprimer parce que le fait d'avoir tué ses proches l'a perturbé.

– Oui, c'est plausible, dit Ashida.

Brown hausse les épaules.

– On divague beaucoup trop. C'est un suicide et rien d'autre.

Blanchard ricane.

– C'est un entrefilet en dernière page du *Mirror*. « Des Japonais morts à Highland Park. L'Empereur pleure. »

Dudley Smith réagit :

– Présente tes excuses au docteur Ashida, Leland : *Je vous prie de m'excuser, monsieur.* Ça suffira.

Blanchard regarde ses chaussures. Blanchard dit :

– Je vous prie de m'excuser, monsieur.

Ashida aussi regarde ses chaussures. Layman sort une flasque.

Pinker s'en empare, boit une lampée, et la passe à son voisin. Ashida n'a droit qu'aux dernières gouttes.

Un aide de la morgue se met à rire. Brown rit à son tour. Ashida rit aussi. Dudley désigne les sabres et les cadavres.

– On va prendre les empreintes et faire des tests comparatifs. On a besoin de déterminer quelle main a touché telle ou telle arme.

Pinker secoue la tête.

– Les poignées sont en cuir grainé. Elles n'auront pas gardé d'empreintes.

Layman suggère :

– Saupoudrez les lames. Vous trouverez peut-être des empreintes latentes.

Ashida ouvre sa trousse d'identification criminelle. Sur le dessus : poudre à révéler les empreintes latentes, encre noire pour relever les empreintes des vivants et des cadavres, pinceau pour ôter l'excès de poudre, fiches cartonnées pour archiver les relevés.

Il pose la trousse sur le chariot de Ryoshi. Il examine les quatre paires de mains. Elles sont déjà atteintes par la rigidité cadavérique. Les doigts sont repliés vers la paume. Cela rend difficile le relevé des empreintes par rotation des doigts sur un support.

Pinker ouvre aussi sa trousse. Layman ramasse les sabres. Dudley s'approche et se place près d'Ashida. Ils échangent un regard. C'est presque de la télépathie.

Ashida saisit le poignet gauche de Ryoshi. Dudley déplie les doigts et les brise. Les os cèdent avec un craquement sec. Ashida trouve une surface stable pour opérer le relevé.

– Putain de merde ! lâche Blanchard.

– Ce n'est pas le moment de faire son délicat, mon petit, dit Brown.

Ashida encre les doigts et le pouce. Ashida en fait rouler la dernière phalange sur une fiche à empreintes et obtient un relevé parfait.

– Quelle vacherie ! dit Blanchard.

Pinker et Layman travaillent sur les sabres. Dudley brise les doigts de la main droite de Ryoshi. Ashida les encre, les manipule, et obtient un relevé parfait.

Dans la pièce, la température ambiante s'élève. Ashida commence à transpirer. Dudley brise les doigts d'Aya. Dudley brise les doigts de Johnny et de Nancy. Des os cèdent. Des éclats transpercent la peau.

Ashida encre les doigts, Ashida les manipule, Ashida obtient des relevés parfaits. Dudley lui adresse un clin d'œil. Ashida se sent rougir.

Pinker et Layman brandissent les sabres. Ils sont couverts de poudre, de la garde à la pointe. Pinker déclare :

– Pas d'empreintes latentes. Seulement quelques taches et des marques laissées par des gants de cuir lisse.

Blanchard siffle.

– Merde, c'est un homicide.

– Pas nécessairement, dit Brown.

– Quelqu'un a pu toucher aux sabres avec des gants, avance Pinker.

– Retourne toute la baraque, Leland, ordonne Dudley. Ce qu'on cherche, ce sont des gants en cuir lisse. Pas des gants de travail en cuir épais ni des gants de femme. On travaille sur une hypothèse, à présent.

Blanchard détale. Brown sort une flasque. Layman s'en empare, boit une lampée, et la passe à son voisin. Dudley la passe à Ashida. Il en avale une gorgée. L'alcool déclenche une tempête sous son crâne.

– Il existe une tradition samouraï nommée « suicide par complice ». Des patriarches déshonorés font appel à des proches ou à des prêtres shinto pour qu'ils les aident à se tuer et à tuer leur famille. C'étaient donc ces tierces personnes qui maniaient le sabre.

– Vous pensez, demande Brown, que cela expliquerait les signes d'hésitation et la disposition des corps ?

– Oui, mais il y a un détail qui ne cadre pas. Le complice laisse toujours des photos de la famille à côté des corps.

Brown secoue la tête.

– Mais qu'est-ce qui m'a pris de me déplacer pour une histoire pareille ? Dans la police, je suis officier supérieur, moi.

Layman secoue la tête.

– On n'a pas besoin de meurtres de Japs au moment où le monde connaît une période aussi difficile.

Dudley sourit à Ashida.

– En tant qu'isolationniste confirmé, je ne peux qu'être d'accord avec ce point de vue.

À l'étage, on entend des bruits sourds, suivis de raclements. Blanchard hurle :

– Pas de gants en cuir ! Il y a des gants en coton, et c'est tout !

Ashida subit les effets de l'alcool. Il se sent oppressé dans cette pièce. Avec des Blancs à l'haleine chargée. Une atmosphère enfumée. Et quatre Japonais morts.

– Il y a encore une chose. Au-dessus de la ceinture, les quatre membres de la famille portaient des lainages fins. Si M. Watanabe a aidé les trois autres à se suicider, il a dû se tenir derrière eux pour tenir les sabres. Par conséquent, il a pu laisser des fibres textiles étrangères dans le dos de leur lainage. Une *cinquième personne* – complice du suicide ou assassin – a pu laisser des fibres textiles dans le dos des *quatre* victimes, M. Watanabe compris.

Hochements de tête dans l'assistance. Oui, nous avons compris, *mais...*

Pinker lance une lampe torche à Ashida. Il pousse vers lui les quatre chariots brancards et tourne les cadavres sur le flanc. Les aides de la morgue se reculent. Ashida se met au travail, les mains pleines – la lampe électrique dans l'une, la loupe dans l'autre.

Il commence par Nancy. Elle porte un corsage de laine fine sur lequel sont brodés des flocons de neige. Il l'examine de tout près, à présent. Oui, là – des fibres étrangères de couleur. Elles sont rêches au toucher et de teinte vive. Oui – c'est de la laine shetland mauve.

Il examine ensuite Aya. Son corsage est en mélange de laine et coton. Voyons de plus près. Oui – des fibres identiques, dans le haut de son dos.

Ashida transpire. Il s'essuie les mains sur son veston et reprend ses instruments. Johnny porte une chemise en flanelle. Vu de près – oui, des fibres de shetland mauve, bouclées.

Ryoshi est vêtu d'un cardigan à mailles fines. Ashida se penche – son hypothèse va se confirmer ou s'infirmer.

*Oui. Encore des fibres de shetland mauve, tout le long du dos.*

Ashida s'éponge le visage. *Voilà.* Tu *tiens* ton public. Tu vois ? Tous les regards sont braqués sur le *JAP.*

– Il y a des fibres textiles identiques sur les quatre corps. C'est une fibre qu'on utilise couramment pour confectionner des pulls, c'était donc facile à reconnaître. De la laine shetland de couleur mauve.

Tous ces *hommes.* Tu vois ? Ils retenaient leur souffle, et à présent ils exhalent tous un profond soupir.

Blanchard revient dans la pièce. Il a l'air ravi. Il a bourré ses poches d'illustrés.

Dudley l'empoigne aussitôt.

– Retourne la maison encore une fois, mon gars. Cherche des vêtements en shetland mauve. Le mauve, c'est une sorte de violet, en plus pâle, si tu ne le savais pas.

Blanchard fait demi-tour. Dudley dit :

103

– Il me faut des photos. Restituez une perspective de la maison entière. Voyons si nous avons négligé quelque chose.

Pinker plonge la main dans sa trousse. Il en sort des ampoules de flash et des pellicules. Ashida fouille aussi dans sa trousse. Il en sort une enveloppe et une pince à épiler. Sur le rabat de l'enveloppe, il inscrit : *Watanabe/Avenue 5/ 2 h 17, 7-12-1941.*

Pinker photographie les victimes de dos. Il prend les fibres en gros plan, un corps après l'autre. Les aides de la morgue s'impatientent. Brown et Layman sortent sur la terrasse et allument une cigarette.

Avec sa pince, Ashida prélève des fibres de laine et les range dans des enveloppes dont il colle le rabat. À l'étage, Blanchard fait du tapage. Il hurle :

– J'ai fouillé tous les tiroirs et toutes les penderies. Je n'ai pas trouvé un seul vêtement en shetland mauve !

Dudley regarde Ashida travailler. Ashida observe Dudley discrètement. Dudley a de petits yeux marron. Exactement comme ceux de Bucky.

Ashida récolte des fibres. Il en emplit quatre enveloppes. Pinker agite son appareil de prises de vues. Ashida prend sa trousse.

Photos tous azimuts.

Pinker joue du déclencheur. Ashida porte les rouleaux de pellicule et les ampoules de flash. Ils opèrent rapidement. Dudley les suit. Ils prennent des clichés, changent la pellicule, mitraillent de nouveau. Les ampoules grillées brûlent les mains d'Ashida. Il les jette dans sa trousse.

Photos tous azimuts.

Salon, salle à manger, cuisine. Une buanderie et des vêtements humides sur une corde à linge.

Ce détail intrigue Ashida. *Pourquoi faire la lessive un jour comme celui-ci ? Logiquement, ce détail n'invalide-t-il pas l'hypothèse du seppuku ?*

Photos tous azimuts.

Les deux hommes passent dans le vestibule. Ils photographient le plancher, les murs, le plafond…

Ashida regarde en bas. Pinker regarde en haut. Le premier repère des débris métalliques sur le sol, le second un trou de petit diamètre, juste au-dessus de leurs têtes.

Ashida dit :

– *Le plancher.*

Pinker dit :

– *Le plafond.*

Dudley *comprend* aussitôt. Il regarde en haut et il regarde en bas. Il déclare :

– Je trouve ça fascinant.

Ashida s'accroupit près des bribes de métal. Elles proviennent forcément d'un silencieux. Elles ressemblent à celles du braquage de la pharmacie.

– Sergent, avez-vous lu mon rapport sur le vol à main armée commis au drugstore Whalen ?

– Je l'ai lu, docteur. Il est rédigé avec brio et riche en hypothèses. Vous y précisez que le malfaiteur qui a frôlé le présentoir des illustrés pourrait ne pas être le violeur de la police militaire.

Ashida hoche la tête. Il glisse les débris métalliques dans une enveloppe. Il inscrit sur le rabat de l'enveloppe : *Watanabe/Avenue 5, 2 h 42, 7-12-1941.* Parker désigne le plafond. L'orifice a la dimension d'une *balle.*

Dudley fait signe : *après vous.* Ils montent en hâte à l'étage. Un long tapis rectangulaire couvre le palier. Dudley l'agrippe par le coin le plus proche et le tire à lui. Le tapis décolle du palier.

Dudley écarte le tapis et le tasse contre l'un des murs. Là, sur une latte de parquet – deux fragments de projectile.

Ashida est le premier à les atteindre. Il s'agenouille le plus près possible. Il tient sa loupe juste au-dessus des débris.

*Les fragments sont comparables à ceux du drugstore. Ils sont sûrement identiques ou pratiquement identiques. Ce n'est pas une coïncidence.*

Pinker s'agenouille à côté de lui.

– C'est un Luger équipé d'un récupérateur de douilles. J'ai lu votre dernier rapport, Hideo. Je sais que vous avez procédé à une contre-vérification au labo. Il n'y a qu'une seule incohérence. Cette balle-ci provient forcément d'un autre lot de munitions. Ces débris, je pourrais les écraser entre mes doigts.

À son tour, Dudley se met à genoux. Il ramasse les fragments et les écrase. Le métal réduit en poudre s'écoule de ses mains.

Il redescend. Pinker en reste bouche bée. Ashida a *cru* comprendre. *Cela est lié à sa conversation avec Buzz Meeks.*

Pinker n'en revient toujours pas. Ashida redescend. Il entend des voix dans la cuisine. Il se plaque contre le mur du vestibule.

Brown dit :

– C'est peut-être notre tueur, et peut-être pas. Tout ce que nous avons, *probablement*, c'est le même homme avec *sans doute* la même arme à deux endroits le même jour. C'est peut-être le violeur, peut-être pas. Nous ne sommes pas sûrs que ce soit lui qui ait laissé ces fibres textile au drugstore. Oui, elles proviennent d'un brassard de la police militaire ; et alors ? Si vous pensez que c'est le même individu qui a commis les viols, le braquage et l'homicide, vous pourriez avoir raison – mais vous pourriez tout aussi bien vous tromper.

– De toute façon, réplique Dudley, si le violeur est aussi le braqueur, il ne peut pas avoir *aussi* commis les assassinats. Nort Layman ne se trompe jamais quand il estime l'heure d'un décès.

– Expliquez-moi ça, Dud, demande Brown.

– J'ai identifié le violeur, répond Dudley, grâce à une série de portraits anthropométriques. Jack Horrall m'a donné carte blanche. Mes hommes et moi avons éliminé l'individu hier à 15 h 30. Il n'a pas pu tuer ces Japonais.

Cette information fait tiquer Ashida. Une nouvelle tempête se déclenche sous son crâne.

*Deutsches Haus, 15ᵉ Rue Ouest. J'ai lu un rapport de la brigade anti-subversion. C'est un lieu de réunion des pronazis. La rumeur dit qu'on s'y livre à un trafic de Luger et de silencieux.*

# 10

## JOURNAL DE KAY LAKE

### LOS ANGELES | DIMANCHE 7 DÉCEMBRE 1941

### 3 h 07

« ... et Appelez-moi-Jack a un abonnement permanent chez Brenda. La police municipale possède une chambre privée au-dessus du restaurant Mike Lyman's Grill, où tous les gradés se rendent en cachette de leur femme et où ils reçoivent des professionnelles. Brenda y envoie une fille une fois par semaine. Elle suce Jack pendant qu'il téléphone au shérif Gene Biscailuz. Ils discutent des transferts d'une prison à l'autre, du responsable qui sera chargé du cortège présidentiel quand Roosevelt devra traverser la ville, ce genre de conneries. Et tiens-toi bien : en même temps, le shérif se fait sucer par une autre fille envoyée par Brenda. Il y a un message derrière tout ça, mais je ne suis pas sûre de vouloir le connaître. »

J'abaisse le levier de l'appareil et je réduis au silence le reste de la conversation. Cette machine est impressionnante. Un fil d'acier[1] passe d'une bobine à une autre sur un dispositif qui n'est pas plus gros qu'un petit phonographe. Des leviers permettent de faire avancer le fil ou de le rembobiner. Je porte des écouteurs qui ne diffusent le son que pour moi. La conversation qui précède est typique de ce que j'entends depuis 1 heure du matin. Je suis seule dans un placard à balais, dans un couloir en cul-de-sac, deux étages au-dessus des locaux de la brigade de recherche. C'est un endroit exigu, d'environ 2,50 mètres de côté. Je dispose d'un bureau, d'une chaise, d'un cendrier, d'un paquet de cigarettes et d'une thermos de café fournis par le capitaine William H. Parker. Je n'ai qu'une très vague idée de la raison pour laquelle je suis ici.

Je suis affectée à ce poste dans le cadre d'une « Opération secrète » qui n'a de secrets pour personne. On dit qu'il y aurait des douzaines de ces « postes d'écoute » disséminés dans les couloirs condamnés ou rarement utilisés de l'hôtel de ville. La pratique des écoutes téléphoniques date du règne de Jim Davis. Des policiers espionnent des lignes téléphoniques pour apprendre ce que pensent ou complotent d'autres policiers. Les branchements clandestins enregistrent les appels internes de l'hôtel de ville, ainsi que ceux à destination du bureau du D.A. au palais de justice, à trois pâtés de maisons de distance. Les policiers enregistrent les conversations chaque semaine et ils tiennent un catalogue chiffré des appels entrants et sortants. Il y a une pile de ces catalogues sur le plancher, à côté de mon bureau. Sur les étagères s'alignent des cartons qui contiennent les bobines de fil magnétique indexées selon le même code. C'est une pratique étonnamment arrogante et négligente, perpétrée par des hommes étonnamment arrogants et négligents. Comment le capitaine William H. Parker a-t-il su que je me sentirais parfaitement à mon aise ici ?

La conversation qui précède est étiquetée « BC116 à BRV014 », 12/6/39. Je suis sûre que cela signifie : « Brigade criminelle à brigade de répression des vols ». Le capitaine Parker m'a donné pour

---

1. Le magnétophone à fil d'acier a précédé celui à bande magnétique, qui l'a remplacé au début des années 1950.

consigne d'identifier les conversations compromettantes, de noter les codes et les dates, et de résumer l'essentiel de ce qui a été dit. Il a rougi quand je lui ai demandé pourquoi il avait choisi *ce poste* d'écoute en particulier. Il m'a répondu : « Parce que le journal des communications comporte des appels de la Répression des vols et de la Criminelle, et aussi des Mœurs. » J'ai trouvé son explication sournoise. Le capitaine Parker cherche à me prendre au piège. Il veut m'amener à commettre une action qui satisfera sa pieuse conception de la justice et donnera un coup de pouce à sa carrière. Il imagine que je vais entendre quelque chose qui lui donnera prise sur moi. En attendant que cela arrive, il sait que je ne manquerai pas de distractions.

Donc, me voici parfaitement éveillée à 3 h 32 du matin. Le capitaine Parker m'a amenée jusqu'ici en toute discrétion en me faisant prendre un monte-charge, pour être sûr que je ne serais vue ni par Lee ni par aucun autre homme de la brigade que je pourrais connaître. Il est très probable qu'en ce moment Lee dorme sur le canapé de Dudley Smith. Moi, je suis ici, et j'écoute des conversations privées enregistrées en 1939.

Je rembobine l'enregistrement, je le range dans sa boîte et j'en prends un nouveau. Il porte la mention : « DC 214 à BRLD 444 », 6/10/39. Le déchiffrage est facile : Division des cambriolages à brigade de recherche par ligne directe. Le demandeur entre dans le vif du sujet avec son interlocuteur. C'est Bob Denholm, des cambriolages, qui appelle Jim Jardis à la section des prêteurs sur gages :

– Jim, j'ai une piste pour les manteaux de fourrure de cette vieille Juive. Un nègre s'est évadé de Chino et a piqué une voiture à San Bernardino. Il est parti vers L.A. et il a cambriolé une maison à South Gate. Il y a laissé des empreintes en pagaille, alors on a pu l'identifier. On a mis le numéro de la voiture volée sur la liste des véhicules à retrouver d'urgence. Le nègre a forcé la porte d'une maison du Miracle Mile. Il a piqué les manteaux de fourrure de la Juive et il s'est branlé sur ses chemises de nuit. Il a refourgué les manteaux à un prêteur sur gages du centre-ville et il s'est mis à picoler dans un bar à travestis de South Main. Il était recherché pour vol de voiture, évasion, et cambriolage aggravé de perversion sexuelle. L'addition était salée, elle imposait sans tarder une « chasse au nègre ». Pendant un contrôle d'identité dans une taverne, il s'est fait repérer par deux agents en tenue. Le « nègre » a détalé. Les collègues lui ont troué sa « peau de nègre ».

La conversation continue. Je la chronomètre : 17 minutes et 42 secondes. Dans la police, les ragots abondent. J'apprends quel flic saute la femme de quel autre flic et j'entends des conjectures sur la qualité des prestations. Tôt ou tard, Appelez-moi-Jack Horrall va finir par merder ; alors, il sera remplacé au poste de directeur par le lieutenant Brown, ou par le capitaine Bill Parker. L'agent Larry « Le Lézard » Linscott possède un pénis de soixante centimètres. Le D.A. Bill McPherson s'endort aux séances du conseil municipal ct il apprécie les prostituées noires.

Je rembobine le fil magnétique, le range, et en prends un autre. Je ne parviens pas à déchiffrer le code ; l'enregistrement date du 9/4/41. Je mets la bobine sur la machine et abaisse le levier. Je reconnais aussitôt les voix : Appelez-moi-Jack Horrall et le maire Fletch Bowron.

Ils parlent des agressions japonaises en Asie orientale. Bowron prédit :

— Nous allons entrer en guerre, Jack.

— Monsieur le maire, dit Horrall, vous avez parfaitement raison. Je suis opposé à toute intervention, mais cela ne fait aucun doute.

— Ce qui me préoccupe, ajoute Bowron, c'est le versant japonais de la situation. Les fédéraux ont une liste longue d'un kilomètre de Japonais à mettre sous les verrous. Je tiens d'un colonel de la Quatrième force d'intervention que l'armée met au point un projet d'emprisonnement à long terme de tous les Japonais douteux sur lesquels elle pourra mettre la main.

— Un Jap, c'est un Jap, de mon point de vue, dit Horrall. Ces gens-là, ils restent entre eux, et on ne sait jamais ce qu'ils pensent. Ils sont… comment dit-on, déjà ?

— Impénétrables ? suggère Bowron.

— Oui, c'est ça. Vous savez ce que j'en pense ? Ils appartiennent tous à la cinquième colonne. Tous autant qu'ils sont, il respirent, ils boivent et ils mangent cinquième colonne, quand ils ne mangent pas de l'anguille grillée. *Bowron rit tout seul, puis il ajoute :* Voilà comment je vois les choses : nous allons récupérer énormément de propriétés confisquées par l'État, et ça représente de gros revenus sous forme de loyers si les Japs restent à l'ombre jusqu'à l'armistice. L.A. est la Mecque du tourisme, et en plus la ville verra passer des contingents de soldats qu'il faudra loger tant qu'ils y resteront. *Horrall imite le bruit d'un tiroir-caisse. Bowron poursuit :* Voilà mon point de vue. Et ne me traitez pas de profiteur, parce qu'on pourra reverser aux Japs quelque chose comme 10 % des revenus pendant qu'ils seront au frais. Grâce à moi, ils ne manqueront ni de cigarettes ni de barres de chocolat.

Horrall glousse et ajoute :

– Ni d'anguille grillée.

Bowron s'esclaffe et son rire est suivi d'une quinte de toux. Horrall reprend :

– Dudley Smith serait tout indiqué pour mettre en place un dispositif de ce genre. C'est le plus malin de tous les membres du LAPD.

– Personnellement, dit Bowron, je préfère Bill Parker. Il est encore plus rusé, et il est suffisamment compétent pour voir dans une opération pareille un marchepied pour accéder au poste de directeur.

Des parasites masquent l'enregistrement. Je n'entends plus que des bribes de dialogue : qui gère la caisse noire ? Qui saute les putes gratuitement ? Qui s'enrôlera si on se lance dans cette guerre manigancée par les Juifs ? La police sera-t-elle confrontée à un manque d'effectifs ? Est-ce que FDR signera un ordre de mobilisation générale ?

L'enregistrement se termine ; je le rembobine et le range. Il restait encore une boîte. Elle portait le chiffre « 3 », pour indiquer 3 postes différents. Sont mentionnés : le secrétariat de la brigade de recherche, le QG des Mœurs, et la section des pickpockets. La date : 14/8/1939.

J'assure le bout du fil magnétique sur la bobine vide et je pousse le levier. Les premiers propos échangés sont brouillés ; des accents traînants du Sud me parviennent à travers cette bouillie sonore. Je pressens l'identité des locuteurs avant d'entendre réellement leurs voix. Je pressens aussi l'objectif de William H. Parker.

Brenda Allen et Elmer Jackson sont originaires du Mississippi. Appelez-moi-Jack laisse Brenda utiliser les téléphones du secrétariat. Lee jouait aux cartes avec un lieutenant de la section des pickpockets.

Une hypothèse me vient aussitôt ; et elle se révèle exacte. *C'est passionnant.* Le capitaine William H. Parker n'en a jamais douté.

Cet enregistrement date d'août 39. Le procès de l'affaire Boulevard-Citizens s'est terminé en juin. J'entends des parasites et une bonne douzaine de fois les mots *braquage* et *procès*. Et puis des voix parfaitement claires parviennent dans mes écouteurs.

Elmer dit :

– Je sais que tu as acheté cette maison pour Kay.

– Il doit te rester de l'argent, mon chou, dit Brenda. Tu pourrais investir dans notre service à domicile.

– Pas question que je fasse le proxénète, répond Lee.

Elmer parlemente :

– Ne fais pas l'idiot, Lee. Tu es toujours redevable à Ben Siegel. Tu pourrais lui reverser une part de tes bénéfices.

Brenda insiste :

– Benny n'a plus tous les atouts en main, camarade. Cette banque, c'était son porte-bonheur. Tu as été complètement idiot de la braquer.

Lee répond :

– Je suis un imbécile, je vous le concède. Et vous avez raison – je dois encore quelques services à Ben. Mais je ne ferai pas le proxénète.

Le fil magnétique saute de la bobine. Je commence à le remettre en place ; mes mains tremblent et je renverse le thermos. Du café éclabousse le fil magnétique. J'essuie celui-ci sur ma jupe, l'arrime de nouveau à la bobine et baisse le levier. Un bruit de fond couvre un long échange. La voix de Brenda s'en extirpe. Elle déclare :

– Ben ne cessera jamais de te demander des services.

– Quand on a une dette envers Ben, dit Elmer, il vous oblige à tuer quelqu'un pour lui. Mon petit gars, c'est ce qui va t'arriver tôt ou tard.

*Et c'est bien ce qui s'est passé.*

J'éteins la machine. Des larmes coulent sur mes joues et tombent sur le bureau.

Lee et moi, nous avons inventé un code. Pour énoncer nos arguments, nous échangeons des titres de journaux que nous venons d'inventer. Parker compte sur moi pour que je remplisse les blancs de cet enregistrement. À présent, je sais pourquoi Lee s'est rendu à New York. Je l'ai entendu à la radio et je l'ai lu dans le journal. *Les voilà*, les manchettes que je vais lui lancer à la figure :

« LE TÉMOIN DU PROCÈS SIEGEL PASSE PAR LA FENÊTRE ! LE CANARI SAIT CHANTER, MAIS IL NE SAIT PAS VOLER ! »

# 11

**3 h 39**

Pagaille en ville :

Carrefour Wilshire-Barrington. Collision entre trois voitures. Treuils, dépanneuses, circulation déviée.

Une Jeep a labouré une Cadillac conduite par un chauffard. Une DeSoto 38 a arraché l'arrière de la Cadillac. Traces de freinage, verre brisé, balises lumineuses. Six blessés emmenés à l'hôpital Saint John.

Ils étaient *tous* ivres. Le militaire s'était soûlé en buvant l'alcool servi gratuitement devant le bar Dave's Blue Room. Les civils avaient picolé pendant tout le match de football entre les Trojans et les Bruins. Le militaire est un tombeur. Il partage son ambulance avec une blonde somptueuse. Elle lui donne son numéro de téléphone.

Parker est posté au carrefour. Les treuils séparent les véhicules. Les conducteurs des dépanneuses assurent les chaînes et embarquent les voitures accidentées.

*Tout à coup* – te voilà tout seul. *Tout à coup* – le monde n'appartient plus qu'à toi à 3 h 40 du matin.

Il éteint les balises. À coups de pied, il fait disparaître le verre brisé dans une bouche d'égout. Une Plymouth passe devant lui à faible allure. C'est une rousse qui conduit. Elle ressemble à cette Joan de Northwestern.

Il a quitté Miss Lake à 1 heure du matin. Elle a sans doute entendu la dernière bobine, à présent. Elle aura saisi la menace sous-jacente, c'est sûr.

C'est Carl Hull qui lui a indiqué ce poste d'écoute. Carl a écouté un enregistrement de 1939. Une conversation entre les copains de Miss Lake. Ils bavardaient avec ce salopard qui lui sert de concubin. Carl considère cette conversation comme un sérieux moyen de pression.

Les voitures contournent les débris de verre et filent sous ses yeux. Il s'assied sur le trottoir du boulevard et allume une cigarette. Il combat son besoin d'alcool par la prière. Il est trop nerveux pour dormir. Il pourrait ruminer ses pensées sur sa terrasse et se rendre à la première messe. Dudley Smith y serait sûrement. L'archevêque leur proposerait du café et des petits gâteaux.

Parker ferme les yeux. Une portière claque. Une toux d'homme et un jet de jus de tabac – il connaît ce bruit.

Il rouvre les yeux. Jim Davis se dirige vers lui. Les pans de sa veste s'écartent largement. Le bonhomme continue de porter ses deux gros revolvers.

– Ne me dites rien. Vous écoutiez la fréquence de la police, et vous avez deviné que je serais ici.

Davis s'appuie contre un réverbère.

– Je me suis payé une belle radio. Il n'y a pas meilleur ami pour un insomniaque, comme vous le savez sûrement.

Parker jette sa cigarette.

– Les insomniaques ont tendance à se trouver. Le monde rétrécit à cette heure de la nuit.

– Oui. Et le monde s'est rétréci quand vous avez travaillé pour moi. J'avais pour adjoint un flic légiste rusé quand j'ai réalisé les plus abominables de mes coups tordus.

Parker se lève. Davis se rapproche de lui. Il marche en sortant son ventre, ses deux revolvers en avant.

– Vous valez combien, Jim ? Les flics mexicains vous versaient un dollar par immigré clandestin pour que leurs camions puissent traverser L.A. Vous avez laissé le Dudster vendre de la drogue aux Noirs, et tout ça doit finir par faire une somme.

Davis se recule.

– Ça n'a pas d'importance, mon petit. Nous sommes sur le point d'entrer en guerre pour les banquiers juifs, et j'ai obtenu mes deux gros obusiers pour défendre mon usine de construction aéronautique.

Parker rit.

– On n'en arrivera peut-être pas là.

Davis crache du jus de tabac.

– La vieille Gitane qui lit dans mon marc de café affirme que c'est inévitable.

Parker secoue la tête.

– C'est difficile de vous trouver antipathique, Jim. Ça ne devrait pas l'être, mais c'est comme ça.

Davis se met une nouvelle chique dans la bouche. Il vient d'un trou perdu du Texas. En 1916, il a combattu en Europe dans la légion étrangère. Il parle couramment le chinois. Il a négocié la dernière trêve du Hop Sing Tong. Il a chassé le Ku Klux Klan de L.A. et il a accueilli la Légion d'Argent.

– Vous avez toujours surveillé tout ce que je manigançais, mon petit. Si vous ne l'aviez pas fait, j'aurais commis beaucoup d'autres coups tordus. Je serai présent pour en informer tout le monde le jour où vous prêterez serment pour devenir directeur.

## 4 h 41

Parker remonte dans sa voiture de service et rentre chez lui. Pas un seul bruit dans la maison. Helen dort. Il lui reste trois heures à tuer avant de se rendre à la messe de 8 heures.

Il se verse un triple bourbon et se rend sur la terrasse de derrière. Elle domine le réservoir de Silver Lake. Des lumières brillent dans quelques maisons, sur la rive. Une douzaine de lumières en cette fin de nuit.

Il prend une gorgée de bourbon. Dieu, par pitié – juste un verre.

Il pense à Miss Lake. Il pense à Joan de Northwestern. Un jour, il l'a vue en culotte de cheval et bottes montantes. Elle pratiquait le tir aux pigeons près du lac Michigan.

Parker allume la radio. Les bulletins d'information sont véhéments. Il se cale sur la fréquence de la police. Il tombe sur un hold-up dans une taverne. Il connaît les inspecteurs envoyés sur les lieux.

Le travail de la police – un cercle fermé. On s'agenouille tous dans la même chapelle.

Une attaque à main armée à Compton. Un cambrioleur en fuite à Watts. Des badauds devant une maison à Highland Park. Suicide probable. Le sergent D. L. Smith et l'agent L. C. Blanchard sont sur place.

Parker avale une gorgée de bourbon. Cercle fermé – le Dudster, le concubinage de Miss Lake. « Deux-Flingues » Jim Davis qui ne sait plus quoi faire.

Le bourbon agit bizarrement. La chaleur intense qu'il attendait lui paraît bien tiède. Un appel du shérif passe sur les ondes.

Valley Boulevard, au niveau du numéro 4600. Dans cette partie du comté située au-dessus de Lincoln Heights. Un accident de la route avec délit de fuite, quatre blessés, aucun signalement du véhicule du suspect. Première alerte radio : 5 h 47.

Parker vide son verre dans l'évier. Prends ta voiture et rends-toi sur place. Tu ne boiras pas si tu y vas.

Il prend son véhicule personnel. L'endroit : un long trottoir qui borde un alignement d'entrepôts. De grands hangars industriels et rien d'autre.

Des cordes autour de l'accident. Trois voitures des services du shérif, une ambulance, quatre bicyclettes écrasées. Des shérifs adjoints qui interrogent trois gamins blessés. Un homme d'âge mûr sur une civière. Les brancardiers se tiennent près de lui.

Parker s'arrête derrière les cordes. Ses phares éclairent le lieu de la collision. Les débris révèlent les circonstances de l'accident.

Quatre vélos. Qui roulaient l'un derrière l'autre. L'homme d'âge mûr emmenait trois gamins faire une sortie avant l'aube. Il y a un vélo d'adulte en queue de convoi. C'est le plus endommagé de tous. Les trois vélos de tête sont *aplatis*. Ils ne sont pas *broyés* par un impact survenu de l'arrière.

Pas de traces de freinage sur la chaussée, mais les traces de pneus d'un redémarrage précipité. Les gamins ont été davantage égratignés que percutés. Leurs bicyclettes sont endommagées depuis le côté gauche. La voiture les a accrochées depuis la gauche avant de prendre la fuite.

Le trottoir est constitué pour moitié d'une bande pavée et pour moitié d'une bande de terre. Les pneus droit ont pu laisser des traces. Un moulage en plâtre pourrait révéler la marque et le modèle. Les vélos sont ornés de fanions marqués « Santa Monica Velo-Club ».

Parker sort de sa voiture et reste près des cordes. Les gamins sont encore collégiens. Ils parlent très vite et tous les trois en même temps. Ils ont quitté leur établissement de Santa Monica à 4 h 15. Leur accompagnateur s'appelle Jim Larkin. Il est anglais. Il a été une sorte d'espion pendant la Grande Guerre. On était en route pour le lac Arrowhead. On espère bien que M. Larkin n'a rien de grave.

Larkin a les deux jambes brisées. Larkin a une clavicule fracturée. Larkin tremble sous l'effet du choc.

Un shérif adjoint fait un signe aux brancardiers. Ils soulèvent la civière et emmènent Larkin. Un objet tombe de la poche de celui-ci. Les brancardiers mettent la civière dans l'ambulance et repartent.

L'ambulance s'éloigne, sirène et feux d'avertissement en marche selon le code numéro 3 – vie humaine en danger. Les gamins font au revoir de la main. L'un d'eux se met à pleurer. Parker récite son chapelet.

L'aube arrive. Parker s'approche des cordes et ramasse cet objet tombé de la poche de Larkin. C'est une plaquette en nacre pour habiller la poignée d'un pistolet. Des pierres rouges font ressortir le dessin d'une croix gammée. La plaquette a la forme d'une poignée de Luger.

Parker la jette et rentre chez lui. Sa sortie a rempli son office. Il a vaincu son besoin d'alcool.

Il a encore dans la bouche le goût du bourbon. Cette chaleur déjà ancienne lui a desséché le gosier. Il fonce sur le réfrigérateur et ingurgite du jus d'orange. Il se promet de prier pour Jim Larkin.

La porte de la chambre est ouverte. Il entend Helen ronfler. Le téléphone sonne. Il passe dans le salon et répond à la troisième sonnerie.

– Oui ?

– Cette menace n'était pas nécessaire, dit Miss Lake. J'accepterai tout ce que vous voudrez me confier.

# 12

## LOS ANGELES | DIMANCHE 7 DÉCEMBRE 1941

**6 h 49**

– Les indigènes sont nerveux, dit Lee Blanchard.

– Vous le leur reprochez ? s'étonne Nort Layman. Hier, leurs voisins étaient en bonne santé et pleins d'allant, et aujourd'hui ils les voient partir sur une civière, recouverts d'un drap.

Thad Brown fait remarquer :

– Le drap qui recouvrait Nancy, il s'est envolé en route. Ils se sont rincé l'œil au passage.

– C'était un beau morceau, dit Blanchard.

– Oui, si on aime le poisson cru, dit Ray Pinker.

Ils sont nombreux sur la terrasse : Blanchard, Brown, Layman, Pinker, Ashida. Dudley regarde les agents en uniforme maintenir la foule à distance. La rue est remplie de badauds. Ils scrutent la maison et les esprits s'échauffent.

Les cadavres sont partis à l'aube. La rumeur d'un hara-kiri circule à toute vitesse, désormais. Il a entendu le mot *JAPS* six mille fois. Il regarde Ashida prendre la situation avec philosophie.

Les badauds badent et jacassent. Les pères de famille soulèvent leurs mômes à bout de bras. Des cordes interdisent l'accès à la maison. Huit agents en uniforme veillent à ce que les cordes restent bien tendues. Ce jobard de Jack Webb est parmi les indigènes. Il trimballe un émetteur radio et fait des interviews.

Des Japs se sont suicidés. Qu'est-ce qu'on en a à foutre ? Chez l'épicier, pas d'argent, pas d'épices. Où ils sont, Charlie Chan et Mister Moto[1] ? On est dimanche matin – une histoire pareille, c'est cent fois mieux que l'église.

La maison empeste le riz cantonnais. Ace Kwan leur a fait livrer le petit déjeuner. Dudley y a à peine touché. Il carbure encore à la benzédrine de la veille.

Cette affaire est complexe. Jerome Joseph Pavlik n'a pas pu assassiner les Japs. Il était recouvert de chaux vive à l'heure de leur décès. L'impact de la balle et les résidus métalliques provenant du silencieux pourraient ne pas constituer une piste valable. Rien ne dit que Pavlik est l'auteur du braquage. Les fibres du brassard risquent de ne mener nulle part. Celles qu'on a trouvées sur le présentoir ont pu être laissées par quelqu'un d'autre que le braqueur.

C'est *probablement* le braqueur qui a tiré le coup de feu dans la maison des Japonais. Il n'y avait pas d'armes à feu chez eux. Nort Layman va soumettre les corps des Japonais au test de la paraffine. L'orifice provoqué par la balle semble récent. Les débris métalliques tombés du silencieux proviennent d'un tir de fraîche date. Nort saura si les Japs avaient tiré des coups de feu récemment. Le plus révélateur : ce mot collé au mur.

Sur la terrasse, Dudley sort le carnet de bord de l'affaire. Il y consigne toutes les constatations et les tâches accomplies. Cette histoire ira loin et ses retombées seront considérables.

Blanchard répète :

– Les indigènes sont nerveux.

Un camion de vente ambulante de la boulangerie Helms se gare tout près de la foule. Les badauds le prennent d'assaut pour acheter du café et des beignets. Un taré montre la terrasse et hurle :

---

1. Agent secret japonais créé par le romancier John P. Marquand, incarné au cinéma par Peter Lorre.

– Putain de Jap !

Ashida ne bronche pas. Il est imperturbable, ce garçon – il garde toujours son calme.

Blanchard propose :

– On devrait faire une enquête de proximité.

– La cause du décès, petit. C'est ça, notre priorité.

Brown pousse Dudley du coude. Les deux hommes entrent dans la maison et se concertent. Les vestiges du petit déjeuner sont encore sur la table.

– Cette affaire, dit Brown, c'est le merdier complet. Le genre de merdier dont la ville et la police de Los Angeles ne veulent pas et dont elles n'ont vraiment pas besoin.

– Je le concède, dit Dudley.

Le même crétin hurle encore :

– Putain de Jap !

Ses paroles résonnent d'un bout à l'autre de la maison.

– *Donc ?* demande Brown.

– Dans l'idéal, on devrait enterrer l'affaire. L'estampiller « Suicide, affaire classée », et laisser ces païens pourrir en enfer en punition de tous leurs péchés familiaux.

– Quels péchés ? s'étonne Brown. Ces gens-là étaient des travailleurs.

– La famille, dit Dudley, me semble bien plus originale que ça. Si nous trouvons du nouveau, je vous tiendrai au courant.

Brown pique un rouleau de printemps.

– Et si les conditions ne sont pas idéales ?

Dudley répond :

– Il me semble qu'une solution du style « Des Japs tués par des Japs » nous permettrait de sauver la face et de nous laisser le temps de préparer Noël avec nos familles.

L'abruti hurle encore une fois :

– Putain de Jap !

Blanchard entre dans la maison et se dirige tout droit vers la nourriture.

Brown hoche la tête.

– « Des Japs tués par des Japs. » Ça sonne bien.

Dudley confisque l'assiette de Blanchard.

– Ce type qui braille des injures racistes indispose sûrement le D^r Ashida. Je te serais reconnaissant de l'emmener dans un endroit tranquille et de le tabasser.

# 13

**7 h 17**

Ashida est accroupi sous la fenêtre. Il entend l'ordre donné par Dudley. Blanchard rafle un rouleau de printemps et repart aussitôt.

Il sort. Il se baisse pour passer sous la corde. Ashida descend l'allée d'un pas vif et regarde le spectacle.

Blanchard se fraie un chemin dans la foule. Les crétins comprennent que ça sent le roussi et se reculent. Ashida suit la scène des yeux. Il attire comme un aimant des regards hostiles.

Blanchard percute de plein fouet le trublion aux injures racistes. Le type trébuche et tombe. Blanchard le saisit par un bras et le traîne derrière une voiture de police.

Le type se débat. Les badauds se dispersent. Ashida se dresse sur la pointe des pieds pour mieux voir. Blanchard lâche le type et le bourre de coups de pied. Ashida entend des os qui craquent.

Fractures multiples. Sternum disloqué. Un état de choc comme conséquence probable.

Le bonhomme devient verdâtre. Blanchard monte sur sa tête pour étouffer des hurlements toujours à craindre. Ashida détourne les yeux. Ray Pinker le voit et tapote le cadran de sa montre.

Ashida le rejoint. Un autre demeuré hurle :

— Putain de Jap !

Pinker monte dans sa voiture. Ashida le rejoint. Il jette un coup d'œil au rétroviseur latéral. Il voit Blanchard essuyer le sang qu'il a sur les mains.

Ils s'en vont. La police de la route leur ouvre la voie. Ashida sent que la tête lui tourne.

— Je devrais être à l'église, dit Pinker. J'ai promis à ma femme de commencer à m'y rendre.

— Dudley a tué le violeur, dit Ashida.

Pinker hoche la tête et ajoute :

— Le violeur qui n'est peut-être pas le braqueur. De plus, les coups de feu, les balles et les débris métalliques provenant d'un silencieux trouvés à deux endroits différents n'accusent pas *formellement* le braqueur du quadruple homicide *potentiel*.

Ashida acquiesce.

– C'est vrai, mais cela reste une piste significative.

Pinker emprunte Figueroa Street vers le sud.

– Je pense qu'il s'agit d'un homicide, dit Ashida.

– J'ai tendance à le croire aussi.

– Ils vont expédier l'affaire. Brown fera remonter le dossier jusqu'au directeur, Horrall, qui va…

– …le confier à ce poivrot de McPherson ou bien au maire, Bowron. Je ne vois rien de plus, dans cette histoire, qu'un casse-tête de vingt-quatre heures.

Ils parviennent au centre-ville. Ils tournent vers l'est et atteignent le commissariat central. Ils montent jusqu'au labo avec leurs trousses d'identification criminelle. Pinker prend une feuille vierge.

Il y inscrit : *7/12/1941, 7 h 49.* Les deux hommes avalent un café réchauffé et se mettent au travail.

Ils examinent les débris métalliques provenant des silencieux. Ils plongent dans la teinture les fragments trouvés dans le drugstore et ceux provenant de la maison des Watanabe. Ils les observent au microscope sous fort grossissement. La teinture met en valeur les composants métalliques. Ils en tirent la conclusion suivante :

Les échantillons sont *comparables*, mais pas *identiques*. Deux silencieux différents ont été utilisés, l'un au drugstore, l'autre dans la maison. Le même individu a confectionné les deux silencieux. Ce qu'on peut dire de lui : il est doué, mais c'est un autodidacte.

Les tests ont nécessité deux heures et trente minutes. Pinker écrit sur sa feuille : *7/12/1941, 10 h 16.* Les tests soulèvent des questions.

Ledit individu a-t-il *fabriqué* les deux silencieux *et* tiré les balles dans l'un ou l'autre lieu ou dans les deux ? Ledit individu a-t-il *vendu* l'un des silencieux ou les deux ? Les a-t-il vendus au braqueur ou à un membre ou un proche de la famille Watanabe ?

Cette enquête irrite Ashida. Il est sur les nerfs. La veille, il a franchi une ligne. Il a gardé pour lui des indices récoltés au drugstore. Il n'avait aucune idée de ce qui allait se produire chez les Watanabe.

Pour lui, l'enquête augmente le risque d'être découvert. Plus probablement encore, elle révélera qu'il a collecté des indices sans les partager avec qui que ce soit. Il est à cran, tous les sens en éveil. On l'a fait venir à 1 heure du matin. Il n'éprouve aucune fatigue.

À présent, il faut examiner les fragments de balles et la poudre qui les a propulsées.

Dans la maison, Dudley a broyé entre ses doigts les débris de la balle. Ils peuvent broyer les fragments provenant du drugstore et asperger de teinture la poudre métallique des projectiles recueillis dans deux lieux différents. Cela permettra de traquer les incohérences et les anomalies.

Pinker prend une nouvelle feuille de papier. Ashida inscrit en haut de la page : *7/12/1941, 10 h 22*. Pinker écrase dans un étau les fragments trouvés au drugstore.

Les deux hommes aspergent de teinture les deux échantillons puis les sèchent à l'aide de papier absorbant. Ils étalent une traînée de poudre sur une lamelle qu'il glissent sur la platine d'un microscope. Ils en étudient les caractéristiques sous un fort grossissement.

Deux projectiles. Structure métallique et granulation similaires. Dans les deux cas, l'arme utilisée était un Luger. De faibles irrégularités indiquent que les balles proviennent de lots différents. Celui auquel appartenaient les fragments trouvés dans la maison était défectueux.

Ashida écrit sur la feuille : *7/12/1941, 10 h 39*. Pinker dit :

– Saloperies de Luger. Ça ne vaut pas un clou.

– Je retourne dans la maison, annonce Ashida. Il y a un détail qui me choque. On ne fait pas la lessive le jour où on se livre au *seppuku*.

– Veillez à n'enfreindre aucune règle. Attendez que Nort Layman nous donne son accord.

– Ce qui me tracasse, c'est ce violeur mort. C'est le joker de Dudley – si l'on conclut à un homicide et s'il faut trouver un suspect crédible lié au crime par des indices concrets. Ils peuvent faire une croix dessus en le déclarant *suspect en fuite* et constituer un dossier sur lui après sa mort.

Pinker sourit.

– Vous apprenez vite. Vous avez déjà saisi le fonctionnement du LAPD tel que le conçoit ce personnage.

Ashida sourit à son tour.

– Les deux coups de feu ont été tirés par un Luger. Dudley a trouvé des marks allemands dans la maison.

– Les Luger coûtent une bouchée de pain. Vous savez qui en achète ? Ces salauds de nazis qui fréquentent la *Deutsches Haus*.

Ce nom fait tiquer Ashida. Il a déjà repéré la *Deutsches Haus*.

Pinker déverrouille l'armoire aux armes à feu et en sort un Luger.

Le pistolet est en acier bleui. Les plaquettes de la poignée sont en nacre blanche. Elles sont incrustées de croix gammées noires et de pierres rouges.

Ashida examine la bouche du canon. Il connaît déjà les caractéristiques des méplats et des rainures. Il a mémorisé ses manuels de balistique.

Pinker fait monter une balle dans la chambre et se dirige vers le tunnel de tir. Il plonge le bras dans l'ouverture et fait feu. Les isolants phoniques étouffent la déflagration.

– C'est une arme pour chochotte. Ça ne plaît qu'aux collectionneurs et aux agents de renseignement en retraite qui n'ont jamais été au front.

Ashida se rend au bout du tunnel et fouille le réceptacle. Il récupère deux fragments de projectile.

Pinker lève les yeux au ciel.

– Saloperies de Luger. Ça ne vaut pas un clou.

# 14

## JOURNAL DE KAY LAKE

### LOS ANGELES | DIMANCHE 7 DÉCEMBRE 1941

### 11 h 02

Brunch du dimanche avec Elmer et Brenda. Dans le respect des convenances, sauf en ce qui concerne la conversation.

Brenda possède une maison ravissante dans Laurel Canyon. On peut en voir le mobilier dans *L'Extravagant M<sup>r</sup> Deeds*. Harry Cohn apprécie les services des filles de Brenda, et il lui laisse utiliser à sa guise l'entrepôt de la Columbia.

Une bonne mexicaine apporte des *huevos rancheros*. Elmer prépare les gin-fizz. Je suis perchée sur un canapé dont s'est servi Gary Cooper pour sauter Barbara Stanwyck. Brenda jure que cette rumeur est vraie.

Je me sens désincarnée. C'est surtout dû au manque de sommeil, mais aussi à l'état de choc dans lequel m'a laissée ce que j'ai entendu à l'hôtel de ville. Lee Blanchard, Ben Siegel et Abe Reles. La certitude du capitaine William H. Parker que je suis mûre, à présent, pour me laisser forcer la main. Il me prend pour une femme prête à soutenir son homme et à faire n'importe quoi pour couvrir ses méfaits. Ce en quoi il se trompe gravement.

Elmer annonce :

– Lee est allé en intervention avec le Dudster. On ne parle que de ça à la radio. Quatre Japs retrouvés morts dans Highland Park.

Brenda verse de la sauce pimentée sur ses œufs.

– Tu parles boutique dès que tu ouvres la bouche.

– Un hôte digne de ce nom, réplique Elmer, choisit son sujet en fonction de ses invités. Les seules conversations qui plaisent à Miss Katherine Lake sont celles où l'on parle boutique.

Je ris et je picore dans mon assiette. Brenda et Elmer ont presque dix ans de plus que moi. *Eux*, ce sont des professionnels ; *Moi*, je ne suis que la quasi-maîtresse d'un flic. Cette disparité m'irrite. J'ai payé cher pour entrer dans leur monde, et jusqu'à présent mon statut n'a pas dépassé celui d'amateur doué. On se connaît tous depuis Bobby De Witt et le braquage de la Boulevard-Citizens. C'est là qu'ont commencé à germer les secrets de polichinelle et les vérités inexprimées. J'avais envie de me prostituer pour me débarrasser des relents tenaces de Bobby De Witt que je traînais encore avec moi ; Brenda n'a pas voulu me laisser faire. Elle m'a dit : *Tu te nourris de ces idées stupides qu'ont les filles dans les romans que tu lis et les films que tu vois. Je serais une bien piètre amie si je te laissais aller trop loin dans ces dérives idiotes.*

Elmer me tend un cocktail. Je me demande jusqu'à quel point il est au courant des rapports entre Lee et Ben Siegel. « Bugsy » est à présent installé confortablement dans un « appartement » de la prison du palais de justice. Les adjoints du shérif servent de valets de chambre, de larbins, et de chauffeurs pour les starlettes qui lui rendent visite. Des rideaux de velours préservent l'intimité de Ben et de celles de ses invitées qui passent la nuit avec lui. Sa libération est imminente. Les arguments que l'accusation présentait contre lui n'ont pas survécu au « saut de l'ange » d'Abe Reles.

Elmer sourit et agite le mégot de son cigare. Nous partageons une étrange télépathie et semblons souvent savoir ce que l'autre pense. Et cela a toujours un rapport avec nos conversations lorsqu'on « parle boutique ». Il annonce :

– Lee a réglé sa dette envers Benny Siegel.

Je me contente de répliquer :

– Oui, je m'en doutais.

Brenda écrase sa cigarette dans une soucoupe.

– Dis-nous tout, ma chérie. Ne fais pas ton allumeuse.

– Non, ton amant d'abord.

Elmer s'affale dans un fauteuil et saisit Brenda. Elle tombe sur lui et fait *oups !* Il m'explique :

– Thad Brown a emmené Dudley Smith et Lee à la gare dans sa voiture. En lisant les journaux quelques jours plus tard, il a compris.

Brenda me demande :

– Et *toi*, comment as-tu compris ?

J'indique d'un signe que mes lèvres sont closes. Elmer insiste :

– Allez, *parle*, ma petite.

Brenda répète :

– Ne fais pas ton allumeuse.

Je joue les timides.

– Il y a un capitaine des polices urbaines qui connaît beaucoup de choses sur Lee.

Elmer entoure Brenda de son bras.

– Et comment sais-tu ça ?

– Parce que le capitaine William H. Parker me fait la cour.

Brenda hurle de rire.

– Ma chérie, ce fils de garce donneur de leçons ne fait pas la cour aux femmes au sens classique du terme.

J'allume une cigarette.

– Tu veux dire qu'il n'accepte pas de pots-de-vin, qu'il n'arrache pas des aveux aux suspects en les rouant de coups, qu'il ne saute pas les filles de ton écurie derrière le Mike Lyman's Grill, où je dois le retrouver à 13 heures ?

Brenda semble atterrée. Elmer a l'air sidéré. Il insiste :

– Kay, comment as-tu découvert que Whiskey Bill Parker savait beaucoup de choses sur le compte de Lee ?

Je lance un rond de fumée qui atteint une impérieuse altitude.

– Parce que Parker me courtise et fait pression sur moi. Parce qu'il me fait retranscrire des enregistrements magnétiques à l'hôtel de ville avant de me dévoiler son jeu. Parce que Brenda, Lee et toi avez eu une conversation fort malencontreuse le 14 août 1939. Vous avez parlé de votre « service », du braquage de la Boulevard-Citizens et de la dette de Lee envers Ben Siegel. Elmer, tu as dit textuellement :

*Quand on a une dette envers Ben, il vous oblige à tuer quelqu'un pour lui.*

Elmer avale son verre d'un trait. Brenda mime la semeuse qui souffle sur une aigrette de pissenlit – *Je sème à tout vent.*

J'enfonce le clou :

– Vous croyez que William H. Parker est incapable d'extrapoler et de parvenir à la conclusion que Lee et Dudley Smith ont tué Abe Reles ? Vous croyez que William H. Parker ignore que la moitié des téléphones de la brigade de recherche sont sur écoute ? Vous pensez sincèrement que vous êtes aussi malins que William H. Parker ?

Brenda extirpe un paquet de cigarettes de la poche de veste d'Elmer.

– Je n'arrive pas à le croire. Ce salopard, il te *fascine*, ma parole !

Je me sens rougir. Elmer déclare :

– Plus un seul coup de téléphone depuis l'hôtel de ville.

Brenda allume une cigarette et lance aussi un rond de fumée stratosphérique.

– Les ragots déferlent toujours en masse, camarades. L'une de nos filles a récolté une information d'un G-man avec qui elle a fait une passe. Un certain Ward Littell.

– Ne nous fais pas languir, Brenda. Qui c'est, l'allumeuse, maintenant ?

Brenda explique :

– Les fédés vont s'en prendre à la police de la ville, strictement pour cette histoire d'écoutes téléphoniques. Art Hohmann a lâché le morceau en ce qui concerne les postes d'écoute et tout le tremblement.

Je les informe :

– J'ai détruit cet enregistrement dont je vous ai décrit le contenu.

– Il y en a des quantités d'autres, camarade. Es-tu capable de te rappeler ce que tu as dit au cours de n'importe quelle conversation téléphonique vieille de deux ans ? *Non, non*, c'est *impossible.*

Elmer fait craquer ses phalanges.

– Je vais en informer Jack Horrall. Il va tirer les ficelles pour masquer le plus important, et il ne laissera que des broutilles aux fédés.

J'entends beugler une radio dans la maison d'à côté. Le speaker hurle presque. Le volume sonore est élevé et insistant.

Brenda quitte les genoux d'Elmer et défroisse sa robe. Elle dit :

– Mon ange, s'il te plaît, rends service à la camarade Lake en rétablissant la vérité sur Whiskey Bill.

Elmer se penche vers moi.

– N'aie aucune bienveillance à l'égard de ce salopard de papiste, dit-il. Il est aussi impitoyable que Dudley Smith, il a été infect envers Jim Davis, il veut devenir directeur à tout prix, et il fera couler le LAPD s'il n'y arrive pas. Il se sert des gens puis les jette comme de vulgaires Kleenex. C'est un nervi, un extorqueur et un fumier de donneur de leçons qui se soûle à rouler par terre, et qui parle à Dieu en remuant les lèvres. C'est lui qui a organisé « L'expulsion des va-nu-pieds », en 36, pour le compte de « Deux-Flingues » Davis : il a enchaîné, dans des wagons à bestiaux, des pauvres types chassés de l'Oklahoma par les tempêtes de sable et de poussière, et il les a envoyés dans les champs de laitues du comté de Kern, pour des salauds de fermiers qui ont reversé à Davis un dollar par homme et par jour. C'est encore lui qui allait apporter des pots-de-vin aux flics mexicains, à l'époque où Carlos Madrano et Davis fournissaient des Mexicains sans papiers à toutes les fermes japonaises situées entre ici et Oxnard. Sauve-toi en courant, camarade. Je ne sais pas ce que ce type a prévu pour toi, mais ce n'est sûrement pas quelque chose que tu aurais envie de faire.

Brenda ajoute :

– Amen.

Cette radio continue de vociférer. Je n'ai pas envie de répliquer au laïus d'Elmer. Je vais jusqu'à la fenêtre et regarde au dehors.

Un voisin me voit. Nos fenêtres sont grandes ouvertes. Sa radio nous casse les oreilles. Il tend le bras et l'éteint.

Il m'annonce :

– Les Japonais ont bombardé Pearl Harbor.

## 11 h 34

Je sors en courant. Je passe si vite devant Elmer et Brenda qu'ils ne sont plus que des formes indistinctes. Des radios braillent tout autour de moi. C'est un immense cri de rage.

Je rejoins ma voiture et je pars en direction du sud. La circulation est fluide. J'allume ma propre radio. Les bulletins d'information ne parlent que de *LA GUERRE*.

Il s'agit d'une attaque surprise.

Des escadrilles japonaises ont bombardé Hawaï tôt ce matin. La base navale de Pearl Harbor a été durement touchée. La flotte du Pacifique est décimée.

Pertes en vies humaines colossales. Bâtiments de guerre d'une importance vitale coulés. Base aérienne de Hickam Field attaquée. Caserne de Schofield : des soldats abattus à la mitrailleuse. Honolulu en état de siège. Hypocrisie des émissaires japonais. Déclaration de guerre attendue incessamment de la bouche du Président Roosevelt.

Je tourne vers l'est dans Beverly Drive. Au carrefour de Fairfax, le kiosque à journaux est pris d'assaut. Les vendeurs à la criée se faufilent entre les voitures et hurlent : *Pas encore de journaux !*

Je suis consciente de prendre la fuite. Je ne sais pas où je vais. Je ne sais pas à *qui* je cherche à échapper. Le réquisitoire d'Elmer contre William H. Parker me revient en mémoire.

La nouvelle se répand. Je vois des hommes déployer des drapeaux devant des vitrines de magasins. Je vois sur les toits des hommes munis de jumelles et de fusils. Des voitures de police me doublent pleins gaz, signal lumineux et sirène activés. Les scènes de rue sont éloquentes. Elles me disent où aller. J'éteins la radio et j'accélère.

Les voitures de police roulant vers l'ouest font demi-tour et repartent à toute vitesse dans le sens opposé. Je m'approche du centre-ville.

Devant le lycée Belmont, des flics ont contraint une douzaine de jeunes Japonais à se coucher à plat ventre sur le sol. Ils les fouillent à la recherche d'une arme, les bourrent de coups de pied et leur appuient un canon de fusil sur la tête.

Je traverse le pont de la 1ʳᵉ Rue et entre dans un parking. Un employé me lance : *Les Japs ont bombardé Pearl Harbor !* Je lui lance mes clés et je *cours*.

L'hôtel de ville est pris d'assaut. Des voitures de police sont garées sur la pelouse qui donne au sud. Les entrées sont flanquées de flics armés de mitraillettes.

Je cours. Dans des voitures alignées le long du trottoir de la 1ʳᵉ Rue, des gens écoutent la radio. Je tourne vers le nord dans Spring Street. Oui, déjà – des hommes sur les marches de l'immeuble fédéral.

La file d'attente s'étire jusque sur le trottoir, sur une profondeur d'une bonne vingtaine de personnes. Ces hommes se sont mobilisés dans les minutes qui ont suivi la nouvelle. Il y a des hommes jeunes, d'autres plus âgés, et aussi des lycéens. L'un d'eux fait rebondir un ballon de basket-ball. En deux secondes, j'entends dix mille fois les mots *JAPS* et *GUERRE*.

Je me joins à la colonne des volontaires. Les hommes bavardent et me sourient. J'entends *FILLE* en plus de *LA GUERRE* et *LES JAPS*. Une berline vert olive s'arrête près du trottoir. En descendent un capitaine de l'infanterie de marine, un major de l'armée et un lieutenant de vaisseau. Les hommes de la file d'attente les acclament. Les trois militaires montent les marches en courant et se postent près de l'entrée du bâtiment.

Les portes s'ouvrent brusquement. Trois marins sortent des tables et des chaises. Ils les disposent face à la foule. Le capitaine et le lieutenant s'asseyent. Un marin fait le V de la victoire. Le major sort de sa poche un drapeau japonais et crache dessus. Les hommes l'acclament.

Le major jette le drapeau à la foule. Un gamin s'en empare, crache dessus et le passe au suivant. Celui-ci crache dessus à son tour et en déchire un morceau. Les acclamations deviennent une clameur continue. Le drapeau continue son chemin jusqu'au bout de la file, lacéré et trempé de salive.

Le drapeau me parvient. Je crache dessus, je le jette sur le trottoir et je le piétine. La clameur enfle et devient un rugissement.

Deux hommes jeunes de grande taille me soulèvent du sol et me hissent à bout de bras. Je flotte au-dessus de la foule, dans un tourbillon pour moi seule. J'absorbe en moi le monde entier. Je hurle de toutes mes forces : *AMERICA !*

La clameur enfle de plus belle. Des automobilistes sifflent et me font des signes. Tous les hommes de la file d'attente lèvent les yeux vers moi et me saluent tandis que je tournoie.

Mes deux porteurs me reposent à terre ; je les embrasse dès que mes pieds touchent le trottoir. La file se presse vers le poste de recrutement. Elle s'étend jusqu'à la 1$^{re}$ Rue, à présent. Spontanément, des hommes sautent des voitures qui passent, arrivent en courant, et se joignent à la file d'attente.

Celle-ci progresse lentement vers les marches ; nous sommes pressés les uns contre les autres ; nous avançons comme un seul corps, un amalgame. Le temps qui passe se détraque. On allume des cigarettes. Des flasques circulent. Les conversations se chevauchent. Je récolte de plus en plus de détails. Le bilan des pertes humaines ne cesse de s'aggraver. D'énormes cuirassés ont été coulés. *Il faut absolument qu'on étouffe dans l'œuf cette saloperie.*

La file avance. Des automobilistes klaxonnent et nous acclament. J'examine l'uniforme du capitaine des fantassins de marine. Ce vert foncé sur fond kaki a une allure folle. *Semper Fi*[1]. Quant au capitaine

---

1. *Toujours fidèle*, devise des Marines.

William H. Parker, il peut remballer ses projets occultes et aller se faire voir ailleurs. Je décide de m'engager dans le corps de l'infanterie de marine des États-Unis.

Les hommes qui sont avant moi se voient remettre un formulaire, et on leur dit de revenir plus tard pour les autres formalités. J'ai la voix enrouée d'avoir crié et fumé tant de cigarettes. Le major de l'armée me fait signe d'avancer. Mon cas semble l'amuser. Il m'annonce :

– Désolé, ma petite, mais on ne prend pas encore de filles.

J'insiste :

– J'ai envie de m'engager tout de suite.

Le major regarde les autres officiers. Ils paraissent tous trouver la situation cocasse.

Le lieutenant de vaisseau précise :

– Ce n'est pas nous qui faisons les règlements, ma mignonne.

Le Marine suggère :

– Le mess aura besoin de volontaires. Tu danses avec nos gars et ils repartent contents.

Je ne lâche rien.

– Donnez-moi un de ces formulaires. Je reviendrai demain. D'ici là, les règlements auront changé.

Des huées et des sifflets se déchaînent derrière moi. D'un geste, le lieutenant de vaisseau réclame le silence. Je commence à dire quelque chose. Une boule de papier froissé frappe l'arrière de ma tête.

Un type hurle :

– Ça suffit comme ça, ma jolie.

Un autre ajoute :

– T'as fait ton numéro ! Maintenant, à nous de tenter notre chance !

Je me retourne. Une autre bombe en papier m'atteint. Un concert de huées l'accompagne.

Le major compulse une pile de copies carbone accompagnées de séries de photos. Il tombe en arrêt devant l'une d'elles et fait : *Ah, ha !*

Il me la brandit sous le nez. Je me reconnais sur l'une des photos.

– En ce qui vous concerne, Miss Lake, nous avons un signalement pour activités subversives. Ce n'est pas à n'importe quels rassemblements qu'on vous a vue si souvent.

Des hommes me bousculent pour me faire descendre les marches et me conspuent. Je les regarde fixement, puis je commence à redescendre vers le trottoir. Une boule de papier rebondit sur ma jupe. Des types se pincent le nez pour imiter des cris de cochon. Je m'arrête et les fixe plus durement. Ça les fait rire. Deux types me crachent dessus. Je serre les poings et me dirige vers eux. Et puis je *sens* quelque chose.

J'essuie le crachat tombé sur mon chemisier. Ce *Quelque Chose* se plante devant moi.

C'est un homme qui a l'air d'un môme. Il mesure près de deux mètres et semble trop corpulent pour ses vêtements. Il porte un costume en laine marron, une chemise blanche et un nœud papillon en tissu écossais.

Les cracheurs le regardent. Il les prend tous les deux par le cou, fracasse la tête de l'un contre celle de l'autre et percute les deux mentons d'un coup de genou. J'entends des os céder et je vois du sang jaillir comme s'ils partageaient un seul visage.

Les cracheurs hurlent. Les files de candidats à l'engagement volontaire se dispersent. Les recruteurs se lèvent et contemplent le spectacle sans un mot.

Puis l'homme qui a l'air d'un môme me prend par le coude et m'emmène. Nous voici bientôt au bas des marches et dans la rue adjacente. Et peu après dans la cafétéria du palais de justice.

Où une serveuse se précipite vers nous et annonce :

– Les Japs ont bombardé Pearl Harbor !

À quoi l'homme qui ressemble à un môme réplique avec le sourire :

– Sans blague ?

La serveuse hausse les épaules et s'éloigne. Je dis :

– Je m'appelle Kay Lake.

– Scotty Bennett.

Je remplis deux tasses avec la cafetière en libre service. Mes mains tremblent. Je dis :

– À la victoire.

Nous trinquons. Une radio est fixée au mur au-dessus de notre table. L'émission ne parle que des *Japs !* Scotty Bennett baisse le son.

– Sacrée journée, hein ? On la racontera à nos enfants.

Je ris.

– *Nos* enfants, ou aux enfants en général ?

Il rit à son tour.

– C'est une de ces journées où on ne peut exclure aucune possibilité.

Il fait doux. Je dénoue mon foulard et déboutonne mon cardigan.

Mon corps retrouve ses aises. J'examine l'homme qui ressemble à un môme.

Il est plus jeune que moi, d'un an ou deux. Il a les cheveux bouclés, châtain clair, et le plus fabuleux sourire d'enfant du monde entier. Sa simple présence est à ce point stupéfiante que jamais personne ne l'a mis au pied du mur.

— Que faites-vous dans la vie, monsieur Bennett ?

— J'allais m'engager chez les Marines quand je vous ai rencontrée.

— J'allais faire comme vous.

— Que s'est-il passé ?

— Ils n'acceptent pas les femmes pour le moment. Et j'ai participé à plusieurs rassemblements socialistes il y a quelques années, ce qui n'a pas arrangé mes affaires.

Scotty Bennett sourit.

— Ils devraient vous accepter quand même. On ne gagnera pas cette guerre sans faire du passé table rase.

J'allume une cigarette.

— Que faisiez-vous avant de décider de vous enrôler ?

— Il y a trois mois, j'ai posé ma candidature pour entrer au LAPD, mais ils ont découvert que je n'avais pas encore vingt et un ans. Qu'est-ce que vous... ?

— ... mon petit ami est au LAPD. Vous vous intéressez à la boxe ? Il s'appelle Lee Blanchard.

Il est habile, ce garçon – il lève les mains et imite « Le grand espoir blanc du Sud ».

— Vous avez vu Lee combattre ?

— Il a laminé ce Mexicain au bec-de-lièvre. J'étais au quatrième rang.

Je lance un rond de fumée. Il est rapide, ce garçon – il lève le bras et cueille les volutes dans le vide.

— Vous me soutiendrez quand j'irai parler au recruteur ?

— Oui. Vous me promettez de ne pas voler au secours d'autres femmes ?

Scotty Bennett se signe furtivement. Vilain garçon – ne crois pas que je ne t'ai pas vu.

— Bucky Bleichert boxe à l'Olympic ce soir. Vous aimeriez y aller ?

— Oui, bien sûr.

— Lee dort à l'hôtel de ville la plupart du temps.

Ah, le cruel – il mime mon prétendu concubin encaissant une bonne droite.

– Mon père est venu d'Écosse en 1908. Il est pasteur, et il répète souvent : *Les voies du Seigneur sont impénétrables.* Je crois que je viens à l'instant même de comprendre ce qu'il veut dire.

Je lui touche la main. Nos genoux se frôlent sous la table.

# 15

## LOS ANGELES | DIMANCHE 7 DÉCEMBRE 1941

**14 h 09**

Elle est en retard.

D'une heure et neuf minutes.

Elle lui a carrément posé un lapin.

Il a l'arrière-salle pour lui tout seul. L'arrière-salle est une aire de jeu à l'usage exclusif du LAPD. Le Mike Lyman's Grill est ouvert vingt-quatre heures sur vingt-quatre. Son arrière-salle aussi.

Mike Lyman adore les flics. Voici pourquoi : Buzz Meeks a refroidi un voyou mexicain qui montrait sa queue à la femme de Mike. Par gratitude, Mike a réservé l'accès de son arrière-salle aux membres du LAPD.

Murs couverts d'affiches affriolantes, bar bien garni, téléscripteur de la police. Une ligne téléphonique privée et un lit pliant pour le radada. Les filles de Brenda Allen ont carte blanche. L'arrière-salle est ouverte toute la nuit. Elle accueille une clientèle de flics gradés.

Parker fait durer son quatrième double bourbon. Il est introuvable depuis la messe de 8 heures ce matin. Ce foutu téléphone n'arrête pas de sonner. Il continue de l'ignorer. La petite Lake sait qu'il est ici. Personne d'autre ne le sait.

La messe s'est révélée problématique. L'archevêque Cantwell avait la gueule de bois et il lui a proposé un petit verre d'alcool pour combattre le mal par le mal. Parker a accepté. Le premier verre a été suivi de trois autres. Cantwell radotait à n'en plus finir sur Dudley

132

Smith. Ces foutus Irlandais se tiennent les coudes. Dudley a manqué la messe. Cantwell est mortifié que Dudley lui ait fait faux bond.

Dud a quatre Japonais morts sur les bras, Éminence. Il s'agit probablement d'un hara-kiri. *Eh bien, William – ils vont sans aucun doute pourrir en enfer.*

Il a picolé avec Son Éminence puis il s'est confessé. Il a trouvé un confessionnal et il a attendu. Il a reconnu la voix de *Monsignor* Hayes.

Sa confession est partie dans tous les sens. Il a avoué son béguin pour Joan de Northwestern. Il a avoué son travail ignoble pour assurer « l'expulsion des va-nu-pieds ». Il a avoué son rôle de convoyeur de pots-de-vin entre Jim Davis et Carlos Madrano.

*Te absolvo ergo sum. Monsignor* Hayes s'est montré brusque. C'est un Irlandais isolationniste, comme Dudley et Cantwell. L'émission de radio dominicale du Père Coughlin se profile à l'horizon.

Parker fait durer son verre. Il est à moitié ivre. La petite Lake a une heure et *douze* minutes de retard. Cette cochonnerie de téléphone n'arrête pas de sonner.

Encore et encore. Et ça recommence. Huit sonneries, dix, douze…

Parker décroche le combiné. La friture envahit la ligne. Appelez-moi-Jack se fait entendre.

– Vous êtes là, Bill ? Je ne savais plus à quel endroit vous chercher.

– Je suis là, monsieur le directeur.

– Bien. Maintenant, rappliquez *ici* tout de suite.

– Pourquoi ?

– Vous n'êtes pas au courant ?

– Au courant de *quoi*, monsieur le directeur ?

– Ces foutus Japonais ont bombardé Pearl Harbor.

Il lâche le téléphone et part en courant. Il sent l'effet de l'alcool se dissiper. Il franchit la porte. Il remonte la 8ᵉ Rue au pas de course jusqu'à Broadway et repart vers le nord. Il effectue tout le trajet au sprint.

Des radios qui braillent à l'entrée des magasins. Des gens massés devant une chapellerie, une main en cornet autour de l'oreille.

Parasites, craquements, friture, sifflements.

Hawaï, attaque surprise, la flotte du Pacifique coulée.

Des milliers de morts, Pearl Harbor, Pearl Harbor.

C'est infâme, c'est atroce, c'est lâche. C'est à l'instigation de la cinquième colonne.

*Japs, Japs, Japs, Japs.*

Parker remonte Broadway en courant. Les pans de sa veste volent au vent. Il tient son chapeau fermement enfoncé sur son crâne. Des camions du *Herald* le dépassent. À l'arrière, des vendeurs à la criée plient en deux les exemplaires de l'édition bâclée qui sort des presses. Il atteint la 6ᵉ Rue, la 5ᵉ, la 4ᵉ, la 3ᵉ, la 2ᵉ. Il braque son regard vers la droite. Voici Little Tokyo. Et les cerbères du shérif en tenue d'émeute urbaine qui envahissent les trottoirs.

Il continue jusqu'à la 1ʳᵉ Rue. Tohu-bohu sur la pelouse de l'hôtel de ville. Flics et soldats de la police militaire armés de fusils à pompe. Des voitures de police et des jeeps, garées capot contre capot. Des projecteurs braqués vers le ciel.

Parker brandit son badge. Il trébuche sur un câble électrique et court vers les portes. Un policier militaire le salue et s'écarte pour le laisser passer.

Le vestibule n'est rempli que de flics et de journalistes surexcités par la guerre. Parker entre dans un monte-charge et enfonce le bouton « 6 ». Les portes se referment. Il reprend un peu son souffle. La suée qu'il vient de s'imposer l'a dessoûlé.

Le monte-charge atteint le 6ᵉ étage. Parker rectifie la position de sa cravate et boutonne sa veste. Il est présentable lorsqu'il parvient dans le bureau du directeur.

Une secrétaire jongle entre les téléphones. Tous les indicateurs de son standard sont allumés, tous les connecteurs sont pris. Parker franchit une porte latérale et tombe sur une réunion au sommet. Jack Horrall ; le shérif Biscailuz ; le maire Fletch Bowron ; le D.A. Bill McPherson – inconscient, comme sous l'effet d'un narcoleptique.

Appelez-moi-Jack est à son bureau. Parker approche une chaise. Un téléscripteur crépite. Appelez-moi-Jack tend le bras derrière lui et en sort une feuille.

– Ceci provient du commandement de la quatrième force d'interception de l'armée. Un black-out est imposé le long de la côte sur une distance de vingt-quatre kilomètres, depuis San Pedro, Terminal Island et Camp MacArthur au nord jusqu'à la limite sud-ouest de la juridiction de la police urbaine. Des bombardiers japonais risquent de nous attaquer à tout moment, et nous ne pouvons pas leur offrir des cibles illuminées sur le littoral. Il s'agit d'un black-out total, avec effet immédiat et jusqu'à nouvel ordre. Les seules divisions du LAPD affectées par cette mesure sont celles de San Pedro et Venice, parce qu'elles sont entourées d'eau. Demain, nous ferons officiellement deux tests de black-out dans toute la ville, de 5 à 7 heures, puis de 17 à 19 heures. Tous les résidents de Los Angeles sont priés de baisser leurs stores chez eux et de rouler en feux de position seulement. Les batteries de canons antiaériens de Camp MacArthur et de Terminal Island sont à présent opérationnelles, et des guetteurs surveillent le ciel tout le long de la côte.

Fletch Bowron lâche : *Fichtre !* McPherson remue et ronfle. Biscailuz lui lance à la figure un coussin de chaise.

La salle tangue. Parker met dans sa bouche une pastille pour la toux. Appelez-moi-Jack annonce :

– Les agents fédéraux vont arriver incessamment. Il y a chez les Japonais d'ici des éléments subversifs que nous allons devoir ramasser.

Biscailuz précise :

– J'ai envoyé mes gars à Little Tokyo. Ils se tiennent prêts. Nous savions tous que la guerre arrivait, mais je ne m'attendais pas à une attaque contre *nous*.

– Les fumiers, dit Bowron. Ils n'ont pas fini de regretter cette putain de journée, croyez-moi.

– Des salopards de Jaunes, ajoute Biscailuz. J'espérais une guerre d'hommes blancs. Nous contre les Boches, à l'étranger. Cette histoire tourne à l'immense bourbier dès le départ.

– Gene a raison, dit Bowron. Les Boches sont très remontés contre les Juifs, mais ce n'est pas comme si…

Appelez-moi-Jack le coupe :

– … pas comme si on pouvait leur en vouloir ?

Biscailuz rit de bon cœur. Bowron *s'esclaffe.* Parker suce sa pastille. *LA GUERRE* – les Boches, les *Japs.*

Le téléscripteur crache du papier. Le téléphone d'Appelez-moi-Jack se met à sonner. Appelez-moi-Jack enfonce une touche pour le faire taire et désigne Parker.

– Je vais constituer une brigade des étrangers. Je tiens à ce que la division que je dirige s'engage dans cette lutte contre les Japonais dès le départ. Je vais rassembler quelques éléments solides qui travailleront avec les adjoints de Gene et les fédéraux. Bill Parker fera office d'agent de liaison et de superviseur de la division pour toutes les opérations liées à la mise en place et au bon fonctionnement du black-out. Nous allons vous mettre sur les rotules, Bill – mais je sais que vous tiendrez le coup.

– Vous pouvez compter sur moi, monsieur le directeur. C'est un honneur, et je trouverai le temps nécessaire pour effectuer ce travail.

Bowron rit.

– C'est un paragraphe de plus sur votre C.V., Bill. Cela fera bonne impression quand vous revendiquerez le boulot de Jack.

Appelez-moi-Jack rit.

– Ne parlez pas de moi tant que je suis encore dans la pièce.

Biscailuz rit aussi.

– Bill ne voit aucun inconvénient à une surcharge de travail. Cela lui fournira un prétexte de plus pour fausser compagnie à sa femme.

– Bouclons l'affaire, dit Appelez-moi-Jack. La loge de ma société philanthropique nous offre une pile de billets pour le Rose Bowl[1], alors, il faut qu'on calme ces Japonais avant le Nouvel An.

Bowron et Biscailuz sont hilares. Parker suce une deuxième pastille pour la toux. Trois hommes entrent. Parker les reconnaît.

Des fédéraux. Le patron de L.A., Dick Hood. L'agent spécial Ed Satterlee. Ward J. Littell, son ami de l'église.

On fait les présentations. On échange poignées de main et claques dans le dos. Appelez-moi-Jack dispose des chaises pliantes. Les fédés s'y installent à califourchon. Appelez-moi-Jack ouvre une boîte à cigares et fait la distribution.

Bowron dispose des cendriers sur pied. Chacun allume son cigare. La pièce ne tarde pas à s'enfumer.

Hood commence :

– Parlons d'abord des rafles. Tokyo mise à part, cette ville est la capitale du monde japonais connu.

Littell intervient :

– Commençons par les obligations imposées par la loi, monsieur Hood. Les trois agents présents dans cette pièce sont des juristes, tout comme le capitaine Parker.

Hood chasse les cendres tombées sur son gilet.

– Précisez votre pensée, Ward.

– Je veux parler des critères permettant d'identifier les ennemis étrangers, au-delà de leur appartenance raciale. Roosevelt va déclarer la guerre au Japon demain, et à l'Allemagne et l'Italie la semaine prochaine. Les Japonais sont aisément identifiables, les Allemands et les Italiens beaucoup moins. Nous devons éviter de harceler inutilement

---

1. Rose Bowl Game, match annuel de football américain disputé le 1er janvier.

136

d'innocents Japonais, et tenir compte du fait que les étrangers nés en Allemagne ou en Italie sont potentiellement plus dangereux, car ils jouissent d'un niveau d'anonymat sans commune mesure.

Parker sourit. La petite introduction de Ward est juridiquement et moralement astucieuse. La salle se fige.

Appelez-moi-Jack déclare :

— Je ne suis pas capable de faire la différence entre un Jap et un Chinetoque, ce qui rend nulles et non avenues les inquiétudes de M. Littell.

Biscailuz renchérit :

— Je n'en suis pas capable non plus.

Bowron s'en mêle :

— Demandez à Oncle Ace Kwan. Il vous expliquera ça clairement.

— Ace nous envoie notre dîner à 17 heures. Nous soumettrons au livreur ces questions raciales fort délicates.

Satterlee secoue la tête.

— Vous me stupéfiez, Ward. Comment un homme de votre sensibilité peut-il entrer au FBI ?

Littell souffle un nuage de fumée en direction de Satterlee. Bowron et Biscailuz gloussent. Hood déclare :

— Le seul critère autorisant la détention d'étrangers de la cinquième colonne, c'est le fait incontestable que ces putains de Japs ont bombardé le territoire des États-Unis et tué au moins deux mille Américains, tandis que ces putains d'Allemands et d'Italiens n'ont rien fait de tel. Et, comme je viens de le dire, L.A. est pleine à craquer de ces putains de Japs, alors arrêtons de tourner autour du pot et discutons des meilleurs moyens de tuer dans l'œuf tout sabotage potentiel.

— Bravo ! dit Appelez-moi-Jack.

— C'est exprimé crûment, mais ça ne manque pas de sel, ajoute Bowron.

— L'agent spécial en charge Dick Hood ne mâche pas ses mots, conclut Biscailuz.

Satterlee ouvre sa serviette et en sort une pile de dossiers. Hood s'en empare et les distribue.

— Seize pages de noms japonais, messieurs. Quand il est devenu évident que nous pourrions entrer en guerre avec le Japon, nous avons compilé une liste de membres connus ou potentiels de la cinquième colonne à envoyer éventuellement en détention. Ces Japonais sont des fascistes notoires, des membres de confréries suspectes, et plus généralement des trublions entièrement dévoués à leur Empereur. Vous verrez que la liste comporte trois catégories : A, B et C. Les « A » sont les Japonais considérés comme les plus dangereux, et ils sont destinés à une incarcération immédiate.

La pièce n'est plus qu'un énorme nuage de fumée. Appelez-moi-Jack entrouvre une fenêtre. La rumeur de la rue pénètre dans le bureau. Parker entend *Japs*, *Japs*, *Japs*.

Il feuillette le dossier. La liste « A » s'étend sur huit pages. Là, en page 4 : *Watanabe, Ryoshi et sa famille/maraîcher/Highland Park*.

Hood écrase son cigare.

– Le secrétaire d'État à la guerre Henry Stimson a publié un bulletin de priorité absolue. Il prescrit la saisie des biens appartenant aux éléments subversifs de la liste « A ». Le commandant de Camp MacArthur a réservé pour leur détention des blocs cellulaires du pénitencier de Terminal Island. À San Pedro, il y a des bateaux de pêche japonais en pagaille, et l'armée se prépare à les remorquer pour procéder à leur inspection.

Littell et Satterlee échangent des regards noirs. Le téléscripteur crache une feuille imprimée et une série de portraits d'individus recherchés. Appelez-moi-Jack les passe en revue.

– Ça, c'est pour vous, Bill. Apparemment, l'immeuble fédéral est submergé de volontaires qui tentent de s'enrôler. Le procureur de l'État de Californie voit dans ce recrutement une véritable aubaine pour les criminels en fuite cherchant à quitter le pays, et c'est pourquoi il nous envoie aussi des listes d'individus recherchés en priorité. Vous voulez bien vous rendre sur place et regarder à quoi ressemblent les postulants ? Je vais envoyer des agents en uniforme vous attendre au bas des marches. Si vous voyez l'un ou l'autre des types des affiches, envoyez les agents pour les interpeller.

Parker hoche la tête et brandit son exemplaire de la liste « A ». Il désigne le nom « Ryoshi Watanabe ». Il plante son regard dans celui d'Appelez-moi-Jack.

– Hier soir, monsieur le directeur. Les Japonais morts de Highland Park. J'ai capté un appel radio. C'est Dudley Smith qui s'en occupe. Il s'agit d'un homicide ou d'un suicide.

Appelez-moi-Jack hausse les épaules.

– Ça ressemble à un suicide. C'est le Dudster en personne qui me l'a dit. Nort Layman pratique les autopsies en ce moment même. Nous aurons la réponse bientôt.

Parker fait remarquer :

– Une affaire de meurtre dont les victimes sont japonaises nous arrangerait plutôt. L'argument de M. Littell est sans doute à prendre en compte. Imaginons que nos rafles suscitent une levée de boucliers. Nous sommes en guerre, mais cependant nous faisons de notre mieux pour élucider la mort de ces quatre Japonais.

Appelez-moi-Jack ferme les yeux. Parker capte ses ondes cérébrales.

*Il pèse le pour et le contre. Il est surchargé de travail. Je veux sa place. Dudley et moi avons tendance à nous opposer. Il souhaite probablement avoir prise sur Dud. Il a davantage peur de lui qu'il n'a peur de moi.*

Appelez-moi-Jack rouvre les yeux.

– Vous superviserez l'enquête, Bill. Je sais que vous avez beaucoup à faire et que vous n'êtes pas vraiment un homme d'investigation, mais…

– Comptez sur moi, dit Parker.

L'horloge de l'hôtel de ville marque 15 heures. Bowron annonce :

– Encore deux heures avant qu'on ne nous livre le dîner.

– Je boirais bien quelque chose, dit Hood. Et je ne serais pas surpris que le directeur Horrall ait une bouteille sous la main.

Appelez-moi-Jack sourit.

– Je vais en sortir une, si vous m'appelez Jack.

– Bon sang, ces putains de Japs, dit Biscailuz.

## 15 h 01

Le monte-charge le ramène au rez-de-chaussée. Huit agents en uniforme l'attendent dans le vestibule. Ils sont casqués et munis de bombes lacrymogènes. Ils sont équipés pour faire face à une insurrection japonaise.

Parker se sent ridicule. Il porte le costume qu'il met pour se rendre à l'église et il est armé d'un .38 à canon court. Les agents et lui traversent la pelouse sud. Des jeeps et des blindés semi-chenillés ravagent le gazon.

Totale perte de temps. Dix affiches, dix visages. La lie du crime – viol, attaque à main armée, vandalisme. Un voyou mexicain et neuf salopards de petits Blancs. Peine perdue – des minables pareils ne tenteraient jamais de s'enrôler.

Ils prennent la direction du nord en atteignant Spring Street.

139

L'immeuble fédéral n'est pas loin. Parker cligne des yeux. Une clameur lui assaille les oreilles.

La file d'attente des volontaires occupe les marches et le trottoir jusqu'au carrefour. Elle comporte environ deux mille hommes. Ils chantent en chœur *God Bless America*[1].

Parker court vers eux. Il lâche ses affiches. Ses yeux se gonflent de larmes. Ses lunettes glissent sur son nez. Les agents courent derrière lui. Leur équipement anti-émeute les ralentit. Ils ne tiennent pas la cadence.

Parker court. Les voix l'attirent. Elles résonnent de plus en plus fort. Il monte les marches. Il oublie pourquoi il est là. Les flics anti-émeute le rattrapent et se contentent de rester près de lui.

Des voix discordantes lui parviennent. Parker regarde autour de lui et voit une échauffourée. Un jeune géant de race blanche frappe trois gamins blancs qui s'acharnent sur un petit Jap. Une femme blanche donne des coups de pied à un jeune blanc étalé sur les marches.

Le Jap détale. Le jeune géant blanc joue des poings et des coudes. Parker reste figé et regarde le spectacle. Le chant patriotique issu de deux mille poitrines devient dissonant. La femme blanche se tourne vers lui.

C'est Kay Lake.

Elle le voit.

Elle prend la pose, au milieu du chaos.

Parker monte les marches en courant.

Kay Lake agite la main et disparaît.

# 16

## LOS ANGELES | DIMANCHE 7 DÉCEMBRE 1941

**15 h 16**

À la morgue, quatre Japs sur des tables d'autopsie. Vapeurs caustiques. Une puanteur atroce dans une petite salle.

---

1. Que Dieu bénisse l'Amérique.

Dudley est avec Lee Blanchard et Nort Layman. Les trois hommes fument pour supporter la pestilence. La morgue est contiguë à Chinatown. Dehors, les Chinetoques font du raffut.

Ils cognent sur des tambours. Ils lancent des pétards. Ils fêtent l'attaque japonaise. Les Chinetoques haïssent les Japs et réciproquement. Ce soir, Chinatown va vibrer et trépider.

Blanchard dit :

– Putains de Japs.

Layman dit :

– Putains de Chinetoques. J'ai mal au crâne à cause de ces saloperies de tambours.

Dudley bâille. Il est fatigué. Il est debout depuis hier matin. Il a tué un homme. Il a fumé de l'opium et pris de la benzédrine. Il a écrit à Beth Short la lettre d'un père à sa fille. Il a perfectionné son plan pour rencontrer Bette Davis. Il a hérité de cette saloperie d'enquête sur des Japonais morts. En bombardant l'Amérique, ces putains de Japs l'ont précipitée dans une guerre ourdie par les Juifs.

Blanchard envoie sa fumée de cigarette sur Ryoshi Watanabe.

– Hé, Papa. Tu peux aller te faire foutre, et ton empereur aussi.

Dudley rit. Layman se tape sur les cuisses. Dans la rue, des pétards explosent.

Blanchard envoic de la fumée sur Nancy Watanabe.

– Hé, Mignonne, prête-moi ta chatte.

– Vous êtes franchement perturbé, Leland, dit Layman.

– Ça me plaît quand elles ne bougent pas, réplique Blanchard.

Un pétard explose. Les vitres tremblent. Dudley porte la main à son arme.

– Malheureusement, cet intermède comique doit se terminer. Norton, veuillez nous livrer vos conclusions.

Layman s'exécute :

– En attendant les analyses toxicologiques et tout autre test plus élaboré que je pourrais inventer, je dirais qu'il s'agit d'un homicide ou d'un homicide-suicide, et je crois que la première explication est la plus probable. Le sang de toutes les victimes s'est mélangé, donc les identifications individuelles ont été difficiles. J'ai trouvé de façon aléatoire des échantillons de A négatif, et les enfants ont dû hériter du groupe sanguin du père ou de la mère, donc ce critère même est ambigu. Les lambeaux de peau entourant les plaies sont déchiquetés, ce qui indique un mouvement saccadé de la lame et une hésitation bien compréhensible, ou une contrainte extérieure, ou encore une combinaison de ces deux facteurs au moment où l'arme a traversé les chairs. Le test de la paraffine sur les mains des victimes est négatif, on ne peut donc pas les tenir responsables de cet impact de balle dans le palier de l'étage, du moins, pas au cours des dernières quarante-huit heures. À l'heure qu'il est, je dirais ceci : j'ai examiné quatre Japonais qui se sont fait hara-kiri, et pour l'instant je ne suis pas satisfait de cette première expérience. Et pour finir, le détail le plus inattendu. J'ai trouvé des traces d'huile sur leurs pieds et je les ai analysées. C'était de l'huile de crevette.

Blanchard jette sa cigarette. Elle tombe dans une flaque de sang et grésille.

– S'il s'agit d'un meurtre, on a trop attendu pour faire une enquête de voisinage, et maintenant que tout le monde est fou de rage à cause des bombardements, les témoins ne se rappelleront pas avoir vu quoi que ce soit juste avant les décès.

– Sur ce point, vous avez raison, commente Layman. Les grands événements provoquent une perte de mémoire collective. Et plus important encore : qui accorde la moindre importance à cette histoire ? Je tiens à mener cette enquête jusqu'au bout par pure curiosité scientifique, mais tout le monde se contrefout que quatre Japonais soient retrouvés morts le jour où nous déclarons la guerre au Japon.

*La lettre expliquant le suicide. « L'apocalypse qui s'annonce ». C'est très évocateur. Est-ce de mauvais augure ?*

Dudley examine la situation sous tous les angles. Blanchard a raison. Une enquête de voisinage se révélerait futile. On a vu Jack Webb devant la maison des Watanabe avec tous les badauds du quartier. Ses stupides enquêtes policières à la radio, pour *eux*, c'était *ça,* une « enquête de proximité ». Entreprendre une telle démarche serait *totalement* futile.

Le téléphone mural sonne. Une lumière bleue clignote – un appel de la police.

Dudley décroche le combiné.

– Sergent Smith.

– C'est Jack Horrall, Dud.

– Oui, monsieur le directeur.

– Sacrée journée, hein ?

– Sûrement une date dont on se souviendra, patron.

– J'espère que vous n'avez pas l'intention de vous enrôler.

– Mais si, patron, répond Dudley. J'entrevois une grande carrière dans le renseignement militaire, et j'ai un ami haut placé qui pourrait me procurer un poste.

– Joe Kennedy ?

– Oui, patron.

Appelez-moi-Jack émet un sifflement qui parasite la liaison téléphonique.

– Pour le moment, pas question. Et c'est sans appel, jusqu'à ce que cette guerre s'emballe ou s'éteigne d'elle-même et que nous ayons une idée claire du rôle que le LAPD devra jouer dans tout ça.

– Oui, patron. Et à ce sujet ?

– À ce sujet, quel est l'avis de Nort sur l'affaire Watanabe, aux dernières nouvelles ?

Des pétards explosent dans la rue. Dudley bouche son oreille libre.

– Il penche pour un homicide, patron.

– En ce cas, alors, nous allons tenter de faire prendre une vessie pour une lanterne, afin de démontrer notre impartialité. J'ai parlé au maire, Fletch Bowron. Il redoute des représailles si nos hommes sont accusés de harceler tous ces Japs prétendument loyaux. Me suis-je bien fait comprendre, *muchacho* ?

– Parfaitement, patron. Les implications sont tout à fait claires.

– Bien. C'est dans un monde 100 % jap que nous vivons aujourd'hui, et je tiens à le moissonner tant que le soleil brille.

– Le soleil *levant*, patron ?

Appelez-moi-Jack s'esclaffe.

– Excellent, Dud. J'ai quelques collègues avec moi dans le bureau, je vais les en faire profiter.

– Je vous en prie, patron.

Des mouches fondent en piqué sur les macchabées. Nort les arrose d'un nuage d'insecticide. Elles tombent mortes sur Aya Watanabe.

– Ne le prenez pas mal, ajoute Appelez-moi-Jack, mais j'ai confié à Bill Parker le soin de superviser l'enquête. C'est un habile animal politique, et je veux qu'il veille en douceur sur vous et votre équipe.

Dudley allume une cigarette.

– Whiskey Bill est totalement dépourvu de douceur, patron. C'est un tâcheron de l'administration, pas un policier, son seul but est de vous déloger pour prendre votre place, et son habileté, considérable, est uniquement au service de sa promotion personnelle.

Appelez-moi-Jack lâche un rot.

– Je garde Parker. Et ne vous inquiétez pas – vous ne l'aurez pas tout le temps sur le dos. Je l'ai chargé des black-out, des rafles et de la liaison avec l'armée. Il sera tellement épuisé qu'il vous laissera tranquille.

– Oui, patron, dit Dudley. Je suis sûr que le capitaine Parker et moi-même conclurons un pacte de non-agression.

– Très bien, très bien ! dit Appelez-moi-Jack.

– Puis-je suggérer un quatrième homme, pour remplacer Dick Carlisle et Mike Breunig ? Je choisirais Lee Blanchard. Il est avec moi depuis que j'ai reçu l'appel radio.

– Pas question, répond Appelez-moi-Jack. C'est un îlotier, et je vais former une brigade des étrangers pour aider les fédés à faire des rafles. Et Blanchard est un candidat idéal pour ce boulot-là.

Une musique festive résonne dans la rue. Les Chinetoques chantent en charabia. Dudley regarde par la fenêtre. Des dragons en papier lui passent sous le nez.

– Oui, patron. Cependant, je persiste à vous demander…

– Je veux bien vous donner Buzz Meeks. Il est solide en cas de bagarre.

Des bruits de fond parasitent la ligne. La liaison crachote et rend l'âme.

– Comment se fait-il, demande Blanchard, que les Chinetoques aient des comptes à régler avec les Japonais ? Pour moi, ils se ressemblent comme deux gouttes d'eau.

## 15 h 36

*Les indigènes sont nerveux.*

Dudley sort en trombe de la morgue. Il est le seul Blanc de Chinatown. Il se promène et jouit du spectacle.

Feux d'artifice, dragons, caquetage de païens. Des gamins tongs qui tapent sur des timbales. Les gars du Hop Sing portent des foulards rouges. Ceux des Quatre Familles sont vêtus de bleu. Ils battent la cadence comme Gene Krupa, le fumeur d'herbe.

Des mannequins à l'effigie du général Tojo sont pendus aux réverbères. Des voyous tongs les lardent de coups de hachette. De la bourre d'oreiller s'en échappe.

Dudley entre dans le restaurant La Pagode. Une radio braille LA GUERRE ! Les serveurs étalent des drapeaux japonais par terre en guise de paillassons. Des conseillers municipaux les acclament.

Thad Brown avale bruyamment sa soupe won-ton. Il voit Dudley et lui fait signe. Dudley lui adresse un clin d'œil et descend au sous-sol.

144

Oncle Ace a changé le décor de son bureau. Sur les murs, de nouvelles photos encadrées ont remplacé les anciennes. FDR y côtoie cet acteur blanc qui a incarné Charlie Chan.

– C'est un grand jour, Dudster. Le Chinois et le Blanc des États-Unis vont joindre leurs forces pour abattre le monstre japonais.

Dudley s'incline.

– Oui, mais nous ne devons pas perdre de vue nos Kameraden allemands. Ils demeurent notre première ligne de défense contre les Rouges et les Juifs.

Ace s'incline.

– Mon frère irlandais me semble las. Puis-je proposer un thé revigorant ?

Dudley sourit et approche une chaise. Ace dispose sur la table une théière, des poudres et des tasses. Ah, très bien – de la benzédrine et du Ma Huang.

Le parfum du thé le requinque. Ace emplit deux tasses. Dudley en avale une gorgée et se remet quelques idées en place.

Ace déclare :

– J'ai pris le temps de réfléchir.

– Oui, mon frère jaune ?

– Cette attaque insensée contre Pearl Harbor nous offre plusieurs occasions d'exploiter le monstre japonais. Nous pouvons cacher, ici à Chinatown, des fugitifs appartenant à la cinquième colonne et leur faire payer des loyers exorbitants. Nous pouvons exploiter le préjugé viscéral de l'homme blanc envers l'homme jaune et tirer profit de son incapacité à discerner les traits distinctifs des physionomies orientales. Les hommes blancs ne savent pas reconnaître un Chinois d'un Japonais. Je vois dans cette inaptitude une source d'argent facile.

Dudley boit un peu de thé.

– Je vous trouve fort astucieux et clairvoyant en ce jour tragique. Et j'irais jusqu'à avancer que vous avez une faveur à me demander.

À son tour, Ace avale une gorgée de thé.

– Le jeune homme des Quatre Familles a de nouveau manqué de respect à ma nièce. J'aimerais que mes représailles n'engendrent pas une guerre.

Dans l'esprit confus de Dudley, les dernières brumes s'évaporent. Ses circuits se reconnectent.

– Je vais tuer ce garçon. Ensuite, nous négocierons une trêve. Jim Davis me servira d'interprète.

Ace désigne un panneau mural qui ne s'accorde pas aux autres. Il paraît verni de fraîche date. Un drapeau chinetoque pend de travers.

– Je veux vous montrer quelque chose. J'ai de nouvelles idées pour exploiter certains travaux que j'ai réalisés. Suivez-moi, s'il vous plaît.

Dudley se lève. Ace ouvre le panneau. Le trou noir qu'il cachait s'enfonce très loin dans le sous-sol.

Un escalier, deux rampes, un éclairage au plafond. Ace s'incline et fait signe : Après vous.

La descente est longue de dix mètres. Les marches sont recouvertes d'un tapis. Elles aboutissent à un looooong couloir. Les ampoules suspendues au plafond oscillent et éclairent le chemin.

Un générateur bourdonne. Le labyrinthe est chauffé et aéré. Des pièces sont aménagées de part et d'autre du couloir. Elles sont déjà éclairées. Elles ont l'aspect luxueux d'un appartement témoin.

Des pièces avec fauteuils et canapés. Des pièces avec cuisine équipée. Des pièces avec tables de bridge et bar raccordées au circuit d'eau courante. Des chambres munies de lits somptueux et de judas pour voyeurs comme dans les bordels.

Des niches secrètes dans les murs. Des appareils photographiques dissimulés. Des caméras installées derrière des miroirs sans tain.

Trente pièces. Le chic suprême en temps de guerre. Le Hilton aux yeux bridés. À la fois Mecque du jeu et plateau de tournage pour films cochons. Chop suey servi brûlant. Fumerie d'opium des plus pratiques.

Ace s'incline devant Dudley. Dudley s'incline devant Ace. Il ressent à l'arrière du crâne l'effet du thé qu'il vient de boire.

Ace explique :

– Je viens de terminer les travaux. À l'origine, je voulais construire un studio pour produire des films pornographiques. À présent, je vois ça comme une planque pour les brutes japonaises qui veulent échapper à la prison. Hier soir, j'ai organisé une partie de fan-tan ici même. Aujourd'hui, nous sommes en guerre. Verriez-vous des célébrités et des stars du cinéma venir ici pour côtoyer des brutes japonaises et autres représentants de la racaille ?

Dudley rit.

– Oui, mon frère jaune, je le verrais très bien.

– Votre ami Harry Cohn a perdu 19 000 dollars. S'il a perdu une telle somme chez moi, imaginez ce qu'il a pu perdre chez votre ami Ben Siegel ?

Dudley lui lance un clin d'œil.

– Effectivement. Quelles opportunités à exploiter !

Ace se met à babiller. Le thé aux amphétamines lui fait toujours perdre les pédales. Il dérape vers le pidgin-english. Il postillonne comme Donald Duck.

*Aaaaah, oui – les Japs.*

Les rafles de Japs, des Japs enchaînés, des Japs incarcérés dans des cellules de luxe. Les cadavres de Japs à la morgue – Hideo Ashida, ce Jap étonnamment brillant.

# 17

## LOS ANGELES | DIMANCHE 7 DÉCEMBRE 1941

**16 h 11**

Ashida se gare devant la maison. Ray Pinker est assis à côté de lui. Un cordon de sécurité interdit l'accès au trottoir. Des agents en uniforme tiennent les badauds à distance.

Une tomate atterrit sur le pare-brise. Ashida met les essuie-glaces en route et dilue la pulpe. Quelqu'un hurle :

– Tuez les Japs !

Une tomate tombe sur le toit de la voiture. Ashida et Pinker prennent leurs trousses d'identification et se baissent pour passer sous la corde. La terrasse est couverte de jus de tomate. Quelques flics tire-au-flanc et leur mascotte traînent devant la maison – Mike Breuning, Dick Carlisle, Buzz Meeks, Jack Webb.

Ils prennent le frais, installés autour d'une bouteille d'Old Crow.

Ils serrent la main de Pinker. Breuning et Carlisle asticotent Ashida. Meeks lui adresse un clin d'œil. Jack Webb demande :

– Que se passe-t-il, Hideo ? Vos prétendus concitoyens vous ont mis dans la merde.

Ashida cravate Jack Webb. Jack rit et le repousse en lui donnant des tapes. Meeks désigne la rue. Ah, oui – *la merde.*

La foule n'est composée que de péquenots du coin. Des crétins trimballent des cageots de tomates, d'autres crétins brûlent des drapeaux japonais. Des matelots et des auxiliaires féminines dansent le jitterbug. Un phono brame du Count Basie.

Une tomate percute la boîte aux lettres. Meeks déclare :

– Ça commence à me taper sur les nerfs.

– On ne peut pas leur en vouloir, dit Breuning.

– Bien sûr que si, rétorque Jack Webb. Qu'ont-ils fait, les Watanabe, à part mourir ? Et qu'a fait Hideo, sinon travailler pour la police des Blancs de cette ville ?

– Tu n'es pas flic, petit, dit Carlisle. Ne mélange pas tout, dans cette affaire.

– Laisse le môme tranquille, dit Breuning. Le Dudster l'aime bien, et il n'est qu'à moitié youpin.

Jack tressaille. Une tomate s'écrase contre la rambarde de la terrasse. Un jet de pulpe salit la veste de Meeks.

– Réagis, bon sang ! dit Carlisle. Ce n'est pas tous les jours qu'on voit un cirque pareil.

Meeks charge.

Il court tout droit vers la foule. Il arrache les cordes qui isolent la maison. Les agents en uniforme se reculent et lui font de la place. Il fonce dans un groupe de marins, tête baissée.

Il sort la matraque qu'il porte à la ceinture et distribue des revers de gauche à droite. Il a attaqué à moitié plié en deux, et il reste courbé. Il s'attaque aux *visages*. Il frappe des nez, il frappe des bouches, il frappe des crânes. Les marins sont pétrifiés. Parmi les badauds, leurs camarades ne bougent pas d'un pouce et regardent le spectacle.

Ashida le regarde aussi. Meeks est un matraqueur légendaire. Sa matraque en cuir est lestée de petits plombs et les coutures protubérantes font des ravages.

Meeks frappe les marins. Meeks les attaque depuis le bas. Meeks les agrippe par le cou et attire leurs visages vers lui.

Ashida regarde. Les badauds poussent des cris et tournent les talons. Les marins amochés se protègent le visage et s'éloignent en trébuchant ou en rampant. L'un d'eux tient une poignée de dents cassées. Un autre vomit du sang.

Les crétins battent en retraite, la queue entre les jambes. Meeks ramasse un emballage de barre glacée pour essuyer sa matraque. Le phono tourne toujours. L'orchestre d'Erskine Hawkins braille *Uproar Shout*.

L'aiguille saute du sillon. Ashida retient son souffle. Jack Webb distribue des cigarettes

La bouteille d'Old Crow circule. Meeks revient sur la terrasse. Il s'empare de la bouteille, la vide et la jette. Breuning commence à le féliciter. Meeks le pousse violemment. Breuning tombe sur le cul.

Ashida entre dans la maison. Il y sent encore une odeur de décomposition. Pinker entre à son tour. Les deux hommes signent le carnet de bord et ouvrent leurs trousses.

Le tapis du salon est roulé et ficelé. Les plats livrés par Kwan sont encore sur la table de la salle à manger.

*Il y a encore des choses à découvrir ici. C'est inévitable.*

Pinker soupire.

– Comment faites-vous pour tenir le coup ? Le petit Jack Webb a raison. Ce n'est pas comme si vous étiez coupable de quelque chose.

– Je m'inquiète pour ma mère, dit Ashida. Elle habite en ville, à l'angle de la 2ᵉ Rue et de San Pedro Street, alors que les services du shérif et les fédéraux vont commencer leurs rafles. Mon frère est resté à la ferme, dans la vallée. Je pense qu'il n'a rien à craindre pour le moment.

Pinker lui tapote le bras.

– J'ai oublié de vous le dire, mais Bill Parker m'a appelé. C'est lui qui supervise l'enquête pour Appelez-moi-Jack, et il m'a dit qu'il comptait sur votre participation. Mais voilà le plus surprenant : il a envoyé un garde du corps chez votre mère, un agent fédéral nommé Littell. Parker affirme que ce type n'a aucune animosité envers les Japonais. Il s'entend à merveille avec votre mère, et ils ont entamé aussitôt une partie de cartes.

Ashida sourit.

– Whiskey Bill.

Parker sourit.

– Ce n'est pas le genre de type que j'apprécie, mais il veille sur les collègues qui lui obtiennent des résultats.

– Il a des bons côtés, alors.

– Oui, ce genre de bon côté.

Les deux hommes sortent leurs appareils photographiques et des ampoules de flash. Ils se séparent et couvrent le rez-de-chaussée. Ashida utilise neuf rouleaux de pellicule. Il prend des vues de la cuisine et de la terrasse donnant sur l'arrière de la maison. Il photographie la corde à linge et les vêtements qui s'y trouvent toujours pendus. *Pourquoi faire la lessive le jour où on a prévu de se suicider ?*

Pinker prend des photos du salon et du couloir. Ashida prélève des fibres et les met sous enveloppe. Ils sortent leur nécessaire à empreintes et les cartes qui ont recueilli celles des Watanabe. Ils cherchent des traces latentes sur toutes les surfaces que l'on peut toucher ou saisir.

Une vraie corvée : saupoudrer le dos des meubles, les rebords de fenêtres, les appuis. Pour ne trouver que des traînées et des taches. Pas une seule empreinte complète ni même partielle de qualité suffisante pour constituer une preuve.

Ashida se sent hébété. Il est debout depuis la création du monde. Il a dissimulé des preuves matérielles prélevées au drugstore. Il a vu Bucky et on lui a confié cette enquête. Son pays natal et la terre de ses ancêtres viennent d'entrer en guerre l'un contre l'autre. Son univers entier vient de voler en éclats.

À la va-vite, Jack Horrall a constitué une « brigade des étrangers ». Ashida a aperçu les premiers recrutés au commissariat central. « Brigade des étrangers » signifie « brigade de voyous ». Il n'y avait que des brutes épaisses.

Des briseurs de grèves. Des membres de *L'Amérique d'Abord*. Des anciens du Klan. Comparés à eux, Lee Blanchard et Elmer Jackson sont des enfants de chœur. Appelez-moi-Jack exploite à fond l'ambiance « mort aux Japs ».

Le rapport Munson est déjà de l'histoire ancienne. Le mois dernier, il envahissait les journaux japonais. FDR a envoyé Curtis Munson en mission sur la côte ouest. Il a visité les enclaves japonaises et décrit ce qu'il avait vu : les *Nisei* « d'une incroyable loyauté envers l'Amérique » ; les *Issei* nés au Japon : « Passionnément pro-Américains, étant donné qu'ils ont fui le Japon » ; les *Kibei* éduqués au Japon : « Horrifiés par la montée du fascisme dans leur pays natal. »

Ashida cherche des empreintes. Ashida en découvre deux, complètes. Il les compare à ses relevés et les identifie comme appartenant à Aya Watanabe. Il saupoudre un rebord de fenêtre du salon. Il obtient une empreinte complète et observe ses cartes. Il ne découvre pas de boucles ni de spirales similaires.

Il en avertit son supérieur :

– Monsieur Pinker, j'en ai trouvé une.

Pinker s'approche pour examiner le rebord de fenêtre. Il s'agit d'une empreinte d'index droit laissée par un adulte de sexe masculin. Elle nécessite un relevé complet.

– Dudley et Lee Blanchard ont utilisé des mouchoirs dans la maison, mais je ne suis pas sûr que Breuning, Carlisle, Meeks et votre copain Jack aient pris cette précaution.

– Nous devrions prendre leurs empreintes pour les éliminer. Cela nous évitera d'avoir des doutes par la suite.

Pinker hoche la tête et ressort en emportant sa trousse. Ashida le suit et se poste près de la porte. Pinker dispose des fiches vierges sur la rambarde de la terrasse et encre les doigts de ses collègues.

Le calme règne dans l'Avenue 45, à présent. Ce phono idiot est resté sur place. La terrasse empeste la tomate écrasée.

Pinker rclève les empreintes de Carlisle. Breuning se plaint :

– On a ce foutu Bill Parker sur le dos, maintenant. C'est un bolchevique. Elmer Jackson m'a appelé il y a quelques heures. Parker a trouvé une femme qui lui retranscrit les enregistrements magnétiques à la brigade.

Meeks passe un Kleenex à Carlisle. Carlisle s'essuie les mains. Meeks dit :

– Elmer va raconter tout ça à Jack Horrall.

– Il l'a déjà fait, réplique Breuning, mais tu connais Jack. Il se croit capable d'encaisser tout ce que Parker manigance.

Pinker prend les empreintes de Breuning. Carlisle ajoute :

– Parker devrait faire attention. Il figure lui-même sur certains enregistrements. C'est Dud qui me l'a dit.

Breuning s'essuie les mains sur son pantalon.

– Pearl Harbor donne un nouveau visage à la situation.

– Ouais, un visage jaune, dit Meeks.

Carlisle affiche un sourire narquois.

– Pour quelle raison travaille-t-on sur cette enquête merdique, à ton avis ? Tu t'imagines que ça n'a rien de politique ?

Ashida rentre dans la maison. Il asperge l'empreinte inconnue de ninhydrine et la recueille sur un ruban transparent. Pinker revient avec les nouvelles fiches. Ashida les examine à la loupe. Aucune ne correspond à celle qu'il cherche à identifier. Il s'agit bien d'une empreinte inconnue.

Les deux hommes se séparent de nouveau. Pinker saupoudre les surfaces planes du placard. Ashida fait de même pour les placards de la cuisine et trouve des traînées couvertes de graisse. Il remarque deux balayettes sous le tiroir du bas. Il braque sa lampe torche vers le carrelage.

Il découvre des éclats de verre – un petit tas.

Il les ramasse et les examine. Il remarque des reflets huileux sur le verre et il tente d'en reconnaître l'odeur. Cela ressemble à de l'huile de poisson.

Des points rouges sur le verre – peut-être du sang séché. Il range les débris dans une enveloppe et la libelle : *Watanabe/Highland Park/ 15 h 21, 7-12-1941.*

La cuisine empeste le pâté impérial plus frais du tout. La nourriture chinoise lui soulève le cœur. Il monte à l'étage et visite les chambres de Nancy et Johnny. Dudley a dit à Ray Pinker qu'il trouvait ces chambres « intéressantes ».

Ashida les fouille. Ashida comprend la situation.

Nancy cadenassait la porte de communication séparant sa chambre de celle de son frère. Johnny collectionnait les magazines licencieux et les illustrés nazis. Johnny possédait des suspensoirs rembourrés avec des drapeaux japonais et les culottes de sa sœur.

Ashida passe son visage sur les sous-vêtements de Nancy. Leur odeur l'excite. Il tremble. Il les remet dans le tiroir.

Il se rend dans la chambre de Ryoshi et Aya. Il voit la petite brochure de propagande, la met dans une autre enveloppe sur laquelle il inscrit : *Watanabe/Highland Park/ 15 h 34, 7-12-1941.*

Ici – la lettre trouvée sur le mur.

Ashida en étudie les caractères et leur position sur la page. Pinker entre dans la chambre. Ashida traduit :

*L'apocalypse qui s'annonce n'est pas de notre fait. Nous avons été de bons citoyens et nous ne savions pas qu'elle allait se produire.*

Pinker commente :

– Nous voici avec un *post hoc, propter ergo hoc*[1], là, sous nos yeux. Nous trouvons quatre Japonais morts la veille de l'attaque japonaise contre un territoire des États-Unis. C'est à cet événement que la lettre fait allusion ?

Ashida secoue la tête.

– Cette *apocalypse* pourrait désigner un suicide collectif ou un conflit mondial inévitable, sans connaissance préalable de l'attaque de ce matin. *Apocalypse* pourrait se rapporter à des ramifications potentielles pour certains membres de la famille ou la famille dans son ensemble. Cette lettre est totalement ambiguë.

– Exactement, dit Pinker. Et la vraie question est de savoir si cette lettre a été écrite ou non sous la contrainte, parce que le consensus est que nous sommes en présence d'un homicide.

– C'est bien ça, dit Ashida. Les caractères sont tracés d'une main tremblante, c'est une écriture d'homme, et M. Watanabe devait

---

1. Après ça, donc à cause de ça.

certainement manquer de sérénité s'il avait décidé d'en finir par *sep-puku*. Mais les caractères sont *extrêmement* tremblés, même comparés à ce qu'on trouve dans les ouvrages de référence sur les lettres laissées par des suicidés.

– Nous pourrions appeler ça une variante. C'est l'équivalent des indices d'hésitation laissés par les sabres quand ils ont entamé les chairs.

Ashida examine la nature du papier utilisé. Il est épais et contient un pourcentage de composants textiles. Il dépose de la poudre sur son pinceau à empreintes. Il passe celui-ci sur la lettre et se recule pour avoir davantage de lumière.

Des traînées et des taches. Une empreinte partielle estompée. Une partielle *sévèrement fragmentée* – à moitié éclipsée par la trace d'un gant à texture lisse.

Pinker la désigne.

– Là. Cette trace de gant indique qu'un individu guidait la main du rédacteur de la lettre. La voici, votre contrainte, noir sur blanc dans cette lettre.

Ashida remarque un bloc-notes sur la commode. Il s'en approche pour étudier les caractères inscrits sur la première page. C'est une liste de courses. Les caractères ressemblent à ceux de la lettre. C'est l'écriture d'un homme adulte. Il n'y a aucune fluctuation indiquant une contrainte.

Pinker s'approche.

– Identique. Ça ne peut être que Ryoshi.

Les deux hommes retournent à la lettre. Un coup de vent envahit la chambre. La poudre à empreintes flotte dans l'air de la pièce.

– Disons qu'il y a eu contrainte, dit Ashida. Si tel est le cas, et si le meurtrier n'était pas japonais, il a couru le risque que M. Watanabe laisse à la police un message qu'il était lui-même incapable de lire.

Pinker sourit.

– Je vois où vous voulez en venir, mais c'est vous qui devriez le dire.

– Je présume, ajoute Ashida, que le meurtrier *est* japonais.

Pinker s'incline, faussement solennel. Ashida sourit et s'incline à son tour.

À l'extérieur, le même phono redémarre brusquement. Le Père Coughlin se lance dans une harangue haineuse, sur un fond sonore de luths gaéliques. Pinker lève les yeux au ciel et redescend au rez-de-chaussée. Ashida sort dans le couloir.

*Fais l'exercice recommandé par le manuel. Laisse tes pensées se disperser puis fusionner. Laisse ton regard errer pour mieux voir.*

*Ne bouge plus. C'est une pratique bouddhiste vieille de deux mille ans. Tes infâmes compatriotes ignorent de telles traditions. Tu es un des leurs. Tu es né dans la classe des samouraïs et tu as été forgé par la Réforme. Les coutumes japonaises t'ont formé. Les zélateurs luthériens t'ont éduqué. Tu es à parts égales un esprit libre et observateur à la vision rigide. Laisse cette maison de l'horreur te parler.*

Ashida ne bouge plus. Il pense au combat de Bucky, ce soir. Il a vu Bucky dans les douches du lycée Belmont. Son prototype de piège photographique a secrètement capté des nus sur pellicule. Son nouveau modèle prend des photos au carrefour de la 6e Rue et de Spring Street. Cet homme devant le drugstore. Un faux Bucky. Bel homme, mais pas séduisant ni…

Ashida cligne des yeux. Dans sa tête, un déclencheur actionne l'obturateur pour prendre un cliché.

Il remarque une étagère dans le couloir. Elle est remplie de bibelots de jade. On a glissé un petit flacon derrière un temple miniature. Regarde bien cette étiquette usagée.

Ashida s'empare du flacon. Sur un lambeau d'étiquette figure la mention « Parégorique à la morphine ». Il n'y a pas de nom de pharmacie lisible.

Le drugstore Whalen hier. Le braqueur a volé des flacons sur une étagère. Lesdits flacons contenaient de l'élixir parégorique *à la morphine*.

Deux crimes le même jour. Les détails concordants s'accumulent.

Ashida reprend sa trousse et saupoudre le flacon. Les taches signifient : *il ne faut pas espérer davantage de détails concordants*.

Il reste dans le couloir. Il entend les hommes de Dudley bavarder dehors. Son regard se déplace. Il voit des grains de poussière en suspension dans l'air et un insecte sur le mur.

Les murs, le plafond. Peinture écaillée, toiles d'araignées… Attends –

Une anomalie. Une incohérence. Un défaut. Alerte rouge.

*Regarde bien les lattes de bois du plafond, disposées dans le sens de la longueur. Note les jointures parallèles.* Les jointures sont à angle droit par rapport au grain du bois. Elles sont hachurées et à peine visibles. Elles délimitent un carré de soixante centimètres de côté.

Ashida saute, les mains dirigées vers le carré en question. Elles l'atteignent en plein centre. Le carré disparaît dans le plafond, grâce à une charnière fixée à l'intérieur. Un escalier rétractable se déplie et descend jusqu'au plancher du couloir.

Des marches métalliques à revêtement antidérapant en caoutchouc. Un mécanisme silencieux, bien huilé.

Ashida monte l'escalier. Il suffit d'une traction légère pour qu'il se replie de lui-même. Le carré de bois reprend automatiquement sa place dans le plafond. Le dispositif fonctionne grâce à un jeu d'engrenages et des cylindres pneumatiques.

Une pièce. Moins spacieuse qu'un grenier. Plutôt une mansarde.

Il y tient debout sans se voûter. Il sort sa lampe torche et en promène le faisceau. Pas de fenêtres. Des murs en contreplaqué verni. Une table, une chaise.

Sur la table : un récepteur radio à ondes courtes et un registre. La radio est reliée à un appareil d'enregistrement à fil magnétique.

Il fait froid dans cette pièce. Son haleine se transforme en buée. C'est une soirée plutôt fraîche, mais son haleine ne devrait pas produire de condensation. L'endroit est sans doute insonorisé. Les matériaux isolants retiennent l'air froid.

Ashida allume la radio. L'aiguille et le cadran des fréquences s'éclairent en vert. La signification des chiffres gravés sur le bouton de réglage n'est pas évidente. Il manipule le bouton du volume – *fais bien attention, maintenant.*

Un homme hurle en japonais. Il diffame les États-Unis. Selon lui, c'est *Le pays des cloportes blancs.* Il encense l'empereur et son divin triomphe à Hawaï ce matin.

Les bobines de fil magnétique tournent. Ashida examine l'installation. Oui, c'est sûr : ce sont les voix issues de la radio qui provoquent la mise en marche de l'appareil enregistreur. Interaction entre des électro-aimants et des ondes radio – un stupéfiant mécanisme.

Ashida enfonce un bouton situé sous les bobines. Une nouvelle voix japonaise lance des appels au meurtre. Elle annonce la date et l'heure : hier à 14 heures. Chronologie : les Watanabe sont morts quatre-vingt-dix minutes plus tard.

L'homme s'époumone. C'est de la propagande de chien enragé. Le japonais est sa langue maternelle. Ashida parle une variété hybride mâtinée d'anglais américain. Certaines expressions lui échappent. Le propos est clair : l'homme décrit les préparatifs de l'attaque. Ashida l'écoute s'exprimer en japonais. Ashida perd quelques mots en route en traduisant mentalement son discours.

Il transpire dans ses vêtements. Son pouls s'accélère. Son haleine sort brûlante de sa bouche mais elle se mue en buée froide. Cet homme vilipende les États-Unis. Il parle d'une *nation bâtarde qui mourra sous les sabots du Japon impérial.*

Sa diatribe dégénère en cris d'animaux. Ashida éteint la radio. L'intensité du cadran décroît et se résume à quelques points lumineux. Il enfonce les boutons de l'enregistreur magnétique. Les bobines tournent à l'envers puis repartent pour répéter les paroles de l'enragé. Oui – l'émission de la veille est le seul enregistrement conservé sur le support.

Ashida éteint l'enregistreur. Il retient son souffle puis récite le *Gloria Patri. Gloire au Père, au Fils, et au...*

Il ne se rappelle plus les paroles en anglais. Il termine en japonais. Son rythme cardiaque s'apaise. Il retient son souffle puis examine le registre.

Trente pages. Couvertes de caractères japonais. Des entrées datées dont la plus ancienne remonte à trois mois. Sans aucun doute, il s'agit de *ça* : des émissions radiophoniques sur ondes courtes, enregistrées puis retranscrites.

Les préparatifs de l'attaque. Des soliloques sur l'honneur masculin. Un traité sur les affres érotiques du kamikaze mourant.

*Gloire au Père, au Fils, et au Saint-Esprit. Comme il était au commencement, maintenant et toujours –*

Il a oublié la suite. Il referme le registre. Il promène le faisceau de sa lampe sur les murs. Il remarque des indentations sur un panneau et exerce une poussée sur l'un des angles.

Le panneau grince et s'ouvre pour révéler un placard. Ashida débranche la radio et l'appareil enregistreur et les range dans le placard. Il enroule les cordons de branchement et pose le registre par-dessus. Il referme la porte du placard et s'appuie contre elle.

Il se laisse glisser pour s'asseoir sur le plancher. Il pose sa tête sur ses genoux et inspire à fond cent fois de suite. La pièce tourne autour de lui à chaque expiration puis se remet d'aplomb. Tenant sa lampe torche entre ses dents, il sort son calepin et son stylo.

Il rédige un compte rendu succinct de ses découvertes. C'est *son* enquête, à présent. Il prend des notes que personne d'autre ne verra jamais.

*Les Watanabe figurent sur la liste « A » des membres de la cinquième colonne établie par le FBI (c'est le capitaine W.H. Parker qui en a informé Ray Pinker).*

*Radio ondes courtes dissimulée dans la maison /Famille prévenue de l'attaque contre Hawaï.*

*Coups de feu et fragments de projectiles pratiquement identiques au drugstore Whalen et dans la maison.*

*Sommes en billets de banque allemands et japonais dans la maison.*

*Rayon du parégorique à la morphine en désordre au drugstore/ Flacon de parégorique à la morphine mis au rebut dans la maison.*

*Deutsches Haus : lieu de ralliement profasciste. Il est notoire qu'on y vend illégalement des Luger.*

Ashida entend quelque chose au dehors. Le son lui parvient malgré l'insonorisation. Encore ce phono. Des cuivres à sourdine, des bois discrets. *Perfidia* jouée sur un tempo lent.

Ashida se lève. Il se sent d'un calme parfaitement shinto. Il ouvre la trappe et déploie l'escalier. Les couleurs du palier lui semblent criardes, à présent. Les lieux sont à lui seul.

Il descend les marches et les repousse. La trappe reprend sa place. *Perfidia* s'estompe. Il entend rire Jack Webb, dehors, sur la terrasse.

Il retourne au rez-de-chaussée. Ray Pinker l'intercepte.

– Vous avez trouvé du nouveau ?

– Non, répond Ashida.

– J'ai faim. Et ne me proposez pas d'aller chez Kwan, parce qu'ici on a encore les relents du petit déjeuner.

Ashida sourit.

– Est-ce que Dudley va orienter l'enquête dans la direction souhaitée par Horrall et Bowron ?

Pinker met de la poudre sur son pinceau à empreintes.

– Sauf si Bill Parker prend une cuite et qu'il ne se sent plus pisser.

# 18

## LOS ANGELES | DIMANCHE 7 DÉCEMBRE 1941

**19 h 13**

La fièvre de la guerre.

Les matchs d'ouverture se déroulent dans l'indifférence générale. L'hymne national est plus applaudi que les trois vainqueurs. Un immense drapeau accroché à une poutrelle métallique flotte au-dessus du ring. L'Olympic Auditorium vrombit. Personne ne parle de boxe. Tout le monde parle de la guerre.

Les conversations sont impossibles ; le bruit est trop intense. Malgré tout les gens se parlent et se répondent. Nous sommes venus pour être avec d'autres gens et marquer ce moment. Nous sommes des Américains qui sortent en ville. Nous sommes surexcités, indignés, et fiers.

Scotty et moi sommes assis au quatrième rang par rapport au ring. Les poids coqs mexicains ne présentent aucun intérêt à nos yeux. Nos têtes se touchent et nous nous chuchotons à l'oreille ; je tiens le bras de Scotty et il a posé sa main sur mon genou.

Nous avons passé la journée sur les marches de l'immeuble fédéral et à la cafétéria du coin de la rue. Nous avons échangé des anecdotes personnelles et nous sommes venus en aide à un jeune Japonais qui tentait de s'enrôler. Scotty a obtenu son incorporation chez les Marines. J'ai aperçu le capitaine W.H. Parker et je lui ai fait signe, impérieusement, de me laisser tranquille.

À présent, je trouve la présence de cet homme exaspérante. Elmer Jackson a exprimé à son égard des accusations précises. Certaines questions me troublent. Elles gâtent l'atmosphère indéfinissable de ce début de guerre.

Elmer va-t-il informer le directeur Horrall de mon travail de transcription d'enregistrements ? Que sait précisément Parker sur mon compte ? Parker accusera-t-il publiquement Lee de l'assassinat d'Abe Reles, et que sait-il réellement à ce sujet au-delà des ragots récoltés via les écoutes téléphoniques ? Parker va-t-il compromettre les projets de Dudley Smith à cause de cette question-*là* ? Qu'est-ce que Parker attend de moi ?

Scotty me presse le genou et glisse la main sous ma jupe. Je lui serre le bras et je ris. Il me dit quelque chose ; je ne l'entends pas. Je lui parle à mon tour et je ne perçois pas ma propre voix. Scotty dispense un parfum où se mêlent un soupçon de tabac – celui de la cigarette que j'ai fumée – et son eau de toilette au citron vert. J'ai envie de dessiner son portrait, comme j'ai dessiné Bucky. Je retiens mon souffle pour le match vedette et l'entrée de Bucky sur le ring.

Scotty a emprunté la voiture de son père et l'a laissée dans un parking de Bunker Hill. Nous avons chacun regagné à pied notre véhicule puis nous sommes allés en convoi à l'Olympic. En cours de route, nous sommes passés devant le commissariat central. La « brigade des étrangers », récemment formée, en sortait à cet instant. Elmer et Lee faisaient partie des flics qui brandissaient des fusils à pompe. Nous les avons vus partir à l'est, vers Little Tokyo. Une voiture de police est entrée dans le parking du Central. Deux flics en ont sorti de force trois jeunes Japonais pour leur faire franchir la porte de la prison.

Les haut-parleurs de l'Olympic déversent maintenant une marche de John Sousa qui submerge le vacarme des voix. Soudain, un brouhaha me fait tourner la tête. Bob Hope fait entrer sur le ring une douzaine de marins.

Tout le monde se lève pour les acclamer. La musique s'estompe ou bien se fond avec les applaudissements – je ne saurais le dire précisément. Bob Hope saisit le micro du ring et débite toute une série de plaisanteries. Personne ne l'entend. Nous n'avons pas envie de l'écouter. Nous ne voulons pas cesser d'applaudir et de vivre jusqu'au bout un moment pareil.

Hope n'insiste pas et salue la foule. Au lieu d'applaudir, maintenant, nous tapons du pied et nous sifflons. Hope emmène les marins hors du ring, jusqu'à une rangée de fauteuils du dernier rang. Des flics l'escortent en vitesse jusqu'au foyer de l'Olympic. Son apparition a duré moins de trois minutes.

Tout le monde se rassied. Je tiens les mains de Scotty dans mon giron. Je vois un jeune Japonais séduisant entrer dans la salle et se diriger vers le deuxième rang. Il porte une veste à monogramme du lycée Belmont ; il attire toute une gamme de regards, depuis les simplement curieux jusqu'aux franchement hostiles.

Des gens le regardent, des gens chuchotent, des gens le fixent effrontément. D'autres marmonnent *Jap* et le sifflent.

Le micro descend du plafond une nouvelle fois. L'annonceur monte sur le ring.

La clameur qui accueille le match phare de la soirée étouffe toute invective supplémentaire ; le Japonais s'installe sur son siège. Des cris et des applaudissements dont le rythme s'accélère couvrent les présentations. Je connais déjà par cœur le pedigree des deux boxeurs.

Match en dix reprises, catégorie mi-lourds. Wardell « Junior » Wilkins, la « Sensation Sépia », 22 victoires, 4 défaites et 16 matchs nuls. Et maintenant, toujours invaincu, avec 35 victoires et zéro match nul – l'enfant chéri de Glassel Park, Bucky « Le Roublard » Bleichert !

Je presse la main de Scotty et j'entremêle mes doigts aux siens. Un Noir grêle arrive au petit trot et se baisse pour entrer sur le ring. Il est accueilli par un barrage de huées. Les seules acclamations qu'il reçoit viennent des quelques Noirs assis dans la partie de la salle qui leur est réservée.

L'arbitre et les soigneurs sautent dans le ring. Le jeune Japonais tourne la tête vers le bout de la rangée ; nos regards se croisent un instant. Il garde les yeux braqués dans la même direction. Je tourne la tête à mon tour et je suis son regard. Bucky jaillit d'un vestiaire et s'approche en dansant sur la pointe des pieds.

Il porte son peignoir noir-et-vert de Belmont. Il sourit, dévoilant ses dents en avant, et brandit le poing vers le ciel pour rendre hommage à sa mère décédée. J'en ai le souffle coupé comme à chaque fois. Bucky passe devant notre rangée. Il s'arrête au deuxième rang et tend le bras vers un spectateur – le jeune Japonais. Celui-ci tape le poing ganté du boxeur. Bucky lui sourit. Les larmes montent aux yeux du jeune homme.

Certaines personnes ont vu la scène et le conspuent. Bucky passe entre les cordes et montre les dents au public. Je prends peur pour lui et j'ai soif de victoire pour lui comme à chaque fois. Je sens toujours ce frisson me parcourir de la même façon.

Un soigneur lui met son protège-dents et le débarrasse de son peignoir. C'est *lui*, tel qu'il me séduit : un garçon adorable, un boxeur luthérien avec une étoile de David sur son short.

L'arbitre rappelle les consignes. Bucky et la « Sensation Sépia » mettent leurs gants en contact. Je lève les yeux vers Greta Heilbrunner

Bleichert, malgré mon dédain pour les niaiseries papistes sur le paradis.

La cloche retentit. Bucky tourne en rond, Wilkins charge. Bucky est plus grand que lui de douze bons centimètres. Il décoche de petits coups secs au tissu cicatriciel visible au-dessus des yeux de Wilkins et reste hors de sa portée.

Je presse la main de Scotty. Cela signifie : *ne bouge plus, maintenant.* Bucky garde ses distances entre deux attaques éclairs. Il « prend le pouls de son adversaire » avant d'entrer « dans le vif du sujet ». Il « mesure » Junior Wilkins pour savoir s'il pourra placer « un direct du droit vicelard ». Lee Blanchard m'a appris la stratégie des combats et leur jargon.

Wilkins balance un swing. Bucky l'esquive et réplique d'un crochet du gauche au corps. Wilkins plie les genoux. Bucky enchaîne par deux coups secs à l'arcade droite de Wilkins. La cicatrice s'ouvre et le sang coule sur sa joue.

La cloche sonne la fin de la reprise. Wilkins est déjà essoufflé. Bucky regagne son coin de quelques pas de danse et adresse au Japonais un signe de la main. Scotty me dit :

– Sambo est K.O. debout.

Je ne sens plus ma main tellement je l'ai gardée crispée. Je dénoue nos doigts et je tiens la paume de Scotty contre ma joue. Scotty me gratifie de son étonnant sourire de môme.

Le cloche retentit. Je me tourne de nouveau vers le ring. Le Japonais détourne mon attention. Il reproduit les feintes de Bucky tout en le regardant. C'est une imitation parfaitement synchrone.

Wilkins attaque, l'arcade sourcilière couverte de coagulant ; Bucky martèle la blessure de petits coups secs. Tel que je le vois, il est farouchement déterminé. Son assurance a remplacé son appréhension. Une nouvelle fois, la blessure de Wilkins s'ouvre et le sang coule ; Wilkins le chasse avec son gant. Il cligne des yeux au mauvais moment. Bucky prend la bonne distance pour expédier une droite vicieuse et ne rate pas son coup.

Wilkins s'écroule. Sa tête heurte le revêtement du ring et il crache son protège-dents. L'arbitre signale que le combat est terminé et lève le bras de Bucky. De sa main libre, Bucky salue le Japonais. Les spectateurs se lèvent et applaudissent. Wilkins roule sur lui-même et s'aide de ses bras pour se relever.

Bucky lui donne l'accolade. Les journalistes et les photographes passent entre les cordes et me bouchent la vue. J'ai les jambes en coton ; je tente de me lever mais je retombe dans mon fauteuil. Scotty m'aide à me mettre debout. Nous nous joignons à la foule qui regagne vivement le parking.

Scotty a passé son bras autour de ma taille. Je vois que les gens le regardent et je note qu'ils marquent un temps d'arrêt. Chez les femmes, il suscite la curiosité. Des hommes mûrs et très sûrs d'eux se méfient de ce gamin de vingt ans.

Je me retourne pour envoyer à Bucky un baiser furtif. Le Japonais capte encore une fois mon attention. Il est le seul spectateur qui n'ait pas encore quitté son siège.

**20 h 43**

Scotty me raccompagne jusqu'à ma voiture. Je sors du parking et j'atteins l'intersection de la 18ᵉ Rue et de Grand Avenue avant la foule qui sort de l'Olympic. Scotty roule juste derrière moi. Nous prenons Washington Boulevard vers l'ouest et La Cienaga Boulevard en direction du nord. Lee est sans doute en mission avec la brigade des étrangers ou bien à la Pagode chinoise de Kwan. Je ne m'attends pas à voir sa voiture devant la maison.

Scotty colle à mon pare-chocs et fait joujou avec ses phares. C'est une sorte de message chiffré, comme des signaux en morse : lanternes-codes, lanternes-codes. Je regarde mon rétroviseur et je tente d'en deviner le sens. Je crois qu'il essaie d'épeler *Je t'aime*.

Nous tournons vers l'ouest sur le Strip puis en direction du nord dans Wetherly. La voiture de Lee n'est plus là. Je me gare dans l'allée et je laisse de la place pour Scotty. Je repense à Bucky et à un nouveau croquis à dessiner de mémoire.

Nous sortons de nos voitures. Scotty glisse sur la chaussée mouillée et me bouscule. Je l'aide à reprendre son équilibre. Il pose les mains sur mes épaules. Il me dit :

– Bon sang, Kay, comment se fait-il que tu sois si gentille avec moi ?

Je lui réponds :

– Je n'ai pas envie que cette journée finisse. Je ne veux pas que nous gagnions la guerre avant d'avoir appris un certain nombre de choses.

Scotty touche la ligne qui sépare mes cheveux de part et d'autre.

– J'ai l'intention de gagner la guerre tout seul. Je ne forcerai pas mon talent tant que tu ne m'auras pas dit que le moment est venu.

– Qu'essayais-tu de me dire avec tes phares ?

– Des gamineries de bal de fin d'année. Je tentais de te le faire savoir avant qu'on ne m'envoie faire mes classes et que tu ne retournes à ta vie.

Je lui touche la joue.

– Pas tout de suite, s'il te plaît.

– Est-ce que je vais devoir me battre avec Lee Blanchard ce soir ? Il boxait dans la catégorie des lourds, et je ne suis pas sûr de savoir comment m'y prendre.

– Tais-toi donc. C'est une idée idiote, une idée de gamin.

– J'en ai plein, des idées comme ça.

– Nous sommes en guerre, maintenant. Tu as le droit d'en avoir.

C'est à ce moment-là que nous nous embrassons. Je pense à Bucky alors que nos lèvres se trouvent.

## 21 h 21

La montée à l'étage n'est que tâtonnements et couloirs mal éclairés. Il fait noir dans ma chambre ; l'obscurité masque les croquis de Bucky Bleichert. Nous tombons sur le lit et nous embrassons tout habillés. Puis nous ôtons lentement nos vêtements. Instantanés, déclics, découvertes.

Scotty voit les cicatrices de mes jambes. Il les couvre de baisers, mais ne pose pas de questions. Il est trop grand pour mon lit. Les phares des voitures qui passent balaient les dessins de Bucky et arrachent à Scotty de faux grognements de contrariété. Je lui raconte Sioux Falls. Il me parle de football à Hollywood Hugh et de toutes les bagarres dans lesquelles il a été impliqué. Je m'abstiens de mentionner Bobby De Witt, le laudanum et la prostitution forcée. Il me révèle qu'il a suivi dans la presse l'affaire Boulevard-Citizens. Je le félicite de ne pas m'en avoir parlé dès le début.

Minuit vient. Le cadran lumineux de mon réveil met fin à cette étonnante journée. Nous faisons l'amour et nous parlons. Scotty est tendre et passionné. Il ne ménage pas ses efforts pour me donner du plaisir et il y parvient. Adorable Scotty – merci d'avoir passé cette journée avec moi.

Je pense à Bucky. Scotty me parle d'une fille avec qui il était lorsqu'il a rendu visite à sa famille, chez lui, en Écosse. Sa mère y est morte d'un lupus. C'était en 1938. Elle n'avait que quarante-trois ans.

Il s'endort, vautré sur moi. Je reste immobile et je lance vers le plafond des ronds de fumée pareils à des halos. Le jour se lève. Le soleil éclaire mes dessins de Bucky et Scotty qui dort près de moi. On se réveille et chacun voit l'autre nu. Sans rien dire, nous enregistrons ce qui nous avait échappé dans le noir. On s'habille et on boit le café à la cuisine.

Je le raccompagne à sa voiture. On s'enlace et on s'embrasse en guise d'au revoir. Scotty démarre et s'éloigne. Je le regarde plonger vers Sunset Boulevard.

Le ciel est nuageux et il fait froid. Je regarde l'autre côté de la rue. Le capitaine W. H. Parker se tient près d'une Ford 1939.

# 8 décembre 1941

# 19

**7 h 37**

Elle le voit et traverse aussitôt la rue. Elle est décoiffée. Son rouge à lèvres a disparu sous les baisers de Scotty.

Elle va se planter carrément devant lui. Parker voit qu'elle porte les mêmes vêtements que la veille et remarque ses relents d'alcôve.

– Bonjour, Miss Lake.

– Espèce de sale voyeur. Dites-moi ce que vous attendez de ma part ou bien disparaissez de ma vie une fois pour toutes.

– Vos liaisons amoureuses ne m'intéressent pas.

– Bien sûr que si ! Elles vous intéressent et elles vous attirent, puisque vous frappez à la porte des femmes en plcine nuit pour exercer des pressions sur elles, parce que c'est votre façon de jouir, parce que tout le monde sait que votre couple n'en est plus un, et parce que vous ne tenez pas en place tellement vous êtes sous l'emprise d'un ennui profond et de ce *quelque chose* de visqueux et de lancinant qui motive les brutes dans votre genre.

Parker s'appuie contre sa voiture. La tête lui tourne.

– Je n'irai pas jusqu'à dire que vous voyez la paille qui est dans mon œil mais pas la poutre qui est dans le vôtre. Je ne nierai pas que j'ai une certaine tendance au voyeurisme. Je n'affirmerai pas que vos liaisons amoureuses ne m'*intriguent* pas.

Kay serre les poings.

– Je vous déteste, capitaine. Je vous déteste parce que vous me manipulez.

– Ou bien parce que je *vois clair* en vous ? Ou que j'ai identifié quelque chose que vous voulez donner à voir, parce que vous-même ne tenez pas en place à cause de vos attitudes puériles et de vos idées naïves, et de votre certitude parfaitement stupide d'être plus

167

intelligente, plus forte, et plus valable que n'importe quelle autre créature en ce bas monde, et qu'il est vraiment trop dommage que les autres ne le sachent pas ?

Elle s'approche de lui. Leurs bras se frôlent. Ceux de Kay sont tièdes.

– Ajoutez *encore*, capitaine. Dites : « ... que les autres ne le sachent pas *encore* ». Parce que le fait d'être reconnu n'est nullement égalitaire. Car vous pouvez partir faire la guerre, mais je n'en ai pas le droit. Parce que vous pouvez emprisonner des criminels pour satisfaire votre besoin mesquin de faire régner l'ordre, et que je n'ai pas ce pouvoir. Parce que vous pouvez accéder au poste de directeur de la police, régner sur votre petite sphère et déplacer vos subordonnés à votre guise comme le despote frénétique que vous êtes – mais quoi que vous fassiez, ne sous-estimez pas le fait que *moi aussi* je vois clair en *vous*.

Parker recule d'un pas.

– Ai-je réussi à vous convaincre que Lee Blanchard était corrompu au-delà de tout ce que vous aviez pu imaginer ?

– À votre façon grossièrement manipulatrice et détournée, oui. Les enregistrements m'ont fourni le lien entre certains éléments, ainsi que vous l'aviez prévu. Mais comme je sais depuis un certain temps que Lee est capable de tout, je ne suis pas tellement surprise, en fait.

*Reste forte, Katherine. Prouve-moi que j'ai raison de croire en ton audace de jeune inconsciente.*

– J'espère que vous ne demanderez pas de comptes à Blanchard au sujet de ce que vous avez pu extrapoler à partir des enregistrements.

Kay Lake recule aussi.

– Pour ma part, j'espère que vous ne me demanderez pas de vous dire ce que j'ai deviné, ni de rappeler Lee à l'ordre de quelque manière que ce soit.

Parker hoche la tête.

– Je présume que vous avez parlé de moi à vos amis le sergent Jackson et Miss Allen, et que vous leur avez décrit la mission que je vous ai confiée.

– Effectivement, mais je dois vous dire qu'ils en sont restés stupéfaits. Et je doute fort que la tâche que vous avez prévu de me confier concerne Brenda et Elmer, ou les faits de prostitution cautionnés par la police. Il me semble qu'ils n'ont rien à craindre, et je pense que vous devriez me permettre de leur dire qu'ils ne doivent pas s'inquiéter.

Parker acquiesce. Une pluie fine se met à tomber. Le vent fait voler les cheveux de la jeune femme.

– Vous connaissez et vous remarquez tant de choses. Je suis étonné par la façon dont vos actions trahissent l'étendue de votre perspicacité et révèlent en vous une enfant intrépide qui nage là où elle n'a pas pied.

Kay Lake rit.

– Voici un jugement très lucide – de la part d'un homme qui tente de me noyer.

Parker regarde sa montre. Le bar Bit O' Sweden se trouve tout près de là, en descendant Sunset Boulevard. Dudley Smith est censé l'y retrouver à 9 heures.

La pluie se fait plus insistante. Parker ouvre la portière de sa voiture, du côté conducteur. Kay Lake s'installe au volant. Parker a laissé ses cigarettes sur le tableau de bord. Elle se sert.

Parker monte du côté passager. La pluie inonde le pare-brise et masque la rue.

– Je ne transcrirai pas d'autres enregistrements, et je ne pense pas que vous le souhaitiez. Nous savons l'un et l'autre que nous devrions laisser Brenda, Elmer et Lee en dehors de tout ceci, quoi que puisse receler le « ceci ».

Parker secoue le paquet de cigarettes pour en faire sortir une. Kay lui passe la sienne pour qu'il puisse l'allumer.

– J'aurais pu me dispenser de faire pression sur vous, n'est-ce pas ? Vous êtes suffisamment dépravée pour accepter toute mission que je souhaiterais vous confier.

Kay Lake entrouvre le déflecteur. Ses cheveux sont mouillés. La lumière qui pénètre dans l'habitacle donne de l'éclat à leurs reflets auburn.

– Mettez mes limites à l'épreuve, capitaine. Cela va peut-être vous surprendre, mais elles existent bel et bien.

Parker sourit.

– *Maintenant*, Miss Lake ?

– Oui. *Maintenant*, ce serait parfait.

Parker explique :

– Vous allez infiltrer une cellule de la cinquième colonne, à Hollywood. Ces gens-là sont totalement séditieux et méritent d'être écrasés. Ils ont fait l'objet d'une enquête de la commission de l'État de Californie sur les activités antiaméricaines. Actuellement, ils diffusent leur propagande antiaméricaine et plus spécifiquement anti-police de Los Angeles, et plus spécifiquement encore, des tracts dénonçant l'existence probable de mauvais traitements et de mesures d'incarcération à l'encontre de Japonais supposés innocents, qu'ils soient nés ici ou à l'étranger, et tout cela prend une importance d'autant plus grande depuis l'attaque aérienne d'hier matin. Oserai-je ajouter qu'il y aura, évidemment, un examen impartial du contingent des Japs de Los Angeles ? Celui-ci sera effectué avec discernement, et quelques arrestations auront sans doute lieu. Les membres de cette cellule sont sans scrupule et idéologiquement délirants. Ils n'hésiteront pas à salir notre pays et la police à laquelle j'appartiens à grands coups de propagande rouge. Ils sont prêts à suivre la ligne du parti communiste et à favoriser les desseins de la Russie soviétique une fois que les alliés auront gagné cette guerre – ce qui se produira inévitablement – et que l'emprise globale du parti communiste apparaîtra comme la menace principale contre notre sécurité intérieure et celle du monde libre.

Kay Lake reste de marbre. Parker est sur les nerfs. Kay est impassible.

– C'est une entreprise insensée et présomptueuse. Elle est d'autant plus discutable que vous la considérez comme inévitable.

– Continuez.

– Vous n'avez pas incorporé à votre équation les effets d'un racisme pandémique. Comme j'ai déjà été témoin de ses ravages, je vous conseille instamment de le faire.

Parker jette sa cigarette par la fenêtre. Kay Lake jette la sienne. Leurs genoux se frôlent. Saloperie de pluie. La voiture est un vrai bain de vapeur.

– Vos inquiétudes pour nos citoyens d'origine japonaise vous empêchent-elles d'accepter cette mission ?

– Non.

– Ai-je outrepassé vos limites d'une façon ou d'une autre ?

– Non.

Parker désigne la banquette arrière.

– Ces dossiers du LAPD, de la brigade fédérale anti-subversion et de son équivalent à l'échelle de l'État de Californie concernent Claire De Haven, Reynolds Loftis, Chaz Minear et quelques trublions subalternes. Nous allons concocter pour chacun d'eux un profil infamant. Nous nous emploierons à obtenir leur inculpation pour sédition ou pour trahison, voire les deux, et la destruction de leur cellule par des moyens coercitifs. Votre travail, c'est de les piéger. Vous allez devenir une délatrice, une indic, une moucharde, une cafteuse. Si ces appellations vous offusquent, n'oubliez pas ceci : *c'est la guerre.* Vous êtes une informatrice. Vous récolterez des informations compromettantes et vous me les transmettrez. Vous êtes une jeune femme rebelle au passé entaché d'épisodes criminels traumatisants. Je parie que la Reine Rouge vous trouvera irrésistible.

Kay Lake commente :

– C'est une cellule matriarcale. J'aime bien cet aspect-là.

– Paul Robeson se produit au Philarmonic Hall ce soir. Vous irez l'écouter, seule. Vous rencontrerez Claire De Haven et je ne sais quels jeunes gens efféminés qu'elle aura choisis pour l'accompagner. Vous amènerez la conversation sur la psychothérapie. À Los Angeles, le psychiatre que consultent les membres du parti communiste est un nommé Paul Lesnick. C'est un informateur au service des agents fédéraux. Il prend en charge les problèmes psychiques de Miss De Haven et de ses esclaves, et simultanément il révèle la futilité desdits problèmes à son responsable fédéral. Le D$^r$ Lesnick est lui aussi devenu informateur *sous la contrainte*, et il est très nettement sensible aux charmes des jeunes femmes. Vous vous efforcerez de rencontrer le D$^r$ Lesnick. Ne lui dites pas que vous êtes une indic au même titre que lui. Je veux qu'il collabore avec vous sans connaître ce détail.

Kay Lake se plaque contre le volant. Ses yeux marron sont incongrus. Ils jurent avec ses cheveux auburn.

Parker demande :

– Dites-moi ce que vous en pensez.

– Je suis tellement ravie que je ne sais pas quoi vous répondre.

## 8 h 53

Il descend à pied jusqu'à Sunset. Il n'a pas pris sa voiture pour avoir une chance d'apercevoir Kay Lake en douce. Elle traverse la rue pour monter sur sa terrasse. Il entend une radio. Elle a choisi une fréquence qui retransmet le discours de Roosevelt au Congrès.

Le Bit O' Sweden est surchauffé. Les serveuses portent toutes le *dirndl*[1]. Elles ressemblent à des meneuses de défilé nazi transportées à huit mille kilomètres de leur pays. Des chopes à bière sont accrochées aux murs. Le décor suggère les exploits de Hitler.

Parker s'empare d'une table placée près d'une fenêtre. Le ciel

---

1. Robe traditionnelle bavaroise, portée également en Autriche et en Suisse.

s'éclaircit un peu. Tout le long du Strip sont alignés de faux sapins de Noël. Le trottoir est couvert de neige artificielle.

Une grande rousse passe devant le bar. Elle ressemble à Joan de Northwestern. Elle est enseigne de vaisseau de première classe dans la marine nationale.

L'uniforme, les stries dorées sur les manches. Cette démarche, c'est peut-être...

Parker sort en courant. La rousse a disparu. Une Dodge 1936 s'éloigne du trottoir.

Il retourne dans le bar. Une serveuse gironde lui apporte du café. La pluie recommence à tomber. Un camion du *Herald* passe dans la rue. Sur le panneau latéral, un agrandissement de la une annonce :

*LA GUERRE !*

Parker boit son café à petites gorgées. L'horloge murale marque 9 heures. Dudley Smith s'approche de la table.

Les deux hommes se serrent la main.

– Bonjour, capitaine, dit Dudley.

– Bonjour, sergent, dit Parker.

L'étiquette : ils l'observent lorsqu'ils sont en service. Communauté catholique : ils s'appellent « Bill » et « Dud » en présence de l'archevêque Cantwell.

Parker dit :

– Vous avez manqué la messe, hier. Son Éminence n'était pas contente.

– Cet homicide n'aurait pas pu tomber plus mal, capitaine. J'ai dit une neuvaine pour les Japs assassinés, vu que c'était dimanche. Je me suis couché tard, après avoir rédigé pour vous le premier jet de mon compte rendu, à propos. Je l'ai fait parvenir par la voie hiérarchique à votre bureau des polices urbaines.

Parker remue son café.

– Je l'ai lu ce matin, j'en déduis donc que je n'ai rien de nouveau à apprendre. Vous avez perdu un temps précieux, pour l'enquête de voisinage. Vous attendiez le feu vert de Nort Layman ?

– Oui. J'ai envoyé tardivement Mike Breuning et Dick Carlisle sur le terrain. Ils n'ont rien obtenu. Les Japs décédés n'étaient pas du tout sociables. Ils se montraient polis et passablement réservés vis-à-vis de leurs voisins blancs. Ils ne recevaient que très rarement la visite d'autres Japonais. Ils n'accrochaient pas de lanternes japs d'un bout à l'autre de leur maison à l'occasion de leurs fêtes païennes et n'adoptaient pas ces comportements mystérieux que nous autres Occidentaux nous attendons à constater de la part de nos frères japonais. Au cours de l'après-midi de samedi, pendant laquelle ont dû être commis les homicides présumés, personne n'a remarqué quoi que ce soit de suspect près de la maison. Et, compte tenu des événements d'hier, je suppose que les bourgeois blancs de Highland Park ne se sont pas torturé les méninges à la recherche de ces souvenirs enfouis qui parfois refont surface et permettent de résoudre des affaires criminelles.

Parker demande :

– Vous avez examiné leurs antécédents ?

– Ce sera fait, répond Dudley, mais cela me semble superflu. Le père et la mère sont nés au Japon, les enfants sont nés ici. Ils n'étaient pas chrétiens, donc on ne trouvera dans aucune des églises japonaises commodément situées dans Little Tokyo le moindre document concernant leur famille, leur naissance, leur baptême ou le mariage des parents. Notre brillant collègue le D$^r$ Ashida a examiné les babioles religieuses présentes dans leur domicile et il a oint les corps selon le rite shinto. Ainsi que le disait hier soir le sergent Turner « Buzz » Meeks : *Comme tout le monde, j'aime bien l'anguille grillée, mais tout ça, pour moi, c'est de l'hébreu.*

Parker sourit.

– Vous avez consulté leurs actes de propriété ?

Dudley allume une cigarette.

– Infaisable pour le moment. Ils étaient propriétaires de leur maison et d'une exploitation maraîchère dans la vallée, mais le secrétaire d'État à la guerre Henry Stimson a ordonné la saisie de tous les biens des Japonais figurant sur la liste A-1 des éléments subversifs, une liste, m'a dit Ray Pinker, qui inclut nos propres Japs décédés. Vu l'état d'agitation actuel de notre pays, il me semble que nous ne pourrons pas franchir avant un certain temps tous les obstacles administratifs qui nous séparent de ces documents.

Parker allume une cigarette.

– Le fils et la fille. J'ai trouvé très imagée votre description de leurs chambres respectives.

Dudley fait tourner son cendrier.

– Je ne vois pas de lien de cause à effet entre leur relation implicitement dépravée et cette affaire de quadruple homicide, mais c'est une piste que l'on explore en ce moment. La gamine et son frère fréquentaient respectivement le collège Nightingale et le lycée Franklin. La nuit dernière, les sergents Breuning et Meeks ont réveillé les chefs d'établissement de ces ternes institutions pour les interroger au sujet

173

des petits Japs décédés. L'un et l'autre ont décrit des mômes « bien élevés », « peu remuants », « qui ne se liaient pas d'amitié avec les élèves blancs », et qui « obtenaient des notes correctes et restaient dans leur coin ».

Parker rumine longuement ces informations. Parker regarde par la fenêtre. De la pluie, de la pluie, et de la pluie.

– Le braquage de la pharmacie, les tirs d'arme à feu dans l'un et l'autre des deux lieux, les bribes métalliques issues des silencieux ?

Dudley répond :

– Nous allons vérifier les ventes et les plaintes pour vols d'armes de poing, mais nous allons nous heurter au fait établi que seulement un acheteur sur six respecte l'obligation de déclarer son arme à feu. Ajoutons à cela un autre fait établi : les Japs forment un clan, les Japs ne vendent des armes qu'à d'autres Japs, et le braqueur du drugstore, hier, était manifestement un Blanc. Nos Japs décédés, je vous l'accorde, sont décidément louches. Cela dit, un homicide est presque toujours commis au sein d'un cercle fermé de personnes de même race, et je ne vois pas chez un braqueur blanc un suspect logique dans une affaire de meurtre de Japonais déguisé en suicide rituel.

Parker secoue la tête.

– Sujet brûlant : vous avez quarante-trois agents fédéraux, des adjoints du shérif, et notre brigade des étrangers qui patrouillent Little Tokyo. Personne ne s'intéresse à quoi que ce soit d'autre que la guerre, et pourquoi devrait-il en être autrement ?

– Oui, pourquoi ? renchérit Dudley.

– Revenons-en à votre *décidément louches*. Je pense à la brochure raciste et aux liasses de marks allemands et de yens japonais que vous avez trouvées dans la maison.

Dudley secoue la tête.

– Il est extrêmement difficile de retrouver la source des brochures racistes. Les boîtes postales indiquées sur le document lui-même sont souvent des boîtes de dépôt que les propagandistes et les pornographes utilisent pour brouiller la piste de leurs saloperies. C'est une forme de collusion qui nécessite la collaboration de porteurs locaux, et même les plus expérimentés des inspecteurs des postes trouvent cette sorte d'enquête problématique.

Carl Hull s'y connaît en tracts racistes. Il devrait l'appeler pour se renseigner auprès de lui. Et le remercier pour Kay Lake.

Parker enchaîne :

– Les devises étrangères.

– Oui, dit Dudley. Je trouve aussi que cette question-là est intéressante.

– L'aspect politique.

– Oui, l'aspect politique.

– La liste A-1.

– Oui. C'est par là que nous devrions commencer, je pense. Je vais me rendre au pénitencier de Terminal Island. La police militaire de Camp MacArthur y a incarcéré une véritable armée d'invasion japonaise.

– En toute logique, dit Parker, c'est la première démarche que nous devons accomplir.

– Le cercle fermé au sein d'une seule race. C'est ce concept qui nous guide. Gardons l'esprit ouvert sans cesser de nous y tenir.

– C'est vous le spécialiste des enquêtes sur les homicides, sergent. Quelle probabilité y a-t-il que notre suspect ne soit pas japonais ?

– C'est extrêmement improbable, capitaine.

Parker regarde par la fenêtre. De la pluie, de la pluie, de la pluie. La guerre à la une des journaux, la guerre à la radio. *Il faut tuer les Japs* dans les conversations aux autres tables.

– Ces homicides ne sont plus d'actualité. Les Japs ont coulé le cuirassé *Arizona*. Ils s'attaquent aux Philippines, à présent. On ne peut pas enquêter sur un meurtre dans ce genre d'atmosphère.

Dudley sourit. Son regard pétille. L'Irlandais jovial vend de la drogue aux Noirs. L'Irlandais jovial fait chanter des stars de cinéma pour le compte de Harry Cohn. L'Irlandais jovial fait des coups fumants avec Oncle Ace Kwan.

– C'est une impasse, capitaine. Je ferai de mon mieux, mais je ne suis pas optimiste. Au bout du compte, nous découvrirons que les meurtres découlent d'un méfait grave commis au temps du Japon féodal. Un chef de guerre japonais a sauté la chèvre d'un autre chef de guerre japonais sans lui avoir demandé la permission au préalable. Cette transgression impardonnable a engendré un désir de vengeance qui a couvé pendant des siècles. Il a fini par se concrétiser dans l'Avenue 45 à Highland Park, le jour où les Japonais ont commis la terrible erreur de bombarder nos navires de guerre à Pearl Harbor.

Parker rit.

– Tenez bien vos hommes en laisse. Ne cherchez pas à monter un coup contre un suspect plausible, et ne tuez personne. Cette affaire ne le mérite pas.

Dudley ressort du bar. Parker frappe le sol des deux pieds pour faire circuler le sang dans ses jambes. Pendant tout l'entretien, la peur l'a criblé de crampes.

De la pluie, de la pluie et de la pluie. Bois, isole-toi du monde extérieur, remonte à pied jusqu'à Wetherly. Dors dans la voiture le temps de dessoûler. Elle sera peut-être sur sa terrasse. Elle prendra peut-être des poses.

Parker commande un double bourbon. La première gorgée lui brûle la gorge. Il boit à la mémoire des victimes de Pearl Harbor et repense au déroulement du premier test du black-out.

Il a pris sa voiture de service. Il a roulé sans phares. Le black-out était prévu de 5 heures à 7 heures du matin. Il devait observer les deux divisions du LAPD basées sur la côte. Il a suivi la route du littoral de San Pedro à Venice et il a vu le jour se lever sur la mer. Les réverbères et les feux de signalisation étaient éteints, les maisons plongées dans le noir, les véhicules roulaient sans éclairage. Sur la plage, des guetteurs scrutaient le ciel. Pas un seul avion japonais rôdant au-dessus de la ville ou la survolant en ligne droite. Les guetteurs n'avaient rien à signaler, aucune cible à viser.

Parker est parti vers l'intérieur des terres pour observer les maisons individuelles. Pas une seule lumière n'y brillait, conformément aux consignes. Il a regardé entre les lames des stores. Il a entrevu quelques traces d'éclairage et entendu des postes de radio. FDR vilipendait les Japs, encore et encore.

Une vingtaine de maisons, toutes obscures comme l'exige le règlement. Parker se revoit à Deadwood en 1916.

Voyeur. La petite Lake l'a traité de voyeur. Il avait quatorze ans en 1916. Il collait le nez aux fenêtres des bordels tandis que son père participait à la Grande Guerre comme engagé volontaire. William H. Parker II est rentré en Amérique avec sa dépendance à l'alcool. Il imitait en cela William H. Parker 1er, pareillement affligé après la fin de la guerre de Sécession. L'un et l'autre étaient capitaines dans l'armée. L'un avait connu la bataille d'Antietam, l'autre celle de l'Argonne. La guerre donne soif.

Parker regarde par la fenêtre. La serveuse gironde en *dirndl* lui apporte un autre verre. Il pense à Joan et à la petite Lake. Il satisfait sa soif d'alcool et voit leurs visages se fondre en un seul.

# 20

**11 h 17**

Visite du bloc cellulaire 9 de Terminal Island. Pour les Japs, c'est le chaudron de San Pedro.

Quatre niveaux, de douze cellules chacun. Les détenus : deux cent seize hommes et quarante-deux femmes. Terminal Island compte davantage de Japs que la prison de la ville. La géographie, c'est le destin. Beaucoup de pêcheurs japs ancrent leur bateau dans le port de San Pedro.

Dudley a amené Mike Breuning, Dick Carlisle et Buzz Meeks. Pendant le trajet, ils ont mis au point le contenu des interrogatoires. Ces trois-là, ils sont gagnés par la fièvre de la guerre. Ils veulent s'engager. Dudley oppose son veto à leur projet.

— Nous sommes l'avant-garde de la base arrière, les gars. Nous avons un travail de fouine à accomplir avant de pouvoir nous envoler vers la gloire.

Ils prennent d'assaut le bureau du gardien. Ils parcourent les listes d'éléments subversifs. Des soldats de la police militaire rôdent non loin. Une passerelle jouxte le bureau. Des Japonais de sexe masculin sont entassés comme des sardines, six par cellule. Ils ont l'air malheureux, complètement paumés.

— Cette enquête est parfaitement merdique, déclare Breuning. C'est aux Philippines qu'il se passe quelque chose. Qu'est-ce qu'on en a à foutre, de savoir qui a tué ces putains de Watanabe ?

— Jack Webb va s'engager dans l'armée de l'air, dit Carlisle. Il bombardera Tokyo avant qu'on ait résolu cette affaire.

— Il y a des sous-marins japs près de la côte, ajoute Meeks, jusqu'à Santa Barbara en descendant vers le sud. La radio KFI en a parlé ce matin.

Dudley scrute la liste « A ». Les Watanabe y sont répertoriés, en tant que « sympathisants notoires des fascistes ». Deux de leurs acolytes connus sont nommés.

Hikaru « Tachi » Tachibana. Né le 29/4/1903 à Kyoto, Japon. Soupçonné d'espionnage au profit du Japon. Arrêté près de l'usine

177

de construction aéronautique Douglas, à Santa Monica. Date : le 12/3/1940. En sa possession : un appareil photo miniature chargé d'une pellicule infrarouge.

Tachibana a été remis en liberté provisoire sous caution en attendant que soit prononcé un arrêté d'expulsion. Des procédures judiciaires ont commencé. Tachibana a pris la fuite. La rumeur dit qu'il se cache au Mexique.

*« A été vu fréquemment dans l'exploitation maraîchère Watanabe (Vallée de San Fernando) avant qu'il ne prenne la fuite. »*

Acolyte connu n° 2 : James « Jimmy le Jap » Namura. Né le 9/11/1907 à Los Angeles. « Criminel et fasciste notoire. » Passé par la maison de redressement de Preston, escroc, vendeur de drogue. A ravitaillé en marijuana le collège Nightingale.

*« A été vu fréquemment dans l'exploitation maraîchère Watanabe (Vallée de San Fernando) dans les premiers mois de l'année 1941. »*

Breuning explique :

– À côté du nom de Namura, la case est cochée. Ça veut dire qu'il est détenu ici même. Et les gamins Watanabe ont fréquenté le collège Nightingale.

– Trouvez le sergent responsable de l'étage, dit Dudley. Qu'il nous amène M. Namura dans cette cellule réservée aux interrogatoires devant laquelle nous sommes passés en arrivant.

Breuning détale. Carlisle annonce :

– Les fédés écument Little Tokyo. Ils entassent les Japs dans les cellules de toutes nos divisions. J'ai parlé à un type de la brigade des étrangers. Il m'a appris que les adjoints du shérif ont commencé à vider les enclos pour chevaux à Santa Anita. Appelez-moi-Jack pense que nous n'aurons plus une seule place libre dès la semaine prochaine.

Meeks crache du jus de chique dans un cendrier.

– C'est pas juste. La plupart de ces types ne demandent rien d'autre que de manger de l'anguille grillée et de dérouiller tranquillement leur bourgeoise. Ce qu'on fait là, c'est juste un sale boulot qui n'a pas de raison d'être.

Carlisle fulmine. Breuning sifflote et fait signe d'avancer. Ils se dirigent du même pas vers la salle de torture.

La porte est munie d'un miroir sans tain. À l'intérieur : une table et des chaises vissées au plancher. Sur la table : un annuaire téléphonique épais. Sur l'une des chaises : Jimmy le Jap Namura.

*À noter* : la coupe de cheveux en queue de canard et le tatouage qui représente une croix gammée. *À noter également* : un regard flou de drogué.

Les quatre flics entrent et referment la porte à clé. Ils se positionnent autour de la table. Jimmy le Jap glousse. Dudley fait signe à ses hommes.

Meeks dit :

— Souviens-toi de Pearl Harbor.

Breuning et Carlisle empoignent Jimmy le Jap et le balancent contre le mur.

Il percute la cloison et rebondit. Il n'est pas épais. Le bruit évoque celui d'une tapette à mouches. Breuning saisit l'annuaire et frappe Jimmy à la tête. Le Jap se recroqueville, comme un mille-pattes.

Meeks lance :

— Ça suffit ! M. Namura est un citoyen américain.

— Foutaises ! dit Carlisle. Ceci est un tribunal d'exception, et pour lui, on a le droit de faire une exception.

Jimmy le Jap pisse dans son pantalon. Le dégât des eaux dégouline jusqu'au niveau de ses genoux.

Breuning brandit l'annuaire. Dudley lui rabaisse le bras et s'approche pour lui chuchoter à l'oreille.

— Demande au sergent responsable de ce niveau de te fournir le procès-verbal de l'arrestation de M. Namura. L'inventaire des objets trouvés chez lui devrait y figurer. Ce qui nous intéresse, c'est : du phénobarbital, du parégorique à la morphine, des devises des pays de l'Axe, des tracts racistes, un Luger muni d'un silencieux et des outils pour bricoler des silencieux.

Breuning s'éclipse. Meeks lâche Jimmy le Jap qui retombe sur sa chaise. Carlisle le baffe avec l'annuaire. Le coup déloge une dent en or. Elle tombe sur la table et tourne sur elle-même.

Jimmy le Jap émet un petit rire nerveux. Dudley fait un signe à Carlisle et Meeks. Carlisle donne une cigarette à Jimmy. Meeks lui passe sa flasque. Jimmy le Jap suce le goulot.

*À noter* : son long frisson de gratitude. *À noter* : son pouls qui bat plus lentement dans ses veines.

Dudley s'installe à califourchon sur l'une des chaises.

— Votre acolyte Ryoshi Watanabe et sa famille ont été assassinés samedi après-midi. Le meurtre était maquillé en simulacre de hara-kiri. Ce que je cherche, c'est un bouc émissaire japonais crédible, et les événements géopolitiques récents m'ont convaincu que vous aviez le profil requis. Votre boulot, c'est de me faire changer d'avis.

Commencez par vous disculper. Poursuivez avec un portrait de la famille Watanabe. Éblouissez-moi par vos connaissances et votre analyse, sinon vous mourrez dans la salle d'exécution de San Quentin dans les trois mois à venir.

Jimmy le Jap sirote du bourbon. Sa pâleur de païen s'enlumine un brin.

– J'étais à une fête de remise de diplôme à Preston. Un môme que je connais venait de purger trois ans de taule. On s'est trouvé des putes à Tulare et on les a baisées.

– Vous les avez baisées où ? demande Carlisle.

Jimmy le Jap glousse.

– À votre avis ? Dans la chatte.

Dudley précise :

– À quel endroit, petit ?

Jimmy le Jap ricane.

– Au Sleepytime Lodge, à deux pas de la route 101. C'est une des combines des types de Preston : ils procurent de la chatte pour les soirées de remise de diplômes. Les filles leur reversent 20 % du prix de la passe.

Meeks demande :

– À quelle heure vous avez pris des chambres, là-bas ?

– Vers midi, Tex. Je vous ai vu dans plein de films, vous savez. Vous êtes toujours le gros lard monté sur un cheval tacheté et qui ne dit jamais un mot.

Dudley sourit.

– Le sergent Meeks vient de l'Oklahoma. Il a fait une belle carrière d'extra dans les westerns avant d'entrer dans la police. Il a eu un superbe rôle avec dialogue dans *Règlement de comptes sur le Mont Chauve.*

Jimmy le Jap boit une lampée.

– J'ai joué dans un court-métrage, un jour. C'était à Tijuana. On a fait avaler de la cantharide à une Mexicaine et elle s'est retrouvée dans les vapes. On se l'est envoyée à plusieurs : moi d'abord, et puis deux Mex et pour finir un Doberman baptisé Rex.

– À quelle heure avez-vous quitté l'hôtel ? demande Meeks.

– Rex avait une pine énorme. On aurait dit une lance à incendie.

Carlisle agite l'annuaire. Jimmy le Jap fait semblant de frémir d'horreur.

– On est repartis vers 21 heures. On a piqué une DeSoto 36 devant un motel près de la route de la crête, et on est allés jusqu'à L.A. Dans

180

Hindenburg Park, on est tombés sur un meeting du Bund, et on a parlé à des *Fräulein* en buvant de la bière. Mon copain et les putes sont repartis dans la DeSoto. Un nazi nommé Fritz m'a fait monter dans sa bagnole. On a fumé de l'herbe et on a discuté de la question juive. Il m'a déposé devant chez moi vers 1 heure du matin. Je dormais encore quand les fédés m'ont serré. Ils m'ont dit : « Tes compatriotes ont bombardé Hawaï, petit con ! » J'ai répondu : « Et alors ? Qu'est-ce que j'ai à voir là-dedans ? »

Breuning revient dans la salle. Il fait signe à Dudley : nix, nein, niet.

Carlisle dit :

— Donne-nous des noms. Ceux de tes copains, des filles, le nom de famille du nazi.

Dudley intervient :

— Les Watanabe, petit. Qu'est-ce que tu peux nous dire sur eux ?

Avec le pouce, Jimmy le Jap fait le geste d'actionner un briquet. Carlisle lui donne une cigarette. Jimmy le Jap vide la flasque et la lance à Meeks.

— Ryoshi appartenait à la moitié des confréries de la côte ouest. Vous savez, tous ces vieux nostalgiques du Japon féodal. J'ai fait sa connaissance à une réunion d'athlétisme au lycée Lincoln. Quand je le voyais, on buvait du thé Ma Huang et on parlait des événements mondiaux. Ryoshi était un vrai fanatique de l'empereur, de l'eugénisme et de l'éradication des Chinetoques. Il était fasciné par l'idée que le Japon pourrait imposer son hégémonie au monde entier. Je lui ai dit qu'on n'avait pas besoin d'autre chose que de l'Asie, et qu'il fallait laisser le Führer s'occuper des Rouges et des Juifs, et ne pas emmerder les États-Unis. Je suis gêné, chef. Moi, je n'ai pas de compte à régler avec les Américains de race blanche. Pearl Harbor, c'est pas moi qui en ai eu l'idée.

Dudley sourit.

— Vous êtes un témoin délicieux, monsieur Namura. Je vous prie de poursuivre votre fascinant portrait de la famille Watanabe.

Jimmy le Jap se balance sur sa chaise.

— C'était un cachottier, Ryoshi. Il allait à des meetings ici et là, mais jamais il ne disait qui il avait vu ni ce qu'il avait appris. Il pensait que les gars de Hitler et de Tojo allaient gagner la guerre, alors il a changé tout ce qu'il avait comme dollars pour acheter des marks allemands et des yens, ce qui était peut-être prématuré, étant donné les dernières nouvelles du front russe. Il faisait tourner son exploitation maraîchère à l'économie, et l'hiver dernier, il m'a fait venir chez lui pendant deux semaines pour que je surveille le travail de ses esclaves. Ses ouvriers agricoles étaient tous des Mexicains sans papiers. C'est la police nationale du Mexique qui les lui fournit. Ryoshi m'a dit que le *jefe* est un capitaine nommé Carlos Madrano. Il vend de l'héroïne à Baja, et là-bas, c'est une sorte de caïd du crime. Je l'ai vu, une fois. Il portait une tenue tape-à-l'œil. Chemise noire, culotte de cheval, bottes d'officier SS. Il était *muy fascisto, ándale pues*.

Un bon portrait du Grand Carlos, observé avec discernement. Trafiquant d'esclaves sans papiers – c'est bien connu, et depuis longtemps. Trafiquant d'*héroïne* ? Ça, c'est nouveau.

Dudley fait signe à ses hommes. Ils sortent leurs calepins. C'est Breuning qui change de sujet.

– Et la mère Watanabe ? Qu'est-ce que tu as appris sur elle ?

– Qu'est-ce qu'il y a à apprendre ? Elle portait des kimonos et faisait beaucoup de courbettes. Elle sortait des pièces à reculons.

Meeks demande :

– Et ces fameuses confréries ? Tu as des noms à nous donner ?

Jimmy le Jap s'esclaffe.

– Je n'ai rien à vous donner, parce que je ne parle pas le japonais. J'aime bien leurs coutumes et leur conception de la politique, mais ces types-là veulent carrément revenir au Moyen Âge. À quoi bon établir un nouvel ordre mondial si on n'est pas capable d'y laisser une place pour la nouvelle génération ? Et je le répète : Ryoshi connaissait ces types et allait à ces meetings, mais il restait muet comme une tombe.

Carlisle ajoute :

– Des cousins, des oncles, d'autres acolytes connus ?

– Rien du tout, chef. Ryoshi et moi, on buvait du thé Ma Huang et on parlait des événements mondiaux, mais notre fraternisation, à *nous deux*, elle s'arrêtait là. J'ai travaillé à la ferme et j'ai vu *El Fascisto* rôder dans les parages, mais à part ça, je n'ai pas partagé la vie privée des Watanabe.

Breuning tente :

– Hikaru Tachibana. Ça te dit quelque chose ?

– Non, chef. Rien du tout.

Meeks reprend :

– Tu as vendu de l'herbe au collège Nightingale. Tu en as fourgué à Johnny et Nancy ?

– *Nein, mein Herr.* Les flics des Stups m'ont flanqué une dérouillée en 1937, alors j'ai lâché la drogue et je me suis mis à la politique. J'ai loué une boutique dans Alameda Street. Si vous voulez acheter un drapeau de l'Empire du Soleil Levant ou un brassard nazi, appelez-moi.

Breuning revient à la charge :

– Johnny et Nancy. Raconte.

– Qu'est-ce qu'il y a à raconter ? Nancy était complètement fadasse. Elle portait des kimonos à la maison et des socquettes blanches à l'école. Johnny était un petit morveux. Il adorait toutes les conneries d'extrême droite de Ryoshi et il s'habillait comme un zazou mexicain, mais en fait c'était une lavette. Il avait un côté pervers. Il reluquait sa sœur en douce. Il m'a dit qu'elle avait une touffe bien fournie.

Meeks suggère :

– Si je te dis : des Luger équipés de silencieux. À quoi tu penses en premier ?

Jimmy le Jap bâille.

– Je pense : Rien à foutre. Les flingues, ça ne m'inspire pas, Tex. Si vous me posez une question sur ce type de pistolet ou sur *n'importe quelle sorte* de pistolet en rapport avec les Watanabe, tout ce que je peux vous répondre, c'est : « Je ne sais pas », et : « Ça ne cadre pas avec les liens que j'avais avec eux. »

Breuning constate :

– Tu n'as pas eu l'air surpris quand on t'a dit que les Watanabe avaient tous été tués.

Jimmy le Jap se gratte les couilles.

– Plus rien ne me surprend, ces temps-ci. Je dormais tranquillement quand les fédés ont défoncé ma porte à coups de pied pour me dire que j'appartenais à la cinquième colonne. La cinquième colonne de *quoi* ? Je vends des babioles fascistes, j'adore fumer de l'herbe et je cours les filles. Ouais, j'aime bien l'Empereur – mais si le vent tourne, je préfère de loin les États-Unis.

Dudley se tape sur les cuisses.

– Monsieur Namura, je suis satisfait de la façon dont vous vous êtes disculpé. Tout le monde est d'accord, les gars ?

Les autres acquiescent. Jimmy le Jap annonce :

– J'ai une dernière chose à dire.

– Vas-y, petit. On t'écoute.

– Ryoshi m'a dit que leur maison de Highland Park appartenait à *El Fascisto* et à un « certain Blanc ». C'était une sorte de « propriétaire

183

fantôme », « sans enregistrement officiel », je ne sais quelle combine clandestine. *El Fascisto* et l'autre type achetaient beaucoup de propriétés japonaises et ils avaient « de grands projets », sur lesquels Ryoshi ne m'a pas donné de détails.

Ryoshi figurait sur la liste A-1. Le ministère de la guerre a ordonné la saisie des biens de tous les suspects de la liste A-1. Les actes de propriété seront mis sous scellés par les agents fédéraux. Carlos Madrano est dans les meilleurs termes avec Appelez-moi-Jack. *El Fascisto* est à l'abri de tout interrogatoire –

*Pour l'instant.*

Dudley se lève.

– Je vais essayer de vous faire libérer, monsieur Namura. En échange, je vous demande ceci : Tâchez de savoir s'il est possible de vérifier à qui appartiennent réellement ces biens censément japonais. Je m'appelle Dudley Smith, et on peut me joindre à l'hôtel de ville.

Jimmy le Jap lance *Sieg Heil !* Dudley lui retourne un *Sieg Heil !* sur le même ton.

Breuning et Carlisle rient de bon cœur. Meeks foudroie Dudley du regard. D'un regard noir, un regard de l'Oklahoma – des plus sévères.

Jimmy le Jap dit :

– *Mein Führer.*

Dudley s'incline.

– C'est trop d'honneur, mon garçon. Mais je vous demande instamment de renoncer à ce terme.

# 21

## LOS ANGELES | LUNDI 8 DÉCEMBRE 1941

**13 h 07**

La ferme était loin, au nord-est. Le rapport de Dudley était complété par une carte. Les Watanabe faisaient pousser des laitues et des choux. Un panneau de bois sculpté marquait la limite de leur propriété.

日本への門

Traduction : « La porte du Japon. » – Gravé en caractères kanji.

Ashida laisse sa voiture tourner au ralenti devant le portail. Dans l'extrémité orientale de la vallée, on ne trouve que des fermes tenues par des Japonais. La surface qu'elles occupent s'étend vers le nord jusqu'aux monts San Gabriel. La composition du sol se prête aux cultures maraîchères.

Les Watanabe sont morts. Leurs *braceros* continuent le travail. Des Mexicains émaciés. Courbés vers le sol. Pour y planter leur houe, sarcler des racines.

Des sans-papiers. Probablement cornaqués par Carlos Madrano. *El Capitan* fournissait des ouvriers agricoles à la ferme Ashida. Leurs salaires de misère assurent des profits marginaux. C'est *El Capitan* qui procure des esclaves à la plupart des fermes de l'est de la vallée. Il est très lié au LAPD.

Les petits chefs qui supervisent les esclaves de la ferme Watanabe appartiennent à la police nationale mexicaine. Ils portent des uniformes empesés et des casquettes du style S.S. Les fédés raflent les Nisei et les Issei. Les flics mexicains adoptent une tenue de fascistes.

Ashida sort de sa voiture. Une odeur le surprend – incongrue, reconnaissable.

C'est de l'huile de poisson. Il avait perçu la même odeur sur des débris de verre chez les Watanabe. Il a lu le rapport d'autopsie rédigé par Nort Layman. Il y mentionnait la présence d'huile de crevette sur les pieds des quatre victimes.

Un petit chef remarque sa présence. Il porte un baudrier et une matraque à sa ceinture. Ashida remonte dans sa voiture et démarre en trombe. Il ne peut pas se permettre de parler aux ouvriers agricoles. Dudley en serait aussitôt informé.

なぜこのことが気になるのか。*Pourquoi y attaches-tu de l'importance ?*

Il venait de penser dans sa langue maternelle. Qui était en fait sa langue *seconde*. Il est né en Amérique. Il n'est japonais qu'en raison de la différence des caractéristiques raciales. La réponse à sa question est celle-ci :

理理由を知らなければならないからだ。*J'ai besoin de savoir POURQUOI.*

Il suit en voiture la route qui contourne les propriétés. Il fait le même constat à quatre reprises. Des fermes japonaises, des flics

185

mexicains qui mènent les esclaves à la baguette, des ouvriers agricoles décharnés. Dans *leur* ferme, le seul patron, c'était son frère, Akira. Les flics promus petits chefs, cela lui apparaissait comme une nouvelle exigence imposée par Madrano – *trabajo muy difficil*.

Les routes s'incurvent vers le sud-ouest. Ashida longe des champs de carottes. Des *braceros* malingres se penchent pour arracher des racines. Un changement radical se profile à l'horizon. Des ouvriers agricoles en bonne santé, pas de *fascistos* en vue.

Il se gare devant une clôture. Un Japonais s'offre une pause de l'autre côté des barbelés. Il porte un pantalon court et un casque colonial. Il s'appuie sur une houe à long manche.

Ashida tente de lui parler dans sa langue maternelle. Son élocution lui paraît peu claire, dès le début.

どうも、芦田という者です。Vous connaissez Ryoshi Watanabe ? Il a une ferme près d'ici.

L'homme lui répond en japonais. Il écorche les noms et se passe de certains mots.

– Pas vu Ryoshi ces derniers temps. Homme discret. Vendu sa ferme. Sais pas à qui.

Ashida brandit sa carte d'identité. L'homme y pose un regard vide. Il ne connaît pas un mot d'anglais. Ashida concocte une explication en japonais.

– Je suis chimiste dans la police. Quand Ryoshi a-t-il vendu sa ferme ? Que pouvez-vous me dire sur sa famille et ses amis ?

Sa propre phrase lui paraît bancale. Sa langue maternelle est un peu rouillée.

L'homme marmonne en japonais. Ashida tâtonne pour saisir le sens de ses paroles.

– Famille voyait personne. Vendu ferme récemment. Touchaient pas d'argent liquide. Seulement pourcentage sur récoltes.

Ashida élabore une réplique. Il commence à parler et perd le fil. L'homme crache à ses pieds et s'éloigne.

Un coup de vent remue la poussière. Elle s'élève des sillons du champ et tourbillonne. Ashida remonte dans sa voiture. Sa ferme, à *lui*, est toute proche.

La voiture traverse des nuages de poussière. La route est à peine visible. Il dérape sur le gravier tout le long du chemin.

Chez *lui*, les Mexicains sans papiers paraissent bien portants. *Eux*, ils ont le chauffage dans leur casemate et congé le dimanche. C'est

*Akira* qui leur donne des ordres. Les flics en chemise noire – *verboten.*

Ashida arrête sa voiture près du hangar des camions. Le coup de vent s'apaise. Les nuages de poussière se volatilisent.

Akira s'approche de lui. Il apporte des bouteilles de Coca-Cola. Ashida se glisse hors de son véhicule et en saisit une.

Les deux hommes entrechoquent leurs bouteilles. Akira dit :

— Mariko me rend dingue. Elle n'a pas encore compris qu'on vit dans un monde nouveau, désormais.

— Le FBI a une liste. Leurs agents et les flics de la ville font des rafles.

— S'il y a une liste, son nom y figure. Elle ma appelé ce matin. Elle était à moitié poivrée, et cette fois, on ne peut pas lui en vouloir. Ils frappent aux portes et ils embarquent des familles entières. La moitié des portes de son étage ont été cadenassées. Ça a duré toute la nuit.

Ashida boit une gorgée de son Coca. Il est tiède. Il jette la bouteille dans une poubelle.

— Il y a un agent fédéral qui lui tient compagnie. C'est un capitaine du LAPD qui a arrangé ça. Il cherche à me ménager, pour le moment. Il y a un quadruple homicide sur lequel je travaille.

À son tour, Akira jette son Coca.

— L'agent spécial Ward J. Littell. Mariko n'arrêtait pas de me répéter son nom. Il a su la séduire, je lui reconnais ce mérite. Il a picolé et joué aux cartes avec elle jusqu'à 2 heures du matin.

Ashida sourit.

— Tu l'appelles « Mariko » uniquement lorsque tu es en colère contre elle.

— Elle prend le Père Coughlin pour le Pape. Elle appelle le Président « Franklin Déloyal Rosenfeld ». Elle m'a dit que Pearl Harbor était un « campement sioniste ».

Ashida donne un coup de pied dans la poubelle.

— Il ne s'est rien passé de bizarre avec le capitaine Madrano ? Personne n'a essayé d'acheter la ferme ?

Akira secoue la tête.

— Non. Madrano nous fournit des esclaves, et c'est tout. Il touche sa part, dit *Gracias* et revient la main tendue le mois suivant. Et *personne* ne veut de cette ferme. La couche arable empeste, et on n'y fait pousser que des produits de qualité médiocre.

Un nouveau coup de vent soulève la poussière. Ashida remonte dans sa voiture. Akira se penche sur la portière côté conducteur.

– On est dans la merde, Hideo. Ce foutu empereur pique une crise à Tokyo, et c'est nous qui payons l'addition à L.A.

Ashida dit :

– Je travaille sur quelque chose. Cela pourrait rendre service au LAPD. Si je rends service au LAPD, mes supérieurs feront un effort pour nous rendre service.

Akira s'esclaffe.

– Tu crois ça ? Tu fais confiance à ce calcul comme tu ferais confiance à une formule chimique trouvée dans un manuel ? Tu es le seul Japonais du LAPD. Tu penses bénéficier d'une protection en tant que fonctionnaire pendant toute la durée des événements ?

Une rafale secoue la voiture. Des gravillons rebondissent sur le pare-brise.

Akira ajoute :

– Cet agent, le dénommé Littell, il a dit à Mariko que le FBI allait convoquer Bucky Bleichert. Il aurait des révélations à faire sur les éléments subversifs Nisei. Bucky sait tout ce qu'il y a à savoir sur Mariko. Tu crois vraiment qu'il tiendra sa langue ? Tu ne penses pas que les fédés vont le menacer d'empêcher son incorporation dans la police ?

Belmont. Les douches du lycée. L'appareil photo à déclenchement automatique prend un cliché. Bucky reste immobile sous le déluge d'eau chaude.

Ashida secoue la tête. Les poussières charriées par le vent lui piquent les yeux.

– Mère n'a jamais aimé Bucky. Elle donne à cette hypothèse des proportions démesurées.

– Il n'y a plus de proportions, plus de mesure, réplique Akira. Pearl Harbor a aboli tout ça.

### 14 h 21

Il voit des mots aléatoires en caractères kanji. Ces mots rebondissent sur son pare-brise. Il part et reprend la route qui contourne les propriétés.

Il se sent dans la peau d'un immigrant qui vient de descendre du bateau. Caste inférieure au Japon, racaille jaune ici. Ne parle pas le japonais. Parle l'américain.

*Il faut que je sois indispensable. Il faut que je devienne un élément essentiel de la police de Los Angeles. Il faut que j'agisse avec témérité. Il faut que je serve la cause de la justice et que j'assure la sécurité de ma famille – quoi qu'il m'en coûte, quoi qu'il me faille accomplir.*

Après les chemins de terre, de nouveau l'asphalte. Le col de Cahuenga pour rejoindre Hollywood. Les drapeaux en berne. Les décorations de Noël. Pas d'éclairages de couleur – c'est interdit par le règlement du black-out.

Ashida prend Sunset vers l'est. Il laisse ses vitres fermées. Sa voiture le camoufle. Les autres conducteurs pourraient le remarquer et hurler : *Jap !*

*C'est à ce moment-là qu'il comprend. Un détail lui a échappé chez les Watanabe. Un détail des plus évidents. Un détail qui a échappé à l'assassin.*

Il ne tient plus en place. Sa présence au labo lui pèse comme un boulet. Il contourne Figueroa et traverse Chinatown au ralenti. Il voit des gamins tongs avec des foulards de couleur. Il voit le maire Bowron et le shérif Biscailuz devant chez Kwan.

Les Chinetoques haïssent les Japs. Ils ont de bonnes raisons pour ça. Le massacre de Nankin – en 1937. Des soldats japonais décapitent des bébés chinois.

Chinatown est contiguë à Little Tokyo. Les Chinois du quartier exultent, les Japonais du quartier sont accablés. Quatre Japonais sont morts à Highland Park.

La promiscuité provoque les déflagrations. À présent, il n'y a *plus* de Japonais à Highland Park.

Le meurtre semble avoir été commis par un assassin de même race que ses victimes. Le meurtre semble avoir été commis par un assassin géographiquement proche des victimes.

Dans Alameda Street, Ashida prend la direction du sud. Il baisse sa vitre pour absorber un peu d'air frais. Une boîte de bière vide rebondit sur son pare-brise. Il brûle un feu rouge et roule au pas jusqu'à Little Tokyo. Des berlines d'agents fédéraux sont garées en double file du côté est de la voie.

Il remonte la 2$^e$ Rue à une allure d'escargot. Des drapeaux américains décorent les façades des boutiques. Vitrines brisées, portes cadenassées, affiches annonçant la saisie des biens. Des Blancs en costumes sombres déformés par la présence d'une arme de poing.

Une rafle en cours devant la poissonnerie Saji.

189

Quatre brutes de la brigade des étrangers. Six jeunes Japonais. Lee Blanchard qui jette sur le trottoir des portefeuilles et des clés de voiture. Thad Brown et Elmer Jackson armés de fusils à pompe.

Ashida passe au ralenti devant l'immeuble de sa mère. La veuve Nakamura est plantée sur le trottoir, les menottes aux poignets. Un fourgon cellulaire du shérif est monté sur le trottoir. Mariko est sur le palier de son escalier d'incendie. Un grand type, un agent fédéral, lui tient compagnie. Ils plaisantent ensemble en sirotant des cocktails.

Un Japonais court à toutes jambes en direction de l'ouest. Il plaque sur sa tête une perruque ensanglantée et un lambeau de son cuir chevelu. Cal Denton le poursuit. Cal Denton a une réputation. Il a été le garde du corps de « Deux-Flingues » Davis et il a tué un maquereau noir à coups de pied.

Voilà le capitaine Bill Parker. Il mesure des traces de freinage sur la chaussée. Il a l'air épuisé. On dirait qu'il a besoin d'une boisson forte.

Ashida passe devant un immeuble drapé de crêpe rouge, bleu et blanc. Dans une vitrine, une pancarte annonce : COMITÉ ANTI-AXE. Dans les années 1930, c'était une boutique qui vendait des pipes. Avant-hier, elle était fermée. Aujourd'hui, c'est un haut lieu du nationalisme.

Ashida suit Main Street et retourne vers l'est en empruntant la 1$^{re}$ Rue. La nuit tombe. Une sirène couvre les bruits de la rue. Il est 16 h 55 – le test du black-out commence dans cinq minutes.

Il se gare le long du trottoir. Le hurlement des sirènes s'amplifie. Il le chronomètre en regardant sa montre. La répétition du signal cesse à 16 h 59.

Les lumières s'éteignent derrière les fenêtres. On ferme les volets. On tire les rideaux. Les automobilistes éteignent leurs phares et allument leurs feux de position. Au carrefour, les feux de signalisation baissent d'intensité.

Pénombre, obscurcissement, noir total. Simultanément : les bruits de la rue disparaissent. La circulation s'éclaircit. Les gens rentrent chez eux. Les agents fédéraux s'empilent dans leurs voitures d'agents fédéraux et disparaissent.

Cela lui vient tout à coup. Il ne le dit pas à haute voix, il ne le voit pas, il n'y réfléchit pas. Il sait, tout simplement.

L'endroit se trouve à deux kilomètres au sud-est. Il allume ses feux de position et emprunte les ruelles. Il n'y a pas de néons, pas de lumière dans les immeubles. Le monde est obscur et apathique, à présent.

Des formes traversent la 3ᵉ et la 6ᵉ Rue. Des choses à peine éclairées. Ça ne peut être que des voitures.

Elles roulent trop lentement. Ashida aussi roule lentement et se sent pareil aux autres automobilistes. Il tourne vers l'ouest dans Wilshire. Les feux « rouge » et « vert » sont à peine visibles. Il oblique vers le sud dans Union Avenue et il évite de peu de percuter un camion. L'endroit est tout près, à l'angle de la 15ᵉ Rue.

Pas de bruit, pas de lumière. *Wilkommen*, Deutsches Haus.

Ashida se gare puis examine les lieux. Pas de bruit, pas de lumière. Il entend une collision quelque part.

Son grattoir pour récolter le sang séché pourrait se révéler utile. Sa lampe torche, sans aucun doute.

Il prend les deux. Il s'approche de l'entrée et tambourine contre la porte. La vitre voisine vibre.

Le monde est obscur et apathique. Il n'y a personne, ici. C'est un simple cambriolage, article 459 du code pénal de Californie.

*Tu sais que tu vas faire quelque chose d'illégal. Tu sais que tu dois accumuler des preuves de façon unilatérale. Tu sais que tu dois produire tes propres résultats, des résultats quantifiables.*

Ashida introduit le grattoir dans la serrure. Disons que c'est un scalpel, maintenant.

Il faut sonder les goupilles – clic, clic.

Ce qu'il fait. Le trou de la serrure est bien huilé. La lame du grattoir est flexible.

Guette les déclics. Fais jouer la lame. Encore une fois, c'est… ça.

La serrure cède. La porte s'ouvre d'un seul coup.

Ashida pénètre dans le local et referme la porte derrière lui. Il serre sa lampe torche entre ses dents. Le grenier des Watanabe, et à présent, *ça*.

Il fait décrire un arc de cercle au faisceau de sa lampe. Qui lui révèle ceci :

Sur les murs, des drapeaux ornés de la croix gammée. Sur les rayonnages, des photos encadrées. Hitler en chemise brune, Hitler en pantalon court, Hitler les cheveux en bataille.

*Mein Kampf* sur les étagères. L'ouvrage du Führer en anglais et en allemand. Des volumes reliés toile dont le dos ne porte aucune inscription.

Ashida en prend un et le feuillette. Il n'y voit que des photos.

Des hommes décharnés en pyjamas rayés. Des soldats allemands qui tiennent des têtes tranchées. Des cochons qui fourragent dans un tas de cadavres.

Il remet le volume à sa place. La tête lui tourne. *La lampe torche en avant – respire en marchant.*

Il entre dans un bureau. C'est une pièce carrée de quatre mètres sur quatre. Les étagères sont remplies de babioles.

Des porte-clefs à l'effigie de Hitler et Hirohito. Des kippas surmontées d'une hélice miniature. Des jetons de poker ornés d'une croix gammée en relief.

Une table de travail et un fauteuil à pivot. Six tiroirs.

Ashida teste les tiroirs. Ils sont verrouillés. Il n'y a pas de clés sur la table. Il trifouille les trous de serrure avec son grattoir. La sueur ruisselle sur ses mains, le grattoir glisse entre ses doigts, il force un premier tiroir.

Celui-ci est vide. Ashida laisse volontairement des traces du travail effectué au grattoir. Elles révèlent son cambriolage.

Il respire à fond. Il continue le travail.

Il tire, il pousse, il force, il secoue, il fait vibrer ces foutus tiroirs, il fait levier à la jointure, il entame le bois. Ses mains glissent. Il les essuie sur sa veste. Les poignets de sa chemise sont trempés.

*Et voilà…* deux, trois, quatre, cinq, six tiroirs forcés. Bon – épongetoi le visage, efface tes empreintes, reprends ton souffle.

Sa mâchoire le fait souffrir. Il a mal aux dents. Sa lampe torche lui torture la bouche.

Il fouille les tiroirs. Les trois premiers sont vides. Le quatrième contient une épaisse liasse de reichmarks. Dans le cinquième, Ashida découvre un sac en velours fermé par un cordon. Il le sort du tiroir pour le poser sur la table. Le poids du sac excite sa curiosité. Il dénoue le cordon et vide le sac. Il en sort quatre silencieux de fabrication rudimentaire et quatre Luger.

Des pistolets semi-automatiques en acier bleu. Les plaquettes en nacre de la poignée sont ornées de croix gammées.

Ashida touche les armes. Il caresse les armes. Il tient les armes contre sa joue. Il range les pistolets et les silencieux dans le sac qu'il referme en nouant le cordon.

Cherche de la paperasse. Des listes de membres. des reçus, des livres de comptes.

Il cherche sous la table de travail. Il fouille la salle de bains attenante. Il chamboule les babioles de l'étagère. Il fait trop de bruit.

Rien. Pas de documents, pas de…

Il est pris de vertige et de palpitations. Il rafle le sac et s'enfuit. Il a l'impression que ses membres ne lui obéissent plus. Il se cogne aux étagères et renverse des bustes de Hitler. Il refranchit la porte. Il est 6 h 29. Le black-out n'est pas terminé. Le monde est encore obscur et apathique.

Des voitures remontent la 15ᵉ Rue à une allure d'escargot. Des nuages masquent la lune. Los Angeles semble enfouie sous les flots. Le *Herald* de ce matin avait pour manchette : LA CÔTE SUD SE PRÉPARE À UNE ATTAQUE DE SOUS-MARINS JAPONAIS !

Sa voiture est un sous-marin. Le siège avant est le poste de pilotage. Il suit Union Drive puis tourne dans la 6ᵉ Rue pour rejoindre Grand Avenue. D'autres sous-marins le dépassent. L'eau n'est pas assez fluide. Ils manœuvrent tous trop lentement.

Ashida se sent déconnecté. Il regarde l'horloge du tableau de bord. 18 h 38, 18 h 39, 18 h 40. Le monde va se rallumer à 19 heures.

Il remonte Grand Avenue jusqu'à la 1ʳᵉ Rue, puis tourne à gauche pour se rendre au commissariat.

Le bâtiment est submergé. Il se gare et enferme le sac en velours dans sa trousse d'identification criminelle. Il entre par la porte de derrière. La lumière captive lui brûle les yeux.

Le bureau d'enregistrement des interpellations est envahi pas des *Japs* et des nervis de la brigade des étrangers. Lee Blanchard tient un gamin par le cou.

Ashida monte au labo. L'éclairage est éteint. Il bascule un interrupteur mural et allume le plafonnier. Les stores sont collés aux vitres par une bande adhésive.

Ashida s'enferme à clé. Personne ne s'en apercevra. Lui, il est le Jap qui se couche tard. Il n'a pas de vie privée. Il travaille toujours jusqu'à des heures indues.

Il fait de la place sur sa table de travail. Il y dépose les Luger et les silencieux. Il ouvre son tiroir de rangement et en sort ses deux séries de clichés. Il les étale près du butin récolté à la Deutsches Haus.

Deux photos de débris métalliques provenant d'un silencieux, trempés dans de la teinture. Photo n° 1 : la pharmacie. Photo n° 2 : la maison des Watanabe.

Il extirpe des fibres d'acier des silencieux de la Deutsches Haus. Il les trempe dans un bain de teinture à l'aniline. Il les sèche à l'aide de papier absorbant et les examine au microscope.

Confirmation. *Oui* – mêmes composants métalliques. *Oui*

– mêmes irrégularités mineures. *Oui* – ses conclusions antérieures, réactualisées.

Ce n'est pas le même silencieux qui a servi à la pharmacie et dans la maison. Ils ont été confectionnés à l'aide du même métal. Ils proviennent tous les deux de la Deutsches Haus.

Des automobilistes klaxonnent. Des cris de joie résonnent dans la rue. Ashida jette un coup d'œil à l'horloge murale. Il est 19 heures pile.

Il décolle les stores des vitres. Le centre-ville de L.A. est illuminé. Immeubles éclairés, enseignes au néon, phares de voitures. Les conducteurs donnent des coups d'avertisseur et font le V de la victoire.

Ashida ouvre le tiroir aux munitions et prend quatre balles. Il charge les Luger de la Deutsches Haus et fixe les silencieux au bout des canons. Il s'enferme dans le tunnel de tir et y dépose les quatre Luger. Prêt ? Vise ! Feu !

Quatre pistolets, quatre silencieux. Quatre coups de feu, quatre détonations assourdies. Confirmation *de visu* n° 1 : un seul coup de feu suffit à extraire des silencieux des bribes métalliques. Elles s'enroulent sur elles-mêmes et tombent comme celles de la pharmacie et de la maison Watanabe.

Ashida examine les photos prises à la pharmacie et dans la maison. Ashida examine les balles qu'il vient de tirer.

Confirmation.

Les nouvelles balles sont détériorées de façon identique.

Deutsches Haus, la pharmacie Whalen, la maison des Watanabe. Des Luger pareillement défectueux. Sans doute un défaut du percuteur. Des balles cisaillées et coupées en deux. Une audacieuse attaque à main armée. Un assassinat maquillé en suicide rituel. Des pistolets provenant de la Deutsches Haus utilisés dans l'un et l'autre des deux lieux.

*Il faut que je devienne indispensable. Il faut que je continue à agir avec témérité et de façon unilatérale.*

Ashida pense à Bucky. Ashida plaque un pistolet nazi contre sa joue.

Nous sommes en guerre.

Le monde est obscur et apathique. Les voitures sont des sous-marins.

# 22

LOS ANGELES | LUNDI 8 DÉCEMBRE 1941

**19 h 57**

Le public est tendu et prêt à passer une soirée d'exception. Nous sommes en guerre contre un ennemi fasciste. Un Noir américain étiqueté de gauche et qui plaît aux snobs va bientôt entrer en scène et valider notre goût exquis de gens éclairés. Je suis assise au sixième rang, dans le fauteuil proche de l'allée centrale. C'est moi la jeune femme non accompagnée vêtue d'une superbe robe rouge en laine. Cette soirée ne va pas être aussi captivante que le combat de boxe de Bucky Bleichert hier soir. Je ne suis pas venue avec Scotty Bennett. Je ne verrai pas Bucky en short saluer la foule en exhibant ses grandes dents en avant.

Je suis ici pour mettre en œuvre le présomptueux programme du capitaine William H. Parker. La Reine Rouge et ses comparses de sexe masculin sont assis dans la rangée qui se trouve juste devant la mienne. Je les reconnais grâce aux dossiers illustrés de photos que le capitaine Parker m'a remis ce matin. Claire De Haven est tout à fait patricienne. Le tremblement de ses mains et un léger voile de transpiration sur sa nuque trahissent sa consommation régulière de drogue, mentionnée dans son dossier. C'est une grande et belle femme d'une trentaine d'années, une débutante qui s'est laissé séduire par la gauche après ses études supérieures et qui a étonné ladite gauche par son assiduité aux réunions. À sa gauche, l'acteur homosexuel Reynolds Loftis et l'amant de ce dernier, Chaz Minear. Ces deux hommes forment le noyau de la cellule de la Reine Rouge. Ils sont efféminés, prétentieux, et ce sont des langues de vipère. Je suis suffisamment près d'eux pour entendre leur conversation, et suffisamment au fait de la réalité géopolitique pour être prudemment favorable à leurs objectifs. Les membres « subalternes » de la cellule sont assis à leur droite. Le pense-bête du capitaine Parker ne m'a laissé d'eux qu'une image floue – c'est le genre de types qui s'empressent d'acquiescer à vos propos, d'aller chercher à boire et d'allumer des cigarettes. La Reine organise des soirées somptueuses dans sa maison de Beverly Hills. Les invités de sexe masculin se retrouvent souvent dans son lit. Les subalternes vident les cendriers, emportent les verres à la cuisine et ferment la maison pendant que leur reine fornique.

On m'a fourni un aperçu de leurs dépravations. Abus de narcotiques, promiscuité, cures de désintoxication dans une clinique de Malibu dirigée par un praticien douteux de la chirurgie esthétique. Le brillant capitaine William H. Parker a lu le dossier me signalant comme élément subversif. Il a évalué ma participation à l'affaire Boulevard-Citizens, et il a subodoré la nature peu orthodoxe de ma relation avec Lee Blanchard. Il a compris le genre de personne que j'étais, et il juge épouvantable que je sois prête à piéger, trahir et détruire ceux qui me ressemblent. Nous venons tous les deux de la Prairie du Dakota, le capitaine Parker et moi. Nous sommes lucides sur notre propre tendance à la débauche, et nous y cédons ou nous la fuyons en proportions imprévisibles. Sur le plan de la morale pure et simple, le capitaine Parker a pris un risque avec moi. Il a présumé que je m'attaquerais à la Reine Rouge à cause de mon besoin de me justifier. Il a parfaitement raison.

À présent, ils parlent entre eux en haussant la voix. Il y a de l'agressivité dans leur ton. J'entends autour de moi le bourdonnement de multiples conversations. C'est le très prévisible bavardage précédant le lever de rideau. Quand FDR va-t-il décréter la mobilisation générale ? De combien d'hommes aura-t-il besoin et qui en sera exempté ? Les Japonais ont envahi les Philippines, le bilan des pertes humaines à Hawaï ne cesse d'augmenter. La Reine Rouge et ses comparses dédaignent le sujet qui est sur toutes les lèvres. Leur discussion est plus élitiste. Elle concerne : *l'incarcération massive et illégale de Japonais innocents*. C'est une conversation « poil à gratter » au milieu d'un rassemblement pour soutenir l'effort de guerre. Leurs propos illustrent crûment ce qu'ils sont – car je sais que ce qu'ils disent est vrai.

Cet après-midi, j'ai traversé Little Tokyo en voiture. Lee est l'un des flics de la brigade des étrangers, j'ai donc voulu le voir à l'œuvre. J'ai assisté à des arrestations, des confiscations. J'ai vu des Japonais dociles se laisser mettre les fers. Lee a remonté la 2e Rue en faisant tournoyer une matraque. J'ai revu le Japonais que j'avais remarqué au combat de boxe de Bucky Bleichert ; il observait la scène depuis sa voiture, tout comme moi. Il était mille fois plus intensément attentif à ce moment-là que les casse-pieds assis un rang devant moi.

L'éclairage de la salle commence à baisser ; cela me fait penser au black-out, qui se répéterait. Je m'éloignais de Little Tokyo lorsque la sirène de 17 heures a retenti. Le crépuscule et l'obscurité imposée par la loi ont engendré un chaos géographiquement ciblé. En moins d'une minute, j'ai été témoin de deux collisions ; j'ai assisté à une échauffourée dans Pershing Square. C'est le manque de lumière qui a déclenché l'altercation – j'en suis sûre. C'était un affrontement entre deux factions de droite brandissant des pancartes : les catholiques partisans du Père Coughlin contre les nervis protestants nationalistes fidèles à L. K. Smith. Ils distribuaient des coups de poing et des coups de pancarte jusqu'à ne plus savoir sur qui ils tapaient.

L'éclairage de la salle s'éteint totalement. Celui de la scène le remplace. Le rideau se lève. Une femme au teint pâle entre sur scène et transporte un énorme instrument à cordes jusqu'à un siège. Elle remercie d'un signe de tête les rares personnes qui l'applaudissent. Paul Robeson apparaît, salue, et se place sous un projecteur. Des applaudissements frénétiques éclatent. Claire donne le signal à ses esclaves pour qu'ils se lèvent. Le gros du public y voit la permission de faire de même.

Je reste assise. Le moment ne se prête pas à la subversion. Robeson salue et lève les mains – je suis très honoré ; à présent, asseyez-vous. La Reine Rouge et ses esclaves donnent l'exemple. Les autres spectateurs se rassoient aussi et font silence. L'accompagnatrice joue une introduction. Robeson entame « Ol' Man River ».

Le grand Noir à la voix de basse profonde. Une complainte d'esclave chantée par un artiste de premier plan. Les gauchistes dilettantes. La rebelle de Sioux Falls. Le capitaine mentalement dérangé du LAPD et son pogrom anti-Rouges.

Je glousse.

Ce n'est pas prémédité. Cela survient en dépit de tous mes calculs. Autour de moi, les gens m'ont entendue. Dans l'obscurité de la salle, je sens de la réprobation.

Robeson essore la chanson jusqu'à la dernière goutte et la termine crescendo. Le troubadour de la classe ouvrière, ancien étudiant de Princeton, fait son numéro ! Les bourgeois blancs et les tâcherons de la cinquième colonne clament leur enthousiasme !

Je glousse. Je glousse si fort que cela s'entend malgré les acclamations. Un spectateur fait : *Chuuut !* Je glousse encore plus fort. J'ai neuf ans et je fais le clown à l'église, le dimanche qui suit le Krach de Wall Street.

Le public lance des bravos puis se calme peu à peu. Robeson exécute les courbettes de rigueur. Une douairière me fusille du regard. Je la rabroue d'un petit geste. Robeson enchaîne avec la rengaine syndicaliste « Joe Hill ».

Je m'impatiente. Je dois prendre contact avec les Rouges, et rien de plus. Ça ne me semble pas suffisant. Un Noir diplômé de Princeton prône la lutte des classes ; une femme frêle aux bas filés gratte les cordes d'un luth géant. Je ris et me couvre la bouche. La douairière chuchote : *Calmez-vous, ma petite.*

Pauvre Joe Hill. Il a été jugé sommairement et exécuté par le pouvoir en place. N'ayez crainte – son message lui a survécu. Je laisse ma main sur ma bouche. Robeson absorbe l'adulation ambiante et poursuit son récital avec l'*Otello* de Verdi. Il incarne le Maure Tourmenté, à présent. Il passe de troubadour trotskyste à cabotin milanais. Je me *bâillonne* avec énergie. Je sens peser sur moi le regard furieux de Claire De Haven.

Je ferme les yeux pour ne pas carrément hurler de rire. Des images défilent dans mon petit cinéma intérieur. J'élabore le dialogue. Je prédis la chute et je suis sûre de ne pas me tromper.

Robeson épanche ses tourments. Je pense au Japonais que j'ai vu au combat de Bucky Bleichert et je me lève de mon siège.

– *Aucun être humain ne mérite d'être diverti dans un monde en guerre et dans une ville qui pratique la répression contre des innocents, sous le simple prétexte que les citoyens de leur pays natal se livrent à la barbarie.*

J'ai prononcé ces paroles comme un réquisitoire, à un volume tel qu'il s'apparentait à un cri. Le Maure n'a pas cessé de chanter pendant ma diatribe. L'accompagnatrice a lâché son luth. Les gens s'agitent, sifflent, chuchotent, font *chuuut*, me conspuent.

Dans la salle, une partie de l'éclairage se rallume brusquement. Je prends conscience que plusieurs personnes bougent. Une forme apparaît dans mon champ de vision – mais je ne réagis pas. La Reine Rouge est la première à se lever et à *Me Regarder*.

– *Aucun être humain ne mérite d'être diverti tandis que des policiers et des agents fédéraux harcèlent et incarcèrent illégalement des Américano-Japonais dans cette ambiance hystérique de réaction démesurée face à une agression fasciste, et...*

En un instant :

Le Maure fou se tait et *Me Regarde*.

*Toutes* les lumières de la salle reviennent.

*Tous* les comparses de la Reine Rouge se lèvent et me fixent.

Huées, cris, menaces confuses – tout cela monte pour former une immense clameur.

– *Saloperie de bolchevique !*

– *Ordure fasciste !*

– *Fous le camp, sale pute !*

Je réplique en hurlant ; le vacarme couvre ma voix. Un placeur me saisit le bras. Je ferme le poing et le frappe au visage. Mon coup atterrit sur le bout de son nez et j'entends un craquement. Le sang gicle dans ses yeux.

*Tout le monde se lève*. Le placeur chancelle et pousse des gémissements. *Tout le monde me regarde*.

Leurs injures et leurs menaces emplissent la salle. Je regarde Claire De Haven droit dans les yeux alors qu'un groupe d'hommes fonce sur moi. Des hommes vêtus d'un uniforme idiot – ils m'agrippent, ils m'empoignent, ils me soulèvent tandis que je me débats.

Ces hommes m'emmènent de force. Je savoure cette péripétie. Pour continuer à jouer mon rôle, je me tortille et je résiste. Nous remontons une travée et nous quittons la salle pour passer dans le hall. Je me cabre et me cogne la tête contre une embrasure de porte. J'aperçois une horloge murale qui affiche 20 h 19.

## 20 h 20

L'horloge de l'hôtel Biltmore annonce 20 h 20. Quand je rouvre les yeux, je suis sur la banquette arrière d'une voiture de police. Je vois le décor à l'envers. Pershing Square, le Biltmore, le Philharmonic Hall. En trombe, la voiture démarre.

Je ne reconnais pas les deux flics ; ils m'ont menottée pendant que j'étais évanouie, et à présent ils m'ignorent. Le chauffeur prend Hill Street en direction du nord. Le commissariat central est à une minute de là ; c'est celui auquel Lee est rattaché ; j'y suis connue en tant que petite amie notoire d'un flic. Et voilà le résultat de mon petit numéro. J'avais espéré une reconduite musclée jusqu'au hall de l'auditorium, puis un tête-à-tête avec la Reine Rouge. Je ne pensais pas que je serais arrêtée, au risque d'alerter Lee.

Un appel surgit du haut-parleur de la radio ; les flics marmonnent quelque chose au sujet d'un cambriolage avec effraction dans le quartier de Bunker Hill. Le commissariat central est sur le chemin. Le flic assis à côté du chauffeur regarde sa montre et dit à son collègue de foncer.

Ils continuent de m'ignorer. On arrive au commissariat en moins d'une minute. Le chauffeur reste garé devant la porte de la prison, moteur au ralenti. Son équipier m'emmène à l'intérieur et m'enferme dans une cellule du quartier des femmes.

Elle se trouve au milieu d'un étage qui en compte cinq ; j'y suis seule. Les autres cellules sont occupées par des Japonaises. Elles y sont entassées par groupes de quatre ; chaque cellule est équipée de lits superposés et de toilettes à la turque. Ces femmes évitent de se regarder les unes les autres. Dans leur comportement, rien ne donne à penser qu'elles se connaissaient avant de se trouver ensemble en prison. Il y a des femmes jeunes, des femmes vieilles, d'autres entre deux âges. Il n'émane d'elles ni camaraderie ni commisération. Elles enregistrent la présence de la jeune femme blanche en robe rouge éblouissante, et elles éprouvent à son endroit la honte qu'elle ne ressent pas elle-même.

Je me détourne d'elles. Je m'assieds sur le lit du bas et je baisse les yeux. C'est alors que je comprends. Elles forment un clan. Elles affichent toutes une même façade, par solidarité. Elles sont aussi déterminées et aussi calmes que le groupe de la Reine Rouge est irritable et véhément.

Un exemplaire du *Mirror-News* dépasse de sous mon matelas. J'en lis les premières pages.

La guerre du Pacifique. Le front russe. Les Japs qui sautent d'une île à l'autre en détruisant tout. En page 8, un article de Sid Hudgens sur Bucky Bleichert.

Le titre pose la question : « BUCKY BOY DANS LA POLICE ? » pour introduire un papier plutôt narquois sur deux colonnes.

Sid résume le combat d'adieu de Bucky et insiste sur son incorporation imminente dans la police de Los Angeles. Mais ladite incorporation n'est-elle pas « radicalement reliée » à son obligation de fournir aux agents fédéraux des « informations insidieuses » sur les « Japs de la jungle » au service du « terrifiant trublion » qui leur sert d'empereur, « Hirohito l'Hérétique » ? L'article retrace la carrière sportive de Bucky au lycée Belmont et son amitié pour ses « condisciples aux yeux bridés ». Et Sid termine par une de ces chutes qui ont fait sa réputation : Bucky n'est-il pas le fils d'immigrants allemands, et donc potentiellement suspect de pencher lui-même pour la cinquième colonne ? « Où allez-vous donc ainsi, *Herr* Bleichert ? »

Je froisse le journal en boule et je le jette. Je ferme les yeux pour ne plus voir la rangée de cellules et toutes les Japonaises. Elles sont toujours immobiles, et elles me méprisent toujours d'avoir été assez stupide pour échouer ici.

J'ai faim. J'ai envie d'un bon steak et d'une cigarette. J'ai envie de voir Scotty Bennett ôter sa chemise. J'ai envie de danser avec Bucky revêtu de son uniforme de cérémonie.

À deux cellules de celle où je suis, une femme étouffe un sanglot. Je garde les yeux fermés et je prie pour elle. Je me laisse aller à prier lorsque le monde me paraît incompréhensible et que seule paraît sensée une supplique à l'incompréhensible. La Réforme, la Prairie, la solidarité. La guerre et l'étoile de David sur le short d'*Herr* Bleichert.

Le matelas se tasse sous mon poids. Ma prière déloge un morceau de la planète et m'envoie tournoyer dans le vide. Pas de rêves, par pitié. Pas de fils de pasteur écossais, pas de guerre, pas de Maures fous —

## 7 h 38, mardi 9 décembre

— Vous avez été étincelante, Miss Lake. Vous avez volé la vedette à Paul Robeson.

Je penche la tête et j'ouvre les yeux. Les Japonaises ont disparu.

— On les a relâchées ? Elles étaient encore là quand je me suis endormie.

Le capitaine Parker déverrouille ma cellule. Il est en uniforme et paraît épuisé. Il me lance un paquet de cigarettes et un briquet.

— Vos compagnes de cellule ? On les a transférées à la prison de Lincoln Heights. Le sergent de permanence m'a dit que leur départ ne vous a pas empêchée de dormir.

J'allume une cigarette.

— Où étiez-vous assis ?

— Deux rangées derrière vous. J'ai compris que vous mijotiez quelque chose la première fois où vous avez ri.

— Pourquoi ne m'avez-vous pas sortie d'ici plus tôt ?

— Parce que je savais que vous auriez envie de vivre cette expérience.

— Vous aviez raison.

Parker commence :

– Je crois que notre prochaine…

Je l'interromps :

– Je ne vous apporterai aucune aide dans quelque affaire que ce soit liée à Lee Blanchard. Libre à vous de l'inculper pour le braquage de la Boulevard-Citizens ou pour des meurtres qu'il a pu commettre ou ne pas commettre à la demande de Ben Siegel.

Il s'adosse aux barreaux de la cellule.

– Qu'êtes-vous en train de me dire ?

– De ne pas vous imaginer que je plierai sous la contrainte. De ne pas vous imaginer que je ferai tout ce que vous exigerez de moi sans demander de compensation.

Parker se tapote les genoux ; je lui rends son briquet et ses cigarettes. Il en allume une et lance un rond de fumée plus haut que je n'en serai jamais capable.

– *Qu'êtes-vous en train de me dire ?*

Je déplie le journal de la veille. La page 8 est froissée, mais lisible. Je tapote les deux colonnes du milieu et la lui passe.

Parker lit l'article. Il écrase sa cigarette contre un gond de la porte et sourit.

– Je repense à ces croquis que j'ai vus chez vous. Je suppose que vous devez être très éprise.

– L'article dit-il la vérité ?

– Oui. Apparemment, M. Bleichert connaît des Japonais de réputation douteuse. Je ne sais pas qui ils sont, mais des agents fédéraux vont l'interroger bientôt. Ce sont les résultats de ces entretiens qui décideront de la suite à donner à sa candidature.

Je jette ma cigarette dans les toilettes.

– J'aimerais assister à cet interrogatoire.

– J'arrangerai ça.

– Je veux que Bucky entre dans la police.

– Donnant, donnant. Appelez le cabinet du Dr Lesnick et demandez-lui un rendez-vous demain à 14 heures. Vous verrez la Reine Rouge lorsqu'elle sortira de sa consultation. Je parie qu'elle se souviendra de la soirée d'hier et qu'elle parlera d'un heureux hasard.

Je ris. Claire, ma chérie ! J'ai juré de vous détruire, mais d'abord il *faut* que vous me disiez : où avez-vous acheté cette robe *sublime* que vous portiez à la soirée Paul Robeson ?

# 9 décembre 1941

# 23

**7 h 49**

Parker quitte la prison. L'épuisement l'accable de nouveau. Il n'a pas dormi depuis l'attaque japonaise contre Pearl Harbor.

Enfin, presque pas.

Il s'est permis de petits sommes dans sa voiture de service. Il a connu quelques assoupissements dus à l'alcool dans son nouveau bureau. Jack Horrall lui a attribué une pièce dans les locaux de la brigade de recherche. Il est à présent le « planificateur des états d'urgence en temps de guerre ».

Cette mission inclut son travail à la tête de la division des polices urbaines. Elle prend en compte son appétit forcené pour le travail. Il sert aussi d'agent de liaison avec les forces armées. Il archive les dépêches concernant la guerre transmises par téléscripteur. Il supervise le brigade des étrangers et réfrène ses ardeurs. Par contre, il laisse davantage de liberté à Dudley Smith pour qu'il mène son enquête sur l'affaire Watanabe.

Il faudrait qu'il obtienne de la presse qu'elle parle un peu de l'affaire. Sid Hudgens pourrait lui donner un peu d'écho. Sid doit à Appelez-moi-Jack cinq cents dollars qu'il a perdus aux cartes. Il est très accommodant, ce Sid Hudgens.

Parker se rend à la salle de réunion. Il a passé cinq minutes avec Kay Lake. Cet entretien l'a réveillé, mais l'a laissé démuni, également. Il reste seul, à présent, dans le pacte qu'ils avaient conclu ensemble.

Carl Hull l'a appelé hier soir. Il s'est engagé dans la marine. Appelez-moi-Jack lui a accordé une permission pour aller faire la guerre.

En attendant, il lui a dit ceci :

– Je ne marche plus dans cette machination que vous avez mise sur pied, William. Elle me paraît imprudente, et le moment mal choisi.

Nous sommes réellement entrés en guerre, maintenant, et les raisons de ce conflit dépassent de loin les questions d'idéologie. Les Rouges sont nos alliés, et ils meurent en grand nombre pour saigner Hitler à blanc. Je partage votre prédiction concernant un conflit idéologique après que nous aurons gagné cette guerre-*ci* – et alors, bien sûr, les Rouges de notre pays devront être poursuivis. Mais, *à l'heure actuelle ? À l'heure actuelle*, votre opération ressemble à une croisade tout à fait insensée. Et, franchement, l'idée d'une coopération entre vous et la jeune Miss Lake me dérange.

Parker a raccroché. Il a lancé le téléphone de toutes ses forces. L'appareil a explosé contre une carte murale des collisions de véhicules.

Les murs de la salle de réunion sont couverts de tableaux noirs masqués par des feuilles de papier opaque. Parker y est venu à 5 heures du matin pour y inscrire son exposé. Il va lire mot pour mot son laïus rédigé en langage administratif. Ses auditeurs seront impressionnés.

Parker entre dans la salle. Ils l'ont devancé. Appelez-moi-Jack fume son cigarillo du matin. Gene Biscailuz porte deux six-coups. Fletch Bowron empeste le parfum. Bill McPherson somnole.

Parker fait le tour de la pièce et ôte les caches en papier. Cinq tableaux noirs se révèlent.

Jack commente :

– Bill s'est levé de bonne heure.

Biscailuz ajoute :

– Bill ne dort jamais.

Bowron précise :

– Bill a oublié à quoi sa femme ressemble.

Jack conclut :

– Ça, Bill l'a oublié le jour où Adam a sauté Ève.

Biscailuz rit. Parker tapote le tableau numéro un.

– Nous sommes en guerre, messieurs. Personne ne peut dire que la ville de Los Angeles ne prend pas la situation au sérieux. Et si j'ai l'air fatigué, je ne suis pas le seul.

Biscailuz dit :

– Moi, j'ai *faim*. On devrait demander à Ace Kwan de nous faire livrer des omelettes foo-yung.

Jack explique :

– J'ai pris une cuite chez Kwan, hier soir. Ace m'a mis dans un taxi qui m'a ramené chez moi.

Bowron se tape sur les cuisses.

– Allez-y, Bill. Faites-nous votre petit numéro.

Parker prend une baguette et passe d'un tableau au suivant. Ses caractères tracés en majuscules sont parfaitement alignés. Il explicite les abréviations et commente les termes officiels.

– Le gouverneur Olson a demandé l'incarcération immédiate de tous les citoyens japonais et des sympathisants présumés. Le ministre dc la justice s'attend à des actes de sabotage industriel. Des patrouilles de réservistes de l'armée surveillent les lignes électriques et les aqueducs dans tout le territoire de l'État de Californie. Le maire de New York, Fiorello La Guardia, a été nommé à la tête de la direction nationale de la défense civile. Il va aujourd'hui même prendre l'avion pour Los Angeles, accompagné de M^me Franklin D. Roosevelt. Ils recevront des consignes de la part des responsables des réservistes affectés à la défense de l'État.

Tableau suivant. Un haut responsable de la ville qui dort toujours, trois autres hauts responsables de la ville très attentifs.

– Quatre cents Japs de la liste « A » sont incarcérés. Ils sont interrogés par quarante-deux agents fédéraux. Les Japs sont détenus au pénitencier de Terminal Island, dans le bloc cellulaire de Fort MacArthur, la prison du palais de justice, la prison de Lincoln Heights, et dans celles de six des divisions géographiques du LAPD. Quant aux bateaux de pêche japonais basés à San Pedro, ceux qui paraissent suspects sont inspectés, fouillés, et remorqués jusqu'au port. Les vedettes lance-torpilles de la marine sont déployées depuis Santa Barbara au nord jusqu'à la frontière mexicaine au sud. Il est plus que probable que des sous-marins japonais patrouillent dans cette zone.

Troisième tableau. Parker parle sur un ton monocorde en réprimant son accent traînant du Dakota.

– Les batteries de défense installées sur la côte sont opérationnelles vingt-quatre heures sur vingt-quatre. Les routes principales qui longent le littoral sont interdites à tout véhicule civil. Les autorités administratives ont décrété l'état d'urgence pour cause d'entrée en guerre.

Passons au quatrième tableau. Jusqu'ici, pas de hoquets ni de langue qui fourche.

– La ville de Los Angeles est désormais en état d'alerte en vue d'un black-out total. Les tests d'hier, celui du matin et celui du soir, ont été probants. Il n'y a pas eu d'augmentation notable des crimes et délits, et le nombre d'accidents de circulation n'a connu qu'une hausse de 6 %. Il y aura mercredi soir un test de black-out à l'échelle de toute la ville de la tombée de la nuit jusqu'à l'aube. Cette durée fournira aux officiels des services municipaux des statistiques précieuses.

Cinquième et dernier tableau. La ligne d'arrivée est en vue.

– Concernant l'affaire Watanabe. J'ai vu hier le sergent Dudley Smith. Le sergent Smith m'a rendu un premier rapport complet. Le sergent Smith et trois autres inspecteurs travaillent à temps plein sur cette enquête. Je vais m'adresser personnellement au journaliste Sid Hudgens, du *Mirror News*, pour l'exhorter à dépeindre l'enquête en cours sous un jour élogieux. L'affaire Watanabe pourrait se révéler un outil de propagande non négligeable, au cas où notre brigade des étrangers ou les adjoints du shérif chargés des rafles seraient accusés de brutalités policières, ou encore si les rafles et les saisies de biens elles-mêmes viendraient à être mises en cause sur le plan moral.

Parker reprend son souffle. Fletch Bowron l'applaudit.

– Faites-lui décerner le trophée de l'Homme Blanc de la semaine, dit Biscailuz.

– Ah non, fait Jack, offrez-lui plutôt un double whiskey chez Mike Lyman.

– Eleanor Roosevelt arrive, annonce Bowron. Elle voudra sans doute qu'on lui organise un défilé.

– Il paraît qu'elle est lesbienne, dit Biscailuz. C'est mon adjointe Dot Rothstein qui me l'a dit. Dot est au courant de tout ce qui se passe chez les lesbiennes. C'est encore elle qui m'a appris que Barbara Stanwyck broute des chattes.

Bowron annonce :

– Je vais prendre le taureau par les cornes dans cette histoire de Japs. Je vais flanquer à la porte tous les Japs qui travaillent dans les services municipaux. Ils sont tous de la cinquième colonne, et ce n'est pas avec des mauviettes qu'on gagne une guerre.

Parker intervient :

– Je ne pense pas que ce soit une bonne idée, monsieur le maire.

*Tu as parlé trop vite. C'est la gaffe. Tu entends cet ange passer ?*

Parker réprime un tremblement nerveux. Ward Littell ouvre la porte.

– Navré de vous interrompre, messieurs. Capitaine, nous allons commencer avec M. Bleichert.

– Allez, ouste ! fait Appelez-moi-Jack.

Bowron commente :

— Camarade Bill. Sauvé par le gong.

Parker pivote sur les talons et suit Littell. Les deux hommes se rendent dans le local de la brigade de recherche. Derrière le mur du fond se trouvent des salles d'interrogatoire équipées de miroirs sans tain.

Kay Lake se trouve devant la salle n° 1. Elle peut voir ce qu'il s'y passe sans être vue elle-même.

Parker et Littell se joignent à elle. Kay Lake les ignore et regarde à travers la vitre. Littell commente :

— Ça, ce sont des tactiques de caniveau. Ça nous rappelle les procès-spectacles sous Staline.

La salle d'interrogatoire est exiguë et les occupants n'ont guère de place. Ed Satterlee, Dick Hood. Dwight « Bucky » Bleichert. Une table et des chaises complètent le tableau.

Parker actionne un interrupteur mural. Des parasites crépitent dans un haut-parleur. Le son enrichit l'image.

Bleichert est assis à califourchon sur sa chaise. Hood et Satterlee marchent de long en large. Kay Lake a l'air de ne pas avoir dormi de la nuit. Sa robe est froissée. Elle a les cheveux en bataille.

— Je vais vous dire ce qui m'intéresse, annonce Satterlee. Quand vous vous rasez le matin, qui voyez-vous dans le miroir ? Un Allemand ou un Américain ?

Bleichert sourit jusqu'aux oreilles.

— Vous voulez dire, un miroir comme celui qui est sur le mur, là ? Celui qui est transparent quand on est de l'autre côté ?

— Cette fois-ci, mon petit, vous ne pouvez pas gagner par K.O. C'est un match aux points. Vous êtes obligé de donner les bonnes réponses pour en gagner et emporter la décision.

Bleichert désigne le miroir.

— Il y a qui, de l'autre côté ? J. Edgar Hoover ? Il a vraiment envie de savoir si je vais entrer ou non dans la police de Los Angeles ?

— Répondez à la question, s'il vous plaît, dit Hood.

Satterlee répète :

— Allemand ou Américain ? Choisissez le pays, choisissez votre camp.

Bleichert répond :

— Mes parents sont nés en Allemagne. Moi, je suis né ici. En 1917, ce qui me donne un alibi pour la Grande Guerre.

Kay Lake sourit. Parker capte son parfum à présent éventé.

209

Hood sourit.

– Je saisis bien votre point de vue, mais notre travail consiste à enquêter sur des citoyens dont les ascendants sont allemands ou italiens, et qui pourraient être tiraillés entre deux camps.

– Vous allez trop loin, monsieur Hood, dit Bleichert. Et je ne crois pas à ces histoires d'*ascendances*. À l'œil nu, impossible de faire la différence entre un boche et un rital.

Hood et Satterlee échangent des signes. Satterlee fait claquer ses bretelles. Hood reprend :

– Ouais, je sais. Ce n'est pas comme avec les Japs.

Bleichert tambourine sur la table.

– Les ascendances allemandes sont multiples. Ce n'est pas comme si les Allemands étaient des Japs.

Parker observe Bleichert. Kay Lake est plaquée contre la vitre. Elle plonge la main dans la poche de Parker et lui prend son paquet de cigarettes. Sa main est chaude. Parker sent qu'il a soudain les jambes en coton. Kay allume une cigarette et lance des ronds de fumée vers le plafond.

Satterlee demande :

– Vous les aimez, les Japs ?

– Dans un sens ou dans l'autre, je m'en contrefous, répond Bleichert.

Hood lance :

– Vous avez été élève au lycée Belmont.

Bleichert hausse les épaules.

– Promotion 1935. « Les Sentinelles », vert-et-noir pour la vie. Qu'est-ce que tout ça a à voir avec mon incorporation dans la police de Los Angeles ?

Hood répond :

– On a commencé à récolter des informations il y a trois ans. On a appris que les gamins japonais de Little Tokyo suivaient leurs études secondaires à Belmont. En consultant les listes d'élèves, on a découvert que notre champion de boxe sortait de Belmont, et donc qu'il avait sûrement beaucoup de copains japonais. On s'est donc dit : Si cette satanée guerre éclate, il sera intéressant d'avoir une conversation avec notre champion, Bucky, parce qu'il pourrait bien nous apprendre des choses sur quelques Japs de la cinquième colonne.

Satterlee se penche par-dessus la table.

– Et puis on a appris que notre champion avait postulé pour entrer dans la police, ici, à L.A. Je ne mâcherai pas mes mots, mon petit.

Si vous nous donnez des noms, vous êtes pris. Si vous refusez, votre acte de candidature sera estampillé : *Refusé*.

Bleichert ruisselle. C'est de la transpiration, ou des larmes, ou les deux. Kay Lake est plaquée contre le miroir.

Bleichert dit :

— Je connais deux frères nommés Ashida. Akira dirige la ferme familiale, et Hideo est chimiste au LAPD. Leur père est mort, et leur mère s'appelle Mariko. C'est une alcoolique, et elle est folle de l'Empereur et de ce général, Tojo. Elle a un drapeau japonais dans l'armoire de son salon, pour ce que ça peut valoir.

Kay Lake ferme les yeux et pose le front sur le miroir. Parker serre tellement son ceinturon que ses phalanges sont exsangues.

Littell dit :

— Mariko est inoffensive, et le jeune Hideo est un brillant élément. Je vais le dire à Hood.

Kay Lake déclare :

— C'est lamentable de voir à quel point les hommes sont faibles.

# 24

## LOS ANGELES | MARDI 9 DÉCEMBRE 1941

**10 h 29**

*Opium.*

Le monde est son chenal. Sa couchette est un canot de sauvetage. La pipe lui sert de guide.

Il fait défiler une collection de cartes postales magnifiques. Il accueille des compagnons de voyage. Bette Davis le rejoint. Ils deviennent amants à Londres. Ils voyagent debout dans le métro, en se tenant aux lanières de cuir qui pendent du plafond des voitures.

*Opium.*

La couchette, la pipe. Le sous-sol d'Ace Kwan. C'est là qu'il se trouve à un certain moment, et l'instant d'après il est parti ailleurs.

C'est le Blitz. L'Irlande est restée neutre. Joe Kennedy est isolationniste. Il est ambassadeur des États-Unis en Angleterre, mais il sait des choses. Les nazis vont gagner la guerre. Le Bête britannique va tomber. Des Black-and-tans ont tué le père et le frère aîné de Dudley Smith, ce qui a fait de Maidred Convoy Smith une veuve prompte à frapper son jeune fils.

Le temps s'évapore. Guerre éclair. Septembre 1940. Les Allemands larguent des bombes incendiaires sur Londres. Dudley et Bette. Oncle Joe leur fournit une voiture privée dans le métro londonien. Un peu plus tard, ce même automne, Oncle Joe démissionne de son poste d'ambassadeur. La presse anglaise le traite de lâche. Le Blitz le terrifie. Des Irlandais l'emmènent à Kerry et prennent soin de lui, lui fournissant de l'alcool et des prostituées. Dudley et Bette. Oncle Joe leur fournit de nouveau cette voiture privée dans le métro avant de rentrer chez lui ventre à terre, les couilles ratatinées par la trouille.

*Opium.*

Ses sens se mélangent. Londres brûle. Furtwängler dirige la Neuvième de Beethoven. Dudley verra Bette vendredi soir. Au Shrine Auditorium. À la fête annuelle pour les vendeurs de journaux. Il portera son plus beau costume de tweed.

Londres devient Nankin. Ace Kwan lui a appris des choses. Les soldats Japs décapitent les soldats chinetoques. Des hordes de Japs prennent un monastère et sodomisent les prêtres.

Bette voit ces horreurs et elle pleure. Il la console. *La guerre, mon enfant, a la sombre grandeur du châtiment. Elle séduit le démon qui est en moi.*

La voiture du métro entre dans un tunnel. Nankin disparaît aussitôt. Dudley est de retour dans le sous-sol de Kwan. *Oui, s'il vous plaît* – la pipe.

Pour Bette, il se justifie. Anesthésie, supplication. *Je ne suis qu'action et réflexion. Ma tactique habituelle, c'est la connivence. J'ai besoin de faire des haltes et de me régénérer dans cette course insensée.*

*Opium.*

Joe Kennedy reparaît. Il répète ses paroles de 1927.

– Ton avenir est à Los Angeles, mon garçon. Je peux te faire entrer dans la police. Tu pourras baiser des vedettes de cinéma et semer la pagaille.

Un projecteur émet un *clic* et fait défiler des images dans sa tête. Oncle Joe partage sa fascination pour la pornographie. Tijuana, 1933. Ils sont ensemble dans un bordel, et ils regardent un film projeté sur un drap. Deux admirables lesbiennes s'occupent d'eux. Dot Rothstein et Ruth Mildred Cressmeyer, deux vrais bonshommes à titre honoraire. Dot est une adjointe du shérif et assure les fonctions de mère maquerelle pour Gene Biscailuz. Ruth Mildred pratique des avortements pour rendre service au youpin Harry Cohn. C'est une convergence aussi bizarre que remarquable.

Oncle Joe finance des films pornographiques. Oncle Joe a des parts dans le commerce d'esclaves mexicains sans papiers monté par Carlos Madrano. Oncle Joe a gardé des billes dans les rackets. Ça lui rappelle ses origines.

Le projecteur fait *clic*. Une Mexicaine devient Bette Davis dans *La Lettre*[1]. Il a reçu une lettre de Beth Short ce matin. Oui, elle va venir à L.A. Oui, elle amènera son ami aveugle Tommy Gilfoyle. Elle fait allusion à « une chose horrible » qui s'est passée l'an dernier. Il va appeler Tommy et lui poser des questions.

Oncle Joe lui a dit un jour :

– Les hommes pervers ont besoin d'une famille, Dud. La famille les protège tandis qu'ils n'en font qu'à leur tête.

Oncle Joe n'aurait pu mieux dire. Il a lui-même une fille illégitime. Elle est née de ses amours avec Gloria Swanson. Laura Hughes a aujourd'hui quatorze ans. Joe subvient secrètement à ses besoins. Elle a pris le nom de Hughes pour narguer Joe. Howard Hughes a baisé Joe sur un contrat pour le cinéma, vers l'année 1931. Les enfants non voulus représentent un destin non désiré.

Laura vit au couvent du Cœur Immaculé. L'archevêque Cantwell connaît son histoire. Il a un béguin torride pour cette gamine.

*Opium.*

Le projecteur fait *clic*. Les volutes deviennent des visages.

Jack Kennedy sourit. Il est enseigne de vaisseau. Il va venir à L.A. Il veut sauter Ellen Drew. Il veut baiser Gloria Swanson mieux que son père n'en a été capable.

Clic. Il ressent un changement en lui. Son état normal, c'est : Réflexion et Action. Sa tactique habituelle, la connivence. Il revient à la Réflexion et à l'Action.

*À un moment de sa vie, Mike Breuning a travaillé comme technicien de cinéma. Ace Kwan a des chambres munies de judas dans son labyrinthe. Harry Cohn y perd des fortunes aux dominos chinois. Harry doit encore plus d'argent à Ben Siegel. Abe Reles est mort. Ben sortira bientôt de prison. Ben adore tirer des profits*

---

1. Film de William Wyler (1940).

*d'entreprises perverses. Harry Cohn a produit un court-métrage il y a huit ans. C'était une ode lèche-bottes à Benito Mussolini. Harry a un buste d'*Il Duce *sur son bureau. S'en est-il débarrassé à la suite des événements de dimanche matin ?*

Réflexion et Action. La guerre. La perspective d'un réaliste.

Les Japs ne vont pas bombarder L.A. Ce sont des insectes qui pillent les îles. Le Pacifique est leur fourmilière. C'est leur façon de faire.

Ils perdront la guerre. Ils ne tarderont pas à stagner lorsque l'industrie yankee dépassera leur puissance de production. Ils se battent pour mourir et monter au Walhalla des bridés. Cette motivation discutable les condamne. Hitler est l'amant fou du monde occidental. Wagner a déjà écrit l'épouvantable fin du Führer. *Tristan und Isolde.* Des harmonies sans résolution. Le monde alors que les cordes s'estompent.

Réflexion, Action. La guerre comme une chance à saisir. Ah, j'ai trouvé.

*L'internement de masse est riche de promesses. Profites-en au maximum. Envoie en prison les Japs de la région pour la durée de la guerre. Mets la main sur leurs propriétés et fais-leur payer des frais de gestion. Fais venir des Mexicains sans papiers pour remplacer les absents qui faisaient le sale boulot. Recrute des flics mexicains pour qu'ils ramassent ton pourcentage sur les profits et qu'ils supervisent le travail des sans-papiers. Jimmy le Jap Namura a été libéré. Il est sorti du pénitencier de Terminal Island. Il ferait un excellent agent de liaison avec la communauté jap. Vide de leur population Little Tokyo et autres enclaves japs. Remplace les Japs expulsés par des milliers de nègres trop débiles pour réussir les tests de la conscription. Crée une zone de vice bien délimitée à l'aide des propriétés confisquées aux Japs. Garde les moricauds sous la main pour juguler leurs débordements. Punis les agressions contre la race blanche de mort immédiate. Installe les Japs riches dans les tunnels d'Ace Kwan et fais-leur payer un loyer à la hauteur du privilège que tu leur offres d'échapper à la prison. Fais jouer les plus beaux dans des films cochons anti-Axe destinés à une clientèle blanche.*

*Opium.*

La pipe – encore une, oui.

Le projecteur fait *clic*. La Réflexion et l'Action sont revigorées. Retour vers le passé – jour de l'an 1938.

214

Le Trocadero. Bette sur la piste de danse et *Perfidia*. Ce moment
où il l'a vue et s'est enflammé pour elle.

# 25

## LOS ANGELES | MARDI 9 DÉCEMBRE 1941

**11 h 44**

*Ils ne signaleront pas le cambriolage. Ils ne révéleront pas les
vols. Ils vendent des armes illégalement. Ils propagent des saloperies fascistes.*

Au labo règne l'activité intense des heures de la matinée. Des
chimistes archivent des échantillons de fibres textiles et se penchent
sur leurs microscopes. Ashida travaille à son bureau. Il est à cran et
se sent vaseux. Il n'a pas dormi.

Ray Pinker vient vers lui.

— J'ai de mauvaises nouvelles, mon petit. J'ai entendu ça à la radio.
Fletch Bowron a viré tous les Japonais qui travaillaient pour la ville.
Ça me fait mal au cœur de le dire, mais ça signifie...

Ashida ouvre le tiroir supérieur de son bureau et en sort une trousse
en cuir. Pinker lui adresse des paroles rassurantes. Ashida quitte le
labo en courant. Il descend l'escalier quatre à quatre. Il franchit la
porte et pique un sprint.

Il traverse la 1<sup>re</sup> Rue. Les voitures font des écarts pour l'éviter.
L'hôtel de ville se trouve deux pâtés de maisons plus loin. Il fait le
trajet sans avoir ôté sa blouse blanche.

Il entre par la porte de Spring Street. Il grimpe les marches sans
ralentir. La brigade de recherche est en ébullition. Les locaux de la
répression des vols et de la répression des fraudes : bourrés de flics
coincés à leur bureau. Aux Mœurs : Elmer Jackson est tout seul.

Elmer sourit.

— Hé, je vous connais ! Vous avez travaillé ici.

— Le capitaine Parker ? On m'a dit qu'il avait un bureau ici, à présent.

Elmer agite son cigare.

215

– Tentez votre chance au 614. Si la porte est fermée, c'est qu'il est en train de cuver.

Ashida repart. Il est bientôt midi. Le local de la Criminelle se vide. Ceux des vols et des fraudes idem. Une nuée de flics descend à la cantine.

Ils voient tous Ashida. Ils connaissent tous Ashida. Pas un seul d'entre eux ne le salue. Ils s'engouffrent dans les ascenseurs et enfoncent le bouton pour descendre.

La Criminelle est grande ouverte. Douze box et un bureau. La ligne téléphonique principale et douze postes.

Ashida s'enferme. Il coince la porte en calant une chaise sous la poignée. Il ouvre sa trousse et choisit ses outils.

Des outils de cambrioleur. Confisqués comme pièces à conviction. Trois petits crochets à serrure et un pied de biche au tranchant émoussé.

Le poste principal se trouve près du téléscripteur. Ashida suit le cordon téléphonique des yeux : il aboutit à un boîtier mural. À côté de celui-ci, un autre, plus petit, recouvert de la même peinture que le mur lui-même.

Un fil de faible diamètre relie les deux boîtiers. Le téléphone est relié à un dictographe.

Ashida pose ses outils sur le téléscripteur. Il soulève le combiné du téléphone et entend la tonalité. Il dévisse les caches du combiné – côté micro et côté écouteur. Il découvre des micros tenus en place par un point de colle.

Il revisse les caches en bakélite. Il examine le mur est de la salle. Quatre box, quatre téléphones, quatre boîtiers muraux standard, chacun flanqué d'un second. Un boîtier plus petit, couvert de peinture. C'est anodin. Ça ne manque pas de culot. Deux boîtiers par téléphone – qui s'en étonnera ?

Ashida range ses outils et ôte la chaise dont le dossier bloquait la porte. Il ressort dans le couloir. Sid Hudgens traîne devant la salle de repos. Sid le Sidster l'aperçoit et lui fait signe de s'approcher. Ashida le rejoint et passe la tête dans la salle.

*Chuuut* – ils dorment.

Douze lits de camp, cinq dormeurs. Des gars de la brigade des étrangers. Les casques et les ceinturons traînent sur le parquet. Les fusils à pompe sont appuyés contre le mur.

Hudgens referme la porte.

– Le Bund, la Légion d'Argent et la Légion Thunderbolt. Des commentaires, docteur Ashida ?

– Pas de commentaire, répond Ashida.

Hudgens se cure les oreilles avec un trombone.

– Traitez-moi de vieux schnock si vous voulez, mais je trouve que cette opération ne sent pas très bon. Les fédéraux gèlent les avoirs et ferment des banques, les arrestations arbitraires se multiplient parce que l'habeas corpus est suspendu, et maintenant le maire a viré tous les employés municipaux japonais. Tojo et ses hommes ont pris Manille, mais ça ne vous condamne pas à perdre votre emploi.

– Pas de commentaire, répète Ashida.

Hudgens glousse.

– Vous avez lu mon article, hier, dans le *Mirror* ? Si vous ne l'avez pas fait, je peux vous dire que la chute est cinglante.

– Je vous écoute, dit Ashida.

– Elle concerne votre vieux copain Bucky Bleichert. Le Buckster veut raccrocher les gants et s'engager dans la police de l'homme blanc. J'ai insinué qu'il aurait peut-être besoin de cafter quelques salopards de la cinquième colonne pour assurer son intronisation.

Ashida rougit.

– *Et alors ?*

– *Et alors*, c'est vous et votre famille que Bucky a mouchardés. *Et alors*, il entre à l'école de police en mai prochain.

Le couloir tremble – avalanche, tremblement de terre, crue subite.

Hudgens affiche un sourire carnivore. Ashida fait volte-face. Le bureau 614 se trouve à deux portes de là. Il s'y rue et y entre aussitôt.

Parker se tient près d'une carte murale. Des épingles portant faucille et marteau couvrent la Russie. Celles à croix gammée couvrent l'Allemagne. Bien en vue : une bouteille et un petit verre.

Ashida s'éclaircit la gorge. Parker se retourne. Son ceinturon glisse sur ses hanches.

– Oui ?

– J'espérais pouvoir vous dire deux mots, capitaine.

– Laissez-moi deviner : vous pensez que je peux vous aider à conserver votre emploi au service de la ville.

– Je sais que vous pouvez le faire.

Parker tapote sa montre.

– Je vous donne une minute, docteur. Soyez bref, c'est votre meilleure chance de me convaincre. Ne vous répétez pas. Les répétitions me fatiguent.

217

– J'ai surpris une conversation entre deux inspecteurs. Ils parlaient d'une femme que vous aviez fait venir ici pour retranscrire les écoutes téléphoniques enregistrées par dictographe. Ils trouvaient la chose amusante, parce que votre propre voix figurait sur ces enregistrements, ce qui implique que vous avez fait des déclarations compromettantes à votre encontre. Ces deux inspecteurs ont poursuivi en disant que le directeur Horrall avait été informé de vos initiatives, mais qu'il était trop fier et trop paresseux pour intervenir. Ce qui implique que ces écoutes téléphoniques n'étaient un secret pour personne, ce qui n'empêche en rien que votre voix puisse être aisément reconnaissable sur les enregistrements.

Parker remplit son dé à coudre et l'avale cul sec. C'est lui, l'homme qui veut devenir directeur. Il boit de l'alcool fort à 12 h 16.

– Qui étaient ces deux inspecteurs ?

– Mike Breuning et Dick Carlisle, répond Ashida. Puisqu'ils sont au courant, on peut en déduire sans risque que Dudley Smith connaît la teneur de vos propos.

Parker tapote sa montre de nouveau.

– Dites-moi ce que vous voulez. Sans avoir recours à la flatterie ni aux menaces.

– Je tiens à vous remercier d'avoir posté l'agent Littell dans l'appartement de ma mère. Je tiens à faire la preuve que ma présence est essentielle au fonctionnement de la police de Los Angeles. Je tiens à conserver mon emploi et à poursuivre l'enquête sur l'affaire Watanabe.

Parker boit un autre petit verre.

– Que pouvez-vous faire pour moi ?

– Je peux désactiver les micros espions, suivre les câblages jusqu'aux postes d'écoute, et effacer les enregistrements.

Parker fouille dans ses archives et en sort un dossier. Les diagrammes des circuits, sans doute.

– Faites-le tout de suite, docteur. Faites-le ouvertement. Aux yeux de Jack Horrall, je suis trop précieux pour qu'il me mette des bâtons dans les roues. Je vais tenter de vous accorder la même valeur.

Ashida s'incline.

Parker lui lance le dossier.

Parker lui dit :

– Salopard de païen.

# 26

### LOS ANGELES | MARDI 9 DÉCEMBRE 1941

**12 h 21**

Aujourd'hui est pire qu'hier. Avec un sentiment d'amertume plus grande encore. Il y a davantage d'agents fédéraux et de sentinelles de la police en faction sur les toits de la 2ᵉ Rue. J'ai vu des agents du FBI cerner l'étal d'un maraîcher. Ils ont menotté le propriétaire et l'ont traîné jusqu'à un fourgon cellulaire. Un fédé a tiré un coup de fusil à pompe dans l'éventaire installé sur le trottoir. La charge de gros sel a réduit en bouillie plusieurs rangées de choux.

J'ai remonté la 2ᵉ Rue. En tant que femme de race blanche, j'avais le sentiment d'être invisible, et en tant qu'ennemie de toutes les sortes de police, celui d'être incongrue. J'avais appelé le cabinet du Dʳ Lesnick et obtenu un rendez-vous. J'avais répété ma rencontre faussement impromptue avec Claire De Haven. La 2ᵉ Rue a toutes les apparences d'un chaos instauré par les instances officielles. Il déclenche une fureur justifiée et il est perpétré dans un esprit de pré-jugés racistes et d'hystérie ambiante provoquée par la guerre. Le rôle que je joue ici est celui d'un pion manipulé par le capitaine William H. Parker. C'est dans ce contexte que j'ai besoin de voir les choses.

La 2ᵉ Rue est remplie de piétons et encombréc de voitures de police. L'entrée de la banque Sumitomo fourmille d'adjoints du shérif qui chargent dans un fourgon des sacs remplis de billets. Leurs collè-gues sont armés de mitraillettes et scrutent le trottoir. Un homme du FBI cloue sur la porte un avis de saisie provenant du gouvernement. Des échos de *Que Dieu bénisse l'Amérique* sortent d'un commerce du pâté de maisons voisin. Je vois des banderoles rouge-blanc-bleu accrochées à la façade et des hommes qui distribuent des prospectus près de l'entrée.

J'entends une explosion. C'est un coup de fusil. J'entends une seconde détonation et je vois deux jeunes Japonais étendus à plat ventre sur la chaussée. Ils sont juste devant moi, de l'autre côté de la rue ; leurs jambes de pantalons sont déchirées et pleines de sang.

Un troisième gamin traverse la rue en courant. Du coin de l'œil, je vois un flic lever son fusil. Puis le capitaine Bill Parker sort de la foule et tire sèchement les bras du flic en arrière. La décharge de gros sel jaillit vers le ciel sans toucher personne ; le gamin s'enfuit et disparaît dans un immeuble vide.

Les mômes étendus par terre tâtent leurs blessures ; un homme et une femme accourent avec des rouleaux de gaze. Le capitaine Parker arrache le fusil à pompe des mains du flic et en éjecte les cartouches qu'il contient encore. Il a l'air outré. Le flic tremble devant cette manifestation d'autorité. Le capitaine Parker lui jette son fusil dans les bras et replonge dans la foule.

Il ne m'a pas vue une seule seconde. Tout cela s'est passé très vite. Je me dirige vers les échos de *Que Dieu bénisse l'Amérique* et les banderoles tricolores. J'entends à peine le bruit de mes propres pas.

La boutique est celle du « Comité Anti-Axe ». C'est une source d'approvisionnement en babioles pro-américaines. Les articles proposés n'ont pas pu être fabriqués entre l'attaque de dimanche et aujourd'hui. Les étagères proposent des brassards aux couleurs de la bannière étoilée, des chapeaux d'Oncle Sam et des pamphlets contre l'empereur du Japon. Les badauds badent. Ce sont des Japonais du quartier, des prêtres shinto en robe et des pasteurs japonais en costume sombre et col blanc. Un homme et une femme sont postés derrière une caisse remplie de babioles. Ils portent des badges VENGEONS PEARL HARBOR et autour du cou une guirlande de fleurs à la mode hawaïenne ; les fleurs ont été teintes en noir en signe de deuil. Le Comité Anti-Axe et tout ce que contient son local ont été forcément conçus et préparés bien avant les événements de dimanche. Cela n'indiquait pas qu'ils aient été prévenus de l'attaque. Cela confirmait les projets sanguinaires du Japon impérial et prédisait la réaction de l'instant présent.

La musique provient d'un phonographe posé près de la porte. Un pasteur se charge de relancer le disque dès qu'il se termine. *Que Dieu bénisse l'Amérique* se répète, à plein volume, et strident à si courte distance.

Un homme agite une sébile sous mon nez ; je fouille mon sac à main et j'y dépose un billet de vingt dollars. L'homme passe une guirlande rouge-blanc-bleu autour de mon cou. Je m'incline et je me sens idiote.

L'homme s'éloigne après une courbette et accoste d'autres badauds. Je m'attarde près d'un présentoir à livres rotatif rempli de tracts. J'ai l'impression de me trouver dans une tente de fête foraine.

Reynolds Loftis et Chaz Minear font leur entrée.

Je baisse les yeux et fais semblant de m'intéresser à un pensum intitulé « Les héros Nisei ». Loftis et Minear me remarquent ; mouvements de tête et coups de coude me le confirment. *C'est la folle du récital. Celle qui a fait un sacré scandale !*

L'homme à la sébile me frôle de nouveau. Je sens Loftis et Minear à portée de voix et les gratifie d'un rappel. Cette fois, je chuchote d'une voix qui porte jusqu'à eux :

— Ces tracts sont par essence inefficaces, et leur défaut est de ne pas critiquer le racisme systématique qui nourrit depuis deux épouvantables journées les représailles déclenchées par l'agression de dimanche. Ce déballage d'un chauvinisme abject que vous nous offrez là est une riposte insuffisante aux injustices perpétrées dans cette même rue alors que je vous parle.

L'homme a un mouvement de recul. Loftis et Minear n'ont pas manqué une seule de mes paroles.

Je ressors de la boutique et prends Main Street en direction du nord. Ma voiture est garée à l'hôtel de ville. Cela me revient tout à coup : ma jauge d'essence est presque à zéro et je viens de donner tout l'argent que j'avais sur moi. Lee est sans doute terré à la brigade. Je pourrais le taper de quelques billets ou aller voir Elmer Jackson aux Mœurs.

Dans le centre-ville de L.A. on ne voit que la guerre et Noël. Des drapeaux, de faux sapins, des Pères Noël de l'Armée du Salut. Des guetteurs d'avions ennemis entourent l'hôtel de ville. Ils ressemblent à des ornithologues un peu frappés. Ils ont apporté leur pique-nique dans un panier et ils portent des chapeaux de déguisement.

Je monte jusqu'aux locaux de la brigade. Personne dans la salle de repos ni à la brigade des mœurs. Un groupe traîne devant la salle de la Criminelle. Appelez-moi-Jack Horrall, Gene Biscailuz, Sid Hudgens.

Je me joins à eux. Ils m'ignorent et gardent les yeux braqués sur l'intérieur du local. Je suis leurs regards et je vois un homme démonter un téléphone de bureau. Il porte une blouse blanche de laborantin et nous tourne le dos. Le parquet est jonché de pièces détachées.

L'homme supprime les câblages des écoutes téléphoniques. La coïncidence est troublante. Elle me remet en mémoire la manœuvre de Bill Parker pour me faire retranscrire les écoutes.

L'homme arrache des fils. Il se retourne vers le couloir. Je le reconnais immédiatement.

221

Le jeune Japonais. Celui que j'ai vu au combat de Bucky Bleichert. Et aussi à Little Tokyo hier.

Sid Hudgens a remarqué ma surprise.

– Qu'y a-t-il, Katherine ? Et pourquoi cette guirlande de fleurs ? Vous étiez à Pearl pour le feu d'artifice ?

J'ôte ma guirlande, et je l'enfile sur la tête de Sid que j'emmène au bout du couloir.

– Pas ici, ma petite, dit Sid. Big Lee pourrait surgir à tout moment.

Appelez-moi-Jack et Gene Biscailuz s'éloignent. Je demande :

– Sid, à quoi ça rime, ces travaux ?

Sid renifle la guirlande et affiche un regard espiègle.

– Je vais en faire un compte rendu sous forme d'éloge de Jack Horrall. Bill Parker a persuadé le directeur de laisser ce jeune Jap arracher quelques fils. Les fédéraux projettent une investigation approfondie des plus gênantes. Les locaux de la brigade sont truffés de postes d'écoute, et le contenu des enregistrements pourrait faire inculper la moitié des effectifs. L'idée de Parker, c'est d'installer après le Nouvel An des micros bidon et des câblages idem, et de laisser des enregistrements inoffensifs, si bien que les fédés repartiront avec que dalle. Ce jeune Japonais s'appelle Hideo Ashida. La police de la ville est dans un sacré pétrin, parce qu'il est le meilleur enquêteur scientifique de l'Ouest, mais au cas où vous ne l'auriez pas remarqué, c'est un salopard de Jap.

*Hideo Ashida. Hideo Ashida* au combat de Bucky. Bucky cafte *Hideo Ashida*. Et *moi*, je retranscris les enregistrements dimanche matin. Et *Hideo Ashida* arrache les fils *maintenant*.

– Une autre fois, hein, ma mignonne ? Vous, moi, et une bouteille de Courvoisier pendant que Lee est en voyage avec le Dudster ?

Je lâche Sid et j'entre dans la salle. Hideo Ashida sectionne des fils téléphoniques dans un boîtier. Il me voit. Sa blouse et son pantalon sont tachés et couverts de plâtre. Je me présente :

– Je m'appelle Kay Lake. Le capitaine Parker m'a fait retranscrire les enregistrements.

La façon dont je m'adresse à lui semble le désarçonner. Une courbette ou une poignée de main ? Cette jeune femme me pose un problème. Il dit :

– Docteur Ashida.

Il enfonce ses mains dans ses poches. – *Bon. Et maintenant ?*

– Vous êtes docteur en électrotechnique ?

– J'ai obtenu deux doctorats, répond-il. Je suis chercheur en chimie

222

et microbiologiste. Je suis également criminologue, mais c'est un titre que je me suis attribué tout seul.

Tout, dans cette corvée, le contrarie. Le local de la Criminelle ressemble à une décharge publique. Trois inspecteurs traînent devant l'entrée. *Qu'est-ce qu'elle fait ici, la nana de Lee Blanchard, avec ce bêcheur de Japonais ?*

Hideo Ashida est mal à l'aise. Le décorum lui fait perdre ses moyens. Ses membres l'encombrent et ne lui répondent plus. Il est détourné de sa tâche.

Je lui propose :

– Je pourrais vous montrer le poste d'écoute dans lequel j'ai travaillé.

– Le capitaine Parker m'a fourni un inventaire des lieux précis. J'ai tous les renseignements qu'il me faut.

Il va refuser tout ce que je lui propose. Je dois affirmer mes intentions.

– Il y a beaucoup de travail à faire, ici. Je vais vous aider.

Il tressaille. Il est à deux doigts de hocher la tête. Il se retient de crier *Non !*

Il me dit :

– Oui. Comme vous voudrez.

**14 h 06**

La tâche est rude. Je travaille en jupe de tweed, chemisier de soie et pull en cachemire. Mes escarpins à talons hauts glissent sur le parquet. Je m'en débarrasse d'une ruade mais je n'ôte pas mes bas.

Nous dévissons des caches de combinés téléphoniques, nous arrachons des fils et nous ôtons des micros. Nous travaillons dans un espace restreint. Par respect des convenances, le D$^r$ Ashida garde constamment ses distances. Il m'explique la suppression des dispositifs d'écoute entièrement par gestes. Ces derniers sont toujours fluides et pleins de grâce.

Nous passons d'une salle à l'autre, d'un poste d'écoute au suivant. Nous transportons des cartons, que nous remplissons d'enregistrements d'écoutes et de câbles arrachés. Jack Webb nous suit pendant deux bonnes heures. C'est un copain de lycée du D$^r$ Ashida et de Bucky Bleichert. Le D$^r$ Ashida semble mal à l'aise à chaque fois que Jack cite le nom de Bucky ; je me demande s'il est au courant de la trahison de Bucky. Jack était l'entraîneur de l'équipe d'athlétisme du lycée Belmont. « Hideo-qui-saute-très-haut » et « Bucky-le-boulet-de-canon » sont allés tous deux en finale de la coupe inter-lycées de la ville.

Le D$^r$ Ashida est adroit, ce qu'explique partiellement son passé d'athlète. J'imagine des instantanés représentant Bucky et Hideo à Belmont en 1935. Réunions pour préparer les concours d'athlétisme, tours d'entraînement sur la piste située au sommet de la colline. Camaraderie de vestiaire et Bucky couvert de savon dans les douches.

Nous faisons un travail salissant. Je me casse les ongles, je file mes bas et je tache mon pull et ma jupe. On communique par gestes et signes de tête. Je sens l'odeur de sa transpiration et celle de la mienne ; on soulève, on arrache, on porte et on traîne des cartons. Des flics de la brigade passent nous voir et nous font la conversation ; ils nous reluquent d'un drôle d'œil mais se gardent de faire des commentaires. Je présente notre travail comme une manœuvre de Bill Parker pour déjouer une investigation menée par les fédéraux ; j'entends « secret de polichinelle » une bonne douzaine de fois. Les écoutes remontent au règne de « Deux-Flingues » Davis. Des flics gardent des informations compromettantes sur d'autres flics au sein d'une flicocratie corrompue. Les écoutes étaient une plaie chronique. Finissons-en avec les vieilles saloperies, et bon débarras.

Le D$^r$ Ashida se raidit à chaque fois que je prononce le nom de Parker. Bucky Bleichert est la présence masculine fantôme qui hante mon existence ; le capitaine Parker est la présence masculine la plus provocatrice. Le D$^r$ Ashida a une histoire commune avec chacun de ces deux hommes. Il avait les larmes aux yeux au combat d'adieu de Bucky. Son association avec le capitaine Parker appartient aux rouages secrets de la police.

J'ai envie de connaître son point de vue sur ces deux-là. J'ai envie de faire une brèche dans sa réserve. Je veux être le flic qui mène l'interrogatoire, armé d'un tuyau de caoutchouc. *Qui sont ces deux hommes ? Dites-moi ce que vous savez sur eux.*

Nous travaillons. Nous arrachons des câbles, nous enlevons des micros, nous vidons les postes d'écoute. Je suis sur les nerfs, j'ai faim, je suis épuisée. Nous augmentons la cadence pour finir au plus vite.

Nous sommes ébouriffés, en aussi piteux état l'un que l'autre.

Je lui propose d'aller boire un verre chez Mike Lyman. Scotty doit m'y retrouver un peu plus tard. Je sais exactement ce que le D$^r$ Ashida va me répondre.

Il me dit :

– Oui, comme vous voudrez.

**17 h 51**

Nous prenons le monte-charge. Nous sortons par la porte qui donne sur la 1re Rue au moment où le bus pour Hill Street s'arrête. Le Dr Ashida s'écarte pour me laisser monter la première. Je glisse deux piécettes dans le monnayeur. On reste debout, à l'avant du bus, et on s'accroche à la barre. Tous les passagers nous regardent fixement.

Couverts de crasse, nous portons des vêtements dans un état spectaculairement lamentable. Un homme jaune, une femme blanche, la guerre. S'imaginent-ils que nous avons préparé un acte de sabotage ou que nous avons fait l'amour sur la pelouse de l'hôtel de ville ?

Le chauffeur prend Hill Street en direction du sud. Le trajet est bref. Je tire sur le cordon pour demander l'arrêt au carrefour de la 8e Rue. Le chauffeur se gare le long du trottoir et nous laisse descendre.

Le bus redémarre. Un homme hurle :

– Salaud de Jap !

Une femme lance :

– Sale pute blanche !

Nous entrons chez Mike Lyman. La ruée du dîner commence à peine ; Thad Brown est au bar. Il y regarde à deux fois avant de nous adresser un signe de la main ; je fais une courbette et lui rends son salut. Le Dr Ashida aime les endroits discrets, je le *sais*. Je l'emmène vers un box du fond de la salle.

On s'installe. Le Dr Ashida dit :

– Un café noir.

Il m'autorise à aller le chercher. Il ne veut pas courir le risque de tomber sur un serveur odieux. Je le *sais*. Je retourne au comptoir, je commande son café et un Manhattan.

Le barman me sert vite. J'emporte les boissons au box et j'interromps le Dr Ashida. Il frottait son col de chemise. En me voyant, il lâche sa serviette de table. J'étouffe un rire.

– À la vôtre, docteur.

– Oui… Miss…

– Lake. Je m'appelle Katherine Lake, mais cela fait des années que je suis « Kay » pour tout le monde.

– À la vôtre, Miss Lake, dit le Dr Ashida.

225

Il tripote sa tasse et sa cuiller. Il renverse du café sur ses mains. Il les essuie et les glisse sous ses cuisses.

Je lui demande où il a fait ses études supérieures. Il me répond : « Stanford ». Je lui dis que j'ai étudié à UCLA et j'attends une réaction de sa part. Il hoche la tête. Cela m'apprend ceci :

Il ignore tout de ma réputation de concubine de Big Lee Blanchard. Il connaît Lee mais il n'a pas entendu d'indiscrétions sur l'affaire Boulevard-Citizens.

– Je vous ai vue saluer le lieutenant Brown.

– J'ai fait sa connaissance par l'intermédiaire de mon petit ami. Il travaille à l'îlotage, et il s'appelle Lee Blanchard.

– Oui. Je connais l'agent Blanchard.

Je m'étonne :

– Pas *Lee*, D$^r$ Ashida ? Vous êtes incontestablement son supérieur dans la hiérarchie policière.

Il secoue la tête.

– Je n'utilise les prénoms que si on m'invite à le faire. Je sais ce que vous pensez, alors je vais le dire à haute voix : c'est un trait culturel japonais des plus louables.

Je ris et lève mon verre.

– Oui, cela m'est venu à l'esprit, mais je pensais à ce trait culturel fort louable dans le contexte de votre travail au sein de la police.

– Oui ?

– Votre modèle de hiérarchie et de non-méritocratie est compensé par des valeurs paramilitaires et un code social plutôt désinvolte. Des liens personnels et professionnels étroits se forment dans cette structure étrangement flexible.

Le D$^r$ Ashida avale une gorgée de café.

– Le capitaine Parker exige le respect des conventions. Lorsque je lui parle, j'emploie toujours un langage aussi rigoureux que possible.

Je réplique :

– Le capitaine Parker est subtil. Il m'utilise pour récolter des informations confidentielles, et le verbe *utiliser* reste loin de la vérité. Il sait que je vais être écartelée entre deux camps, parce qu'il m'a recrutée en étant dans une certaine mesure conscient de ma probable ambivalence. Il prend le pari que cette ambivalence me rendra crédible au yeux des gens qu'il me charge de piéger.

Le D$^r$ Ashida boit son café. Je le provoque. Il le sait. Il est stimulé par le défi que représentent ma provocation et sa riposte. Mais il ne saisit pas l'enjeu. Mais la notion de connivence lui déplaît. C'est un scientifique. Il méprise tout ce qui est étranger aux résultats quantifiables.

— Vous avez retranscrit les écoutes pour le capitaine Parker. Je me demande de quelle façon il vous a convaincue de le faire.

J'allume une cigarette.

— Je ne vous en dirai pas plus, docteur. Je voulais savoir si vous accordiez autant d'intérêt que moi aux rouages secrets de la police. Vous avez confirmé que c'était bien le cas.

Le D$^r$ Ashida sourit. Cela me ravit. Je bois une gorgée de mon Manhattan et lui rends son sourire. Il me dit :

— Je pense que le capitaine Parker a de sérieuses réticences en ce qui concerne les rafles. Il a chargé un agent du FBI de veiller sur ma mère.

— Ce que je l'ai vu faire aujourd'hui les exprimait clairement, ces réticences. Et les mesures qu'il a prises pour protéger votre mère prouvent sans aucun doute qu'il accorde de la valeur à votre travail.

— J'espère apporter la preuve que je suis indispensable.

— Oui, mais votre patron, c'est la ville, et vous allez perdre votre emploi.

— Je pense que ma situation n'est pas en jeu. Pour le moment, le capitaine Parker veille sur moi…

Il se tait. Je suis son regard et je comprends pourquoi. Lee est planté là, près de notre box. Il est en civil et il tient un verre de whiskey. Sa chemise est couverte de taches sombres. Cela ressemble à du sang coagulé.

Il dit :

— Bonsoir, chérie. Bonsoir à vous aussi, Hirohito.

Je lui rétorque :

— Rentre à la maison, Lee. Va cuver. Il y a du rôti que tu peux réchauffer.

— Rentrer à la maison ? Pour y retrouver *qui* ? Ma petite amie tient compagnie aux forces de l'Axe.

Un brouhaha commence à se faire entendre tout près de nous. Lee qui m'insulte, moi qui hausse le ton : les gens regardent dans notre direction. Ils se poussent du coude. Ils tâchent de mieux voir ce qui se passe.

Je dis :

— Tais-toi, Lee.

Le D$^r$ Ashida regarde ses mains. Lee désigne les taches sur sa chemise.

– Du sang de Jap. Un type nommé Takahashi a tenté de m'échapper. Il est aux urgences de Georgia Street, en ce moment.

Je me lève. Le brouhaha augmente et s'étend à toute une rangée de tables. Deux serveurs s'arrêtent pour regarder.

– *Rentre à la maison, Lee.*

– Franchement, chérie. Je suis indulgent quand tu te limites aux hommes blancs. Mais un salaud de Jap ?

Je le gifle. Mes ongles lui labourent la joue. Il penche la tête vers ma main pour aggraver les déchirures. Le sang perle par-dessus ses lèvres.

Un client du bar en a le souffle coupé. La salle entière en a le souffle coupé. Quelqu'un dit *Oh !* et lâche son verre. J'entends un bruit de verre brisé. Quelqu'un dit *Merde !*

Lee sort du bar. Il bouscule un serveur et renverse son plateau. Un gâteau d'anniversaire couvert de bougies allumées tombe par terre.

Je me rassieds et baisse les yeux. Le D$^r$ Ashida vide d'un trait le reste de mon cocktail.

Le brouhaha s'estompe. J'entends des soupirs de soulagement et le bruit des couverts qui heurtent les assiettes. Un homme fait *Ouf !*

Le D$^r$ Ashida me regarde. Il bat des cils. Je vois battre le sang, bleu sombre, dans les veines de son cou.

– Je vous ai vue à l'Olympic. Vous faites sans cesse des croquis de mon ami Bucky.

– Oui. Et je vous ai vu au match de dimanche soir. Bucky vous a salué.

– Nous sommes amis depuis des années. Nous étions ensemble au lycée.

Je lui avoue :

– J'ai un énorme béguin pour lui. C'est totalement déplacé.

Une main me touche l'épaule. Mon grand garnement – ponctuel et charmant.

Scotty nous domine de toute sa hauteur. Le D$^r$ Ashida se lève et paraît bien petit. Scotty lui dit :

– Bonsoir, monsieur. Je m'appelle Bennett.

Le D$^r$ Ashida marmonne des au-revoir. Il s'éloigne, en gardant les yeux baissés. Je fourre mon nez au creux de la paume de Scotty.

Il me dit :

– Lee Blanchard est dehors, sur le trottoir. Il pleure. Je ne me plains pas, mais je trouve que tu te disperses beaucoup.

La guerre a commencé il y a deux jours. Je m'affiche avec des étrangers louches et je fais des scandales en public. Pincez-moi – je pourrais être à la maison en train de travailler Chopin.

# 27

**19 h 09**

Le maire Fletch Bowron sert du scotch de qualité supérieure. Parker se jure bien de n'en boire qu'*un seul* verre, mais il ne tarde pas à repousser la limite à *trois*. C'est l'heure des palabres et de l'alcool fort. La salle s'y prête bien. Lambris en chêne, fauteuils en cuir vert et crachoirs.

Jack Horrall déclare :

– Les bureaux de la brigade ressemblent à ce que les Philippines sont censées être désormais : ces putains de Japs les ont envahies aujourd'hui.

Bowron rectifie :

– On m'a dit *Jap*, au singulier.

Jack précise :

– La petite amie de Lee Blanchard lui a donné un coup de main. Bon sang, les histoires qu'on raconte sur *elle*.

Parker boit une gorgée de scotch. Son univers est sens dessus dessous. Il maigrit à vue d'œil. Ces derniers temps, il ne consomme que des cigarettes et des bretzels.

Les rafles flirtent avec l'illégalité, à présent. La brigade des étrangers dérape complètement. Il y a eu ces gamins aux jambes brisées à coups de pierres.

Parker explique :

– On ne peut pas licencier le D^r Ashida. Il est indispensable dans l'affaire Watanabe.

– Alors, comme ça, c'est le *Docteur* Ashida ? dit Bowron. Vraiment, ils prennent n'importe qui, à Stanford.

Jack intervient :

– Vous devez quand même reconnaître, Fletch, que le petit

229

Japonais nous a bien tirés d'affaire, pour ces enregistrements. On y figurait *tous*. J'appelais régulièrement Brenda Allen depuis les bureaux de la Criminelle.

Bowron avale une gorgée de scotch.

– Je n'aime pas ça. J'ai déjà signé l'ordre. « Tous les Japs employés par la ville », ça signifie : « *Tous* les Japs employés par la ville ». Ça ne veut pas dire qu'on fait une exception pour Charlie Chan.

Parker sirote son scotch.

– Il a démonté tous les micros et effacé tous les enregistrements. Les fédéraux vont débarquer en février. Il nous a épargné de gros ennuis.

Bowron grignote un bretzel.

– *Enquête fédérale*, foutaises ! Toute commission d'enquête qui n'a pas pour cible les membres de la cinquième colonne sera la risée de la ville entière, et elle devra faire demi-tour avant même d'avoir commencé son travail.

Parker insiste :

– Nous avons une dette envers ce jeune homme, monsieur le maire. Et ça veut dire que nous ne pouvons pas chasser sa mère ni son frère.

Bowron ajoute du Bromo-Seltzer à son scotch. Il se frotte le ventre – saloperies d'ulcères, merde.

– Très bien, je me rends à vos arguments. Il ne sera jamais dit que le maire Fletcher Bowron n'est pas un Blanc à l'esprit éclairé.

– Bravo ! dit Appelez-moi-Jack.

Bowron avale une lampée de son cocktail vaudou. Les fédéraux sont attendus à 19 h 30. Dick Hood, Ed Satterlee, Ward Littell.

Bowron rote.

– Dites-nous tout, Bill. Vous savez pourquoi nous sommes réunis. Les rafles et le black-out de demain soir.

Parker allume une cigarette.

– On ne parle que de ça dans les journaux et à la radio. Le couvre-feu, les instructions spécifiques, le grand jeu. Nos agents surveilleront les postes de contrôle, avec les sentinelles de l'armée. Ils feront feu sur les véhicules qui prendront la fuite. Je le tiens directement du commandant de la quatrième force d'interception de l'armée.

Jack émet un sifflement admiratif. Bowron fait le V de la victoire. Des projecteurs s'allument sur la pelouse de l'hôtel de ville. Ils balaient le ciel, traçant au passage des zébrures sur les fenêtres.

Parker poursuit :

— Nous avons des réservistes du bureau de shérif postés aux carrefours névralgiques. Ils devront repérer les ivrognes au volant et les conducteurs au comportement dangereux. En ce qui concerne les rafles, Terminal Island, la prison du palais de justice, les prisons municipales et les centres de redressement sont pratiquement bondés. La situation commence à nous échapper un peu. Étant donné le nombre de gens incarcérés, je ne vois pas comment les fédéraux peuvent établir avec précision leur innocence ou leur culpabilité, et il est plus que probable que la plupart des détenus n'ont commis, en fait, aucun acte répréhensible.

Jack siffle de nouveau. Fletch Bowron se frotte les tempes – saloperie de mal de tête, merde.

— En tant que maire de la célèbre ville de Los Angeles, je déclare officiellement le capitaine William H. Parker, troisième du nom, digne du titre de « Camarade Bill ».

Jack lui fait signe de saluer. Parker s'incline en restant assis.

— Je pense que devons nous attendre à une incarcération ininterrompue jusqu'à la fin de la guerre. D'après ce que j'ai lu, Roosevelt pencherait pour cette solution. Ce qui entraîne la question : où allons-nous parquer ces satanés Japs ?

Bowron rote.

— Nous mettons en place des lois fédérales sur la saisie des propriétés et nous mettons la main sur toutes leurs maisons et tous leurs terrains et terres agricoles. Nous louons les unes et les autres et nous utilisons l'argent que cela rapporte pour compenser le coût de l'hébergement en captivité.

Les fédéraux arrivent. Ils occupent la totalité de l'encadrement de la porte. Hoover l'Homo a une préférence pour les grands gaillards à la mâchoire énergique. Ces hommes-là incarnent cet idéal.

Bowron sert du scotch et dispose des fauteuils club. Cela donne le ton pour les parlotes qui vont suivre.

Dick Hood annonce :

— La marine a coulé deux contre-torpilleurs japs, et les Rouges saignent Hitler à blanc. La roue tourne.

Bowron prend une gorgée de son scotch au Bromo-Seltzer.

— La marine a tout l'océan pour elle, mais nous sommes confinés à Los Angeles. Donc, messieurs, si on en vient à l'internement administratif, où va-t-on mettre ces foutus Japs ?

Ed Satterlee tripote ses boutons de manchettes.

– Quel que soit l'endroit où on les mettra, c'est eux qui paieront. Et ne tournons pas autour du pot : s'ils ont de l'argent, nous les logeons en fonction de leurs moyens financiers. Et s'il n'ont pas de liquidités, on remplit les prisons militaires de la marine.

Ward Littell secoue la tête.

– N'oublions pas le chômage technique. Quand FDR aura fait voter par le Congrès sa loi sur la conscription, les hommes auront la possibilité de s'engager. Les femmes trouveront un emploi dans les usines qui travaillent pour la défense.

Ward Littell fait semblant de se masturber. Satterlee lève les yeux au plafond. Littell allume une cigarette et souffle la fumée dans sa direction.

Appelez-moi-Jack rit.

– Cette saloperie de conscription. Nous allons perdre nos meilleurs hommes. Tout ce qu'il nous restera, ce sera des brutes illettrées.

– C'est tout ce que nous avons actuellement, monsieur le directeur.

Tout le monde rit. Tout le monde boit une gorgée de scotch. Parker, qui avait déjà rosi, s'empourpre un peu plus.

Satterlee annonce :

– Nous avons saisi 60 000 dollars à la banque Sumitomo. Un fourgon des services du shérif va emporter les espèces au coffre de Terminal Island demain soir.

Littell écrase sa cigarette.

– Y a-t-il un état détaillé des sommes saisies ? Seront-elles dûment restituées aux titulaires des comptes en banque ?

– Qu'est-ce qu'on en a à foutre ? réplique Satterlee. On est en guerre avec ces salauds.

Hood fait signe : *Pas question !*

– Ça me fait mal au cœur de le dire, mais Ward a raison. Nous établirons un état détaillé des saisies.

Satterlee soupire. Bowron se prépare un autre verre de scotch au Bromo-Seltzer. Parker saute sur ce que vient de concéder Hood.

– Toutes nos prisons sont pratiquement pleines à craquer, et les rafles ont commencé depuis deux jours seulement. Il me semble que nous devrions demander aux agents qui mènent les interrogatoires de constituer une liste pour l'habeas corpus. Si nous libérons des Japs qui représentent un faible risque, nous aurons davantage de place dans les prisons quand les vrais problèmes commenceront.

232

— Cette idée-là me plaît bien, dit Bowron. On évite la surpopulation des cellules, et on renvoie chez eux les Japs inoffensifs pour qu'ils caftent les brebis galeuses.

Hood n'a pas l'air emballé. Il fait un geste qui veut dire *couci-couça*.

— C'est valable, jusqu'à un certain point. L'habeas pourrait être appliqué, mais si on en arrive à l'internement administratif, ils retourneront tous en taule de toute façon.

Parker consulte sa montre. Il est bientôt 20 heures. Une réunion avec le Dudster se profile à l'horizon.

Littell lui dit :

— Bill, vous devriez demander votre transfert et venir chez nous. Nous avons besoin de cerveaux lucides supplémentaires.

Satterlee ajoute :

— Camarade Ward, je vous présente le camarade Bill.

Hood commente :

— Il n'a pas le style qui plaît à Hoover.

— Le grand patron des fédéraux est pédé. Je ne m'en suis toujours pas remis, dit Appelez-moi-Jack.

Parker lui adresse un coup d'œil.

— Je n'ai aucune intention de demander un transfert. Le boulot qu'il me faut, c'est ici qu'il se trouve.

**19 h 59**

Il est prévu que la réunion avec le Dudster aura lieu dans la salle de repos. L'Ouragan Hideo a dévasté tous les bureaux de la brigade. Parker y descend par l'escalier de service. Dudley est déjà installé avec Ashida et Buzz Meeks.

Parker s'assied sur un lit de camp. Meeks lui passe un cendrier. Dudley déclare :

— Votre opération contre les écoutes téléphoniques est une idée lumineuse, capitaine. Vous étiez à la fois un collecteur d'informations compromettantes et le garant d'un statu quo corrompu. Vous avez en même temps fait progresser votre plan de carrière et renforcé votre réputation d'homme prêt à tout pour sauver la maison. Bravo, capitaine.

— Merci, sergent. C'était un compliment à double tranchant, mais je l'accepte.

Dudley sourit.

– Avez-vous écouté les enregistrements, capitaine ? Avez-vous été frappé d'entendre le son de votre propre voix et consterné de ne pas entendre la mienne ?

Parker lui adresse un clin d'œil.

– C'est un rouleau de jetons de téléphone que vous avez dans la poche, ou bien vous êtes simplement content de me voir ?

Dudley hurle de rire. Meeks bâille. Ashida ne bouge pas d'un pouce.

Parker déclare :

– Revenons-en à l'essentiel. Oui, les Watanabe possédaient un tract antiaméricain. Oui, le D<sup>r</sup> Ashida nous a fourni un argument convaincant qui permet de dire que la lettre expliquant le suicide a été écrite sous la contrainte. Oui, celle-ci mentionne une *apocalypse qui s'annonce*, ce qui pourrait désigner soit l'attaque de dimanche, soit l'inévitable conflit américano-nippon. Je doute que la famille ait pu être spécifiquement informée de l'attaque aérienne, et le crime lui-même semble davantage lié à une querelle familiale qu'à une question de géopolitique. Docteur Ashida, auriez-vous l'obligeance de nous livrer vos commentaires personnels, de votre point de vue d'Américano-Japonais ?

Ashida hoche la tête.

– Je confirme et j'infirme également, capitaine. Le tueur ou les tueurs étaient obligatoirement capables de lire couramment le japonais, sinon ils n'auraient pas pu lire la lettre expliquant le suicide. La référence à l'*apocalypse qui s'annonce* était peut-être une ruse au sein d'une autre ruse, destinée à dévier l'attention d'un mobile familial vers un mobile politique, au cas où la lettre serait identifiée comme écrite sous la contrainte. Plus important encore, nous avons la cartouche usagée et les débris métalliques issus du silencieux, auxquels s'ajoute la coïncidence extraordinairement improbable de la cartouche usagée et des débris métalliques issus d'un silencieux trouvés le même jour au drugstore Whalen.

Dudley sourit jusqu'aux oreilles.

– Docteur, vous êtes un petit génie !

Ashida rougit. Meeks déballe un cigare.

Parker dit :

– Les Watanabe figuraient sur la liste « A ». Je n'y attache pas d'importance, parce que j'estime que les fédéraux ont fait de l'excès de zèle dès le départ lorsqu'ils ont établi leurs listes. À côté du nom de la famille étaient notés ceux de deux de leurs acolytes connus. Le premier était un espion notoire, un certain Tachibana, qui est censé avoir trouvé refuge au Mexique. Le second se nomme Namura, il est en détention à Terminal Island. Sergent, avez-vous enquêté sur cet individu lors de votre visite à Terminal Island hier ?

– Nous avons interrogé M. Namura, capitaine, répond Dudley. En réalité, ce n'était pas un familier des Watanabe, et en ce qui le concerne personnellement, il n'a pas de réelles sympathies pour la cinquième colonne. Le sergent de garde s'est plaint de la surpopulation carcérale, alors j'ai pris sur moi d'assurer son élargissement.

Meeks fixe Dudley avec insistance. Meeks émet d'étranges ondes cérébrales. Le regard de Meeks n'est pas tendre.

Un agent en uniforme entre dans la salle. Il annonce :

– Un appel téléphonique pour vous, sergent Smith.

Dudley le suit. Les projecteurs de la défense antiaérienne bombardent les fenêtres. Dans le couloir, quelqu'un crie : *Banzaï !*

Meeks fait un signe à Ashida.

– Ne le prenez pas mal, mon petit. Ce n'est pas contre vous, mais contre vos tarés de compatriotes.

Ashida rougit.

– Nous en revenons toujours aux silencieux et aux Luger.

– Oui, dit Parker, et le problème se complique du fait que le sergent Smith et son équipe ont tué un homme samedi après-midi. C'est peut-être lui qui a tiré un coup de feu à la pharmacie, et il était lui-même décédé au moment où les Watanabe ont été assassinés. C'est regrettable, parce qu'il aurait pu nous éclairer sur cet impact de balle dans le palier du premier étage.

Meeks s'exclame :

– Nom d'un chien !

Ashida ne bronche pas.

Parker commente :

– Il y a là une leçon à retenir : ne pas abroger une procédure prévue. Cet acte engendre davantage de problèmes qu'il n'en résout.

Le Dudster revient dans la salle. Meeks le regarde avec des yeux ronds. Ashida ne bronche pas.

Dudley sourit.

– J'ai manqué quelque chose ?

Parker allume une cigarette.

– J'ai dit à Nort Layman de procéder à des examens approfondis sur le sang des victimes, et je veux que le D$^r$ Ashida effectue des moulages de la terre meuble dans l'allée des Watanabe. Il a plu hier matin, mais un toit en tôle ondulée protège l'allée, et nous pourrons peut-être obtenir des traces exploitables. L'essentiel, messieurs, on en revient toujours à l'essentiel. Je veux des biographies détaillées des victimes et une enquête de voisinage pour compléter le tout.

Un téléscripteur crépite quelque part. L'écho se disperse. Le cinquième étage est une zone d'évacuation.

Parker bâille.

– À Los Angeles, depuis quelques jours, on voit s'exprimer un fort ressentiment à l'encontre des Japonais.

– Pas possible ? dit Meeks.

Parker poursuit :

– Je veux que le D\ Ashida ait un garde du corps en permanence. Je pense à une équipe de deux hommes assurant chacun un service de douze heures. Meeks, vous avez des idées ?

– Qu'est-ce que vous diriez d'un tandem Lee Blanchard et Elmer Jackson ? Lee bave à l'idée de travailler en civil, et Elmer est fatigué de faire le pied de grue sur la 2ᵉ Rue, dans les relents d'anguille grillée. C'est un boulot qu'on peut faire en restant assis, et ces deux gars-là aiment bien lire un bon magazine.

Parker hoche la tête – vendu. Meeks agite son cigare.

– Sur la question du flingue. Primo, on sait que l'arme utilisée dans les deux cas est un Luger équipé d'un silencieux. Deusio, que le suspect du braquage soit mort ou non, c'est la seule piste dont on dispose. Tertio, sautons le pas et disons que ces assassinats ressemblent à un crime fasciste. La Deutsches Haus, dans la 15ᵉ Rue, vend des Luger illégalement. C'est indiqué dans une tripotée de rapports de la brigade antisubversion.

Ashida tressaille un brin. Parker bâille, le regard flou.

– Nous allons y faire une descente ce soir. Je vais appeler les fédéraux. Sergent Smith, j'aurai besoin de vous et de vos hommes.

Dudley sourit.

– Je ne nourris aucune animosité envers nos cousins teutons, mais nous serons fin prêts.

Meeks se lève de son lit de camp et s'en éloigne au pas de l'oie. Dudley secoue la tête, l'air de dire, *Sacré farceur, tu me tues.* Parker ferme les yeux.

*Message reçu ? Je dors à moitié. Rien ne m'intéresse plus. J'ai eu ma dose.*

Des pas se dirigent vers la sortie. Quelqu'un éteint la lumière. La salle tourne sur elle-même. Le plancher se dérobe sous ses pieds.

La chute est peut-être un rêve. La chute est peut-être le sommeil.

# 28

**20 h 34**

Du grabuge entre Tongs : les Quatre Familles contre le Hop Sing.

Ils se battent derrière chez Kwan. Dudley gare sa voiture et regarde la scène.

Ils connaît les belligérants. Dewey Leng est pompiste à la station Chevron de Chuck. Il appartient aux Quatre Familles. Danny Wong est friturier à la Pagode. Il est du Hop Sing.

Les deux gars s'affrontent avec des couteaux à cran d'arrêt. Ils grognent dans leur langue abrupte. Ils bondissent et leurs lames fendent l'air.

Dewey Leng réduit la distance. Danny Wong est essoufflé. Dans sa main, le couteau tremble. Dewey Leng feinte et attaque les doigts de son adversaire. Danny Wong hurle.

Oncle Kwan est le chef du Hop Sing. Danny est un cuisinier hors pair. Pas de mise à mort, s'il vous plaît.

Dudley sort son arme de service et tire au-dessus de leurs têtes. Une planche de la palissade explose. La détonation effraie les deux gars. Ils détalent.

La porte de la cuisine donne sur la ruelle. Dudley l'ouvre et y pénètre à la suite d'un gros rat. Les cuistots et les serveurs s'inclinent. Dudley s'incline pareillement. Les chats chassent les rats d'un évier à l'autre. Des canards laqués refroidissent.

Dudley descend au sous-sol. Ace se prélasse dans son bureau. Une femme coud des brassards à la main. Ils sont rouge, blanc et noir – purement Deutschenationale. *Je ne suis pas un Jap !* remplace la croix gammée.

Ace explique :

– Nous les vendons aux Chinois, aux Coréens et aux salauds de Japs qui tentent de faire illusion. J'entrevois des profits rapides.

Dudley rit. Ace fait signe à la couturière : *Dehors !* Elle s'éclipse comme toutes les femmes esclaves du monde entier.

– Quoi de neuf, Dudster ? demande Ace.

237

– J'ai beaucoup de grandes idées à partager avec vous, mon frère jaune.

Ace se frotte les mains.

– Dites-moi tout. Les grandes idées, ça veut dire : de l'argent.

Dudley agrippe le fauteuil à pivot et le fait tourner. L'axe couine et le son se répercute dans le bureau.

– Quelques questions, pour commencer. Redites-le-moi : combien Harry Cohn vous doit-il ?

– Ce fumier de Juif. Il me doit toujours 19 000 dollars. Ce salaud doit aussi 48 000 dollars à Ben Siegel.

– Deux grosses sommes, deux gros salopards de Juifs. Deuxième question : avez-vous trouvé le môme des Quatre Familles qui a insulté votre nièce ? Vos rivaux se conduisent mal, depuis un moment, et je vous ai promis la mort de ce voyou.

Ace réplique :

– Mes gars le trouvent, le Dudster le tue.

Dudley incline son siège.

– Le moment venu, mon frère. Le plus urgent, c'est qu'un jeune Jap nommé Jimmy Namura va nous rendre visite dans une demi-heure. Nous avons parlé au téléphone il y a peu de temps. J'espère que je ne me suis pas trop avancé en l'incluant dans votre invitation.

Ace se frotte les paumes. Il rayonne. L'appât du gain lui donne un teint flatteur.

Dudley poursuit :

– Je crois que la totalité de la population japonaise de notre ville sera incarcérée dans les soixante jours. Cela nous donne l'occasion de mettre en œuvre votre propre grande idée : leur proposer le gîte et le couvert dans vos tunnels, et les forcer à tenir un rôle dans des films cochons. Il m'est venu à l'esprit cette idée que les Japs seraient plus tranquilles s'ils ressemblaient vraiment à des Chinois, et je me suis souvenu que vous connaissiez un médecin un peu louche, spécialisé dans la chirurgie esthétique, nommé Lin Chung. Ce n'est pas Terry Lux, mais il est compétent.

Ace commente :

– Pour moi, Dudster, c'est une idée stupide. Les Japs, les Chinois… les Blancs ne voient pas la différence.

– Oui, dit Dudley, mais vous m'avez expliqué que le Dr Chung est un eugéniste renommé qui a étudié la chirurgie raciale telle qu'on la pratique sous le régime de Herr Hitler. J'ai pensé qu'il apprécierait cette occasion de pouvoir satisfaire sa curiosité.

Ace hausse les épaules et saisit le téléphone. Ace compose un numéro et baragouine en chinetoque torrentiel. Un aide-serveur fait entrer Jimmy Namura. Jimmy le Jap porte un pantalon d'uniforme et une chemise de bowling en soie.

Il adresse le salut nazi à Dudley et jette un regard noir à Oncle Ace. L'aide-serveur détale. Oncle Ace lâche le téléphone et lui emboîte le pas. Les Japs ravivent le souvenir du massacre de Nankin.

Jimmy le Jap claque des talons. Dudley lui dit :

— La plaisanterie est usée, maintenant, mon petit. C'était amusant la première fois, ça ne l'est plus.

— J'ai appris quelque chose, patron. Je vous ai dit que vous ne regretteriez pas de m'avoir fait sortir.

Dudley désigne un fauteuil. Jimmy le Jap prend ses aises. Il a une tête de mouchard zélé.

— Voici le résumé et la conclusion, patron. *El Jefe* Madrano n'est pas associé avec ce Blanc qui achète toutes les propriétés japonaises. Tous les tuyaux que je vous ai donnés sur ce type propriétaire de la maison des Watanabe et d'autres « possessions fantômes », *es la verdad*, mais *El Jefe* est seulement un prospecteur, et en réalité, il y a *deux* Blancs. Le nom du « propriétaire fantôme » est officiellement enregistré quelque part, mais je n'en sais pas plus sur le sujet.

— Continuez, je vous prie, dit Dudley.

— Ce premier résultat, ce n'est pas rien, patron, mais j'ai encore mieux pour vous. On a donc *deux* Blancs, mais je ne sais pas leurs noms. Ils ont acheté des lieux de résidence en ville et puis des fermes à des familles nommées Ugawa, Hiroki, et Marusawa. Ils sont propriétaires de la ferme des Watanabe et aussi de leur maison de Highland Park, et tout ça par l'intermédiaire d'une société-écran. Ce gars dont nous avons parlé, Hikaru Tachibana, c'était le chien de chasse des deux types, et c'est lui, apparemment, qui a conclu le marché pour le rachat de la ferme des Watanabe. Tachi avait été libéré sous caution, et il attendait une convocation au tribunal où il risquait un arrêté d'expulsion, mais il a pris la fuite et il a commencé à maquereauter une équipe de filles à Hollywood. Mais voilà qu'il se fait arrêter sous un faux nom, il est libéré sous caution encore une fois, et il reprend la fuite. Rappelez-vous, il est censé se cacher au Mexique – mais on m'a dit qu'un Japonais l'avait occis juste après la conclusion du rachat des Watanabe. Donc, théoriquement, Tachi est *muerto*, lesté par des gueuses en plomb au fond d'un puits recouvert de terre là-bas dans le terrain qui entoure la ferme.

Dudley savoure.

– Et comment vous êtes-vous procuré ces informations ?

– Je dois garder bouche cousue, patron. Je suis un Jap qui capte les rumeurs japs. Je connais des Japs qui connaissent des Japs qui connaissent des Japs. Si vous commencez à les cuisiner pour obtenir des confirmations, mon petit doigt de Jap ne me dira plus rien.

Oncle Ace fait entrer Lin Chung. Le D$^r$ Chung porte une grosse sacoche. Ace tient un plateau chargé d'un *mai tai* givré.

Dudley dit :

– Buvez ça, Jimmy. M. Kwan est un hôte qui sait vivre.

Jimmy le Jap hausse les épaules et rafle le gobelet. Il contient des amandes amères, du rhum à fort degré d'alcool, et de la morphine.

Il en avale une gorgée et ouvre des yeux ronds. La gorgée suivante lui ferme les paupières. La troisième l'étend raide.

## 21 h 07

Le plancher fait office de lit. Une nappe sert de drap. Dudley glisse un coussin de fauteuil sous la tête de Jimmy. Lin Chung désinfecte ses instruments à l'Old Crow. Ace fume des cigarettes pour masquer les odeurs pernicieuses.

Scalpels, couteaux, boyaux de chat pour les sutures. Une scie de chirurgien à denture fine. Lin Chung bricole un respirateur à embout buccal avec de la toile adhésive et des trombones de bureau.

Dudley appelle Mike Breuning à la brigade. Mike confirme la convocation de Whiskey Bill – La Deutsches Haus, 23 h 30.

Dudley fouille les placards d'Ace Kwan. Ace est un grand perceur de tunnels. Oui, il a tous les outils. Grande pelle, petite pelle, pic. Dudley les fourre dans un sac marin et les emporte à sa voiture. Sa trousse d'identification criminelle est dans son coffre. Comme les boy-scouts – toujours prêt.

Il retourne dans le bureau d'Oncle Ace. La nappe est gorgée de sang. Les arcades sourcilières de Jimmy sont fendues et tenues écartées par des pinces. Lin Chung porte des lunettes de protection. Il travaille dans la fumée de cigarette d'Ace.

Il incise la peau du visage de la pommette au menton et éponge le sang avec des serviettes en papier. Dudley reste à l'écart des giclées de sang. Lin Chung arrache les tendons à l'aide de pointes de crayons.

Le D$^r$ Chung est un sorcier dont la réputation ne dépasse pas le sud de la Californie. Effectivement, ce n'est pas Terry Lux. Le D$^r$ Terry possède une clinique de désintoxication dans les collines de Malibu. Il y pratique la chirurgie esthétique pour les vedettes de cinéma et propose des cures de sevrage pour les toxicomanes et les alcooliques. Le D^r Terry désintoxique des jazzmen nègres et des richards de Hancock Park.

Lin Chung plante son index dans les côtes de Jimmy le Jap. Lin Chung déclare :

– Pour l'instant, je reste pessimiste. La physionomie est incompatible, je crois. Ça risque de ne pas marcher à grande échelle comme le propose Oncle Ace. L'eugénisme, c'est la solution d'avenir, mais on n'en est encore qu'aux tout débuts. Il faut réfléchir et étudier. Pour moi, ce salopard ressemble toujours à un Japonais.

Jimmy Namura se réveille. Il hurle.


**21 h 29**

Ce sont les hurlements qui chassent Dudley. Il déboule sur le parking comme s'il avait le diable à ses trousses. Il s'engouffre dans sa voiture et déclenche la sirène. Le vacarme noie les cris qui faiblissent déjà.

Dublin en 1919. Des Black-and-tans tirent sur la foule dans Grafton Street. Son frère James meurt. Il se cache dans une poubelle. Il a quatorze ans. Son univers n'est que sirènes et hurlements.

Il prend Broadway jusqu'à l'Arroyo Seco Parkway. L'autoroute l'emmène tout droit vers le nord. Il avale à sec deux comprimés de benzédrine.

La chirurgie esthétique de masse pourrait se révéler irréalisable. C'est sans doute une vantardise des eugénistes. Des mains plus habiles seraient éventuellement capables de la rendre possible. Terry Lux *adore* charcuter des visages. Terry soutient le mouvement *L'Amérique d'Abord* et il est peut-être plus à droite encore. Li Chung peut jouer du bistouri pour un tarif avantageux.

L'affaire Watanabe, à présent, c'est *son* enquête. La conclusion n'a pas d'importance. Cette enquête est son laboratoire. Elle lui donne toute liberté pour exploiter les races de couleur. L'enquête singe les événements de la guerre en cours sans en subir les conséquences.

Il traverse Pasadena et Glendale. Il prend des chemins de terre pour se rendre dans la partie nord-est de la vallée. Ils sont creusés d'ornières et jonchés de pierres. Il joue du levier de vitesses pour rétrograder.

241

Les terres agricoles des Japs. La puanteur de l'engrais. L'irrigation nocturne. Un chuintement souterrain incessant.

Il a un plan de la ferme des Watanabe. Ce n'est pas la première fois qu'il va déterrer quelque chose. À Dublin, en 1922, il a localisé des fusils de guerre britanniques dans les environs de Galway. Joe Kennedy avait fourni des détecteurs de métaux à sa cellule.

Voilà la ferme des Watanabe. Voilà le panneau en caractères kanji. Il signifie « La porte du Japon ».

La benzédrine passe dans son circuit sanguin. Ce qu'il entreprend est extrêmement hasardeux. L'histoire des gueuses en plomb pour lester le cadavre paraît plausible. Le « puits recouvert de terre » restreint le champ des recherches. On a pu raconter des salades à Jimmy le Jap. Le corps se trouve peut-être ailleurs. Cela mérite bien une heure de son temps.

Des nuages masquent la lune. Dudley se gare derrière un fourré et sort son matériel. Le sac marin, une lampe torche. Sa trousse d'identification criminelle au grand complet.

Il porte son équipement jusqu'à la clôture et il abat à coups de pied une partie du grillage. Il allume sa lampe torche. Il découvre des rangs de choux et capte une odeur de fumier.

Là : un monticule, droit devant. Pas de sillons, pas de cultures. Rien que de l'herbe, vert foncé.

Dudley s'avance d'un pas lourd. Son chargement le ralentit. La benzédrine lui donne un coup de fouet supplémentaire

L'escalade est pénible. Son rythme cardiaque déglingue sa respiration. Il voit un puits en pierre au sommet. Il baisse le faisceau de sa lampe et surprend une débandade d'insectes rampants.


Voilà : c'est l'endroit que tu cherchais. Les insectes le fouillent. La terre meuble est mise à nu. Ce qu'ils cherchent, c'est de la mousse comestible et *quelque chose* qui se trouve en dessous. C'est ici qu'il faut creuser.

Dudley sort ses outils. Dudley cale sa lampe torche en la braquant vers le sol. Allez, creuse… Il y a quelque chose là-dessous.

Les insectes prennent la fuite. Il plante sa pelle dans leur fourmillement et trucide ces saloperies en masse. Il les hache menu et atteint la terre meuble.

Il en projette des pelletées loin de son sac marin. Dans le trou qu'il creuse, des asticots gigotent. Il reconnaît l'odeur de la chair en décomposition.

*De la terre* – une pelletée. *De la terre* – deux, trois, quatre, cinq, six. Oui – un relent de chair pourrie. Oui – une peau jaune. Oui – de la terre brune dans des cheveux noirs

Dudley creuse la terre autour d'une forme humaine. La tête est en haut. On a descendu le corps dans le puits les pieds devant. On l'a dénudé jusqu'à la ceinture pour accélérer la décomposition.

Ça ne peut être que Hikaru Tachibana. Il est bloqué par une gangue de terre. Les parois du puits en pierre l'encerclent.

La puanteur du cadavre est insupportable. Dudley noue un mouchoir devant son nez et sa bouche. La peau de Tachi adhère encore à ses os. Il suffit de l'empoigner et de le hisser.

Dudley empoigne. Dudley hisse. La tête et le torse sortent du trou. Les jambes et les entrailles ont disparu.

Regarde bien le Jap. Il en reste la moitié supérieure. Ses globes oculaires sont tombés de leurs orbites. Il y a des asticots sur les têtes de fémurs.

Remarque son torse étriqué. Note bien le soleil levant de son tatouage ; les traces d'aiguilles sur ses bras ; les sept ou huit entailles faites au couteau sur ses biceps et son abdomen.

Bien conservées. Des balafres bien nettes. Vues toutes ensemble, elles dessinent une étoile.

Dudley sort son appareil photo. Il branche le flash sur la prise synchro et visse une ampoule dans la douille. Il étend Tachi sur le sol et brandit le flash près du cadavre.

Il tient l'appareil de prise de vues d'une seule main. Il prend d'abord un cliché des balafres du ventre.

L'ampoule explose. Dudley la retire et la remplace. Il prend une photo de la blessure située vers le milieu du biceps. Il s'accroupit et se contorsionne. Le chiffre « 7 » lui porte chance. Il y a sept blessures, il y avait sept ampoules dans sa trousse. Il prend sept gros plans bien cadrés.

Les comprimés de benzédrine font monter son rythme cardiaque. Il sue à grosses gouttes.

À coups de pied, Dudley repousse Tachi dans le trou. Le bras gauche se détache pendant la manœuvre. Dudley rebouche le trou et aplanit la terre. Les insectes rampants reviennent à la charge.

Des nuages passent dans le ciel. Le visage levé vers la lune, Dudley imite un chien qui hurle à la mort.

Il remballe son matériel. Il s'époussette pour faire tomber la terre de ses vêtements. Il retourne à sa voiture et range son matériel dans le coffre. Il s'assied au volant et retourne à L.A., dans la plaine.

Il est tard. Il atteint très vite le col de Cahuenga. Pour rejoindre Hollywood. La Brea jusqu'à la 15ᵉ Rue puis virage à l'ouest.

La Deutsches Haus est tout illuminée, *gemütlich*. Les participants au raid se tiennent près de leurs voitures. Breuning, Carlisle, Meeks. Whiskey Bill Parker. Ed Satterlee et l'empêcheur de danser en rond Ward Littell.

Dudley se gare derrière eux. Breuning et Carlisle font le V de la Victoire. Parker ouvre son coffre et distribue des fusils à pompe. *Was ist das im Deutschen Haus ?* C'est *Tannhäuser*, joué trop fort.

Parker dit :

– On entre et on se déploie.

Ils empoignent leurs fusils. Ils courent jusqu'à l'entrée et se répartissent de chaque côté de la porte. D'un coup de pied, Dudley fait sauter les gonds de la porte. *Tannhäuser*, libéré, prend son envol.

La *Haus* est un trou à rats. Cinq hommes sont assis autour d'un phonographe. Bière américaine Pabst ruban bleu et brassards nazis sur manteaux en loden.

Formation en V.

Breuning, Carlisle et Meeks partent à droite. Littell et Satterlee partent à gauche. Dudley et Parker restent au centre.

Les *Kameraden* restent assis sans bouger. Leur âge varie de trente à soixante ans. Ils paraissent inoffensifs. Dans un rassemblement à Munich, ils vendraient des cacahuètes.

Parker renverse le phono d'un coup de pied. *Tannhäuser* s'effondre et meurt. Littell vise un buste de Hitler et le fait exploser. Des plombs perdus descendent une fenêtre. Breuning et Carlisle l'acclament.

Meeks et Satterlee foncent crosse en avant. Ils frappent les Boches à la tête. Ils les font tomber de leur chaise. Ils les font mettre à plat-ventre à coups de pied et ils les menottent à même le plancher. Cris, hurlements, et slogans anti-oppression – le tout en charabia.

Littell actionne la pompe de son fusil pour faire monter une nouvelle cartouche et il détruit le phono Victrola. Des tubes en verre explosent. Dudley examine la pièce – le Berchtesgaden de ces couilles molles.

Herr Breuning passe d'un Boche au suivant en martelant le plancher. Il les insulte en allemand et leur flanque un coup de pied dans les testicules. Dudley observe la façon dont Parker suit Breuning des yeux. Ils échangent des regards.

Les Boches poussent des cris perçants. Parker lance :

– Fouillez les lieux ! On cherche des pistolets et des silencieux !

« Les lieux » subissent une *Blitzkrieg.* Bustes du Führer explosés, vitres brisées, murs criblés de plomb. Cinq *Übermenschen,* cinq flaques de pisse qui ont traversé les pantalons.

Dudley s'approche de Parker. Le fâcheux confit en dévotion a l'air hagard. Son costume bleu pend piteusement sur ses épaules.

Des tracts racistes sont empilés sur une étagère. Dudley les examine.

– Ils ressemblent à ceux qu'on a trouvés chez les Watanabe, capitaine.

Parker les examine à son tour.

– Ils ressemblent à un tract de gauche lié à une autre affaire sur laquelle je travaille.

L'équipe s'attaque au local du fond. Formation en V – deux fédéraux, trois flics de la police municipale. Dudley les entend recharger leurs fusils.

Les détonations se chevauchent. Des éclats de bois franchissent le seuil. Parker se précipite dans la pièce. Meeks s'exclame – *Nom de Dieu !*

*Hé, les gars, vous avez fait exploser un bureau ?*

Satterlee lance :

– Rien trouvé pour l'instant. Pas de flingues, pas de silencieux !

Un Boche bêle quelque chose. Dudley saisit le mot *silencieux.*

Il s'accroupit près de lui. Ce type a l'air vaguement sémite. Un peu miteux, mais affable.

– Qu'est-ce que vous venez de dire ? Si vous me le répétez, je desserre vos menottes.

L'homme reprend son souffle. Il dit :

– On a été cambriolés la nuit dernière. On nous a pris nos Luger et nos silencieux.

*Enfin une piste. Saisis-la.*

– Et vous vous appelez… ?

– Monsieur Robert Noble. Ordre de la Croix de fer et de la Légion Thunderbolt.

Dudley tapote la jambe de *monsieur* Robert.

– Et votre vrai nom ? Avant qu'il soit anglicisé ? Vous pouvez me le chuchoter, pour que vos amis n'apprennent pas que vous avez du sang de bâtard.

Le monsieur murmure d'une voix râpeuse :

– C'est Robert Moskowitz.

– Et combien de pistolets et de silencieux avez-vous perdus ?

– Quatre.

– Est-ce que votre établissement *vend* des Luger équipés de silencieux ?

Robert se tortille, mal à l'aise.

– Je suis lieutenant armurier. J'ai confié deux Luger et deux silencieux à un braqueur. Il voulait flanquer la frousse à des Japs qu'il connaissait. C'était un jeune, arrogant. Je ne sais pas comment il s'appelle.

Dudley ôte les menottes de Robert.

– Vous avez expliqué à ce jeune comment faire impression avec les pistolets et les silencieux ?

– Je ne comprends pas ce que vous voulez dire.

– Réfléchissez, Robert. Lui avez-vous donné des conseils sur la meilleure façon de démontrer l'efficacité de votre artillerie ?

– Oh, oui. Je lui ai dit de tirer dans les toits ou les plafonds, parce que, les Japs, ça les impressionnerait énormément.

Les échos d'un fracas leur parviennent. Les flics se déchaînent. Ils vident les étagères et défoncent les cloisons.

Dudley chuchote :

– Mes collègues vont œuvrer dans votre bureau pendant quelques minutes encore, ce qui me laisse le même laps de temps. Je crois que vous avez un livre de comptes de vos opérations commerciales planqué quelque part dans la boutique. Dites-moi où, sinon je vous tue. Je sors un flingue de ma poche arrière, je tire dans le vide, et je mets l'arme dans votre main. Ensuite, je vous fais sauter la cervelle et j'invoque la légitime défense.

– Des liasses de dollars ! hurle Satterlee. On a trouvé une cachette !

Dudley tapote le bras de Robert.

– Vous me répondez, mon vieux ?

Robert chuchote :

– Je ne touche jamais au livre de comptes, mais il se trouve derrière l'étagère du haut, planqué par les *Mein Kampf*.

Dudley s'approche de l'étagère et se hisse sur la pointe des pieds. Il passe la main derrière le pensum de Herr Hitler et saisit un classeur relié toile. Il le glisse sous sa ceinture.

Il rafle une pile de croix gammées munies d'une agrafe. Il les met dans sa poche en riant. L'archevêque Cantwell est un partisan de Coughlin et il aime bien ce genre de babiole. Les trèfles irlandais, c'est passé de mode.

# 10 décembre 1941

# 29

**0 h 04**

Le vent balaie la ville. Les vitres fendues tombent en morceaux. Les cadenas cognent contre les portes.

Ward Littell parle d'un « pogrom ». Mariko a pour elle seule un agent fédéral compatissant. Ils jouent aux cartes et sirotent des cocktails. L'ancienne chambre de son fils est la chambre de Ward, à présent. Mariko se donne du bon temps.

Parce que Bill Parker tire les ficelles.

Ashida s'est réfugié sur le palier de l'escalier d'incendie. Dormir est un espoir lointain. Il est debout depuis lundi matin.

Il se sent abattu. Bucky l'a cafté aux fédéraux. Kay Lake le sait. Elle sait des choses que les autres gens ignorent.

Parce que Bill Parker tire les ficelles.

Le vent redouble de violence. Des débris de verre s'envolent. Des flics arpentent les toits des immeubles adjacents. Ward est parti il y a une heure. Le capitaine Bill a décrété un raid contre la Deutsches Haus.

C'est *lui* qui détient les pistolets et les silencieux. Ils sont dissimulés dans son appartement. Il les a cachés avec ses photos de Bucky.

Elmer Jackson fait le guet sur le toit voisin. Son cigare rougeoie et fait l'ascenseur. Elmer et Lee Blanchard sont ses gardes du corps depuis peu. Ray Pinker l'a appelé pour l'en informer. C'est lui qui lui a dit que Bill Parker tirait les ficelles.

La police dans ses œuvres. Parker est le supérieur hiérarchique de Kay Lake. Kay Lake, la Mata Hari qui vient de l'université. Elle a le béguin pour Bucky. Il l'a vue aux combats de boxe de Bucky. Ils partagent un certain rêve.

Ils ont travaillé ensemble. Il a subtilisé l'un des enregistrements

249

clandestins. Il l'a emporté chez lui et il l'a écouté. Il a entendu quatre conversations téléphoniques effroyables.

Elles dataient toutes du milieu de l'année 1939. Fletcher Bowron, « Deux-Flingues » Davis, Appelez-moi-Jack Horrall. Ils débattaient du « problème jap ». Ils prophétisaient ce qui se passe *maintenant*.

L'inévitable guerre. L'inévitable internement. La saisie des biens, les razzias dans les banques, les confiscations. Les listes que l'on établit et les noms qu'on jette en pâture. Les « Chinetoques » comme séides potentiels. Chinatown et Little Tokyo sont *si près*.

« Deux-Flingues » Davis parle le chinois. Il sert de médiateur pour établir les trêves entre les factions. Ses négociations favorisent toujours le Hop Sing. Les Chinetoques sont tout disposés à aider l'homme blanc local.

Conversation informelle. Des assassinats perpétrés par les Tongs et soigneusement étouffés, la fumerie d'opium d'Oncle Kwan. Le Dudster a balancé un membre des Quatre Familles du haut d'un immeuble. Un camion qui passait l'a décapité.

Bowron parle des Chinetoques comme de leurs « sections d'assaut ». C'est sur eux qu'il compte pour laminer les Japs.

Ashida longe le couloir. Mariko ronfle dans sa chambre. Ward est parti en voiture pour participer au raid et il a laissé sa porte ouverte. La chambre l'attire comme un aimant.

Ashida prend le pyjama de Ward et le tient contre sa joue. Il capte une odeur et la mémorise. La sacoche de Ward est ouverte. Ashida la caresse.

Il parcourt du regard une copie carbone. C'est la première page de la liste « B ». Les noms vont de Akahoshi à Aridosho. Il connaît la moitié de ces gens-là. Ce sont tous des citoyens exemplaires.

Il retourne sur le palier de l'escalier d'incendie. La voiture de Ward se gare le long du trottoir. Le vent lui fait du bien. Il entend dans le noir :

– Hé, Hideo !

Elmer Jackson agite son fusil.

Ashida répond :

– Hé, Elmer !

# 30

### LOS ANGELES | MERCREDI 10 DÉCEMBRE 1941

**0 h 37**

Le sous-sol est rempli par les souvenirs pugilistiques de Lee. Il y a pléthore de photos publicitaires, ainsi qu'une affiche encadrée pour la rencontre « richement dotée » de Lee contre Jimmy Bivens. Le combat était arrangé d'avance. Lee s'est « couché ». L'affiche est datée du 16 juillet 1937. C'était avant Ben Siegel et le braquage de la Boulevard-Citizens.

Lee passera sans doute la nuit à l'hôtel de ville. Il reviendra ici quand bon lui semblera, et juste au moment où il commencera à me manquer. Il s'excusera pour sa conduire inqualifiable chez Mike Lyman. Il pourrait même ne pas tarir d'éloges sur le compte du D$^r$ Hideo Ashida.

Qui possède une sorte de lointain courage. C'est le courage qu'autrefois j'attribuais à tort à son ami Bucky. La rencontre de ces deux hommes me fascine. Je me demande sans cesse : pourquoi maintenant ? Et je ne vois que la guerre comme explication. En attendant, je ne dors plus et je continue de désirer Scotty Bennett. En attendant, le capitaine William H. Parker m'a envoyé un film.

J'ai préparé la projection. L'écran déroulable est fixé au mur, au fond du sous-sol. Lee l'a acheté pour visionner des vieux films de combats de boxe, et j'ai appris à manipuler le projecteur. J'ai assisté à la première d'*Autant en emporte le vent*. Ce film-ci, j'ai encore plus envie de le voir.

Je mets la bobine en place et je pense à Scotty. On est sortis de chez Lyman aussitôt après le départ précipité du D$^r$ Ashida. On a pris une chambre à l'hôtel Rosslyn et on a fait l'amour. J'avais envie d'y passer la nuit, mais Scotty m'a dit qu'il ne pouvait pas rester. Il avait emprunté la voiture de son père et promis de la lui rendre avant minuit. Mon beau rebelle restait esclave du révérend James Considine Bennett. J'ai réfréné mon envie de faire un commentaire. Je lui ai dit :

– Tu peux partir, mais je n'en ai pas encore fini avec toi.

Cela a mis Scotty en colère. Il a laissé cette colère s'exprimer en m'embrassant pour me dire au revoir ; j'ai eu de nouveau envie de lui.

Je fais passer l'amorce du film dans le couloir du projecteur, je la glisse dans la bobine réceptrice, je mets le projo en marche et j'éteins la lumière. Nous y voilà : *Tempête sur Leningrad.*

Je m'approche du haut-parleur. Une ouverture musicale accompagne le générique. Cette dissonance fasciste a été volée à Prokofiev ; les harmonies héroïques ont été volées à Brahms. Commence alors un épisode saugrenu qui prête à polémique : sous mes yeux, de vrais Russes et de vrais Allemands font couler le sang dans les steppes.

Je suis trop fatiguée pour rire. Mes vêtements sont répugnants, mes muscles douloureux après des heures d'un travail éreintant dans les locaux de la police. Je n'ai vraiment pas le cœur à ça.

Claire De Haven et compagnie s'inquiètent de l'état critique du monde actuel. Claire De Haven et compagnie chantent les louanges des tyrans et réduisent leurs opposants à des clichés.

Je reconnais les extérieurs des scènes censées se dérouler sur le front russe. Ce sont les terrains qui entourent le dispensaire de Terry Lux. C'est là que le LAPD organisait ses pique-niques en été. J'ai lu les dossiers du capitaine Parker. Même si elle ne figure pas au générique, c'est la Reine Rouge qui a écrit le scénario et assuré la réalisation. Le film est maladroitement improvisé. Les acteurs se marchent sur les pieds. Les soldats au combat tirent avec des carabines à air comprimé. Les discours pompeux sont consternants. La plupart des nazis semblent être mexicains, juifs, ou grecs.

J'en suis malade. C'est *ça* que le capitaine William H. Parker m'a envoyé. Il a assisté à mon petit numéro au récital de Paul Robeson et il a pris mes railleries pour argent comptant. Il n'a même pas pensé que je pourrais me trouver des affinités avec une femme sensible à ce point à l'horreur du monde.

*Ça suffit.*

J'arrête le projecteur et rallume la lumière. *Tempête sur Leningrad* retourne au néant. Je me plante devant un miroir mural et je joue la comédie.

Le miroir, c'est Claire De Haven. Je suis moi qui parle à Claire et qui m'adresse à moi-même en répondant à sa place. Je tourne son film en ridicule à cause de sa naïveté, et je salue son courage d'exprimer aussi ouvertement des sentiments aussi sincères. Elle me fait part de son scepticisme. Mon personnage de « fille de la Prairie-concubine de flic » n'est pas convaincant. Je suis trop jeune et trop irresponsable pour avoir versé mon sang en servant la Cause Rouge. Elle me traite de gamine maniérée et critique mon numéro au récital de Paul Robeson. Elle n'y a vu qu'une habile tartuferie. *Êtes-vous une taupe de la police, Katherine ? Vous vous êtes prostituée pour le compte d'un souteneur que vous avez cloué au pilori lors de son procès. Vous vivez avec des flics et vous vous faites entretenir par des flics, et vous apparaissez devant moi en fondant votre crédibilité sur la prétendue révulsion qu'ils vous inspirent. Qu'avez-vous fait auparavant ? Moi, j'ai eu affaire à des comités officiels et on m'a crucifiée à cause de mes convictions. Mais je ne vois pas en vous le moindre iota de sacrifice personnel.*

C'est ma meilleure autocritique sous la forme de la meilleure tirade de Claire De Haven. Je vais la rencontrer demain, dans le cabinet du D<sup>r</sup> Lesnick. Ses esclaves lui auront dit qu'ils m'ont vue au Comité Anti-Axe. Cela l'impressionnera que j'aie pu me souvenir du dialogue de *Tempête sur Leningrad*, et elle ne pourra pas deviner que j'avais vu le film la veille. Je regarde dans le miroir et je me vois comme si j'étais elle. J'ai vieilli de dix ans et je suis devenue quelque peu dépravée et bien plus patricienne. *Je me suis déchiquetée au-delà du dénigrement.* J'ai surpassé dans la critique les propos les plus cinglants de Claire De Haven.

Je n'ai pas besoin de m'accabler davantage avant de la rencontrer. Je ne me sens pas capable de tenir plus longtemps la pose devant le miroir.

J'ai mémorisé le numéro de la mère du D<sup>r</sup> Ashida. J'ai envie de lui parler. Je composc le numéro et je l'entends à peine sonner.

Hideo Ashida dit :

– Oui ?

– C'est Kay Lake.

– Oui, je sais.

– Expliquez-moi ce que vous voulez dire.

– Simplement que lorsque j'ai entendu le téléphone sonner aussi tard, j'ai su que c'était vous.

– Vous ne dormiez pas ?

– Non.

– Je crois que je ne pourrai plus jamais dormir.

– C'est la guerre, dit-il. C'est pareil pour tout le monde.

– J'ai vu le capitaine Parker hier après-midi. Il était épuisé.

– Je l'ai vu il y a quelques heures. Il s'est endormi pendant une réunion.

– Je pense…

– Je n'ai pas envie de parler du capitaine Parker. Cela me semble déplacé.

Je lui dis :

– Racontez-moi quelque chose. Éclairez ma lanterne ou bien provoquez-moi. Dites-moi à quoi vous pensez.

Il me répond :

– On m'a assigné deux gardes du corps. Je pense que vous les connaissez.

– Dites-moi qui.

– Le sergent Elmer Jackson et l'agent Lee Blanchard.

Je lui propose :

– Venez me retrouver demain soir. Faussez-leur compagnie. Nous irons boire un verre quelque part.

– Oui. Comme vous voudrez, dit-il.

Et la communication se coupe aussitôt.

Le combiné me glisse des doigts. Personne ne parvient à dormir. Certains d'entre eux sont capables de réfléchir, même si leur vue se brouille.

Le capitaine Parker savait que ce film m'inspirerait de la compassion. Il sème en moi la confusion et m'instille la rage des fanatiques. Il sait que je ne renoncerai pas. Dans la fureur, je lui ressemble comme une sœur.

# 31

## LOS ANGELES | MERCREDI 10 DÉCEMBRE 1941

**0 h 37**

Accident de la circulation. Sur la côte. Une victime décédée. Au carrefour de Main Street et de Winward Avenue.

Parker est à l'intersection. Un agent du labo trace à la craie les contours du corps et mesure les traces de pneus. Le conducteur n'a pas du tout vu la vieille dame. Il roulait en respectant les consignes du black-out. La vieille dame est sortie de nulle part.

L'automobiliste est en larmes. Il dit qu'il est carrément épuisé. Ces putains de Japs ont bombardé Pearl Harbor. Il n'a pas dormi depuis dimanche matin.

Parker le renvoie chez lui. Allez dormir, mon frère. Vous serez convoqué pour l'enquête judiciaire.

Un fourgon de la morgue enlève le corps. Les agents de la circulation reprennent leur travail. Parker rédige le rapport dans sa voiture. Son écritoire à pince se brouille sous ses yeux.

Il a reçu l'appel dans sa voiture alors qu'il sortait de la Deutsches Haus et il s'est rendu sur les lieux. Pendant le trajet, il a écouté la radio. Un bulletin d'informations lui a flanqué le cafard.

Le dénommé James Larkin est décédé à l'hôpital Queens of Angels. C'est lui qui s'est fait renverser par une voiture alors qu'il roulait à bicyclette. Il chapeautait un groupe du « Santa Monica Velo-Club ». Les gamins ont survécu. Pas lui.

Parker dit son chapelet. Sa voix se brise. Il s'était juré de prier pour le rétablissement de Larkin et il n'a pas tenu parole. Les Japs ont bombardé Hawaï. Cela a provoqué une amnésie collective.

Parker se rappelle un détail étrange. On emporte Larkin jusqu'à l'ambulance. Une plaquette en nacre pour garnir une poignée de Luger tombe de la poche de Larkin.

Il fait nuit et il fait froid. Les conditions idéales pour se cacher et boire. En ce moment, les hommes de Dudley doivent être en train d'embastiller les Boches au palais de justice. Dudley doit s'y trouver aussi.

Parker se rend en voiture au centre-ville. Il quitte la zone du black-out et atteint la partie éclairée de L.A. Au carrefour de Temple Street et de Hill Street, une femme traverse la chaussée hors du passage pour piétons. Elle porte une robe rouge du même style que celles de Kay Lake.

Parker se gare en double file devant le palais et prend l'ascenseur réservé aux flics. Les représentants de l'Axe encombrent le douzième étage. La cellule ne contient que des Japs.

Dans le bureau d'écrou se trouvent les hommes de Dudley et les cinq guignols boches. Ils sont tous entravés à la même chaîne.

Breuning annonce :

– Le patron est de retour.

– J'ai faim, dit Carlisle. Allons chez Kwan.

– C'est Shotgun Bill ! ajoute Meeks.

Parker consulte le registre d'écrou. Les *Schweinehunde* y sont inscrits. Max Affman, Robert Noble, Max Herman Schwinn, Ellis Jones et un dentiste nommé Fred Hiltz.

Ils gardent des traces des coups récoltés pendant la descente de police. Leurs brassards tape-à-l'œil pendouillent piteusement.

Un adjoint du service pénitentiaire rôde dans les parages. Parker s'adresse à lui.

– Bouclez-les pour sédition et gardez-les jusqu'à leur convocation devant le jury fédéral d'accusation. Pas d'habeas corpus, pas de libération sous caution. Mettez-les à l'étage réservé aux détenus de couleur. Ça leur apprendra peut-être deux ou trois choses.

Un grand *Schweinehund* grommelle. Breuning lui balance une baffe du revers de la main. Le téléphone du bureau d'écrou se met à sonner. L'adjoint décroche.

Un *Schweinehund* corpulent déclare :

– Je crèche pas avec des nègres.

Breuning le baffe aussi. L'adjoint passe le combiné à Parker.

– Oui ?

– C'est Nort Layman, Bill. Vous devriez me rejoindre à la Criminelle. J'ai découvert quelque chose sur Nancy Watanabe.

# 32

## LOS ANGELES | MERCREDI 10 DÉCEMBRE 1941

### 01 h 52

Sa boisson préférée avant d'aller se coucher : du café à la benzédrine.

Dudley fait passer l'un et l'autre en fumant des cigarettes. La salle de la brigade est vide. Le D$^r$ Ashida et Miss Lake ont laissé l'endroit en désordre. Cela a fait fuir les collègues qui assurent la garde de nuit.

Son box *à lui* est impeccable. Ses conversations téléphoniques *à lui* n'ont jamais été enregistrées. *Lui*, il a toujours passé ses appels compromettants depuis une cabine payante. C'est un serrurier juif qui lui vend ses jetons de téléphone.

Le voyant de son téléphone clignote. Aha ! – c'est le labo photo.

Le type qui assure la permanence de nuit au labo lui a promis de développer et de tirer ses clichés en urgence. C'est un pervers en liberté conditionnelle. Il ne parlera à personne du cadavre de Jap qu'il a photographié.

Dudley rumine toutes sortes de pensées. L'une d'elles revient sans cesse. *Un détail lui a échappé chez les Watanabe. Quelque chose de très simple, certainement. Qui a pu échapper aussi à l'assassin.*

Il rumine toutes sortes de pensées. L'une d'elles le ronge. Appelez-moi-Jack l'a accablé de travail.

La conscription va saigner à blanc le LAPD. Les flics vont être incorporés bon gré mal gré. Cela va rendre indispensables des recrutements d'urgence. Il doit absolument examiner les dossiers récemment rejetés pour y trouver des candidats valables.

C'est un travail fastidieux. Cela entrave le fonctionnement de son cerveau. L'affaire Watanabe l'occupe à plein temps. C'est *ça* qui mobilise ses ondes cérébrales.

*Un détail lui a échappé chez les Watanabe. Il devrait consulter le brillant D<sup>r</sup> Ashida.*

Dudley se replonge dans le manuel sur les blessures par armes blanches. C'est celui que lui a prêté Ray Pinker. Le texte est accompagné de photographies.

Oui – traces de lame multiples. Oui – le point d'entrée au centre et l'effet étoile. Oui – la même vue en perspective de l'incision.

Les blessures que représentent les photos du manuel sont comparables à celles qu'il a vues sur Hikaru Tachibana. Il en est pratiquement certain. Les épreuves tirées par le labo le confirmeront.

*Deux* voyants de son téléphone clignotent. Dudley se dirige vers le conduit du réseau pneumatique, près de la porte, et tend la main. L'aspiration se fait bientôt entendre. Il reçoit la navette et l'emporte dans son bureau.

Bien. Passons à la comparaison.

Les photos fournies par Ray Pinker. Ses propres clichés des blessures. Douze photos du manuel d'une part et sept ampoules de flash grillées d'autre part.

Il examine les deux séries. Il passe de l'une à l'autre. Identiques ?
*Oui.*

Les photos confirment la similitude. Voyons le texte du manuel et sa perspective historique.

Ce qui a provoqué les blessures, c'est un couteau japonais utilisé comme arme de guerre. Les premiers du genre datent du XVIIIᵉ siècle. Dans le Japon féodal, les chefs de guerre plongeaient les lames dans un poison à effet lent. Les blessures superficielles se révélaient rarement mortelles. Les chefs de guerre infligeaient à leurs hommes des blessures superficielles pour tester leur courage dans l'adversité.

Les blessures profondes étaient toujours fatales. Une lame couverte de poison et enfoncée loin dans les chairs provoquait une longue et lente agonie.

Les chefs de guerre poignardaient souvent leurs victimes au bras. Cela garantissait qu'aucun organe vital ne serait transpercé, ce qui aurait provoqué une mort instantanée. Les chefs de guerre les frappaient à l'abdomen, pour que le poison se transmette aux intestins et entraîne une mort lente et horrible.

Dudley referme le manuel et range les photos. Son esprit passe à autre chose : il devrait examiner le livre de comptes de la Deutsches Haus. Une autre idée lui traverse l'esprit : c'est Buzz Meeks qui est intervenu sur le braquage de la pharmacie Whalen. Cette affaire-là *aussi* le rend perplexe. Meeks pourrait avoir planqué des éléments matériels dans son bureau.

Il est 2 h 12 du matin. Il n'y a plus personne à la Répression des vols. Le bidule photographique du Dʳ Ashida a pris des clichés essentiels à l'enquête. Meeks en possède peut-être des doubles.

Dudley se rend à la Répression des vols. La grande salle est déserte. Sur son bureau, Meeks a un fer à cheval en guise de presse-papiers.

Le tiroir supérieur est ouvert. Crayons, gommes, trombones. Une bobine de pellicule photographique, accompagnée d'un mot :

*T.M. : Désolé, je n'ai pas eu le temps de la développer.*

Dudley biffe la ligne entière. Dudley écrit juste au-dessous :

*Retourne dans ton labo, feignant. Développe cette bobine et tire les photos dans les plus brefs délais. J'en ai besoin de toute urgence.*

Il retourne au conduit du réseau pneumatique, fourre la bobine et son petit mot dans une navette et la glisse dans le réceptacle. Il enfonce le bouton *labo photo* et il entend l'aspiration qui s'empare de la navette. Retournant à son bureau, il se penche sur le livre de comptes.

La Deutsches Haus. La sédition version burlesque. Des armes vendues illégalement. Les acheteurs devaient user de faux noms. Il n'avait pas grand-chose à espérer de ce côté-là.

Oui – des colonnes remplies de caractères inscrits en capitales. Des dates et des listes d'armes de poing. Des faux noms, comme prévu.

H. Himmler, J. Goebbels, H. Göring. « A. Hitler » – elle est bien bonne.

Dudley parcourt les pages. Il y trouve Hirohito, Tojo, Mussolini. Il y a d'autres exemples d'humour puéril, jusqu'à…

Ce nom authentique :

*Huey Cressmeyer.*

Un pervers, le fils de Ruth Mildred. Ruth Mildred, la compagne lesbienne de Dot Rothstein. Ruth Mildred a copulé avec un homme pour avoir un enfant qu'elle et Dot pourraient pervertir.

Dudley feuillette rapidement le reste du registre. Il y trouve, en vedette, le lieutenant général Erwin Rommel et la maîtresse de Hitler, Eva Braun. Il range le registre dans un tiroir qu'il ferme à clé. Le compteur Geiger de son cerveau se met à crépiter. Deux voyants clignotent sur son téléphone.

Dudley va chercher son pneumatique. Il rapporte la navette à son bureau et en sort ce qu'elle contient. Le feignant du labo s'est mis au boulot. Promptement et au bon moment. Ça ressemble furieusement à un heureux hasard.

Dudley examine les quatre tirages. Il échafaude une hypothèse pour expliquer les incidents qui les lui ont fournis.

Il proviennent de l'astucieux piège photographique du D^r Ashida. Il est destiné à prendre des clichés des plaques d'immatriculation de voitures. Les roues de la voiture écrasent le câble et déclenchent l'obturateur. Un incident quelconque survient et fait basculer l'objectif vers le haut. Résultat : une photo floue de Huey Cressmeyer, tirée en quatre exemplaires sur des papiers de gradations diverses.

C'est bien lui. Il s'apprête à braquer le drugstore Whalen. Ce sont des tirages d'un négatif *flou*. Irrecevables au tribunal. On identifie Huey – seulement si on le connaît bien.

Dudley entend des pas s'approcher. Bill Parker et Nort Layman font leur entrée.

Layman annonce :

– Nancy Watanabe était enceinte depuis peu. Elle s'est fait avorter. J'ai procédé à des examens sanguins poussés et j'ai trouvé des cellules d'un tissu distinct. Le groupe sanguin du père est AB négatif.

– Délicieuse surprise, commente Dudley.

Parker intervient :

– Cela explique la présence dans la maison de parégorique à la morphine. On en prescrit pour les crampes ressenties en début de grossesse.

Layman ajoute :

– Le braqueur de la pharmacie Whalen a mis les mains dans le parégorique. C'est noté dans le rapport de Buzz Meeks.

# 33

## LOS ANGELES | MERCREDI 10 DÉCEMBRE 1941

**02 h 34**

Ashida écrit en kanji.

Il rédige un résumé de ses découvertes personnelles. Il a soumis son bloc-notes à un traitement chimique pour qu'il s'enflamme spontanément près d'une source de chaleur directe. C'est le « papier éclair » des bookmakers qui lui a donné cette idée.

Il réapprend sa langue maternelle. La traduction est laborieuse. Les mots lui viennent par fragments.

Il travaille à la table de la cuisine. Mariko et Ward Littell bavardent dans le salon.

Il transpire sur le passage d'une langue à l'autre. Son stylo dérape.

De l'anglais vers le japonais puis dans le sens inverse. Des caractères kanji aux caractères latins.

*Récepteur radio ondes courtes dans maison. Voler récepteur. Pour écouter nouvelles émissions.*

Son cerveau a des ratés. Il oublie des éléments de phrase.

*Débris de verre qui sentent le poisson dans maison. Résidus de crevette sur pieds des victimes. Odeur de poisson sur l'homme de la ferme.*

Il traduit et *re*traduit. Cela garantit l'exactitude. Il souffle sur la page pour sécher l'encre. Il tremble. Il a besoin de dormir. Il sait qu'il ne dormira jamais. L'appel de Kay Lake le trouble.

Elle le perturbe. Elle le fait réfléchir de façon bizarre. Kay Lake annihile ses ondes cérébrales. Il la prendrait presque pour une extralucide.

260

Elle est fascinée par Bucky Bleichert. La vision érotique qu'elle a de Bucky le dérange énormément. Cette vision donne à Kay une perspicacité extrême et un étrange pouvoir de déduction. Il a peur qu'elle parvienne à lire dans son esprit et à décoder ses pensées inavouables.

Mariko entre dans la cuisine. Elle est soûle. Ashida cache son bloc-notes.

– Mère, le capitaine Madrano – ou un autre policier mexicain – vous a-t-il posé des questions sur nos ouvriers agricoles ? Vous a-t-il proposé de les remplacer ou d'acheter notre ferme ?

Mariko secoue la tête et sort un bac à glaçons. Ashida entend du bruit dans la rue. Il penche en avant son fauteuil à bascule pour se rapprocher de la fenêtre.

La banque Sumitomo est ouverte. Des adjoints chargent des sacs de billets de banque dans un fourgon. Armé d'une mitraillette, Thad Brown surveille le transfert.

Le fourgon s'en va. Brown cloue un avis de saisie sur la porte.

Ashida reprend son travail.

Kanji, latin, kanji. *Quel détail m'a échappé dans la maison ?*

Il bâille. Cela lui fait mal. Il se lève et voit des points lumineux. Il faut qu'il arrête. Il n'est pas en état de rentrer chez lui en voiture. Il a besoin de s'écrouler quelque part, pas très loin.

Sa chambre est devenue la chambre de Ward, à présent. Son matériel et ses produits chimiques sont dans le placard. Il peut se préparer une potion pour trouver le sommeil. Il prend des ampoules de valériane et de fo-ti. Il les emporte dans la salle de bains et fait couler de l'eau dans une timbale. Il y ajoute le contenu des ampoules. Le mélange a un goût de boue astringente. Il l'avale d'une traite.

Les points lumineux reviennent. Il prend appui sur les murs pour regagner la cuisine. Le fauteuil à bascule de Mariko flamboie d'une couleur étrange.

Il s'y laisse tomber. Il se balance doucement et se retrouve dans un lieu bizarre. Cela ressemble à la chambre forte d'une banque. Les billets de banque ne sont pas verts, mais violets. La fille Lake et le jeune Bennett ont pratiqué le *seppuku*. Leur sang a la couleur que devraient avoir les billets de banque. Le jeune Bennett est sous une pomme de douche. Des éclaboussures rebondissent sur l'objectif d'une caméra secrète. Il tente de représenter un panneau « STOP » en kanji. Kay lui souffle au visage la fumée de sa cigarette.

Il entend des coups de feu. Ses yeux le brûlent. Il les ouvre et voit la lumière du jour à travers la fenêtre. Le dernier coup de feu, c'était la cloche de la banque. Il cligne des yeux et voit l'horloge de la banque. Les aiguilles marquent 1 h 30.

Les coups de feu, c'est la sonnette de la porte d'entrée. L'eau, c'est sa transpiration et son urine. Le monde, c'est le fauteuil à bascule sur le plancher.

Il se dirige vers la porte en trébuchant. Il l'ouvre. Bucky Bleichert est devant lui.

– Hideo, je regrette. Je n'ai vraiment pas pu…

Il le frappe et le frappe et le frappe. Belmont 1935, vert-et-noir pour la vie. Bucky ne bouge pas. Il encaisse les coups.

Il le frappe. Le sang de Bucky est d'une étrange couleur nouvelle. Il le frappe jusqu'au moment où il n'a plus la force de lever les mains.

# 34

## JOURNAL DE KAY LAKE

### LOS ANGELES | MERCREDI 10 DÉCEMBRE 1941

### 13 h 38

La présence d'affiches montrant des travailleurs opprimés était tellement prévisible. La charmante réceptionniste m'affirme que le D$^r$ Lesnick aime la compagnie des jeunes femmes. Je suis la seule patiente dans la salle d'attente. Je porte une tenue d'étudiante destinée à troubler les sens du médecin et à me faire passer pour une sémillante chasseresse de gauche. Jupe de laine, chemisier blanc, blazer ajusté. Chaussures basses bicolores un peu éraflées pour suggérer l'aimable simplicité du milieu estudiantin, et chaussettes montantes rouge vif. Sur mon béret noir, un bouton portant le slogan *LIBÉREZ LES SCOTTSBORO BOYS* ! La plupart de ces garçons ont *déjà* été libérés, et certains d'entre eux étaient coupables de toute façon. Cela n'a pas d'importance. Je suis insensible aux raisons politiques et mes propres névroses me donnent le vertige.

J'arrive en avance pour mon rendez-vous. J'ai besoin de temps pour me mettre dans la peau de mon personnage de chasseresse. Pour ma première session, j'ai élaboré tout un récit, basé sur des archétypes jungiens. Il me permettra de citer les hommes de ma vie et par là même de charmer et d'irriter le D^r Lesnick. Il sera impressionné par ma connaissance des théories de Jung et consterné que je les aie adoptées pour servir commodément ma propre cause. La teneur sexuelle de l'implicite le rendra fou et ma petite comédie passera comme une lettre à la poste.

Pour distraire les patients dans la salle d'attente, un poste de radio diffuse des informations. Les pilotes de l'armée de l'air américaine ont coulé deux contre-torpilleurs japonais. Le Président Roosevelt va bientôt décréter la conscription que nécessite l'état de guerre. Des sous-marins japonais rôdent dans nos eaux territoriales, le long de nos côtes. Fletch Bowron a insisté lourdement sur l'importance du black-out total sur la ville prévu pour ce soir. Le capitaine William H. Parker doit rencontrer en fin de journée les responsables de la défense civile. M^me Franklin D. Roosevelt assistera à la réception donnée ce soir en son honneur au Hollywood Plaza Hotel.

La porte du cabinet médical s'ouvre. Le D^r Lesnick entre dans la salle d'attente et me regarde.

Il a soixante-cinq ans, il est maigre et frêle. Il porte une barbe à la Sigmund Freud. Ses doigts sont tachés de nicotine. Il a cet air égaré qu'on voit aux réfugiés juifs. Il me dit : *Miss Lake ?* et me fait entrer dans son cabinet de consultation.

Le fauteuil du psychanalyste, le divan du patient, les affiches de propagande. Beverly Hills rencontre le Dust Bowl. Lesnick referme la porte derrière nous.

Je prends le divan ; Lesnick prend le fauteuil. Nous allumons des cigarettes et nous rapprochons nos cendriers. Lesnick me dit :

– Puis-je vous demander par qui je vous ai été recommandé ?

– Il y a quelques années, j'ai participé à plusieurs rassemblements de l'Alliance des jeunes socialistes. Le consensus louait vos remarquables qualités dans l'interprétation des rêves.

– Diriez-vous que vos rêves possèdent des thèmes cohérents ?

Je ferme les yeux et je croise les jambes au niveau des chevilles ; je veux que le médecin me reluque et jauge mon potentiel d'éventuelle recrue pour la cellule de la Reine Rouge. Nous sommes tous les deux des informateurs de la police. Je sais qu'il en est un ; il ignore que je suis une taupe. J'ai un avantage sur lui.

Il règne dans son cabinet de consultation une fraîcheur agréable. Je lance des ronds de fumée et m'enfonce dans le divan. Je lui réponds :

– Le thème commun à tous, c'est le sexe.

Un long silence s'écoule. J'ai introduit mon récit inventé de toutes pièces à partir de la première question posée par le psychanalyste. Lesnick fournit aux fédéraux des détails intimes sur Claire De Haven. Son rôle de mouchard lui inspire sûrement un fort sentiment de haine envers lui-même. À ses yeux, je représente une occasion de rendre coup pour coup. Il peut me recommander à la Reine Rouge et compenser sa perfidie.

Le silence se prolonge. J'imagine Lesnick savourant ma pose alanguie d'ancienne étudiante. *Sexe égale conscience sociale égale politique. Je vais nouer tout cela ensemble de manière inextricable. Cet homme est d'une arrogance surprenante. Il est pareil à tous ces hommes intelligents qui ne sont pas véritablement brillants et qui doivent persuader le monde entier du contraire. Il dira à Claire De Haven tout ce qu'il aura appris sur moi. Il présentera mes monologues soigneusement élaborés à l'avance en divagations décousues. Il dira à la Reine qu'il a rapidement trouvé la clé de mon âme.*

Il me dit :

– Décrivez-moi vos rêves.

J'éteins ma cigarette puis j'entrelace mes doigts et glisse mes deux mains sous ma tête.

– Cinq des hommes de ma vie traversent mes rêves, en ordre variable. Je leur ai donné des noms archétypiques, inspirés par mes lectures de Jung. Il y a l'*Amant Chaste*, le *Boxeur*, le *Jeune Frondeur*, l'*Autoritaire* et le *Japonais*. Je vis avec l'*Amant Chaste*. Nous avons eu quelques fugaces conjonctions sexuelles avant d'opter pour une cohabitation aride. L'Amant Chaste est agent de police, et je joue un rôle important dans son univers, aussi incongru que cela puisse paraître. Le Jeune Frondeur est une conquête récente, qui pourrait bien partir bientôt à la guerre. Le Boxeur est une célébrité locale, et un homme qui m'attire depuis un certain temps. L'Autoritaire et le Japonais sont des hommes qui ne suscitent en moi aucune attirance sexuelle, mais ce sont les plus brillants du lot, et les hommes brillants m'attirent davantage que tout autre type d'homme.

– Vous raisonnez donc en termes de *types* d'individus ? demande Lesnick. Vos lectures de Jung vous ont conduite à organiser de cette manière votre vie intérieure ?

– Oui, je raisonne en termes de *types*. J'ai grandi pendant la Grande dépression, et j'ai vu comment l'incapacité à raisonner clairement et à agir de façon décisive a entravé nos hommes d'État et fait

264

perdurer un système oppressif dans notre pays. J'ai pris la décision de ne pas être comme eux. Raisonner par archétypes m'a aidée à prendre la mesure des situations politiques aussi bien que des situations personnelles.

Un nouveau silence s'ensuit. Ma réponse incomplète a laissé un appât. *Mordez à l'hameçon, docteur.*

Il me dit :

– Votre critique de l'oppression est très incomplète. Cela se confirme d'autant plus lorsqu'on voit quel slogan vous arborez.

Il a mordu à l'hameçon. Je l'ai laissé gagner. Je le contrains à penser : *Cette enfant manque de maturité, elle est tellement* jeune.

– Je ne faisais que citer un exemple de la façon dont je raisonne. J'organise avec rigueur ma vie extérieure, mais ma vie intérieure et celle que je mène dans mes rêves sont tout à fait différentes.

– Il est très rare qu'un patient commence une analyse en parlant de ses rêves. D'habitude, ils me parlent de la crise qu'ils traversent ou me retracent une brève autobiographie.

Je change de position sur le divan. Je me sens comme détachée, aussi calme qu'une artiste qui se produit sur une scène. Je poursuis :

– Mes rêves sapent la confiance que j'ai en moi-même dans la vie réelle. C'est pourquoi j'ai décidé d'entreprendre une analyse. Extérieurement, je reste immuable, mais en ce moment mon inconscient est en ébullition.

– Voyez-vous, me demande-t-il, le monde extérieur comme une manifestation de vos pensées ?

– Mon univers personnel ou le monde en général ?

– Les deux.

– Mon univers personnel, sans aucun doute. Le monde en général, assez souvent.

– Pourriez-vous expliquer *le monde en général*, je vous prie ?

Je profite du moment. Inconsciemment, nous avons trouvé une sorte de connivence ; c'est elle qui a forgé l'archétype que m'attribue Lesnick. Pour lui, je suis l'Enfant Mégalomane.

– À force de me comporter en public de façon extravagante, j'ai fini par atteindre une connaissance de moi-même qui m'a donné une sagacité hors du commun. Il y a certaines personnes qui portent en elles une telle ardeur qu'elles obligent le monde qui les entoure à se modifier de façon spectaculaire, inexplicable, et qu'on parvient rarement à détecter. Ces gens-là, des gens *comme moi*, provoquent des glissements politiques et modifient le climat social. Vous comprenez donc, docteur, que les contradictions présentes dans mes rêves me troublent grandement.

Lesnick change de position dans son fauteuil. Je le sens plus concentré. Il me dit :

– Parlez-moi de vos rêves, alors. Pourquoi le sexe est-il leur thème commun ?

Le moment de mon monologue est arrivé. C'est pour faire sortir sa fille de prison que Lesnick a accepté son rôle de mouchard. La rebelle Andrea Lesnick, la rebelle Katherine Lake. Une fille qui conduit en état d'ivresse percute une voiture remplie de Rotariens. Une fille du Dakota du Sud vole de l'argent et saute dans un car à destination de L.A. La politique, les rêves, le sexe. Une mégalomanie qui s'est révélée depuis peu. Une horloge égrène les secondes qui me rapprochent du terme de ma séance d'une heure prévue pour durer cinquante minutes. Je poursuis avec concision.

Je passe directement à mes archétypes et je les amalgame. Ils sont tous policiers ou policiers manqués. Pourquoi suis-je à ce point attirée par des hommes qui font régner l'ordre à coups de brodequins cloutés ? Je suis mégalomane, mais je ne suis pas cohérente.

Je suis une femme dans un monde d'hommes. Ils ne veulent pas me laisser y entrer. Dimanche dernier, j'ai tenté de m'enrôler chez les Marines ; ils m'ont barbouillée de peinture rouge avant de me chasser. Je suis cernée par des atrocités et cela m'enrage de ne pouvoir y mettre fin. Je porte ma flamme à travers le monde et je me sens complice de l'horreur que nous vivons comme si nous étions tous unis en une seule âme. Mes univers intérieur et extérieur se sont fondus en un seul. Je fais l'amour avec tous ces hommes et je fais une fixation sur eux parce que les femmes n'ont rien d'autre pour faire cesser l'horreur.

J'interprète mes propres interprétations. J'irradie l'égocentrisme mégalomaniaque. Je décris mon enfance, mon séjour chez Bobby De Witt, ma relation avec Lee Blanchard. *Vous voyez, docteur ?* Ma vie apparente est chaotique et m'a poussée vers une résolution mentale intransigeante. Les gens comme moi ne sont-ils pas fondamentalement malléables ? Ne pensez-vous pas que Claire De Haven va s'enticher de moi et voir avec quel dévouement je vais servir la Cause des Rouges ?

Le capitaine Parker figure dans mon récit, du moins une version expurgée du personnage. Je le mentionne comme étant un homme rencontré dans le milieu de la police et le décris sous les traits d'un épouvantable théocrate de droite. Hideo Ashida illustre mes conceptions éclairées en matière de relations interraciales et mon indignation devant les rafles quotidiennes. Scotty Bennett me fournit des détails réalistes dans le domaine des relations sexuelles ; j'y mêle quelques fantasmes de premier choix que m'inspire Bucky Bleichert. Je conserve un ton égal pendant toute la durée de mon monologue. Cela fait comprendre au Dr Lesnick que ces révélations intimes ne me troublent en aucune façon. *Vous ne vous sentez pas volé, n'est-ce pas, docteur ? Et vous ne savez pas que j'ai tout préparé sciemment afin d'obtenir un effet maximum.*

Lesnick m'interrompt. Il me dit :

– Nous avons atteint le terme de notre séance, Miss Lake.

Je me lève. Lesnick est debout et il me fait face. Je ne parviens pas à lire son expression.

– J'aimerais prendre un autre rendez-vous.

– Voyez cela avec ma secrétaire, je vous prie.

– Merci, docteur.

J'ouvre la porte. Claire De Haven est assise dans la salle d'attente.

Elle a changé de coiffure, ses cheveux sont relevés sur sa tête, et elle porte un tailleur en sergé. Ses lunettes anéantissent son physique patricien. Un homme sur vingt parvient à ses fins avec elle – et Claire De Haven sait toujours qui sont ces hommes.

Elle lève les yeux de son magazine. Je la vois cligner des paupières. *Non, vraiment, c'est vous ?*

Je plonge la main dans mon sac, j'en sors mes cigarettes, et je fais semblant de chercher en vain des allumettes. Je feins de ne pas la voir se lever et de ne pas prendre conscience de son ombre qui s'approche. Puis elle bondit, brandissant un briquet en or et une flamme prête à l'emploi.

J'accepte sa flamme. Elle sourit juste au moment où je lève les yeux et commence à la remercier. Elle remarque, sur mon béret, le bouton réclamant la libération des Scottsboro Boys.

– Je vous ai vue au concert de Paul Robeson. Vous avez fait un tabac.

Je rougis à point nommé. C'est un professeur d'art dramatique qui m'a appris le truc. Il suffit de penser à une situation humiliante et de retenir son souffle. Je lui dis :

– J'ai fini la nuit en prison. J'avais une cellule pour moi toute seule. Les autres cellules étaient remplies de Japonaises. Elles avaient honte d'utiliser les toilettes en public. Je les ai regardées se tortiller toute la nuit.

La Reine Rouge allume à son tour une cigarette.

– Jusqu'au lendemain matin ? Quand vos parents vous ont fait libérer sous caution ?

– Non. Jusqu'à ce que mon amant, qui est flic, arrive au commissariat et que le geôlier lui dise que sa petite amie, la bolchevique timbrée, était au trou une fois de plus.

Elle sourit et ôte le gant de sa main droite. Je tends la mienne au même moment. Nos gestes sont merveilleusement synchrones.

– Claire De Haven.

– Kay Lake.

Elle me dit :

– Robeson a repris *Ol' Man River* après votre expulsion. L'ovation qui a suivi était davantage destinée à vous qu'à lui.

– Je me suis comportée d'une façon stupide. Politiquement parlant, il n'est rien sorti de bon de mon intervention.

Claire De Haven secoue la tête.

– C'était provocateur et théâtral. Vous avez exprimé une doléance valable et vous avez pu amener les gens à y réfléchir.

Elle est plus âgée que moi et possède davantage d'expérience. Les classes sociales divisent. Je dois simuler la soumission.

Je regarde mes chaussures basses bicolores un peu éraflées. Kay la pom-pom girl, la gaffeuse des associations d'étudiants. Claire De Haven ajoute :

– J'ai invité quelques personnes chez moi ce soir. J'habite la maison blanche de style colonial au carrefour de Roxbury Drive et d'Elevado Avenue. À 21 heures, ce serait parfait, et j'espère bien que vous viendrez.

Je souris.

– Paul Robeson sera là ?

Elle sourit à son tour.

– Pas si vous y êtes, ma chère.

La porte du médecin s'ouvre. Claire De Haven me touche le coude et s'éloigne. Je sors dans le couloir ; un homme de haute taille quitte le bureau voisin. Je le reconnais. C'est Preston Exley, un policier devenu un magnat du bâtiment. Il sourit et s'écarte pour me laisser passer. Je descends l'escalier et regagne la rue.

Je suis rattrapée par tout ce qui vient de se passer et cela me donne le vertige. Preston Exley s'avance jusqu'au bord du trottoir et parle à

268

un autre homme aussi grand que lui. Je lève la tête vers la fenêtre du D^r Lesnick et je vois les rideaux s'écarter.

Claire De Haven scrute le trottoir. Elle me voit et m'observe. Je résiste à l'envie de lui envoyer un baiser.

# 35

LOS ANGELES | MERCREDI 10 DÉCEMBRE 1941

**14 h 54**

Parker se pomponne dans la salle de bains. Il porte son plus beau costume. Appelez-moi-Jack lui a dit :

— Je tiens à ce que vous soyez chic, Bill. L'épouse lesbienne de Roosevelt sera présente.

Fletcher Bowron a réquisitionné la suite présidentielle. Elle a les dimensions d'un stade. La salle de bains est attenante à la pièce principale. La porte est entrouverte. Des bribes de conversation parviennent aux oreilles de Parker.

Le shérif Gene Biscailuz dit au D.A. Bill McPherson de ne pas ronfler dans son fauteuil. Eleanor Roosevelt bavarde avec Fletch. Franklin relève la limite d'âge des conscrits à quarante-trois ans. Il veut six millions d'hommes.

Parker entre discrètement dans les toilettes pour dames, et décroche un téléphone. Les lignes de la suite présidentielle ne passent pas par le standard. Il compose le numéro de Thad Brown à l'hôtel de ville.

— Brigade criminelle, lieutenant Brown.

— Bill Parker, Thad. Je vous appelle du Plaza.

Brown émet un sifflement admiratif.

— Soyez convaincant, capitaine. Les fédés pensent qu'on va foirer le black-out.

Parker frotte ses chaussures avec un Kleenex.

— Faites passer à Horrall : Roosevelt relève la limite d'âge des conscrits à quarante-trois ans. En ce qui concerne nos effectifs, c'est deux fois pire qu'on ne pensait. Nous allons devoir recruter des

269

hommes dispensés de conscription et nous plonger dans les dossiers refusés.

– Jack a déjà confié le problème au Dudster. Et *en plus*, il prépare un « Programme de recrutement des auxiliaires de police », pour augmenter les effectifs du personnel assermenté.

Parker nettoie ses lunettes sur sa cravate.

– Des ivrognes, des sans-logis et des retraités qui n'ont rien à faire. Nous n'avons pas le personnel nécessaire pour effectuer les contrôles de sécurité.

Quelqu'un frappe à la porte.

– Ça va être à vous, capitaine.

Brown tousse.

– Quoi de neuf dans l'affaire Watanabe ? Est-ce qu'on peut compter sur Dudley pour qu'il ne bâcle pas le travail ?

– Il est censé mener l'enquête jusqu'au bout, et Horrall lui fait confiance. Cela dit, je ne pense pas que Pinker et Ashida vont fabriquer des preuves pour lui fournir un coupable. Nancy Watanabe s'est fait avorter récemment, et c'est la seule piste nouvelle que nous ayons.

– *Sayonara*, Bill.

– *Banzaï*, Thad.

Des applaudissements déferlent. Parker vérifie sa tenue et entre dans la salle. Quatre-vingts personnes lèvent la tête.

Les huiles occupent le premier rang. La première dame, le maire de New York Fiorello La Guardia, et des personnalités importantes de Los Angeles. Des drapeaux américains encadrent le pupitre. Parker y prend position.

Fletcher Bowron tapote sa montre. Gene Biscailuz bâille. Bill McPherson a l'air de somnoler.

Parker se présente. Il récolte des applaudissements mitigés et plagie Bob Hope.

– Imaginez la scène, mesdames et messieurs : Un sous-marin jap s'égare dans le réservoir de Silver Lake. Les membres de l'équipage débarquent. Ils affrontent des pachucos dans Echo Park. Ils atteignent Griffith Park. Des tigres du Bengale géants s'échappent du zoo et les dévorent. *Les guerres se gagnent avec les ressources disponibles – n'oubliez pas Pearl Harbor, mesdames et messieurs !*

Le public regarde Parker d'un œil morne. Il n'obtient pas le moindre sourire ni le moindre gloussement, sa chute ne déclenche pas un seul éclat de rire.

270

Parker enchaîne sur la nécessité de se tenir prêt en toute circonstance. Pour assurer la sécurité des automobilistes, celle des piétons, pour faire face aux coupures de courant. Il détaille les règlements propres au black-out, les bonnes manières au volant. Les dispositions pour empêcher le vandalisme. La stratégie de la mobilisation en cas d'attaque aérienne ou maritime.

C'est notre devoir, mesdames et messieurs. La collaboration des citoyens, c'est la victoire assurée !

Applaudissements mesurés, applaudissements de gens qui s'ennuient. La première dame lève la main.

– Oui, madame Roosevelt ?

– Sur un sujet connexe, capitaine. Pouvez-vous nous assurer que tout est fait pour préserver les libertés civiques des Japonais mis en détention à Los Angeles ?

Parker agrippe le pupitre. Il revoit ce flic tabasser des gamins.

– Oui, madame Roosevelt, je *peux* vous l'assurer.

**15 h 22**

Il part en courant.

Il s'éloigne du pupitre à reculons et s'éclipse aussitôt. Il échappe à la rangée de personnalités auxquelles il devrait serrer la main et à la causette avec Frau Roosevelt. Il prend l'escalier de service pour descendre au bar.

Il commande juste-un-verre de bourbon et prend un box près de la fenêtre. Il regarde la circulation s'écouler dans Vine Street.

Les chasseurs d'autographes rôdent devant la porte du Brown Derby. Les vendeurs de journaux se glissent entre les voitures pour fourguer leurs quotidiens. Quatre femmes appartenant à la marine nationale descendent du taxi où elles étaient entassées. Elles portent l'uniforme d'hiver et des galons d'officier.

Parker se colle à la vitre. Il détaille leurs galons pour connaître leur grade et observe leurs visages. Deux enseignes de vaisseau de deuxième classe, deux lieutenants de vaisseau. Pas d'enseigne de vaisseau de première classe, pas de grande rousse, pas de Joan potentielle.

– Que regardez-vous ?

L'ouragan Kay – il ne l'a pourtant pas sonnée, bon sang !

– J'ai cru voir quelqu'un que je connaissais.

– Parmi ces femmes de la marine ?

271

– Oui.

– Je subodore une histoire là-dessous.

– Ce n'est pas grand-chose, comme histoire, et je ne vous la raconterai pas.

Elle s'assied. Elle s'empare de la cerise qui trempe dans son verre.

– Le D$^r$ Lesnick est épris. J'ai rencontré la Reine Rouge, à l'heure dite. Elle m'a invitée à une soirée chez elle, aujourd'hui.

Parker détaille Kay de la tête aux pieds.

– Votre tenue est trop vulgaire et caricaturale. À partir de maintenant, c'est moi qui vous dirai comment vous habiller.

Elle boit une gorgée du verre de Parker. Elle y laisse une trace de rouge à lèvres.

– Et si je n'ai pas les vêtements que vous exigez de moi ?

– Alors, je vous les achèterai.

Il a laissé ses cigarette sur la table. Kay se sert.

– Comment devrai-je me comporter à la soirée, tout à l'heure ?

Parker boit une gorgée de son verre.

– Jouez la délurée qu'une compagnie prestigieuse n'impressionne pas, tout en laissant paraître que vous êtes fascinée malgré tout. Ne faites pas de nouvel esclandre, en aucune circonstance. Suivez le fil des conversations concernant les réunions à venir, les rassemblements publics et les congrès politiques. Introduisez-vous discrètement dans les autres pièces et fouillez les placards et les tiroirs. Comme j'imagine que vous serez invitée en d'autres occasions, je vous fournirai un appareil de prise de vues facilement dissimulable. Je veux des preuves photographiques de publications séditieuses ou de tout objet incongru que vous pourriez découvrir.

Kay Lake fume et boit. Les cigarettes de *Parker*, le verre d'alcool de *Parker*.

– Je vous ai emprunté votre personnage pour ma séance avec le D$^r$ Lesnick. Nous avons discuté des archétypes et des sensibilités. Il faut qu'il informe la Reine Rouge que je suis malléable. Il faut absolument qu'elle s'imagine qu'elle me manipule, sinon, rien de tout ceci ne fonctionnera.

Parker acquiesce d'un signe de tête.

– Ce soir, je veux que vous portiez une robe en cachemire noir. Je vais l'acheter moi-même et je vous la ferai livrer par la boutique. Portez aussi les escarpins à talons hauts que je vous ai vus aux pieds.

Kay Lake lance des ronds de fumée.

– Je fais du 34. Assurez-vous qu'elle soit bien pincée à la taille.

Ses yeux absorbent la lumière. Elle ne connaît pas le doute. C'est sa force en tant que délatrice et c'est son défaut en tant qu'être doué de conscience.

— Êtes-vous flatté que je vous aie choisi comme archétype ?

— Ne flirtez pas avec moi, Miss Lake.

— Si je flirte avec vous un jour, vous vous en rendrez compte.

*Ses yeux sont d'un marron si foncé qu'ils semblent noirs.*

# 36

## LOS ANGELES | MERCREDI 10 DÉCEMBRE 1941

**15 h 56**

*Il Duce.* Mussolini, *molto bene.* Son air renfrogné et sa grosse tête.

Harry Cohn traîne le *Duce* jusqu'à son placard. Le buste pèse quarante kilos. Harry-le-Youpin est corpulent et il a le cœur malade. Son bureau est fasciste-moderne. Un décorateur de plateau pédé lui a fignolé tout ça façon Führer.

Dudley dit :

— Tu es un type intelligent, Harry. J'admire autant que toi le dandy rital, mais il vaut mieux le mettre au placard jusqu'à la fin de cet inutile conflit mondial.

Harry s'empourpre ; il frise l'apoplexie. Il lâche le *Duce*. Le plancher résonne. Il regagne son fauteuil en ahanant et allume une cigarette.

— Dis-moi ce que tu veux, crache le morceau. Quand tu me rends visite, ce n'est jamais pour tailler une bavette.

Dudley se met à l'aise dans son propre fauteuil. C'est un modèle taille pontife, avec cendrier incorporé.

— Tu dois 19 000 dollars à Ace Kwan, Harry. En plus, tu as une dette de 48 000 dollars envers Ben Siegel. Les 19 000, je peux te les procurer ce soir même. Je suis sur une affaire à saisir incessamment.

Harry s'empourpre encore plus. Son teint passe de sa couperose habituelle au violacé malsain. Le bonhomme a l'air d'avoir déjà un pied dans la tombe.

– Enfoiré d'Irlandais. Jamais tu ne viens me voir simplement pour bavarder.

Dudley se tape sur les cuisses.

– Jack Kennedy arrive bientôt en ville. Je suis sûr que tu sais ce qui lui trotte dans la tête.

Harry se gratte les testicules. Son bureau ressemble au tombeau d'un pharaon. Sur le plancher, il a mis un coussin pour que les starlettes n'aient pas mal aux genoux quand elles le sucent.

– J'ai quelques péteuses de braguettes que Jack appréciera. Tu te souviens de Joe le K et de la belle époque des films pornos qu'on tournait à Tijuana ? Dot et Ruth Mildred s'étaient crêpé le chignon pour une femme officier, qui avait le grade de commandant. Bon sang, quelle époque !

– J'ai des idées grandioses du même genre, annonce Dudley.

– Tu as toujours des idées grandioses, Dud. Mais moi, je produis des films de qualité pour un public de cinéphiles qui exige de la qualité, alors, tu ne me refileras pas des courts métrages avec des chattes pourries et des boutonneux à grosses bites.

Dudley sourit.

– Le ciment de notre amitié, c'est l'extorsion, Harry. Nous en sommes conscients l'un comme l'autre, et c'est pourquoi nous ne nous sommes jamais lancé d'ultimatums. Je devrais ajouter que tu as produit en 1931 un documentaire presque oublié sur Herr Mussolini, et que j'en possède la preuve sous la forme d'une bobine de celluloïd. Tu ne penses pas que dans la situation mondiale actuelle, on verrait d'un très mauvais œil ton éloge servile de cette ordure de rital ?

Harry a des palpitations. Les veines de son cou frémissent. Tu vois ses artères qui se gonflent ?

– Je vais réfléchir à ton idée, enfoiré d'Irlandais.

– Parfait. Et comme nous sommes engagés dans le processus du donnant-donnant, que puis-je faire pour toi ?

Harry fume une cigarette après l'autre.

– J'ai reçu des menaces de grève. Mes esclaves ne tiennent plus en place, et je vais peut-être avoir besoin de gros bras pour étouffer cette rébellion inspirée par les Rouges.

Dudley lui répond :

– Je dois voir Ben Siegel demain. Il va bientôt sortir de prison, et il te fournira des briseurs de grève de premier ordre.

– T'es une vraie allumeuse, espèce de fripouille irlandaise. Allez, accouche.

Dudley lui fait un clin d'œil.

– Tu vas tout savoir. Et pour toi, aujourd'hui, j'ai un assortiment exceptionnel.

Voilà – le rituel commence.

La main droite de Harry quitte le plateau de son bureau. La braguette de Harry coulisse. L'épaule droite de Harry se baisse.

Dudley poursuit :

– Rita Hayworth joue à *mets-la-moi bien profond* avec un traîne-savates monté comme un bourricot, un certain Sailor Jack Woods. Barbara Stanwyck est toujours gouine. On la surnomme *Stanwyck-la-Lubrique* dans tous les repaires de brouteuses de moquette. Carole Lombard se montre beaucoup en public au bras du D.A. Bill McPherson, qu'on a vu par ailleurs somnoler pendant plusieurs réunions officielles où l'on débattait de l'incarcération des éléments subversifs Japs. En privé, on surnomme McPherson *Bill de Nègreville*, en raison de sa prédilection pour le bois d'ébène. On voit souvent McPherson à la Casbah de Minnie Roberts, un célèbre bordel nègre. Elle-même portée sur le bois d'ébène, Miss Lombard l'accompagne et profite des bontés des guerriers zoulous pendant que le D.A. savoure celles des filles de la jungle.

Le rituel atteint le point final.

Le bras droit de Harry est secoué d'un spasme. L'épaule droite de Harry tressaille. Harry hoquète et s'éponge le visage avec un mouchoir en papier.

Dudley allume une cigarette.

– Ace Kwan veut tourner des films cochons. Ils exprimeront un sentiment anti-Jap, et mettront peut-être en scène des acteurs japs. J'aimerais faire entrer Ben Siegel dans l'affaire, et toi aussi, bien sûr. Je peux te procurer l'argent nécessaire pour éponger ta dette auprès d'Ace Kwan. Tu serais tranquille, et tu nous serais d'une grande aide dans notre entreprise.

Harry s'éponge le front.

– Je vais y réfléchir, enfoiré d'Irlandais.

– Parfait. Et sur un tout autre sujet, est-ce que Ruth Mildred ne pratique des avortements que pour ton compte ? Je pensais à une malheureuse petite Jap. Est-ce que tu laisses Ruth travailler pour qui elle veut ?

Harry secoue la tête. Des gouttes de sueur s'en détachent. Ses artères protestent.

275

– Ruth Mildred, c'est *mon* avorteuse. Elle pratique les avortements que je lui demande de faire, et c'est tout. J'ai les droits exclusifs sur les talents médicaux de Ruth Mildred Cressmeyer, ex-omnipraticienne.

Dudley sourit.

– Une dernière question avant de te laisser à ton travail. Crois-tu à cette rumeur selon laquelle notre grand copain *der Führer* massacrerait des Juifs par millions ?

– Je m'en contrefous, répond Harry. Il peut en tuer autant qu'il veut, de ces putains de Juifs, tant qu'il me laisse en vie.

## 16 h 31

*King Cohn, de-hors ! King Cohn, de-hors !*

Le slogan est scandé par la foule devant le bureau de Harry. Dudley descend Gower Street et scrute la racaille rouge.

Des minables qui portent des pancartes. Une majorité de youpins et de nègres. Un piquet de grève occupe Gower Gulch. Les figurants d'un western sont massés devant la pharmacie Rexall. Des types de droite prêts pour la contre-attaque.

*King Cohn, de-hors ! King Cohn, de-hors !*

Dudley a laissé sa voiture dans DeLongpre Avenue. Le boulot qui l'attend, c'est une corvée pour demeurés. Il est fatigué. La benzédrine a cessé de faire de l'effet à l'aube, et il s'est écroulé dans la salle de repos. Trois heures de sommeil ne lui ont pas suffi.

*King Cohn, de-hors ! King Cohn, de-hors !*

Dudley regagne sa voiture et s'y installe. Huey Cressmeyer habite tout près. Ce garçon est pendu à *deux* jupes. Il ne quitte pas ses mamans gouines.

La corvée : passer en revue les dossiers de candidature qui ont été refusés. Dudley pose sur ses genoux la liasse de formulaires.

Abbott, Adams, Allsworth, Arcineaux, Arthur. Des ivrognes qui battent leur femmes, des abrutis complets. Atterbury, M., et Atterbury, S. : des jumeaux qui font du zèle dans les rangs du Ku Klux Klan. Babcock, Bailey, Baltz. Des gueules de tubards et des liens douteux avec des enfants. Beckworth : deux peines de prison. Begley : un bec-de-lièvre. Bennett, Robert Sinclair : qu'est-ce que je vois ?

R. S. Bennett, surnom : Scotty. Candidature déposée en août 1941. Il a vingt ans à ce moment-là. Il a menti sur son âge. Excellents résultats aux tests physiques et aux épreuves écrites. Notes extrêmement élevées aux tests d'intelligence.

Un mètre quatre-vingt-quinze, cent kilos. Études secondaires au lycée de Hollywood. Arrière dans l'équipe de football de la ville et major de sa promotion. Représentant de l'État de Californie aux concours d'éloquence. Accepté à l'institut de théologie de l'université de Yale. Est le fils du révérend James Considine Bennett, né à Aberdeen, Écosse, en 1894, et de Mary Tierney Bennett, décédée. Scotty le menteur n'a pas été jugé bon pour le service. Voyons l'avis réservé du chef d'établissement secondaire :

« Ce garçon a été impliqué dans de nombreux pugilats depuis son admission au lycée. Il a atteint un niveau très élevé tant en ce qui concerne ses résultats scolaires que ses performances sportives, mais il semble particulièrement fier de sa réputation de bagarreur le plus redoutable de tous les établissements de Los Angeles. »

Adresse actuelle : 218 North Beachwood Drive.

*King Cohn, de-hors !* Le slogan implacable lui parvient toujours.

Dudley démarre sa voiture et se dirige vers le carrefour des avenues Waring et El Centro.

Huey Cressmeyer habite une petite résidence minable de plusieurs maisons individuelles. À l'entrée, des souillons font prendre le soleil à des marmots tout nus.

Dudley se gare et les salue en soulevant son chapeau. Les mégères sirotent leur bourbon et l'ignorent complètement. Il se rend à l'appartement de Huey.

*Toc-toc – C'est qui ?– Dudley Smith, tenez-vous-le pour dit.*

Dudley presse la sonnette. Huey lui ouvre. Il a dix-neuf ans, il mesure un mètre quatre-vingt-huit et pèse soixante-cinq kilos. Il a des pellicules et souffre d'acné kystique. Il a sur le visage des filaments séchés de colle cellulosique pour maquette.

Dudley referme la porte derrière lui et donne un tour de clé. Huey marmonne quelque chose. Les quatre murs de la pièce sont couverts de banderoles boches. Des Messerschmitt en balsa pendent du plafond.

Huey marmonne de nouveau. Dudley l'empoigne et le projette contre le mur. Huey tourne sur lui-même et percute une étagère remplie de Panzers miniatures. Il tombe la tête la première sur le canapé. Il est trop envapé par les émanations de la colle pour pouvoir crier.

Dudley sort de sa poche quatre comprimés de benzédrine et les fourre dans la bouche de Huey, qui s'étrangle puis les avale. Dudley détache de sa propre paume les filets de colle cellulosique qu'il a récoltés au passage.

— Tu vas refaire surface dans quelques minutes, mon petit gars. Je suis venu te voir pour discuter du braquage du drugstore Whalen samedi matin, des Luger et des silencieux que tu t'es procurés à la Deutsches Haus, et des Watanabe, récemment décédés. Tu me connais, mon petit gars. Tes mères et moi, on est très copains, ce qui ne m'empêchera pas de te tuer si tu me racontes des salades.

Huey marmonne, pas encore de façon cohérente, mais presque. Il porte une combinaison de saut de la Luftwaffe. Dudley avale trois comprimés de benzédrine et les fait passer avec une cigarette. La fumée masque un peu l'odeur entêtante de la colle

Hubert Charles Cressmeyer II. Ruth Mildred l'a prénommé ainsi en mémoire de son propre père, qui était dermatologue. Huey en pince pour la douce amie de sa maman, Dot Rothstein. Dot est juive. Indulgent, Huey ne lui en tient pas rigueur.

Dudley approche une chaise. La pièce tourne un peu autour de lui. Il saute des repas, il a maigri.

Une, deux, trois cigarettes. Des nuages de fumée au-dessus des avions de chasse pendus au plafond. Dudley entrouvre une fenêtre. Huey bâille et gigote.

Il se frotte le visage. Il s'étire. La Créature de la Nuit reprend ses esprits.

— Salut, oncle Dud.

— Commence par Whalen, Huey. Je ne suis pas d'humeur à faire des amabilités, aujourd'hui.

— Alors, comme ça, ils sont tous morts, les Watanabe ? C'est pas moi qui les ai tués, hein !

— Je te crois, mon petit gars. Mais le jury d'accusation du comté sera peut-être d'un autre avis.

— C'est un Jap qui a fait le coup. Les Japs règlent leurs affaires entre eux, tout comme les Chinetoques. Ça ne devrait pas donner du boulot à la police de l'Homme Blanc.

Dudley commente :

— Ton analyse est convaincante, mais hors sujet. Commence par le drugstore Whalen, mon petit gars. Et n'oublie aucun détail.

— Bon, d'accord, dit Huey, j'ai attaqué Whalen samedi, mais c'est mon seul braquage. Je savais que la boutique était une cible facile, et que personne ne pourrait me mettre sur le dos les trois ou quatre attaques précédentes, ce qui me couvrait plus ou moins pour la mienne. J'ai récolté quelques portefeuilles, et puis du phénobarbital que j'ai donné à ma mère pour ses avortements, et j'ai fouillé un peu dans le rayon des parégoriques à la morphine. Une fille que je connaissais était enceinte, et elle s'est fait prescrire de la morphine par son médecin, pour calmer ses crampes. Elle m'y a fait goûter, et j'ai commencé à apprécier. J'allais en piquer quelques flacons, mais je me suis dit, *non, non, tu ne vas plus pouvoir t'en passer*. J'avais apporté un brassard de la police militaire, mais j'ai oublié de le mettre. Vous voyez, j'avais lu un article dans le journal sur ce violeur de la police militaire, et je voulais lui faire porter le chapeau. J'avais le Luger équipé d'un silencieux, et j'ai tiré en l'air pour me marrer.

C'est crédible. C'est du Huey tout craché. Conception habile et réalisation bâclée.

— Et la fille enceinte, c'était Nancy Watanabe ? Tu ne savais pas qu'elle s'était fait avorter ?

Huey se cure le nez.

— Nancy. Comment vous pouvez savoir ça ?

— C'est toi qui l'as mise en cloque ?

— Ah, non ! Vous savez comment je suis, oncle Dud. J'aime les vieilles. Pour moi, si elles ont moins de cinquante ans, c'est du détournement de mineure. Je broute des chattes comme un clébard qui se rue sur sa pâtée, mais je reste toujours à la porte. C'est pas moi qui me retrouverai un jour avec un procès en paternité sur le dos. Ma mère m'a trop bien fait la leçon.

Ça reste crédible.

— Et ton groupe sanguin, Huey ?

Huey se tapote la hanche.

— C'est O positif, oncle Dud. Et j'ai là, dans ma poche, ma carte de donneur de sang du centre de redressement.

La benzédrine fait son effet. Les cellules de Dudley se réveillent. Sa circulation sanguine fait *aaaaahhh*.

— La Deutches Haus. Tu te sens comme chez toi, là-bas ? Les crétins qui tiennent la boutique, c'est des bons copains à toi ? Ou seulement des types de droite que tu connais vaguement ?

— Plutôt la deuxième réponse, oncle Dud. C'est la cinquième colonne de la cinquième colonne, rien d'autre qu'une poignée de types qui y croient dur comme fer et qui en font une sorte de religion. Je les voyais souvent, ces gars-là, à Hindenburg Park ou dans des meetings par-ci par-là, mais juste assez pour qu'ils me fassent confiance et qu'ils me prêtent leurs flingues et leurs silencieux. Mais dans le fond, je suis un braqueur et un loup solitaire. Je n'ai pas envie que ces politicards viennent fourrer leur nez dans mes combines illégales.

Ça, c'est du pur Huey. Guidé par l'instinct de conservation, mais gaffeur par aveuglement. Il a signé de son vrai nom le livre de comptes de la Deutsches Haus.

– Est-ce que tu te souviens précisément de certains employés ou de certains clients de la Deutsches Haus ? Tu pourrais me raconter des incidents précis ou me donner des noms exacts ?

Huey secoue la tête.

– *Nein, Obersturmbannführer.* Pour moi, ils s'appelaient tous *Fritz* et *Wolfgang*.

Une radio se met à brailler dans l'appartement voisin. *Venez savourer le « Spécial Black-out » au Blackie's Lounge ! Un repas de rupin à un prix prolétarien !*

– Parle-moi des Watanabe. Encore une fois, n'oublie aucun détail.

Huey soupire.

– Je vais vous redonner la même réponse, oncle Dud.

– C'est à dire ?

– La cinquième colonne de la cinquième colonne.

– Explicite un peu, mon garçon.

– La cinquième colonne de la cinquième colonne. C'est-à-dire que tout le monde connaît tout le monde, et ils sont tous liés entre eux d'une façon qu'ils ne révèlent à personne d'autre. Il y a le *Bund*, *L'Amérique d'Abord*, la *Légion d'Argent* avec leur tenue tape-à-l'œil. Ces putains de Watanabe parlaient toujours en jap en présence de Blancs, même si c'étaient des copains à eux. J'ai connu un peu Johnny en dehors de sa famille, et Nancy aussi. Mais le vieux Ryoshi et la vieille Aya ? Et leur vie de *famille* ? Les parents, je les connaissais pas du tout.

– Vraiment, mon petit gars ? demande Dudley.

Huey tire la langue façon reptile.

– J'ai proposé vingt dollars à Aya pour qu'elle me laisse lui brouter la chatte. Elle m'a giflé. Les Japonaises n'aiment pas les gâteries à la française.

Dudley sourit.

– Continue, je te prie.

Huey lui tape une cigarette.

– J'ai fait des coups avec Johnny Watanabe. C'était l'un de ces gamins japonais qui jouent les rebelles à l'extérieur mais qui vivent sagement chez papa-maman. On a braqué quelques magasins qui vendent de l'alcool, et Johnny a tenu sa langue, alors, pour moi, ça veut dire que je pouvais lui faire confiance. Johnny connaissait un type plus âgé, un certain Hikaru Tachibana, et qui un beau jour a complètement disparu. Il était sur le point de se faire expulser et renvoyer au Japon, mais pendant sa libération conditionnelle, il a pris la tangente et puis il a cornaqué des putes à Hollywood, mais après on ne l'a plus jamais rcvu. Johnny était plutôt du genre mystérieux, mais j'ai l'impression qu'il connaissait des tas de Japs bizarres, comme ce Tachi.

Huey – crédible en mouchard qui fait du zèle.

– Et avec ton Luger à silencieux, tu as tiré un coup de feu dans le plafond des Watanabe.

– Ouais, vendredi dernier. Ryoshi m'a dit qu'il voulait acheter une arme, alors je lui ai fait une démonstration. Vous me connaissez, oncle Dud. J'ai la gâchette facile, par moments, et j'ai un peu perdu la boule. Le silencieux a craché des fibres métalliques, et Ryoshi a renoncé à son achat.

Dudley allume une cigarette.

– Parlons un peu de Nancy.

Huey refait le coup de la langue de serpent.

– Je lui ai brouté la chattc à la fête de fin d'année du collège Nightingale. C'est un Mexicain que je connais qui l'a dépucelée.

– Tu n'as rien de plus substantiel à me proposer ?

– Qu'est-ce que je pourrais dire de plus ? C'est pas moi qui l'ai mise en cloque, et c'est pas ma mère qui l'a fait avorter. Elle a partagé sa morphine avec moi deux ou trois fois, mais c'est tout. Bon, d'accord, quand j'ai pillé cette étagère chez Whalen, c'est à elle que je pcnsais, parce que je ne savais pas qu'elle s'était fait avorter. Et c'est pas moi qui l'ai mise en cloque, mais je suis à peu près sûr de savoir qui c'est.

– Je t'écoute, dit Dudley.

Huey se cure les narines.

– Johnny m'a présenté à cette bande de Japonais tarés avec laquelle il traînait, mais j'ai pas tardé à les éviter. Ils portaient tous des couteaux dont ils trempaient la lame dans du poison, des couteaux avec toutes sortes de lames. Johnny m'a dit qu'il y en avait quatre, dans le groupe, des jeunes, qui croyaient à des trucs vraiment trop dingues, même pour lui.

Dudley sent son poil se hérisser. Une sensation amplifiée par la benzédrine.

– Continue, s'il te plaît.

– D'accord. Ces types faisaient des braquages, ils avaient des boulots minables, et ils filaient tout leur fric à la cause du Japon impérial. J'ai rencontré ce métis mexicano-japonais qui flanquait la frousse et qui faisait partie du groupe. Il avait sur le dos des kystes horribles, pires que les miens. Il se vantait d'avoir mis en cloque une Japonaise, et je suis presque sûr qu'il parlait de Nancy.

– Son nom ?

– Je ne l'ai jamais su, et Johnny m'a dit qu'il était retourné au Mexique. Il se vantait d'avoir tué une famille entière à Culiacán, mais je crois qu'il voulait se faire mousser.

– Continue…

– C'est tout. On a ces quatre Japs cinglés qui vivent à Griffith Park parce qu'ils donnent tout leur argent à l'Empereur. Ils haïssent les Chinetoques encore pire que les Boches haïssent les Youpins. Ils s'imaginent qu'il faut violer et tuer une fille de la famille d'un chef tong pour atteindre la « transcendance », mais ils n'ont pas le cran nécessaire pour passer à l'acte.

Disons que Huey est crédible. Disons que son histoire est invérifiable. Et que son exposé sur les couteaux corrobore certains faits mais reste marginal par rapport à l'affaire.

– J'ai une mission pour toi, Huey.

Huey s'étrangle.

– Quelle mission ?

– Il y aura un black-out total sur L.A. cette nuit. Je reconnais que ça ne te laisse pas beaucoup de temps, mais tu es un garçon plein de ressources. Un fourgon des services du shérif, transportant une grosse somme d'argent, traversera la ville en direction du sud pour se rendre à Terminal Island. Il me semble que le meilleur endroit pour l'intercepter, ce serait le carrefour de Broadway et de la 74ᵉ Rue. Je te charge de mobiliser tes copains les ascètes japonais, vous installez une déviation et vous pillez le fourgon. Vous serez armés des fusils à pompe et des balles en caoutchouc que vous avez volés, je le sais, au centre de redressement de Preston. Je te permets de prélever cinq mille dollars sur le butin et de donner mille dollars à chacun de tes copains. Je te charge également de les interroger de façon subtile sur la famille Watanabe, sur Hikaru Tachibana, et sur les couteaux ésotériques dont ils sont armés. D'après ce que tu m'as appris sur eux, ils me paraissent trop imprévisibles pour avoir tué les Watanabe, malgré ton hypothèse sur la grossesse de Nancy, mais ils pourraient bien avoir éliminé Tachi. Si tu ne parviens pas à accomplir cette mission et à me rapporter le reliquat du magot, je me verrai obligé de mettre prématurément fin à tes jours.

Huey se cure le nez.

— Et si les Japs ne veulent pas faire le coup avec moi ?

— Alors, tu rassembles une clique de tes anciens copains de Preston.

Huey sourit jusqu'aux oreilles et bouffe ses crottes de nez. Quelle étonnante aptitude à rebondir, chez ce garçon !

## 18 h 04

Il fait nuit. Les mégères et les marmots ont décampé. Le black-out va commencer à 19 heures.

Dudley traverse la cour. Réflexion et Action. benzédrine. L'attaque du fourgon n'était pas prévue et comporte beaucoup de risques.

Il récupère sa voiture et part vers le sud. Des guetteurs de l'armée sont postés au carrefour de Gower Street et de Melrose Avenue. Ils sont munis de carabines et sont chargés de manier un projecteur anti-aérien. Le croisement des boulevards Larchmont et Beverly est fortifié. Les cerbères du shérif sont armés de mitraillettes.

Dudley s'arrête à l'intersection de la 1ʳᵉ Rue et de Beachwood Drive. La maison est dans le style espagnol des années 1920. Toit de tuiles, fenêtres à battants, murs en pisé. Il s'approche de la porte et actionne la sonnette.

R. S. Bennett lui ouvre. Un grand gaillard de Celte au physique de Chemise Brune. Un lanceur de marteau. Bâti pour les bagarres en kilt.

Dudley lui montre son insigne.

— Monsieur Bennett, je m'appelle Smith. Je suis venu vous recruter pour la police de Los Angeles.

— Mon dossier a été refusé, monsieur, réplique Scotty Bennett. Je n'ai que vingt ans.

— Nous sommes en guerre, mon garçon, dit Dudley. Des circonstances exceptionnelles nous permettent d'assouplir les règles. Nous avons davantage besoin de vous que nous n'avons besoin de la Marine de guerre des États-Unis.

Scotty Bennett sourit. Le seuil de la maison s'illumine. Ce garçon est né pour combattre le crime et briser des cœurs.

– Seriez-vous disposé à passer un entretien ? Cela nous fera gagner du temps et vous épargnera dix semaines d'école de police.

Scotty prend un pull au porte-manteau. Note bien le *H* géant qui distingue ses capacités en basket-ball et en football. Note aussi les sept anneaux sur la manche gauche.

– Dites à votre père que nous rentrerons tard et de ne pas nous attendre. Il y a du grabuge dans l'air.

Scotty referme la porte. Les deux hommes se dirigent vers la voiture de police et s'y installent. Dudley décroche le micro du poste de radio émetteur-récepteur et réveille la brigade. Thad Brown fait des comptes rendus à Appelez-moi-Jack. Il ne faut pas qu'il manque le spectacle.

La radio crachote. Thad répond.

– Lieutenant Brown. Qui m'appelle ?

– C'est Dudley, Thad. Et ce n'est pas un appel anodin.

Brown émet un sifflement. Le haut-parleur fait *scriiii*.

– Je décode le ton de ta voix, Dud. Dis-moi ce que tu as déniché.

– Est-ce que tu pourrais te trouver, dans une demi-heure, au carrefour de Broadway et de la 4ᵉ Rue, en face du magasin de spiritueux ? Ce que tu verras se passera d'explications.

– D'accord, Dud, répond Brown.

La radio couine et s'éteint. Dudley raccroche et enfonce l'accélérateur. La voiture part, destination : le sud.

Hollywood, Hancock Park. De grandes maisons prêtes pour le black-out. Ça commence dans trente minutes. Fermez vos stores, baissez votre éclairage.

Scotty demande :

– Vous êtes vert ou orangiste, monsieur ? Je sais que vous venez de là-bas.

Dudley sourit.

– Vert pour l'éternité, mon garçon. Je suis séparatiste, papiste militant, et bien d'autres choses encore.

– De Dublin ?

– Oui, de Dublin. Comment avez-vous deviné ?

– J'apprends vite, monsieur. Je comprends ces choses-là d'instinct.

– Ne m'appelez pas *monsieur*, appelez-moi Dudley.

– Très bien. Dudley, donc.

Ils prennent la 6ᵉ Rue jusqu'à Vermont et mettent le cap au sud. La circulation décroît, le nombre de piétons augmente. Il est 18 h 53. Les sirènes vont retentir à 19 heures.

Scotty regarde la rue à travers sa vitre. *Il est malin, ce garçon. Rien ne lui échappe.*

— Je suis orangiste, monsieur. L'orange est la couleur que je porte le jour de la Saint-Patrick, mais je n'en veux pas aux verts. Je me suis bagarré à l'église du Saint-Sacrement en 1938, mais ce n'est jamais allé plus loin.

— Et comment vous êtes-vous comporté lors de cette confrontation ?

— L'orange a eu le dernier mot, monsieur. J'espère que cela ne me fera pas baisser dans votre estime.

— Au contraire. Et ne m'appelez pas *monsieur*, appelez-moi Dudley.

Wilshire, Olympic, Pico. Venice, Washington. Nous nous approchons du Congo. C'est l'heure du...

C'est carrément *assourdissant*. Des sirènes hurlantes montées sur des poteaux. On baisse les stores. Les enseignes au néon s'éteignent. Les feux de signalisation s'allument derrière une couche de cellophane. Les feux de position des voitures diffusent faiblement une lumière ambrée.

*BLACK-OUT.*

Scotty fait craquer ses phalanges. Dudley allume ses feux de position. Ils entrent dans Nègreville, où tout est sombre et marche au ralenti.

Des Noirs sur le trottoir. Ciel noir, rues noires, peaux noires. De Washington Boulevard jusqu'à Broadway et cap au sud. *Dis donc, c'est quoi, ça ?*

*BLACK-OUT.*

Les rues se suivent – 72e, 73e, 74e. Écoute les tam-tams et les *ouga-bougas*. On est au *cœur* du Congo, à présent.

Le continent noir. Noir comme le *Black-out*. De noirs désirs bouillonnent ici.

Voilà le magasin de spiritueux Lew's Liquor. Il est plongé dans le noir, que ce soit la façade ou l'intérieur de la boutique. Les employés tiennent des lampes de poche et trimballent des bouteilles de gnôle. Vise un peu la clientèle : uniquement composée de bronzés.

Thad Brown est posté de l'autre côté de la rue. Dudley se gare le long du trottoir et laisse le moteur tourner au ralenti. Eugénisme. Regarde les indigènes se distraire.

Une partie de dés pendant le black-out. Quatre moricauds assis sur une couverture parsemée de billets d'un dollar. Le faisceau lumineux suit les dés en mouvement.

Scotty observe la scène. Les bamboulas portent des vestes jaunes en satin. De la racaille organisée en gang. *Les Serpents à sonnette.* Ils poussent des cris et agitent leurs lampes électriques.

Dudley demande :

– Nous sommes en présence d'une réunion interdite par la loi. Aurez-vous besoin d'une matraque ou de menottes ?

– Non, monsieur. Vous pourriez demander une ambulance, plutôt.

Dudley exulte. Scotty sort de la voiture.

Les nègres font des bonds. Thad Brown les observe. On le repère facilement à cause de son feutre blanc. Sa cigarette rougeoie.

Les faisceaux des lampes de poche se croisent sur le parking. Cela part dans tous les sens. Un bamboula lance les dés et obtient un 2 – le nombre de points le plus bas. Lamentations et cris de joie s'entremêlent.

Scotty s'approche de la couverture. Scotty rafle les billets d'un dollar. Les nègres voient son geste. Concert de *ouga-bougas*. Un moricaud tente de le frapper avec sa lampe torche.

Scotty lui attrape le bras à la hauteur du poignet qu'il lui brise net. Dudley entend les os céder. Le nègre hurle. D'autres moricauds rappliquent. *Ouga-bouga.* Ils brandissent leurs poings et leurs lampes torches.

Scotty brise des poignets. Scotty fracture des mains. Scotty esquive les coups. Les lampes électriques tombent, leurs verres se brisent, la lumière fait des choses bizarres. Des poings frappent Scotty qui ne bouge pas d'un pouce.

Les moricauds hurlent. Scotty leur fonce dessus.

Il les attrape par le cou et les soulève du sol. Il les tient à bout de bras et les lance sur le gravier. Ils retombent lourdement. Ils remuent bras et jambes et tentent de ramper.

À coups de pied, Scotty les plaque sur le sol et leur marche sur la tête. Il leur fait avaler du gravier et des billets d'un dollar. Une lampe au verre brisé, tombée tout près, se trouve braquée sur une oreille arrachée.

*Tu regardes bien le spectacle, Thad ? Ces cris, c'est comme à Dublin en 1919.*

**19 h 14**

Le bruit lui vrille les tympans. Il laisse Scotty entre les mains de Thad, qui lui fera son discours habituel sur le thème *Bienvenue chez nous.* Il entre dans un parking désert un peu plus loin au sud.

286

Le bruit s'estompe. Dudley a des palpitations. Il se rappelle l'impact des poings de sa mère et l'odeur de son propre sang.

*Black-out. Dublin 1919. Los Angeles 1941.*

Il lève le bras pour allumer le plafonnier. La garniture du toit empeste la brillantine d'un suspect récent. Il prend sur la banquette arrière son échiquier et ses pièces. Son rythme cardiaque s'apaise.

Son pari comporte une part de risque et une part de calcul. Il se pourrait que Huey ne parvienne pas à mobiliser ses quatre Japs cinglés. Il se pourrait aussi que Huey récolte des informations sur Tachi et les Watanabe. Tachi s'est fait lacérer par ce couteau féodal. *Cherche, mon garçon. Apprends-moi des choses à ce sujet.*

Dudley dispose les pièces sur l'échiquier. La benzédrine lui stimule le cerveau. Il prend des pions et des tours.

Le métis mexicano-japonais pourrait bien être l'assassin des Watanabe. C'est sans doute ce même métis mexicano-japonais qui a mis Nancy enceinte. Huey a dit qu'il avait tué une famille mexicaine entière. Huey a ajouté que le type se vantait peut-être.

Appelez-moi-Jack veut un assassin japonais. La maison est restée trop bien rangée pour qu'un fou furieux ait pu s'y déchaîner. Ces garçons de Griffith Park possèdent ce couteau féodal. C'est ce couteau qui a tué Tachi. Le métis paraît idéal pour le meurtre de Tachi. Toutes les autres hypothèses sonnent faux.

*Et… où est le profit ? Et puis… il manque quelque chose dans la maison.*

Les cavaliers sont pris, les fous sont pris.

Le D.A. ne lui inspire pas confiance. Bill McPherson manque de cran. Bill McPherson saute des gazelles noires. Bill McPherson ronfle pendant les réunions et il a une dent contre les Rouges. Il risque de ne pas prononcer d'inculpation dans l'affaire Watanabe.

Il est 19 h 56. Dudley baisse sa vitre. La ville est plongée dans le noir par le black-out. Il entend du bruit de l'autre côté de la rue.

Tu es ponctuel, Huey. Prends possession de ce parking désert. Créature de la Nuit, cherche !

Des portières de voiture claquent. Des rayons de lune révèlent Huey et sa bande.

Il y a quatre hommes. Des foulards leur couvrent les cheveux. Regarde leurs fronts découverts. Ils ont la peau jaune – Huey a mobilisé ses Japs.

Huey porte une tenue de shérif. Du maquillage cache son acné. Son déguisement a beaucoup d'allure.

287

Les Japs trimballent des barils dans la rue. Ils répandent du gas-oil sur le bitume et se replient dans le parking. Huey se plante au milieu de la rue, une lampe torche à la main.

Des voitures s'approchent, venant du nord comme du sud. Attention à la mare de gas-oil. Le faux adjoint du shérif Huey Cressmeyer leur fait signe de passer en la contournant.

Les véhicules ralentissent et franchissent l'obstacle. Elles disparaissent. Plus une seule voiture dans la rue. Des feux de position s'approchent depuis le nord.

Ils sont très espacés. Ce sont ceux d'un *fourgon*. Il est 19 h 59. Le fourgon du shérif, à l'heure dite.

Huey reste à son poste et agite sa lampe torche. Le fourgon freine et s'arrête avant la flaque de gas-oil. Deux adjoints en descendent. Huey va à leur rencontre.

*Désolé, les gars, on a un obstacle.* Les adjoints râlent et regardent leur montre.

*BANZAÏ !*

Les Japs étaient prêts. Ils portent des chaussures à semelle de crêpe. Ils se sont avancés sans bruit derrière les adjoints du shérif. Ils lèvent leurs fusils et tirent leurs balles en caoutchouc.

Le bruit ressemble à un souffle suivi d'un son mat. Quatre Japs, deux flics, quatre charges non mortelles. Les deux adjoints s'écroulent et tombent dans la mare de gas-oil. Ils s'étouffent et cherchent à respirer.

Huey sort un rouleau de sparadrap et s'en sert pour les bâillonner. Deux Japs leur passent les menottes derrière le dos et les traînent dans le parking. Les deux autres Japs grimpent à l'arrière du fourgon. Huey en prend le volant et fait entrer le véhicule dans le parking.

Aucun automobiliste n'a été témoin de l'accident. Aucun piéton n'est passé dans la rue.

Le parking est complètement plongé dans le noir. Dudley se fie à ce qu'il entend.

Des portières de voiture claquent. Les portes arrière du fourgon claquent. Agitation, piétinements, grognements. Pillage, partage, sacs de billets qu'on lance.

Deux portières de voiture qui se referment. Des pneus qui dérapent sur le gravier. Et puis *Sayonara !* lancé en pur japonais.

# 37

**20 h 21**

Ils sont menottés l'un à l'autre. Une courte chaîne les relie. Le garde du corps Lee Blanchard, son comparse du LAPD Hideo Ashida.

C'est une idée d'Ashida. Frapper un grand coup à Terminal Island. Flanquer la frousse aux détenus, impressionner les gardiens.

San Pedro est à une trentaine de kilomètres de Los Angeles proprement dit. Le trajet s'est effectué dans un climat de tension palpable. Blanchard porte encore sur le visage les griffures récoltées pendant sa prise de bec avec Kay Lake.

Ashida a convaincu Parker du bien-fondé de cette expédition. *Je mènerai les interrogatoires en japonais. Je poserai aux détenus des questions sur les Watanabe. La communauté Nisei est très soudée. Je les sonderai et je ferai semblant de compatir à leurs malheurs.*

Ils entrent par la poterne et atteignent la salle des gardiens. Un policier militaire leur ouvre la porte. Ils suivent un couloir et prennent possession de leur salle d'interrogatoire.

Ashida se frotte le poignet. Il a baratiné Parker. Il a bien l'intention de privilégier ses pistes personnelles. Les fermes, les rachats, les ouvriers agricoles sans papiers.

Il parle le japonais. Blanchard sait à peine parler l'anglais. Il entendra les interrogatoires et n'y comprendra rien. Les deux hommes attendant devant la salle. Blanchard fume et pollue l'atmosphère. Takagawa, Kuradasha, Mikano, Murasawa. Il a pris les noms sur la liste « A ». Ce sont tous des cultivateurs de la North Valley. Ils connaissaient forcément les Watanabe.

L'acier de sa menotte lui entaille le poignet. Il se recule pour donner un peu de ballant à la chaîne. La fumée de cigarette le congestionne.

La salle d'interrogatoire est contiguë à un bloc de détention. Toutes les cellules sont occupées. Les hommes font les cent pas et se cognent aux barreaux. Ils semblent ne pas manger à leur faim. L'incarcération les rend nerveux, ils deviennent claustrophobes.

Blanchard secoue leur chaîne.

– Je pense qu'on devrait faire venir Mister Moto. Il résout toujours l'énigme en moins d'une heure et demie.

La fumée est âcre. Ashida tire sur la chaîne.

Blanchard poursuit :

– Vous savez ce qui m'agace ? Ils ont engagé un acteur blanc pour jouer le rôle. Peter Lorre. Un drogué, au cas où vous ne le sauriez pas. La brigade des Mœurs de Wilshire Boulevard a un rapport sur lui.

Ashida regarde l'autre bout de la passerelle. Un gardien escorte Hiroshi Takagawa. Un portrait anthropométrique est agrafé à son dossier, dont Ashida a mémorisé le contenu.

Blanchard le pousse du coude. Ils prennent un siège et soulagent la traction de la chaîne. Le gardien fait entrer Takagawa.

Ashida se lève et le salue. Il débite un texte qu'il a préparé et qu'il se retraduit au passage.

*– Je vous présente nos excuses pour la grave injustice dont vous êtes victime. Voyez-vous, il m'est arrivé exactement la même chose. J'ai des questions concernant Ryoshi Watanabe qui serviront la cause de la justice au sens le plus large et qui rendront service à tous les membres de la communauté japonaise.*

Takagawa le regarde fixement.

Takagawa crache sur la table.

Takagawa sort un journal de sa poche et le jette au visage d'Ashida.

Blanchard commente :

– Pas de chance, Mister Moto.

Le gardien ajoute :

– Moi, je préfère Charlie Chan. Il raconte toujours des blagues et il séduit des filles.

Takagawa dit : *Traître !* Il tremble. Le garde lui repasse les menottes et le pousse hors de la pièce.

Ashida parcourt le journal. Il est imprimé en kanji. Un article stigmatise la famille Ashida. Ils y sont traités de collaborateurs. Le fils est un mouchard. C'est le seul Nisei employé par la police de Los Angeles. C'est avec du sang de Nisei que sont signés ses chèques de fin de mois.

Des photos complètent le texte. Hideo Ashida à Stanford. Mariko Ashida avec l'agent Ward Littell.

Blanchard résume :

– Vous êtes baisé, Mister Moto. Vous ne trouverez pas *un seul* Jap qui voudra vous parler.

Ashida tire sèchement sur la chaîne de sa menotte. Blanchard lâche un gros rire. Ils traversent de nouveau la poterne et ressortent du pénitencier. Les flics militaires ricanent. Les genoux d'Ashida fléchissent mais tiennent bon.

Blanchard les libère de leurs menottes. Tout le long du littoral, le ciel est noir à cause de la nuit et du black-out. Le vent qui vient du port est plutôt vif.

Ashida monte dans la voiture. Blanchard se met au volant et démarre en trombe. Ils traversent le pont et rejoignent la côte. La circulation est clairsemée. La lune joue à cache-cache avec les nuages.

Blanchard ne desserre pas les dents. À son retour, Elmer Jackson prendra la relève. Ashida ne dit pas un mot. Ses pensées vagabondent. Il repense au grenier secret des Watanabe. À leur récepteur de radio qui capte les ondes courtes.

Tout à coup, Blanchard déclare :

– Kay et moi, on n'a pas les mêmes relations que les couples standard. En ce qui concerne les hommes, je lui lâche la bride, et en échange elle passe l'éponge sur tous les trucs scabreux que je fais dans mon métier. C'est un bon compromis, la plupart du temps. Ça vaut la peine de renoncer aux galipettes rien que pour avoir la paix de ce côté-là.

Ashida scrute l'expression de Blanchard. Son petit discours sonne faux. Blanchard touche les égratignures de son visage.

– Ne vous attachez pas trop à elle. Elle se servira de vous et puis elle vous laissera tomber. Elle est sans cesse à la recherche de quelque chose qu'elle ne peut pas avoir, et elle ne laisse personne lui barrer la route.

Ashida regarde à travers sa vitre. C'est lundi soir qui se répète. *Le monde est obscur et apathique. Les voitures sont des sous-marins.*

Blanchard allume la radio et balaie toutes les fréquences. Il n'est question que du black-out. Il coupe le son et s'engage dans Broadway. Ils tombent sur un embouteillage au carrefour de la 74ᵉ Rue.

Des voitures de police dépendant du shérif, des flics partout, des camionnettes du labo. Des lampes à arc dans un parking vide.

Blanchard fait un signe et se faufile. Ashida descend sa vitre. Il entend un remue-ménage un peu plus loin.

Le black-out amplifie les bruits. Les sons paraissent plus aigus. Il entend des cris et du verre que l'on brise.

Blanchard allume ses phares. Il éclaire la scène. Des pillards noirs, au croisement de la 66ᵉ.

Des hommes en veste jaune, qui sortent en courant des magasins dont ils ont fracassé les vitrines.

Blanchard déclenche sa sirène et fonce droit sur eux. Ils lâchent leurs gourdins et se dispersent. Blanchard saute la bordure et roule sur le trottoir.

Il éventre des poubelles. Il heurte au passage un gamin obèse qui ne court pas assez vite. Les pillards lancent des cailloux sur la voiture.

Ça fait rire Ashida. Ça fait rire Blanchard. Il éteint ses phares et redescend sur la chaussée. Les hurlements des enragés s'estompent.

Blanchard commente :

– Putains de nègres !

Ashida dit :

– Avant, j'étais ami avec Bucky Bleichert. C'est un ancien boxeur, comme vous.

– C'est une chiffe molle. Kay mouille sa culotte quand elle pense à lui. Il va bientôt intégrer le LAPD.

– Je sais.

– Il vous a cafté aux fédés. Il a déjà sa casquette de mouchard.

– Je sais.

– Nous ne tarderons pas à gagner cette guerre, Ashida. Cette sale période que vous subissez, ça ne durera pas éternellement.

Le Los Angeles du black-out défile devant leurs yeux. Blanchard laisse pendre son bras gauche par la portière. Ils arrivent au commissariat central. Blanchard contourne le bâtiment et arrête la voiture près de la porte de derrière. Ashida descend. La première personne qu'il voit, c'est Elmer Jackson. Elmer roupille dans une voiture de police.

– Méfiez-vous de Kay, conseille Blanchard.

– Merci pour la balade, dit Ashida.

Blanchard sort du parking en dérapage contrôlé. Elmer continue de ronfler. Ne réveillons pas le chien qui dort…

Ashida bénéficie du black-out. Il a les clés de la porte d'entrée. Il a sa lampe de poche.

Il récupère sa voiture et part vers le nord. Chavez Ravine, Mount Washington. Des flancs de collines souillés par des cabanes minables. Ici, pas de bourdonnement constant comme sur les voies rapides. Pendant le black-out, les automobilistes restent chez eux. La chaussée sinueuse est difficile à négocier dans la nuit.

Il est 21 h 42. À Highland Park, il fait plus noir que noir. Ashida se gare et s'approche de la porte.

Les clés qu'il a prises au labo lui permettent d'entrer. Il a mémorisé le plan de la maison. Il ignore le journal de bord de l'enquête où il est censé noter son passage et son heure d'arrivée. Il reste immobile dans le noir. Il s'imprègne de la *Gestalt* de la maison Watanabe.

*Quelque chose lui a échappé, ici. À lui, le brillant scientifique. Il ne devrait pas manquer de remarquer les choses simples.*

Il monte à l'étage et s'arrête sur le palier. Il saute en l'air et déclenche l'ouverture de l'escalier. Il l'escalade puis le replie. Des rats filent se réfugier dans leurs trous.

Il braque sa lampe sur le placard secret puis exerce une poussée sur l'un des angles. Le panneau s'ouvre.

*Tout est là* : le récepteur radio à ondes courtes, l'enregistreur à fil magnétique, le registre. À la même place – depuis dimanche jusqu'à aujourd'hui mercredi.

*Maintenant :*

Fais appel à tes souvenirs récents. Branche la radio. Appuie sur les bons boutons. Regarde les cadrans qui indiquent les longueurs d'onde.

*Voilà :*

Les cadrans s'éclairent. Il tourne le bouton du volume et obtient du son. Il le laisse à un niveau faible et se prépare mentalement à traduire.

Un fou furieux divague. Il annonce la date de demain et précise qu'il est 14 h 46.

*Pense en anglais. C'est plus rapide. Ce fou délire. Ne rate aucune de ses paroles. Et enregistre-les d'abord.*

« Manœuvre militaire secrète demain. Attaque de sous-marins à l'aube. »

Ashida allume l'enregistreur à fil d'acier. Le fil est mal amarré. La bobine réceptrice tourne dans le vide. Il ne peut pas enregistrer la suite :

« Sous-marin de poche » / « Côtes de Californie » / « Demain à l'aube » / « La crique de Goleta, au-dessus de Santa Barbara » / « Village de pêcheurs collabos, des Japonais associés avec des Chinois » / « Torpilles » / « Punir les traîtres » / « Acoquinés avec nos ennemis blasphémateurs. »

Un rat passe près de lui à toute vitesse. Ashida sursaute et sa tête frôle une toile d'araignée. L'araignée se prend dans ses cheveux.

Ashida lâche un petit cri aigu. L'araignée s'écrase contre le lambris du mur. Ashida crie de nouveau, d'une voix de tête. Cela l'effraie, de s'entendre crier de cette façon. On dirait une femme.

Le fou furieux divague toujours. Il glorifie les exactions japonaises à Nankin en 1937. Des soldats ont forcé des femmes à boire du pus. Des soldats ont forcé des enfants à manger de la merde. Des soldats ont enfoncé un bâton de dynamite dans l'anus d'un homme.

Ashida débranche le récepteur de radio et l'enregistreur à fil magnétique. Il prend le registre. Il déplie l'escalier et redescend sur le palier. Il a les mains pleines. Il est trempé de sueur. Sa petite lampe torche qu'il tient entre ses dents lui torture les mâchoires.

Il sort de la maison avec son chargement. Sa voiture est devant la porte. Il enferme son butin dans le coffre. Il revient sur ses pas et retourne au grenier. Il vérifie une fois de plus le contenu du placard.

Là – couverte de toiles d'araignées. Une pile de tracts rédigés en kanji.

Ashida s'en empare. Il est capable de voir dans le noir, à présent. Il descend l'escalier et le replie. Il sort de la maison et regagne sa voiture.

Une Dodge 1938 est garée derrière elle. Il touche le capot et sent la chaleur du moteur.

– Bonsoir, jeune homme.

Ashida frissonne. Il claque des dents. Il ordonne à son cerveau d'y mettre fin.

Dudley Smith apparaît. Il touche le bras d'Ashida. Cela déclenche un choc électrique.

– Pourquoi tremblez-vous, mon garçon ?

– Parce que vous m'avez fait peur.

Il sent sur ses mains le contact d'une surface métallique. Il ouvre la main droite pour libérer la gauche. Dudley lui prend les tracts et lui passe une flasque.

Ses yeux accommodent. Ce qu'il voit s'accorde avec ce qu'il entend. Dudley se penche sur le capot de sa voiture.

– Buvez, mon garçon. C'est un cognac rare de 1919. J'ai tué un soldat britannique et j'ai pillé ses réserves.

Ashida en avale une gorgée.

– Pourquoi avez-vous tué ce soldat ?

– Je me suis renseigné et j'ai découvert que c'était lui qui avait abattu mon frère.

– Vous aviez quel âge, à l'époque ?

– Quatorze ans.

Ashida bascule de nouveau la flasque.

– Vous haïssez toujours les Britanniques ?

– Pas en tant qu'individus. Je les hais en tant que race prompte aux débordements impérialistes.

– C'est de cette façon que je hais les Chinois. Je pourrais la justifier en citant des injustices historiques, mais si l'on compare nos deux pays à l'aune des atrocités commises de part et d'autre, c'est toujours le mien qui est le plus blâmable. Je les hais tout simplement à cause de ce que je sais d'eux.

Dudley rit.

– Vous les haïssez en tant qu'individus ?

– Bien sûr que non.

Dudley reprend la flasque. Sa main est chaude.

– Êtes-vous partisan de l'autorité, docteur Ashida ? Êtes-vous d'une loyauté sans faille envers une société reposant sur le principe de l'ordre établi ?

L'alcool réchauffe Ashida.

– Oui. Cela définit bien la conception que j'ai de mon peuple et mon sens des devoirs civiques. Je méprise la paresse et le désordre. Les règles de bonne conduite s'observent davantage dans une société qui pratique l'exclusion. C'est pourquoi notre tendance naturelle à l'exclusion doit être jugulée par la loi.

Dudley boit une gorgée d'alcool.

– Mon garçon, vous êtes le plus brillant des esprits brillants.

Il fait nuit noire. Cela arrange bien Ashida. Il se permet de rougir.

– Merci, sergent.

– Dudley, je vous prie.

– Oui, comme vous voudrez.

Dudley passe la flasque.

– Les rafles sont inutiles et réductrices. Elles ont créé un chaos qui se renouvelle sans cesse et qui aura pour effet de saper l'ordre social que nous souhaitons tous les deux préserver.

Ashida tient la flasque. La main de Dudley l'a réchauffée.

– C'est l'analyse d'un remarquable représentant de la loi. Et, bien sûr, j'y souscris.

– Les événements de dimanche dernier ont-ils provoqué chez vous un déchirement entre deux loyautés inconciliables ?

– Oui. L'attaque aérienne constitue une exaction, et maintenant les rafles en représentent une autre.

Dudley demande :

– Par élimination, vous sentez-vous davantage américain ou davantage japonais, en ce moment même ?

Ashida boit une gorgée d'alcool.

– À vrai dire, je me sens plus américain que jamais et plus japonais que jamais.

Dudley tend la main. Ashida lui passe la flasque.

– Avez-vous dissimulé des pièces à conviction, mon garçon ?

– Non.

– Pourquoi êtes-vous venu ici ?

– Parce que j'ai manqué quelque chose de très simple.

– C'est pour cette même raison que je suis venu aussi.

*Il faut mentir, à présent. Laisse l'alcool parler à ta place.*

– J'ai trouvé ces tracts contre le mur derrière les placards de la cuisine.

– Il y a plus grave que ça, mon garçon. Nous sommes l'un comme l'autre très perspicaces, et nous avons l'un comme l'autre manqué quelque chose d'important et d'une évidence flagrante. Nous devons supposer que le tueur l'a manqué également.

Ashida hoche la tête.

– Vous avez dit *le* tueur, au singulier. Vous pensez qu'il s'agit d'un homme seul ?

– Oui, c'est ce que je crois, répond Dudley. Ce crime me semble refléter la haine d'un seul individu.

Ashida commente :

– Il y a eu quatre victimes. Du seul point de vue de la logistique, cela a dû être un travail harassant pour un homme seul.

– Nous avons un mobile sexuel et un mobile politique, répond Dudley. Le mobile sexuel, il concerne Nancy et son avortement récent. Le mobile politique est très obscur et provient sans doute d'une guerre intestine entre groupes fascistes que nous ne pouvons pas comprendre. Mais c'est l'œuvre d'un seul assassin, mon garçon. J'en suis sûr.

Ashida reprend la flasque.

– Pensez-vous que le capitaine Parker ait les capacités de mener cette enquête à son terme ?

– Non, je ne l'en crois pas capable, mon garçon. Il n'a pas été formé pour ça. Je sais qu'il a été correct avec vous, mais ce n'est pas quelqu'un que vous devez considérer comme un mentor. Il vous laissera tomber dès que ça servira ses intérêts.

Ashida avale un peu d'alcool.

— Et vous ne le feriez pas ?

— Je suis un enquêteur de terrain, répond Dudley. Bill Parker est un tâcheron administratif. Cela fait longtemps que j'ai besoin d'un criminologue brillant, ce dont se passe fort bien Bill Parker. Je reste indifférent aux règlements futiles, Bill Parker ne jure que par eux. Sur ce plan-là, je crois que nous sommes assez semblables, vous et moi.

— Il a préservé mon emploi, dit Ashida. Il a évité à ma mère d'aller en prison. Pour l'instant, il garantit notre liberté.

Dudley lui touche le bras.

— Dites-le, mon garçon, je sais ce que vous pensez : *Que pouvez-vous faire pour moi ?*

La lune se montre brièvement entre deux nuages. Elle éclaire le visage du grand Irlandais.

— Oui, c'est ce que je pensais.

Une femme qui promène son chien passe près d'eux. Dudley incline son chapeau.

— Mon excellent ami Ace Kwan a pour projet d'offrir un refuge confortable aux Japonais harcelés par la police et de sauvegarder leurs avoirs en attendant que l'hystérie ambiante s'apaise. William H. Parker se comportera toujours dans les strictes limites de la légalité, même s'il faut pour ça prendre des mesures racistes. En ce qui me concerne, je ne me sens aucunement assujetti par la loi.

La lune disparaît. Ashida a l'impression de vivre des instants irréels. Il a des gardes du corps. Il a des protecteurs. Il a appelé Kay Lake et pris rendez-vous pour la retrouver ce soir. Il s'entretient en tête à tête avec le Dudster.

— Tous ces règlements et ces ordres du jour, ils finissent par remplacer le bon sens commun.

— C'est un monde déconcertant que celui dans lequel nous vivons, mon garçon. Il rend d'autant plus essentielle la loyauté des hommes de talent.

# 38

**22 h 19**

La robe noire en cachemire a eu un succès fou. Le capitaine William H. Parker, couturier des délatrices élégantes. Pincez-moi – suis-je vraiment ici ?

La maison de la Reine Rouge est magnifique et remplie de personnalités très en vue venues savourer leur propre célébrité. Les fenêtres sont masquées par des rideaux de velours achetés spécialement pour les soirées données pendant le black-out. L'éclairage lui-même a été conçu pour cette unique soirée. Nous folâtrons parmi des faisceaux de lumière mobiles ; nous sommes des figurants dans un film expressionniste allemand sur les captifs du blitz de Beverly Hills. Cette maison, c'est un bunker ! Et ces gens-là sont les invités conviés pour la fin du monde !

Les effets de lumière ont été conçus par Gregg Toland, le directeur de la photographie qui a travaillé sur *Citizen Kane*, ce film récent que Hearst a tout fait pour couler. Toland est parti prendre une cuite gigantesque lorsque *Citizen Kane* a capoté. Il a fini par échouer dans un bordel de Tijuana ; Claire De Haven et Orson Welles sont allés le tirer de là. Ils l'ont emmené au centre de désintoxication de Terry Lux pour qu'il redescende sur terre. L'élaboration de ce dispositif d'éclairage, pour lui, c'est de l'ergothérapie.

Je circule, j'écoute, je parle quand je m'y sens obligée. J'entends des compliments sur l'oncle Joe Staline et ses courageuses troupes rouges ; on ne manque pas de vilipender violemment les rafles de Japonais. Je sème au passage quelques incitations à la conversation. Je cite mon nom, mon pedigree de femme de gauche, mes accointances atypiques avec la flicaille. Souvenez-vous de moi. Je suis jeune et j'ai encore tout à prouver. Je tente de toutes mes forces de vous impressionner.

La soirée tourne à présent à plein régime ; je n'ai pas encore parlé à Claire De Haven. Nous dérivons dans des cercles distincts mais qui

298

se recoupent, et nous gardons le contact par un échange de regards qui signifie *Nous parlerons plus tard*. Elle s'est déjà renseignée sur mon compte – j'en suis certaine. Le D<sup>r</sup> Lesnick a dû lui déballer tout ce qu'il a appris sur moi et tout ce qu'il a pu soupçonner. Nous avons besoin d'un peu de temps en privé – et je suis sûre que c'est ce qu'elle veut également.

Je circule, j'écoute, je parle quand je m'y sens obligée. Le D<sup>r</sup> Lesnick m'a vue, il m'a reconnue, mais il m'a ignorée. Kurt Weill et Lotte Lenya se sont montrés et ils ont fait sensation. Vladimir Horowitz a joué au piano une partita de Bach, nimbé par un projecteur. La musique était étouffée par le bourdonnement des conversations.

Les gens parlent de la guerre et de rien d'autre. Ils alignent leurs arguments de façon pressante sans prêter la moindre attention à ceux de leurs interlocuteurs. Cela forme un énorme vacarme d'analyses remplies de fiel. Chacun se veut le plus pertinent dans le commentaire du massacre mondial. Ils sont tous de gauche, et chacun d'eux est décidé à surpasser ses comparses pour régner en maître de la dialectique. Ils sont véhéments, didactiques, pertinents sur la plupart des sujets. Ils n'ont pas compris qu'ils pourraient rallier davantage de sympathisants s'ils cessaient tout simplement de parler.

Bertolt Brecht passe près de moi et tente de me séduire ; je lui dis que *L'Opéra de quat'sous* est à mourir d'ennui et je prends la tangente. Reynolds Loftis m'aborde et me dit qu'il m'a vue au Comité Anti-Axe. Je lui sers une seconde fois ma déclaration péremptoire de ce jour-là et je rougis dans le halo d'un projecteur. Loftis semble être sous le charme ; j'enchaîne avec la guerre et j'exploite le sujet. Los Angeles en tant que cité égalitaire, la solidarité devant la catastrophe qui nous touche tous. Loftis me félicite pour mon numéro au récital de Robeson ; je lui raconte de quelle façon des flics sadiques se sont acharnés sur de jeunes Japonais – mais je ne dis pas un mot de l'intervention valeureuse du capitaine William H. Parker.

Loftis me quitte brusquement ; je m'aperçois qu'un séduisant jeune homme le fascine. Cela me donne une idée. Elle s'impose à moi et se développe. C'est en pensant à Hideo Ashida que j'ai déclenché cette tempête sous mon crâne – et elle pourra certainement me faire entrer dans les bonnes grâces de la Reine Rouge.

Je regarde autour de moi et je la trouve. Elle est seule, sous les feux croisés de deux projecteurs. Elle reçoit leurs faisceaux dans les yeux ; elle ne peut pas voir que je l'observe. Elle a dû se rendre chez son coiffeur aussitôt après avoir quitté le D$^r$ Lesnick. Elle arbore une coupe à la Jeanne d'Arc, à présent ; elle semble sortir tout droit du film de Dreyer. Cheveux coupés court, rudesse méprisante. Elle portait une robe de velours cet après-midi ; elle est vêtue d'une robe droite de paysanne, maintenant. Je scrute la pièce et j'observe son public. Terry Lux ne la quitte pas des yeux. Gregg Toland dirige vers elle un appareil de prise de vues.

Cette pose qu'elle prend, elle ressemble à mes poses *à moi*. J'éprouve le besoin de *faire quelque chose tout de suite.*

Je prends un escalier latéral qui mène à l'étage. Les chambres donnent sur un long couloir. Je tente d'ouvrir chacune des quatre portes. Une seule n'est pas verrouillée.

C'est celle de Claire De Haven. Je le sais aussitôt.

La pièce est une cacophonie de couleurs et de tissus. Le couvre-lit est en satin prune ; les murs sont couverts de papier velouté vert. L'armoire et la commode sont en ébène. La robe que Claire portait auparavant est sur le plancher. Elle a roulé ses bas pour les ôter et les a jetés dans un coin.

Ce qui attire le regard, dans cette chambre, ce sont quatre photos prises pendant un tournage, accrochées aux murs dans des cadres en étain. Elles représentent Renée Falconetti dans *La Passion de Jeanne d'Arc*. Cette coupe de cheveux… *sa* coupe de cheveux. Le regard de martyre de Falconetti ; Claire qui prend la pose sous les feux croisés de deux projecteurs.

Je suis réceptive à cette atmosphère, au passage récent de Claire dans ce lieu. Je touche la robe dont elle s'est débarrassée et je constate qu'elle l'a imbibée de sueur. Moi *aussi*, je transpire – d'avoir porté une robe de cachemire noir dans une pièce où il fait trop chaud.

Je fouille les tiroirs des tables de nuit. Je trouve un tract politique et je le cache dans le dos de ma robe. Je vois une seringue hypodermique et une douzaine d'ampoules.

Falconetti. Les cheveux courts, le regard farouche. L'hommage de Claire sous les projecteurs.

Je quitte la chambre et je descends hardiment au rez-de-chaussée. Claire a disparu. Ses esclaves installent un écran de cinéma et un projecteur. Je prends une pose à la Falconetti sous ces projecteurs dont les faisceaux se croisent.

C'est mon hommage personnel à l'hommage de Claire. Mon regard contemple l'infini. Une silhouette projette son ombre sur moi. C'est celle de Claire. Elle a changé de tenue encore une fois.

Elle porte une jupe sombre et un cardigan élégant. Elle donne l'impression d'être un peu dans le flou. Ses yeux bleus ressortent étrangement parce qu'elle a forcé sur le mascara.

Elle me dit :

— Jeanne la Grande. Je ne suis pas surprise que vous ayez saisi tout de suite l'allusion, et que vous ayez eu envie de l'imiter vous-même.

Je sors du cercle de lumière.

— Je suis une cabotine, mais je ne suis pas de taille à me mesurer à vous dans un rôle pareil.

— Il se peut que vous soyez ou non une cabotine, mais il n'y a pas moyen de se débarrasser de vous.

— Je suis venue parce que vous m'avez invitée.

— Le récital Robeson, le Comité Anti-Axe, le cabinet médical de Saul Lesnick... Ce sera où, ensuite ? La première fois que je vous ai vue, c'était lundi, et deux jours plus tard vous me pastichez dans ma propre maison.

Je plonge la main dans sa poche et lui vole ses cigarettes. J'en allume une et je reprends la pose.

— Invitez-moi à une autre soirée. Je ne refuse jamais quelque chose d'aussi fascinant.

Claire sourit.

— Qui vous a recommandé Saul Lesnick ?

— J'ai entendu des gens dire du bien de lui à l'Alliance des jeunes socialistes.

— Êtes-vous une taupe de la police ?

— Jamais je ne trahirais mes convictions par goût de l'aventure. Et les rares flics qui pourraient connaître votre existence ne prendraient pas le risque de provoquer notre rencontre.

Claire me fait signe de lui rendre ses cigarettes. Nos mains se frôlent au moment où elle les récupère. Elle en allume une. Je me penche vers elle et protège la flamme des courants d'air en mettant mes deux mains autour de la sienne.

— Je donne une autre soirée lundi prochain.

— J'espère que vous m'inviterez, et j'espère que le black-out sera de nouveau décrété.

Quelqu'un siffle. Quelqu'un crie :

— C'est l'heure du film.

Chaz Minear lance :

— C'est moi qui ai écrit le scénario, alors Reynolds et moi interpréterons tous les rôles !

Vladimir Horowitz annonce :

– Je me charge de la bande-son cent pour cent russe. Je serai Prokofiev et Rachmaninov !

Les esclaves de Claire disposent des coussins sur le plancher, devant l'écran. Claire me conduit jusqu'à un siège du premier rang. Un homme bascule un interrupteur et met fin aux jeux de lumière de Gregg Toland. Le projecteur s'allume. Oh, non... *Tempête sur Leningrad.*

Applaudissements, sifflets. Quelques huées bon enfant pour plaisanter. Le film commence. Loftis et Minear interprètent le dialogue ; Horowitz plane au-dessus d'eux.

Claire est assise tout près de moi. Mes lèvres remuent en parfait synchronisme avec celles des acteurs et je sens qu'elle me regarde. Elle *comprend.* Je *connais* le film. C'est un objet culturel de ma jeunesse.

Claire me touche le bras. Son geste veut dire *Merci.* Je me penche vers elle et lui chuchote :

– Je veux faire un documentaire pour dénoncer les rafles. J'ai un ami. Il est Japonais. Il bénéficie d'une protection de la police, et il pourrait nous aider.

Claire me presse la main. Loftis et Minear se prosternent devant Horowitz et se taisent. Le maestro enterre la fin du film. Les *Études-Tableaux* de Rachmaninov transcendent les niaiseries.

La lumière revient. Claire a disparu. Un jeune homme séduisant a remplacé Horowitz au piano. Bertolt Brecht annonce :

– Je vous présente Lenny Bernstein.

Je m'approche du piano et m'arrête près du clavier. Lenny Bernstein me dit :

– Choisissez un compositeur.

Je lui réplique :

– Chopin.

Lenny Bernstein me fait une place sur la banquette. Je m'assieds et commence à jouer l'un de mes nocturnes lents. Lenny place ses mains au-dessus des miennes et me dicte le tempo. Ses mains interprètent Chopin, les miennes enfoncent les touches.

# 11 décembre 1941

# 39

**0 h 08**

L'arrière-salle est en ébullition. Les serveurs apportent sans cesse de la gnôle et des chips de maïs. La police de la ville est sur le pied de guerre vingt-quatre heures sur vingt-quatre, à présent. À cause du black-out, certaines réunions se terminent tard dans la nuit.

Tout cela est justifié. La guerre chamboule le temps qui passe. Ce qui ne se justifie pas, c'est *ça* : Dudley a recruté un nouveau pit-bull. Donc, celui-ci doit prêter serment.

Appelez-moi-Jack brandit un cocktail et une Bible. Parker est avec la galerie : le Dudster, Buzz Meeks, Hideo Ashida, Jack Webb et sa face de rat.

Parker pense à Kay l'Ouragan. Elle ne tient pas en place, on la rencontre partout. Le pit-bull de Dudley est devenu son amant dimanche soir.

Appelez-moi-Jack tend sa Bible. Le pit-bull pose une patte sur le livre et lève l'autre patte.

— Robert Sinclair Bennett, jurez-vous solennellement devant Dieu de protéger la vie et les biens des citoyens de Los Angeles et de faire respecter les règlements de la police de Los Angeles ?

— Oui, monsieur le directeur, je le jure, dit Scotty Bennett.

Dudley applaudit. Jack Webb siffle. Ashida regarde Scotty avec des yeux ronds. Meeks se cure le nez.

Le gamin a vingt ans. Il a l'air parfaitement malléable. Le Dudster a décroché le gros lot.

Appelez-moi-Jack lui passe son équipement. Scotty prend son insigne, ses menottes et son .45. On échange des poignées de main. Appelez-moi-Jack fait un signe à Dudley et quitte la pièce.

Jack Webb prépare des whiskeys allongés d'eau. Tout le monde s'assied, sur les canapés ou dans les fauteuils.

Scotty n'en revient toujours pas. *Je n'irai pas à l'école de police ? Non, il y a un recrutement spécial en temps de guerre. Tu casses des têtes pour Dudley Smith.*

Parker s'installe à califourchon sur une chaise.

— Vous avez lu ma note. Nancy Watanabe était enceinte et s'était fait avorter récemment. Pour l'instant, nous ignorons l'identité du père. Reprenons à partir de là.

Meeks commence :

— Nous avons fait une nouvelle enquête de voisinage. Tout le monde dit la même chose : C'étaient des gens très corrects, qui ne posaient aucun problème.

Parker hoche la tête. Scotty paraît déconcerté. Ashida reste sur son quant-à-soi.

Meeks demande :

— Et ce tract qu'on a trouvé dans la maison ? Il descend en flammes la police de L.A. à coups d'arguments bolcheviques.

— Je ne pense pas qu'il soit pertinent dans le cadre de cette enquête, dit Parker. Il ressemble à un tract de gauche que j'ai vu récemment, et je pense qu'en remontant à la source, on aboutirait à une boîte postale et à un tâcheron qui rédige des tracts de toutes tendances pour un prix dérisoire. Les infractions à la législation des services postaux, c'est un crime fédéral ; ça ne nous regarde pas, et il me semble que c'est une voie sans issue de toute façon.

— Je suis de votre avis, capitaine, dit Dudley.

Parker reprend :

— Nous en sommes au quatrième jour d'enquête, à présent. Sergent Smith, je veux un deuxième rapport récapitulatif. Notez-y tout ce que vos hommes et vous avez appris. Ne craignez pas d'extrapoler et de livrer vos impressions.

Dudley avale une gorgée de whiskey.

— Oui, mon capitaine.

Meeks avale une gorgée de whiskey.

— J'ai parlé au docteur Layman. Il m'a dit qu'il avait congelé les cadavres. Il pense pouvoir découvrir du nouveau de cette façon.

Ashida intervient :

— Les histamines dispersées restent à l'état latent dans les tissus morts. Congeler les cadavres permet d'isoler les cellules. Le D$^r$ Layman pourrait nous apprendre quelque chose sur leur degré de panique. Cela nous permettrait peut-être d'évaluer le laps de temps pendant lequel ils ont su qu'ils allaient mourir.

Parker allume une cigarette.

– Où est votre garde du corps, docteur Ashida ? Je veux que vous soyez protégé à tout instant.

– Je n'ai pas pu trouver le sergent Jackson, capitaine. Je suis seul depuis notre retour de Terminal Island.

– Elmer devait dormir un moment quelque part. Il s'épuise à faire passer des auditions aux filles de chez Brenda.

Dudley s'esclaffe. Scotty en reste sans voix. Toutes ces plaisanteries pour initiés lui échappent.

Meeks allume un cigare.

– Il y a une rumeur qui court, depuis environ un an. Il semblerait que certaines personnes cherchaient à acheter la maison des Watanabe et leur ferme dans la vallée. Une seconde rumeur prétend que les ventes ont eu lieu, mais qu'elles ne sont enregistrées nulle part, et comme les Watanabe figuraient sur la liste « A », les fédéraux ont saisi tous leurs titres de propriété. Les archives n'ont pas enregistré la transaction, mais cela ne veut pas dire qu'elle n'a pas eu lieu. Les Watanabe étaient les seuls Japonais de Highland Park, alors je suis allé interroger les Japonais de Glassell Park et de South Pasadena. J'ai récolté de vagues ragots selon lesquels certains individus – mais personne n'a pu me donner leur nom ni préciser leur race – étaient venus en reconnaissance pour racheter des maisons appartenant à des Japonais.

Dudley se crispe. Il regarde Meeks puis détourne les yeux. Ça se passe en un éclair.

Meeks agite son cigare.

– J'ai fait le tour de toute cette région maraîchère de la vallée. J'y ai vu des flics de la police nationale mexicaine mener à la baguette les ouvriers agricoles clandestins des Watanabe et ceux de beaucoup d'autres exploitations. Comme les Watanabe sont *muertos*, cela m'incite à penser que leur propriété a changé de mains.

Dudley adresse un clin d'œil à Parker.

– J'ai de merveilleux amis dans la police nationale mexicaine, tout comme notre cher capitaine en a eu à une époque. Il serait contre-productif de leur chercher des poux dans la tête. Ils nous rendent des services inestimables lors de nos missions d'extradition.

Secret de polichinelle. Parker a distribué des pots-de-vin pour le compte de « Deux-Flingues » Davis. Dudley le sait. Ils ont tous les deux apporté des valises de billets aux flics mexicains. C'est le péché que Parker ne supporte pas d'avoir commis. Pour le Dudster, c'est une information qui lui garantit une certaine sérénité. Appelez-moi-Jack et Deux-Flingues ont chacun un yacht amarré à Puerto Vallarta. Carlos Madrano se charge de leur entretien.

– Les factures téléphoniques des Watanabe n'ont rien donné, poursuit Meeks. Ils appelaient leurs fournisseurs et personne d'autre. Ils ont aussi passé quelques appels à des cabines publiques de Santa Monica, ce que je n'arrive pas à m'expliquer, mais ça n'a sans doute pas grande importance.

Parker regarde Ashida.

– Encore une fois, docteur, je tiens à ce que vous fassiez des moulages des traces de pneus dans l'allée des Watanabe. Leur voiture est à la fourrière municipale, et nous avons une photo de la bande roulante des pneus. Voyons si nous pouvons obtenir des moulages utilisables.

Ashida hoche la tête. Jack Webb lève la main. Parker le rappelle à l'ordre :

– Vous n'êtes pas officier de police, monsieur Webb. Vous êtes entré dans les bonnes grâces de la brigade, mais vous êtes prié de ne pas vous mêler de cette enquête.

Jack Webb ravale sa salive. Sa pomme d'Adam fait le yo-yo.

– Vous devriez m'écouter, capitaine. J'ai interrogé des gens dans la rue hier matin, et je crois avoir récolté quelque chose.

Parker lâche un soupir.

– Très bien, allez-y. Dites-nous de quoi il s'agit, et qu'on en finisse.

Jack Webb s'en étrangle.

– Un marin m'a dit qu'il a vu dimanche, vers 14 h 30, une voiture noire s'arrêter devant la maison des Watanabe. Un Blanc d'une quarantaine d'années en est descendu, et il est entré dans la maison. C'était un homme à la carrure plutôt imposante, qui portait un pull violet.

*Tout le monde se crispe.*

*Le premier compte rendu de Dud : des fibres mauves sur les victimes. La théorie du D<sup>r</sup> Ashida : le tueur se tenait derrière les victimes et guidait leurs mains qui tenaient le sabre.*

Tout le monde se détend. Meeks rallume son cigare. Scotty secoue la tête, complètement perdu. Ashida reste imperturbable.

Dudley fait remarquer :

– Violet, ce n'est pas forcément mauve.

Webb ajoute :

– Je n'ai pas pu obtenir de signalement plus précis, et ce marin a pris la mer hier soir.

– Je n'y comprends rien, à votre histoire, déclare Scotty.

– Et pourquoi est-ce que vous y comprendriez quelque chose ? Vous étiez à la fête de fin d'année du lycée de Hollywood quand les Watanabe ont rendu l'âme.

Scotty fusille Meeks du regard. Dudley sourit jusqu'aux oreilles. Son pit-bull montre les crocs.

Meeks lance à Parker une autre sorte de regard – celui, disons, d'un petit futé de l'Oklahoma.

Dudley se lève.

– J'ai un rendez-vous, messieurs. Je vous souhaite à tous une bonne fin de soirée et je tire ma révérence.

C'est certainement chez Kwan qu'il se rend. Collusion et dîner tardif.

Le Dudster quitte la pièce. Jack Webb remue ses pieds. Scotty regarde fixement son insigne. Ashida reste sagement assis.

Parker annonce :

– La séance est levée.

Les participants sortent un par un. Parker se retrouve seul avec Meeks, qui ferme la porte. Parker se dirige vers le bar et sert deux bourbons.

Meeks dit :

– Je ne sais jamais quand vous buvez et quand vous arrêtez de boire.

– Ne soyez pas impertinent, réplique Parker. Dites-moi plutôt ce que signifiait ce regard.

Meeks avale une gorgée de bourbon.

– Je pense que Dud a envie d'enterrer cette histoire. Il a encore plus envie de le faire que nous tous, avec cette guerre qui vient de commencer.

Parker avale une gorgée de bourbon.

– Vous ne m'apprenez rien.

– Bowron et Horrall veulent un Jap tueur de Japs. Ils redoutent un retour de manivelle après toutes ces rafles, et on ne peut pas leur en vouloir.

– Vous ne m'apprenez rien.

Meeks éteint son cigare en le plongeant dans son verre d'alcool.

– Eh bien, voici des nouvelles fraîches, pour ce qu'elles valent. J'ai vu les photos du braquage de la pharmacie prises par le gadget qui se déclenche tout seul. À part celle qui montre la plaque d'immatriculation, elles sont trop floues pour être exploitables. Je suis passé à la brigade hier, et j'ai vu qu'une pellicule pas encore développée avait disparu du tiroir de mon bureau. J'ai interrogé le gars du labo photo. Il m'a appris que Dudley avait fouillé mon tiroir, puis exigé de lui qu'il développe la pellicule dans les plus brefs délais. Il m'a montré des tirages en double qu'il a obtenus à partir de ce négatif. Le braqueur du drugstore, c'est le mouchard de Dudley, Huey Cressmeyer. Ce petit voyou est très connu dans certaines sphères.

Parker vide son verre d'un trait. Meeks le lui remplit.

– C'est un quadragénaire à forte carrure ? Il ressemble à l'homme au pull violet ?

– Pas du tout, capitaine. Il a dix-neuf ans, et il était en prison à Lincoln Heights au moment où les Watanabe se faisaient éventrer. Il avait brûlé un feu rouge et s'était fait condamner pour avoir omis de payer une douzaine de contraventions. C'est Dot Rothstein, la lesbienne hommasse adjointe du shérif, qui a payé sa caution et l'a fait sortir à 6 h 15. C'est la compagne en titre de la maman de Huey.

Parker vide son verre d'un trait. Meeks le lui remplit.

– J'ai d'autres nouvelles, capitaine. Vous êtes prêt à les écouter ?

– Ne me faites pas languir, Meeks.

– Loin de moi pareille idée. Cela dit, avez-vous lu cette dépêche sur l'attaque du fourgon du shérif, la nuit dernière ? L'enquête est confiée aux fédéraux. Pendant le black-out, le fourgon est dévalisé, et soixante mille dollars en billets de banque se sont envolés.

– Au carrefour de Broadway et de la 74e Rue, dit Parker. J'ai lu le télétype.

Meeks lèche son cigare.

– Les braqueurs ont tiré des balles en caoutchouc, donc les convoyeurs s'en sont tirés sans dommage. Mais voici le clou de l'histoire, capitaine : Huey Cressmeyer a été soupçonné du cambriolage de la cabane du gardien quand il était en maison de redressement à Preston. Vous savez ce qui a été volé ? Des balles en caoutchouc et des fusils à pompe.

Parker réfléchit à la question.

– Vous êtes à la Répression des vols. Je vais vous faire affecter comme agent de liaison sur l'enquête fédérale. Je vais voir si Dick Hood veut bien y inclure mon ami Ward Littell.

Meeks demande :

— Et pour Dudley ?

— Il faut freiner son action et la contrebalancer. À court terme, il n'y a pas moyen de l'empêcher de nuire, mais on peut minimiser…

Meeks plante son index dans la poitrine de Parker.

— Minimiser les dommages que pourrait subir votre carrière ?

# 40

## LOS ANGELES | JEUDI 11 DÉCEMBRE 1941

**0 h 57**

Appelez-moi-Jack se goinfre de « Canard Pearl Harbor ». C'est du canard laqué garni de tranches d'ananas.

— Je l'aime bien, ce garçon. Thad m'a dit qu'il avait rossé les moricauds avec autorité.

— C'est exact, monsieur le directeur. C'est un jeune homme redoutable, et j'espère que la conscription ne nous en privera pas. Il a posé sa candidature pour intégrer les Marines, mais je pense que notre ami Fletch pourra le déclarer « Indispensable à la police ».

Appelez-moi-Jack rit de bon cœur.

— Qu'on l'envoie aux Philippines. Il rossera les Japs avec autorité.

Le restaurant d'Ace Kwan est désert. Les deux hommes dînent en tête à tête. Le black-out décourage les oiseaux de nuit.

Dudley lance une enveloppe sur la table.

— Une affaire récente a porté ses fruits, monsieur le directeur. Je tiens à ce que vous en profitiez, mais je ne suis pas censé en divulguer les détails.

Jack empoche l'enveloppe.

— Merci, Dud. J'apprécie vos attentions, et vous savez que je ne demande jamais de détails.

Dudley sirote un thé à la benzédrine. Jack s'empiffre de pâtés impériaux. Il est bedonnant et sujet aux suées nocturnes.

— Faites-moi un topo, Dud. Qu'est-ce que vous avez appris, où va cette affaire, et comment pouvons-nous la liquider ?

— L'enquête ne va nulle part, mais je manquerais à mes devoirs si je ne mentionnais pas certaines possibilités qui pourraient bien se présenter.

– Voilà ce que j'aime entendre ! Alors, continuez.

– Deux hommes non identifiés, de race blanche, ont acheté des habitations et des terrains agricoles à des Japonais, et tenté d'en acheter d'autres. Cela pourrait ou non avoir un rapport avec l'affaire. Je suis le seul à connaître les détails de cette opération de rachat, même si mes hommes et ce bavard de Turner Meeks sont vaguement au courant. Meeks à lâché quelques renseignements à Whiskey Bill ce soir, mais rien d'alarmant. William le Grand a exigé de moi un second rapport sur l'enquête. Je le lui remettrai en temps voulu. Ce sera un chef-d'œuvre dans le genre *ellipse et omissions*. William le Grand sera satisfait et neutralisé.

Jack se cure les dents.

– Il vous a toujours tapé sur les nerfs, ce Parker. Pourquoi pensez-vous que je lui aie confié la direction de cette enquête ? Vous et vos hommes, vous êtes soumis à certaines contraintes, mais c'est vous et moi qui tirons les ficelles. Je tiens l'église catholique pour responsable de l'existence d'un Bill Parker. Il se soûle au vin de messe, et il veut punir le monde entier d'être lui-même aussi tordu.

Le raisonnement est convaincant, mais c'est celui d'un hérétique.

– Parker sait que la détention des Japs est un fait accompli, monsieur le directeur. Il semble avoir des doutes sur le bien-fondé des rafles, mais il respectera tous les ordres officiels, ainsi que la version des événements que donnera la police de la ville, ce qui inclut l'affaire Watanabe. Sa conception de la morale l'empêche de se comporter personnellement en justicier solitaire. Il comprend la nécessité d'une enquête concluant à l'assassinat de quatre Japs par un autre Jap, et par conséquent il comprend aussi qu'à défaut d'une arrestation et d'une inculpation incontestables, la seule solution acceptable sera d'appréhender un ignoble pervers jap et de l'empêcher de commettre d'autres perversions grâce à une inculpation pour meurtre avec préméditation qui l'enverra à la chambre à gaz. Les preuves devront être confectionnées de toutes pièces de façon à paraître irréfutables. Il faudra que le pervers choisi soit un individu répugnant, capable d'incarner les desseins fanatiques de la race japonaise tout entière et justifier ainsi un emprisonnement massif de tous ses compatriotes.

Appelez-moi-Jack applaudit.

– Deux choses, Dud. Premièrement, je vous félicite pour votre compte rendu auquel je souscris de bon cœur. Deuxièmement, vous avez axé tout votre topo sur Bill Parker. De nouveau, c'est à l'église catholique que j'en veux. Tous ses fidèles, tous les gens comme vous, sont déboussolés par les sortilèges mystiques en provenance directe de Rome la papiste.

Cela fait rire Dudley... *Ah, ah ! – espèce de salopard d'hérétique.*

Appelez-moi-Jack poursuit :

– Ces rafles sont une connerie monumentale, et nous le savons tous les deux. La plupart de nos Japs sont des gens bien, mais il est préférable de les incarcérer jusqu'au moment où cette guerre tournera à notre avantage. Ce que je redoute, c'est une réaction brutale de la presse. Nous ne la méritons pas – surtout en cette période où la conscription va nous priver de nos meilleurs éléments. Perdre mon poste ne m'inquiète pas – qu'il échoie à Whiskey Bill ou à n'importe qui d'autre. Tant que Fletcher Bowron sera maire, je resterai là *aussi*. Et quand je partirai, le conseil municipal approuvera la candidature de Thad Brown. Ce que je souhaite, c'est voir ces putains de Japonais derrière les barreaux, une ville où règne le calme malgré la guerre en cours, et ces branleurs de réformateurs à la Bill Parker tenus en échec jusqu'à mon départ en retraite. À ce moment-là, je partirai pour Puerto Vallarta, je prendrai une cuite tous les soirs et je baiserai sur mon yacht des señoritas bien roulées. Je veux que cette putain de presse chante les louanges de notre ville et de sa police, aussi irréprochables l'une que l'autre, et ça ne me dérangerait pas de toucher un paquet au passage. Vous et moi, Dud, nous savons nous y prendre pour ramasser du fric. Nous voulons les mêmes choses, c'est clair, et vous avez carte blanche, *dans des limites raisonnables*, pour nous obtenir ce que nous désirons tous les deux.

Dudley applaudit.

– Voilà qui est brillamment résumé, monsieur le directeur. Je vous tiendrai informé de la suite des événements à mesure que ceux-ci seront confirmés.

Jack essuie les taches de graisse de sa cravate.

– Je veux qu'avant le Nouvel An l'affaire Watanabe soit résolue, et qu'une inculpation soit prononcée par le jury d'accusation.

– Vous l'aurez, monsieur le directeur. Cela dit, je devrais ajouter que je me pose des questions au sujet de notre D.A. atteint de somnolence chronique. M. McPherson éprouve une déplorable fascination pour les races exotiques. Il fréquente les rôtisseries tenues par des Noirs au sud de Jefferson Boulevard, et il apprécie la compagnie de prostituées de même origine. Je crains qu'il ne fasse traîner l'affaire en longueur ou qu'il ait recours à des faux-fuyants lorsqu'il s'agira d'inculper notre bonhomme.

La mimique de Jack est éloquente : *Et alors ?*

Dudley ajoute :

— J'aimerais avoir votre permission de lui forcer la main.

Appelez-moi-Jack hoche la tête.

— *Le Nouvel An*, Dud. Je veux que le jury inculpe notre suspect à huis clos pour quatre chefs d'accusation. Vous y ajouterez : *enlèvement et séquestration*, parce que notre pervers aura dû prendre les Japs en otage avant de les charcuter. De cette façon, nous aurons une nouvelle affaire Lindbergh et une chance de plus de l'envoyer à la chambre à gaz.

— Comptez sur moi, monsieur le directeur.

— Avant le Nouvel An. C'est clair ? Cette enquête fédérale sur les écoutes téléphoniques se précise à l'horizon, et je veux que notre police paraisse irréprochable sur toutes les questions concernant les Japs bien avant cette date.

— Ce sera fait, monsieur le directeur.

Jack rote.

— Parker nous a pris de vitesse et nous a sauvé la mise sur les écoutes téléphoniques. C'est un monde à l'envers, celui dans lequel nous vivons.

Dudley sourit.

— Ça ne fait aucun doute, monsieur le directeur.

— Y a-t-il autre chose que je devrais savoir ?

— L'hypothèse d'un suspect blanc a fait surface, mais je suis sûr que cette piste ne donnera rien.

— Je *sais* qu'elle ne donnera rien.

Dudley allume une cigarette.

— Sid Hudgens devrait écrire un papier sur l'enquête, monsieur le directeur. Aucun journal n'en a parlé jusqu'à maintenant. La guerre nous a cruellement volé la vedette.

— J'en parlerai à Sid. Brenda organise un poker chez elle demain soir. Je raconterai à Sid tout ce que nous savons sur McPherson. Il va adorer ça.

— C'est un échotier de talent, notre Sid.

Jack dit :

— Au sujet de Parker. Vous m'avez tout dit ?

— Ce soir a lieu notre dîner mensuel avec l'archevêque Cantwell.

C'est Whiskey Bill qui reçoit. Je lui lancerai des piques discrètes pour lui rappeler que nous avons de quoi nous neutraliser réciproquement.

Appelez-moi-Jack a un petit sourire narquois.

— Est-ce que Cantwell portera la robe ? Vous racontera-t-il comment il sodomise les petits garçons ?

*Salopard de protestant violeur de bonnes sœurs. Exécrable rejeton de Luther et de son immonde église.*

— Non, monsieur le directeur. Son Éminence est bien trop sécularisée pour tout cela.

Appelez-moi-Jack allume un cigare.

— Et *moi*, Dud, que puis-je pour vous ? C'est dans une rue à double sens que nous circulons tous les deux, et vous faites du sacrément bon boulot du côté où vous roulez.

— Je veux faire la guerre, monsieur le directeur. J'ai quelques projets dont je vous parlerai le moment venu, mais j'en confierai la mise en œuvre à Ace Kwan et à mes hommes. Joe Kennedy m'a promis une nomination en tant qu'officier du renseignement militaire.

Les doigts d'Appelez-moi-Jack pianotent sur la table.

— Le *Nouvel An*, Dud. Achevez votre travail en cours pour le LAPD, et je vous accorderai un congé exceptionnel.

Une montée de benzédrine lui atteint le cerveau. Il porte l'uniforme. Il fait valser Bette Davis au Coconut Grove.

Jack palpe l'enveloppe. *Il y a cinq mille dollars là-dedans, espèce de salopard de protestant.*

— Carlos Madrano est impliqué dans l'affaire, monsieur le directeur. Il sert d'éclaireur aux deux hommes qui rachètent les exploitations maraîchères, et c'est lui qui gère les ouvriers agricoles clandestins des Japs.

— Carlos est sacro-saint, Dud. Foutez-lui la paix.

Des déflagrations retentissent dans la rue. Appelez-moi-Jack commente :

— Putains de Tongs. Ces putains de Chinetoques sont encore pires que ces putains de Japonais.

**1 h 49**

*Les Tongs, effectivement.*

Dudley sort de chez Kwan. De vieilles guimbardes tongs descendent Broadway. Elles arborent des drapeaux tongs au bout de leurs antennes. Des jeunes Tongs se bagarrent dans le parking d'une station-service.

315

Dudley récupère sa voiture et fait un demi-tour. Il capte les relents des bombes puantes tongs. Il voit une bagarre tong à coups de chaînes. Les Tongs sont agités. Ils ne sont que rage.

Dudley lui-même n'est que rage. Il passe chez Huey avant de se rendre chez Hyman. Les acolytes japs de Huey sont partis se terrer quelque part. Il dit à Huey de les rassembler pour un conciliabule. Il a des questions à leur poser.

*Tachi, les Watanabe, les couteaux féodaux empoisonnés. Je voudrais des détails.*

La pluie ruisselle sur le pare-brise. Dudley entre dans le parking du palais de justice. Un gardien se précipite, brandissant un parapluie. Ben Siegel dispose de tout un personnel composé de flics serviles.

Le gardien fait aussi office de liftier. L'ascenseur les emmène à l'étage où se trouve la prison. Des clodos de race blanche et des Japs de la cinquième colonne se partagent l'espace vital des cellules.

Dudley et l'huissier tournent l'angle d'un couloir. Nous y voilà : la garçonnière du caïd.

Elle occupe la même surface au sol que six cellules réunies. Pas de barreaux. Moquette au sol et fauteuils capitonnés recouverts de cachemire. Une salle de bains personnelle dans un espace clos. Murs lambrissés et lit à baldaquin.

Un bar tout équipé avec évier incorporé. Le personnage lui-même qui reçoit en pyjama.

Ben le beau gosse. Ne l'appelez pas *Bugsy.* Lui, c'est le Cary Grant juif.

Ils se serrent la main. Ben glisse un billet de dix dollars au gardien et le congédie. Dudley s'adosse au mur du couloir. Ben s'étend sur son lit.

— Tu as maigri, Dud. Jack Horrall doit te faire travailler comme un forcené.

— C'est tout à fait ça, Ben. J'aimerais pouvoir me reposer dans un nid douillet, un peu comme le tien.

— Le shérif Biscailuz est le meilleur aubergiste de la ville. Et j'ai tout ça pour trois cents dollars par nuit. McPherson a fait traîner ma levée d'écrou, mais je sortirai bientôt. J'aurais pu rester jusqu'au Nouvel An, mais on ne fête pas Hanoukka, ici.

Dudley s'esclaffe.

— Ben, tu es toujours aussi marrant.

— *Le canari sait chanter, mais il ne sait pas voler.* J'étais bon pour la chambre à gaz, si tu n'y avais pas mis le holà avec l'aide de ce tâcheron de Blanchard.

— C'était un honneur, Ben. Le défraiement et le voyage en train étaient somptueux. J'ai acheté pour ma fille des perles indiennes à Bisbee, en Arizona.

— Ils sont encore plus crétins que les nègres, ces Indiens. Ils ont vendu l'île de Manhattan pour une poignée de cerises. J'aurais dû acheter L.A. aux Mex quand l'occasion s'est présentée.

*Passons aux choses sérieuses, maintenant. Il est tard. Il sait que je viens pour parler d'argent.*

— Je vais verser à Ace Kwan l'argent que lui doit Harry Cohn, et j'ai trouvé un moyen pour que Harry te rende tes 48 000 dollars. Ça va sans doute m'obliger à magouiller un peu, mais je ne devrais pas tarder à t'apporter la somme.

Ben contemple le plafond. C'est Salvador Dali qui a peint la fresque en forme de tourbillon qui le décore. On y voit des licornes en rut posséder des femmes nues.

— Magouille tant que tu veux, Dud. C'est ce que tu fais le mieux.

Dudley allume une cigarette.

— J'ai un compte à régler avec le D.A. Il a retardé ta libération, et je suis sûr que ça te ferait plaisir de le voir dans de sales draps.

— C'est certain, Dud. Épargne-moi les détails avant que ce soit fait, pour que je puisse les savourer après coup. Quand tu auras magouillé le remboursement de mes 48 000 dollars, tu pourras compter sur moi si tu as un service à me demander.

— Harry a besoin qu'on mate plusieurs leaders syndicaux à la Columbia.

— Je lui enverrai Mickey Cohen et Hooky Rothman. Ils sortiront Harry de la merde en deux coups de cuiller à pot.

Ce thé à la benzédrine lui monte à la tête. Dudley est pris d'un vertige brutal.

— Deux étages au-dessus de nous, dit-il, il y a cinq nazis locaux. On les a coffrés ici mardi soir. J'aimerais bien que Mickey et Hooky soient incarcérés brièvement pour possession d'arme à feu. Pendant qu'ils seront derrière les barreaux, ils dérouilleront lesdits nazis au point qu'ils seront à deux doigts de rendre le dernier soupir. J'essaie d'obtenir les noms de tous les salopards du Bund, de la Légion d'Argent, du Klan et des sympathisants de l'Axe qui émargent au LAPD et au Bureau du Shérif.

317

Ben contemple le plafond. Dali lui doit une fière chandelle. Il était complètement camé à la cocaïne. Ben l'a mis entre les mains de Terry Lux. Dr Terry l'a désintoxiqué.

— Pas de problème, Dud. Ça ne va pas enchanter Mickey et Hooky, mais le Dudster aura une dette envers eux. C'est toujours du donnant-donnant avec les types comme nous, et on finit par s'y retrouver.

— Il y a une dernière chose, Ben.

— Avec toi, il y a toujours *une dernière chose*, Dud.

— C'est en rapport direct avec notre copain Lee Blanchard.

Ben fait craquer ses phalanges.

— Ce salopard n'arrête pas d'avoir des dettes envers moi. S'il imagine que la mort de Reles a effacé l'ardoise, il va avoir une surprise.

Dudley s'explique :

— J'ai un bon copain chez les fédés, un nommé Ed Satterlee. Les fédés ont un psychiatre de gauche qui leur sert de taupe, et l'agent Satterlee m'a dit qu'on a vu la petite amie de Lee Blanchard, une certaine Katherine Lake, sortir du cabinet de ce bon docteur. Elle s'est apparemment liée d'amitié avec une harpie séditieuse nommée Claire De Haven, qui a donné une soirée somptueuse hier, et qu'on a entendue inviter Miss Lake à une seconde soirée à venir. Tu connais le Tout-Hollywood, Ben. Je serais ravi d'être le premier à voir la liste des invités.

Ben fait craquer ses pouces.

— Donnant-donnant ?

— Bien sûr.

— Je veux voir Mickey et Hooky démolir les nazis. Je veux qu'ils portent des gants lestés de plomb.

# 41

## LOS ANGELES | JEUDI 11 DÉCEMBRE 1941

**2 h 19**

Des hordes de *JAPS* envahissent les Philippines ! Des pilotes U.S. coulent un contre-torpilleur *jap* ! Des parachutistes *JAPS* prennent d'assaut l'île de Luçon !

Voilà ce que brâme la radio chez Linny, une gargote ouverte toute la nuit – dans le Beverly Hills du black-out.

Kay Lake fume et délaisse son repas. Elle porte une robe noire et un trench-coat. Les gens regardent d'un sale œil le couple qu'elle forme avec Ashida.

Celui-ci avale une gorgée de café. Le cognac du soldat anglais n'est plus qu'un souvenir. Mais il se rappelle encore l'odeur de Dudley Smith.

– Vous êtes ailleurs, lui dit Kay.

– Il va falloir que je parte bientôt, répond Ashida. Il y a quelque chose que je dois aller voir.

– À cette heure de la nuit ? En plein *black-out* ?

– L'heure a pris une nouvelle signification, à présent. C'est pourquoi il y a tant de gens ici. Ils n'arrivent pas à dormir, et ils ont peur de manquer quelque chose.

Kay écrase sa cigarette pour l'éteindre. Elle ignore la radio et les gens qui les regardent d'un air idiot. Cette attitude est typiquement *Kay*.

Ashida a consulté les télétypes reçus par la brigade et il a appris le fin mot sur Goleta. L'attaque des sous-marins a bien eu lieu. Un village de pêcheurs a été ravagé hier matin. L'histoire est gardée *très* secrète. Le shérif de Santa Barbara a isolé la zone aussitôt.

Ashida a pris un gros risque. Il a appelé les services du shérif en se faisant passer pour Pinker.

– Puis-je envoyer un de mes hommes sur place ?

Bien sûr, lui a-t-on répondu. Ashida n'a pas précisé que l'homme en question était un *JAP*.

Kay lui dit :

– Je vous remercie d'être venu me retrouver ici. Je sais que ce n'est pas vraiment votre style.

– Je n'ai pas de style. Je venu vous rejoindre parce que je savais que je n'arriverais pas à dormir, et aussi parce que nous avons des conversations agréables.

Kay sourit. Ses dents sont tachées par son rouge à lèvres.

– Tôt ou tard, vous me demanderez : « Qu'est-ce que vous attendez de moi ? » Si, à ce moment-là, j'en ai une idée précise, je vous répondrai.

Ashida entend les mots *Jap* et *femme blanche*. La gargote est remplie de grandes gueules d'insomniaques. La cuisine propage des relents de viande cuite à la vapeur.

– Ce que vous voulez, je le sais. Vous souhaitez échanger nos perceptions du monde dans lequel nous vivons, et discuter du capitaine Parker. Il vous a confié une tâche qui vous donne le sentiment d'être quelqu'un d'important, et il s'est révélé important pour moi. Vous avez été invitée à une soirée à Beverly Hills, et vous saviez que vous ne pourriez pas trouver le sommeil ensuite. Vous ne savez pas ce que vous voulez parce que vous changez d'avis à tout moment, et maintenant la guerre vous tape sur les nerfs.

La radio entre en éruption. Ashida capte les mots *JAPS* et *morts*. Les braillards applaudissent et font le V de la victoire.

– Je connais vos deux gardes du corps. Ce fait m'intrigue.

– Oui. Parce que vous voyez tout par rapport à *vous*.

– À ce sujet, justement. Je connais des gens que vous pourriez trouver intéressants. Nous voulons tourner un documentaire pour dénoncer les rafles, et j'ai pensé que vous auriez peut-être envie de nous aider.

Ashida hausse les épaules. La radio braille une publicité : *Les Haciendas de Sherman Oaks ! Encore une réussite éclatante d'Exley Constructions !*

Le bulletin d'informations reprend. *Des marins JAPS périssent à bord du contre-torpilleur coulé par notre aviation !*

Ashida explique :

– L'an dernier, le conseil municipal a adopté un plan d'urbanisme. Il s'agissait de créer un ensemble de maisons individuelles à Baldwin Hills, et c'est Exley Constructions qui a remporté le marché. Les contrats de vente des parcelles permettaient aux Nisei de se porter acquéreurs, mais le conseil municipal a opposé son veto à cette clause. Les Nisei ont fait un procès. Ils l'ont gagné, et quelques familles se sont installées. Quand ils se sont rendu compte que leurs voisins ne voulaient pas d'eux, ils ont revendu leur maison à Exley Constructions pour une bouchée de pain.

Kay jette un coup d'œil circulaire à la salle du restaurant. Ashida suit la direction de son regard. Sur l'un des murs sont alignées des photos de boxeurs juifs : Barney Ross, Benny Leonard, Maxie Rosenblum. Juste au-dessous, le luthérien Bucky Bleichert prend la pose, le dos rond, les gants en avant. Kay lui envoie un baiser.

– J'ai vu Preston Exley pas plus tard qu'hier, dit-elle. Il sortait d'un bureau, à quatre pâtés de maisons d'ici.

Leur box se trouve près d'une fenêtre. Ashida écarte le store. Beverly Hills est plongé dans la nuit par le black-out et plat comme la main.

À travers la vitre Kay regarde une voiture garée le long du trottoir. Un colosse est adossé au véhicule. Ashida le reconnaît : c'est l'agent R.S. Bennett.

Cela fait sursauter Kay. Ashida rabaisse le store.

– Il a intégré notre police, à présent. J'ai assisté à sa prestation de serment il y a quelques heures. C'est le premier candidat à profiter du *recrutement spécial en période de guerre.*

– Vous croyez qu'il me suit ?

Ashida sourit.

– Cela ne me surprendrait pas. Il a vingt ans, et vous êtes irrésistiblement séduisante.

Kay rit et lui touche la main. Son contact lui transmet une onde de choc. Il retire vivement sa propre main. Il se lève et renverse sa chaise.

Il sort du restaurant, poursuivi par une traînée de *JAP, JAP, JAP.* Le jeune Bennett a disparu. Dans le Beverly Drive de 3 heures du matin le calme est absolu.

Il monte dans sa voiture et part vers l'ouest. Il laisse ses vitres baissées. Cela aide sa transpiration à s'évaporer et fait de nouveau circuler son adrénaline. Beverly Hills, Westwood, Brentwood. Des enclaves plongées dans le noir par le black-out.

Santa Monica, la route du littoral. Tout droit en remontant vers le nord.

Des soldats patrouillent le long du front de mer. Ils sont équipés de projecteurs et surveillent la crête des vagues. Ashida voit des bunkers entourés de sacs de sable, des nids de mitrailleuses.

Il court le risque de tomber sur un poste de contrôle. Le black-out est en vigueur, il est *JAP*, il transporte dans son coffre un récepteur radio volé.

Ce matériel de radio, il l'a caché à Dudley. C'est dans la voiture de celui-ci qu'ils se sont installés pour discuter. Leurs épaules se frôlaient. Il a parcouru rapidement les tracts rédigés en *JAP* et il a menti sur leur teneur. Ils étaient clairement dirigés contre le LAPD. Il a édulcoré cet aspect-là et gardé cette piste pour lui seul.

Ashida roule vers le nord. Ses nerfs à vif et les embruns le stimulent. Il dépasse Zuma, Oxnard, Ventura. Il voit des sentinelles sur les plages et des guetteurs qui scrutent le ciel. Il a de la chance en ce qui concerne les postes de contrôle – il n'en a vu aucun, ni à Zuma, ni à Oxnard, ni à Ventura.

Il dépasse Santa Barbara. Le jour se lève dans deux heures. La crique de Goleta n'est plus loin.

L'adjoint du shérif lui a dit que toutes les traces des dommages subis ont été rassemblées et isolées « sur site ». Cela veut sans doute dire : sur la plage, loin de l'océan, dans un abri. L'attaque a eu lieu hier à l'aube. Attends-toi à voir des flics et des hommes du renseignement militaire. Attends-toi à voir des scènes de catastrophe. Des cadavres et des débris.

Attends-toi à de la rancœur. Attends-toi à de la suspicion. Explique-toi. Tu es un brillant chimiste du département médico-légal de la police. Tu es venu sur le théâtre d'une attaque des tout premiers jours de la guerre, parce qu'il *fallait que tu voies ça.*

*Mais c'est une attaque surprise* JAP. *Mais tu es ici sans autorisation de tes supérieurs. Mais tu es un* JAP.

Ça ne marchera pas. Tu risques la prison. Parker, Pinker, Smith… – citer leurs noms ne servira à rien. À L.A., tu as deux protecteurs qui n'ont d'ailleurs pas beaucoup de poids, mais ici, tu n'es qu'un *JAP* de dernière catégorie.

Il s'apprête à rebrousser chemin. Devant lui, il voit des lumières le long de la plage. Il se gare en haut d'un promontoire qui surplombe la route et prend ses jumelles.

Il regarde ce qui se passe en contrebas. Le lieu de l'attaque se trouve quatre-vingts mètres plus loin. Des lampes à arc encadrent un abri dépourvu de façade.

Il voit des cadavres dans des barquettes pour transport de blessés. Un membre ou deux dépassent çà et là. Une brume de neige carbonique s'en élève. Il voit des jambes sectionnées dans un baquet en bois.

Il voit des photos à usage médico-légal suspendues à des cordes à linge.

Il voit des poubelles remplies de bouts de bois calcinés.

L'abri est violemment éclairé. Un détail jure avec l'ensemble. Les lieux devraient grouiller de flics et d'officiers de l'armée. La route de la côte et l'aire goudronnée devraient être couvertes de voitures et de jeeps.

Ashida ne voit qu'une seule jeep. Il remarque une paire de jambes, croisées au niveau des chevilles, qui dépassent de la portière.

Un garde en service. Un tire-au-flanc qui pique un petit somme avant le lever du jour. Il n'y a personne d'autre aux alentours.

*Risque le coup, Mister Moto. Il dort sans doute. Essaie toujours. S'il ne dort pas, t'es foutu.*

*Regarde cet éclairage surpuissant. Tu n'auras pas besoin de griller des ampoules de flash.*

Ashida empoigne son appareil photo. Il lui reste seize vues à prendre. Il épingle son badge d'identification au revers de sa veste et se dirige vers l'aire goudronnée.

Il sent tout de suite l'odeur du bois calciné et des chairs carbonisées. Celle des embruns les complète. Il va tout de suite vers la jeep. Il entend des ronflements dès qu'il s'approche.

Il regarde dans l'habitacle. *Sacré coup de chance, Mister Moto.* Le soldat s'est enfoncé des boules de cire dans les oreilles.

L'abri est rempli au petit bonheur. L'attaque était inattendue. Des torpilles ont atteint la plage. C'est un village de pêcheurs, des « collaborationnistes » – des *Japs* alliés avec des Chinetoques.

Les torpilles frappent. Elles explosent et crachent un déluge de flammes. Cela explique le bois calciné dans les poubelles.

Des flics et des soldats se sont précipités sur les lieux et ont construit cet abri. Ils ont ramassé au hasard tout ce qui avait trait à l'agression japonaise. Ils sont restés sur place toute la journée puis ils en ont eu assez.

*Réfléchis vite, Mister Moto. Tu as cinq minutes.*

Ashida arpente l'abri. Il le parcourt section par section, selon les règles strictes de la criminologie. Il photographie les débris ainsi que les clichés pris en tant que preuves visuelles. Il reconstitue l'attaque.

Les torpilles font mouche. L'appontement et les cabanes de pêcheurs explosent et s'effondrent. Les bateaux de pêche brûlent et se disloquent, les vagues éparpillant les débris. Les vagues s'étalent sur le sable, les vagues refluent. Des jambes et des bras sectionnés flottent sur leurs crêtes.

Des hommes s'extirpent en titubant des monceaux de débris. Ils sont dévorés par les flammes. Ils hurlent et agitent les bras. Ils s'écroulent morts sur le sable, à la limite de l'océan.

Quatre morts. Photographiés dans les règles pour constituer un dossier médico-légal. Quatre morts dont le nombre est confirmé par celui des cadavres laissés dans les barquettes. Sur l'une des photos : un pied orphelin sur le sable. On le voit. Ledit pied se trouve ici même dans l'une des barquettes.

Ashida l'examine. Il le photographie. Il s'en approche et le renifle. Il capte l'odeur d'un début de décomposition. Et aussi celle d'une

323

huile de poisson. Non, il corrige sa première impression ; c'est une odeur d'huile de crevette.

Ce n'est pas une odeur banale. En même temps, elle lui est familière.

Il se rappelle le rapport d'autopsie de Nort Layman. De l'huile de crevette sur la plante des pieds des Watanabe. Des éclats de verre éclaboussés de sang dans leur maison. Lesdits éclats de verre empestaient le *POISSON*.

Son expédition pour voir les fermes Nisei. Cet ouvrier agricole auquel il a parlé. Il a senti une odeur de *POISSON* sur lui.

Quatre cadavres ici. Sur le sable mouillé hier, dans des barquettes aujourd'hui.

Des *collaborationnistes*. Regarde bien les clichés et prends tes propres photos. *Qu'est-ce que tu dis, Mister Moto ?* Deux des hommes ont un physique de Japonais. Les trois autres semblent être des Chinois. Les différences sont ténues. *Tu pourrais avoir raison, tu pourrais te tromper.*

Ashida arpente l'abri. Ashida photographie les corps et les clichés de l'armée sans plus attendre.

Des morts sur de la neige carbonique. Deux hommes gravement brûlés par les flammes.

Il les retourne sur le dos. Il écarte la peau noircie. Le premier est carbonisé jusqu'à la cage thoracique. Sur le deuxième est encore visible une cicatrice ancienne, laissée par une blessure à l'arme blanche. La cicatrice est symétrique, en forme d'étoile. Le couteau était certainement muni de plusieurs lames. *À noter* : une seule perforation profonde.

Ashida arpente l'abri. Ashida recharge son appareil. Il entend le fracas d'une vague qui se brise. Il entend le soldat ronfler à cinq mètres de lui. Il entend son propre cœur battre en surrégime.

Il touche tous les cadavres. Il examine leurs physionomies. Il compare les membres épars dans le baquet aux corps amputés. Il dit pour eux des prières shinto et des prières chrétiennes.

Quatre minutes se sont écoulées. *Vite, Mister Moto.*

Il entre dans la dernière section. Il photographie les épreuves laissées sur la corde à linge.

Il y a de petites boîtes de conserve sur un tas de débris. Les étiquettes annoncent : « Crevettes hachées ». Du papier calciné. Des notes en kanji. Des sommes d'argent. Des comptes avec conversion de yens japonais en dollars américains.

*Trente secondes, Mister Moto. Ce soldat qui somnole risque de se réveiller.*

Ashida se penche sur le dernier des baquets contenant des membres. Il prend une photo d'un pénis tranché qu'on a disposé sur une couche de neige carbonique.

# 42

## JOURNAL DE KAY LAKE

### LOS ANGELES | JEUDI 11 DÉCEMBRE 1941

**7 h 23**

J'ai apporté mon carnet de croquis au restaurant. Le capitaine Parker m'a appelée à l'aube pour me demander de le rejoindre. Je n'avais pas dormi, je n'arrivais pas à trouver le sommeil, et je suppose qu'il en était de même pour lui. Je n'arrête pas de me rendre d'un lieu public à un autre pour y rencontrer des criminologues et des policiers que je ne connaissais pas une semaine plus tôt.

Ma table donne sur La Cienega Boulevard, juste au sud de Wilshire. Dans le restaurant de Dick Webster flotte une bonne odeur de tarte au citron, et aussi la tension permanente que crée l'état d'alerte en temps de guerre. Après la soirée chez Claire, je suis rentrée chez moi, puis je suis ressortie pour mon face-à-face écourté avec Hideo Ashida. Hideo est parti brusquement ; je suis rentrée chez moi pour réfléchir aux vicissitudes de la manipulation d'autrui. Le capitaine Parker est à présent en retard de vingt-trois minutes. Je remplis mon carnet de croquis.

Mes crayons courent sur la feuille, comme au hasard. Je dessine une femme derrière le comptoir, puis les voitures qui passent sur le boulevard. Je passe à Scotty Bennett en uniforme, à Hideo Ashida nu mais avec le corps de Bucky Bleichert. Puis je me retrouve dans la chambre de Claire avec Renée Falconetti.

J'ai vu le film *La Passion de Jeanne d'Arc* quand j'étais au lycée. Un prof efféminé avait emmené un groupe d'élèves au seul cinéma de Sioux Falls, Dakota du Sud, qui programmait des films étrangers. Sioux Falls était un foyer du nativisme[1]. La Légion d'Argent a fait fermer le cinéma la semaine suivante, cet établissement diffusant des ignominies importées de pays catholiques – l'extase religieuse voisine du coït et une jeune femme aux cheveux courts brûlée vive ; l'incarnation par Renée Falconetti d'une femme dévorée par sa foi et d'une suppliante aspirant à la transcendance.

Je dessine Falconetti en Jeanne d'Arc et Claire en Jeanne d'Arc ; je mêle leurs traits respectifs en une seule Claire-Jeanne homogène. Un camion passe sur le boulevard et fait trembler la vitre. Un homme et une grande rousse descendent d'une voiture et se dirigent vers Wilshire Boulevard. Bill Parker gare sa voiture de police juste derrière eux. Il sort de son véhicule et se met à les suivre. La rousse pivote pour défroisser sa robe et le regarde bien en face. Le capitaine Parker en reste pétrifié. Je déchiffre son expression.

Ce n'est pas *Elle*, quelle que soit cette femme qu'il recherche. *Elle* n'était pas non plus l'une des quatre femmes officiers de la marine nationale que j'ai vu Parker observer hier.

Il entre dans le restaurant. J'ôte mon trench-coat. C'est Parker qui a acheté la robe que je porte, il est normal qu'il la voie.

Une serveuse passe près de moi et remplit ma tasse de café ; je lui montre l'autre tasse posée sur la table et elle l'emplit aussi. Le capitaine Parker s'assied. Je repère des peluches sur son uniforme. Je connais très bien ce contraste entre les peluches blanches et le bleu de l'uniforme de flic : le capitaine Parker a dormi dans la salle de repos de la brigade.

Il se réchauffe les mains au-dessus de la tasse de café. Il me dit :
– Bonjour, Miss Lake.

Je referme mon carnet de croquis et le pose sous la table.

– Dimanche après-midi, devant l'immeuble fédéral, vous m'avez vue en compagnie d'un jeune homme à la carrure imposante.

– Oui. Et je l'ai vu sortir de chez vous lundi matin. Il s'appelle Robert Bennett, nous venons de l'engager, et tout permet de penser qu'il est la nouvelle brute préférée de Dudley Smith. Je suis sûr que vous le trouvez séduisant, ce qui en dit plus long sur votre affectivité que sur la pertinence de votre jugement.

*Touchée.*

Je tente de me justifier.

---

1. Mouvement politique xénophobe anti-catholiques et anti-immigrants.

– Ma remarque était une ruse. J'espérais que vous sauriez au sujet de l'agent Bennett des choses que j'ignore.

– J'ai assisté à sa prestation de serment hier soir. Il semblerait que vous le connaissiez de façon, disons, plus intime.

*Encore touchée. Et pas un mot sur ma robe en cachemire noir ?*

– J'ai passé un moment merveilleux à la réception donnée par Claire De Haven. Elle m'a invitée à sa prochaine soirée, qui aura lieu lundi.

– Continuez, je vous prie.

– Je me suis discrètement introduite dans sa chambre, j'ai fouillé ses tiroirs et j'y ai vu une seringue hypodermique et plusieurs ampoules dont je pense qu'elles contenaient de la morphine. J'ai volé un tract politique, mais je ne l'ai pas encore lu.

– Je vais vous procurer un appareil de prise de vues facile à dissimuler. Je veux des preuves photographiques de la présence dans les lieux de narcotiques illégaux et du matériel d'injection.

– Terry Lux était à la soirée. Il surveillait Claire de très près. Je suppose qu'elle se désintoxique régulièrement dans son ranch, quand le LAPD n'utilise pas celui-ci pour ses pique-niques et ses parties de softball.

– Alors, vous l'appelez *Claire*, à présent ? Vous avez jeté les bases d'une amitié ?

– Toutes les trahisons commencent par une amitié, non ? N'y a-t-il pas toujours une filiation qui mène à la manipulation ?

– Je vous fournirai un micro indétectable. Vous serez chargée de pousser Miss De Haven à prôner le renversement par la violence du gouvernement des États-Unis, et nous en aurons ainsi un enregistrement sonore.

– Vous ne pourriez pas me fournir aussi, pendant que vous y êtes, une autre robe aussi sublime ? Celle-ci a fait tourner les têtes.

– Je veux des photos de tous les flacons de comprimés de son armoire à pharmacie. Je veux des photos de toutes ses factures de téléphone récentes et de toutes les pages de son carnet d'adresses.

– Nous allons tourner un documentaire pour dénoncer les rafles de Japonais. C'est moi qui ai proposé l'idée, et Claire la trouve intéressante. Je veillerai à ce qu'il soit moins outré que *Tempête sur Leningrad*, afin qu'au tribunal le jury ne soit pas pris d'un fou rire qui interrompe la projection.

– Les jurés sont insensibles à la subtilité, Miss Lake. Si vous créez un document cinématographique, il faudra qu'il soit carrément et exécrablement séditieux, et qu'il présente sans aucune ambiguïté les desseins idéologiques de Miss De Haven.

– L'idéologie seule peut-elle être *quoi que ce soit* sans laisser de place à l'ambiguïté ? Miss De Haven ne devrait-elle pas *d'abord* faire exploser une usine de construction aéronautique ? Dois-je l'encourager à le faire, et convoquer pour l'occasion un cinéaste réputé ?

– La trahison, elle réside dans la perversion de l'idéologie et de la liberté de parole. Lorsque des pensées séditieuses sont exprimées en public de façon irresponsable, nous sommes en présence d'un délit grave, et qui justifie totalement que je prenne ces mesures que vous considérez comme hâtives, présomptueuses et subversives en elles-mêmes et par elles-mêmes, alors, permettez-moi d'insister, nom de Dieu, mais je sais de quoi je parle !

La tête me tourne. Lui *aussi* semble pris d'un étourdissement. Mes cigarettes sont sur la table. Il se sert et me lance le paquet. Chacun allume la cigarette de l'autre.

Je lui demande :

– Qui est-elle, capitaine Parker ?

– Qui est *qui*, Miss Lake ?

– La grande rousse que vous cherchez partout.

Il se lève brusquement et bouscule la table. Les couverts font un bond. Le visage de William H. Parker affiche l'expression d'un gamin vexé mêlée à celle d'un vieil homme défait. Il a perdu cinq kilos depuis que j'ai fait sa connaissance – il y a seulement cinq jours. Son ceinturon, alourdi par son arme de service, fait glisser son pantalon sur ses hanches.

Il me fuit en hâte. Je regarde à travers la vitre et je le suis des yeux. Il monte dans sa voiture et déboîte sans se soucier de la circulation. Des automobilistes klaxonnent. Le capitaine William H. Parker sort son bras par la fenêtre et brandit son majeur.

En uniforme. Dans sa voiture de police bicolore noir et blanc.

Je ris. Sa voiture accélère ; je vois d'autres majeurs brandis en guise de riposte et j'entends des klaxons retentir puis s'estomper. Cela me fait rire et me laisse épuisée. Le simple fait de rester assise à cette table est douloureux.

Les bruits du restaurant se réduisent à un bourdonnement. Je ferme les yeux une seconde et je les rouvre aussitôt. L'horloge murale m'apprend que j'ai dormi une heure entière.

Je me frotte les yeux et regarde à travers la vitre. La grande rousse attend sur le trottoir.

Je prends mon carnet de croquis pour la dessiner. Je repose mon carnet tout aussi vite et je fais quelque chose que je n'ai jamais fait de ma vie.

Je prie pour que cette femme sorte indemne de la guerre qui vient de commencer.

# 43

## LOS ANGELES | JEUDI 11 DÉCEMBRE 1941

**9 h 14**

Parker est chez lui. Il fait les cent pas dans son antre. La pièce est meublée dans le style des clubs pour hommes. Sur les murs, encadrés, les documents et les objets qui lui rendent hommage. Son diplôme de droit. Sa plaque du barreau de Californie. La clé de son association élitiste d'anciens étudiants. Trente-quatre citations décernées par la police.

Les certifications ornent trois murs. Le quatrième est couvert d'une feuille de papier blanc. Quatre colonnes y figurent sous les dénominations suivantes :

*Black-out/Circulation : statistiques*
*Brigade des étrangers/Rafles d'éléments subversifs*
*Affaire Watanabe/Détails-Chronologie*
*Lake/De Haven*

Parker fait les cent pas. Il est épuisé, au bout du rouleau. Ses lunettes glissent sur l'arête de son nez.

Il est à la limite de la rupture. Il a piqué une crise de nerfs alors qu'il portait l'uniforme. Il craint de manquer des faits importants. Ce qui l'oblige à *tout noter*.

*Black-out/Circulation : statistiques*. Mets tes notes à jour.

« Le black-out de la nuit dernière a engendré un soulèvement d'émeutiers noirs. Cinq personnes sont mortes dans des accidents de circulation. À un poste de contrôle, un militaire a tué une dame de la haute société. Elle n'avait pas entendu son injonction – *Halte !* Il l'a criblée de balles. »

*Brigade des étrangers/Rafles d'éléments subversifs*. Mets tes notes à jour.

« Les fédéraux passent à la liste *B* des éléments subversifs. On attend les détails. Réunir la brigade. Conseiller vivement aux agents de renoncer à la manière forte. »

Il a lu les télétypes du ministère de la guerre. FDR a prévu des détentions à grande échelle. Des équipes de l'armée sont à la recherche de sites idoines dans tout le Sud-Ouest. Les prisons locales sont déjà bourrées de Japs. Une évacuation de masse se profile déjà. Attendons-nous à une diaspora jap.

*Affaire Watanabe/Détails-Chronologie*. Mets tes notes à jour.

« Homme de race blanche/pull violet. Voiture noire devant la maison le 6/12/41, vers l'heure des décès. »

« H. Ashida doit faire des moulages des traces de pneus/mesure sans doute futile. »

« Les Watanabe ont passé des appels vers des cabines publiques. »

*Lake/De Haven*. Mets tes notes à jour.

Il lève son stylo. Le décor bascule sur son axe. C'est dire à quel point il est fourbu.

*Lake/De Haven*. Il a tous les détails en tête. Il n'y a rien à noter sur le tableau.

Kay Lake poursuit deux objectifs opposés. Cette jeune femme séduisante est une artiste frustrée. Elle envisage le film qu'elle veut réaliser comme un pamphlet pour éclairer les masses. Elle veut manipuler Claire De Haven. Il faut qu'elle gagne cette guerre qu'il lui a lui-même confiée, et qu'elle qualifie de *stupide* et *présomptueuse*. Son témoignage au tribunal a décidé de l'issue de l'affaire Boulevard-Citizens. Il la fera témoigner contre la Reine Rouge, dont elle signera la perte. C'est lui qui élaborera la rhétorique de son exposé. Elle explicitera une détermination théocratique qui sera celle du capitaine Parker.

Elle a deviné ses doutes concernant les rafles. Elle se croit capable de le pousser à l'apostasie. Leurs rencontres le laissent dans un état de tension extrême. Il pense à elle plus qu'il ne le devrait.

Parker pose le front sur son tableau. Ses membres sont en caout-chouc. C'est le mur qui le tient debout.

La porte grince. Helen entre dans la pièce. Elle porte sa salopette de jardinier.

— Tu es une loque, William. Tu devrais prendre un jour de congé et dormir.

Il garde la tête baissée. Elle cache la portion du tableau réservée à *Lake/De Haven*.

— Impossible. Je dois collationner les télétypes, et Horrall veut une réunion sur le black-out.

— La planète peut se passer de toi le temps d'une journée. Ce n'est pas toi qui as commencé la guerre, et je ne pense pas que tu seras celui qui y mettra un terme.

— Helen, *s'il te plaît*.

— Bill, *s'il te plaît*. S'il te plaît, repose-toi, s'il te plaît ne dors pas dans la salle de repos de la brigade, s'il te plaît prends soin de toi, et s'il te plaît arrête de me fuir comme tu le fais depuis longtemps.

Elle est guillerette. Elle a toujours l'air guilleret. Elle est née guil-lerette.

— Je prendrai une demi-journée de congé dimanche matin. Nous irons à la messe et nous prendrons le petit déjeuner chez Lyman.

Helen rit.

— Chez Lyman, où tu disparaîtras dans l'arrière-salle pour lire des dépêches. Où tu bavarderas avec Thad Brown et où tu plaisanteras sur la façon dont tu vas supplanter Jack Horrall. Où…

— Helen, s'il te plaît…

— Bill, *s'il te plaît*, arrête de négliger notre couple. Bill, *s'il te plaît*, cesse de te comporter avec brusquerie en présence de ma famille et de mes amis. Bill, *s'il te plaît*, renouvelle ta promesse de ne plus boire, parce que je ne supporte plus de te voir soûl. Bill, *s'il te plaît*, arrête de travailler comme une brute et apprends à t'amuser simplement, de façon à ne plus faire de cauchemars à en imbiber le lit de transpiration les rares nuits où tu le partages avec moi. Bill, *s'il te plaît*, arrête de prier à voix haute quand tu penses que je ne t'entends pas, parce que je n'ai pas envie de savoir ce que tu dis à Dieu. Bill, *s'il te plaît*, arrête de t'amouracher de petites étudiantes alors que tu vis avec une femme qui…

Parker s'enfuit en courant. Il parvient jusqu'à la terrasse de der-rière. Il se bouche les oreilles, mais ça ne lui épargne pas ceci :

Helen qui traverse la maison en martelant le plancher. Helen qui claque les portes. Helen qui monte dans sa voiture et démarre pleins gaz. Helen qui laisse de la gomme sur le bitume de l'allée.

Parker cache une bouteille dans la cabane à outils. Il s'y précipite. Il avale trois bonnes lampées.

L'alcool lui donne sa chaleur et ses secousses. L'alcool ravive les couleurs de tout ce qu'il regarde. Il lui apporte ce moment où vous partez ailleurs.

Il range la bouteille. Il lui vient une idée. Il rentre dans la maison et décroche le téléphone de son bureau. Une opératrice lui passe le standard de Chicago.

L'université Northwestern. Les flics du campus. Il jouit d'un certain prestige auprès d'eux.

Leur chef prend l'appareil. Parker lui expose sa requête.

Joan. Diplômée en biologie. Vingt-cinq ans environ. Une grande rousse. Il l'a vue pratiquer le tir aux pigeons près du lac Michigan. Elle possédait un fusil à canon ventilé.

Le chef lui dit qu'il va tenter de l'identifier. Parker raccroche.

Il se sent tout déconfit. C'est le jour du Jugement dernier, c'est Armageddon. La gnôle provoque instantanément un comportement inacceptable suivi de regrets. Il se dirige vers le canapé et s'y étend.

*Deadwood, Dakota du Sud.*

Oui, c'est ça.

On est en 1916. Ces fenêtres-là sont celles d'un bordel. Maintenant, c'est Los Angeles en 1924. Il bat sa première femme. Ils sont à l'hôpital. Elle est couverte de pansements et elle a la rancune tenace. Elle le frappe à son tour.

Les processions organisées par l'église. Il balance un encensoir. Le pape Pie XII à *Deadwood* ? Non, ce n'est pas possible.

Les cloches de l'église. Non, les cloches du destin. Des épines ensanglantées lui labourent la chair – à moins que ce ne soit son ceinturon – et cela le réveille.

Il ouvre les yeux. Sa montre indique 9 h 14.

Ce n'est pas le pape – mais *l'archevêque*. Jimmy et Dudley – les Irlandais fous.

Il se lève et ouvre la porte. Ses visiteurs le voient tout ébouriffé et partent d'un gros rire d'Irlandais. Son Éminence préfère les chaussures de golf hors de l'archevêché. Il porte un pull rose et un pantalon vert.

– Notre futur directeur, arraché au sommeil, dit Dudley.

J. J. Cantwell annonce :

— Nous sommes trois catholiques libérés de nos obligations. Nous allons nous soûler comme des cochons et dénigrer les Protestants et les Youpins.

Parker les fait entrer. Monseigneur Cantwell, âgé de soixante-six ans, est d'un tempérament exubérant. Dudley l'adore. Ils se sont rencontrés en Irlande, vers l'année 1919. Dudley tuait des soldats britanniques. Cantwell fournissait l'argent pour acheter les fusils.

Dudley dit :

— Je sens que mijote dans le four le corned beef aux choux de Helen Schultz Parker.

— *Schultz ?* s'étonne Cantwell. Bill a épousé une *Boche ?* Nous devrions peut-être l'incarcérer, avec tous ces païens de Japs.

— C'est une excellente catholique, Votre Éminence, réplique Dudley.

— Il va falloir, Dud, que Bill nous explique cette nouvelle guerre. Le Père Coughlin en rend responsables les nègres et les banquiers youpins, et je suis plutôt d'accord avec lui.

— L'Amérique et l'Irlande d'abord, Votre Éminence, dit Dudley. Vous connaissez ma position sur le sujet.

Cantwell insiste :

— Allons nous soûler comme des cochons et dire du mal de ce salopard de Juif qui est à la Maison Blanche. Franklin Déloyal Rosenfeld, il s'appelle.

Parker bâille. Il a la gueule de bois. Il a terriblement envie d'un verre de whiskey pour soigner le mal par le mal.

Le téléphone sonne. Le bruit l'agresse autant qu'une fusillade.

Il décroche.

— Oui ?

— Bill, c'est Thad. Passez-moi Dudley, s'il vous plaît.

Il passe le combiné. Dudley s'en empare et fait des clins d'œil. Il s'annonce :

— Sergent Smith.

Il écoute.

— Certainement.

Il rend le combiné.

— Il y a du vilain à Chinatown. Ma présence est nécessaire.

*Ne tiens pas compte du ton de sa voix. Déchiffre son regard. Mon Dieu, j'y vois une telle jubilation.*

# DEUXIÈME PARTIE

# LES CHINETOQUES

(11 décembre – 19 décembre 1941)

# 44

**20 h 33**

La fraternité avec l'Homme blanc prend une nouvelle direction. Il y a eu un meurtre avec préméditation à Chinatown.

Dudley monte dans sa voiture de service. Il applique le code numéro 3 – vie humaine en danger. La barre lumineuse fixée sur le toit révèle des pelouses décorées de scènes de la Nativité. La sirène lui agresse les tympans.

Les voies secondaires sont préférables. Il passe par Silver Lake puis Echo Park – la route des collines. Cela devrait lui prendre sept minutes, de porte à porte.

Il ne lui en faut que six. Sa sirène lui permet de se faufiler à travers les embouteillages. Il contourne Chavez Ravine et atteint Ord Street. Des ballons tongs flottent haut dans le ciel.

Coutume païenne. Des ballons attachés aux escaliers d'incendie. Ça signifie : *C'est la guerre.*

Une foule s'est amassée sur les lieux. Les gamins tongs sont en majorité. Trois voitures noir et blanc de la police sont déjà sur place. Un immeuble de trois étages, qui n'abrite que des Chinetoques.

Dudley se gare en dérapage contrôlé, sirène hurlante et phares en action – code numéro 3. Des agents en tenue encadrent l'entrée. Ils ne laissent entrer ni sortir personne.

Des pétards explosent, des dragons de papier volent. On est en guerre contre les Japs, et maintenant, il faut subir *ça* ?

Dudley s'approche. Les agents lui désignent le couloir du premier étage. Il monte les marches en courant. Il se glisse entre le mur et un employé de la morgue. Un nuage de fumée de cigarette sort d'une pièce. Cela veut dire qu'elle est remplie de flics.

Ils sortent tous dans le couloir. Thad Brown et Nort Layman. Mike

Breuning et Dick Carlisle. Scotty Bennett et son incroyable allure de grand gamin.

Jim Davis est là. Deux-Flingues est Deux-Fois-Trop-Gros, à présent. Ses calibres .45 font paraître encore plus larges ses hanches rebondies.

Le groupe entier le salue et s'efface. Les feux de la rampe, c'est pour le Dudster, maintenant.

Il incline son chapeau et passe devant eux en coup de vent. Ace Kwan se tient près de la porte de la chambre. Il voit Dudley et lui fait signe d'entrer.

*Requiescat in pace.* Douce enfant, envoyée au ciel.

Elle est étendue sur le lit, nue, à plat ventre. Une traînée de sang court de sa taille à sa nuque. *Note bien la courtepointe et les draps imprégnés de sang.*

Ace explique :

– Ma nièce. Nous avons trop tardé à prendre des mesures. Les Japs nous ont fait perdre de vue cette priorité.

Dudley le serre dans ses bras. Le vieil homme n'est plus qu'un sac d'os.

– Je la vengerai, mon frère jaune. Je serai implacable.

Ace presse l'épaule de Dudley et se recule. Dudley désigne le salon. Breuning, Carlisle et Scotty Bennett se précipitent.

Dudley leur dit :

– Nous allons lancer un coup de filet contre les Quatre Familles. Mike, appelle Elmer Jackson à la brigade. Les Mœurs ont des fiches sur tous les membres connus. Prends-moi dix hommes du commissariat central, dix de plus de celui de Hollywood, et emmène Elmer avec toi. Dick et Scotty, rassemblez tous les flics qui sont en bas. Je veux une démonstration de force. Vous allez me ramasser toutes les petites terreurs à foulard bleu que vous verrez, et les attacher à une même chaîne aussi longue que nécessaire. Je veux quatre fourgons cellulaires. On va les remplir avec ces salopards des Quatre Familles et les emmener au carrefour Temple Street-Alameda Street. Il y a un immense parking, là-bas. Ce sera parfait pour les interroger.

Breuning griffonne sur son calepin. Carlisle nettoie ses lunettes. Scotty domine tout le monde d'une tête ou davantage.

Ace s'agenouille près du lit. Il touche les cheveux de la morte. Il caresse son collier de perles colorées.

Dudley rectifie le nœud de cravate de Scotty.

– Votre capacité à exercer notre profession sera mise à l'épreuve ce soir. Pouvez-vous m'assurer que vous serez à la hauteur de la tâche à accomplir ?

– Oui, sergent, je peux vous l'assurer.

– Ne m'appelez pas *sergent*, appelez-moi Dudley.

Scotty sourit jusqu'aux oreilles et fait craquer ses phalanges. Jim Davis s'approche de sa démarche de canard.

– Je peux me rendre utile, Dud ? J'écoutais les appels radio et j'ai pensé, Bon sang, c'est une affaire délicate, cet homicide, en plein sur mon ancien territoire.

Dudley s'incline, à la chinetoque.

– Bien sûr, chef. On s'attend à une nuit typiquement païenne, et je serais honoré de vous avoir avec nous.

– C'est *Jim* depuis que j'ai pris ma retraite, Dud.

– C'est le jury d'accusation qui vous a forcé à partir, chef. Cette retraite vous a été imposée de façon odieuse.

Davis mâche sa chique.

– C'est très délicat de votre part, Dud, de présenter les choses de cette façon.

Ace s'adresse à la morte en poussant des cris stridents. Davis se joint à lui et hurle en chinetoque. Breuning et Carlisle n'y prêtent pas attention. Scotty observe la scène. Le cadavre de la fille ne l'émeut pas.

Dudley annonce :

– Les gars, le directeur Davis va vous chaperonner. À tout moment, faites ce qu'il vous dit ; il vous servira d'interprète. La trêve des Tongs qu'il a négociée vient d'être rompue, et nous voyons le résultat en ce moment même. Allez-y, les gars, et que Dieu soit avec vous en cette nuit sinistre.

Les hommes quittent la pièce avec un petit sourire en coin. Ace touche les cheveux de la morte et se relève. Sur les draps, son sang coagulé a viré au brun. Ace s'incline et sort.

Dudley ferme la porte. Dudley fait le tour du lit. Dans la rue, les sirènes *hurlent*. Il fait abstraction du vacarme et se concentre. Il se penche pour examiner le cadavre.

Pas de marques sur son cou. Ses yeux sont fermés. Il soulève les paupières et observe les pupilles. Pas d'hémorragie pétéchiale. Pas d'exsanguination. L'assassin ne l'a pas étranglée.

Les draps sont lisses et bien tendus. Le décès n'a pas été précédé par un rapport sexuel. Il ne s'agit pas d'un meurtre commis par un violeur. Il l'a dénudée pour l'humilier. Il voulait rabaisser les hommes qui aimaient cette jeune fille.

C'est la façon dont procèdent les races non-blanches pour déclarer *la GUERRE*. C'est lâche et c'est abominable.

Dudley examine le dos de la victime. Le sang s'est épaissi. Les taches les plus sombres indiquent des artères sectionnées. Les blessures à l'arme blanche sont couvertes de sang coagulé et aussi de sang encore frais. L'hémorragie a été abondante. Elle implique que de nombreux coups ont été portés. On est loin des deux ou trois coups de lame qui sont la norme dans les meurtres de prostituées.

Il se penche au-dessus de la jeune fille. Il éponge une flaque de sang rouge sombre. Elle imbibe complétement son mouchoir. Il le jette et prend une taie d'oreiller. Il parvient à ôter tout le sang qui noyait la plaie.

Des entailles multiples, partant d'une perforation centrale. Elles forment un motif étoilé.

Exactement comme sur le torse de Tachi Tachibana. Exactement comme sur les photos du manuel de Ray Pinker. Le couteau du seigneur féodal. Dans le Japon du XVIII$^e$ siècle. Huey Cressmeyer lui en a parlé hier.

Huey connaît quatre Japs cinglés. Ils possèdent des couteaux qui produisent ces blessures aux contours précis. Ils vivent dans Griffith Park. Ils haïssent les Chinetoques. Ils haïssent les chefs tongs. Ils croient à la nécessité de tuer les femmes de leur famille, cet acte immonde devant les faire accéder à la transcendance.

Ce ne sont pas les Quatre Familles qui ont tué Rose Eileen Kwan, mais les copains japs de Huey. Ceux-là même que Huey a embauchés la nuit dernière pour braquer le fourgon. Et c'est *lui*, Dudley, qui l'a forcé à faire ça.

Dudley examine la pièce qu'il balaie lentement du regard. Il passe d'une partie à l'autre – le plancher, les murs, les meubles. Il aperçoit un reflet métallique sous un fauteuil.

C'est un couteau. L'acier reluit, couvert du sang de Rose Kwan. *Note bien les six lames, la structure en étoile*. Ce n'est pas un objet de l'époque féodale, mais une réplique fabriquée récemment.

Dudley déchire un bout de drap et emballe le couteau. L'objet diabolique déforme sa poche.

*Fouille la pièce. Prends ton temps, ne néglige rien.*

Il commence par le placard. Il plonge dans les tiroirs. Il soulève le tapis et regarde sous le lit. Il voit des vêtements, des livres, des disques. Il ouvre les livres et les feuillette. Un livre, deux livres, trois…

Une photo s'en échappe. Un tirage en couleur, format carte postale. Les couleurs ont passé. C'est le portrait d'un jeune homme.

Il est brun. Ce n'est pas un Blanc, mais il est blafard. Ce pourrait être un métis mexicano-japonais.

Qu'a dit Huey Cressmeyer hier ? C'est un type de la cellule jap qui a engrossé Nancy Watanabe. Le type en question a des kystes d'acné. Il prétend avoir tué une famille entière au Mexique. Vantardise ou réalité ? *Ça pourrait être un métis mexicano-japonais.*

L'assassinat des Watanabe a été exécuté de façon méticuleuse. Celui de Rose Kwan est carrément bâclé. Les Watanabe semblent avoir subi la haine d'un homme seul. Cette affaire-ci est le fait d'une horde de salopards incontrôlables. Les tueurs étaient sans doute quatre. La posture du cadavre le suggère.

Aucune trace d'abrasion sur les poignets et les chevilles. Elle ne s'est pas débattue. Ils étaient quatre pour la tenir. On lui a arraché ses vêtements, on l'a immobilisée à plat-ventre et poignardée. On ne l'a pas bâillonnée. L'un des tueurs lui a enfoncé la tête dans l'oreiller pour étouffer ses cris.

Dudley glisse la photo dans sa poche et regagne le couloir. Il y trouve Nort Layman et un employé de la morgue. Il leur fait signe d'entrer. Ace s'adosse au mur.

— Quoi de neuf, mon frère irlandais ?

Dudley allume une cigarette.

— Ce n'est pas les Quatre Familles. C'est un clan de Japonais rebelles. Nous allons les tuer, les Quatre Familles nous serviront de boucs émissaires, et cela contribuera à renforcer votre pouvoir.

Ace s'incline. Dudley décroche le téléphone du couloir et appelle la brigade. Il entend deux sonneries et un déclic.

— Brigade criminelle, Breuning.

— Oui, et toujours sur la brèche.

Breuning rit.

— Dans quelques minutes, montez sur le toit et regardez Broadway en direction du nord. J'ai rassemblé les véhicules et la main-d'œuvre nécessaires, et ça a de la gueule.

— Je vais sûrement apprécier, mon gars, répond Dudley.

— Vous avez autre chose pour moi ?

— Trouvez Huey Cressmeyer et tenez-le à ma disposition. Appelez

Carlos Madrano à Tijuana et dites-lui de prendre sa voiture pour monter immédiatement à Los Angeles.

– Compris, dit Breuning.

Dudley raccroche et retourne dans la chambre. Ace agite ses perles en direction de la morte.

Le corps de Rose est étendu sur le flanc, à présent. Nort Layman tient un spéculum et un miroir. Il constate :

– Pas de trace de viol.

Il y a du bruit dans le salon. Des éclats de rires se répercutent jusqu'au bout du couloir.

Thad Brown échange avec des Chinois des plaisanteries sur les Japonais. Elles sortent tout droit d'une émission de radio de Bob Hope.

Dudley sort sur le palier de l'escalier d'incendie. Un dragon de papier passe près de lui. Il continue de monter pour se poster sur le toit.

Vingt agents en tenue remontent Broadway au pas de charge. Ils sont équipés de fusils et de matraques. Ils brisent des vitres. On leur a donné des consignes. On va faire des rafles chez les Quatre Familles. Faites-le savoir à leurs partisans.

Les flics foncent vers le nord. Quatre fourgons cellulaires les suivent. Les véhicules qui se dirigeaient vers le sud font demi-tour et disparaissent.

Les flics font voler des fenêtres en éclats. Ils tirent des décharges de gros sel sur les Chinetoques qui s'enfuient. Ils extirpent des bars les voyous tongs qu'ils y trouvent et les assomment. Feux d'artifice, dragons, musique festive. *Oubliez les Japs. La police de L.A. arrive.*

Des flics balancent les tongsters dans les fourgons cellulaires. Des flics bourrent les tongsters de coups de pied sur le bitume. « Démonstration de force. » Musique festive et hurlements.

Voici Scotty Bennett. Il tient par le cou deux petits salopards. Voici Jim Davis. C'est l'homme qui dégaine plus vite que son ombre. Sur les toits, il y a des amateurs de spectacle qui se régalent. Ils brandissent le drapeau rouge du Hop Sing.

Dudley allume une cigarette. Qu'est-ce que c'est que ça ? Un dragon qui porte un drapeau bleu, et qui fonce droit sur lui.

Ils sont nez à nez, maintenant. C'est un reptile féroce. Ses lèvres retroussées dévoilent ses dents. Dudley brandit sa cigarette. Le dragon la percute. La braise incandescente rencontre le papier bien sec – flamme instantanée. Le dragon explose. Dudley le pousse vers la rue.

Le dragon plonge du toit vers le trottoir, quatre niveaux plus bas. Des Chinetoques lèvent la tête et poussent des cris perçants. Les Chinois saisissent leurs bambins et les perchent sur leurs épaules. Le féroce dragon tangue dans le vent.

Dudley redescend l'escalier d'incendie. Broadway empeste le pétard explosé. Sa voiture de police est intacte. Il se met au volant et fonce vers le carrefour Temple-Alameda.

Le parking est d'un calme absolu. Il s'y arrête. Il bascule le dossier de son siège et dérive vers un endroit brumeux. Il sent venir cette somnolence post-benzédrine.

Le monde s'efface. Le temps disparaît au fond d'un seau. Il entend gronder des moteurs et rouvre les yeux. Le monde s'est éclairé de nouveau, bien trop tôt.

Mike Breuning a passé les menottes à Huey Cressmeyer. Quatre fourgons cellulaires sont garés plus loin, le moteur tournant au ralenti. Dick Carlisle et Scotty Bennett se tiennent près de Jim Davis. La chemise de Jim Deux-Flingues est imbibée de sang.

Dudley sort de sa voiture et s'étire. Huey tremble. Breuning le fait asseoir de force sur la banquette arrière.

Il gémit en réclamant ses deux mamans goudous. Ce garçon est plein de ressources, mais il manque de dignité virile.

Dudley ordonne à Breuning :

– Dis aux chauffeurs de fourgons de rentrer chez eux, Mike. Ils ont fait ce qu'on leur demandait, et ils n'ont peut-être pas l'estomac assez solide pour digérer ce qui va suivre.

Breuning s'éloigne. Huey pleurniche. Dudley prend place sur la banquette arrière et lui ôte ses menottes. Huey sort de sa poche une barre chocolatée.

– Tes copains Japs ont tué la nièce d'Ace Kwan. Sais-tu dans quel endroit de Griffith Park je peux les trouver ?

Huey ôte l'emballage de sa friandise.

– Au bout du sentier qui part de l'observatoire.

– Est-ce qu'on risque de trouver sur eux des preuves du braquage du fourgon ? Plus précisément, des pièces à conviction qui pourraient t'incriminer ?

Huey attaque sa barre chocolatée.

– Nan. Tout ce qui était compromettant pour moi, je l'ai emporté. Et eux, ils sont déjà fauchés. Ils ont donné tout leur pognon à un caïd de la radio qui est dingue des Japs.

Les fourgons cellulaires tanguent sur leurs amortisseurs. Dudley entend des cris étouffés.

– Je t'offre des vacances au Mexique, mon garçon. C'est mon ami Carlos Madrano qui va t'y emmener. Tu vas rester planqué jusqu'à ce que toute cette affaire se calme.

Huey engloutit sa confiserie et se lèche les doigts. Les fourgons cellulaires tanguent sur leurs amortisseurs. Dudley entend des cris étouffés.

Il allume le plafonnier et brandit la photo. Huey la regarde attentivement.

– C'est lui, le métis avec des cicatrices d'acné ? Le gars qui se vante d'avoir tué une famille entière à Culiacán ?

Huey cligne les paupières.

– Je suis incapable de te le dire, oncle Dud. Peut-être *ja*, peut-être *nein*.

Les fourgons cellulaires tanguent sur leurs amortisseurs. Dudley entend des cris étouffés.

Il remet les menottes à Huey et s'approche des fourgons. Ils sont alignés, garés les uns à côté des autres. Ils tanguent et s'entrechoquent. Les cris empirent.

Dudley entre dans le premier fourgon. Sur le banc, il y a six mômes tongs menottés ensemble. Dick Carlisle est armé d'un tuyau en caoutchouc. L'extrémité entourée de toile adhésive sert de poignée. L'autre bout pisse le sang.

Dudley ressort. Dudley monte dans le deuxième fourgon. Sur le banc, il y a huit mômes tongs menottés ensemble. Mike Breuning est armé d'une matraque souple en cuir, lestée de grenaille de plomb.

Dudley ressort. Dudley monte dans le troisième fourgon. Sur le banc, il y a cinq mômes tongs menottés ensemble. Jim Davis est armé d'un gourdin et il hurle en chinois.

Dudley ressort. Dudley monte dans le dernier fourgon. Sur le banc, il y a neuf mômes tongs menottés ensemble. Scotty Bennett n'est armé que de ses poings.

Scotty regarde Dudley. Un gamin tong tout maigre fait un doigt à Dudley. Dudley s'esclaffe. Le gamin maigre lui crache du sang sur les chaussures.

Dudley dit :

– Ôtez-lui ses menottes. Amenez-le dehors un moment.

Scotty libère le môme. Dudley descend du fourgon. Scotty pousse le môme vers lui. Le petit rebelle crache du sang et vacille sur ses jambes.

Dudley ordonne :

– Tuez-le.

Scotty sort son .45. Scotty lui fait sauter la cervelle, à bout portant.

# 12 décembre 1941

# 45

**0 h 19**

Opération moulage. Relevé d'empreintes de pneus.

C'est difficile en laboratoire. Encore plus en plein air. Ajoutez aussi le froid de la nuit et la lampe à arc. Et les observateurs qui épient chacun de vos gestes – Lee Blanchard et Jack Webb. Avec une bouteille de gnôle extorquée au patron du bar El Sombrero.

Ashida emplit de plâtre une ornière laissée par une roue. Le faisceau de la lampe à arc lui brûle la nuque. Il pourra faire des comparaisons avec les photos des pneus qui équipent la voiture des Watanabe. Ils possédaient une Dodge de 1936.

Voilà deux heures qu'il travaille. Bill Parker l'a appelé pour lui ordonner d'exécuter ce relevé sans plus attendre. Il téléphonait de chez Lyman. Sid Hudgens était avec lui. Parker lui a dit : « Personne n'arrive à dormir, alors nous ferions aussi bien de travailler. J'ai persuadé Sid d'écrire un papier sur l'affaire. Moi, je travaille – et vous pourriez vous y mettre aussi. »

Ashida n'a pas répliqué : « Et vous buvez. » Il n'a pas dit : « Et vous achetez les services d'un journaliste corrompu. »

Ashida travaille. Les allées en terre sont propices aux moulages de précision. Il a confirmé la similitude avec les pneus de la Dodge grâce à six moulages.

C'est un travail *par élimination*. Ce qu'il cherche, ce sont les traces de pneus d'un véhicule appartenant à *un suspect*. Ses chances de réussir : même pas une sur mille.

Le calme est presque revenu, à présent. À Chinatown, le grabuge a pris fin. On entend des coups de fusil à pompe à un kilomètre au sud-est. Jack Webb écoute sa radio réglée sur la longueur d'onde de la police.

349

Le Dudster a envoyé vingt flics rafler les émeutiers. La bagarre a pris de l'ampleur, agrémentée d'explosions de pétards et de débris qui volaient bas.

Ashida gâche du plâtre. Lee Blanchard et Jack Webb sont imbibés d'alcool. Le visage de Blanchard porte encore les traces des griffures de Kay Lake.

Jack Webb annonce :

— Scotty Bennett a intégré le LAPD, maintenant. Vous savez, le colosse qui jouait arrière dans l'équipe du lycée de Hollywood.

— Je crois qu'il fricote avec Kay, dit Blanchard, même si ça m'est complètement égal. Je l'ai vu entrer chez Lyman après cette scène qu'elle m'a faite.

— Je ne comprends pas, dit Jack Webb. Tu vis avec Kay, pourtant ?

— Tu es trop jeune pour comprendre, réplique Blanchard. Tu n'as pas encore compris que le monde dans lequel on vit est un endroit étrange et qui ne tourne pas rond.

Ashida étend son plâtre. Oui – étrange et qui ne tourne pas rond.

Les sous-marins. L'abri de la crique de Goleta. En rentrant à L.A., il a développé les photos. Il a cédé à une peur subite. Il a détruit la radio des Watanabe à coups de masse. Il a brûlé le registre. Il s'est préparé un sédatif et il a dormi dix heures. Il s'est réveillé terrifié.

À cause de tout.

Les rafles. Ses vols. Ses mensonges. Kay la cinglée et ses projets de cinglée. Dudley Smith contre Bill Parker.

Il examine les photos prises sous l'abri. Physiognomonie, eugénisme. Il y a trois morts qui ressemblent à des Chinetoques, et deux qui ressemblent à des Japs. Ils pourraient très bien être tous métis. Voilà qu'il raisonne, à présent, en utilisant des termes racistes. *Oui, on vit dans un monde qui ne tourne pas rond.*

Blanchard dit :

— Hideo est copain avec Kay, maintenant. Ils formaient un beau couple, chez Lyman. Thad Brown a failli en piquer une crise.

— Arrête d'asticoter Hideo, dit Jack.

— Hideo, il est très bien, ajoute Blanchard. C'est Kay qui ne l'est pas – mais je ne peux pas m'empêcher de l'aimer.

— Pense à autre chose, mon vieux, dit Jack.

Blanchard soulève la bouteille.

— Scotty Bennett. Encore un flic. Et maintenant voilà que ton vieux copain Bucky entre au LAPD. Kay va être très occupée.

Il fait froid. Les trois hommes portent leur veste aux couleurs du lycée qu'ils ont fréquenté. Belmont et Les Arts Manuels. *Les compétitions d'athlétisme, les douches, Bucky.*

Jack dit :

– J'ai fait une gaffe, pendant la réunion. Je n'aurais pas dû parler du type au pull violet. Je crois que Dudley est en rogne contre moi.

– Vous avez eu raison d'en parler, dit Ashida. C'est une bonne piste.

Blanchard boit au goulot.

– C'est une piste de merde ! Personne ne veut d'un Blanc comme assassin. C'est Horrall qui l'a dit.

Jack récupère la bouteille.

– J'ai entendu Mike Breuning parler avec Sid Hudgens. Je pense qu'ils mijotent quelque chose avec le D.A.

Blanchard reprend la bouteille.

– McPherson aime le bois d'ébène. Il amenait des filles noires à mes combats et ça provoquait toujours des scandales.

Jack reprend la bouteille.

– J'ai fait un petit boulot pour Mike, mais il m'a prévenu d'emblée que c'était une recherche de merde. J'ai appelé Bell, la compagnie de téléphone, pour identifier les cabines publiques auxquelles les Watanabe ont passé des appels. On m'a donné les renseignements. Elles sont toutes à proximité d'une usine de construction aéronautique – vous savez, Lockheed, Douglas, Boeing.

– Tu as raison, dit Blanchard, une recherche de merde. Tu suis ces pistes-là, et ça ne t'avance à rien.

Ashida s'attaque à une nouvelle trace de pneu. Celle-ci s'est imprimée sur une zone qui mélange gazon et gravier. Il règle l'angle de la lampe à arc. Il prend son compas et son mètre à ruban.

Il s'accroupit. À l'œil nu, il se rend compte qu'il a touché le gros lot : *Cette trace-ci est différente des autres.*

C'est une sculpture en losange. Sur la Dodge des Watanabe, les pneus avaient une sculpture en *dents de scie.* C'est bien une trace laissée par *une autre voiture.* Dès le premier regard, il en a eu la certitude.

*Ce dessin lui rappelle quelque chose. Il l'a déjà vu. Il connaît ce type de sculpture.*

Ashida court à sa voiture. Il fouille la boîte à gants et feuillette sa liasse de dépêches du LAPD. Il sait qu'il cherche un incident récent. La bande de roulement en dents de scie de Goodyear –

11, 10, 9, 8 décembre…

Voilà :

Dimanche 7 décembre, à 5 h 45. Rapport d'un adjoint du shérif sur une collision entre une voiture et des cyclistes. À la hauteur du n° 4600 de Valley Boulevard. Quatre personnes renversées par l'automobiliste, qui a pris la fuite.

Il fait nuit. Les cyclistes sont accrochés par l'arrière. Trois adolescents survivent. L'adulte qui menait le groupe décède.

Jim Larkin. Il expire à l'hôpital Queens of Angels. La photo de la trace de pneu jointe à la dépêche correspond à celle qu'il vient de trouver. Mêmes sculptures, même traces d'usure, même profondeur.

C'était le 7 décembre. Le matin de Pearl Harbor. À 5 h 45. Le matin qui a *suivi* l'assassinat des Watanabe.

Cette *même* voiture, dans cette *même* allée. Qui est inaccessible au public depuis dimanche matin. Cette *même* voiture, équipée de ces *mêmes* pneus, s'est arrêtée dans cette *même* allée peu de temps auparavant.

Ashida lit toute la dépêche. Ses mains tremblent et les mots se mélangent. Un témoin oculaire rapporte ceci :

La voiture du suspect a heurté les victimes et ne s'est pas arrêtée. La collision semblait presque délibérée. La voiture était noire. On ne sait rien de plus sur le véhicule.

Mais :

Le bras du conducteur, un Blanc, pendait hors de la portière. L'homme portait un pull violet. Fin du signalement.

# 46

## JOURNAL DE KAY LAKE

### LOS ANGELES | VENDREDI 12 DÉCEMBRE 1941

### 2 h 16

Scotty s'est mal comporté envers moi.

Il est arrivé il y a une heure de cela. Ses mains étaient couvertes de bleus, son costume était froissé. Il portait un pistolet sur lui, dans un étui d'aisselle. Mon amant en période de conflit mondial. Le premier *recruté spécial en temps de guerre* du LAPD.

Il m'a prise en filature mercredi soir. Il a été témoin de mon rendez-vous avec Hideo Ashida. J'aurais dû être furieuse – mais quelque chose m'a empêchée de lui faire une scène.

Mon grand vaurien est bouleversé. Il avale très vite trois verres de scotch, m'emporte à l'étage dans ses bras et se rue sur moi. Il commence à m'embrasser, s'arrête, et enfouit son visage au creux de mon épaule. Il se lève et rectifie la position des rideaux pour nous isoler encore plus.

La chambre est plongée dans le noir. Je ne peux pas lire dans les yeux de Scotty ni lui dans les miens. C'est comme si nous étions de nouveau en plein black-out.

Je pose ma main sur la poitrine de Scotty et je sens battre son cœur. Je lui dis :

– Raconte-moi.

– J'attendais devant chez toi mercredi, tard dans la nuit. Je venais de prêter serment. Je voulais te le dire avant que quelqu'un d'autre ne le fasse. Tu es rentrée, mais tu n'as pas tardé à ressortir, et je voulais mettre de l'ordre dans mes idées avant de t'annoncer la nouvelle. Et puis tu t'es rendue chez Linny en voiture pour y retrouver Ashida. Il a assisté à ma prestation de serment, donc j'ai compris qu'il te mettrait au courant.

Je lui lisse les cheveux et lui ôte l'étui de son arme. Il se détend un peu. Je pose son étui sur un fauteuil, près du lit.

– Ça m'a rendue furieuse que tu m'aies suivie, mais je comprends, maintenant.

– Ashida, je l'aime bien, dit Scotty, mais c'est un Jap. Je voulais t'apprendre ma bonne nouvelle, mais au moment où tu m'as vu devant chez Linny, j'ai compris qu'il allait t'en parler et me priver du plaisir de le faire en premier.

– J'en suis désolée. Et tu comprends bien que je n'aurais pas pu le savoir.

– Bien sûr. Mais nous sommes en guerre avec le Japon, et Ashida est un Jap. Comme je te l'ai dit l'autre soir, tu te disperses vraiment beaucoup.

Je touche le visage de Scotty. Ses joues sont humides. J'essuie ses larmes. Scotty tremble. Il m'avoue :

– Je viens de tuer un homme. Je pensais m'engager dans les

Marines et tuer des Japs sur une île quelconque. Au lieu de ça, j'ai tué un Chinetoque.

Ses tremblements se transmettent à mon corps.

– Que s'est-il passé ? Et comment est-ce arrivé ?

– La nièce d'Ace Kwan a été assassinée. Le type qui a fait ça s'en est pris à Dudley, alors je l'ai abattu.

– *Et ensuite ?*

– Il n'y a pas d'*ensuite*, Kay. Je ne suis pas censé en dire plus. Tu liras ça dans le *Mirror.* Dudley a donné l'exclusivité de l'affaire à Sid Hudgens.

Je m'écarte de lui. Il y a Dudley Smith et Lee ; Dudley Smith, Lee, et Abe Reles. *Le canari sait chanter, mais il ne sait pas voler.* Coney Island et une chute depuis une fenêtre. Et maintenant, un Chinois mort.

Scotty roule vers moi. Sa respiration s'apaise. Il a dit ce qu'il avait à dire.

Le lit est en désordre. Je remonte les couvertures sur nous et je sens un relâchement qui signifie que Scotty glisse vers le sommeil. Cette liaison date de cinq jours à peine et je sais déjà comment réagit son corps. Ce relâchement est un bon signe.

Scotty dort. J'allume la lampe de chevet et j'en détourne le faisceau pour ne pas le gêner. Je sors le tract que j'ai volé chez Claire De Haven.

Il est intitulé : *Moisson Fasciste.* Sous le titre, une illustration représente l'insigne des policiers du LAPD. Comparé aux tracts de propagande habituels, celui-ci se distingue par un style lumineux. L'introduction ressasse des griefs à l'encontre de l'ancien directeur du LAPD Jim Davis. C'est du déjà vu – mais ensuite, l'auteur me fascine.

Davis a bénéficié d'un soutien décisif dans la mise en œuvre de ses mesures répressives. Le cerveau et la « stratégie de domination » qui se cachent derrière ces mesures appartiennent à son adjoint administratif. Cet adjoint était un lieutenant d'une ambition implacable et d'une intelligence étincelante, William H. Parker. Le lieutenant Parker était un avocat extrêmement doué. Le lieutenant Parker s'est appuyé sur sa maestria dans le domaine juridique pour conforter son pouvoir personnel au sein de la police de L.A. et pour améliorer l'autonomie politique de celle-ci. Les mesures qu'il a fait appliquer étaient sournoisement présentées sous une approche populiste visant entièrement à ne servir que leur auteur. Elles restreignaient l'influence

354

des politiques sur le travail quotidien de la police. Elles réduisaient à néant le droit de regard des citoyens sur le fonctionnement de leur police. Elles jetaient les bases d'une collusion future entre politique et police plus importante qu'auparavant, une fois que les politiciens à l'échine souple et au statut de *quasi-réformateurs* auraient été attirés au sein du LAPD. Le tract prédisait le règne actuel du maire Fletch Bowron et du directeur « Appelez-moi-Jack » Horrall, et en rendait responsable celui qui n'était alors que le *lieutenant* William H. Parker.

Le lieutenant Parker était un stratège de premier ordre lorsqu'il s'attelait à un projet à long terme. Son cerveau de juriste était uniquement au service de ses objectifs personnels. Il méprisait les Davis, les Bowron et les Horrall qui l'entouraient, et leur facilitait la tâche dans l'exercice de leurs pouvoirs respectifs à seule fin d'ouvrir la voie à sa propre ascension. Il a créé les régimes policiers qu'il prétendait mépriser et qu'il comptait bien réformer à l'époque encore lointaine où le pouvoir lui reviendrait. L'auteur du tract chantait alors les louanges de Parker, qui employait des méthodes marxistes avec un aplomb magistral. Ses chartes municipales amélioraient grandement le statut administratif accordé aux directeurs de la police de Los Angeles et leur donnait toute liberté d'ignorer les ingérences des civils et de régner à vie. Le lieutenant William H. Parker était bel et bien le créateur et le soutien de *l'État policier* en vigueur à Los Angeles et de l'utopie théocratique qu'il comptait ériger en partant de zéro. L'auteur du tract sait de quoi *elle* parle : « En tant que victime, en tant que citoyenne engagée dans la révolte, en tant que nantie persécutée par la guerre sans merci que mène contre elle Whiskey Bill Parker. »

*Donc, il s'agit d'une affaire personnelle. Toute cette histoire se résume à un règlement de comptes entre vous deux.*

Le texte vire à l'autobiographie. Claire De Haven décrit un rassemblement contre la police à Pershing Square. La date : 11 octobre 1935. Claire avait vingt-cinq ans et elle organisait l'événement pour le parti des travailleurs socialistes. Les flics de L.A. avaient battu à mort un détenu de la prison de Lincoln Heights, déclenchant une vague de protestations. La police se révéla suffisamment influente pour étouffer le tollé qui s'annonçait. Le lieutenant Bill Parker fit pression sur tous les journalistes de la ville, en leur promettant des faveurs s'ils s'abstenaient de commenter le drame. Ils obtempérèrent, et l'incident s'effaça vite de la mémoire collective. C'est pourquoi le parti des travailleurs socialistes lança ce rassemblement pour le 11 octobre.

Claire y était. Le rassemblement se déroulait de façon pacifique quand des policiers à cheval attaquèrent les participants. Le lieutenant Parker était à leur tête. Claire le vit en bottes de cavalier et coiffé d'un casque de la Grande Guerre. Elle fut battue, jetée à terre à coups de pied et balancée dans un fourgon cellulaire. Elle se retrouva derrière les barreaux dans le quartier des femmes de la prison du commissariat central. Moi aussi, j'ai fini la nuit en prison lundi dernier, incarcérée en même temps qu'une vingtaine de Japonaises. Mais *elles* avaient été victimes d'une rafle ordonnée lors d'un épisode d'hystérie raciste.

Les femmes incarcérées étaient confiées aux auxiliaires féminines des services du shérif. Les détenues étaient dévêtues et aspergées d'insecticide contre les poux. Une matrone obèse dotée d'un nom juif prit tout son temps pour s'occuper de Claire. Elle lui caressa la poitrine, lui coupa les cheveux très court, lui fit endosser une robe au tissu rugueux et la poussa dans une cellule. Claire se regarda dans le miroir mural. On l'avait battue et violentée. Son reflet lui remit en mémoire Renée Falconetti dans *La Passion de Jeanne d'Arc*.

Le père de Claire était avocat. C'est lui qui la fit libérer sous caution. Elle fit une fixation sur l'homme à lunettes chaussé de bottes. Elle interrogea un informateur infiltré au LAPD, qui lui dit : *Ça, c'est Whiskey Bill. Laisse-moi t'expliquer à quel genre de bonhomme tu as eu affaire.*

Jeanne d'Arc. William H. Parker.

Claire ne laisse pas ses cheveux repousser. Elle voit et revoit *La Passion de Jeanne d'Arc*. Cette athée élevée dans la religion protestante se convertit au catholicisme. Elle assiste à la messe à Sainte-Vivienne, la cathédrale où le lieutenant Parker fait ses dévotions. Elle l'observe tous les dimanches matin. Elle constate que le lieutenant Parker est dans les meilleurs termes avec un policier né en Irlande, un nommé Dudley Smith. Elle voit le lieutenant Parker et le sergent Smith rire et plaisanter avec l'archevêque Cantwell. Monseigneur Joseph Hayes devient son confesseur. Il est aussi celui du lieutenant Parker.

Le reste du tract n'est rien d'autre qu'un acte d'accusation.

William H. Parker n'a pas d'autre dessein que de décréter la loi martiale à Los Angeles. Son zèle réformiste n'est que la doctrine fasciste consistant à subordonner et contrôler. Son catholicisme à *lui*, ce sont les mâles invectives des Borgia. Son catholicisme à *elle*, c'est la révélation extatique de Jeanne d'Arc.

Je repose le tract. L'agent R. S. Bennett dort près de moi. J'éteins la lampe. Ma chambre plonge dans le noir d'encre du black-out.

Ce tract n'a jamais été distribué au public – j'en ai l'intime conviction. Aucune des informations qu'il contient n'est mentionnée dans le dossier de police de Claire. Leur relation est restée impersonnelle du côté de Parkcr – j'en suis encore plus fermement convaincue. Il n'a jamais vu ce tract et il n'a jamais vu Claire De Haven à la messe. Ça ne change rien. Claire a vu Parker, tout comme lui m'a vue.

Le second prénom de Claire est Katherine, comme mon premier prénom. J'ai vécu une version de son existence. L'amant qui dort près de moi a tué un homme ce soir même. Sa présence me console davantage qu'elle ne me trouble.

Voilà des heures que je suis étendue sans bouger. Je suis prise dans un tourbillon de folie et de magie. Je ne sais pas ce que je vais faire ensuite.

# 47

## LOS ANGELES | VENDREDI 12 DÉCEMBRE 1941

**7 h 20**

Parker complète le tableau sur lequel il note les faits importants. Il se sent régénéré. Il s'est endormi ivre et s'est réveillé dessoûlé. Il renouvelle la Promesse.

*Black-out/Circulation : statistiques.* Mets tes notes à jour.

Ici, rien de nouveau. Il a appelé la brigade une heure plus tôt. Une secrétaire a consulté les télétypes qui lui étaient destinés. Un sous-marin a commis une attaque mercredi. À Goleta, au nord de Santa Barbara.

Un village de pêcheurs « caché » a été détruit par des torpilles. On a découvert des cadavres d'Orientaux. Les services du shérif local et le prévôt de Camp Roberts s'occupent de l'affaire.

357

*Brigade des étrangers/Rafles d'éléments subversifs*. Mets tes notes à jour.

Rien de nouveau sur ce plan-là non plus. Une seule référence croisée :

Ward Littell est la conscience dissidente du FBI en ce qui concerne les rafles de Japs. Il les qualifie d'*injustice catastrophique*. Parker a fait affecter Ward à l'enquête menée par le shérif sur le braquage du fourgon de transport de fonds. Il a appelé Dick Hood pour se faire attribuer l'affaire. Il n'a pas prononcé les noms de Huey Cressmeyer ni de Dudley Smith. Dick résume le braquage en ces mots : « Un mystère déconcertant, sans le moindre début de piste. »

*Affaire Watanabe/Détails-Chronologie*. Mets tes notes à jour.

Toujours au point mort. Quatre Japs décédés. Pas de nouvelles, bonnes nouvelles. Qui en a quoi que ce soit à foutre ?

Hier soir, Dudley les a quittés de bonne heure. Lui, il est resté à la maison pour se soûler avec l'archevêque. Un gamin tong a tué la nièce d'Ace Kwan. Dudley a embrasé Chinatown. Scotty Bennett a abattu l'assassin de la nièce. Dud a donné l'exclusivité de la nouvelle à Sid Hudgens. Cela a fait capoter son projet *à lui* de choisir Sid pour faire un papier sur l'affaire Watanabe. Il s'est débarrassé de l'archevêque pour retrouver Sid chez Lyman. Il lui a fait part de son idée. Sid s'est montré enthousiaste. Sid a consulté son rédacteur en chef et l'a rappelé ce matin.

« Navré, Bill. Ace Kwan est *chinois* et très lié avec Fletch Bowron. Scotty Bennett est un gamin très photogénique. Les Watanabe étaient des *Japs* dans une ville qui hait les Japs. On a de la place pour un seul article sur les yeux bridés – et ce sera celui sur Ace Kwan et Scotty. »

Buzz Meeks travaille sur le braquage du fourgon *et* sur l'assassinat des Watanabe. Buzz Meeks ne se laisse pas impressionner par Dudley Smith. Ce qui préoccupe Meeks, c'est le rachat présumé de leur maison et de leur exploitation maraîchère.

Qui s'en soucie ? C'est l'enquête de Dudley, et Dudley est le chouchou d'Appelez-moi-Jack.

*Lake/De Haven*. Mets tes notes à jour.

Il en est incapable. Tout reste secret. Les membres de la cinquième colonne travaillent de façon invisible. Le défi qu'il doit relever, c'est de rendre leur trahison tangible. C'est Kay Lake qui lui servira d'intermédiaire. C'est elle qui démontrera de quelle façon les paroles et les pensées empoisonnent l'esprit humain en lui instillant systématiquement une intention criminelle. Kay Lake dira : *Voici la perversion de l'âme humaine. Voici comment le massacre germe à partir d'une dramaturgie sordide. Voici Dieu vilipendé au nom de la critique sociale.*

Cela le rachètera des vilenies qu'il a lui-même perpétrées. Cela le rachètera des actes qu'il a commis sous le règne de Jim Davis. Voilà comment il nettoiera cette grande ville.

Le téléphone sonne. Parker décroche le combiné.

– Oui ?

– Fred Kalmbach, à Evanston, Bill. J'espère que vous avez un stylo sous la main.

– Je vous écoute, dit Parker.

– Elle s'appelle Joan Woodard Conville. C- O- N- V- I- L- L- E. Elle a vingt-six ans, elle est née le 17 avril 1915. Elle a fait ses études d'infirmière à l'hôpital West Suburban et obtenu son diplôme en 1937, puis une licence de biologie à Northwestern, pendant que vous y étiez aussi, en 1940. Elle est originaire de Tomah, au Wisconsin. Le renseignement le plus récent que je possède à son sujet, c'est qu'elle est partie s'installer à Los Angeles, ce qui devrait vous faire plaisir. C'est tout ce que je sais sur sa situation actuelle.

Parker griffonne toutes ces informations dans la case *Lake/De Haven*. La sonnette de la porte d'entrée retentit. Il sursaute et lâche son stylo. La communication s'interrompt.

La sonnette insiste. Un imbécile quelconque appuie dessus sans discontinuer. Parker sort de la pièce et va ouvrir.

C'est Hideo Ashida. C'est le seul Jap encore employé par la municipalité. Il brandit deux dépêches reproduisant des photos.

Ashida fixe Parker. Il tient les dépêches côte à côte. Il lui dit :

– Regardez ça, capitaine, regardez !

Parker regarde. Il voit deux dépêches. Elles montrent des empreintes de pneus. Sculptures identiques, traces d'usure et déclivités identiques.

Une photo de la police de L.A. : dans l'allée des Watanabe, une voiture non identifiée.

Une photo des services du shérif : « Larkin, James/4600 Valley Boulevard. »

Parker examine les photos. Parker reconstitue les faits.

L'accident de circulation, les cyclistes renversés, Larkin l'adulte et les trois gamins. Il s'est rendu sur place. Il n'arrivait pas à dormir. Il voulait simplement constater les faits par lui-même. Ashida tapote les dépêches.

– La voiture qui a renversé M. Larkin s'est garée dans l'allée des Watanabe. Regardez l'érosion du sol. Je dirais que ces traces ont été laissées une semaine avant leur assassinat.

Parker s'appuie contre la porte. Il se sent léger comme l'air. La porte l'empêche de tomber.

– Je suis allé sur les lieux de l'accident ce matin-là. J'ai entendu l'appel à la radio, dans ma voiture de service, et j'ai fait le détour. Un objet est tombé de la poche de Larkin quand on l'a mis dans l'ambulance. C'était une plaquette en nacre, ornée d'une croix gammée, pour habiller la poignée d'un Luger.

Ashida revient à la photo concernant Larkin.

– Un témoin oculaire a donné un signalement de l'homme qui conduisait la voiture. C'était un Blanc vêtu d'un pull violet.

Parker fait un signe de croix.

– Pourquoi est-ce à moi que vous avez apporté ceci ?

– Parce que vous êtes le supérieur hiérarchique du sergent Smith. Parce que j'ai pensé que vous accorderiez davantage d'importance à cette information que ne l'aurait fait le sergent Smith.

– Allez jusqu'au bout de votre raisonnement, docteur.

– Parce que l'idée d'un suspect blanc m'intrigue.

Parker ajoute :

– Il s'agit d'un accident de la circulation ayant entraîné la mort d'une des victimes. Les services du shérif doivent avoir un dossier complet.

– Non, le dossier est très mince. Ils n'ont aucun suspect ni aucune information supplémentaire. Ils sont dans la même situation que nous : débordés à cause des black-out et des rafles. Il ne peuvent pas mener cette enquête comme il le faudrait.

– Dites-moi ce que vous pensez.

– Je pense que les arrêtés rendus nécessaires par l'état de guerre vont restreindre notre liberté de manœuvre. Larkin appartenait au renseignement britannique, mais l'ambassade de Grande-Bretagne et Scotland Yard ne nous livreront aucun renseignement avant un bon mois consacré à un échange d'assignations diverses. Ils nous diront : *C'est la guerre.* Ils nous diront : *Nous sommes sous les bombes, et pas vous.*

Parker insiste :

360

– Dites-moi quelle autre idée vous avez en tête.

Ashida montre sa voiture.

– Je connais l'adresse de M. Larkin. Il habite Santa Monica Canyon, et je doute que les services du shérif aient pris la peine de fouiller sa maison.

Parker rafle son trousseau de clés et ferme la porte derrière lui. Il fonce tout droit vers la voiture d'Ashida et s'y installe. Ashida se met au volant. Ils prennent Silver Lake Boulevard pour rejoindre Sunset. Hollywood, le Strip, Beverly Hills. *Efface le monde extérieur pour ne pas faire marche arrière.* Parker ferme hermétiquement les paupières.

Sunset Boulevard devient sinueux. Westwood et Brentwood disparaissent derrière eux. Pacific Palisades aussi. Parker sent qu'ils s'approchent de l'océan.

Ashida met cap au sud pour atteindre Santa Monica Canyon. *Fais comme les petits singes. Bouche-toi les oreilles, bouche-toi les yeux. Efface ce putain de monde extérieur.*

Ashida arrête la voiture.

– Nous y sommes.

Parker rouvre les yeux. Ce qu'il voit, c'est *ça* :

Une maison de style japonais. Pas très haute, façade en ciment, fenêtres à jalousies. Des bonsaï sur le passage menant à la porte d'entrée. Elle est masquée par des buissons hauts. *Ne pense plus à ces satanés voisins et entre ici,* maintenant !

Les deux hommes s'approchent de la porte. Parker actionne la sonnette et l'entend résonner. Ils attendent dix secondes. Ashida force la serrure à l'aide d'un outil qu'il a emprunté au labo. La porte s'ouvre en coulissant.

Ils entrent et la referment derrière eux. Ashida bascule un interrupteur mural. Voyons ça :

Un salon de taille modeste. Dans la diagonale de la pièce, une rigole remplie d'eau où nagent des carpes koï. Un sol en ciment et des murs couverts d'étagères à livres en teck. Des ouvrages sur l'art japonais, l'architecture et l'histoire japonaises. Des petites nattes pour s'asseoir, des lanternes en papier.

Ashida marche devant, Parker le suit. La maison est petite. Le couloir qui relie les pièces est en ciment brut. L'unique chambre mesure quatre mètres sur quatre.

En guise de lit, une natte posée sur le sol. Une paroi vitrée sépare la chambre d'un jardin extérieur et d'un bassin pour les carpes. Jim

Larkin vivait dans un cadre à la beauté austère. Jim Larkin s'isolait de ce putain de monde extérieur.

Ashida ouvre une porte de placard. Bing ! Comme ça, tout simplement :

Quatre costumes sur des cintres. Une flopée de Luger, suspendus à un panneau mural. Ils sont accrochés par le pontet. Parker en dénombre dix-sept. Leurs poignées sont munies de plaquettes ornées de croix gammées noires et de pierres rouges.

Sous les armes, il y a une commode. Deux tiroirs seulement. Ashida ouvre celui du haut. Bing ! Comme ça, tout simplement : un magot en argent liquide. Des dollars américains, des livres sterling, des yens et des reichsmarks. En espèces des forces alliées et en espèces des forces de l'Axe. Une fortune.

Ashida ouvre le tiroir du bas. Bing ! Comme ça, tout simplement : un classeur pour feuilles volantes – et rien d'autre.

Ashida l'ouvre. Le contenu : deux feuilles de papier couvertes de caractères kanji.

*Jim Larkin était un Blanc. Jim Larkin connaissait le japonais.*

Ashida scrute les pages. Parker l'observe. Il traduit le texte, en ce moment. Ses lèvres sont immobiles. Ses yeux bougent à peine. Il déchiffre une bouillie de mots et la transforme en idées claires qui s'enchaînent. Il respecte la maison. Il parlera à voix basse.

– Je pense, explique Ashida, que cela nous ramène à ce que Buzz Meeks nous a appris de nouveau lors de la réunion. Il s'agit de rachats ou de rachats potentiels de maisons et de fermes appartenant à des Japonais. Sur ce point, j'extrapole, mais je pense ne pas me tromper. La liste ne comprend aucun nom japonais, seulement des initiales, mais ces initiales correspondent globalement à celles des Japonais dont j'ai lu les noms sur les listes d'éléments subversifs. Les adresses indiquées se trouvent toutes à Glassell Park et South Pasadena, avec une seule exception : elle concerne « R. W. », comme Ryoshi Watanabe, résidant à Highland Park. Les verbes étant conjugués au passé, je dirais que certaines propriétés ont effectivement été rachetées, alors que dans d'autres cas, les propriétaires ont refusé de vendre. Les montants versés ou proposés sont nettement inférieurs à ceux du marché, et j'ai une théorie à ce sujet.

– Dites-moi ça, demande Parker, et j'extrapolerai avec vous.

– Nous savions tous que la guerre approchait, poursuit Ashida. Je poserais comme postulat que les hommes qui ont tenté ce rachat de propriétés étaient informés à l'avance de la date et de la localisation géographique des attaques japonaises. J'ajouterais qu'ils s'attendaient aussi à des rafles massives de Japonais nés ici ou dans leur pays d'origine, et à la confiscation systématique de leurs avoirs. Je serais prêt à parier que les hommes qui ont tenté d'acheter les maisons et les fermes savaient à l'avance à quel moment et à quel endroit les forces japonaises allaient attaquer. J'avancerais même qu'ils savaient que les Japonais, qu'ils soient nés ici ou ailleurs, seraient emprisonnés en masse et leurs biens confisqués. On se dirige vers une incarcération à grande échelle, et il me semble que ces hommes le savaient.

– Les Watanabe ont été assassinés la veille de Pearl Harbor, dit Parker.

– Jim Larkin a été fauché à 5 h 45 le matin de Pearl Harbor. L'information concernant l'attaque n'a été connue à L.A. que peu de temps avant midi.

– Il savait quelque chose, ajoute Parker. Cet accident avec délit de fuite était prémédité, j'en suis certain.

Ashida examine la pièce où ils se trouvent. Il règne dans la maison une sérénité extravagante.

Parker se signe.

– Je m'étais fait le serment de prier pour lui, mais je n'ai pas tenu parole. C'est moi qui ai causé sa mort.

# 48

## LOS ANGELES | VENDREDI 12 DÉCEMBRE 1941

**9 h 49**

Ruth Mildred Cressmeyer adore les photos de femmes en tenue légère. Son cabinet de consultation glorifie ses penchants saphiques et son statut de toubib franc-tireur. Admirez les cadres accrochés aux murs qui abritent ses diplômes médicaux et des tirages sur papier glacé.

Elle désigne Rita Hayworth.

– C'est moi qui l'ai fait avorter. Elle avait une touffe bien fournie.

Dudley rit. Il se sent en pleine forme. Il a dormi chez lui et joué au patriarche. Sa visite gardera sa nichée au nid jusqu'à Noël.

363

Ruth Mildred reluque Jean Arthur.

– Je l'ai fait avorter. Je lui ai brouté la chatte pendant qu'elle était sous anesthésie.

Dudley s'esclaffe. Ruth Mildred n'aime rien tant que faire rire les gens. Les gentilles jeunes filles qui se retrouvent dans une situation délicate accourent chez elle. Elle pratique des avortements pour les actrices de King Cohn. Dot Rothstein lui sert de rabatteuse pour lui amener des clientes de l'extérieur. Ruth Mildred est la grande patronne des avortements à L.A.

Elle reluque Ginger Rogers.

– Je l'ai fait avorter. Le bébé avait deux têtes.

Dudley sourit. Ruthie est quelqu'un de très important à la Columbia. Elle a un cabinet médical très chic avec une salle d'attente. Celle-ci est bien remplie, en ce moment même. Dot Rothstein et Huey Cressmeyer. Mickey Cohen, Hooky Rothman. Carlos Madrano, venu de Tijuana.

Il a parlé à Carlos. Il l'a interrogé sur ses projets concernant les fermes des Japonais. Carlos a refusé de révéler quoi que ce soit. Il l'a interrogé sur les rachats de maisons et de fermes japonaises. Carlos lui a répondu : *No más*, mon ami. Pas question que je parle de ça.

Ruth Mildred reluque Carole Lombard.

– Je l'ai fait avorter. Le papa était un moricaud.

Dudley se balance sur son fauteuil.

– Avez-vous fait avorter une Japonaise nommée Nancy Watanabe ?

Ruth Mildred allume une cigarette et met les pieds sur son bureau. Sa jupe s'envole joyeusement.

– Je ne pratique pas d'avortements sur les Japs. Ces chattes-là ne m'intriguent en aucune façon.

– Vous ne faites pas d'extra à la MGM ? J'ai entendu des rumeurs au sujet de cette fille superbe qui a joué Scarlett O'Hara.

– Oui, d'accord, j'ai fait une intervention pour la Warner. Bette Davis a manqué deux cycles menstruels, et je l'ai soignée pour une fausse-couche.

Cette révélation l'assomme. Il sent son petit déjeuner lui remonter dans la gorge. Il entend qu'on scande des slogans dans Gower Gulch.

*À bas le système féodal ! King Cohn doit partir !*

Mike Breuning l'a appelé. Sid Hudgens piste avec constance ce polisson de Bill McPherson. Il vient de se vautrer dans la luxure avec plusieurs prostituées noires à la Casbah de Minnie Roberts. Il pourrait bien y retourner aujourd'hui.

Ruth Mildred reluque Barbara Stanwyck.

– Je l'ai fait avorter. J'ai vendu ses poils de chatte à Frank Capra.

Dudley allume une cigarette.

– Huey a fait un gros coup. J'ai besoin de le planquer au Mexique pendant un certain temps.

– Mon bébé ne travaille jamais en solo.

– Il y a de grandes chances que ses acolytes s'évaporent dans la nature.

– Protégez-le, Dud. Mon bébé est fragile.

*King Cohn doit partir ! King Cohn doit partir !* rugissent les Rouges dans Gower Gulch.

Dudley fonce dans la salle d'attente. Mickey et Hooky font la gueule. Le capitaine Carlos Madrano lit le magazine *Time*. Huey tremble. La Dotstress lui masse les cuisses.

Dudley s'adresse à lui :

– Dis au revoir à tes deux mamans, fiston. Tu pars dans un instant.

– Tu vas te plaire à Tijuana, Huey, dit Carlos. Je t'emmènerai voir le spectacle du bourricot, ce soir.

Huey court vers Ruth Mildred. Dudley admire sa célérité.

Huey jette ses bras autour d'elle. Ruthie le console. Notez au passage qu'elle lui fourre sa langue dans l'oreille.

Harry Cohn entre dans la salle. Mickey et Hooky se remuent et exhibent leurs coups-de-poing en cuivre. Le petit groupe passe dans le cabinet de consultation de Ruthie. Celle-ci fait glisser Huey de ses genoux et elle écarte les rideaux. Le petit groupe regarde à travers les vitres.

Des piquets de grève et des braillards qui répètent leurs slogans. Des spécimens miteux de mécontents aux arguments spécieux.

Mickey et Hooky passent la porte. Harry allume une cigarette et s'empourpre, à deux doigts de l'apoplexie. Séance spéciale pour spectateurs privilégiés. En exclusivité et en projection privée : *Émeute rouge dans Gower Gulch !*

En vedette : Mickey et Hooky. Deux Juifs qui savent cogner, équipés de coups-de-poing américains. *King Cohn doit partir ! King Cohn doit…*

Les durs passent à l'attaque. Ils baissent la tête et frappent bas. Les pancartes des grévistes s'envolent. Ces merdeux de contestataires prennent la fuite. Dudley voit des joues déchirées et des cuirs chevelus entamés. Quelqu'un perd son dentier qui rebondit sur le bitume.

Harry Cohn dit :

– Merci, Dud. Et remercie Ben Siegel de ma part. Et je vais réfléchir à ton projet de films cochons.

Le petit groupe a apprécié le spectacle. Dot glousse. Huey enfouit sa tête au creux de l'épaule de Ruth Mildred.

Elle reluque Lupe Vélez.

– Je l'ai fait avorter. Le papa avait une queue de soixante centimètres. Il a fallu que je recouse Lupe.

## 10 h 18

La Dotstress pratique l'ingérence. C'est elle qui décide de les conduire à travers le studio jusqu'à la grille de Sunset. Mickey et Hooky font jouer leurs articulations. Leurs chemises sont tachées de sang.

Dot agite la main pour leur dire *au revoir*. Dudley les entasse dans sa voiture. Ils partent en direction de l'est. L'Émeute rouge s'est dispersée. Le bruit de la circulation couvre les cris.

– Pour vous, les gars, c'est vraiment le jour à vous attirer les bonnes grâces des hommes influents. J'applaudis votre excellent travail pour M. Cohn, et par avance celui que vous allez accomplir pour M. Siegel.

Mickey fait jouer ses doigts. Le *Herald* le surnomme *le gnome hideux*. Les journalistes du *Herald* connaissent leur boulot.

– On est censés remettre d'équerre une poignée de nazis. À quoi ça rime, Dud ? Nous, on n'a pas de compte à régler avec les Boches.

Dudley lui répond :

– Vous allez prendre un certain plaisir à les humilier, ces hommes qui ferment les yeux sur les mauvais traitements infligés à votre peuple admirable. Ils vont nous révéler les noms d'autres membres du Bund et de sympathisants qui travaillent pour la police de Los Angeles et les services du shérif. Ceux-là, je vais les contraindre à travailler pour moi. Ils m'aideront à rassembler les témoins potentiels d'une affaire sur laquelle j'enquête. Ce ne sera pas une tâche pour les esprits sensibles.

Hooky se masse les mains. Le *Mirror* le décrit comme *un homme de main violent et sadique*. Les journalistes du *Mirror* connaissent leur boulot.

– Donc, on écope d'une inculpation bidon pour port d'arme et on flemmarde en taule ? Si j'ai bien compris.

– C'est ça, mon gars. Cela dit, je crois que vous trouverez la pension confortable.

Mickey et Hooky se détendent. Dudley fonce vers le centre-ville. Son plus beau costume se trouve déjà dans une penderie, chez Kwan. Bette Davis, ce soir au Shrine Auditorium. Direction sud jusqu'à Temple Street. Voilà le palais de justice. Voici le bus de la municipalité qui accueille les nouveaux arrivants, avec à son bord deux adjoints du shérif – coiffés d'un bonnet de Père Noël.

Ça fait rire Mickey et Hooky. Dudley se gare devant la porte de la prison et laisse le moteur tourner au ralenti. Un flic-Père Noël prend la voiture en charge. Mickey lui glisse un billet de cent dollars. Le flic-Père Noël se pâme et part garer la voiture.

Un autre flic-Père Noël les escorte dans les étages. Hooky lui glisse un billet de cent. Il se pâme. Ils parviennent à une passerelle infestée de Japonais. Voici la garçonnière du caïd. On a refait la décoration. Elle ressemble au bouclard d'un bookmaker, à présent.

Des tableaux noirs. Les résultats inscrits à la craie pour les hippodromes de Pimlico et Bay Meadows. Quatorze téléphones. Ben Siegel – qui tient deux paires de gants lestés au niveau de la paume. Trois cents grammes de plomb par gant.

Benny serre Mickey et Hooky dans ses bras. Les gants changent de mains. Ben est presque radieux. Il porte un costume bleu très chic. Il leur dit :

– Pour vous, c'est un peu des vacances. Je vous ferai sortir à temps pour Hanoukka.

– C'est Ace Kwan qui assurera vos repas, précise Dudley. Tendez l'oreille pour capter les conversations entre détenus que M. Siegel et moi pourrions trouver prometteuses.

Mickey et Hooky enfilent les gants. Ils sont noirs, façon accessoires pour fétichiste.

Ben explique :

– Il ne vous reste que quatre clients, Dud. Ce D$^r$ Fred Hiltz s'est finalement débrouillé pour obtenir, on ne sait comment, sa libération sous caution. Il est acoquiné avec ce prédicateur antisémite, le célèbre Gerald L. K. Smith. Ils sont associés dans une affaire de tracts racistes.

– Les Smith ne sont pas tous aussi bienveillants que moi. J'ajouterai que le révérend Smith est protestant.

Ben désigne l'extrémité de la passerelle. De l'autre côté, c'est une Sibérie de cellules vides. Celles où les adjoints du shérif dérouillent les violeurs et les pédophiles.

Dudley déclare :

– Je veux des noms. Des noms de policiers en exercice, et qui appartiennent au Bund, à la Légion d'Argent, au Klan, au Front chrétien ou à la Légion Thunderbolt. Cela m'étonnerait qu'ils résistent à l'envie de nous fournir ces renseignements.

Mickey et Hooky plient leurs doigts gantés. Benny s'incline. Après vous, *meine Kameraden.*

Ils traversent la passerelle. Les minus sont menottés à une rangée de barreaux, les mains derrière le dos.

Mardi soir. La Deutsches Haus. Les mêmes types, moins Fred Hiltz. Ils portent les treillis fournis par la pénitentiaire, aujourd'hui. On leur a refusé une libération sous caution. Ils sont piégés dans une ville dominée par la fièvre de la guerre.

Ils sont terrifiés. Ils tremblent. Face à face avec des youdes féroces.

Dudley annonce la couleur :

– Mes amis et moi, nous voulons des noms. Ceux des policiers d'extrême droite, en poste dans cette ville, que vous avez rencontrés. Nous vous renverrons dans vos cellules quand nous aurons obtenu ces noms.

Ben Siegel a le regard qui brille. Ben le sioniste. C'est un donateur de premier ordre du Fonds de soutien aux orphelins juifs.

Il hoche la tête. Mickey et Hooky s'avancent.

Ils distribuent des claques. Leurs gants lestés font mal. Ils donnent des coups d'épaule. Ils ont l'air méchant. Juifs, boucs émissaires du racisme. *Kristallnacht.*

Les nazis se débattent et chient dans leur caleçon. Mickey et Hooky leur donnent de petites tapes affectueuses. Lesdites tapes déchaussent des dents. Des lèvres se fendent. Des bridges tombent. Les nazis se tortillent contre les barreaux. Ils se contorsionnent. Ils commencent à lancer des noms.

Dudley s'approche d'eux. Les Boches cafardent leurs copains. Dudley entend : *Dougie Waldner, services du shérif, en poste à Firestone.* Il entend : *Il est membre du Klan et de la Légion d'Argent, et il connaît Gerald Smith.*

Mickey et Hooky reculent. Benny les serre dans ses bras. Les minus nazis crachent des dents et des noms.

Dudley entend : *Fritz Vogel* et *Bill Koenig.* Dudley entend : *commissariat de la 77ᵉ Rue.* On ne peut pas arrêter le sang qui coule. Dudley se recule. Un flic-Père Noël lui fourre un téléphone sous le nez. Il entend Dick Carlisle au bout de la ligne. Carlisle lui dit :

– McPherson, Casbah, on vous cueille en bas, dans Temple Street, *tout de suite.*

Il prend le monte-charge, il arrive au rez-de-chaussée, il traverse le parking. Une Chevrolet de 1939 passe devant lui. Bill McPherson est au volant.

Une Cadillac de 1938 s'avance. Sid Hudgens est au volant. Dick Carlisle, Mike Breuning et Scotty Bennett sont avec lui. Dudley saute à l'arrière.

– Le D.A. est juste devant nous, annonce Carlisle, et il est bourré.

– J'ai mon appareil photo, dit Sid.

– Et moi, qu'est-ce que je fais ? demande Scotty.

– À ton avis ? répond Carlisle. Tu l'*impressionnes*, avec ton mètre quatre-vingt-quinze et tes cent kilos.

– Il vient de quitter son bureau en douce, précise Breuning. J'ai appelé Minnie Roberts et elle m'a donné des détails. Il se rend chez elle et il a commandé le *bain de boue*, c'est-à-dire trois filles noires en même temps.

Carlisle fait *beurk !* Sid dit *Oh là là !*

La Chevrolet tourne dans Broadway, cap au sud. Sid lui colle au train, touchant presque son pare-chocs.

Dudley retient son souffle. Il sort son calepin et griffonne : *Waldner/Bureau shérif/Firestone*, puis : *Vogel/Koenig/77ᵉ*.

La Chevrolet ne perd pas de temps. Le Sidster reste prêt à bondir. Après Jefferson Boulevard, les visages deviennent plus sombres. Dudley capte des fumets de missionnaires blancs *en croûte*[1].

L'Appel de la Jungle condamne le D.A. Voilà la Casbah – un alignement de chambres au-dessus du restaurant Sam le Sultan.

La Chevrolet se gare le long du trottoir. Bill de Nègreville en sort et monte l'escalier en se pomponnant. Sid freine et se gare. Dudley laisse s'écouler soixante secondes. Sid fixe une ampoule dans le flash de son appareil. Breuning et Carlisle affichent un sourire satisfait.

Scotty est sidéré. Hier soir, il a tué un homme. Il a couché avec une femme. Son costume est tout fripé, mais il garde des traces de parfum.

Dudley annonce :

– On y va !

Les cinq hommes descendent et foncent. Ils montent l'escalier l'un derrière l'autre. Minnie les attend sur le palier. Elle brandit quatre

---

1. En français dans le texte.

369

doigts pour indiquer le numéro de la chambre. Dudley mène le groupe. Breuning et Carlisle donnent un coup de pied dans la porte. Elle se fend en deux et s'arrache de ses gonds.

Ce polisson de Bill McPherson est en train de besogner une fille à la peau foncée. Deux métisses cuivrées sont debout près du lit. Elles tiennent des cravaches et portent des robes à la Cléopâtre. Les cinq hommes se rendent compte que c'est *ça*, le « bain de boue ».

Le Sidster crame une première ampoule de flash. L'éclair blanc inonde la chambre. Il fait cligner des yeux les participants, et puis…

– *Stop !*

– *C'est un chantage !*

*Bill, arrêtez de limer ! Le Bain de boue est terminé. Posez ces cravaches, les filles.*

Le cavalier et sa monture se figent. Les flics envahissent la chambre. Sid prend la photo n° 2. Breuning et Carlisle prennent par le bras les filles aux cravaches. Scotty désarçonne le D.A. et le projette sur le plancher. Les filles poussent des cris perçants et s'enfuient dans le couloir.

McPherson sanglote. Breuning lui lance une couverture sur les épaules. Dudley s'approche le plus possible du D.A. et le domine de toute sa hauteur.

– Un jour prochain, entre aujourd'hui et le Nouvel An, nous allons vous amener le suspect d'une affaire de quadruple homicide. Vous aurez ses aveux, impeccablement corroborés par des témoins oculaires et des preuves matérielles. Vous devrez faciliter l'obtention d'une inculpation par le jury d'accusation. L'affaire devra être jugée rapidement. Vous ferez en sorte d'obtenir une condamnation au titre de chacun des quatre chefs d'inculpation. Cela renforcera votre réputation de juriste exemplaire.

McPherson souille la couverture. McPherson dit *Oui, oui, oui, OUI !* Sid prend la photo n° 3. La chambre renvoie l'éclair de lumière blanche.

Dudley fait un signe aux quatre hommes. Ils détalent aussitôt, quittent la chambre et la Casbah. Ils regagnent la voiture. Sid effectue un demi-tour qui fait crisser les pneus et repart vers le nord.

Les compères rient. Les compères exultent. Les compères libèrent la pression. Scotty joue sa partition *sotto voce*. Il a l'air abasourdi.

Sid prend à gauche jusqu'à Figueroa. Le décor s'améliore. Sapins de Noël recouverts de fausse neige, panneaux qui clament N'OUBLIEZ

370

JAMAIS PEARL HARBOR ! Des lampes à arc devant le Shrine Auditorium. Nous attendons Miss Bette Davis.

Dudley fume cigarette sur cigarette et rumine. Les Arméniens qui lui fournissent sa came lui ont fait faux bond. Leur source d'héroïne est tarie. Cela a provoqué une véritable panique dans Nègreville. Ils ont imploré son aide. Il n'a pas de réponse à leur proposer.

L'enseigne de vaisseau Jack Kennedy arrive à L.A. demain. Beth Short et Tommy Gilfoyle ne tarderont pas non plus. À dix-sept ans, Beth est de plus en plus la fille de son père.

La lettre de Beth le contrarie. Il l'a reçue juste avant l'assassinat des Watanabe. Elle y parle d'une « chose horrible » qui s'est passée l'an dernier. Il faut qu'elle lui révèle de quoi il s'agit.

L'hôtel de ville apparaît. Ses comparses débarquent. La mimique de Sid signifie : *On va où maintenant ?* Dudley se fait des yeux bridés. Ça veut dire : *Chez Kwan.*

Sid le dépose devant la Pagode. Dudley lui fait un clin d'œil et descend de la voiture. Tout le long de la rue, il voit des devantures de magasins encadrées de crêpe noir. Ce sont des commerçants affiliés au Quatre Familles. Ce sont des païens en deuil.

La Pagode est flanquée de gamins Hop Sing. Les protubérances de leurs vestes dissimulent des gros calibres. Ils lui ouvrent la porte. Il descend au sous-sol. Ace a préparé sa chambre. La couchette, la cuvette, la pâte de résine. La pipe pour sublimer *Réflexion et Action*.

D'un mouvement d'épaules, Dudley se débarrasse de sa veste et de son étui d'aisselle. Il allume la pipe. Il garde la fumée dans les poumons. Il l'exhale *lentement*.

Un élément contrarie le défilement d'images aléatoires. Il retourne directement à la maison des Watanabe.

Ce simple détail qui lui a échappé sur les lieux. Il ne devrait pas s'en préoccuper, puisque l'affaire sera résolue de façon fallacieuse.

Il inhale de nouveau. Il franchit la porte d'entrée et tourne autour des cadavres. Le croquis qu'il a griffonné se fond avec le plan qu'il a mémorisé. Il y superpose les images gravées dans sa mémoire ainsi que le mouvement.

La salle à manger, la cuisine. Les vêtements humides sur la corde à linge. Ce qui prouve l'homicide. L'assassin a oublié d'ôter les vêtements ou de les sécher. Cela indique une erreur de jugement.

Dudley inhale encore. Il parcourt la maison trois fois. Il renifle tous les aliments que contient le réfrigérateur. Il touche tous les meubles. Le rez-de-chaussée, l'étage, la lettre. *L'apocalypse qui s'annonce*. Est-ce que cela prophétisait l'attaque de dimanche ou les rafles de Japonais ?

Il inhale de nouveau. Il sort de la maison et parle avec le D$^r$ Ashida. Une vérité lui a échappé. C'est pour ça qu'ils doivent découvrir *Qui* et *Pourquoi*.

Dialectique. Ce garçon se révèle très utile et il est l'incarnation d'un esprit pénétrant. Sa façon d'appliquer ses connaissances scientifiques est confrontée à un événement hors du commun. Eugénisme et identité raciale. Ajoutons-y un sinistre psychopathe. Ajoutons-y le Japonais né en Amérique et un Irlandais d'origine. Leurs visions de l'affaire, parfois compatibles, parfois conflictuelles. Leur besoin commun de savoir *Qui* et *Pourquoi*.

Il a parlé à Ashida, devant la maison. Ce garçon lui a laissé les brochures qu'il avait trouvées. Un tract, il n'est jamais facile d'en découvrir la source. Ed Satterlee l'a aiguillé vers la petite amie de Lee Blanchard, Kay Lake. Miss Lake fait la connaissance de la Reine Rouge, Claire De Haven. Miss Lake est invitée à une soirée chez celle-ci. Miss De Haven invite Miss Lake à une seconde soirée. Ben Siegel va se procurer la liste des invités.

Whiskey Bill et son « autre affaire sur laquelle il travaille ». Whiskey Bill et son anticommunisme tonitruant. Il faut recenser les possibilités.

Il est possible que Miss Lake cafte des Rouges à Bill Parker. Cela expliquerait le « tract de gauche » et « l'autre affaire » de Whiskey Bill. Tout cela n'est qu'hypothèses. Mais des hypothèses qui méritent qu'on les examine de près.

Ed Satterlee lui a appris ceci : Parker a désigné Meeks pour enquêter sur le braquage du fourgon des services du shérif.

Cette décision est louche. Elle ne veut peut-être rien dire. Elle pourrait présager une collusion Parker-Meeks. Le braquage du fourgon résistera à toutes les enquêtes. Il est impossible que Parker soupçonne Huey Cressmeyer.

La maison des Watanabe s'efface. Le D$^r$ Ashida lui fait signe : *au revoir*. La lumière jaillit d'une porte entrebâillée. Il entend des pas et sent l'arôme d'un thé revigorant.

Une tasse arrive entre ses mains. Les pas s'éloignent. Il avale une gorgée de thé. Elle lui fournit le voltage élevé dont il a besoin.

Son corps se recalibre. Sa montre indique 18 h 18.

Il se lève. Il remet son étui d'aisselle et sa veste. Il entre dans le bureau. Ace le salue. Remarque l'armement sur la table.

Deux calibres .45. Équipés de silencieux et chargés de balles dum-dum trempées dans du poison. Deux haches à manche court. Remarque les tranchants affûtés comme des rasoirs.

Les deux hommes s'inclinent l'un vers l'autre. Ace enveloppe les armes d'un sac en toile de jute. Dudley sort son couteau à cran d'arrêt. La lame se déplie.

– Mon frère irlandais, dit Ace.

– Mon frère jaune, dit Dudley.

Il présente le couteau vers lui. Ace tend l'index de sa main droite. Dudley y fait une entaille et lui passe le couteau. Ace entaille l'index de Dudley. Le sang tombe goutte à goutte sur leurs mains.

Les deux hommes joignent leurs mains, index contre index, pour que leurs sangs se mélangent. Ils s'essuient les mains sur le sac de toile et sortent dans la rue.

Ace possède une berline Packard. Elle est d'une taille imposante, comme il sied à un chef de guerre. Ils prennent Broadway jusqu'à Temple Street, Temple jusqu'à Vermont. Les illuminations de Noël clignotent partout.

Ils suivent Vermont jusqu'à la route de Griffith Park. Demeures cossues, collines vertes, le dôme de l'Observatoire. Un point de vue exceptionnel sur la ville. Pas d'autres voitures que la leur dans le parking.

Le sentier pour les promeneurs. Un simple chemin de terre. Il est abrupt et bordé d'arbustes. Une lumière tremblotante est tout juste visible cinquante mètres plus haut. Une fumée signale qu'on fait cuire quelque chose, là-haut.

Ace passe à Dudley son pistolet et sa hache. Ace s'arme pareillement. Les deux hommes sortent de la voiture. Dudley suit Ace.

Ils grimpent le sentier. Une odeur de viande rôtie flotte jusqu'à eux. La lumière devient plus vive. La pente du chemin s'estompe. Oui – cette lumière, ce sont les flammes d'un feu de bois.

Dudley voit trois hommes. Ils devraient être quatre. Huey avait embauché quatre braqueurs. Ici, il n'y a que trois hommes.

Des voix leur parviennent, maintenant. C'est typiquement les aboiements et les grognements de la langue japonaise. Deux hommes semblent franchement japs. Le troisième est un Chinetoque garanti sur facture.

Dudley le reconnaît. C'est un initié des Quatre Familles. Disons que c'est un *collaborationniste*. C'est sans doute lui qui a désigné

Rose Kwan comme victime. C'est l'heure du dîner. Ils font rôtir des rats empalés sur des bâtons de crème glacée.

Ace s'avance dans la clairière. Il prend la pose – l'Exécuteur vieillissant. Les minus le voient. L'un d'eux glousse. Un autre marmonne. Le troisième lâche son rat embroché.

Ace vise au-dessus des flammes. Des détonations étouffées deviennent des trous dans leurs visages, et leurs cerveaux s'enfuient par l'orifice que la balle dum-dum a percé à l'arrière du crâne.

L'impact les écarte du feu de bois. Dudley s'approche et leur tire une balle dans la bouche. Les dents et les mâchoires explosent. Ace lâche son pistolet et lève sa hache.

Le vieil homme les *avilit*. Dudley le regarde faire. Ace coupe des têtes et des bras. Ace découpe ces minus en quartiers. Pendant toute la durée du rituel, Ace ne cesse de pousser des gémissements de singe.

Sons d'un autre âge. Profanation païenne. Du sang, du feu, des rats grillés sur des bâtons.

# 49

## LOS ANGELES | VENDREDI 12 DÉCEMBRE 1941

**19 h 27**

Terminal Island encore une fois. Le même bloc cellulaire et la même salle d'interrogatoire.

Ashida est assis à côté d'Elmer Jackson. La chaîne d'une paire de menottes les rend inséparables. Ils réutilisent le même scénario.

*Je suis japonais, comme vous. Je sers la police, ce qui ne l'empêche pas de m'opprimer. Vous voyez bien que je compatis à vos souffrances ! Répondez à mes questions, TOUT DE SUITE.*

C'est le capitaine Parker qui l'a envoyé là. Le stratagème découle de leur violation de domicile chez Jim Larkin. Le classeur et les documents. Le lien présumé avec le rachat des maisons et des fermes.

Ashida et Parker ont discuté du classeur et de son contenu. Parker lui a montré les listes d'éléments subversifs établies par les fédéraux. Ils les ont comparées avec celle des détenus de Terminal Island.

Ashida a fait le rapprochement entre quatre noms et quatre paires d'initiales.

T.A. égale Thomas Akahara ; G.Y. égale George Yamato ; W.O. égale William Okamura ; R.M. égale Rollo Moriyama.

Elmer commente :

– Le coup des menottes, c'est bidon. Je vous libère, si vous voulez.

Ashida sourit.

– Ce n'est pas fait au hasard. Je vous raconterai ça un jour.

– J'ai passé du temps chez les Marines, et c'était l'horreur. Guerre ou pas guerre, je n'ai pas envie d'y retourner.

– Vous échapperez à la conscription, dit Ashida. Vous êtes ami avec le directeur et le maire.

– Vous voulez dire que c'est Brenda qui est amie avec eux. Moi, je porte les valises de billets et je me tape toutes les corvées.

– Vous serez déclaré « Indispensable à la police », j'en suis sûr.

Elmer rallume son cigare.

– Cette police de l'homme blanc a été clémente avec nous. Avec vous, particulièrement. Ne l'oubliez pas quand elle commencera à envoyer les Japonais dans des camps sordides, et que vous aurez des raisons légitimes de me haïr.

Ashida consulte son calepin. Il a préparé les questions qui doivent lui servir d'introduction. Qui vous a approché au sujet de votre propriété ? Pourquoi la vente ou la vente potentielle a-t-elle été évoquée ou effectuée en secret ? L'acheteur ou les acheteurs vous ont-ils paru suspects ?

Elmer empuantit la pièce avec la fumée de son cigare. Un policier militaire fait entrer Thomas Akahara. M. Akahara a l'air furieux. Il est corpulent. Il porte une moustache façon Hitler.

Ashida se lève et fait cliqueter sa chaîne. Ashida extirpe de sa mémoire des formules en japonais et le salue dans les formes.

Le policier militaire ôte les menottes d'Akahara. Celui-ci sort une coupure de presse et crache dessus. Il dévoile des dents protubérantes à la Tojo et fusille Ashida du regard.

Elmer s'esclaffe. Le policier militaire hausse les épaules et repasse les menottes à Akahara. Ils font volte-face et disparaissent.

Elmer commente :

– Le Dʳ Hideo Ashida. Célèbre à son corps défendant et méprisé par les siens. Le seul Jaune du LAPD.

– Rentrons, Elmer.

– D'accord, mais arrêtons-nous chez Lyman d'abord.

Le capitaine des gardiens passe la tête dans la pièce.

– Téléphone pour vous, sergent.

Elmer libère Ashida et le suit. Ashida remâche cette histoire de détail qui lui aurait échappé chez les Watanabe. Un autre détail lui a échappé chez Larkin. Ces deux détails le tracassent, maintenant.

De mémoire, il revisite les deux maisons. Il passe d'une pièce à l'autre. Une douzaine de fois, il croit trouver quelque chose et il ne trouve rien. Elmer revient dans la pièce.

– Il va falloir remettre à plus tard notre virée chez Lyman. Il y a trois Chinois morts dans Griffith Park, et Bill Parker a besoin de vous.

## 19 h 54

Ils retraversent la passerelle au pas de course. Les détenus plaquent des pages de journaux contre les barreaux. Ashida n'en capte qu'une vision périphérique.

Mariko a encore trop parlé. Les journaux révèlent la teneur de ses propos : *Vive J. Edgar Hoover ! Que Dieu bénisse la police de L.A. et l'agent spécial Ward J. Littell !*

Ils foncent jusqu'à la voiture d'Elmer et partent pleins gaz vers le nord. Ils traversent le pont. Le black-out du littoral les engloutit. Il rabaisse le ciel. Il étouffe le sol. On voit les bandes blanches de la route et rien d'autre.

– Je sais compter, dit Elmer. Je sais qu'un plus un ça fait deux. Hier soir, ce grand gamin de Scotty Bennett flingue un môme des Quatre Familles, et maintenant on a trois Chinetoques morts. Le total, il me semble, égale une guerre des Tongs.

Ashida regarde à travers sa vitre. Ils roulent vers le nord. Dix kilomètres plus loin, le black-out est levé. Elmer allume ses phares et déclenche sa sirène.

Ils tombent sur une longue portion de route déserte et atteignent Western Avenue. La sirène leur ouvre la voie tout droit jusqu'à L.A. proprement dit. Ils tournent vers l'ouest en direction de la route du parc.

Tiens ! L'enquête de proximité est déjà en cours. Les agents en uniforme repoussent les badauds. Tiens ! Il y a des lumières dans le parking de l'observatoire.

Une sentinelle leur fait signe de passer. Elmer arrête la sirène. Tu as vu ça ? C'est le halo d'une lampe à arc dans la nuit.

376

Un homicide en pleine nature. Suis la lumière.

Ils parviennent au parking. Il est envahi par les voitures du LAPD. Voitures de police noir et blanc, voitures de couleur unie, fourgons cellulaires. Des employés de la morgue grimpent un sentier escarpé.

Suis la lumière.

Les deux hommes se garent et suivent le sentier. Le halo devient éblouissant. Une flopée de flics parlent des victimes. Leurs voix résonnent.

Une clairière. Quatre agents en tenue, trois employés de la morgue. Thad Brown, Buzz Meeks. Le capitaine Bill Parker, en civil.

Les lampes à arc sont braquées *vers le sol*. Les lampes torches sont braquées *vers le sol*. Le sol : de la terre brune gorgée de sang. Une puanteur de viscères répandus. Pas de cadavres stricto sensu.

Ashida dénombre des membres. Six bras et six jambes, cela signifie trois victimes. Quatre tapis de couchage bien en vue : un quatrième homme a été tué ailleurs, ou bien il a tout simplement quitté les autres avant le massacre.

Trois têtes. Perforées en plein front par le projectile, et à l'arrière du crâne à l'endroit où il est ressorti. D'autres dégâts provoqués par un tir en pleine bouche. Les mâchoires et les dents ont explosé. On leur tire d'abord une balle en plein front. La bouche s'ouvre en grand pour aspirer de l'air. Le second tir s'y engouffre.

Ashida examine leurs visages. Ashida examine les membres sectionnés et les regroupe avec les visages en fonction des nuances entre les couleurs de peau. Eugénisme. Science des caractéristiques raciales. Variations entre les races asiatiques.

Teint de l'épiderme. Physionomie. Densité des cheveux. Il sait classifier les Asiatiques par races. La plupart des Asiatiques s'en croient capables, mais c'est un leurre.

L'un des cadavres est celui d'un métis. Les deux autres sont japonais. Son instinct lui dicte ses conclusions. Des douilles éparpillées. Calibre .45, de toute évidence. Balles dum-dum. Des blessures à la bouche qui ont fait exploser les nez.

Un flic commente :

– Hé, regardez donc Tojo. Ça lui plaît bien, de fouiner dans ce charnier.

– Ta gueule, lance Thad Brown.

Bill Parker demande :

– Meeks, qu'est-ce que vous faites ici ?

– J'ai capté l'appel de la brigade, répond Meeks. Les homicides de bridés, ça m'intéresse, ces temps-ci.

Ashida scrute le sol. Le sang répandu suinte au-delà de la clairière. La terre du sentier est tellement tassée qu'elle ne garde aucune trace de pas.

Trois têtes. Pas d'effets personnels avec les tapis de couchage. Un soleil levant tatoué sur un bras. Une balle en caoutchouc du calibre d'un fusil de chasse.

Un couteau à côté des tapis de couchage. Celui-ci n'est pas couvert de sang, il n'est pas déplié. Le manche est court. Il possède une lame centrale pour transpercer les chairs. Six lames plus petites brasées sur une languette métallique.

La fabrication est grossière. L'objet est anachronique. C'est une arme de torture – d'un style vaguement féodal.

Ashida s'agenouille près des tapis de couchage. Il se souvient de la crique de Goleta. Des marques laissées par des lames sur le cadavre. Des lames semblables à celles-ci.

Un flic commente :

– Charlie Chan mène l'enquête.

– Ta gueule, dit Thad Brown.

Ashida examine le couteau. La fumée de cigarette masque un peu les relents de mort. Un flic vomit dans les buissons. Un autre serre un chapelet entre ses doigts.

Elmer annonce :

– Je vois un foulard des Quatre Familles. Voilà que nous avons sur les bras une guerre entre Tongs.

Ashida se relève. Parker et Meeks ont les yeux braqués sur la balle en caoutchouc. Elle est de la taille de celles qu'on utilise dans les fusils à pompe pour neutraliser des manifestants.

– Ça vous fait penser à Huey Cressmeyer, n'est-ce pas, capitaine ? Il y avait quatre autres types dans l'attaque du fourgon, mais ici, on n'en a que trois. Vous n'auriez pas préféré un peu plus de distance entre vous et ces événements ?

Parker s'approche d'Ashida. Il saute par-dessus une jambe sectionnée et tend le bras en direction du sentier. Les supports des lampes à arc changent de direction. La chaleur qu'elles dégagent intensifie la puanteur.

Ashida suit Parker. Ils trouvent un endroit tranquille. Parker demande :

– Vos premières impressions. Dites-moi ce que vous en pensez.

– Ils sont japonais, pas chinois, répond Ashida. L'un des trois pourrait être métis. C'est une science imprécise, mais j'en suis raisonnablement sûr.

Parker allume une cigarette.

– Venez me retrouver tout à l'heure dans le bureau de Nort Layman. Il a du nouveau sur les Watanabe. Il nous a appelés pour parler à Dudley, mais c'est moi qui ai décroché.

– Il y a un détail qui m'a échappé chez Larkin. Ça me rend fou.

Parker jette sa cigarette.

– Forcez la porte une deuxième fois.

– C'est Elmer Jackson qui m'a amené ici. Je n'ai pas ma voiture.

Parker lui tend un porte-clés.

– Prenez la mienne. Elle est immatriculée QF-661.

Les employés de la morgue passent près d'eux avec des chariots. Parker retourne à la clairière.

La QF-661 est garée près de la route du parc. Une bouteille de whiskey à moitié vide est posée sur le siège. Ashida s'installe au volant et fait demi-tour. La route du parc l'emmène au-delà des sentinelles. Vermont lui permet de rejoindre Sunset et cette petite rue sinueuse qui mène à la plage.

La voiture de Parker se révèle difficile à manier. Le levier de vitesses se coince, l'embrayage couine et patine. Ashida se dirige vers l'ouest et s'habitue à cette mécanique récalcitrante.

De Hollywood jusqu'au Strip. Du Strip à Brentwood. De Brentwood aux Palisades.

Il arrive à Santa Monica Canyon. Il sort de la voiture et s'approche de la porte. Il est expert en violation de domicile, à présent. Il fait céder la serrure à la première tentative.

Il referme la porte. Sa lampe torche lui montre le chemin. Salon, cuisine, chambre. Il examine le bassin des carpes koï et la rigole remplie d'eau qui traverse le salon. La carpe lui parle.

*Il n'y a pas de téléphone. Il n'y a pas de carnet d'adresses rempli de noms et de numéros.*

*L'arrière-salle chez Lyman ; la réunion de la nuit de mercredi à jeudi. Parmi les propos divers : les Watanabe appelaient des cabines publiques situées à Santa Monica.*

Donc, des cabines qui ne se trouvent pas loin d'ici. Près des usines de construction aéronautique de Santa Monica : Boeing, Douglas, Lockheed.

Il y a encore un *autre* détail. Apparemment prosaïque. Ashida ferme les yeux. Il se transporte dans un lieu paisible. Il sent une odeur d'aliments pour poissons réduits en poudre. La carpe lui parle.

*La dépêche du shérif. Un inventaire. Les objets trouvés sur la personne de Jim Larkin.*

*« Poche avant droite du pantalon : trois jetons de téléphone. »*

Un détail, ou rien du tout ? Une piste, ou une information qui ne mène nulle part ?

Ashida retourne à la voiture. Il fait demi-tour vers la route du littoral et la partie est de Sunset Boulevard. Il se dirige vers le centre-ville. Il est Jap et il se déplace dans une voiture de flic. Des carpes multicolores lui ont parlé.

Il se gare devant la morgue et y entre. Des chariots sont alignés dans le couloir central. Les morceaux de cadavres sont enveloppés dans de la gaze et portent une étiquette. Des bras, des jambes, des têtes, des torses. Tous portent la mention : *Griffith Park, 12/12/41.*

Il capte une odeur de chair en cours de décongélation. En la suivant, il remonte jusqu'à la salle d'autopsie de Nort Layman. Nort et le capitaine Bill Parker se passent et repassent une bouteille d'alcool. Ryoshi Watanabe est étendu sur la table de dissection.

Ryoshi est mort depuis six jours et sept heures. Nort lui a découpé le dos en plusieurs carrés de vingt-cinq centimètres de côté. La congélation a facilité le découpage. Nort désigne l'un des morceaux. Il est étiqueté *supérieur droit, face postérieure.*

La décongélation a révélé une blessure ancienne. Elle a laissé une trace dans le tissu sous-cutané. Elle est à peine visible.

C'est une blessure à l'arme blanche. Une arme blanche *à plusieurs lames*. Elle est comparable à l'arme trouvée dans la clairière et la blessure est similaire à celle du cadavre de Goleta.

– C'est une blessure très ancienne, explique Nort, c'est pourquoi elle n'était pas visible à la surface de la peau. J'ai cherché la configuration des lames dans le manuel de Ray Pinker consacré aux armes. C'est un couteau japonais du XVIIIe siècle. Les chefs de guerre trempaient les lames dans du poison. C'était une pratique extrêmement perverse.

C'est Parker qui est le premier à lâcher l'information :

– Vous venons de trouver un couteau tout à fait semblable dans Griffith Park.

# 50

**LOS ANGELES | VENDREDI 12 DÉCEMBRE 1941**

**22 h 37**

Toute la clique est venue.

Je connais personnellement certains des hommes qui sont au bar, et je situe les autres parce que j'ai déjà vu leurs photos dans la presse. Ils boivent et ils parlent avec désinvolture ; ils ignorent les gens installés dans les box à quelques mètres d'eux. J'attends Scotty et j'ai réservé une chambre à l'hôtel Rosslyn. Il a une heure et quinze minutes de retard, mais ça m'est égal. En spectatrice attentive, j'observe une joyeuse collusion.

Le maire Fletch Bowron, Jack Horrall, le shérif Gene Biscailuz. Les agents du FBI Dick Hood et Ed Satterlee. Ils expriment leur mépris pour le bouc émissaire japonais. Je vois chez tous ces clients assidus de Brenda Allen les profiteurs de l'état de guerre.

Ils discutent de la saisie des biens japonais ; ils échangent des plaisanteries sur cette Japonaise qui s'est suicidée dans la prison de Lincoln Heights. Satterlee a pondu un projet pour fournir un brassard à tous les Japonais de la ville. Les bavardages dévient sur l'affaire Watanabe. Jack annonce que le D.A., McPherson, s'est fait « encaldosser ». Biscailuz rit et demande : *Par Dudley Smith ?* Jack enfile son majeur dans le cercle que forment le pouce et l'index de sa main gauche. Le maire dit : *Ouille !*

Je fais durer mon Manhattan et j'écoute tout ce qui se dit. Fiorello La Guardia entre dans le restaurant et se joint aux *Kameraden*. Il fait l'éloge de l'organisation du black-out orchestrée par le capitaine Bill Parker. Jack et les hommes du FBI se pincent le nez. Je pense au tract de Claire De Haven et je revois Parker en bottes de cavalier.

Le groupe se disperse. Dudley Smith entre dans l'annexe du LAPD quelques minutes plus tard. Il tient un costume de tweed enveloppé dans de la cellophane. Il a maigri – il me rappelle le capitaine Parker, sur ce plan-là. Son aspect ne me surprend pas. Depuis dimanche dernier, la ville fonctionne grâce à l'insomnie, à l'alcool et aux cigarettes.

Les gens surgissent à l'improviste et disparaissent ; je n'ai pas revu Lee depuis notre altercation, ici même, mardi soir. Les gens se comportent avec une sorte de soumission inédite. Tout est nouveau. Chez beaucoup d'entre eux, cette seconde personnalité apparaît comme une surprise ; chez quelques-uns, comme une révélation.

Scotty a déserté mon lit pour retourner faire son devoir. C'est le *Mirror*, un quotidien du matin, qui me l'a ramené aussitôt. L'article était signé Sid Hudgens :

« L'agent Robert S. Bennett, le premier recruté spécial en temps de guerre du LAPD, a donné la preuve de son courage la nuit dernière pendant une chasse à l'homme dans Chinatown. La nièce du restaurateur bien connu Grover Cleveland "Oncle Ace" Kwan venait d'être sauvagement assassinée ; des *informations de source anonyme* ont conduit les enquêteurs à rechercher un voyou, membre des Quatre Familles : Chiang "Le Chinois" Ling, que le sergent Dudley L. Smith et l'agent Bennett n'ont pas tardé à coincer. Le Chinois, en cherchant à s'échapper, a atténté à la vie du sergent Smith. L'agent Bennett, dépourvu d'expérience, mais pas d'audace, a tiré sur Ling et l'a abattu avant que ce païen sanguinaire ne parvienne à "descendre" froidement le sergent Smith. »

L'article était illustré par une photo de Scotty en tenue de footballer.

Ce papier complaisant puait la collusion. Je l'ai juxtaposé au récit du parcours de Claire en compagnie de Whiskey Bill et j'ai réfléchi à ma propre allégeance en ce début d'état de guerre. C'est alors que je me suis précipitée jusqu'à ma voiture pour me rendre à Beverly Hills. La Packard de Claire était devant sa maison. Je me suis garée de l'autre côté de la rue et j'ai attendu.

Elle est sortie une demi-heure plus tard. Un fichu couvrait ses cheveux courts à la Jeanne d'Arc. Je l'ai suivie jusqu'à une église de Brentwood. Elle y a assisté à la messe.

La camarade Claire, Claire la suppliante. Assise douze rangées derrière elle, je l'observe de loin, tout comme j'ai récemment observé le pieux Bill Parker. C'est une symbiose tellement habile. On touche à la perfection quand on peut ne faire qu'un avec un ennemi idéal sur le plan de sa propre mystique. Quelle inconscience inouïe, de la part de Parker, que de choisir pour cible une femme telle que Claire. La vie intérieure du capitaine reflète fidèlement le chaos que Claire donne si fièrement à voir au monde entier.

Je quitte furtivement l'église avant qu'elle ne remarque ma présence. Claire regagne sa voiture dix minutes plus tard. Elle suit Bundy Drive jusqu'à Wilshire Boulevard et fonce tout droit vers le centre-ville. Je la suis de près et je franchis plusieurs feux à l'orange pour ne pas perdre le contact.

Claire tourne dans Main Street en direction du nord. Je pressens qu'elle se dirige vers Little Tokyo et je me rapproche encore plus. Elle tourne vers l'est dans la 2ᵉ Rue et ralentit pour observer les piétons. Je la vois braquer un appareil photo par la fenêtre de sa voiture et prendre des clichés.

Je suis son regard et la direction de son objectif. Elle photographie un homme aux yeux tristes devant un marché aux poissons. Elle photographie des enfants qui brandissent des drapeaux américains au bout d'un bâton et Cal Denton qui brise les dents d'un inconnu. Et voilà qu'elle arrête sa voiture. Et elle voit Whiskey Bill Parker, planté au carrefour de la 2ᵉ Rue et de San Pedro Street.

Il griffonne des notes sur son écritoire à pince ; Claire se gare juste en dehors de son angle de vision et le photographie. Les bras calés sur le rebord de sa portière, elle tient fermement son appareil de prise de vues. Elle cadre soigneusement des portraits du capitaine. Elle capte sa concentration surhumaine et sa rigidité de malade mental. Je me demande si elle remarque son uniforme à présent trop grand pour lui et son regard qui a quelque chose de pathétique. C'est parfait. Ses photographies accablent l'homme qui m'a engagée pour lui tendre un piège, à *elle*.

Allégeance en temps de guerre. Collusion.

Claire recharge son appareil trois fois. Parker est tellement épuisé qu'il vacille sur ses jambes. Il s'écroule dans sa voiture de police et tend la main vers sa bouteille. Il se passe alors quelque chose d'étonnant. Claire abaisse son appareil. Elle laisse passer ce moment de faiblesse sans en conserver de trace. Soit il lui inspire de la pitié, soit elle ne veut pas courir le risque de l'immortaliser. C'est alors que je décide de repartir. J'ai l'impression de ressentir au plus profond de moi ce qu'ils sont l'un et l'autre.

Scotty a une heure et demie de retard. Thad Brown et Jim Davis entrent dans le restaurant et s'installent au bar. Ils ignorent les dîneurs assis à quelques mètres d'eux. J'allume une cigarette et je les écoute parler.

Collusion.

Jim Davis dirige les services de sécurité à l'usine Douglas de construction aéronautique. Les deux hommes évaluent les risques que des membres de la cinquième colonne y commettent des actes de sabotage. Thad change de sujet. Trois Chinetoques ont été massacrés dans Griffith Park en début de soirée. Deux Japs et un métis chinetoque-jap, en fait. Le métis appartenait aux Quatre Familles. La fièvre monte à Chinatown. « Ce jeune con de Scotty » a flingué un minus des Quatre Familles et a déclenché une tornade de merde. Il faut absolument qu'on empêche une guerre totale entre les Tongs. Il faut qu'on étouffe ce massacre pour rétablir la paix à Chinatown.

Bill Parker entre dans le restaurant. Il me voit mais n'en laisse rien paraître. Je lui adresse un signe de la main et lui envoie un baiser. Je le regrette aussitôt.

Parker se joint à Brown et Davis. Je tends l'oreille. Le LAPD se mobilise dans Chinatown à minuit. La démonstration de force du Dudster a rendu les Chinetoques enragés. Davis parle en chinois et s'étire les paupières pour accentuer son effet. Thad raconte la blague de Mè-Lao-Li, la pute chinoise. Le barman sert un double bourbon et le fait glisser vers Parker. Whiskey Bill le vide d'un trait et crispe ses deux mains sur la barre de cuivre du comptoir jusqu'à rendre ses phalanges exsangues.

Thad tapote sa montre ; les trois hommes jettent des coupures d'un dollar sur le bar et quittent l'établissement. Scotty est en retard. Maintenant, je sais pourquoi. On a besoin de lui à Chinatown.

Tout à coup, l'ennui me rattrape. Il n'y a plus pour me distraire d'hommes aux opinions provocatrices. Aux tables des dîneurs, les bavardages sur la guerre n'en sont que d'autant plus prévisibles. Le front de l'Est, les Japs. Le sursis d'incorporation de mon fils. Il paraît que Hitler gaze des Juifs. Ma foi, il faut bien que *quelqu'un* s'en charge ! Eleanor Roosevelt est lesbienne – c'est le cireur de chaussures du Jonathan Club qui me l'a dit.

Hideo Ashida entre dans le restaurant. Je sais qu'il me cherche.

Je me lève ; il fait semblant de ne pas me voir. Cela confirmerait qu'il est venu ici *uniquement* pour me rencontrer et affaiblirait sa position, estime-t-il. Je lui adresse un signe et par là même lui force la main. Il simule hypocritement la surprise, me rejoint et s'assied.

Cette ruse ne lui ressemble pas. Il n'est pas convaincant lorsqu'il a recours au subterfuge. Ses vêtements diffusent des relents de formol. Il est passé à la morgue. Il me dit :

– Bonsoir.

Je lui demande :

— Vous cherchiez quelqu'un ?

— Je pensais trouver Jack Webb. Je sais qu'il vient ici dès qu'il en a l'occasion.

Le serveur s'approche de nous. Il voit un Jap en compagnie d'une jeune femme blanche et fait demi-tour. Je fais glisser mon verre sur la table ; le D^r Ashida en avale une gorgée substantielle. C'est une des conséquences de la guerre. Les Japonais ordinairement sobres se découvrent un penchant pour l'alcool.

— Partez à la recherche de Jack. Avec lui, vous aurez davantage de chances d'être servi.

— Ce n'est pas la peine.

— Je suis ravie de vous tenir compagnie, mais je pense que vous vous sentiriez plus à votre aise avec Jack.

Le D^r Ashida repousse mon verre dans ma direction.

— C'est vous qui tentez de me mettre mal à l'aise. Vous essayez de me faire dire quelque chose que je n'ai pas envie de dire.

— Vous n'êtes pas obligé de dire quoi que ce soit. Je suis contente de vous voir, et je suis ravie que vous soyez venu me chercher jusqu'ici.

— Très bien.

— Je regrette que vous ne vous sentiez pas à l'aise. Nous pouvons aller ailleurs, si vous voulez.

— D'accord.

— *Aller ailleurs*, c'est lourd de sous-entendus. Je n'ai pas envie de vous rendre encore plus mal à l'aise que vous ne l'êtes déjà.

— J'irai où vous voulez que j'aille. Je serai mal à l'aise quel que soit l'endroit en question, mais comme vous prenez un malin plaisir à la gêne que j'éprouve, cela ne devrait pas vous préoccuper.

*Touchée.* Je lui dis :

— Chambre 314 au Rosslyn. Je pars la première.

Il se contente de rester assis là, sans bouger. Je sors avant qu'il n'ait pu me dire *D'accord*. Je traverse la 8^e Rue en évitant les voitures, j'entre dans l'hôtel par une porte latérale, et je prends un ascenseur situé à l'arrière du bâtiment. Il flotte dans la chambre l'odeur des draps fraîchement lavés. Les taies d'oreillers sont propres, mais on y voit encore des traces de rouge à lèvres décolorées par la lessive. La chambre ne comprend qu'un lit, un canapé et une salle de bains. C'est une chambre d'hôtel dont la destination est évidente.

Je fume et j'arpente la pièce. D'autres femmes m'y ont précédée. Leurs talons ont creusé des trous dans la moquette.

Mon esprit est vide. Je n'arrive à imaginer que deux scénarios possibles pour la suite : Ashida me fait faux bond, ou bien il frappe à la porte. Je résiste à une envie subite d'aller me réfugier dans un endroit sûr. Un quatuor à cordes résonne dans ma tête.

Un coup de sonnette me fait sursauter. J'ôte mon rouge à lèvres avec un mouchoir en papier et je lisse mes cheveux. La sonnette retentit de nouveau. Je vais ouvrir la porte.

Hideo Ashida est ébouriffé. On lui a griffé la joue. Je reconnais dans son haleine le cocktail que j'ai laissé sur la table. Il entre. Nos épaules se frôlent. J'ai les jambes en coton ; je m'adosse à la porte pour qu'il ne le remarque pas.

— Que vous est-il arrivé ?

— Je connaissais M$^{me}$ Hamano.

— Oui ?

— Elle s'est pendue dans la prison de Lincoln Heights.

— Oui, je sais cela.

— Au bar, quelques étudiants plaisantaient sur ce sujet. Je leur ai dit d'arrêter. Il y a eu une bousculade, et Mike Breuning est intervenu.

Je touche sa joue. Il tressaille. Je passe mon pouce sur son sourcil. Il tremble. Je pose ma main sur son visage.

— Pourquoi faites-vous ça ? dit-il.

— Parce que nous sommes seuls dans une chambre d'hôtel, et parce que j'en ai envie.

Il ne s'écarte pas de moi. Alors, je lui repousse les cheveux en arrière. Et je lui demande :

— Dites mon nom, Hideo. Dites *Katherine*, ou *Kay*.

— D'accord. Katherine, donc.

Ma main tremble. Il ne s'écarte pas de moi. Alors, je l'embrasse.

Nos lèvres se touchent à peine. Il lève les mains pour me tenir à distance ; ses mains frôlent mes seins.

Nous restons dans cette position. Nos fronts se touchent. C'est une situation comme une autre. Sa chemise est partiellement déboutonnée. Je sens son cœur battre à travers le tissu. Je glisse la main dessous et la pose sur son cœur.

Il frémit. Je me glisse sous ses bras et trouve à me nicher plus confortablement.

— Katherine, s'il vous plaît…, me dit-il.

– S'il vous plaît, quoi ?

– S'il vous plaît, non.

Je m'écarte de lui. Il s'affaisse. Il ne tenait debout que grâce à moi.

Il s'adosse au mur et se laisse glisser le long de la paroi ; il s'assied sur le plancher et ramène ses genoux contre sa poitrine. Je me place devant lui. Il me touche les jambes et se calme. Je m'approche un peu. Il ôte ses mains.

Alors, je m'assieds sur le plancher près de lui. Je passe mon bras autour de ses épaules. Nous écoutons un concert diffusé par la radio de la chambre voisine.

Je ne veux pas briser cette ambiance fragile. Je ne veux pas risquer de dire ni de faire quoi que ce soit qui l'inciterait à prendre la fuite. La musique fait partie de l'ambiance. Les morceaux tonitruants cèdent la place aux ballades. Elles se terminent sur un tempo lent. Hideo me demande de lui raconter une histoire.

Je n'ai rien d'autre à lui offrir qu'un récit où se succèdent les faux-pas et les aventures sentimentales. Il commence en 1920 et se termine le jour où un capitaine de la police frappe à ma porte. Et je reconnais sur lui l'odeur de la Prairie du Dakota. C'est là que je terminerai mon histoire.

La radio est bienveillante à notre égard. Notre voisin écoute une sérénade pour couche-tard. La musique est parfaite pour raconter des histoires. Nous sommes assis sur le plancher, côte à côte.

Mon héroïne est une chasseresse à la moralité douteuse ; elle prend bien trop à cœur son intérêt personnel pour devenir un jour une Jeanne d'Arc. Je relate mon premier séjour à L.A. et ma période Bobby De Witt. J'atténue le rôle de Lee et l'importance du braquage de la Boulevard-Citizens. Je déballe tout ce que Bobby m'a fait subir. Hideo demande à voir les cicatrices de mes jambes. Je relève ma jupe, je roule mes bas, et je les lui montre. Il passe les doigts sur les bourrelets cicatriciels et retire sa main. Je souhaitais qu'il s'attarde, mais je ne dis rien.

Sa main m'a laissé sa chaleur, alors je lui parle de Bucky. Je lui décris mon désir de capturer un homme et de me l'approprier en le fréquentant. C'est à ce moment que Hideo me touche la jambe. Il me parle d'un appareil qu'il a conçu pour prendre des photos des gens à leur insu. L'ombre de Bucky Bleichert rôde autour de nous. Le regard d'Hideo se détourne. La trahison de Bucky l'a profondément marqué.

Alors, il me parle de Bucky. Le lycée Belmont, « Les Sentinelles », vert-et-noir pour la vie. Le gamin boche de Glassell Park, le Jap de Little Tokyo. Le demi-Juif Jack Webb, toujours là avec ses plaisanteries et toujours prêt à emboîter le pas aux deux autres.

Rencontres d'athlétisme, réunions d'avant-match, les finales interscolaires de la ville. Sa mère, la folle fasciste ; le père de Bucky, affilié au Bund. Les copains entassés dans un coupé Ford de 1932. Le long trajet pour aller voir un grand match à Fresno.

L'histoire dérive vers les clichés pris par l'appareil caché. Ce que Bucky portait pour les fêtes de fin d'année scolaire ; la façon dont Bucky a sauvé Jack Webb des griffes des pachucos. Sa manie de mâcher des steaks crus et d'avaler le sang avant de monter sur le ring. Le soir où lui, Hideo, a ramené Bucky ivre mort chez lui et l'a bordé dans son lit. Le titre de sportif de l'année décerné à Bucky par le club de la presse. Le smoking de location aux jambes trop courtes, la boutonnière dont la couleur jurait affreusement.

J'ai écouté Hideo jusqu'au bout. Sa tête était toujours sur mon épaule et sa main sur ma cuisse. J'ai cru à tout ce qu'il m'a dit et à rien de ce qu'il m'a dit. Je suis brisée par le chagrin comme je ne l'ai jamais été de ma vie.

*Espèce de gourde. Aguicheuse idiote. Maintenant, tu sais ce qu'il est. Ne pleure pas pendant qu'il te raconte son histoire.*

# 51

## LOS ANGELES | VENDREDI 12 DÉCEMBRE 1941

**23 h 58**

Des hordes de mômes tongs et des hordes de flics. Une corde pour les séparer. Confrontation au carrefour Ord-North Main Street.

Soixante gamins des Quatre Familles. Soixante du Hop Sing. Trente flics choisis pour leur propension à cogner fort. Des cogneurs de Nègreville. Des brutes de la brigade des étrangers. Scotty Bennett – en uniforme, ce soir.

Les gamins jacassent. Les flics gardent la position *repos*. Parker est posté sur le balcon du restaurant Le Chow Mein de Papa Wong. Thad Brown et Jim Davis sont avec lui. Deux-Flingues tient un mégaphone.

Les agents en tenue montent la garde devant des piles de coups-de-poing américains en cuivre. C'est une idée de Deux-Flingues : Proclamer les termes de la trêve et laisser les Chinetoques se défouler. Vider le bloc cellulaire de Queen of Angels. Réserver dix ambulances. Ce soir, le sang va couler à Chinatown.

Ces mesures paraissent excessives. Elles semblent tardives. Quelqu'un a tué la nièce d'Ace Kwan. Scotty Bennett a liquidé le véritable assassin ou bien un Chinetoque quelconque mais qui fait l'affaire. Un morveux des Quatre Familles s'est fait trucider dans Griffith Park. Cela fait repasser le Hop Sing en tête avec un décès de plus. Ace Kwan est le chef de guerre préféré du LAPD. La situation exige que l'on rétablisse la parité.

Parker scrute la rangée de flics. Il repère Lee Blanchard. Il repère Vogel et Bill Koenig – des brutes du commissariat de la 77ᵉ Rue. Trente flics. Deux amants de Kay Lake. La guerre a complètement détraqué L.A.

Brown dit :

– Les indigènes sont nerveux.

Davis demande :

– Maintenant, Bill ? Jack Horrall m'a donné carte blanche.

Parker répond :

– Maintenant, Jim.

Davis lève son mégaphone et postillonne en chinois. Sa voix, c'est du Tchang Kaï-chek métissé de Donald Duck. Parker connaît le contenu de ses propos : « Fini, les assassinats ! Il faut que jeunesse se passe, organisons une joute avant la trêve. Plus de rackets jusqu'à la fin de l'année 1942 ! »

Les gamins ne tiennent plus en place. Les flics distribuent les coups-de-poing en cuivre, un par môme.

On abaisse la corde. Des infirmiers sortent des bars et des gargotes à chop suey en poussant des chariots brancards. Des pompiers vissent leurs lances sur les bornes d'incendie. L'eau sous pression étend les émeutiers pour le compte et chasse les flaques de sang.

Parker s'éloigne. Il prend l'escalier situé à l'arrière du bâtiment, il rejoint la ruelle et se rend chez Kwan. Un galimatias insensé le poursuit. Il traverse la cuisine et le fait cesser.

Brown et Davis l'ont devancé. Ils sont à table avec Oncle Ace. Des plats de litchis et de rumakis sont à portée de main.

Parker approche une chaise. Deux-Flingues dit quelque chose en chinetoque. Ace mime une branlette. Thad se tape sur les cuisses.

Deux-Flingues déclare :

– Fini, les querelles avec les Quatre Familles. Si vous donnez votre parole, ils feront de même.

– Je suis d'accord, dit Ace.

Thad ajoute :

– Ils sont décidés à vous verser dix mille dollars pour compenser la perte de votre nièce.

– J'accepte, dit Ace.

Thad agite un bâtonnet de rumaki.

– Jack Horrall est catégorique : plus un seul meurtre ! Sinon, il bouclera tout Chinatown.

– Je respecterai la consigne, confirme Ace.

Deux-Flingues annonce :

– Pas d'enquête sur les meurtres de Griffith Park. Je le tiens de la bouche même de Jack Horrall

– C'est la meilleure solution pour tout le monde, commente Ace.

Deux-Flingues rafle *deux* bâtonnets de rumaki.

– Un Chinois s'est suicidé à l'hôtel New Moon. On peut lui faire porter le chapeau – le chapeau chinois, évidemment.

Oncle Ace sourit jusqu'aux oreilles. Parker serre les poings et le fusille du regard. Ace mime une branlette.

Les ambulances font hurler leurs sirènes. Les lances à incendie entrent en action. Toute cette histoire sent fortement son Dudley Smith.

# 13 décembre 1941

# 52

**0 h 42**

— Vous êtes très élégant, Dud, dit Buzz Meeks. Je vous empêche peut-être de faire quelque chose qui vous intéresserait davantage ?

La fête annuelle pour les vendeurs de journaux est terminée. La sublime Bette Davis est sûrement repartie depuis longtemps.

— C'est exactement ça, mon garçon. Je ne ferai pas semblant de ne pas être contrarié. Je suis sûr que votre *affaire urgente* aurait pu attendre jusqu'à demain matin.

L'arrière-salle sent le renfermé. Le téléscripteur crépite. Cette trêve à Chinatown encourage l'anarchie.

— Où sont passés le clin d'œil et les bobards, chef ? Dites-moi la vérité. Je ne vous ai jamais vu y renoncer.

— Exprimez clairement vos intentions ou vos exigences. Abstenez-vous de toute menace, ou vous en subirez les conséquences.

Meeks allume un cigare.

— Je suis coincé entre vous et Whiskey Bill. Sur ce plan-là, je suis un peu dans la même situation que le petit Ashida.

Dudley fait craquer ses phalanges.

— Exprimez clairement vos intentions ou vos exigences. Ce préambule m'énerve.

Meeks enfume l'arrière-salle.

— J'ai répondu à l'alerte concernant la découverte des cadavres. C'est un garde forestier qui l'a lancée. Je me suis rendu sur place. Parker parlait avec Ashida. Ils m'ont semblé très copains, tous les deux.

— Je répète, pour la dernière fois…

— J'ai vu une balle en caoutchouc sur le sol. Ça m'a fait penser au braquage du fourgon du shérif. Parker m'a chargé d'enquêter là-dessus. Pourquoi moi ? Je ne me l'explique pas. J'ai fait un relevé d'empreintes sur la balle, et j'ai obtenu une concordance sur dix points avec celles de Huey Cressmeyer, mais je me suis *abstenu* de le dire à Whiskey Bill. Je sais compter, Dud. Il y avait quatre hommes, *plus* Huey, dans l'attaque du fourgon, et trois morts dans le parc. Je dirais que le quatrième – sans doute un Jap – avait déjà foutu le camp. Ce qui nous laisse deux Japs et un métis jap-chinetoque que rien ne relie au braquage. Ils sont morts, et quant à Huey, je parie que vous l'avez planqué quelque part.

Dudley allume une cigarette.

– Vous avez toute mon attention. Terminez votre exposé, je vous prie.

– Voilà ce que j'ai découvert : à Preston, Huey a volé les balles et plusieurs fusils d'assaut. Je ne l'ai pas mentionné dans mon rapport à Parker et à Ward Littell, et je n'ai rien dit sur l'empreinte de Huey non plus.

– *Et alors ?*

– *Et alors*, j'ai vu les clichés pris par le bidule photographique d'Ashida, parce que j'ai fait pression sur le pervers à votre botte qui travaille au labo. *Et alors*, c'est encore Huey Cressmeyer. C'est lui qui a braqué la pharmacie samedi dernier, et à mon avis, il connaît un tas de trucs peu reluisants sur le clan Watanabe.

– Il y autre chose ? demande Dudley.

Meeks poursuit :

– Huey et ses Japs braquent le fourgon. Je rends une visite à la banque des prêts hypothécaires, et j'apprends qu'Ace Kwan a remboursé le lendemain du braquage l'emprunt contracté pour l'un de ses immeubles. Vous partagez toujours vos gains avec Ace. La nièce d'Ace se fait assassiner, et Scotty, votre protégé, descend un suspect bien pratique. Ça sent le coup monté, et voilà ce que je pense : les Japs de Huey ont tué la petite Kwan, et c'est Ace et vous qui les avez éliminés.

*Quel subtil détective. C'est le Charlie Chan de l'Oklahoma.*

– Je souhaite acheter votre silence sur ces sujets, dès maintenant et jusqu'au Nouvel An. Cela implique que vous continuiez à cacher ces éléments au capitaine W. H. Parker.

Meeks agite trois doigts.

– J'ai une flopée de petites amies qui sont enceintes. Votre copine Ruth Mildred pourrait me rendre un sacré service.

– C'est d'accord, dit Dudley.

Meeks s'approche du bar. Il se verse un verre de bourbon et y plonge son cigare.

– Appelez-moi-Jack veut que ce soit un Jap qui endosse l'assassinat des Watanabe, et je n'ai rien contre. Mais comme je travaille sur l'enquête, je me sens concerné.

– Soyez plus clair.

– Si on doit piéger quelqu'un qui n'a rien à voir avec l'affaire, autant que ce soit une véritable saloperie de pervers qui paye la note. *Comme tu voudras, sale bouseux.*

– Du point de vue de la morale, il aura bien mérité la chambre à gaz, croyez-moi.

## 1 h 07

Le Shrine Auditorium doit être désert, à cette heure-ci. Elle est partie depuis longtemps. Dudley court malgré tout.

Il se précipite vers sa voiture de service. Il fonce vers le sud, phares et sirène allumés. Il arrête le vacarme au carrefour de Washington Boulevard et tourne vers l'ouest. Il entre dans le parking. Une Rolls Royce verte l'évite de justesse.

Ses propres phares en balaient le pare-brise. Il reconnaît le conducteur. Il a vu son portrait dans *Screen World*. Le Bostonien Arthur Farnsworth – le second mari de la sublime Bette.

Il a les larmes aux yeux. Il donne un coup de volant d'une main, il serre un mouchoir dans l'autre. Harry Cohn a tout dit à Dudley. C'est un mariage dicté par le studio. Le mari est un homo qui aime les chaînes et les coups de fouet.

Le mari fait une embardée pour descendre Washington Boulevard. Dudley se gare près de l'entrée des artistes. *Ce serait vraiment le diable qu'elle soit encore…* Il se passe un peu d'eau de Cologne sur le visage et suce une pastille.

Il s'approche de la porte. Une poussée énergique suffit pour l'ouvrir. La salle est encore éclairée.

Le Taj Mahal vu par l'Occident. Le décor : une mosquée somptueuse. Des tapisseries sur les murs et mille fauteuils vides.

Une scène surélevée. La mosquée, la crypte. Des programmes abandonnés un peu partout. Le Shrine Auditorium, après minuit. Un lieu où on s'arrête un moment pour reprendre son souffle.

Des rires. Des éclats de rire qui se chevauchent. Derrière les rideaux, côté jardin.

Dudley saute sur la scène et se dirige vers leur source. Il écarte les rideaux et contourne dans le noir les projecteurs éteints. Il voit de la lumière au bout d'un couloir. Il entend des voix de gamins. Une femme rit, dans un registre de contralto.

Les gamins poussent des cris. Dudley se redresse de toute sa hauteur et avance. Il déboutonne sa veste. Son étui d'aisselle devient visible.

Elle est à genoux. Elle porte une robe bleu pâle. Elle joue aux dés avec trois petits vendeurs de journaux.

Ils sont éblouis par elle. Ils virevoltent, ils s'empressent, ils sont sous le charme. Ils portent leurs costumes du dimanche achetés au rabais. Tout le monde rit sans cesser de jouer.

L'ombre de Dudley arrive jusqu'à eux. Les gamins lèvent la tête. Ce sont des enfants de pauvres qui connaissent déjà la vie. Au premier coup d'œil, ils voient en lui un flic.

Elle sent que leurs regards la quittent. Ces yeux vagabonds déconcertent la diva. Elle voit Dudley et comprend aussitôt qui il est.

Elle voit le pistolet, le costume de tweed, les chaussures en cuir de Cordoue. *Soutenez mon regard une fraction de seconde, je vous en supplie.*

Ce qu'elle fait. Il commence par sourire et détourner les yeux, puis il s'agenouille près d'elle et laisse tomber un billet de cent dollars sur le plancher.

Les gamins regardent Dudley, ils regardent Bette, ils les regardent tous les deux. Elle désigne le petit gros qui tient les dés. Il les lui donne. Elle les secoue et les fait rouler.

*Les yeux de serpent...* C'est ainsi qu'on nomme un « 2 » – un point noir sur chaque dé blanc, c'est une paire d'yeux de serpent, le plus petit score possible.

Le maigrichon s'écrie :

– C'est pour moi !

Le blondinet ramasse le billet de cent et quelques coupures d'un dollar. Ses copains exultent. Miss Davis ouvre sa pochette et en sort ses cigarettes. Dudley lui tend la flamme de son briquet.

Les gamins ouvrent des yeux ronds. Dudley ôte son chapeau et le lâche au-dessus de la tête du blondinet. Il lui couvre les yeux et le nez. Tout le monde rit. *C'est le moment de lui dire ton nom. Elle sait que tu connais le sien.*

Il se présente :

– Dudley Smith.

Elle lance un rond de fumée vers lui. Il rit et lui tend sa flasque. Elle avale une gorgée d'alcool puis la tend au blondinet. Il en boit une gorgée et la donne au petit gros. Qui en boit une gorgée aussi et la passe au maigrichon. Il boit un coup. Il s'exclame : *Oh, la vache !* et la rend à Dudley.

Bette Davis envoie de la fumée vers les gamins. Ils font semblant de tousser et de se tordre de douleur sur le plancher.

Bette Davis commente :

— Il faut bien qu'ils commencent un jour.

— Je suis ravi, dit Dudley, d'avoir partagé avec vous leur initiation.

— La mienne fut plutôt moins raffinée.

— Où était-ce, si je ne suis pas indiscret ?

— Dans un bouge à Harlem en 1924. Je n'en dirai pas plus.

Dudley rit. Le petit gros rafle la flasque. Ses copains gloussent. Le blondinet lui pique la flasque et la donne à Bette en même temps que les dés.

Le maigrichon désigne la flasque et lance :

— Suce, Bette, suce !

— *Ça*, on me l'a déjà dit, commente Miss Davis.

Dudley s'esclaffe. Bette boit une gorgée, lance les dés et la chance lui offre un « 7 ». Les gamins discutent entre eux. Ils parient chacun un dollar contre Bette qui doit maintenant confirmer.

*Joue, Bette ! Joue, Bette ! Joue, Bette !*

Dudley met un deuxième billet de cent dollars sur les petites coupures. Bette lance les dés et perd. Les mômes hurlent de joie et ramassent la mise.

Les gamins regardent Bette, les gamins regardent Dudley.

Ils sont fascinés par son flingue. Dudley dégrafe son étui et le jette au maigrichon. Il atterrit avec un bruit mat sur les genoux du gamin.

Des rires circulent. Le flingue circule. Il parvient entre les mains de Bette. Elle le sort de l'étui. Elle regarde Dudley dans les yeux.

— Je peux ?

— Je serais très déçu que vous n'osiez pas.

Bette se lève. Sa robe est tachée. Elle bascule la sûreté et vise le plafond. Elle se débarrasse de ses chaussures pour affermir sa position sur le plancher. Elle déclare :

— N'oubliez jamais Pearl Harbor.

Les gamins sifflent et l'acclament.

Elle vide le chargeur. Sept balles, le sept qui porte chance, un vrai vacarme. La fumée qui s'échappe du canon et l'odeur âcre de la cordite.

Des morceaux de plâtre tombent du plafond. Dudley se relève et lui passe la main dans les cheveux pour en ôter quelques fragments.

Le sourire de Bette rend hommage à son tact. Les mômes applaudissent. Dudley ôte sa veste et l'étale sur le plancher. Bette lui prend le bras et se penche pour faire une révérence.

Elle lui dit :

– Monsieur Smith.

– Miss Davis.

Ils se serrent la main, faussement solennels. En chœur, les mômes font : *Oh là là !*

Ils reprennent la partie de dés. Dudley vide son portefeuille, Bette vide sa pochette. Dudley manigance leurs pertes. Les gains vont aux trois gamins, l'un après l'autre. Ils s'enrichissent effrontément. Ils sont aux anges.

La flasque de Dudley circule. Quand elle se retrouve vide, celle de Bette la remplace. Bette chasse quelques éclats de plâtre tombés sur le pantalon de Dudley. Après des moments délicieux, la main de Bette qui se pose sur lui.

Les mômes commencent à bâiller. Ils sont un peu gris et n'en reviennent pas de leur chance. Dudley annonce l'heure. Ils râlent. Bette s'emploie longuement, en douceur et avec gentillesse, à les convaincre de partir.

Dudley leur distribue des insignes miniatures du LAPD pour jouer au policier. Les gamins serrent Miss Davis dans leurs bras. Elle les serre contre elle à son tour et leur conseille d'acheter des obligations pour soutenir l'effort de guerre. Elle laisse sur leurs joues de grosses traces de rouge à lèvres.

Ils ont les jambes en coton. Ils poussent leurs vélos jusqu'à la sortie et traversent le parking en pédalant, hurlant de joie. Dudley aide Betty à mettre son manteau et lui prend le bras pour l'emmener dehors. Sa voiture de police est le seul véhicule encore présent.

Il allume des cigarettes. Ils sont près l'un de l'autre et regardent le ciel. Dudley sent *Perfidia* s'estomper quelque part en lui, dans un endroit où il fait bon vivre.

*Bon. Et maintenant ?*

Ils jettent leurs cigarettes. De la main, chacun ôte des cheveux de l'autre quelques fragments de plâtre, et il se rapprochent pour s'embrasser.

# 53

**2 h 24**

Ashida écrit sur du papier éclair. Encre invisible, support inflammable. Dans le langage secret qu'il a inventé.

C'est son document secret. Sous l'action directe des rayons du soleil, il s'enflammera spontanément. Version japonaise en kanji, version anglaise en sténo. Cinq couches de texte sibyllin.

La table de cuisine de Mariko lui sert de bureau. Mariko joue les geishas dans le salon. Elmer Jackson est bourré. Ward Littell chante les louanges de Bill Parker. C'est le capitaine Bill qui a assuré son affectation à l'enquête sur l'attaque du fourgon, et qui l'a libéré de la corvée des rafles.

Ces rafles, Ward les trouve répugnantes. Il critique constamment les « projets racistes » du FBI.

Ces rafles, Elmer aussi les trouve répugnantes. Il les qualifie de *véritables saloperies, ni plus ni moins.*

Quant à Ashida, c'est sa propre mère, Mariko, qui lui fait horreur. Elle n'arrête pas de se répandre dans les journaux japonais. À cause d'elle, ses deux expéditions à Terminal Island ont été des échecs complets.

Kanji, anglais, sténo. De façon impromptue, des hiéroglyphes.

Il dessine la cicatrice en étoile qu'il a vue sur un cadavre à Goleta. Il dessine le couteau trouvé dans Griffith Park. Il dessine la cicatrice à peine visible d'une blessure au couteau découverte sur le corps de Ryoshi Watanabe.

Il dessine le pied sectionné vu à Goleta. Il ajoute des lignes ondulées sous la plante du pied. Elles représentent l'odeur de poisson qu'elle dégageait.

Ashida a senti une odeur de poisson sur la personne du fermier qu'il a interrogé. Il a capté une odeur d'huile de poisson sur les débris de verre dans la cuisine des Watanabe. Nort Layman a trouvé de l'huile de crevette sur les pieds des Watanabe.

Ashida dessine une crevette. Son stylo vagabonde. Il dessine Kay Lake à l'hôtel Rosslyn. Il dessine Bucky et Kay sous forme de fantômes

399

fondus l'un dans l'autre. Il dessine la carpe koï de Jim Larkin. Il écrit : 渡辺邸で何を見逃したのか？ Il traduit : « Qu'est-ce que j'ai manqué chez les Watanabe ? »

Mariko lève son verre à la mémoire de Nao Hamano :

– Une bonne Américaine, une bonne mère de famille. Décédée dans la prison de Lincoln Heights.

– Bien dit ! commente Elmer.

– La Marine nationale m'appelle, dit Ward. Peut-être pour travailler dans un sous-marin. Je pourrais hiberner et faire la guerre.

Mariko glousse.

– Ward, homme à femmes. Une fille dans chaque port.

Des détonations dans la 2ᵉ Rue, suivies de hurlements.

– Cartouches de gros sel, dit Elmer.

Ward rectifie :

– À présent, ils mélangent le gros sel avec des petits plombs. Ça envoie au tapis n'importe quel être humain.

Mariko glousse de nouveau.

– Pas de filles dans les sous-marins. J'enverrai à Ward des livres cochons.

Ward et Elmer s'esclaffent. Ashida regarde par la fenêtre. Il voit deux gamins aux vestes en lambeaux étalés à plat ventre dans la rue.

Deux flics traînent les gamins vers une voiture de police. Bucky Bleichert traverse la rue en titubant.

Ashida descend l'escalier. Bucky est assis sur le perron, ivre. Ashida a frappé Bucky mercredi. Bucky est encore couvert de bleus.

– Salut champion ! dit Ashida.

– Le champion, c'est toi, dit Bucky, et j'en porte les preuves sur moi.

Ashida s'assied près de lui. Leurs genoux se frôlent. Ashida s'écarte.

– Toi, tu reviens des bains-douches Shotokan. Les frères Harada ont ouvert une bouteille. Vous avez parlé de boxe pendant des heures.

– Je me suis retiré sans une seule défaite, dit Bucky. Soit je suis un trouillard, soit je suis le plus veinard des boxeurs blancs.

Ashida sourit.

– Tu es peut-être un peu des deux.

Bucky sourit aussi.

– Les frères Harada pensent que je devrais affronter Lee Blanchard. Je leur ai dit qu'ils étaient cinglés.

– Ça se discute, dit Ashida. Il est plus fort que toi, mais tu es plus rapide.

Bucky sourit de nouveau.

– Frappe-moi encore une fois, tu veux bien ? Je t'ai dit que je regrettais, mais ça ne suffit pas, c'est sûr.

Ashida sourit.

– À partir d'aujourd'hui, tu te donneras des coups tout seul.

Bucky replie les jambes et pose son menton sur ses genoux. C'est tellement charmant.

– J'aurai mon diplôme de l'école de police en juillet. Et après, on travaillera ensemble.

– Moi, je serai en prison, dit Ashida. À moins qu'un Blanc haut placé n'ait une dette envers moi.

# 54

## JOURNAL DE KAY LAKE

### LOS ANGELES | SAMEDI 13 DÉCEMBRE 1941

**0 h 36**

Je soigne Lee dans la cuisine. Son dos et ses bras sont couverts de petites coupures. Il se tient penché, torse nu, au-dessus du lavabo. Je suis derrière lui avec un flacon d'alcool, une pince à épiler, et du coton hydrophile.

La nouvelle trêve des Tongs est taillée sur mesure pour le Hop Sing. Beaucoup de résidents de Chinatown le savent. Ils se rassemblent sur les toits et lancent des bouteilles sur les flics. On a emmené d'urgence une douzaine d'entre eux à l'hôpital Queen of Angels. La chemise d'uniforme de Lee est en lambeaux.

J'extrais un éclat de verre et je tamponne la plaie avec de l'alcool. Lee me dit :

– C'est douloureux, mais ça fait du bien. Tu peux m'expliquer ça ?

– Ça signifie que tes terminaisons nerveuses ont été touchées d'une certaine façon. Ton cerveau reçoit des signaux contradictoires, plaisir et douleur.

– C'est à Sioux Falls ou à UCLA[1] ? Que tu as appris ça, je veux dire.

– J'ai lu un manuel d'anatomie. J'ai étudié les schémas illustrant la structure de la peau.

Lee fume. Je lui tiens la tête penchée pour accéder à ses blessures. Je ne cesse de penser au pauvre Hideo qui se meurt d'amour. Bucky était avec nous dans la salle de restaurant, l'autre soir. Bucky reste avec moi, maintenant. La participation d'Hideo est cruciale pour mon projet de film documentaire. Lui, c'est ma source infiltrée, et l'instrument essentiel qui fera du film un témoignage politique dérangeant. Parker veut que le film explicite les desseins séditieux de Claire De Haven. C'est ce qu'il fera – tout en montrant ces desseins concrétisés par la dénonciation d'une grave injustice. Le film montrera que les rafles de Japonais sont un prétexte pour exercer des brutalités systématiques, s'enrichir en profitant de l'état de guerre, et donner libre cours à une hystérie raciste d'une dimension inéluctable. Je devrai convaincre Claire de monter le film de telle façon qu'il se passe de commentaires de la part des auteurs. Il ne faudra pas que ses camarades et elle enregistrent leurs voix sur la bande son. Cela donnerait raison à Parker, qui considère d'avance ce court métrage comme le manifeste d'une clique de traîtres à la nation. Je vois ce documentaire comme étant *mon* film et *mon* codicille au tract de Claire diffamant Parker lui-même. Une seule personne s'adressera au public dans *mon* film – et ce sera le Dr Hideo Ashida. Il présentera mes vues ambivalentes sur le monde de la police que j'adore et méprise en même temps ; il en parlera en connaissance de cause, puisant dans sa profonde expérience professionnelle de criminologue, et dans son expérience personnelle, plus profonde encore, de Japonais opprimé. Ce film devrait annuler les tentatives de Parker destinées à faire plus de mal encore à Claire De Haven, et libérer Claire de son martyre grandiose.

– Scotty Bennett n'a pas été blessé, m'annonce Lee. Je parie que tu es heureuse de l'apprendre.

– Ne bouge pas la tête. J'ai une entaille profonde, ici.

– Tu as couché avec lui ? me demande Lee.

– Oui.

---

1. Université de Californie, Los Angeles.

— Tu as couché avec Hideo Ashida ?

— Je le lui ai proposé, mais il a décliné mon offre.

Lee rit de bon cœur.

— Il se limite sans doute aux Japonaises. Je dois lui reconnaître cette qualité. Il sait qu'il y a des lignes à ne pas franchir.

J'ôte l'éclat de verre de la plaie et j'éponge le sang qui suinte de l'entaille. Lee ajoute :

— La guerre, ça donne aux gens le droit de baiser comme des lapins. Quoique tu ne t'en sois jamais privée avant qu'elle ne commence.

# 55

## LOS ANGELES | SAMEDI 13 DÉCEMBRE 1941

**2 h 42**

La Guardia déclare :

— Ces Japs sont gras et insolents. Je ne vois ici aucun signe de mauvais traitement.

Ils inspectent le bloc cellulaire de Fort MacArthur. C'est purement politique : Fiorello La Guardia, maire de New York ; Fletch Bowron, maire de L.A. ; et ce casse-couilles d'Ed Satterlee. À 1 heure du matin, un coup de téléphone a réveillé Parker.

La clique se trouvait dans la maison de passe de Brenda. Après avoir épuisé les forces des filles disponibles, ils se sentaient encore en pleine forme.

Fletch avait insisté :

— Je sais qu'il est tard, Bill – mais personne n'arrive à dormir, en ce moment. Et ça ne peut pas faire de tort à votre carrière. Ce type, il a l'oreille du président.

D'où l'idée de cette inspection. D'où la virée à San Pedro. D'où les policiers militaires qui s'emmerdent ferme et les Japs lugubres.

Ils ont déjà vu les deux premiers niveaux. La plupart des Japs ont continué de dormir pendant l'inspection. La Guardia plaisante avec

403

les insomniaques. Il les appelle « papa-san ». Il leur dit qu'il *adoooore* Mister Moto. Il a vu tous les films.

Parker marche en tête avec *El Jefe*. Bowron et Satterlee traînent avec les policiers militaires. Parker explique en détail son organisation du black-out. La Guardia s'extasie. Bowron et Satterlee rongent leur frein.

La Guardia dit :

— Cette Jap qui s'est suicidée avait sur elle un titre d'emprunt de guerre émis par le gouvernement japonais. Pour moi, ça sent la cinquième colonne, cette histoire-là.

— C'était un décès inutile, monsieur le maire. Je suis sûr que cette femme était déprimée, mais cela ne justifie pas son acte.

— Quiconque se servira de l'épée périra par l'épée, réplique La Guardia. La marine vient de couler trois contre-torpilleurs de plus. Ces salopards n'ont pas fini de regretter le jour où ils ont bombardé Pearl Harbor.

Ils parviennent au dernier niveau. Parker est éreinté. Griffith Park, la morgue et Chinatown. Pas une minute de sommeil, et maintenant ce flot de fadaises.

Bowron demande à Satterlee :

— Tous les Japs qui possédaient les biens immobiliers réquisitionnés vont quitter la ville, toujours aussi gras et aussi insolents. Alors, dites-moi : on va les mettre où, ces Japs ?

— L'armée a des équipes de prospection qui sillonnent le Sud-Ouest. On y trouve des installations abandonnées par l'armée qui peuvent abriter chacune six mille Japs.

— À Beverly Hills, hier, dit Bowron, je suis tombé par hasard sur Preston Exley. Nous consultons le même médecin pour nos migraines. Vous connaissez Preston, n'est-ce pas ? Il était au LAPD, et maintenant il est promoteur immobilier.

— C'est ça, répond Satterlee. L'ancien inspecteur qui a fait fortune dans la pierre. J'ai bavardé avec lui plusieurs fois.

— Voilà. Et si vous lui avez parlé récemment, vous savez qu'il a des arguments convaincants en faveur d'un emprisonnement des Japs les plus huppés à Los Angeles même, parce qu'une incarcération de masse d'une telle ampleur déclenchera une embellie des offres d'emplois pour les civils, tout en gardant les Japs à portée de main pour les interrogatoires.

— Preston a le don de tout transformer en or, dit Satterlee. Il sait ce qu'il faut acheter et à quel moment, et il sait faire du pognon.

– Ses ancêtres sont peut-être venus sur le *Mayflower*, réplique Bowron, mais je crois qu'il a un peu de sang juif.

– Il pense qu'il y a du fric à sa faire avec les biens des Japs. La question, c'est : Qui gère leurs biens pendant que les Japs sont en taule ?

Parker bâille et suit le rythme d'*El Jefe*. Bowron et Satterlee bâillent et se laissent distancer.

– Salut, papa-san ! Comment ça se passe, pour vous ? Ce Mister Moto, un sacré numéro !

Ils parviennent au bout du bloc cellulaire et retrouvent le grand air. Ils allument des cigarettes et se requinquent. *El Jefe* insiste pour voir un poste de tir de la défense côtière. Le maire Fletch et l'agent Ed répriment leurs grognements réprobateurs.

Ils s'entassent dans leur jeep. Black-out sur le littoral – le chauffeur conduit en Braille. Ils grimpent en haut d'une falaise et se garent près du bord, à côté d'une casemate perchée tout là-haut.

Six hommes munis de jumelles. Deux mitrailleuses montées sur des trépieds. Des radars. Des chaises longues disposées à l'avance.

Le groupe s'extirpe de la jeep et pénètre dans la casemate. La Guardia donne des tapes dans le dos des militaires. Bowron et Satterlee s'affalent dans des chaises longues. Parker trimballe un classeur confié par Appelez-moi-Jack.

Il accapare une chaise longue. *El Jefe* amadoue les militaires avec des blagues salaces. Fletch et l'agent Ed somnolent. Parker ouvre son classeur. Il a apporté une lampe de poche à faisceau étroit.

Ah, merde ! La dernière invention d'Appelez-moi-Jack. La « Police auxiliaire en temps de guerre ».

Des formulaires de candidature. Des dossiers de candidats.

Parker parcourt les documents. Appelez-moi-Jack se prend pour Oncle Sam : « J'ai besoin de *VOUS* ! » Il lui faut des préposés à la défense passive, des guetteurs de raids aériens, des auxiliaires pour coller des contraventions de stationnement.

Les candidats sortent du fond du panier. Des retraités, des minables qui veulent jouer au flic, des insoumis. Boris « Frankenstein » Karloff. Le boxeur poids coq Manny Mendez. L'amuseur pour night-clubs Lou Costello et la « Hearst Rifle Team ». Huit tireurs d'élite. Régulièrement employés par le magnat William Hearst dans sa propriété de San Simeon. Cette fine équipe a l'aval du shérif Biscailuz, qui l'appelle en renfort de sa propre police montée pour traquer les détenus évadés. Ces huit hommes sont tous membres du Klan de San Bernardo.

Misanthropes, monstres de l'écran, marginaux. Les Keystone Kops de cette période de guerre. Appelez-moi-Jack a la langue qui pend à l'idée de cette nouvelle dose de publicité personnelle. Il est prêt à embaucher tout le monde.

Parker ferme les yeux. Il tente de somnoler. C'est impossible. *El Jefe* en raconte des raides. Il ne s'arrêtera jamais.

*Joan Woodard Conville, Américaine, de race blanche, 26 ans.*

Elle ne le lâche plus. Elle n'arrête pas de le harceler. Il a appelé le bureau des immatriculations pour obtenir son adresse. Raté – elle ne possède pas de permis de conduire. Il a appelé quatre annuaires d'infirmières diplômées. Encore raté – elle ne figure dans aucun d'eux. Ses démarches lui semblent ridicules. Il se sent lui-même ridicule. Il a rappelé les flics de l'université Northwestern. Il leur a demandé de lui envoyer une photo d'identité de Miss Conville. C'est de l'espionnage couvert par la police.

Son tableau des problèmes en cours n'est plus à jour. Il a du retard au chapitre *Affaire Watanabe/Détails-Chronologie*. Il a été interrompu dans sa tâche. Les affaires tangentielles se sont accumulées. Le triple meurtre de Griffith Park. L'accident de Larkin renversé par un automobiliste qui a pris la fuite.

Tout ça s'embrouille. *Son cerveau* s'embrouille. L'affaire Watanabe le *mine*. Il y attache davantage d'importance qu'il ne le devrait.

Un poste de garde est accolé à la casemate. Parker s'y rend. Le gardien est absent. Parker décroche le téléphone et appelle la morgue.

C'est Nort qui décroche.

– La morgue. Docteur Layman.

– C'est Bill Parker, Nort.

– Vous ne lâchez jamais, vous, hein ? Ça ne fait que quatre heures. Parker rit.

– Disons simplement que je n'arrive pas à dormir.

– Vous n'êtes pas le seul. Nous sommes en guerre, si vous ne l'avez pas remarqué.

Parker demande :

– Vous dégelez toujours les cadavres, n'est-ce pas ? Je pensais que vous pourriez avoir de nouvelles informations.

– C'est vrai, répond Layman. Vous avez lu mon premier rapport, bien sûr ? L'huile de crevette sur les pieds des victimes ?

– Oui, je me souviens.

406

— Très bien, alors écoutez bien cette bizarrerie. La congélation puis la décongélation ont isolé des particules dans le tissu sous-cutané, sous la plante des pieds. J'ai trouvé du verre pilé couvert d'huile de crevette sur les huit pieds, sans exception. Les quatre victimes avaient la plante des pieds calleuse, ce qui n'est pas surprenant, car les Japs ont tendance à marcher pieds nus. Ce qui m'a surpris, c'est la répartition régulière des particules. Comme s'ils avaient délibérément marché sur des éclats de verre.

Bizarrerie. Anomalie. Élément imprévu.

— Pourriez-vous envoyer sur ce sujet une dépêche du coroner dans l'État tout entier ? Aux hôpitaux, aux infirmeries, aux cabinets médicaux. Cela a peu de chances de donner des résultats, mais inscrivez-y mon nom et le numéro de mon bureau si cela doit susciter des retours d'information.

— Votre démarche est franchement tirée par les cheveux sur ce coup-là, mais je ferai quand même ce que vous me demandez.

— Merci, Nort, dit Parker. Vous serez récompensé, dans cette vie ou dans la prochaine.

— J'ai déjà ma récompense, Bill.

— Comment cela ?

— C'est sacrément jubilatoire de vous voir obsédé à ce point.

# 56

## LOS ANGELES | SAMEDI 13 DÉCEMBRE 1941

**5 h 09**

Fabuleuse demeure, fabuleuse créature.

Ils ont fait l'amour et maintenant ils parlent. La chambre est nichée dans une balustrade intérieure. Cheminée, poutres noircies, murs en ciment brossé.

Le lit comporte un baldaquin. Les draps sont en satin pêche. Les croisées donnent sur les collines de Brentwood. Un airedale racé se prélasse près d'eux.

La maison est de style médiéval. Bois brut et vitraux partout. Bette adore se battre. Sa maison donne d'elle l'image d'une femme assiégée dans sa forteresse.

Son mari habite au-dessus du garage. Bette l'a surpris en train de sucer son chauffeur le soir de leurs noces. Elle l'a banni aussitôt. Il l'escorte à des événements mondains et se rend de son côté à des bals masqués de tantouzes. Il existe pour satisfaire aux obligations morales imposées à Bette par le studio dont elle est l'une des vedettes. Le chauffeur a une grosse bite.

Bette demande :

– Dudley Liam Smith. Es-tu surpris de te trouver ici ?

Dudley caresse l'airedale.

– Plus ravi que surpris. J'aurais manigancé une autre façon de me présenter si celle de ce soir n'avait pas abouti grâce à un heureux hasard.

L'airedale s'étire et se redresse sur ses pattes. Bette lui gratte le dos.

– L'Irlande te manque, Dudley ?

– Non, ma douce, elle ne me manque pas.

– Tu n'as pas de famille là-bas ?

– Les soldats britanniques ont tué mon père et mon frère. Ma mère, c'est l'alcool qui l'a tuée. Je n'avais qu'une tante, et elle s'est enfuie à Londres avec un protestant. Il était très séduisant, ce jeune homme. Il ressemblait à Leslie Howard dans *Autant en emporte le vent*.

Bette rit.

– J'ai couché avec Leslie Howard. Il a l'air d'une tapette, mais je peux t'assurer qu'il aime les femmes.

Dudley rit à son tour.

– Avec qui d'autre as-tu couché ?

– Avec la plupart des hommes de la liste des célibataires disponibles publiée par *Photoplay*. La Warner m'a forcée à présenter la fête de fin d'année du lycée Hamilton. Je m'y suis ennuyée à mourir, alors j'ai couché avec le président du Lochinvars Social Club.

L'airedale se glisse entre eux. Dudley lui pose un cendrier sur le dos et allume des cigarettes.

– Je vais chercher Jack Kennedy à midi. Son père et lui, on se connaît depuis longtemps.

Bette entrelace ses doigts aux siens. Dudley s'étend de tout son long sur le lit. En embrassant Bette, il a effacé tout son rouge à lèvres.

Elle est plus petite qu'il ne l'imaginait. Dans l'étreinte, elle se débat d'une façon qu'il n'a jamais connue chez une femme.

— Joe Kennedy m'a fait des avances, un jour. Il présidait la RKO, à ce moment-là. Il paraît que Jack est encore plus coureur que lui, mais qu'il est monté comme un têtard.

Dudley s'esclaffe. Cela secoue le lit. L'airedale lui lance un regard noir. Bette rafle le cendrier et pousse le chien vers le pied du lit. Il montre brièvement les crocs et s'endort.

— Ma chère petite. Comment ceci est-il arrivé ?

— Tu as eu de la chance. Soyons réalistes.

— Est-ce que je devrais en remercier la guerre ? Je sens flotter dans l'atmosphère un appétit nouveau.

Bette l'embrasse.

— Mon appétit à moi a précédé la guerre. Demande aux garçons de Lowell, Massachusetts.

— Je crains qu'ils ne me rendent terriblement jaloux.

— Je n'aurais pas envie de te voir jaloux.

— Et pourquoi donc ?

— Parce que tu es brutal. Parce que tu n'es que séduction et menace.

Dudley l'embrasse. Elle lui tient la tête entre ses mains et frotte son nez contre le sien, à la façon des esquimaux.

— Quand je t'ai vu, j'ai pensé, *Oh, le grand flic qui en pince pour moi. Et il a mis le costume qui convient à son rôle.*

Dudley écrase leurs cigarettes et pose le cendrier sur la table de nuit. Dehors, l'aube montre ses rayons. La grande cour resplendit.

— Tu as toujours l'esprit aussi vif ?

— Oui. Je vis en me fiant à ma perception immédiate. C'est grâce à ça que j'ai survécu.

Dudley sourit.

— À Broadway ? À Hollywood ?

Bette sourit.

— Tu me dis avoir tué des soldats britanniques, et je te crois. Moi, j'ai dit aux fils de mamas juives qui règnent sur mon quartier : « Non, je ne te sucerai pas », et j'ai obtenu quand même le rôle que je voulais. Tu ne trouves pas qu'on a tous les deux de la chance, de ce point de vue-là ? Tu n'es pas content d'être différent du reste du monde ?

Il tremble un peu. Ses yeux s'embuent un peu. Ceux de Bette aussi. Elle tend la main pour essuyer les larmes de Dudley.

— Brave cœur. Laisse un peu ta vie de côté et viens passer quelques moments de douceur avec moi.

Dudley lui prend les mains, les rabaisse et les cloue sur le lit. Les yeux mouillés de larmes de Bette sont tout près des siens. Elle passe une jambe par-dessus Dudley et les rapproche juste ce qu'il faut. Cela se poursuit en un corps à corps qui se prolonge. Le corps à corps incite Bette à fermer les yeux. Le corps à corps permet à Dudley de la regarder.

Ses bras sont doux, ses seins aplatis par leur étreinte. Il lui couvre le cou de baisers. Elle montre les dents et se mord les lèvres. Elle se démène tant que son corps entier s'empourpre. Puis elle se cabre dans le corps à corps, elle l'agrippe dans un soubresaut, avant la chute libre.

## 9 h 46

L'airedale dort entre eux. Dudley remue et voit d'abord le chien. Il enregistre cet instant : *Bette Davis ronfle.*

Il embrasse la truffe du chien et l'épaule de Bette. Il va dans la salle de bains et se rase avec un petit rasoir pour dames. Il s'habille et arrange les rideaux de façon à éclairer la chevelure de Bette. Il pose des baisers sur ses bras et descend au rez-de-chaussée.

L'airedale l'accompagne vers la sortie. Dudley fourre son nez dans la fourrure du bel animal. Il sort de la maison et absorbe le spectacle de cette matinée.

Brentwood, au nord de Sunset Boulevard. Des manoirs Tudor, des châteaux français, des haciendas espagnoles. Dudley Liam Smith – tu as les faveurs du destin.

Il monte dans sa voiture de police. Il fait un crochet pour sortir de la vallée et prend la direction de l'est pour se rendre à Burbank. Les flics de l'aéroport le laissent stationner au bord de la piste. Il a deux heures à tuer. Il sent le parfum de Bette sur les poignets de sa chemise.

Il a le temps de tirer des plans et d'échafauder des stratégies. Il a le temps de concocter un rapport fallacieux pour Bill Parker.

*Watanabe/homicide multiple/7-12-41.* Deuxième compte rendu – après une semaine d'enquête.

Il avale trois comprimés de benzédrine. Il empile les informations redondantes. Il étale les détails sans intérêt des vérifications de faits antérieurs. Il additionne les pistes qui mènent à une impasse et insiste sur le système clanique de la culture japonaise qui entrave l'exercice de son métier.

La benzédrine fait son effet. Il ajoute des pelletées de jargon fli-
cardesque et souligne sa frustration personnelle en tant qu'enquêteur.

La vérification des documents officiels est impossible. La guerre
barre toutes les voies d'accès ordinaires.

*Savez-vous lire entre les lignes, mon capitaine ? Appelez-moi-Jack
veut que cette affaire soit enterrée avant le Nouvel An. Il obtiendra
ce qu'il désire – mais cette détestable affaire m'intrigue.*

Le vol en provenance de Boston se pose et s'immobilise. Les baga-
gistes poussent l'escalier amovible vers la porte de l'appareil. Dudley
sort de sa voiture et se poste près de la sortie des voyageurs. Jack
arrive le premier au bas de l'escalier.

Il porte son uniforme de la marine. Il aperçoit Dudley et fonce
droit vers lui. Ils se donnent l'accolade puis s'écartent, chacun tenant
l'autre par les épaules.

– Enfoiré d'Irlandais, dit Jack.

– C'est l'hôpital qui se fout de la charité, réplique Dudley.

Ils montent dans la voiture de police. Dudley balance le sac de
Jack sur la banquette arrière. Jack tripote les boutons du poste émetteur-récepteur et obtient un bourdonnement. Dudley s'éloigne de la
piste d'atterrissage.

– Où allons-nous ? demande Jack.

– Comment ton père t'a-t-il un jour résumé Los Angeles ?

– Il m'a dit qu'on venait ici pour baiser des vedettes de cinéma et
semer la pagaille.

– Eh bien, nous y voilà. Harry Cohn a quelqu'un à te présenter.

Jack fait tourner sa casquette autour de son index.

– Je ne dirais pas non à Rita Hayworth ou à Ella Raines.

– Mon garçon, dit Dudley, il va falloir y renoncer. Miss Hayworth
n'est pas en ville, et Harry Cohn en personne a des vues sur Miss
Raines.

– Ce qui fait de moi le minus habens dans une partouze de mongoliens.

Dudley rit.

– Ellen Drew, mon gars. C'est une nouvelle actrice sous contrat,
elle est superbe, et elle t'attend à l'hôtel Los Altos.

Jack bricole la radio. Les numéros de code se succèdent et les lieux
des incidents se superposent. Code 90, Individu en état d'ivresse,
Little Tokyo. Voitures demandées.

Jack demande :

– Que se passe-t-il dans la Première Rue Est ?

– C'est Japtown, mon garçon. Les gens du quartier sont en détention.

– C'est quand même incroyable ! On savait que la guerre avec les Japs était inévitable, mais on n'a même pas pensé qu'ils pourraient frapper les premiers.

– C'est un monde nouveau, celui dans lequel on vit.

– Lundi, je prends l'avion pour Pearl. J'ai des réunions, et puis on fait un saut jusqu'à une petite île de merde remplie de cannibales.

Dudley allume une cigarette.

– Ton père a fait ce qu'il fallait pour moi. Au Nouvel An, je serai libre, et je pourrai être nommé à un commandement dans le renseignement militaire. En mission au Mexique, très probablement.

– Papa a gardé un peu d'influence. Mais son surnom de *Joe le Froussard*[1] donné par les Anglais, ça n'a pas arrangé ses affaires, remarque. Franchement, Dud, toi aussi tu aurais foutu le camp pendant le Blitz. Allez, hop ! Une petite balade dans l'île d'Émeraude et tu te trouves une douce Irlandaise.

Dudley contourne le Hollywood Bowl.

– L'Irlande n'est pas un pays que l'on quitte. Je suis même surpris que Joe soit revenu ici.

– C'est ici que se trouvent son argent et ses enfants. Dans ces conditions, tu serais venu aussi.

Noël approche. Les faux sapins sont dressés. Les quêteurs de l'Armée du Salut encombrent Sunset Boulevard. D'une pichenette, Dudley se débarrasse de sa cigarette.

– Ton père aime toujours autant les films cochons ? Il s'y intéresse toujours à son âge avancé ?

Jack rit.

– Tu lui demanderas toi-même. Dimanche, il sera à la soirée de Ben Siegel. Cela dit, il a toujours dit de cette industrie qu'elle combinait le summum de l'esthétique avec un minimum de frais généraux.

Dudley se marre. Jack rabat sa casquette sur ses yeux. Dudley prend Highland Avenue pour rejoindre Wilshire Boulevard. L'hôtel Los Altos est contigu à une station-service et à un bar au décor façon Mers du Sud.

C'est un refuge pour starlettes rebelles. Des actrices sous contrat

---

1. Ambassadeur des États-Unis à Londres de 1938 à 1940, Kennedy père avait une peur bleue des bombardements allemands et courait fréquemment se réfugier à la campagne.

y font des passes dans des chambres louées à la nuit. Dot Rothstein y dirige l'aile réservée aux lesbiennes. Eleanor Roosevelt broute des chattes dans la 419.

Dudley se gare devant l'hôtel. Jack fouille dans son sac et s'asperge d'eau de toilette Lucky Tiger. Ce garçon est séduisant mais frêle. Il a l'air vaguement fin de race.

— Ellen Drew, c'est ça ?

— Oui, mon garçon. Chambre 332. Mentionne le film *The Château in Montparnasse*. Elle y jouait la petite bonne française.

— Ce sera vite fait, dit Jack.

— Je sais, mon garçon. Ta réputation te précède.

Jack s'esclaffe et déguerpit. Dudley cogite. La maison des Watanabe. Mentalement, il revisite les lieux pour la millième fois.

Il arpente les pièces et fouille les placards. Il regarde sous l'évier. Il jette un coup d'œil derrière le frigo. Il retrouve deux souvenirs précis : il revoit des crottes de souris près d'un tuyau d'écoulement. Il se souvient d'une flaque de détergent à côté de la machine à laver.

Jack saute dans la voiture. Un suçon s'étale sur son cou.

— T'es un rapide, commente Dudley.

Jack lui lance un clin d'œil.

— Elle est mignonne, cette petite. Dis à Harry d'être gentil avec elle.

— Je t'emmène où, mon gars ?

— À la maison de Delfern Drive. Papa m'a confié une enveloppe pour Gloria.

Dudley roule en direction du nord-ouest. Jack ferme les yeux pour couper court à toute tentative de conversation. Gloria Swanson vit à Holmby Hills. Joe Kennedy a été son amant il y a bien longtemps.

Joe a commencé par piller les comptes en banque de Gloria, qui a mis au monde leur fille illégitime en 1927. Joe a dédaigné de reconnaître l'enfant, tout en versant clandestinement une aide financière à Gloria.

La maison a les dimensions d'un hôtel particulier. Dudley franchit la porte cochère en dérapage contrôlé et secoue Jack. Le jeune homme paraît surpris. Il rafle sa casquette et descend de la voiture.

Le portail donnant sur l'arrière-cour est ouvert. Jack se dirige de ce côté-là. Dudley cogite.

Il relit son rapport. Il étoffe la partie consacrée à l'enquête de voisinage. Il revisite mentalement les lieux pour la mille et unième fois.

413

Il se souvient d'autres crottes de souris et d'une laitue fanée dans le frigo.

Jack revient. Sa braguette est ouverte. Il s'écroule dans la voiture et baisse sa casquette. Dudley démarre et rejoint la rue.

— Je le hais, dit Jack.

— Oui, je sais, réplique Dudley.

— Joe Junior la baise, je la baise. Bobby est trop pieux pour la baiser, et Teddy est trop jeune.

— Oui, mon gars, je sais tout ça.

— Ça ne me console pas. Je le hais quand même. Elle m'a obligé à la sauter au bord de la piscine, et maintenant j'ai un coup de soleil sur les fesses.

Dudley rit et s'engage dans Sunset Boulevard. Les sapins de Noël de Holmby Hills ont la taille d'un gratte-ciel. Jack poursuit :

— Il viole le monde entier et il méprise les gens bien, et puis il part en courant quand ces minables de Boches lâchent quelques bombes. Et moi, je suis un minable parce que je profite de son argent, et toi aussi, tu es minable d'accepter de me trimballer partout.

Dudley sourit.

— Tu es un cœur pur, alors ?

Jack sourit.

— Oui, un cœur pur, enfoiré d'Irlandais.

Ils roulent tranquillement sur Sunset. Jack regarde par la fenêtre et se gratte les couilles. Dudley tourne en direction du nord dans Western Avenue. On a construit le couvent et l'école sur la colline.

La limousine de l'archevêque est garée de l'autre côté de la rue. J. J. Cantwell aime se trouver à la meilleure place pour lorgner les écolières.

Dudley se gare derrière lui. Jack descend de voiture et se dirige vers le terrain de jeu. C'est l'heure de la récréation. Laura est assise toute seule dans son coin. Elle ressemble à une Kennedy, avec un gène en moins.

Elle voit Jack et court vers lui. J. J. Cantwell sort de sa limousine. Il porte un pantalon de golf en lin et un pull rose.

Dudley le rejoint. Cantwell regarde Laura et Jack.

— Il est trop maigre, Dud. Joe ne le nourrit pas ?

— Il ne se nourrit que d'amour, Votre Éminence.

Cantwell glousse.

— Je mourrai sans avoir vu un catholique devenir président. Joe a des projets pour ses fils, m'a-t-on dit.

– C'est exact, Votre Éminence.

– Un catholique directeur de la police. C'est davantage à ma portée.

Jack et Laura se lancent une balle. J. J. Cantwell les observe.

– Combien de temps encore Horrall a-t-il l'intention de rester directeur, Dud ?

– Jusqu'à ce que cette guerre se termine, Votre Éminence.

– Et le successeur qui a sa préférence serait cet homme compétent, mais cruellement protestant, nommé Thad Brown ?

– En effet, Votre Éminence.

– Horrall pourra-t-il éviter le scandale jusqu'à la fin de son mandat ?

Dudley a un geste dubitatif.

– C'est du cinquante-cinquante, Votre Éminence. En février prochain, le FBI va enquêter sur des écoutes téléphoniques illégales, et le directeur pourrait être éclaboussé. Il touche des pots de vin d'un vice-sergent, Elmer Jackson, qui est très compromis avec une entremetteuse nommée Brenda Allen. Je ne voudrais pas que cette histoire soit dévoilée au grand jour.

– Bill Parker vous redoute, dit Cantwell.

– Je le sais, Votre Éminence.

– Avez-vous peur de lui ?

– Non, Votre Éminence, je ne le crains pas.

– Vous avez quelque chose sur lui ?

– Oui, Votre Éminence.

– A-t-il quelque chose sur vous ?

– Non, Votre Éminence.

Cantwell observe Laura et Jack. Ils se renvoient la balle. Son Éminence ne manque pas un seul de leurs gestes.

– Je suis satisfait de cet équilibre des pouvoirs entre deux catholiques, et je vous apprécie autant l'un que l'autre, Bill Parker et vous. Avant de mourir, je souhaiterais voir un catholique diriger la police, c'est pourquoi je serais navré que cet équilibre soit inutilement rompu.

# 57

**13 h 14**

Un quartier paisible, où il n'y a que des entrepôts. Valley Boulevard, n° 4600. Scène d'un accident de la route avec délit de fuite.

Le point d'impact s'est érodé. La pluie de lundi a détrempé les traces de pneus.

Ashida longe la corde qui protège le site, à l'extérieur de celle-ci. Il tient le rapport sur le décès de Jim Larkin. C'est Ray Pinker qui se l'est procuré pour lui.

Une voiture de police déboule et s'arrête au bout d'un dérapage, effleurant au passage le véhicule d'Ashida. Bill Parker en descend. Il porte un uniforme qui flotte sur lui. Il a les traits tirés d'un homme qui n'arrive pas à dormir.

Il s'approche. Ses lunettes sont de guingois. Il a dû s'écrouler de fatigue sans avoir eu le temps de les ôter.

– Il s'agit d'un assassinat prémédité maquillé en accident de la circulation. Le conducteur ne manquait ni de cran ni d'habileté au volant. Il a heurté Larkin avec une violence suffisante pour le tuer, mais c'est à peine s'il a bousculé les gamins. Tout cela fait penser à du travail de professionnel.

– Et il portait un pull violet, ajoute Ashida, exactement comme l'homme de race blanche aperçu devant la maison des Watanabe.

– Un pull *mauve*, rectifie Parker. Rappelez-vous ces fibres textiles de couleur mauve que vous avez trouvées sur le dos des victimes. *Mauve* et *violet*, c'est ambigu.

Ashida hoche la tête.

– Les services du shérif se sont rendus dans les ateliers de réparation et de peinture automobiles, et ils n'ont rien trouvé. L'assassin a forcément endommagé sa voiture, mais il ne l'a plus ressortie de son garage.

Parker allume une cigarette. Son ceinturon glisse le long de ses hanches.

Ashida ajoute :

– La cause du décès étant évidente, il n'y a pas eu d'autopsie.

416

Cependant, j'ai trouvé une note intéressante dans le dossier. L'impact a arraché un lambeau de chair de la face postérieure de la cuisse gauche de Larkin. Le chirurgien qui a examiné le corps a remarqué une « série de blessures à l'arme blanche, disposées de façon régulière sur une surface restreinte dans un groupe de muscles », mais il n'y a pas joint de photos.

Des automobilistes passent près d'eux. La voiture de police les inquiète. Ils freinent et roulent au pas.

– Encore cette saloperie de couteau, dit Parker. Nous avions déjà cette trace de blessure ancienne trouvée sur Ryoshi Watanabe, et maintenant, ceci.

Les voitures les frôlent. Parker est trop près de la chaussée. Ashida se recule.

– Oui, cette histoire est de plus en plus touffue.

La radio de bord de Parker se manifeste. Des paroles confuses en sortent. Parker va décrocher l'écouteur.

Ashida examine le point d'impact. Il remarque une trace laissée dans la terre meuble. Il identifie une seule sculpture en dents de scie.

Parker revient.

– C'était le coordinateur de la brigade. J'ai demandé à Nort Layman d'envoyer à toutes les polices de Californie une dépêche concernant les débris de verre et l'huile de crevette trouvés sous les pieds des Watanabe. On vient de recevoir une réponse. Un hôpital de Lancaster a soigné un « clochard japonais » qui avait les pieds tailladés, et l'homme est sorti il y a une heure. On ne connaît pas son nom, mais on a un début de piste. Les adjoints du shérif, à Lancaster, ont reçu les plaintes de cinq épiceries locales. Leurs clients ont trouvé des débris de verre dans des boîtes de conserve pêchées et conditionnées par des Japonais. Ces plaintes sont traitées par le shérif, et Gene Biscailuz a lu la dépêche. Il pense qu'il peut s'agir d'un sabotage perpétré par la cinquième colonne, et il va se rendre sur place.

Ashida s'accroche à la corde. Une voiture passe tout près de lui, trop près.

Parker ajoute :

– Le coordinateur m'a réservé la primeur des informations sur le grossiste qui vend les conserves. Il s'appelle Wallace Hodaka, et il est en détention à Fort MacArthur.

– Il faut qu'on y aille, dit Ashida.

Parker acquiesce d'un signe de tête. Les deux hommes se regardent.

Ils se passent de tout préambule. Ils montent dans leurs voitures et partent aussitôt.

Ils roulent vers le sud, l'un derrière l'autre. Ashida est parti en tête. Parker lui colle au train.

Ils atteignent Main Street. Ils dépassent Lincoln Heights. Ashida regarde son rétro. Parker ne lâche pas son pare-chocs arrière et il tête une flasque de whiskey.

Ils filent jusqu'à San Pedro. Parker fait toujours la sangsue et continue de biberonner. Centre-ville, Nègreville, Gardena. L'air de la mer et des camions de l'armée – San Pedro n'est plus loin.

Voici Fort MacArthur. Son bloc cellulaire. Ashida voit Parker planquer sa flasque et se gargariser avec un bain de bouche. La sentinelle en faction regarde Ashida d'un œil torve – *Hé ! Vous êtes Jap !*

Ashida brandit son insigne. La sentinelle se rend compte qu'Ashida est suivi par une voiture de police blanc et noir et les fait passer. Ils trouvent à se garer non loin de l'entrée. Les deux hommes sortent de leurs véhicules et s'étirent. Parker chancelle et se reprend.

Des policiers militaires encadrent la porte. Ils saluent Parker et regardent le Jap de travers. Parker montre à Ashida qu'il faut continuer tout droit. La poterne est grillagée de bas en haut. Le cerbère plisse les paupières en regardant Ashida – *Hé ! Qui c'est, ce Jap ?*

Parker se charge de l'informer.

– Nous sommes venus interroger un détenu nommé Wallace Hodaka.

Le gardien consulte son registre.

– Il y a peu de temps, nous avons noté le passage de quelques collègues à vous venus de L.A. Un certain sergent Smith a téléphoné et il a dit qu'il avait le feu vert d'Horrall, le directeur. On a enregistré l'arrivée des sergents M. Breuning et R. Carlisle, et de l'agent R. S. Bennett. Ils ont consulté la liste de nos détenus et sont repartis il y a quelques minutes.

Ashida avale sa salive. Parker agrippe son ceinturon et remonte son pantalon trop grand. Le gardien décroche un téléphone mural et parle en jargon officiel. Il enfonce un bouton. Deux portes à barreaux s'écartent.

– Salle d'interrogatoire n° 3. C'est un petit bonhomme tout rond, avec des dents à la Tojo, et il ne parle pas l'anglais.

Parker marche en tête. Ses pas sont mal assurés. Il pose les pieds par terre de façon incongrue. Ashida le suit.

Il ignore les rangées de cellules. Les détenus le voient et le sifflent.

La clameur enfle de cellule en cellule. On tente de lui cracher dessus. Il reste bien au milieu de la passerelle. Les crachats ne l'atteignent pas.

La salle d'interrogatoire n° 3 est carrée et mesure 2,5 mètres de côté. La porte est ouverte. Wallace Hodaka porte un treillis de prisonnier et il est assis à califourchon sur une chaise.

Ashida ferme la porte. Hodaka se lève et s'incline. Les deux hommes se serrent la main. Hodaka s'incline de nouveau. Parker ouvre une boîte en fer et avale six aspirines.

– Interrogez-le, docteur. Vous savez ce dont nous avons besoin. Promettez-lui qu'il sera libéré s'il coopère.

À son tour, Ashida s'assied à califourchon sur une chaise. Il aligne dans sa tête des expressions en japonais puis il se lâche. Hodaka se lâche pareillement dans ses réponses.

Il parle vite. Il a *envie* de parler. La règle du jeu, c'est : écoutez-moi tout de suite/traduisez au fur et à mesure. Ashida hoche la tête – *S'il vous plaît, continuez.*

Wallace Hodaka est perspicace. Il s'exprime par phrases directes, sans digressions. Ashida l'écoute et traduit mentalement en suivant son rythme soutenu.

Parker s'adosse à la porte. Ses yeux sont injectés de sang. Il est à moitié ivre.

Hodaka est à bout de souffle. Il s'incline vers Ashida et Parker. Ashida s'incline vers lui et résume ce qu'il vient d'entendre :

– M. Hodaka ne sait rien sur les débris de verre trouvés dans les crevettes en conserve qu'il commercialise, et je suis prêt à le croire. Il est emprisonné ici parce qu'il a fabriqué des figurines à l'effigie de l'Empereur Hirohito jusqu'à une date qui remonte à trois ans, c'est-à-dire lorsqu'il est devenu évident que l'Empereur souhaitait la guerre. La mise en conserve des crevettes se fait dans une exploitation maraîchère de la vallée de San Bernardo appartenant à des cousins de la famille Hodaka. Ce sont des équipes sans cesse renouvelées de Japonais de passage qui assurent le travail à la conserverie. Si des éclats de verre se sont mêlés à ses crevettes, c'est par inadvertance, ou bien à cause du manque de sérieux de ses ouvriers – à moins que l'erreur n'ait été commise par les équipages des bateaux de pêche. Ce sont des bateaux amarrés à San Pedro qui lui vendent le produit de leurs pêches aux crevettes. M. Hodaka est très clair sur ce sujet – et, encore une fois, je suis prêt à le croire. Il a toujours payé comptant les crevettes qu'il achetait, et il n'a pas gardé trace de ses transactions.

Il ne peut donc pas, c'est compréhensible, donner le moindre nom de fournisseur.

– Continuez, dit Parker.

– M. Hodaka *n'ignore pas* que des Blancs cherchent à acheter des maisons et des propriétés agricoles appartenant à des Japonais, mais il ne connaît pas leurs noms. Leur « intermédiaire » était, paraît-il, un certain Hikaru Tachibana, dont la rumeur dit qu'il a été assassiné – mais M. Hodaka n'a pas plus de détails. Un cousin de M. Hodaka lui a rendu visite ici même il y a quelques jours. Il lui a dit qu'un homme nommé Jimmy Namura a été vu dans Little Tokyo et dans la vallée au début de la semaine passée, et qu'il posait des questions sur les hommes qui tentaient d'acheter les maisons et les fermes. On a revu Namura aux mêmes endroits jeudi dernier, posant les mêmes questions. Ce jour-là, Namura avait le visage lacéré et couvert de pansements, comme s'il venait de subir une intervention chirurgicale. M. Hodaka ne sait rien de plus sur Jimmy Namura, il n'a jamais rencontré les membres de la famille Watanabe et ne sait rien d'eux. Encore une fois, capitaine, je trouve les déclarations de M. Hodaka parfaitement crédibles.

Parker se frotte les yeux.

– Tachibana et Namura étaient des familiers de la famille Watanabe. Ils figuraient sur la liste « A » des éléments subversifs.

– Je le sais, dit Ashida. Et Dudley Smith a fait libérer Namura du pénitencier de Terminal Island.

– Je parierais que Dudley le cache quelque part. Sans doute à Chinatown. Et si quelqu'un sait où, ça ne peut être qu'Ace Kwan.

Hodaka s'agite. Il tripote son bracelet d'identification. Il s'est rongé les ongles jusqu'au sang.

Ashida sourit.

– Vous allez faire libérer M. Hodaka.

– Pas aujourd'hui, répond Parker. Il est plus utile ici.

**15 h 12**

Encore des huées, encore des crachats. Mieux synchronisés, cette fois.

*Traître, traître, traître !*

Ils reprennent la passerelle dans l'autre sens. Parker marche en tête. Il ignore les provocations et les jets de salive. Ses pieds se posent toujours sur le sol de façon incongrue.

Ils franchissent la poterne et regagnent leurs voitures. Parker démarre le premier. Il fait une embardée et projette une gerbe de gravier.

Convoi de deux voitures. Parker en tête. Ashida roule derrière lui. La lunette arrière de Parker lui offre une vue de premier choix.

Parker tête sa flasque. Parker fait zigzaguer sa voiture de police. Ashida lui colle au train. Les deux hommes roulent vitres baissées. Parker écoute sa radio civile. Du Bruckner s'échappe de l'habitacle. Le niveau sonore est trop fort.

Cap au nord. San Pedro, Gardena, L.A. Direction Broadway. Chinatown, droit devant.

Parker fait un demi-tour qui se termine en dérapage devant chez Kwan. Ashida freine pour ne pas se trouver sur sa trajectoire. Parker cogne le trottoir et le moteur cale en face de la porte. Ashida se gare de l'autre côté de la rue.

La Pagode est décorée. Les dragons qui encadrent l'entrée portent des couronnes de Noël. Un traîneau de Père Noël est perché sur le toit. Il est orné d'une banderole qui clame : N'OUBLIEZ JAMAIS PEARL HARBOR !

Parker planque sa flasque et se gargarise avec une gorgée de bain de bouche. Il la recrache par la fenêtre, éclaboussant une Ford qui passe près de lui. La passagère lui jette un regard noir. Parker brandit son index et descend de voiture en vacillant.

Ashida l'observe. Parker parvient à retrouver l'équilibre et se met en route. Il avance en trébuchant. Il entre dans la Pagode. Ashida court pour le rejoindre.

Dans la salle à manger le silence est sépulcral. Les aides-serveurs traînent près de la cuisine. Oncle Ace, assis à sa table préférée, lit un illustré.

Parker prend appui sur les dossiers de chaises pour avancer. Il fait le parcours en pointillé et atteint sa destination. Ashida avance derrière lui en gardant ses distances.

Oncle Ace lève les yeux. Parker se laisse choir sur une chaise. Ashida s'assied à côté de lui.

Oncle Ace dit :

– Oui ?

– Nous avons plusieurs questions, annonce Parker.

Son élocution est pâteuse. Il a l'haleine chargée. Oncle Ace recule sa chaise.

– Oui ? J'espère avoir des réponses à vous fournir.

Parker sort ses cigarettes. Il lui faut frotter trois allumettes pour en allumer une.

– Un certain James Namura. Son sobriquet est « Jimmy le Jap ». Nous avons besoin de savoir où il se trouve.

Oncle Ace fait glisser son cendrier vers Parker.

– Je ne connais pas M. Namura, et je n'ai jamais entendu parler de lui.

– Je crois que si.

– Je vous assure que je ne le connais pas.

– Je crois que si.

– Je trouve insultant que vous vous répétiez. Décrivez-moi M. Namura, afin que je puisse mieux comprendre pourquoi vous insistez.

Ashida observe la scène. Les aides-serveurs observent la scène. Ils se nettoient les ongles avec des couteaux à cran d'arrêt.

– La voici, votre description, dit Parker. Il a été vu il y a quelques jours, et on a remarqué qu'il présentait des « cicatrices faciales récentes ». Un spécialiste de la chirurgie esthétique nommé Lin Chun est un membre éminent de votre Tong. Je sais par ailleurs que vous êtes ami avec un autre spécialiste du nom de Terry Lux, et que vous lui fournissez des opiacés qu'il utilise dans sa clinique de Malibu. Le directeur Horrall a une dette envers vous, mais à cet instant précis, ça m'est égal.

Oncle Ace secoue la tête.

– Vous ne savez plus ce que vous dites, Whiskey Bill. Je vous conseille de rentrer chez vous et de cuver.

Parker s'empourpre. Oncle Ace sort un stylet et se gratte le cou avec la lame. Parker désigne Ashida.

– Cet homme est japonais.

– Oui, et dans le quartier, on vante ses mérites et on le respecte pour ses prouesses dans le domaine de la criminologie.

Ashida rougit et s'assied sur ses mains. C'est toujours radical quand il se sent défaillir.

Oncle Ace dit : お　お会いできて光栄ですよ、芦田さん。あなたが苦しい立場におかれていることは理解しているつもりです。

Ashida traduit aussitôt pour lui-même : *Je suis ravi de vous rencontrer, docteur. Je comprends votre embarras à cet instant précis.* C'était dit dans un japonais parfait.

Il se lève et s'incline. Oncle Ace se lève et s'incline. Parker devient

apoplectique. Il plante son index dans le bras d'Ashida. C'est douloureux. Ashida sent son bras s'ankyloser.

– Vous haïssez ces putains de Chinetoques. Ne me dites pas le
contraire. Menez cet interrogatoire et obtenez les informations dont
nous avons besoin.

Ashida dit : わ わたしにはあなたに対して含むことは何もありま
せんよ、クワンさん。

Mentalement, il retraduit : *Je ne veux que du bien à M. Kwan.*

Oncle Ace sourit.

– Espèces de sales sauvages à la peau jaune, dit Parker. Comment
osez-vous, merde !

Oncle Ace lance un clin d'œil à Ashida. Oncle Ace se nettoie les
ongles aves son stylet.

Parker dit :

– Frappez-le.

– Non, répond Ashida.

Oncle Ace sourit.

Les aides-serveurs observent la scène. Ashida les regarde. Ils
tiennent leurs couteaux contre leurs cuisses.

– Frappez-le, répète Parker.

– Non, redit Ashida.

Oncle Ace sourit.

Les aides-serveurs s'avancent.

– Frappez-le, insiste Parker. Vous n'êtes qu'un sale trouillard de
Jap si vous ne le faites pas.

– Non, dit Ashida.

Oncle Ace rit et fait un clin d'œil. Parker se lève.

Ses genoux heurtent la table. Le cendrier fait un bond. Des mégots
s'envolent. Parker s'élance pour attaquer Oncle Ace. Parker s'écroule
sur la table, la tête la première.

Oncle Ace recule sa chaise. La table plie sous le poids de Parker.
Les pieds de la table cèdent. Le plateau s'abat sur le plancher. Parker
suit le mouvement, à plat ventre.

Oncle Ace sourit à Ashida et part à la cuisine. Les aides-serveurs
le suivent.

Parker se démène et tente de se relever. Ses lunettes sont brisées.
Ashida s'agenouille et le plaque au sol. La table grince sous leur
poids.

*Il est dérangé et se laisse dominer par des émotions puériles. Ce*
*n'est pas Dudley Smith.*

423

# 58

### LOS ANGELES | SAMEDI 13 DÉCEMBRE 1941

**15 h 39**

Je dessine Scotty dans son sommeil. Je laisse la chambre dans l'obscurité et je me sers de la lampe de chevet pour délimiter mon cadre. C'est le milieu de l'après-midi, à présent ; Scotty est arrivé dans cet état d'épuisement qu'engendrent les nuits blanches. Nous habitons une ville où les gens sont actifs à n'importe quelle heure du jour ou de la nuit et se reposent quand ils le peuvent. Un état de fait qu'illustre l'agent Robert S. Bennett endormi.

Les muscles de Scotty sont noués et révèlent clairement ses efforts récents. La nuit dernière, il a contribué à contenir les mouvements de foule à Chinatown, il a dormi un peu d'un sommeil agité dans la salle de repos de la brigade, puis il est retourné faire son travail avec ses acolytes, les hommes de main du Dudster, Mike Breuning et Dick Carlisle. Des heures de paperasserie sur une enquête qui ne mène à rien : le meurtre des Watanabe, qui a planté une grosse épine dans le pied du directeur, Jack Horrall. Ensuite, il y a eu cette expédition au bloc cellulaire de Fort Arthur. Inexplicablement, elle était motivée par une histoire d'huile de crevette, d'huile de poisson, d'éclats de verre, en rapport avec la maison des Watanabe. Les nervis Breuning et Carlisle ont consulté la liste des détenus, se sont procuré l'adresse d'une conserverie installée dans une exploitation maraîchère japonaise, et ils ont embarqué le nervi Scotty jusqu'à la région la plus à l'est de la vallée de San Fernando. Le nervi Scotty n'a rien compris à ce déplacement vers le sud, puis à ce brusque départ pour le nord. Cela avait un rapport avec « des acheteurs blancs » qui tentaient d'acquérir des propriétés « japs » – pour Scotty, un vrai charabia. Le nervi Breuning et le nervi Scotty ont maîtrisé les Japs pendant que le nervi Carlisle sortait tout le matériel de la conserverie afin d'éviter « tout risque pour la santé publique ». Le nervi Breuning s'adressait en pidgin-english aux Japs qui lui ont révélé « que dalle ». Le nervi Scotty a reçu l'ordre de bousculer les Japs, tandis que le nervi Breuning les exhortait au silence. Le nervi Scotty ne savait toujours pas ce que cherchaient le Dudster et ses hommes de main. Mon gentil Scotty a détesté infliger des violences à des Japs passifs, bien qu'il ait tué un Chinois jeudi soir.

Los Angeles au début de la guerre. Des péripéties vingt-quatre heures sur vingt-quatre. Mon voyou de Scotty, tout crispé dans son sommeil.

Je déplace la lampe pour éclairer un pan du lit à côté de Scotty. Je dessine Claire De Haven telle qu'elle est et Claire en Jeanne d'Arc. Je pose mes deux portraits d'elle près de mon amant nu. J'examine les dessins et je comprends comment Claire réussit une transformation aussi harmonieuse.

Pour elle, tout repose sur ce en quoi elle croit. Claire n'existe pas au-delà de son imagination. Quand elle pense à certaines choses d'une façon précise, elle les rend semblables à la conception qu'elle en a. Son ironie est une posture mais son fanatisme est bien réel. Elle nous a pris pour cibles, William H. Parker et moi, parce que nous étions l'un et l'autre de la même étoffe qu'elle. Nous étions l'un et l'autre ses ennemis et ses seuls semblables.

La nuit tombe, à présent. J'éteins la lampe et je retourne dans mon lit, près de Scotty. Ma belle brute dort profondément. Je pose la tête sur sa poitrine et sens le rythme auquel bat son cœur.

Lee est rentré. Je l'ai entendu se rendre dans sa chambre personnelle et fermer la porte derrière lui. Des musiques jouées par des orchestres de danse montent depuis les clubs alignés sur le Strip ; une lune resplendissante joue à cache-cache avec des nuages d'orage. Elle éclaire Scotty par moments, de façon imprévisible. Je pense à la soirée que donne Claire lundi prochain, et je me demande pourquoi la secrétaire du D<sup>r</sup> Lesnick ne m'a pas rappelée pour confirmer le second rendez-vous que je lui ai demandé. Une explication plausible : Claire a parlé au médecin félon, pour lui dire : « Ne la reçois plus, Saul. Elle m'appartient. »

Un sommeil pareil... Robert Sinclair Bennett, tu es la proie d'un puissant sortilège. Tu es parti dans le théâtre d'ombres de Dudley Smith. Et tu es à sa merci autant que je suis à la merci de William H. Parker.

Je reste allongée ainsi pendant des heures. La musique commence à s'estomper peu avant 2 heures du matin. *Moonlight Serenade*[1] précède toujours la fermeture de Dave's Blue Room. Combien de fois

---

1. Grand succès de Glenn Miller, enregistré en 1939.

ai-je rêvé que je danserais un jour avec Bucky sur cet air-là ? Et quand Hideo Ashida rêve de Bucky, où ses songes l'emmènent-ils ?

*Moonlight Serenade* s'estompe et me quitte. J'ouvre les yeux pour découvrir une chambre éclairée par le soleil. Scotty n'est plus là.

La porte est entrouverte. Scotty est dans le couloir. Il a remis son costume de la veille. Il parle avec Lee.

Scotty, avec son étui d'aisselle et son nœud papillon en tissu écossais. Lee, en uniforme.

Ils se tiennent trop près l'un de l'autre.

– À la régulière et à mains nues, dit Lee, je te bats facilement.

Scotty me montre d'un signe du pouce par-dessus son épaule.

– Si tu as envie d'essayer, tu sais où me trouver.

Deux vrais durs. Ni l'un ni l'autre ne baisse les yeux.

# 14 décembre 1941

# 59

**7 h 27**

Helen est partie à la messe. William aurait dû s'y rendre avec elle. Il a eu peur de Dudley Smith. Il s'est abstenu.

Parker est seul dans son antre. Il boit un petit verre pour se remettre les idées en place. L'*Affaire Watanabe/Détails-Chronologie* le poursuit comme une malédiction.

Dudley lui a transmis un second rapport. Il a atterri sur son bureau juste avant que ses nerfs ne le trahissent chez Kwan. Le document se révélait précis dans le domaine des éléments vérifiables. Cela dit, il était peut-être biaisé.

Il aurait dû aller à la messe. Il aurait pu interroger Dudley, auquel Ace Kwan avait sûrement rapporté ses emportements.

Parker sirote une vodka au jus de citron et poivre de Cayenne. La recette de ce cocktail a été inventée par des jésuites. C'est une sorte de purgatif à prendre avant de renouveler la Promesse. Il s'impose après les missions chimériques et les actes de mortification.

Il est sorti de chez Kwan en titubant. Il a regagné sa voiture, puis il a appelé le bloc cellulaire de Fort MacArthur. Il a obtenu l'adresse de la conserverie de Hodaka et s'y est rendu.

Il a trouvé des ouvriers tremblant de peur. Ils refusaient de parler. Son hypothèse : les hommes de main de Dudley étaient passés avant lui. Ils leur ont soutiré des informations, et rendu impossible tout accès ultérieur à ces mêmes renseignements.

Le breuvage des jésuites lui brûle les boyaux. Mais il apaise les souffrances que provoque l'état de manque. Et il repousse le moment où il faut renouveler la Promesse.

Parker complète ses notes manuscrites. Il repense à Oncle Ace. Ce salopard n'a cligné des paupières qu'une seule fois.

Parker a tenté un coup de poker : Jimmy Namura/cicatrices faciales/Lin Chung et Terry Lux. La donne a fait tiquer Ace Kwan. Parker note cet instant précis et le fait suivre de plusieurs points d'interrogation.

La potion des prêtres satisfait son besoin d'alcool. Voilà qui devient dangereux. Il doit absolument éviter la Douce Chaleur qui se répand et l'entraîne sur la pente fatale.

Parker dessine des croix gammées et des Luger. Parker dessine des croix gammées qui décorent en relief les plaquettes ornant les poignées de Luger. La plaquette qui tombe de la poche de Jim Larkin. Les Luger dans la maison de Jim Larkin. Les Luger censément volés dans la Deutsches Haus. Les Luger utilisés pour tirer des coups de feu dans la pharmacie et chez les Watanabe.

Ses propres notes le contrarient. L'élixir des jésuites aussi.

Parker vide le fond de son verre et prend sa sacoche. Le poivre de Cayenne lui brûle l'estomac et le plie en deux. Il se traîne jusqu'à sa voiture et reste assis sur son siège le temps de laisser passer une rafale de crampes.

Il trouve à la radio une station qui diffuse des prières. Un prêtre vante les vertus de la sobriété en tant que discipline que l'on s'impose. Il part en direction de l'ouest et perd la notion du temps qui passe.

La plage. Des camions de l'armée et de nouvelles casemates sur le littoral. Santa Monica Canyon. La maison de Larkin.

Encore une mission chimérique. Accomplis-la quand même. Utilise ce truc qu'on t'a appris il y a longtemps. Tu tournes le bouton et tu donnes un coup de pied dans le montant, comme ça.

Il s'approche de la porte. Il exécute la manœuvre.

Les crampes reviennent. La Soif revient. La porte s'ouvre – comme ça.

Il entre et referme derrière lui.

Le ruisselet où nagent des carpes le ravit. Il entre dans la cuisine et trouve des flocons d'algues séchées. Il revient sur ses pas et nourrit les carpes koï.

Elles se précipitent et se gavent. Parker résiste aux crampes et se dirige vers la chambre. Il nourrit la carpe de la terrasse. Il ouvre le placard. Dix-sept Luger nazis – devant lui, suspendus à des pitons.

Il les décroche et les fourre dans sa sacoche. Il pique une suée. Sa transpiration sent l'alcool de grain et le jus de citron. Il sort de la maison et referme la porte. Hideo Ashida l'attend près de sa voiture.

Les crampes. Dix-sept pistolets dans sa sacoche. Ils s'entrechoquent et frottent les uns contre les autres. Ils pèsent une bonne vingtaine de kilos.

Parker traîne les dix-sept pistolets. Ashida reste impassible.

– J'ai pris les Luger de Larkin. On pourra faire des tests de tirs au labo et comparer les balles utilisées à celles qui ont été tirées dans la maison.

– Les balles tirées chez les Watanabe, dit Ashida, étaient trop dégradées pour servir de spécimens de référence. Si nous testons ces armes, nous obtiendrons une érosion similaire, et les résultats obtenus seront invérifiables. Je suis pratiquement sûr que tous les pistolets qui ont servi dans les diverses affaires proviennent de la Deutsches Haus. Nous devrons nous contenter de cette hypothèse.

– Nous pouvons chercher des empreintes sur ces armes, rétorque Parker. Nous n'avons pas de relevé des empreintes de Larkin, mais nous pourrions obtenir la preuve que Larkin lui-même ou bien quelqu'un d'autre est entré chez les Watanabe. Cette preuve contribuerait à corroborer la présence de la voiture dans l'allée et l'homicide maquillé en accident de la circulation.

– Oui, dit Ashida. Je suis venu voler les Luger avec l'espoir d'atteindre ce même objectif.

Parker pose sa sacoche. Ashida glisse la main dans sa poche et en tire une pastille aromatisée. *Capitaine, vous avez l'haleine chargée.*

Il tend la pastille à Parker. Celui-ci en ôte l'emballage et la met dans sa bouche. Réglisse et clou de girofle. Un palliatif qu'utilisent les mômes. Cela lui rappelle Deadwood en 1910.

Ashida poursuit :

– Les services du shérif n'ont pratiquement rien fait sur cette affaire, alors j'ai effectué moi-même une enquête de voisinage dans ce pâté de maisons. J'ai appris que M. Larkin était amical, loquace, qu'il appréciait la compagnie de personnes plus jeunes que lui, et qu'il adorait la bicyclette. Il ne recevait jamais personne. Ses voisins ne savaient rien de sa passion pour la culture japonaise, ni du fait qu'il gardait chez lui des sommes d'argent en espèces des forces de l'Axe et des armes allemandes. La radio a dit de Larkin qu'il avait été un espion britannique pendant la Grande Guerre, détail que je considère comme crédible. Aucun de ses voisins ne le savait, détail que je considère comme révélateur.

Parker croque sa pastille. Ashida lui passe une tablette de chewing-gum. Il la sort de son étui en papier.

– Le loup solitaire qui menait une vie secrète.

– Oui. Qui passait des appels depuis les cabines publiques et avait toujours sur lui des jetons de téléphone.

Parker se met à mastiquer ce foutu chewing-gum.

– Les Watanabe appelaient des cabines de Santa Monica.

– Oui, et j'ai vérifié les emplacements précis. Elles se trouvaient toutes sur Lincoln Boulevard, à moins de trois kilomètres d'ici.

– Toute cette histoire sent sa cinquième colonne. À plein nez. L'ancien espion cachottier, les Japonais plus que discrets.

– Nous ne savons pas, fait remarquer Ashida, qui appelait ces cabines ni à qui cette personne parlait.

– Je vais assigner la compagnie de téléphone, dit Parker, pour qu'elle nous fournisse le détail des communications reçues par ces cabines. Les appels vers l'extérieur sont enregistrés, et nous pourrons peut-être glaner des renseignements sur les appels reçus.

Ashida secoue la tête.

– Ce que vous proposez, c'est un processus qui prend beaucoup de temps. En ce moment, la compagnie Bell est submergée de travail au service du ministère de la guerre. Les demandes de renseignements par voie légale devront attendre.

Parker recrache son chewing-gum.

– J'ai nourri les carpes.

Ashida lui passe une deuxième tablette.

– Je m'apprêtais à le faire.

Parker dépiaute son second chewing-gum.

– Nous leur trouverons une maison accueillante lorsque tout ceci sera terminé.

– Oui, j'y pensais aussi.

Parker désigne leurs voitures. Ils se passent de tout préambule supplémentaire. Ashida hoche la tête.

Les deux hommes montent dans leurs véhicules, font demi-tour, et partent en convoi vers le centre-ville. Ashida roule devant. Parker lui colle au train. Il mâche cette saloperie de chewing-gum jusqu'au moment où il n'y a plus rien à en tirer.

Ils arrivent au commissariat central et montent au labo. Il est pour eux tout seuls. Ashida referme la porte à clé derrière eux.

Parker coince une chaise sous le bouton de porte. Ashida dégage une table de travail. Parker sort les Luger.

Ashida sort un paquet de chewing-gum et une boîte de pastilles pour la toux. Parker hoche la tête – *Ouais, d'accord.*

Ashida étiquète les Luger – de 1 à 17. Parker mastique et le regarde travailler.

Les crampes s'apaisent. La gnôle latente s'évapore. Le poivre de Cayenne lui brûle la bouche. La tremblote viendra peut-être aujourd'hui, ou peut-être pas. La Soif énergiquement bannie, ce sera pour demain.

Ashida travaille. Parker l'observe. Il mastique du chewing-gum et suce des pastilles pour la toux. Il boit du café froid qu'il a trouvé dans la cafetière.

Ashida enfile des gants de caoutchouc et met des cache-oreilles. Il remplit avec des balles de test les chargeurs des dix-sept Luger. Il les manipule avec soin pour éviter de rendre inexploitables les empreintes éventuelles.

Il fait feu avec les dix-sept Luger. Le tunnel de tir vibre. Il ramasse les balles utilisées. Elles sont toutes fendues en deux.

Parker regarde. Ashida contrôle visuellement les marques laissées par le percuteur. Son visage s'éclaire et il s'incline.

– J'avais raison. Ces pistolets, celui utilisé pendant le braquage de la pharmacie et celui dont on s'est servi chez les Watanabe appartiennent au même lot de fabrication. Ils ont tous le même défaut d'alignement du percuteur.

Parker se rappelle un détail.

– Quand on a embarqué ces minus après la descente à la Deutsches Haus, l'un d'eux m'a dit que leur local a été cambriolé lundi soir. Il affirmait qu'on leur avait volé des Luger et des silencieux. On n'a trouvé aucun pistolet pendant la descente, ce qui leur a évité une inculpation pour possession illégale d'armes à feu. Sur le moment, j'ai cru qu'il me racontait des salades, et je n'ai pas insisté. Mais maintenant, je pense qu'ils ont *vraiment* été cambriolés.

Ashida avale sa salive et frémit. Ashida détourne le regard. Parker l'observe attentivement. *Tu vois battre ses veines sur son cou ?*

– Les cinq hommes ont été libérés sous caution. Le *Mirror* leur a consacré un article.

Ashida garde les yeux baissés. Parker s'approche de lui. Ashida s'écarte.

*C'est lui. Il a cambriolé la Deutsches Haus.*

Parker s'éloigne d'Ashida. Parker baisse les yeux. Parker relève la tête et sourit. Ashida lève les yeux et le voit sourire. Il sourit à son tour. Cérémonieux, ils s'inclinent en même temps.

Parker se détourne. Le moment exige qu'il prenne le temps de respirer.

Il mastique un chewing-gum. Il suce des pastilles pour la toux. Il se retourne. Ashida a retrouvé son impassibilité. Parker le regarde travailler.

Ashida a préparé son nécessaire à empreintes. Poudre/pinceau/ruban adhésif transparent. Il dispose les Luger à côté de son matériel, dans l'ordre des numéros figurant sur leur étiquette – de 1 à 17.

Il glisse des crayons dans les canons. Il recouvre les surfaces de poudre. Des taches et des traînées apparaissent. Ashida examine les surfaces. Sur les Luger 1 à 5 : taches, marques et traînées.

Ashida travaille. Parker l'observe. Ashida saupoudre le pistolet n° 6. Encore des taches, encore des traînées. Voyons maintenant la plaquette qui orne la poignée. La poudre recouvre la surface lisse. Voilà ! Parker, qui suivait le regard d'Ashida, est témoin de sa découverte : *Gagné !* – là, l'empreinte laissée par l'index d'une main droite.

Ashida déroule le rouleau adhésif sur l'empreinte et obtient un relevé transparent. Il le colle sur une fiche. Il ouvre un tiroir et en sort un dossier daté du 7 décembre : « Watanabe/7-12-41/empreinte anonyme/index droit. »

Ashida étudie le spécimen. Ashida règle un microscope pour examiner le nouveau relevé. Il fait trois allers et retours entre les deux empreintes pour les comparer. Sa concentration est maximale.

Parker retient son souffle. Son chewing-gum est tout sec. Ashida tapote la fiche en carton.

– Elles sont identiques. J'ai relevé une empreinte anonyme chez les Watanabe dimanche dernier. Il n'y a pas moyen de savoir si c'est Larkin qui l'a laissée, car nous n'avons pas de relevés le concernant. Cette nouvelle empreinte correspond parfaitement. Un homme a touché l'un des Luger de Larkin, et à présent nous avons la preuve qu'il est entré chez les Watanabe. Nous allons boucler toute cette affaire.

# 60

**20 h 08**

C'est élégant. C'est démocratique. Jamais fête n'a vu autant de stars. Ben Siegel est libéré. Ce soir, il y a de l'ambiance au Trocadero !

Jimmie Lunceford et son orchestre. Harry Cohn le Colérique. « Joe le Froussard » Kennedy. Joan Crawford, qui reluque Scotty Bennett. Le shérif Gene Biscailuz, le chroniqueur influent Sid Hudgens, trois douzaines de matelots.

C'est Benny qui a invité ces petits gars. Il n'y a pas de limites à ses largesses patriotiques. Il est acquitté du meurtre de « Big Greenie » Greenberg. Benny montre des photos compromettantes bien utiles pour faire du chantage. On y voit Bill McPherson tringler une Noire qui a gardé ses cuissardes.

Dudley circule. Mike Breuning et Dick Carlisle bavardent avec Dot Rothstein. Jack Webb colle au train du shérif Gene Biscailuz et le soûle avec ses gamineries. Ellen Drew et Elmer Jackson attrapent avec les dents les morceaux de fruits qui nagent dans leurs verres de punch.

Jack Kennedy a sauté Ellen hier. Ellen travaille pour Brenda entre deux petits rôles d'ingénue. Benny a réservé le cheptel de Brenda pour les marins. *Herr* Siegel, le Père Noël juif.

Dudley circule. Jimmie Lunceford et ses musiciens attaquent un tonitruant *Lunceford Special*. Les saxophones se déchaînent, les trombones à coulisse se dressent vers le plafond. Au Trocadero, l'ambiance est débonnaire.

La piste de danse est noire de monde, les tables sont prises d'assaut, et au bar on boit debout, les tabourets n'y ont plus leur place.

Les feuilles du calendrier tournent à l'envers, jusqu'au 31 décembre 1938. Ce soir-là, c'est ici qu'il a vu Bette pour la première fois. Aujourd'hui, elle est cantonnée dans un box. Ils échangent des regards attendris. Leurs gestes façon sémaphore signifient *à tout à l'heure*.

Bette est assise près du chevalier de la jaquette qui lui sert de mari. Il couve du regard l'un des serveurs. Prélude à quelques cabrioles viriles ?

435

Dudley est déjà en orbite. C'est la benzédrine et le Macallan 24. Il bavarde avec Harry Cohn. Mon projet de films cochons – c'est *oui* ou c'est *non* ? Harry répond qu'il penche plutôt pour le oui – mais arrête de me harceler, enfoiré d'Irlandais.

Dudley circule. Joe le Froussard lui fait signe de s'approcher. Dudley se plante près de son box. Ils parlent du bon vieux temps à Dublin et à Boston. Bla-bla-bla. De l'incorporation de Dudley dans l'armée. Des frasques sexuelles de Jack à L.A.

Joe aborde le sujet des films cochons qu'ils ont tournés à Tijuana. La compagnie de la Dotstress et de Ruth Mildred était incomparable. Dudley esquisse son projet de productions pornographiques. Joe lui promet d'y investir 25 000 dollars.

Joan Crawford et Scotty Bennett se pelotent. Elmer Jackson et Ellen Drew dansent le jitterbug. Brenda Allen passe en coup de vent et entraîne Joe dans un fox-trot.

Un homme de main de Benny s'approche de Dudley. Il lui remet une enveloppe. Dudley l'ouvre et en lit le contenu.

Benny a tenu parole. C'est la liste des invités à la soirée que donne Claire De Haven, demain lundi. Des Rouges éminents ont confirmé leur venue – le gratin des Cocos. Miss Katherine Lake sera présente. On a remarqué Miss Lake à la dernière petite fête de Claire la Rouge. « L'autre affaire » sur laquelle travaille Whiskey Bill. La neutralisation réciproque dans l'affrontement Parker-Smith. *Toutes les allégeances doivent être examinées de près.*

Bette se lance sur la piste de danse. Dudley entr'aperçoit sa robe verte qui vole. Elle est de cette nuance de vert qui symbolise l'Irlande. C'est pour lui qu'elle la porte.

Elle danse avec un grand marin. Un petit marin s'impose. Elle danse avec lui. Un gros marin prend sa place. Bette danse avec lui et fait un signe à Dudley.

La salle ondule. C'est le tremblement de terre de 1933 qui recommence. Bette met son univers sur ressorts.

Le petit marin s'approche de lui. Dudley le salue. Le petit marin lui remet un petit mot. Dudley déplie le bout de papier.

*« D.S. J'ai une suite à l'étage. Rejoins-moi après les festivités, s'il te plaît. Bien à toi, B.D. »*

Le petit marin disparaît. Dudley embrasse le message qui sent le patchouli. Il repart en orbite – benzédrine et Macallan 24.

Scotty Bennett et Joan Crawford se pelotent. Brenda Allen et le petit marin se pelotent. En voyant ça, la Dotstress et Ruth Mildred ont une grimace de dégoût.

La soirée touche à sa fin. L'orchestre de Jimmie Lunceford claironne l'hymne national et pousse les gens vers la sortie. Bette se dirige vers un escalier. Dudley regarde sa robe balayer les marches. Le petit mari échange des regards ardents avec le serveur. À quelques secondes d'écart, ils se dirigent l'un et l'autre vers les vestiaires.

Le mari ouvre la porte et disparaît. Le serveur fait de même quelques instants plus tard. Dudley s'approche du vestiaire et colle son œil au trou de la serrure. Le petit mari a la bite du serveur dans la bouche.

*C'est la guerre. On se hâte de vivre intensément. D.S. + B.D. – un cœur percé d'une flèche.*

La salle s'évapore. Des couples partent enlacés. Scotty Bennett, la langue pendante, est fasciné par Joan Crawford.

Dudley monte l'escalier. Sur la porte de Bette, le heurtoir a la forme du carquois de Cupidon. Dudley frappe. Elle ouvre aussitôt.

Ils s'embrassent sur le seuil. Dudley dégrafe la robe verte. Les bretelles restent sur les épaules de Bette. Dudley les fait glisser et tire le tissu de sa robe jusqu'à la hauteur de sa poitrine. Elle se tortille pour refermer la porte. Elle se dresse sur la pointe des pieds pour l'embrasser. Champagne et tabac – il connaît son haleine, à présent.

La bouche de Bette sur lui. Sa bouche à lui, *en elle* – voilà ce dont il a envie. Il la prend dans ses bras, la soulève et la porte. Il cherche un endroit où s'agenouiller.

Un canapé recouvert de velours. Oui – c'est ce qu'il te faut.

Il y pose Bette. Il relève sa jupe. Elle dit : *Dudley Liam Smith*. Ses bas sont tenus par un porte-jarretelles. Il attaque avec les dents les pinces qui les retiennent. Il met en pièces bas et lingerie fine qu'il repousse jusqu'aux pieds. Bette répète : *Dudley Liam Smith*. Elle l'attrape par les cheveux et soulève ses hanches vers lui.

Il trouve cette partie d'elle qu'il désirait. Elle dit son nom. Il découvre ce goût qu'il voulait connaître. Elle lui maintient la tête en place et pousse ses hanches vers lui. Il s'accroche à ses seins. Elle lui tire les cheveux. Elle pousse ses hanches en avant et répète le nom de Dudley. Elle se démène et ne parle plus et se met à haleter. Elle se cambre et pousse le canapé contre le mur. Son dernier soubresaut renverse une lampe.

– Dudley Liam Smith. Tu n'es pas fatigué de m'entendre dire ton nom ?

– Pas du tout, ma douce.

– Ça ne doit pas être très confortable, pour toi, de rester à genoux de cette façon.

– Gamin, j'ai été élevé dans le sein de l'église. Tu ne peux pas savoir à quel point cette position m'est familière.

– Je n'ai aucune envie que tu voies en moi quoi que ce soit de familier.

– Réconfortante, alors. Elle m'est familière au sens où j'ai imaginé ce moment de nombreuses fois.

– Mon cher, très cher amour. Mon grand flic irlandais père de quatre filles, alors que moi, je donnerais n'importe quoi pour en avoir ne serait-ce qu'une seule.

– J'ai une cinquième fille – illégitime. Elle vit à Boston en ce moment. C'est ma fille préférée, mais je serais ravi de te la léguer.

– Parle-moi d'elle.

– Elle s'appelle Elizabeth. Elle a dix-sept ans, elle est très douée, et ravissante. Elle a élaboré avec un ami aveugle une étrange forme de narration. Quand ils vont ensemble au cinéma, elle lui décrit l'action pendant qu'il écoute les dialogues. C'est une collaboration exceptionnelle. Sa description ne prend jamais de retard, et c'est ainsi qu'un jeune homme aveugle jouit de ce don de Dieu qu'on appelle la vue.

– J'aimerais bien rencontrer cette jeune fille et être témoin de ce don qu'elle possède.

– Elle va venir à Los Angeles avec son ami, pour les fêtes de Noël. J'organiserai une rencontre.

– Est-elle pour toi un havre de bonté entre tes déchaînements de brutalité, Dudley ? Je te le demande parce que cela me rappelle ce que je suis moi-même.

– Ton analyse m'honore, chérie. Je t'imaginais dotée d'une lucidité pénétrante, mais tu es lucide bien au-delà des pouvoirs les plus extraordinaires dont je t'attribuais.

– Tu te fais de moi une image démesurée. Je suis blasée, tu sais. Il y a un certain temps déjà que je ne prête plus attention aux louanges hors de proportion. Entre flatteurs, on se reconnaît.

– Je ne vais pas ergoter sur ce sujet. Je ne voudrais pas que tu me trouves trop familier.

– Voilà que tu redéfinis pour moi l'adjectif « familier ». Notre posture et ce qu'elle a d'inconvenant m'oblige à remettre en question les concepts et les actions.

– Ma douce, ma douce, le sommeil te gagne, je le vois.

– J'ai sommeil, c'est vrai. Et je suis une égoïste qui a bien l'intention de s'endormir à cet endroit même.

– Je m'en voudrais de t'en empêcher.

– Mon Dieu, quand je repense à ces jeunes marins. Je veux que pas un seul d'entre eux ne meure. Je refuse que cela se produise, et je l'interdis. Bon sang, ces saloperies de Japonais !

– Tu bâilles, ma belle. Dis-moi quelque chose d'inoubliable avant de t'écrouler.

– Dudley Liam Smith, tue un Jap pour moi, s'il te plaît.

## 23 h 54

Bette dort. Dudley ne dort pas. Il a été élevé dans le sein de l'église. Il se déplace sur les genoux et améliore sa position. Il tend le bras pour ramasser cette lampe tombée sur le plancher et il éteint la lumière.

L'effet du Macallan 24 s'estompe. Celui de la benzédrine subsiste. Bette dort, il ne dort pas. Sur le Strip, quelques voitures ont des ratés. Des portes claquent au rez-de-chaussée du Trocadero. Leurs échos font surgir des images dans la tête de Dudley.

Sa mère le bat. Sa mère fait claquer une lanière de cuir pour affûter les rasoirs. Il tient son pistolet et laisse sa tête sur les seins de Bette Davis.

Les bruits s'éloignent. Le ciel s'éclaircit seconde par seconde. Dudley se relève et se frotte les genoux pour les stimuler. Il installe Betty sur le canapé, confortablement, de la tête aux pieds. Il la couvre avec la veste de son costume et regagne sa voiture en bras de chemise.

Le décor défile en douceur. Il sent partout sur lui le parfum de Bette. Il prend Sunset Boulevard Est et plonge vers le sud dans Virgil Avenue. Le feu rouge l'arrête au carrefour de Melrose Avenue. En regardant autour de lui, il voit un Japonais dégingandé dans une cabine téléphonique. Il appelle quelqu'un et ponctue ses phrases de gestes typiquement japonais. Le feu passe au vert. Dudley se gare le long du trottoir et descend de sa voiture. Le Jap continue de bavasser. Dudley s'approche de la cabine. Le Jap remarque sa présence.

439

*Qu'est-ce qui se passe ? Pourquoi vous n'avez pas de veste ? À quoi ça rime, ce flingue ?*

Dudley brandit son arme et tire quatre balles sur le Jap, en plein visage. Les balles arrachent l'arrière de son crâne et le fond de la cabine. Dudley dit :

– Pour Bette Davis.

# 15 décembre 1941

# 61

**6 h 17**

Entraînement de football. La mêlée du petit matin. Dans le décor qu'il voit tous les jours depuis sa fenêtre. C'est pour profiter de ce point de vue qu'il a loué cet appartement. Tous les chemins le ramènent à Belmont. Vert-et-noir pour la vie.

Ashida regarde un exercice de blocage de ballon suivi d'une passe. Il imagine que les deux receveurs ressemblent à Bucky. Ils sont aussi maladroits l'un que l'autre. Ashida ferme les yeux et les rend encore *plus* semblables à Bucky. *Son* Bucky saisit le ballon et s'engouffre entre les poteaux.

Ashida s'approche du placard de son salon. Son premier piège photographique est posé sur une étagère. Sa boîte de photos est rangée juste à côté. Les tirages sont emballés dans du papier et conservés à l'abri de la lumière. Il cachait son appareil de prise de vues derrière un rebord du mur faisant face aux douches. Une montre mécanique déclenchait l'obturateur à un moment précis. L'entraînement de basket-ball se terminait à 16 heures. Avec un peu de chance, il obtenait une photo de Bucky nu.

Ashida examine ses photos. Il les tient par les bords et ne laisse pas d'empreintes sur le papier. Il se rappelle son travail au labo avec Bill Parker. Ils ont découvert ensemble une seule empreinte complète. Ashida a passé de la poudre sur les autres Luger, sans résultat. Parker a compris que c'était *lui* l'auteur du cambriolage de la Deutsches Haus. Ils se sont épargné des aveux explicites réciproques.

Ses photos de Bucky sont parfaites. *Bucky* est parfait. Le noir et blanc est d'une netteté irréprochable. Il ne cesse de repenser à Kay Lake. Cette chasseresse stupide soupire après Bucky. Que penserait-elle de *son* Bucky à lui, nu ?

443

Elle l'a appelé hier soir. Uniquement pour lui parler de son film idiot. Qui devait révéler les scandales au grand jour. Présenter les rafles comme des pogroms. Tout cela lui étant inspiré par les manœuvres qu'elle effectue pour le compte de Bill Parker.

Elle l'a invité à une soirée, aujourd'hui. Donnée par la « camarade » Claire. Il a accepté de s'y rendre.

Ashida range ses photos puis examine son piège photographique. La platine de l'objectif est solide. Le câble du déclencheur n'a aucun jeu. Le mécanisme de l'obturateur a mal vieilli. Il rend l'ensemble *imparfait*.

Le *nouveau* piège photographique est toujours en place devant le drugstore Whalen. Il est équipé d'un second mécanisme d'obturateur propre à remplacer le premier en cas de besoin. Il est encore tôt. Il peut aller chercher ce second mécanisme et restaurer son prototype.

Il descend l'escalier. Il monte dans sa voiture et part vers le centre-ville. La circulation est fluide. Cela lui permet de réfléchir. Mentalement, il explore une fois de plus la maison.

*Watanabe/code pénal article 187.* Une pièce après l'autre, secteur par secteur. Il s'est passé neuf jours depuis les assassinats. C'est la dix millième fois qu'il refait ce parcours.

Le carrefour de Spring Street et de la 6e Rue est aussi calme que possible à cette heure matinale. Ashida se gare devant le drugstore puis il examine son piège photographique. Le boîtier tient bon. L'appareil de prise de vues reste bien protégé. Ashida récupère le second mécanisme d'obturation et repart en voiture.

Il allume la radio. La longueur d'onde de la police diffuse une alerte. Code 3 – homicide à l'intersection Melrose-Virgil.

Un mort dans une cabine téléphonique. Blessures par arme à feu, à courte distance. On demande des techniciens de labo et des employés de la morgue. Ray Pinker et Thad Brown sont déjà sur les lieux.

Ashida rentre chez lui en voiture. Il monte à son appartement et ouvre le *Herald* du jour. Il voit une photo d'actualité sous le pli du journal.

Une descente des fédéraux. Une boutique de curiosités à l'angle d'Alameda Street et de la 1re Rue. Dick Hood, Ed Satterlee, deux fédés inconnus. Un Japonais tremblant de peur.

Les deux premiers fédés brandissent de grands sabres. Les deux autres fédés brandissent les *FOURREAUX* correspondants. Et voilà la réponse, livrée toute chaude par un hasard improbable. Au moment même où il revisite mentalement la maison pour la dix millième fois.

Le détail qui lui a échappé. Le détail qui a également échappé à Dudley.

Chez les Watanabe, il n'y avait *pas de FOURREAUX*. Il n'y avait pas de crochets ni de patères aux murs, alors que ces sabres dans leurs fourreaux étaient destinés à être exposés, à rester toujours visibles.

Ashida en vibre de la tête aux pieds. Des obturateurs d'appareils photo cliquètent.

Pas de fourreaux. Pas de crochets ni de patères aux murs.

Pas de creux ni de replâtrage sur les murs. Pas de hiatus sur les surfaces couvertes de papier peint.

*CLIC* – dix mille fois. *CLIC* – dix mille et une fois.

*CLIC* – le rythme du monde s'accélère, à présent. *CLIC* – il atteint la vitesse d'un film muet projeté à la cadence du parlant.

Ashida redescend l'escalier. Il monte dans sa voiture. C'est elle qui le conduit. Il atteint l'Avenue 45 en une seconde. La maison brille d'un éclat dix mille fois trop vif.

Il force la porte. Il reste immobile et ralentit cette allure effrénée.

Il traverse le salon. Il scrute les lieux et confirme son intuition. Il traverse la salle à manger. Il scrute les lieux et confirme son intuition. Il traverse la cuisine. Il scrute les lieux et…

— Bonjour, mon petit.

Ashida se retourne. Dudley porte le pantalon d'un costume à carreaux, mais pas la veste.

— Vous incarnez à merveille la révélation subite, mon garçon. Vous avez des yeux grands comme des soucoupes, en cet instant précis.

— Je sais ce qui nous a échappé. Ce fameux « détail évident ». Je suis venu ici pour le confirmer.

Dudley sourit. Son cou porte des traces de rouge à lèvres.

— Vous aviez l'intention de m'en informer ? Ou bien de partager cette intuition uniquement avec Bill Parker ?

— Je n'avais pas encore pris de décision à ce sujet.

Dudley rit.

— Quelle quantité de preuves avez-vous dissimulée ? Je serais curieux de l'apprendre, ainsi que l'étendue de votre collusion avec Bill Parker.

Ashida s'agrippe au rebord de l'évier.

— Je ne vous le dirai pas.

— Alors, dites-moi au moins quel détail m'a échappé. Éblouissez-moi par vos périphrases.

Ashida sourit.

– Il n'y avait pas de fourreaux. Il n'y avait pas de crochets ni de patères aux murs. Je ne comprends pas que ça nous ait échappé à l'un et à l'autre.

Dudley s'incline.

– Extrapolez, je vous prie.

– Les sabres, c'est l'assassin qui les a apportés, par un moyen quelconque, à moins qu'il ne les ait dissimulés ici même au cours d'une visite précédente. Son acte était prémédité, et conçu et perfectionné dans un état de psychose grandissante. La famille s'est pliée à ses exigences en raison d'un sentiment de honte, culturellement et racialement régressif, suscité par les écarts sexuels et l'avortement récent de Nancy Watanabe, et par le voyeurisme incestueux de Johnny Watanabe et aussi, probablement, par ses agressions sur sa propre sœur.

Le mobile des assassinats est triple. Le tueur était motivé par une haine d'origine sexuelle, par le sentiment d'avoir été personnellement trahi, et par une conviction idéologique délirante. L'affaire tout entière repose sur la distinction entre le mauve et diverses nuances de violet. Les fibres mauves trouvées sur le dos des victimes incriminent incontestablement l'assassin, en dépit du fait que le directeur Horrall et vous-même en ayez décidé autrement. Il pourrait s'agir de l'individu corpulent de race blanche qu'on a vu vêtu d'un pull violet. Ce pourrait être un Japonais portant un vêtement d'une teinte bien plus claire. Les sabres de cérémonie sont quasiment interdits par la loi. Les boutiques de curiosités qui en vendent ne gardent aucune trace de ces transactions. Ils sont achetés par des collectionneurs blancs et des patriarches japonais désireux de rendre hommage à leur héritage féodal. Nous restons dans une impasse en ce qui concerne les preuves matérielles, mais les mobiles me semblent clairs, à présent.

Dudley renifle les poignets de sa chemise. Ashida capte un parfum où domine l'orchidée.

– Je ne vous demanderai pas de me révéler ce que vous m'avez caché jusqu'à maintenant. Je vous demanderai si vous avez des suspects.

– Je crois avoir compris le crime, répond Ashida, mais quant à l'identité de l'assassin, je n'en ai pas la moindre idée. J'ai nettement l'impression qu'on est devant un homicide dont l'auteur pourrait être n'importe qui.

– Vous l'avez dit vous-même, docteur. Le directeur Horrall et moi-même, nous aurions une préférence très nette pour un coupable japonais. Je suis sûr que vous avez discuté de mes souhaits avec le capitaine Parker.

– Oui, dit Ashida, nous en avons parlé.

– Avez-vous débattu de la question : justice officielle contre justice officieuse ? Whiskey Bill vous a-t-il vanté les vertus de la justice expéditive ?

Ashida se rapproche. Dudley Smith dégage un puissant parfum de femme.

– C'est *vous* qui allez me l'expliquer, sergent. Vous allez me dire ce que cela signifie.

Dudley s'approche également. Leurs mains se touchent presque.

– Un assassin japonais inculpé avant le Nouvel An. Un individu si abject que l'injustice de sa condamnation arbitraire sera mille fois compensée par la monstruosité pure et simple des actes qu'il a déjà commis, et totalement justifiée par le fait que seront ainsi évités tous les crimes qu'il aurait certainement commis à l'avenir. Le véritable coupable sera peut-être découvert plus tard, ou peut-être pas. Il sera éclipsé de façon anonyme, quelle que soit sa race.

Ashida s'incline.

– Cet éclaircissement ne me choque en aucune façon.

Dudley renifle les poignets de sa chemise. C'est une brute, qui réagit aux odeurs.

– Je vous félicite pour vos actions à la Pagode d'Ace Kwan. Votre sang-froid face au comportement grossier de Whiskey Bill n'a pas manqué de retenir l'attention de Jack Horrall.

– Il est important pour moi, dit Ashida, de bénéficier du soutien du directeur.

– Comme il se doit, ajoute Dudley. Cet après-midi, le directeur ira accueillir J. Edgar Hoover à la gare. M. Hoover vient mettre en œuvre la suite de son programme destiné à restreindre les libertés civiques de vos compatriotes. Les armes et les récepteurs radio détenus par des Japonais seront saisis. Un nombre important de commerces supplémentaires tenus par des Japonais seront fermés de force. Il y aura une saisie massive de biens et d'avoirs japonais, et il est probable que vos concitoyens seront contraints de porter des brassards humiliants. Je condamne de telles actions, alors même que je m'apprête à en tirer profit. Je ne suis pas mécontent que ma tendance naturelle à enfreindre les lois me laisse toute latitude pour manœuvrer, et par là même de proposer des protections et des opportunités à saisir à mes collègues et aux personnes qui me servent à faire avancer mes

447

projets. J'ai le sentiment que vous avez commencé à prendre à mes yeux la dimension d'un collègue.

Ashida a la bouche sèche. La cuisine lui paraît soudain surchauffée. Dudley ajoute :

— Un Japonais a été abattu tôt ce matin. Il s'appelait Goro Shigeta, et on lui a tiré dessus alors qu'il se trouvait dans une cabine téléphonique au sud de Hollywood. Cet homme se révèle avoir eu des dettes considérables envers des bookmakers de Little Tokyo, et Thad Brown pense qu'on l'a tué à cause d'une dette de jeu. Pour ma part, je n'adhère pas à cette hypothèse. Je pense plutôt que M. Shigeta a été tué par un Blanc motivé par son patriotisme mal placé et par un racisme virulent, et il me semble que nous n'avons pas fini de voir cette sorte de racisme s'acharner sur vos compatriotes. Je souhaite vous épargner de telles horreurs, à vous et à votre famille.

Ashida s'agrippe avec force au rebord de l'évier, au point de rendre ses phalanges exsangues.

— Et en retour ?

— En retour, je souhaiterais que vous soupesiez les avantages et les inconvénients de mon appui, comparativement à celui de Bill Parker.

— Oui, dit Ashida, je resterai ouvert à votre suggestion.

Dudley s'incline à demi.

— Parfait. Et, dans le même ordre d'idées, j'aimerais vous montrer quelque chose. Cela nécessitera un petit saut à Malibu demain après-midi, et cette visite sera en rapport avec un projet sur lequel Ace Kwan et moi travaillons. Nous avons pris la décision d'aider la communauté japonaise à éviter la détention.

— Ses représentants les plus fortunés ?

Dudley lance un clin d'œil et fait demi-tour. Il s'empare du téléphone de la salle à manger et compose un numéro. Ashida entend que son correspondant décroche.

Dudley rit. La ligne téléphonique grésille. Dudley dit : *D<sup>r</sup> Ashida* et *assister à la procédure*. Dudley écoute et sourit.

Dudley dit : *Notre copain chirurgien, Terry Lux*. Dudley écoute et sourit. Dudley dit : *Il désintoxique Claire De Haven ? Oui, j'ai entendu parler d'elle*.

La « camarade » Claire. Kay Lake. La réception de ce soir. Étrange convergence.

Ace Kwan brait au téléphone. Ça ne peut venir que de lui, un braiement pareil. Dudley fait un clin d'œil et tourne le dos à Ashida, qui franchit la porte de la cuisine.

Allez, un dernier coup d'œil avant de partir. Et celui-ci est révélateur – Dudley renifle ses poignets de chemise.

## 9 h 24

Il fait le tour de la maison. Les voisins braquent sur lui des regards soupçonneux. *Qui c'est, ce Jap ? Ah, oui – il est avec les flics.*

Ashida récupère sa voiture. La tête lui tourne. C'est la voiture qui le conduit. Elle évite le labo. Elle l'emmène jusqu'au carrefour Virgil-Melrose.

Une corde tendue isole la cabine téléphonique. POLICE, ACCÈS INTERDIT. Voitures de police, fourgons cellulaires. Thad Brown, Nort Layman, Ray Pinker. Trois employés de la morgue, prêts à utiliser leurs housses mortuaires.

Ashida se gare de l'autre côté de la rue. Il recule son siège et observe la scène.

Goro Shigeta a encore un visage, mais plus de tête. L'arrière de son crâne s'est volatilisé. Ses oreilles se sont envolées en même temps que son cerveau. Le tueur se tenait tout près de lui. C'est ce qu'indiquent les brûlures laissées sur son front par la poudre. Les balles ont brisé la paroi du fond de la cabine.

Ray Pinker collecte les cartouches vides éjectées par l'arme. Elles sont de fort calibre. Probablement des .45 ACP[1]. Les employés de la morgue ramassent la cervelle à la truelle.

Ashida continue de regarder les opérations. De simples détails le clouent sur place. Les heures défilent.

Les employés de la morgue emportent Shigeta. Thad Brown organise une équipe pour une enquête de voisinage. Des agents en tenue envahissent Virgil Avenue et descendent vers le sud jusqu'à l'horizon puis ils reviennent sur leurs pas. Ils viennent tous faire leur rapport à Brown. Ils disent tous : *Rien*, *Nib*, ou *Niet*.

Brown les renvoie chez eux. Les badauds se dispersent. Un agent en uniforme reste sur place pour surveiller la cabine.

Ashida décolle. La voiture le conduit. Il pense à Dudley Smith. Une femme inconnue a laissé sa marque sur la Brute. Lui aussi, il connaît le parfum de cette femme, à présent – par procuration.

Ashida roule vers le centre-ville. Il se gare en double file devant le commissariat et monte au labo au pas de course. Il est en retard pour

---

1. ACP : Automatic Colt Pistol, calibre 0,45 pouce (11,43 mm).

la soirée de Claire De Haven. Il a des vêtements de rechange dans son placard.

Il s'y dirige tout droit. Un petit mot est collé sur la porte.

Hideo,

Concernant : Watanabe/code pénal article 187.

Nort a du nouveau sur les cadavres : la décongélation a révélé une sinuosité irrégulière des plaies, et maintenant Nort a la certitude que les incisions n'ont pas pu être pratiquées à l'aide des sabres trouvés sur la scène de crime. De plus, il a découvert d'infimes traces d'un poison narcotique japonais rare dans les foies des victimes.

R. P.

Cela lui tombe dessus d'un seul coup, en vrac. Il fait le tri scientifiquement. Il y ajoute la logique propre à l'affaire. Il ressort le tout en bon ordre.

C'est l'assassin qui a apporté les sabres et qui les a maculés de sang post mortem. Ce n'est pas avec les sabres qu'il a tué les victimes ; ils n'ont servi qu'à faire les entailles concrétisant l'hésitation des candidats au suicide. Ces entailles ont été pratiquées post mortem et n'ont servi qu'à brouiller les pistes. Le poison narcotique a anesthésié les Watanabe. Il les a rendus dociles et les a immobilisés au moment de leur décès. L'assassin les a tués avec un instrument quelconque apporté de l'extérieur, ou bien avec *LE COUTEAU*.

Les poisons narcotiques japonais provoquent des vomissements presque instantanés. Viennent ensuite l'euphorie qui précède la mort et divers états narcoleptiques. L'assassin connaissait les Watanabe. L'assassin leur a servi du thé. Ils ont vomi sur leurs vêtements. Leur état d'euphorie les rendant dociles, l'assassin a pu les obliger à se changer. C'est à ce moment-là que Ryoshi a rédigé la lettre justifiant le suicide. L'assassin *était* japonais, ou il *connaissait* la langue japonaise, ou bien il a *pris le risque* que Ryoshi, juste avant de mourir, renseigne la police. Ryoshi a pu croire que tout cela n'était qu'un vaste canular et ne pas se douter que sa famille et lui étaient condamnés. Le Blanc au pull violet était un homme d'âge mûr et corpulent. Jim Larkin connaissait la langue japonaise. Jim Larkin était émacié et il avait soixante-sept ans. L'homme au pull violet est arrivé en voiture. Jim Larkin n'avait pas de permis de conduire et ne possédait pas d'automobile. Jim Larkin appartenait à la cinquième colonne. Les Watanabe appartenaient à la cinquième colonne. Ce qui est commun aux cinq décès, c'est que les victimes étaient prévenues de l'attaque contre Pearl Harbor.

Les Watanabe meurent. L'assassin s'attarde dans la maison. Il lave leurs vêtements souillés et les met à sécher. *Pourquoi faire la lessive le jour où l'on a décidé de se suicider ?* Cette hypothèse répond à la question.

L'assassin leur a servi le thé dans la cuisine. Ils ont vomi sur le linoléum, une surface lisse et imperméable. L'assassin a épongé les vomissures. Les chefs de guerre de l'époque féodale trempaient leurs couteaux dans un poison à effet lent. Cet assassin-là n'a rien fait de tel. Le poison narcotique japonais s'absorbe rapidement. Il s'évapore plus rapidement encore dans du sang répandu. Le poison n'aurait pas dû être identifié. L'assassin n'avait pas prévu l'entêtement presque pathologique de Nort Layman.

Ashida a réfléchi, Ashida a reconstitué le déroulement du quadruple assassinat.

Et Ashida pense : *LE COUTEAU.*

# 62

## JOURNAL DE KAY LAKE

### LOS ANGELES | LUNDI 15 DÉCEMBRE 1941

### 20 h 09

Le camarade Hideo est en retard. La soirée huppée de Claire se déroule sans lui.

Je suis venue en rouge. J'ai fait un saut chez Bullock, sur Wilshire Boulevard, pour acheter la sœur jumelle de la robe en cachemire noir que m'a offerte Bill Parker. Ma nouvelle robe est assortie aux rideaux du salon. Je l'ai mise afin de pouvoir me planter devant eux et prendre des poses.

Les esclaves de Claire s'occupent des invités. Dalton Trumbo, Abner Biberman et John Howard Lawson incarnent les personnages les plus prisés de la gauche Hollywoodienne. Je me suis présentée à eux, j'ai échangé avec eux quelques considérations sur la guerre, et j'ai passé mon chemin. Un voisin impérieusement gigantesque est entré et s'est dirigé tout droit vers le piano. C'était Serge Rachmaninoff – qui semblait pris de boisson. Il s'est attiré toute une série de commentaires concernant la guerre sur le front russe ; il a dit : « Qu'ils aillent se faire foutre, les vaillants soldats de l'Armée Rouge », et puis il a martelé du Scriabine d'une façon insensée.

Claire est venue en tant que Claire De Haven, sans incarner de personnage. Sa robe rouge rend hommage à la mienne ; depuis sa coupe à la Jeanne d'Arc, ses cheveux ont repoussé de façon charmante. Elle est mince. Claire, la militante martyre. Claire, l'abonnée aux cures de désintoxication. Claire, dont le port de reine confère à la débauche une classe certaine. Claire – qui virevolte autour de moi et croise mon regard comme si nous étions les deux seules personnes présentes dans la pièce.

Claire, qui me réserve pour la suite. *Nous parlerons plus tard, ma chérie.* Je représente *une chance à saisir.* Chacun de ses regards me le confirme.

Hideo est en retard. Cela me contrarie. Il est au cœur de mon stratagème pour séduire et circonvenir la camarade Claire De Haven. Je me tiens en robe rouge près des tentures rouges et je bois à petites gorgées un Manhattan teinté de rouge. C'est ma seconde soirée mondaine en deux jours.

Hier soir, j'ai entendu l'orchestre de Jimmie Lunceford dont la musique me parvenait depuis le Trocadero, et j'y suis allée à pied pour profiter de l'occasion. Cinq dollars glissés au portier m'ont permis d'entrer. Ben Siegel venait de sortir de prison, et pour fêter sa remise en liberté, il avait invité en nombre des flics, des matelots sur le point de partir à la guerre, et des gens du cinéma. J'ai fait tapisserie et j'ai observé tous ces gens. Il m'a semblé voir Scotty Bennett s'éclipser par une porte latérale, mais je n'en suis pas sûre. Le spectacle le plus étonnant, pour moi, ce fut de voir Dudley Smith échanger des regards avec Bette Davis.

C'était flagrant et tout à fait romantique. Leurs œillades étaient parfaitement synchrones. Miss Davis a dansé avec une ribambelle de marins tout en flirtant à distance avec le Dudster. Ils sont amants, c'est sûr.

C'est à ce moment-là que je suis repartie. Dans le genre largesse réservée aux invités, cette faveur-*là* était insurpassable. Un intermède amoureux dans les premiers jours de la guerre… mon Dieu !

Les invités qui m'entourent ce soir sont moins prestigieux. Andrea Lesnick est à l'autre bout du salon ; c'est son père en plus jeune et en version féminine, les doigts pareillement tachés de nicotine. Je me souviens du mémorandum de Bill Parker. Les fédéraux ont fait sortir Miss Lesnick de Tehachapi à la condition que le D<sup>r</sup> Saul accepte de leur servir de taupe. Le docteur est arrivé il y a quelques minutes. Il est allé tout droit au bar, s'est fait servir un whiskey auquel il a ajouté une giclée d'eau de seltz, et s'est mis à parler avec un Chinois vêtu d'une blouse blanche de médecin. J'ai tout de suite compris qu'ils parlaient boutique. Reynolds Loftis a pris le Chinois pour un serveur et lui a demandé un cocktail. Le Chinois l'a rembarré vigoureusement.

Je me sens nerveuse. Dans mon sac à main, j'ai un petit appareil photo et un enregistreur miniature à fil magnétique, et j'ai l'intention d'utiliser l'un et l'autre. Ils appartiennent à l'agent Lee Blanchard. Il les a chapardés après s'en être servi lors d'une mission confiée par la brigade des mœurs. Je voudrais que Hideo Ashida arrive enfin et que Claire nous voie ensemble. J'ai très envie de provoquer des événements et plus envie encore de semer la pagaille.

Rachmaninoff enchaîne avec un morceau glacial et moite de Karol Szymanowski. La musique repousse avec force les bavardages animés qui nous entourent. Feu M<sup>me</sup> Hamano y tient une place de choix. On évoque également le Japonais abattu dans la cabine téléphonique. On ne parle que de lui à la radio. Chaz Minear y voit une manifestation du *racisme ambiant qui ne cesse de croître, dans le style du chauvinisme impérialiste.*

Je suis nerveuse. Je me sens ignorée de tous. Je me rends au bar et me prépare un autre Manhattan. Saul Lesnick et le Chinois discutent toujours. La blouse de ce dernier est ornée de symboles asiatiques et de la mention *Lin Chung, docteur en médecine.* Les deux hommes parlent d'eugénisme. Lesnick le qualifie de *science inexacte qui fascine les esprits, et qui sert sans aucun doute à justifier de monstrueux crimes racistes.*

Lin Chung proteste avec véhémence. Il insiste :

– Science très précise ! Science très précise !

Lesnick se détourne de lui. Je suis son regard qui se dirige vers le patio. Sa fille le demande.

Lesnick la rejoint. Je le suis et m'attarde près de la porte. Le père et la fille allument une cigarette en même temps et toussent à l'unisson. Andrea dit :

– Ça va mal, cette fois, papa.

– Après la soirée, je t'emmènerai en voiture à Malibu, dit Lesnick. Terry va te sevrer. Il fait subir à Claire des cures d'une journée. Tu as vu à quel point elle a l'air d'aller mieux ?

Ils cherchent Claire des yeux et c'est moi qu'ils voient. Je leur tourne le dos et reviens dans le salon. Claire traverse mon champ de vision. *Des cures d'une journée ?* Je ne l'ai encore jamais vue aussi aérienne.

Ce qui me rend encore plus nerveuse. Je traverse diverses cliques en pleine discussion et j'entre dans la salle de bains du rez-de-chaussée. Parker veut des preuves que Claire se drogue ? Je vais fouiller son armoire à pharmacie.

J'ouvre celle-ci et je sors mon appareil photo. Parker veut des preuves, Parker les aura. Une rangée de flacons remplis de comprimés. Morphine, phénobarbital et Dilaudid. Tous prescrits par le docteur Saul Lesnick.

Je prends trois gros plans puis je remarque une petite bouteille sur l'étagère. L'étiquette est rédigée en caractères japonais. Je dévisse le bouchon et regarde ce qu'elle contient. C'est une teinture noire pour les cheveux. Je la photographie, je range mon appareil dans mon sac, et je rejoins la soirée. Rachmaninoff s'est endormi sur le clavier. La porte de la maison s'ouvre ; Hideo Ashida entre.

Il referme la porte derrière lui et se fige. Il est charmant, Hideo : blazer bleu marine en tissu natté et pantalon gris.

*Ne bouge plus, cher ange. Montre-toi timide. Ton peuple viole le monde civilisé. La cité impérialiste et nationaliste de Los Angeles exerce d'injustes représailles. Reste planté là, immobile et séduisant. Laisse le temps aux vedettes de la soirée de remarquer ta présence. Ce public t'est destiné.*

Hideo demeure près de la porte. *Oui – Montre-toi triste et solitaire, voire légèrement inquiet. Provoque la controverse, aie l'air opprimé.*

Les gens commencent à jaser. Ils tournent la tête dans sa direction. Qui c'est, *celui-là ?* Qu'est-ce qu'il fait ici ? Il n'est pas chinois, comme ce médecin. C'est vrai – il est japonais, c'est un *Jap.*

Les gens se poussent du coude. Les gens font des gestes et regardent vers la porte. Je vois les regards qui voyagent. *Claire chérie, s'il te plaît… Regarde !*

Elle parle à Reynolds Loftis, qui suit tous les regards. Le sien se braque aussi sur la porte. Claire l'imite. *Oui, ma belle – regarde.*

Ce qu'elle fait. Je la vois hésiter puis se pâmer – à peine. Elle m'a préparé le terrain.

Je lâche mon sac à main et je cours vers Hideo. Je bouscule les invités et renverse quelques verres. Je revendique les lieux et je m'approprie le public. Hideo me voit. Il tend les bras – pour me tenir à distance, je le sais. Je ne peux pas le laisser faire ça. Je me rue sur lui et je l'embrasse avant qu'il n'ait le temps de réagir.

Il m'entoure de ses bras. Ce n'est pas par passion – il le fait pour rester debout. Je prends sa tête entre mes mains et glisse ma langue dans sa bouche ; il remue la langue parce qu'il a entendu dire que les hommes et les femmes le font. Cela ressemble à un baiser que se donnent deux amants. J'y mets tout ce que je peux donner. Hideo se fige. Son baiser a un goût de bain de bouche à la menthe. Ses bras me relâchent et retombent le long de son torse. Je romps notre étreinte, pour paraître synchrone avec lui. Je passe un bras autour de sa taille et me retourne pour faire bravement face aux invités. Hideo calque impeccablement son attitude sur la mienne.

Nous accaparons l'attention de l'assistance. Cette petite effrontée et son amant timide… N'est-ce pas qu'ils sont charmants, tous les deux ? Et si *courageux* – alors que la guerre a commencé il y a tout juste huit jours !

Tout le monde nous regarde. Tout le monde applaudit. Claire crie : *Bravo !* Reynolds Loftis et Chaz Minear font *Woo-woo-woo !*

Hideo sourit. Il a les jambes en coton et semble à la fois épuisé et surexcité. Nous entrons dans la foule. Poignées de main, tapes dans le dos, accolades à foison. Nous sommes submergés. Tous ces gens se présentent. Leurs noms se superposent en une cacophonie. Hideo dit le sien et permet à des inconnus de le toucher. Je me recule pour laisser l'événement se dérouler pleinement. Claire s'immisce dans le cercle des admirateurs et me lance un clin d'œil. Je le lui rends. Claire glisse un bras autour de la taille de Hideo et l'extirpe du groupe compact. Avec un culot monstre, elle me vole mon cavalier. Je la regarde l'entraîner vers un divan.

La foule ne les quitte pas des yeux. Je m'accroupis, passe derrière le piano et Rachmaninoff qui dort toujours sur le clavier, puis je récupère mon sac à main. Je monte à l'étage pendant que les camarades Claire et Hideo tiennent le devant de la scène.

Ce couloir, de nouveau. Ces portes de chambres verrouillées.

Je longe le couloir et mets à l'épreuve tous les boutons de porte.

Seuls consentent à tourner ceux de la chambre de Claire et de la chambre voisine. C'est dans celle-là que j'entre en premier.

Elle est jonchée de vêtements d'homme et d'articles de toilette. Les monogrammes brodés sur les chemises sont explicites : c'est ici que dorment Reynolds Loftis et Chaz Minear.

Il y a une commode près de la porte. Le premier tiroir est bourré de sous-vêtements masculins ; le second, de divers objets à usage homosexuel. Il y a des colliers cloutés et un programme pour un bal de travestis au Nid d'Amour de Leo ; des photographies de W. H. Auden nu sur une plage en compagnie de Reynolds et Chaz ; des pochettes d'allumettes provenant des bars L'Artiste et Le Chevalier en armure – des prénoms masculins et des numéros de téléphone sont inscrits derrière le rabat.

Je photographie le tout. J'ouvre le tiroir du bas et trouve un seul document, une brochure militante, fourrée sous une pile de chaussettes.

Elle est intitulée : *J'accuse*[1] *: Le Reich de la police de Los Angeles, Volume III*. Elle compte douze pages. Je comprends tout de suite qu'elle n'est pas de la main de Claire, esprit lucide. Cette brochure diffame un lieutenant de la Brigade Anti-Rouges nommé Carl Hull.

Je parcours le texte en diagonale et prends des photos en gros plan de chaque page. Le lieutenant Hull était l'ami et l'alter ego idéologique de W. H. Parker, alors encore lieutenant. Je complète cette accusation d'un adverbe : il était *censément* l'ami et l'alter ego idéologique… Parker entretenait sûrement certains préjugés, mais il ne faisait pas ouvertement l'apologie du racisme. Pendant ses heures de service, le lieutenant Hull avait quasiment une allure d'universitaire. Au crépuscule, il devenait *le Chevalier du nativisme qui frappe la nuit*, et il ramenait de l'autre côté de la frontière, sur la croupe de son cheval, des Mexicains sans papiers. Le lieutenant Hull affirmait que *Mein Kampf* était le livre perdu de la Bible, et que Jésus-Christ était un Aryen et non un Juif. Le lieutenant Hull écrivait aussi des discours pour la Croisade nationaliste chrétienne et pour les ramifications les moins reluisantes du comité *L'Amérique d'Abord*.

Je remets la brochure à sa place, l'appareil photo dans mon sac, et ressors dans le couloir. Personne ne m'a vue ; les réjouissances se cantonnent au rez-de-chaussée. Je m'introduis dans la chambre de Claire et referme la porte. La première chose que je remarque, c'est

---

1. En français dans le texte.

qu'une nouvelle martyre a rejoint Jeanne d'Arc. À côté de celle-ci, Claire a punaisé au mur des photos de presse. Elles représentent Nao Hamano, vivante et souriante, puis morte dans la cellule où elle s'est suicidée. Je prends mon appareil photo, puis je le laisse retomber dans mon sac.

*Non. Claire n'a pas accusé Bill Parker aux moments où lui-même se faisait le plus de reproches. Il faut que je fasse preuve de la même clémence.*

J'examine les photos. Claire a souligné au crayon la naissance des cheveux de Nao Hamano. De petites flèches révèlent sa détermination. La teinture noire s'explique, à présent. Claire s'identifiant à Jeanne d'Arc, Claire s'identifiant à Nao Hamano. Une nouvelle transformation – immédiate, et née de cette guerre.

Je rejoins la soirée. Hideo est assailli par ses admirateurs ; ils se lancent dans des monologues qu'il écoute tout en tenant son rôle de curiosité ethnique. Claire est assise, seule. Elle tient un verre et une cigarette. Je m'approche d'elle et la débarrasse de l'un et de l'autre ; nos mains tremblent au moment où elles se frôlent. Elle me dit :

– Vous suscitez des moments mémorables, vous disparaissez puis vous ressurgissez. Je ne vous accuse de rien. Je commente l'aspect *mûrement réfléchi* de votre comportement.

Je finis la cigarette de Claire et son scotch au bitter. Je lui confie :

– Je suis complètement dépassée au milieu de vos invités. J'ai trouvé mes joyeux compagnons des premiers jours de la guerre, mais deux soirées en une semaine, c'est épuisant. Vos amis sont fascinants ; cela dit, j'ai une capacité limitée à observer et ne rien faire.

Claire désigne Hideo.

– A-t-il le sang chaud ? Je vois en vous une femme qui a des appétits, et je me demande si le D^r Ashida est à la hauteur de vos attentes.

Je ris et j'éteins ma cigarette en la plongeant dans son verre. Cela me donne un répit de quelques secondes. Claire a trouvé notre entrée trop théâtrale – j'en suis sûre. Je lui réponds :

– Ce n'est pas mon seul amant. J'ai un faible pour les hommes plutôt rudes, et Hideo me comble d'une manière qui n'est pas dans leur répertoire.

– Ce que vous dites de lui, c'est qu'il est socialement pertinent, qu'il manque d'assurance en tant qu'amant, mais que c'est un faire-valoir sans pareil pour votre petite mise en scène permanente.

*Elle t'a bien épinglée. Reconnais-le. Accorde-lui cette victoire. Prends un air dépité.*

– Oui, c'est à peu près ça.

Mon expression passe de *dépitée* à *déconfite*. Mes épaules tombent. Je me laisse aller en arrière sur le divan et me fonds dans l'ombre de Claire.

– Reynolds a un œil sur lui, me dit-elle. Il me semble qu'il lui trouve des prédispositions ou même des tendances.

*Joue les blasées. Montre-toi modérément titillée. Tu apprécies les allusions osées.*

– Je ne pense pas. Dites à Reynolds, cependant, que je le surveillerai de près. Si Hideo cesse de s'intéresser à moi, j'expliquerai ce changement par la tendance en question, et je jouerai les cupidons en sa faveur.

– Malicieuse enfant ! Quel sens de la repartie ! Il n'y a pas une semaine que je vous connais, mais vous m'avez conquise.

– C'est la guerre qui veut ça. Tout paraît instantané. Les relations révèlent leur finalité avec le temps, mais la guerre ne permet rien de tel. Ce qui me rend folle, c'est ce sentiment de projet non réalisé. Je suppose que vous l'éprouvez également.

Claire me touche le genou.

– Bien vu ! Vous êtes si attentive à mes changements d'humeur. Je bénéficie de cures d'une journée à la clinique de Terry Lux. Venez avec moi demain. Nous prendrons un bain de boue et nous discuterons de projets constructifs.

– Ça me ferait le plus grand plaisir.

– Andrea Lesnick y sera aussi. Nous représenterons *les femmes privées de leurs droits en temps de guerre.*

– Viendrez-vous en Jeanne d'Arc ? Je trouverais dommage que vous coupiez vos cheveux de nouveau, mais en même temps je serais curieuse de vous voir prolonger votre prestation.

Claire allume une cigarette. Elle soulève un briquet massif et le repose bruyamment d'un geste trop brusque. *C'est de la drogue.* Je suis sûre qu'elle ne peut pas s'en passer ; je la vois partir dans les vapes, emportée par un besoin impérieux.

Je poursuis :

– Notre idée de film, c'est pour moi la seule chose qui ressemble à un projet. Je pense que nous devrions filmer les rafles de façon clandestine, et nous passer de tout commentaire. Notre polémique sera d'autant plus forte qu'elle laissera parler les images.

– Nous aborderons ce sujet demain, dit Claire.

458

Son regard se détache de moi et scrute le salon. Elle cligne des yeux en voyant que le D<sup>r</sup> Lesnick tient une trousse médicale.

Claire se tourne de nouveau vers moi.

– J'y tiens, à ce film. J'espère que le charmant D<sup>r</sup> Ashida y participera.

Nous nous levons ensemble pour prendre congé l'une de l'autre. Je m'avance dans l'ombre de Claire et la laisse paraître indéniablement plus femme que moi. Elle me glisse : *Le rouge vous va bien, camarade*, et pose la main sur ma hanche.

Elle disparaît aussitôt. Elle plonge entre deux hommes et reparaît sur l'escalier avec Saul Lesnick. Son au-revoir m'a bluffée et laissée sans voix. Je me rassieds et ferme les yeux.

La pièce tourne autour de moi. Beverly Hills devient Pearl Harbor il y a huit jours. Avant de venir à cette soirée, j'ai fait un tour au cinéma Beverly Canon. J'ai vu les actualités de la semaine, qui sont projetées entre les deux films. J'ai vu des images du cuirassé *Arizona* en flammes et des avions japonais qui mitraillaient Wheeler Field. Ils ont fauché un gamin qui aurait pu être japonais.

Un marin vendait des titres d'emprunt de guerre dans le hall du cinéma. Il m'a dit qu'il embarquait pour Pearl la semaine suivante. Il a salué un enseigne de vaisseau qui partageait un sac de popcorn avec une femme. Je les ai reconnus l'un et l'autre grâce à la rubrique mondaine du *L.A. Times* et aux réminiscences de ma propre vie. L'officier de marine, c'était le fils play-boy de Joe le Froussard Kennedy ; la femme, c'était Ellen Drew. Elle tient des petits rôles dans les navets de la Paramount et fait des passes pour Brenda à ses moments perdus. Ellen m'a regardée. Elle a murmuré : *Ce pauvre petit garçon*, et elle s'est mise à pleurer. L'enseigne Jack Kennedy s'est senti gêné.

La pièce tourne ; je garde les yeux fermés. Je sens vaguement que Hideo Ashida est dans les vapes, à quelques mètres de moi.

– J'ai parlé à M. Rachmaninoff. Il n'est pas très gentil.

C'est Andrea Lesnick qui s'adresse à moi. Je rouvre les yeux et lui fais signe de s'asseoir. Elle se débarrasse de ses chaussures et s'assied, les jambes repliées sous elle. Elle porte un pince-nez en guise de lunettes. Je sens qu'elle nous jauge toutes les deux, et qu'elle nous voit comme des filles qui viennent de subir une rebuffade et qui ne savent plus quoi faire.

Je lui réplique :

– M. Rachmaninoff, c'est un maestro. Il n'a pas besoin de se montrer gentil.

– Je n'ai rien fait d'autre que lui demander de jouer mon morceau préféré.

– Si c'était le prélude en do dièse, vous avez sans doute touché une corde sensible.

– Je l'ai peut-être confondu avec un autre compositeur.

– Ça n'a pas dû arranger les choses.

Andrea rit et allume une cigarette. Ses mouvements singent ceux de son père avec précision. C'est étonnant à observer.

Mon sac à main est posé entre nous. J'y plonge la main et j'enfonce le bouton de l'enregistreur. Andrea ne remarque rien. Je lui dis :

– Je suis en analyse avec votre père. Je ne sais pas si je devrais vous parler ou non. Cela pourrait constituer un manquement à l'éthique de sa profession.

– Ne soyez pas naïve, me répond Andrea. Mon père m'emmène en voiture à Malibu après la soirée. Je n'aurai qu'à lui demander : *Ta patiente, Miss Lake. Dis-moi tout, s'il te plaît*, et j'en saurai plus que vous sur votre compte avant que nous n'arrivions à la plage.

– Eh bien, à présent, je sais à qui m'adresser pour récolter des ragots.

– Ce n'est pas moi, dit Andrea. J'ai fait un séjour au pénitencier, et c'est pourquoi je déteste les mouchards. Les fédéraux ont voulu me forcer à espionner Claire et ses amis, mais j'ai refusé. C'est mon père qui a accepté de jouer les mouchards pour me faire sortir de prison, mais il ne sait pas qu'on me l'a dit. Je ne suis pas très habile, voyez-vous – mais je ne suis pas une délatrice. Ce n'est pas trahir que de divulguer des informations de façon spontanée et sans intention de nuire. J'ai fréquenté la prison de Lincoln Heights et celle de Tehachapi, donc je comprends ces choses-là. Papa me trouve naïve, mais je ne le suis pas. Il se reproche le fait que je sois allée en prison, mais en ce cas précis, je me suis mise moi-même dans de sales draps. Papa n'est qu'un petit communiste égocentrique, qui s'imagine que tout se développe puis évolue à partir de lui. Je suis horrible, non ? Je joue sur le sentiment de culpabilité de mon père pour obtenir de lui tout ce que je désire.

Elle parle avec les mains et agite sa cigarette en même temps. Sa robe est constellée d'anciennes brûlures laissées par les cendres chaudes.

460

– Claire sait-elle que votre père livre des informations sur elle ? Les amis de Claire le savent-ils ?

– Bien sûr que non. Ce n'est pas de la trahison si vous *fermez votre clapet* et ne dites rien à personne. Fermer son clapet, c'est une expression que j'ai apprise en prison, de la bouche des lesbiennes de Tehachapi. Elles ressemblent toutes à des réfugiées du Dust Bowl, à part leur corpulence. Elles aimaient regarder les autres filles prendre des douches, si bien qu'aujourd'hui je ne prends un bain que si papa l'exige. De toutes les lesbiennes, la pire était cette adjointe du shérif qui s'appelle Dot Rothstein. Elle essayait de forcer les filles à faire des choses avec des pains de savon façonnés en forme de verges.

Je ferme les yeux. *S'il vous plaît, taisez-vous. S'il vous plaît, arrêtez de penser que je suis comme vous.*

– Vous croyez être unique, dit Andrea, mais vous ne l'êtes pas. Tout le monde ferme les yeux quand je parle des lesbiennes du pénitencier. Tout le monde me croit cinglée, alors, n'allez pas imaginer que vous êtes la seule. Ça ne me rend pas abominable d'avoir fait l'amour avec des filles. Vous pensez que je suis folle, mais je suis simplement maladroite. Je ne l'ai fait avec des filles que trois ou quatre fois, et je ne suis pas une délatrice.

Je rouvre les yeux. La robe d'Andrea est couverte de cendre de cigarette. Je commence à l'épousseter, puis j'ôte ma main. Un serveur passe près de nous avec son plateau. Andrea se lève et prend deux whiskies. Elle répète : *Ne croyez pas que vous êtes unique*, et elle s'en va.

Je ferme les yeux de nouveau. J'imagine que je sors en ville avec Ellen Drew et Jack Kennedy. Nous allons au Trocadero ; Dudley Smith et Bette Davis tourbillonnent près de nous sur la piste de danse. Ellen, Jack et moi – de vrais cabotins. Nous soupons au Dave's Blue Room puis nous allons à Little Tokyo manger des gâteaux à la pâte de riz. Il n'y a pas de rafles de Japonais, pas d'Andrea Lesnick, pas de Bill Parker, pas de Claire De Haven. Je suis aussi loin que possible de ce satané salon.

La rumeur de la soirée s'estompe. J'ouvre les yeux et je vois partir les deux Lesnick, qui encadrent un Serge Rachmaninoff fraternel. Il pose un baiser sur la tête de l'un et de l'autre et s'écarte pour laisser Hideo Ashida sortir avant eux. J'avais projeté d'embrasser Hideo pour lui dire au revoir, en présence d'un public. Je n'y attache plus d'importance, à présent – parce que je suis une moucharde.

Claire a disparu. Il n'y a personne à qui j'aie envie de dire au revoir, ni que je me sente obligée de piéger. Je reprends mon sac à main et mon manteau et je sors en compagnie d'un groupe d'inconnus – des membres présumés de la cinquième colonne. Les inconnus se dispersent devant la maison ; je traverse la rue pour rejoindre ma voiture.

William H. Parker sort de celle qui est garée derrière la mienne. William H. Parker, dans son uniforme trop grand. William H. Parker, qui a du mal à garder l'équilibre. William H. Parker, qui n'a nulle part où aller à 2 heures du matin. William H. Parker, qui n'a rien à faire – sinon me coincer.

Je m'approche de lui. William H. Parker, dont l'haleine sent le bourbon. William H. Parker, pas rasé. William H. Parker, dont je vois le maillot de corps et le caleçon, et qui a mis sa chemise à l'envers. William H. Parker, avec son ceinturon qui pend. Je l'apostrophe :

– Comment osez-vous, bon sang ! Je suis plus Rouge que Claire De Haven, alors, inculpez-moi ! Si vous m'avez vue embrasser Hideo Ashida, dites-vous bien que c'était sincère.

Je le traite de voyeur et de tyran pervers. Je maudis son dieu malveillant et sa vie conjugale platonique. Je suis *si près* de lui que je capte l'odeur de l'urine froide qui imprègne son pantalon. Je lui demande si ça lui arrive souvent de tomber ivre mort et de se pisser dessus. Je lui dis que je lui en veux de savoir à quel point je me sens seule et d'avoir tiré profit de mon grotesque besoin d'aventure. Je suis *si près* de lui que je vois des bulles de salive sur ses lèvres et la crasse qui macule son col de chemise. Je vois ses yeux voilés de larmes.

J'ai dû crier sans m'en rendre compte. Derrière nous, des lumières s'allument dans les maisons. Parker ne bouge pas, Parker ne dit rien, Parker ne bronche pas et ne cherche pas à réfuter mes accusations.

D'autres lumières surgissent dans les maisons. Intérieurement, j'adjure Claire d'illuminer toute sa maison pour révéler notre présence – et je n'obtiens rien. Je traite Parker de parasite et de vampire. Je lance de nouvelles invectives et je sens ma voix se fêler. Parker est *si près* de moi. Je sais que jamais il ne bronchera, que jamais il ne baissera les yeux. Je n'ai plus de voix pour poursuivre mes accusations.

Je cède la première. Je fais volte-face et monte dans ma voiture alors que Parker reste muet. Je fume et je regarde les lumières s'éteindre une à une dans les maisons, pendant un nombre X de minutes ou bien d'heures. Je regarde dans mon rétroviseur et constate que Parker n'est plus là. Je le maudis de m'avoir abandonnée.

Chez Claire, deux lumières s'allument à l'étage. Je regarde les fenêtres éclairées et j'appelle de mes vœux une présence humaine. Cette fois, je suis exaucée.

Reynolds Loftis et Chaz Minear s'embrassent. Claire se pavane en kimono. Elle s'est teint les cheveux ; ils sont d'un noir de jais.

Ils sortent de la lumière et me laissent seule. Je prends peur. Je conjure Bucky, Lee, Scotty, Hideo, Brenda et Elmer de me tenir compagnie. William H. Parker impose sa présence et apparaît avec eux. Je l'insulte et le bannis. Il refuse de s'en aller.

Je pense à Andrea Lesnick. J'écoute l'enregistrement que j'ai effectué de ses remarques insensées et des accusations qu'elle a portées contre moi. C'est pire que d'être seule et terrifiée. J'ai oublié d'arrêter l'appareil après le départ d'Andrea : l'enregistrement inclut un long silence et la colère que j'ai piquée contre Bill Parker. Je me trouve mesquine et tout à fait ordinaire.

Ma voix s'atténue l'espace de quelques chuchotements rauques avant le silence. J'éteins l'enregistreur et j'appuie ma tête sur le volant. Je n'ai pas envie de rentrer chez moi. J'essaie de dormir mais je me raccroche à l'état de veille à chaque fois que je suis proche de sombrer.

Un nombre X d'heures écoulées m'ont apporté l'aube. Les camions de lait font leur tournée ; des enfants partent à l'école en gambadant. Une musique me parvient depuis la maison de Claire. Un petit ensemble joue *Perfidia*.

# 16 décembre 1941

# 63

**8 h 17**

*Les femmes.*

Joan Woodard Conville et Kay Lake – qui l'obnubilent en permanence. Bette Davis – qu'il lui est difficile d'ignorer.

Parker a pris place sur la pelouse de l'école de police, qui organise un *immense* rassemblement pour promouvoir les titres d'emprunt de guerre. Surprise : la maîtresse de cérémonie n'est autre que Miss Davis.

Des drapeaux en veux-tu en voilà. Une foule énorme sur la pelouse. Une estrade remplie de gros bonnets locaux. Voici Miss Davis – son vernis à ongles à paillettes lance des étincelles.

Appelez-moi-Jack rentre son ventre. Deux-Flingues Davis a le regard concupiscent. Bill McPherson reste éveillé. Thad Brown et l'archevêque Cantwell rient bêtement. Une *graaaande* question hante tous les esprits : Qu'est-ce qu'il fait là, Dudley Smith ?

Miss Davis se déplace sur l'estrade. Elle passe d'un homme à l'autre. Elle pose sa main sur leurs bras et les laisse amoureux d'elle pour le restant de leurs jours. Elle fait une révérence devant Son Éminence. Elle passe à Dudley. Il lui caresse la jambe sous la table.

*Ce n'est pas possible. Ça ne* devrait pas *être possible. Comment cela A-T-IL PU être possible ?*

La pelouse est couverte de chaises pliantes. La foule se compose de deux groupes : une moitié de flics, une moitié de spectateurs qui ont payé leur place. Parker s'installe à sa place. Dans son état, il est incapable de faire bonne figure ; il est laminé. Le soleil lui brûle les yeux. Il a des élancements à l'intérieur du crâne. Son uniforme lui met la peau à vif. Miss Conville et Miss Lake rôdent sans cesse en lui.

467

Cette nuit, il s'est arraché à la présence de Miss Lake et s'est rendu en voiture à Sainte-Vivienne. Le gardien de nuit lui a ouvert le sanctuaire. Il a prié pendant trois heures. Il a invoqué la Sainte Trinité et révoqué La Soif. Il a récité des prières d'abstinence. Il a vidé sa flasque de rechange derrière la cathédrale.

Il a regagné la brigade en voiture et il a fait un brin de toilette. Il était émacié. Il avait mis sa chemise d'uniforme à l'envers.

Il a mis un uniforme propre. Il s'est brossé les dents à s'en faire saigner les gencives. Le sergent de permanence lui a apporté une enveloppe.

Il l'a ouverte. Ses mains tremblaient, elles ont déchiré le rabat. Les flics de Northwestern ont tenu parole. Voici Joan Woodard Conville.

Il n'y a qu'une photo, annotée au dos : *Bowler, Wisconsin. 23/5/1939.*

Elle est assise sur une barrière en bois. Elle porte une chemise à carreaux, une culotte de cheval et des bottes montantes. Ses cheveux sont attachés, et séparés par une raie au milieu. Elle irradie une beauté sévère et prodigieusement implacable.

C'est à l'aube qu'il a ouvert l'enveloppe. Il a déjà écorné la photo.

Bette Davis s'approche des micros. Les acclamations fusent. Elle jette un regard à Dudley. Le Dudster ne vient-il pas de piquer un fard ?

Miss Davis s'adresse à la foule. Les haut-parleurs grésillent et déforment ses paroles. Les hommes de l'estrade se pâment.

– … et trois nouveaux membres de la Police auxiliaire de Los Angeles : les tireurs d'élite de la compagnie Hearst ! Ils vont maintenant accomplir un audacieux numéro en compagnie de mon homonyme, avec lequel je n'ai aucun lien de parenté, James Edgar Davis…

Les haut-parleurs grésillent de nouveau. Jim Davis saute sur la pelouse et tire deux fois en l'air avec ses .45. La foule applaudit façon locomotive. Un Noir en tenue de jockey amène sur la pelouse un palomino[1]. Parker le reconnaît. Il joue des rôles d'esclave dans des films qui ont pour décor des plantations.

Il aide Deux-Flingues Davis à monter à cheval. Davis pique des éperons et fait galoper son canasson jusqu'à l'autre bout de la pelouse. Il met pied à terre et se coince une cigarette entre les lèvres. La foule délire.

Parker scrute l'estrade. Appelez-moi-Jack fait du charme à Miss

_____

1. Cheval à robe jaune doré.

Davis. Celle-ci sourit mais rabroue les jumelles d'Appelez-moi-Jack. Un ballon qui flotte dans l'air passe tout près d'elle. Miss Davis l'éperonne de sa cigarette et le fait éclater. Les gros bonnets de l'estrade l'applaudissent.

Voici venir les tireurs d'élite. Ils étaient accroupis dans un coin, invisibles, prêts à se relever d'un bond. Ils portent des robes de cérémonie. Ils brandissent des .30-06[1]. Tout chez eux évoque le Ku Klux Klan.

Au comble de l'excitation, le public ne se tient plus. Parker ressent une secousse qui annonce une série de tremblements. Dudley descend de l'estrade et disparaît. Miss Davis attend dix secondes et déguerpit pareillement. Les abrutis du Klan s'alignent et visent la cigarette de Jim le Cinglé.

Prêts, en joue, feu !

Trois détonations retentissent. Une cigarette explose trente mètres plus loin. Les ovations agressent les tympans.

Dudley se dirige vers la roseraie. Miss Davis suit discrètement à une certaine distance. Les massifs de fleurs sont hérissés de panneaux NE PAS FRANCHIR LES BORDURES. Des policiers militaires encadrent une table où s'empilent des titres d'emprunt de guerre.

Les abrutis du Klan prennent la position *présentez armes*. Parker fonce vers le parking et vomit dans un fourré. Il entend des coups de fusil et se bouche les oreilles.

En 1933, il a vu Jim Davis allumer un Mexicain. Son tir a manqué la cigarette et lui a arraché le nez. Il s'est vidé de son sang près du huitième trou sur le terrain de golf du Wilshire Country Club.

Parker entend d'autres coups de feu et de nouvelles acclamations. Il entend le galop du cheval sur la pelouse. Il entend *Que Dieu bénisse l'Amérique* déformé par les haut-parleurs.

Il laisse retomber ses mains. Il avale une goulée d'air et sent venir une série de crampes. Les spectateurs se dispersent et forment des files d'attente pour acheter des titres. Il contourne la foule pour atteindre la pelouse.

Thad Brown est sur l'estrade. Appelez-moi-Jack et le jockey noir échangent des blagues. Le jockey fait quelques pas de danse qui incitent le directeur à lui donner un dollar. Thad fait un signe à Parker : *Va voir El Jefe tout de suite.*

---

1. Arme de guerre de calibre .30 introduite en 1906.

Le jockey s'en va avec son pourboire. Thad lui emboîte le pas. Parker monte les marches. Appelez-moi-Jack lui tend une chaise.

– Je vous retire l'enquête sur l'affaire Watanabe. C'est votre numéro chez Ace Kwan qui m'a décidé. Vous avez de la chance qu'Ashida vous ait tenu en laisse. À partir de maintenant, c'est Dud qui m'informe directement. Je vous conseille de ne pas protester.

– Entendu, monsieur le directeur.

Jack se gratte les couilles.

– Vous conservez les black-out, les rafles, et la gestion de tous les changements que la guerre impose à notre organisation. Chinatown reste instable, c'est pourquoi j'envoie Jim Davis baratiner les Chinetoques. Vous et Jim, vous êtes de vieilles connaissances, alors je tiens à ce que vous lui serviez de chien de garde.

Parker agrippe les lattes de sa chaise en bois.

– Je veux m'engager. Vous aimeriez vous débarrasser de moi. Pour vous, c'est l'occasion rêvée.

Jack sourit jusqu'aux oreilles.

– Espèce de comique. À vous tout seul, vous pourriez remplacer les Marx Brothers. Pour commencer, vous nous forcez la main sur cette histoire d'écoutes téléphoniques, et vous préservez le poste de votre copain Ashida. Et maintenant, vous voulez quitter la ville juste avant que les fédés nous cherchent des poux dans la tête.

Parker ferme les yeux. Appelez-moi-Jack lâche un rot qui sent le scotch au bitter. Cela réactive La Soif en lui.

– Vous nous avez baisés, et en même temps vous nous avez rendu un sacré service, Bill. Grâce à vous, on a une longueur d'avance sur les fédés. Sid Hudgens écrira un article de fond sur ce bourbier d'affaire Watanabe quand Dud l'aura réglée, ce qui nous fera un peu de publicité pour compenser le cirque qui nous attend quand les fédés débarqueront. Tout bien pesé, je suis satisfait de vos services. Ne gâchez pas tout entre nous comme vous l'avez fait avec Ace.

– Entendu, monsieur le directeur.

Sid Hudgens passe devant eux, le petit Jack Webb à ses basques. Appelez-moi-Jack leur adresse un clin d'œil.

– Rentrez chez vous, Bill. Vous n'avez pas oublié que vous avez un chez-vous ? Renouez les liens avec la charmante Helen Schultz Parker. Vous vous en souvenez ? J'ai dansé avec elle à votre mariage.

Parker descend de l'estrade. L'herbe humide manque de le faire tomber. Il se rattrape à la rambarde et regagne le parking.

La simple lumière du soleil lui brûle les yeux. Son uniforme lui fait l'effet d'un essaim d'abeilles. Il sort de sa poche la photo de Joan Woodard Conville et remarque de nouveaux détails.

Ses dents sont plantées un peu de travers. Elle a des mains aussi grandes que celles de beaucoup d'hommes.

Thad Brown le rejoint. Parker annonce :

— Horrall m'a sacqué.

Thad hausse les épaules.

— Dud va boucler l'enquête sans faire de vagues, ou bien il fera porter le chapeau à un salopard quelconque qui aurait dû finir sur la chaise pour des monstruosités dix fois pires. Après la guerre, l'un de nous sera nommé directeur, Bill. Nous remercierons notre bonne étoile qu'un type comme Dud ait nettoyé la merde à notre place.

— Ça me reste sur le cœur, Thad. Ne me dites pas que vous n'auriez pas réagi comme moi.

Thad est fataliste :

— Dud a quatre Japonais assassinés à Highland Park. Moi, j'ai un Japonais tué dans une cabine téléphonique. Dud n'a aucune piste parce que la guerre a commencé et que les Japs refusent de parler aux flics. J'ai le même problème que lui. Une affaire résolue est une affaire résolue, et un meurtre sans coupable est un meurtre sans coupable. Un Jap mort est un Jap mort, et ce n'est pas les flics blancs qui ont commencé cette guerre.

Un rayon de soleil éclaire la photo. La plupart des rousses ont des taches de son. Miss Conville n'en a pas.

Thad demande :

— Qui est-ce ?

Parker sort son calepin et son stylo. Sa main tremble. Thad le remarque. Parker note le nom de la jeune femme et les quelques renseignements qu'il possède sur elle.

— Trouvez-la pour moi, Thad. Vous voulez bien ?

Thad hoche la tête.

— Rentrez chez vous, Bill. Les Japs morts sont des Japs morts. Faites comme si vous étiez comme nous, pendant quelque temps.

# 64

**9 h 50**

Appelez-moi-Jack s'exclame :

– Vous et Bette Davis. Doux Seigneur !

Dudley réplique :

– Oui, monsieur le directeur. Doux Seigneur, en effet.

– Comment vous êtes-vous débrouillé ?

– Le charme gaélique, monsieur le directeur.

– C'est *elle* qui charme tout le monde. Bon sang, la file d'attente s'étire jusqu'à Chavez Ravine. Gene Biscailuz pense qu'elle va nous vendre pour 50 000 dollars de titres.

– Je l'ai emmenée faire un tour dans les environs, monsieur le directeur. Les paysans mexicains s'agglutinaient autour de la voiture comme si la Vierge de Guadalupe venait d'apparaître.

Appelez-moi-Jack lâche un rot.

– Sid Hudgens fait un papier sur elle : « La Diva Davis enflamme nos hommes en bleu. Ils se pâment et tombent à ses pieds. » Et vous la *sautez* !

Le directeur possède une petite planque sur place. Elle est équipée de sièges inclinables récupérés dans un wagon après une catastrophe ferroviaire. C'est Ben Siegel qui assure le ravitaillement du bar.

L'une des fenêtres donne sur la pelouse. Un judas mural permet de voir ce qui se passe dans le salon des subalternes. Dudley s'en approche et jette un coup d'œil.

Mike Breuning, Dick Carlisle et Scotty Bennett sont là, ainsi que ce gros porc de Buzz Meeks. Trois autres hommes se trouvent dans la pièce. De toute évidence, ils sont mécontents.

Jack allume un cigare.

– Quoi de neuf, Dud ?

Dudley s'adosse au mur.

– Nous en sommes au neuvième jour d'enquête dans l'affaire Watanabe, monsieur le directeur.

– J'ai lu votre deuxième compte rendu. Ça se résume à : « Y en a marre de ces Japs, on n'arrive à rien. »

– C'est exact, monsieur le directeur.

Jack presse un kyste qu'il a sur le cou. Il est énorme et copieusement garni. Chaque mardi ou presque, Brenda Allen l'autorise à la sauter. Elle dit qu'il a une pine de mouche.

– Je vois le tableau. Elle est indémerdable, cette histoire, et elle vous tape sur le système. Vous aimeriez pouvoir boucler le dossier dans les règles, ne serait-ce que pour pouvoir dire que vous avez réussi à en venir à bout. Hélas, hélas… La guerre vous a volé la vedette, et maintenant, voilà que je vous impose une date limite.

Dudley sourit.

– Oui, monsieur le directeur. Le Nouvel An, c'est dans seize jours.

Appelez-moi-Jack agite son cigare.

– J'ai viré Bill Parker de l'enquête.

– Sage décision, monsieur le directeur.

– Il a menacé Ace Kwan. On ne peut pas tolérer ça. Ace est le Chinois le plus important dans cette ville de Blancs.

– Certainement, monsieur le directeur, dit Dudley.

– Le jeune Ashida ne cesse de surgir là où on ne l'attend pas et de se rendre utile. Comme un diable à ressort qui jaillit de sa boîte. Il nous a sauvé la mise dans l'affaire des écoutes téléphoniques, et il a fait alliance avec Ace pour contrer Parker. Il est copain avec Parker, puis il s'allie avec son adversaire. Dans l'affaire Watanabe, ils devaient travailler en francs-tireurs, chacun de son côté, ce qui nous donne une raison de plus d'arrêter les frais.

Dudley allume une cigarette.

– Ace et moi-même avons conçu un projet adapté à la période de guerre, monsieur le directeur. Vous serez intéressé aux bénéfices à hauteur de 5%. Le jeune Hideo tiendra un rôle crucial dans notre entreprise.

Appelez-moi-Jack affiche un sourire cupide.

– Dites-moi seulement ce que vous pensez utile de m'apprendre. Vous savez comment je fonctionne. Je suis le genre de bonhomme qui préfère n'avoir rien vu ni entendu.

Dudley jette un coup d'œil par la fenêtre. La file d'attente pour acheter des titres à Bette couvre toute la pelouse.

– La détention systématique va produire un contingent non négligeable de nantis japonais scandalisés par cette mesure – et prêts à tout pour échapper à l'incarcération. Ace a fait creuser des tunnels sous la Pagode. Il pourrait y loger facilement une centaine de Japs.

Appelez-moi-Jack renifle l'air ambiant.

– Je sens comme une odeur de papier-monnaie. Donnez-moi un petit aperçu, et arrêtez-moi dès que je commence à saliver.

Dudley sourit.

– Je sais que vous connaissez Terry Lux, monsieur le directeur. C'est lui qui accueille nos pique-niques et nos parties de softball. C'est lui, également, qui désintoxique l'élite de notre industrie cinématographique.

– Bien sûr que je le connais. Terry refaçonne des nez pour les Youpins qui veulent changer d'identité. En plus, c'est un bienfaiteur. Il a soigné gratuitement ces gamins qui souffraient de brûlures après le carambolage sur la route du littoral.

– Terry est un spécialiste du visage, monsieur le directeur. Il se passionne intensément pour l'eugénisme et les autres formes de sciences qui étudient les races humaines. Mon projet, c'est de lui faire remodeler des visages de Japs pour qu'ils ressemblent à des Chinetoques, ce qui pourrait marcher ou pas, compte tenu du fait que la plupart des Blancs ne sont pas capables de les différencier. Le tarif des opérations serait très lucratif, et les Japs remodelés pourront se déplacer ouvertement dans Chinatown, sous la protection dûment rémunérée d'Ace Kwan. La procédure elle-même n'est pas encore totalement au point, mais je suis optimiste. Il y a aussi un projet de films pornographiques qui rapportera sûrement de l'argent.

Jack astique son insigne.

– Vous m'avez ferré, Dud. Assurez-vous les services d'Ashida avant que je n'en sache trop.

– C'est un criminologue remarquablement doué, dit Dudley. Son talent dépasse largement celui du légendaire Ray Pinker. Je ne souhaite pas voir le D$^r$ Ashida ni aucun membre de sa famille derrière les barreaux, et je tiens à me porter garant de son emploi occulte au LAPD pour toute la durée de la guerre. J'ai l'intention de m'assurer les services du D$^r$ Ashida et de l'employer dans le cadre de ma collaboration avec Ace Kwan. En ce moment, il est très impopulaire dans la communauté japonaise, mais cela changera lorsque les Japs seront incarcérés en grand nombre et qu'un jeune Japonais séduisant viendra leur proposer des alternatives.

Jack tapote le cadran de sa montre.

– Je n'ai rien vu, je n'ai rien entendu. Cela dit, je vais me répéter : je veux un assassin Jap inculpé avant le Nouvel An – chez l'épicier, pas d'argent, pas d'épices, et je vous signerai votre congé pour intégrer l'armée à la seconde même où le jury d'accusation fera ce que

474

j'attends de lui. J'ai parlé à Sid Hudgens avant le rassemblement d'aujourd'hui. Il va rejoindre le *Herald*. Les tireurs d'élite de la compagnie Hearst sont au mieux avec M. Hearst, et c'est grâce à eux qu'il a été engagé. M. Hearst a une poussée de fièvre depuis la sortie du film *Citizen Kane*, et son thermomètre lui est remonté si haut dans le fondement que ça lui fait mal. Il cherche à faire ami-ami avec des flics qui ne verraient pas d'inconvénient à ce qu'il fracasse quelques crânes à Hollywood, et, naturellement, votre nom a été cité. Sid a l'intention d'écrire un article pleine page pour la une du *Herald* dès que vous aurez un suspect, alors, ne perdez pas de temps. Il emmène Jack Webb au *Herald* pour le seconder, donc, sur cette affaire, nous sommes sûrs d'avoir des articles qui nous seront favorables.

On entend une altercation dans la pièce voisine. Dudley colle l'œil au judas. Mike Breuning agite un drapeau nazi. Les trois nouveaux ont des airs de fauves en cage. Appelez-moi-Jack s'approche en se dandinant.

— Que se passe-t-il ? Qu'est-ce qu'il fait là, ce foutu drapeau ?

Dudley répond :

— Mes hommes, vous les connaissez, alors je vais vous présenter les trois autres. De gauche à droite, nous avons Bill Koenig, Fritz Vogel et Douglas Waldner. Les deux premiers travaillent au commissariat de la 77ᵉ Rue. Waldner travaille pour le shérif. Leurs loyautés, en ces premiers jours de la guerre, sont suspectes, sans aucun doute possible : le Bund, la Légion d'Argent, le Klan, la Croisade nationaliste chrétienne. Je dirais que mes nouveaux recrutés viennent de voir se concrétiser leurs pires angoisses d'être démasqués.

Appelez-moi-Jack minimise l'incident.

— Ce que vous recrutez, ce sont des gros bras. Pas de problème, mon garçon. Dudley Smith sait qu'on combat le feu avec le feu, alors il fait venir des renforts.

— Exactement, monsieur le directeur.

— Rejoignez-les, alors. Je dois déjeuner de bonne heure avec le maire et Ed Satterlee. Nous aussi, nous avons des problèmes de Japs à régler.

Dudley fait claquer ses talons, à l'allemande. Appelez-moi-Jack se marre et sort par une porte latérale. Des rires montent jusqu'à Dudley. Bette fait du charme aux pékins. Les hommes se redressent, leurs épouses lancent des regards noirs.

Appelez-moi-Jack rentre son ventre et se hisse sur la pointe des pieds. Bette Davis le voit et lui sourit. Dudley ouvre une porte de communication. L'altercation cesse.

C'est la première fois qu'il rencontre les nouveaux. Ils l'identifient aussitôt. C'est le Dudster. Le bras armé de Jack Horrall.

Koenig a le gabarit de Scotty Bennett. Vogel, c'est la brutalité incarnée. Waldner a le charme d'un soldat des sections d'assaut nazies, celui qui pousse les Juifs à fuir.

Dudley s'approche d'eux. Il arrache le drapeau des mains de Breuning et le réduit en lambeaux. Personne ne bouge, personne ne respire.

– Vous avez entendu la menace qui pèse sur vous, et vous savez que je la mettrai à exécution. Levez la main si vous voulez être des nôtres.

Vogel lève la main. Koenig lève la main. Waldner lève la main. Scotty reste immobile et il a l'air d'un gamin. Meeks reste immobile et il a l'air maussade. Breuning et Carlisle restent immobiles. Leur attitude exprime une violence contrôlée.

Dudley poursuit :

– Vous êtes à présent affectés à l'enquête qui sera bientôt célèbre sur l'assassinat des Watanabe. Vous travaillerez sous ma super-vision et sous les ordres directs des sergents Breuning et Carlisle. Votre tâche consiste à découvrir et à nous aider à choisir une série de témoins oculaires manipulables à notre gré, ainsi qu'un échan-tillon de suspects japonais idéalement pervers. Pour ces derniers, vous ratisserez le bloc cellulaire de Fort MacArthur, le pénitencier de Terminal Island, la prison du Palais de Justice, celle de Lincoln Heights et les diverses prisons annexes du LAPD et des services du Shérif, pour y trouver des suspects incarcérés pour raison politique et qui n'ont pas d'alibi pour l'après-midi du samedi 6 décembre. Voyez les sergents Breuning et Carlisle pour tout détail supplémentaire.

Ils ont enregistré le message. Koenig fait craquer ses phalanges. Vogel fait claquer ses bretelles. Waldner dit : *Ja, mein Führer.*

Vogel prend la parole :

– Ce n'est pas pour protester, parce que ce genre de travail ne me dérange pas, mais le fait que vous vous en preniez à nous seulement me semble injuste, cependant. Je connais un lieutenant, à Wilshire, qui est deux fois plus embrigadé qu'aucun de nous.

Dudley demande :

– Et vous parlez de… ?

476

– Carl Hull. J'ai travaillé à la Brigade Anti-Rouges avec lui, sous les ordres de Jim Davis. Il est à 100 % partisan de *L'Amérique d'Abord*. Qu'est-ce que vous dites de ça : c'est lui l'auteur du discours qui a mis Charles Lindbergh dans la merde.

*Tiens donc !*

Hull était l'alter ego de Bill Parker. Hull était un universitaire de droite. Dudley se souvient de Bill Parker parcourant une brochure trouvée à la Deutsches Haus : *Cela ressemble à un tract de gauche lié à une autre affaire sur laquelle je travaille.*

Waldner s'impatiente. Dudley l'a pris à rebrousse-poil. Waldner dit :

– Hull appartenait à la Légion d'Argent. Je le voyais dans les meetings.

*Tiens donc !*

Koenig s'impatiente. Dudley l'a pris à rebrousse-poil. Koenig dit :

– J'ai vu Hull avec ce crétin de Bill Parker, à Wilshire. C'était la veille de l'attaque japonaise contre Pearl Harbor. Ils avaient l'air de mijoter quelque chose ensemble.

Carlisle lance :

– Personne ne bouge ! Je connais le patron. À voir sa tête, il réfléchit.

Dudley lui lance un clin d'œil.

– Dick, mon garçon. Avec l'aide de Mike, vous allez me trouver un exemplaire du discours prononcé le 11 septembre dernier par le colonel Lindbergh, et l'apporter au lieutenant Hull au commissariat de Wilshire Boulevard. Vous lui direz de me retrouver au restaurant Malibu Rendcz-vous aujourd'hui même à 16 heures.

Breuning et Carlisle s'en vont. Les nouveaux ont l'air interloqué. Dudley ferme les yeux. Ça lui évite de se laisser distraire.

*Il a parlé à Ed Satterlee. Ed lui a dit que les fédéraux de L.A. avaient à leur service un psychiatre qui leur servait de taupe. On a vu Kay Lake sortir du cabinet médical de ce psychiatre. Une activiste Rouge nommée Claire De Haven s'est liée d'amitié avec elle. Kay Lake s'est rendue à une soirée donnée par l'activiste la semaine dernière. L'activiste l'a invitée à une seconde soirée pas plus tard qu'hier. Il avait une longueur d'avance : Ben Siegel lui a procuré la liste des invités. Ace Kwan lui a appris que Terry Lux désintoxiquait Claire De Haven. Parker. Soupçons dès le départ, problèmes de stratégie. Convergence : les fédéraux et le D<sup>r</sup> Saul*

*Lesnick. L'activiste De Haven et Kay Lake. Carl Hull et Bill Parker, qui « mijotent quelque chose ensemble ». « Une autre affaire sur laquelle je travaille. » Il sent tout cela à l'instinct – et aucun de ces éléments n'est vérifié.*

Dudley rouvre les yeux. Scotty Bennett le domine de toute sa hauteur.

– Oui, mon garçon ?

– Il faut que je le dise à quelqu'un. Ça me rend dingue.

– Que vous disiez quoi, mon garçon ? demande Dudley.

– J'ai baisé Joan Crawford, répond Scotty.

## 11 h 06

Il a manqué Bette de peu. Il sortait à peine quand sa Packard a démarré.

Elle a laissé le public pantois. Les hommes s'éventent – *Eh bien !* Les petits garçons comparent les marques de rouge à lèvres qu'elle a laissées sur leurs joues.

Dudley quitte les lieux. Il emprunte l'itinéraire Parkway-Valley. Il fait passer trois benzédrines avec un fond de café froid.

Il fait un crochet par Pasadena et Glendale. Les routes de campagne le propulsent jusqu'aux collines de Malibu. Ace Kwan et Lin Chung ont fait les travaux préparatoires. Terry Lux a approuvé le choix de leur cobaye.

Un alcoolique japonais. Un physique japonais très marqué. Un rêve d'eugéniste.

Il a appelé Hideo Ashida et lui a donné rendez-vous à 13 heures. Il lui a dit :

– Mon garçon, vous ne pouvez pas vous permettre de manquer ce spectacle.

Les collines de Malibu jouent à cache-cache avec l'océan. Les îles surgissent derrière un banc de nuages. La route des collines prend fin lorsqu'elle rejoint la route du littoral. Dudley suit celle-ci en direction du nord pour rallier le lieu de rendez-vous.

Le Pacific Sanitarium. Juste là, sur la côte. Un endroit idéal. Une ancienne hacienda aménagée. Un terrain plus que spacieux. Des pelouses superbes et un green pour les golfeurs. Des patients en peignoir se promènent. C'est Lourdes pour les riches aux mœurs dissolues.

Dudley se gare après avoir franchi la porte cochère. Le D$^r$ Terry sort du bâtiment. En tenue de joueur de tennis, comme toujours. Terry est un joueur redoutable.

Autrefois, Terry a eu Big Bill Tilden comme pensionnaire. Bill était venu pour un traitement de choc, qui n'a pas réussi à endiguer sa passion pour les jeunes garçons.

Dudley sort de sa voiture et s'étire. Terry le rejoint d'un pas tranquille. Les femmes le trouvent séduisant. La rumeur dit qu'il est à voile et à vapeur.

Les deux hommes se serrent la main. La poignée de main de Terry est du genre broyeuse. Il comprime des balles de tennis pour acquérir une prise d'acier quand il tient une raquette.

— Dud, c'est toujours un plaisir.

— Pour moi pareillement, docteur.

— Lin Chung m'a dit que vous l'avez vu opérer un certain Namura.

Dudley allume une cigarette.

— Oui, c'est exact. Lin était loin de se montrer satisfait du résultat.

— Lin est un spécialiste du nez. Si votre fille juive a un grand pif, Lin est le chirurgien qu'il vous faut. Pour le reste, c'est un boucher. D'ailleurs, je ne sais pas si des opérations à la chaîne sur des Japonais traqués sont du domaine des choses faisables. Cela pourrait à terme se résumer à une intervention en trois ou quatre étapes, avec des résultats ambigus. Ce qui me passionne, c'est la science qui étudie la psychologie propre aux différentes races. Les Japonais et les Chinois se haïssent, et il est virtuellement impossible de les différencier. Vous connaissez le massacre de Nankin, n'est-ce pas ? Les Japs ont balancé des bébés chinois depuis leurs *avions*. *Tous* les Japs se sentent supérieurs à *tous* les Chinois. Et maintenant, vous voulez opérer des Japs pour qu'ils ressemblent à des Chinetoques. En tant qu'eugéniste, les ramifications potentielles me donnent le vertige.

Dudley sourit et jette sa cigarette. Terry fait : *après vous.*

Ils font le tour de la propriété. Terry assure le commentaire. Des drogués et des alcooliques passent près d'eux. Ils sirotent des potions purgatives et nettoient leurs âmes souillées.

Voici Lupe Vélez (toujours cette même clique de L.A.). Ruth Mildred Cressmeyer l'a fait avorter. Voici Ellen Drew. Jack Kennedy est passé en coup de vent dans sa vie, le week-end dernier. Voici une petite caille fragile. C'est Andrea Lesnick. Son père est psychiatre et homme de gauche spécialiste des races. La science qui étudie les races franchit les frontières politiques. Dieu est mort. Fabriquons des *Übermenschen* pour le remplacer.

Toujours cette même clique. Et voilà le D^r Saul Lesnick. On a vu Kay Lake sortir de son cabinet médical.

Ils entrent dans le bâtiment principal. Remarque le long couloir. Remarque les chambres somptueuses et les portes grandes ouvertes. Remarque les drogués attachés à leurs lits. Regarde-les se tordre de douleur pour se débarrasser de l'héroïne.

Toujours la même clique. L'héroïne se fait rare à L.A., à présent. Ses revendeurs de Nègreville font la gueule. Carlos Madrano règne sur le trafic d'héroïne au Mexique. Cette clique – une gigantesque partouze d'initiés.

Le couloir se poursuit à angle droit. De chaque côté sont alignés des sudatoriums. Remarque bien que chacun est équipé d'un hublot. Le D^r Terry aime jouer les voyeurs.

Dudley regarde. Une fiche collée sur la porte indique le nom du patient et la durée du traitement.

Voici Raoul Walsh. Il est à poil, dégoulinant de sueur. Voici Anita O'Day, qui arpente la pièce dans un nuage de vapeur. Voici une grande femme perchée sur un rebord du mur. Elle est décharnée, mais royale. Ses côtes sont apparentes d'un côté seulement. Ses seins sont asymétriques. Elle ruisselle de sueur.

« Claire Katherine De Haven. »

La nouvelle amie de Kay Lake. La patiente de Saul Lesnick. Les membres de cette clique sont les crans d'une roue dentée.

*Clic, un cran de plus. Claire De Haven, dilettante de gauche. Lesnick, taupe des fédéraux. Survient Miss Lake. Clic – elle pourrait fort bien servir elle-même de taupe.*

*Clic – la roue dentée ne tourne pas rond. Clic – il faut que je cuisine Carl Hull. Clic – Est-ce que j'imagine la présence de Bill Parker ici ?*

Il observe Claire De Haven. Ses mamelons sont très bruns pour une femme aussi blonde. Des veines sombres courent sur ses seins.

Terry sourit. *C'est qui, le voyeur, maintenant ?* Les deux hommes continuent de longer le couloir. La salle d'opération n'est pas très grande. Un Jap tout ridé est attaché sur une table.

Il est inconscient. Une poche en plastique d'où sort un tube est reliée à son poignet gauche. Des instruments de chirurgie sont disposés sur une table à roulettes.

Hideo Ashida est présent. Il joint les mains à la manière habituelle des Japonais.

Dudley fait les présentations :

– Docteur Lux, le Dr Ashida.

– Enchanté, docteur, dit Terry.

– Moi de même, docteur, dit Ashida.

Terry enfile des gants de caoutchouc.

– Reculez-vous d'un mètre cinquante. Il va y avoir du sang.

Dudley se recule. Ashida se recule. Le Jap alcoolo dort toujours.

Terry lui tond le crâne rapidement, lui tamponne le visage avec de l'alcool, et trace des repères au crayon gras. Il lui coince la tête à l'aide d'une sorte d'étau vissé à la table d'opération.

Il enfonce son doigt à divers endroits du visage de l'homme. Une infirmière entre. Terry fait mine de la gronder.

Elle rougit. Elle place un haricot garni de tissu éponge entre les jambes du poivrot.

Terry lui adresse un signe de tête. Elle approche la table roulante portant les instruments.

Couteaux, scalpels, bistouris. Quatre scies. Des clamps qui ressemblent à des barrettes pour les cheveux.

Terry fait des clins d'œil. Il plie les doigts et prend un scalpel. Il se penche sur le bonhomme et fait une incision.

Il soulève la peau de la joue pour découvrir les fibres musculaires et il la roule avant de l'immobiliser avec un clamp. L'infirmière éponge le sang. Terry examine le muscle.

– Ça marchera peut-être, et peut-être pas. Si vous souhaitez un verdict rapide, vous allez être déçus. Pour que cette entreprise réussisse, il nous faudrait sans doute un dispositif qui ressemble à une chaîne de montage, comme dans l'industrie. Il me semble que cet homme pourrait avoir besoin d'injections de résine pour lui gonfler les joues et altérer sa carnation – et même ainsi, il serait plus rationnel de lui fournir une carte d'identité au nom de « Joe Wong ».

Une mouche traverse la salle en bourdonnant. Elle fait le tour du visage d'Ashida, qui n'y prête pas attention et observe le poivrot.

Terry se remet à l'ouvrage. Il incise et il étire des tendons. Il éponge le sang et pose des agrafes sur les os en saillie. L'infirmière étale une pâte absorbante sous les yeux du Jap.

Ashida observe. Dudley le regarde en train d'observer. Ses yeux se tournent vers la fenêtre à des moments précis régulièrement espacés. Ce garçon est l'image même d'une concentration phénoménale.

481

Dudley consulte sa montre et chronomètre ses regards vers l'extérieur. Trois minutes, exactement. Ses yeux se tournent vers la droite, ils reviennent vers la gauche. C'est la procédure pour regarder par la fenêtre. Celle-ci donne sur une pelouse où sont disposées des tables de pique-nique. Des camés en peignoir s'y attardent. Ashida regarde au dehors avec la même concentration.

Terry incise et coupe des os. Du sang éclabousse la salle. Ashida jette un coup d'œil par la fenêtre. Cinq, six, sept fois. Tiens, du nouveau – il cligne des yeux.

Voilà Kay Lake, assise à une table. Elle se chamaille avec Andrea Lesnick.

*Le jeune Hideo et Kay la libertine. Ils sont encore copains après leur arrachage de câbles téléphoniques. Toujours la même clique. La roue dentée tourne d'un cran supplémentaire.*

Terry manie la scie. Un lambeau de peau tombe sur la chaussure de Dudley. Il secoue son pied pour s'en débarrasser. Il sort dans le couloir.

Ashida sort aussi. Dudley déchiffre l'éclat de son regard.

– Vous êtes impressionné ? Il me semble que cet aspect de nos projets pourrait garantir la tranquillité d'un grand nombre de vos concitoyens.

– Il est impossible que cela réussisse, répond Ashida, mais je suis impressionné cependant.

Dudley allume une cigarette.

– Dites-moi pourquoi, je vous prie.

– Je suis impressionné parce que c'est une mesure hardie et radicale. Je suis impressionné parce qu'en même temps elle reconnaît la notion de pureté raciale et la bafoue complètement, et parce qu'elle affirme les différences ultimes qui définissent la race.

Dudley se sent parcouru d'un frisson.

– Vous êtes un petit génie, Hideo.

– Merci, Dudley.

La scie se fait plus bruyante. Terry s'exclame : *Merde !*

Ashida poursuit :

– J'aimerais tourner quelques séquences avec une amie pour un projet de film. Elle m'a donné une caméra. Notre intention, c'est de dénoncer l'injustice des rafles.

*Un cran de plus sur la roue dentée.*

– Elles sont effectivement injustes. Faites-le donc, ce film. Vous avez mon aval.

La scie se fait encore entendre. Terry dit : *Merde ! J'ai entamé la crête occipitale.*

Ashida s'approche. Les manches de leurs vestes se frôlent.

Dudley dit :

– Mon frère japonais.

Ashida dit :

– Mon frère irlandais.

**15 h 41**

Le bruit de la scie lui tape sur les nerfs. Malibu en 1941 entre en collision avec Dublin en 1919. Grafton Street – les cris et les sirènes. Le vacarme étouffe ses adieux et le pousse dans la rue.

Le restaurant Malibu Rendez-vous se trouve juste de l'autre côté de la route. Dudley la traverse hors du passage pour piétons. Les guetteurs de l'armée ont investi le parking. C'est là qu'ils ont installé leurs mitrailleuses et leurs projecteurs.

Dudley entre dans le restaurant. La décoration a pour dominante les trophées de pêche et le bois flotté, les uns et les autres protégés par une couche de vernis. Carl Hull a la salle pour lui seul. Sa tête dépasse d'un box, au fond.

Un juke-box brame. Dudley le débranche. Le silence soudain fait sursauter Hull. Il se tourne et voit le Dudster. Il vide son verre et fait signe au barman de lui en apporter un autre.

Dudley s'assied en face de lui. Hull porte un uniforme d'enseigne de vaisseau. Appelez-moi-Jack a donné son accord pour qu'il s'engage dans la marine. Dudley a entendu la rumeur.

– Cet uniforme me surprend, Carl. Je pensais que vous n'approuviez pas cette guerre.

Le barman apporte un triple cocktail. Dudley lui fait signe de les laisser tranquilles. Hull vide la moitié du verre d'une seule lampée.

– Personne ne l'approuve, en fait. Mais quand un événement pareil se produit, on ne reste pas assis dans son coin en attendant que ça se termine. Vous savez comment ça se passe.

– Je le sais, en effet.

– Et le colonel Lindbergh le sait aussi. Oui, c'est moi qui ai écrit ce discours pour lui. Et alors ? Nous savons tous les deux que les Juifs ont manigancé cette guerre pour nous rendre redevables aux Rouges de leur aide. Votre menace sous-jacente n'en est pas vraiment une, et je ne comprends absolument pas pourquoi vous faites pression sur moi.

Dudley sourit.

– Nous n'étions pas en guerre au moment où vous avez écrit ce discours, mais maintenant, nous le sommes. Ce simple fait rend ma menace sous-jacente d'autant plus redoutable. Les Juifs sont les Juifs, et ils apparaissent comme les responsables rêvés de tous les malheurs du monde, bien que leurs pratiques contestables dans le domaine des affaires ne justifient pas, à mon avis, le recours au génocide. Sur le plan politique, vous n'êtes compétent que jusqu'à un certain point, Carl. Vous ne possédez pas l'esprit hors du commun ni le discernement exceptionnel de votre cher ami Bill Parker, et vous êtes aveuglé par une haine stupide, ce qui n'est pas son cas. Vous avez frémi, Carl, quand j'ai prononcé le nom de Bill Parker. Je me demande pourquoi.

Hull remue son verre. Une giclée d'alcool tombe sur la nappe.

– Demandez-vous-le aussi longtemps que vous voudrez, Dud.

Dudley explique :

– Je surveille Parker. Je n'ai aucune intention de faire capoter je ne sais quel projet que vous et lui pourriez mener en dehors de vos heures de service. Il y a longtemps que vous vous accrochez aux basques de cet homme, et je me contente simplement d'engranger des informations utiles au cas où, par malheur, le Grand Bill deviendrait directeur.

Hull se détend. Il remue le contenu de son verre et lèche le bâtonnet.

– Ce n'est pas par hasard que vous me cuisinez. Dites-moi ce que vous avez.

– J'ai un psychiatre de gauche à la botte des fédéraux, répond Dudley, et sa fille droguée qu'ils ont fait sortir de Tehachapi. J'ai une gauchiste nommée Claire De Haven, et la compagne de Lee Blanchard, Katherine Lake.

Hull sourit.

– C'est nous qui manipulons la petite Lake. C'était Bill et moi, mais j'ai passé la main. Nous voulions constituer un dossier à charge, pour menées séditieuses, contre cette De Haven et les Rouges qui gravitent autour d'elle. La véritable guerre contre ces gens-là commencera quand le conflit mondial sera terminé. Vous le savez aussi bien que moi. Nous voulions mettre la main à la pâte et préparer les bases du travail qu'il faudra effectuer le moment venu. J'avais une fiche de renseignements sur la petite Kay. Je savais qu'elle cherchait les distractions fortes et qu'elle était malléable à merci. Nous l'avons envoyée récolter des éléments compromettants sur Claire De Haven, mais j'ai eu des scrupules.

Dudley sourit.

— Et vos scrupules concernaient… ?

— Bill lui-même, répond Hull. L'opération marchait bien, et elle était totalement justifiée. Elle a poussé Bill à se mouiller, cependant. Il n'avait plus aucun sens de la mesure, et j'ai bien vu qu'il perdait complètement les pédales à cause de cette fille.

Dudley secoue la tête.

— Un tel fanatisme me consterne, Carl. Il mène toujours à des opérations conçues avec une trop grande naïveté et mises en œuvre de façon stupide. Pour moi, Miss De Haven et les membres de sa cellule sont inoffensifs. Ils pourraient peut-être se révéler utiles en tant que boucs émissaires pour des raisons purement esthétiques, mais les accuser de *sédition*, c'est exagérer grandement. Je vous demanderai peut-être, ou peut-être pas, de me rendre compte de ce pogrom imbécile. Et si vous informez Bill Parker de notre conversation, je vous tue.

# 65

**16 h 34**

Des sentinelles sont postées tout le long de la côte. Des policiers militaires scrutent les voitures qui roulent vers le sud. Le front de mer est envahi par des nids de mitrailleuses.

Ashida se *sent* Jap et *ressemble* à un Jap. Il est *trop* Jap pour se faire charcuter et ressembler à un Chinetoque. Ça ne marcherait pas, de toute façon. Le projet Lux-Smith est pure folie. Il l'a dit à Dudley. Les Japonais et les Chinois sont une seule et même race. Ce qui les sépare, c'est leur appartenance à deux nations différentes, pas la biologie. Terry Lux le sait. Il a tout simplement envie d'*opérer*.

Le concept reste tentant. C'est une expérience contrôlée engendrée par la guerre. Comment des gens dont on a modifié l'aspect extérieur

485

de leur origine ethnique se comporteraient-ils ? Une discipline toute nouvelle, la psychologie eugénique, découlerait du résultat.

Ashida pique vers l'intérieur des terres. Il ne peut pas courir le risque d'être stoppé et interrogé. Il est au bord de l'épuisement. Il pourrait livrer, involontairement, les noms de ses nombreux protecteurs blancs. Ceux, justement, qui l'épuisent.

Il a dit au revoir à *Dudley* et s'est concerté avec *Kay*. Elle devait bientôt rejoindre *Claire* pour prendre un bain de boue. *Claire* a donné à *Kay* une caméra pour le *camarade Hideo*. Il a obtenu la permission de filmer les rafles. Le *camarade Dudley* lui a donné son accord.

La route du canyon est étroite et sinueuse. Il donne des coups de volant trop brusques qui font chasser l'arrière de sa voiture. Son pied glisse de la pédale d'embrayage.

Il est épuisé. Il n'a pas dormi depuis plus de trente heures. Chaque instant qui passe aggrave sa fatigue.

La mascarade amoureuse avec Kay le fatigue. Kay le fatigue. Elle a analysé les rafles de façon convaincante. Elle lui a demandé : *Vous voulez bien filmer quelques scènes pour nous, Hideo ? Votre regard nous serait précieux*. Il a dit : *Oui*. Cela lui a été facile de répondre de cette façon – ce qui n'en finit pas de l'étonner.

Il est rentré chez lui. Il a tenté de dormir mais n'y est pas parvenu. Il s'est relevé et a travaillé sur l'affaire Watanabe. Il s'est rendu dans les magasins d'objets traditionnels japonais. Il a posé des questions sur les Blancs qui leur ont acheté des sabres. La moitié des commerçants l'ont reconnu. Ils ont refusé de lui répondre. Les autres ont dit qu'ils ne savaient rien.

La cadence des rafles s'est accélérée. La haine et la peur dont il a été témoin lui ont serré la gorge. Il a vu Bill Parker, allongé dans sa voiture. Il semblait comateux. Le Parker du dimanche matin était cet homme aux nerfs à vif par privation d'alcool. Ce Parker du mardi matin était à demi mort.

Il a appelé le ministère de la guerre et tenté de retrouver la trace du suspect indiqué par Jack Webb. Jack prétend qu'un marin a vu le Blanc au pull violet. La marin a quitté L.A. le soir même à bord de son bateau. Il a insisté pour connaître les mouvements de troupes du 6 décembre. L'employé du ministère a refusé de divulguer le moindre renseignement.

Il a appelé la compagnie téléphonique Bell. Il a demandé les relevés des appels concernant les cabines publiques de Santa Monica.

L'employé lui a dit de soumettre une demande officielle de renseignements.

Il s'est rendu à la morgue et il a parlé avec Nort Layman. Les deux hommes ont discuté du couteau trouvé sur la scène de crime de Griffith Park. Ils ont réexaminé les photos des blessures constatées sur les cadavres des Watanabe. Ils ont réexaminé les cadavres congelés, neuf jours post mortem.

Ils sont tombés d'accord. Les blessures ont pu être causées par *Le Couteau*, dans les quatre cas. *Le Couteau* pourrait être l'arme du crime.

Ils ont discuté du poison trouvé dans le foie des victimes. Ashida a détaillé sa théorie du thé et des vêtements souillés. Nort l'a trouvée crédible. Nort a identifié le poison grâce aux liaisons chimiques de ses composants. C'est un poison anachronique, qui n'est pas produit en masse sous une marque commerciale. On ne peut l'acheter ni en gros ni en détail. Un chimiste confirmé pourrait l'élaborer en petites ou en grandes quantités. L'assassin est un chimiste confirmé, ou bien il connaît un chimiste confirmé. Ledit chimiste est expert en poisons de l'Asie antique.

Le raccourci rejoint la vallée. Ashida prend des routes de campagne pour atteindre le col de Cahuenga. À Hollywood, la circulation est clairsemée. La lumière baisse. Il atteindra peut-être Little Tokyo à la tombée de la nuit.

Il prend Sunset Boulevard vers le centre-ville, puis Alameda Street en direction du sud. Des chevaux de frise barrent l'accès à la 1re Rue.

Il se gare juste devant la barricade. Il glisse une cartouche de film dans son Leica. Il visse un télé de 90 millimètres sur la platine d'objectif.

Des roues cerclées de fer crissent sur le bitume. Il repère la source du bruit : il provient de l'autre côté de la barricade. Quatre flics tirant une énorme charrette apparaissent bientôt. Le véhicule transporte une montagne de fusils de chasse et de fusils de guerre. De petits récepteurs de radio tombent de la charrette et volent en morceaux. Un agent fédéral obèse ferme la marche. Il tient un revolver dont le chien est armé.

Ashida entend des cris et sent une odeur de gaz lacrymogène. Un gamin japonais court vers la charrette en se frottant les yeux. Le gros fédé tire au-dessus de sa tête et pulvérise une fenêtre du premier étage.

J. Edgar Hoover, appuyé contre une limousine officielle, contemple le spectacle. Hoover porte un pardessus en poil de chameau. Ses cheveux sont luisants de brillantine. Il n'est vraiment pas grand.

Ashida remarque une voiture de police noir et blanc garée trois places plus loin. Il connaît ce numéro d'immatriculation. Il s'en approche et regarde le siège avant.

Bill Parker dort de nouveau. Il a l'air plus qu'à moitié mort, maintenant. Une photo est posée sur le tableau de bord.

Une femme. Une beauté tout à fait sévère. Chemise à carreaux, culotte de cheval et bottes montantes.

Ashida examine la photo. Elle est en noir et blanc, bien contrastée. Cette femme est probablement rousse.

# 66

## JOURNAL DE KAY LAKE

### LOS ANGELES | MARDI 16 DÉCEMBRE 1941

**18 h 41**

La terrasse de ma chambre est inondée de lumière. Lee a installé une guirlande lumineuse de Noël et sorti des meubles qui ne craignent pas la pluie. Le décor tient compte du temps et de la guerre. J'ai envie de me réfugier là les nuits d'hiver pour regarder les festivités, en contrebas, sur le Strip ; j'éteindrai les lumières pendant les nuits de black-out qui ne vont pas manquer de venir. Les sirènes retentiront ; la ville sera plongée dans le noir en quelques instants. J'ai envie d'être là pour vivre ça.

Scotty et moi sommes installés sur des chaises longues et buvons un bourbon. Tout le long de Sunset sont disposés des arbres de Noël, éclairés à contre-jour et décorés de guirlandes argentées, qui alternent avec des panneaux clamant : N'OUBLIEZ PAS PEARL HARBOR ! Nous nous prenons la main de temps en temps, mais chacun reste replié sur soi.

Nous sommes tous les deux sortis de notre trou, aujourd'hui. Moi, je suis restée assise un long moment, nue, dans un bain de boue et de vapeur, à manigancer une révolution avec une femme que j'ai l'intention de trahir ; Scotty a manigancé une « chasse au pervers » avec les hommes de Dudley Smith. C'est une corvée en rapport avec l'affaire Watanabe, un crime qu'il découvre et qui le stupéfie – lui qui est devenu policier il y a moins d'une semaine. Cependant, il apprend vite. Il assimile les rituels du LAPD, et commence à en utiliser le jargon. Mike Breuning, Dick Carlisle et Buzz Meeks sont des « gros bras ». Trois nouveaux flics ont été cooptés pour un « sale boulot ». Leur nouvelle mission est de « coincer des Japs obsédés sexuels », des « anciens escrocs portés sur la chose » et des « évadés d'asiles de dingues ». Esprit brillant, esprit tourmenté – moitié fils de pasteur, moitié voyou. Si tu n'étais pas avec moi ici et maintenant, tu te bagarrerais avec des catholiques et tu me sauterais dans le meilleur hôtel d'Aberdeen. Le bal du Nouvel An de la brigade approche à grands pas. Mets ton kilt et ta veste de smoking ; je porterai une robe de soie noire et une large ceinture écossaise pour que ma tenue soit assortie à la tienne. Tu poseras la main sur ma cuisse et tu m'appelleras « Katherine », mon chéri. Tu es impérieusement gigantesque. Tu me fais regretter de ne pas être aussi grande que Claire *Katherine* De Haven.

Claire et moi avons ôté nos peignoirs et sommes entrées dans le bain de boue ; celle-ci était à peine tiède et nous a donné la chair de poule. Au moment de nous immerger, chacune a eu le temps d'observer le corps de l'autre.

Claire était décharnée à la suite des traitements qu'elle a subis pour se désintoxiquer, et, avec une ferveur digne de don Quichotte, elle vibrait en évoquant diverses formes d'apostasie. Je m'attendais à ce qu'elle me fasse parler et me piège par ses contre-vérités et ses contradictions. Je me trompais. Elle voulait discuter de notre film.

Je souhaitais faire un film privé de déclaration d'intention. Cette tactique empêcherait Bill Parker de l'utiliser comme preuve matérielle d'une entreprise de sédition. Elle réduirait à zéro la mission de Parker, alors même que j'y voyais mon heure de gloire personnelle au sein de la vaste période historique de la guerre en cours. Claire était obsédée par les rafles de Japonais vues comme une injustice grave à effet immédiat. Elle considérait Hideo Ashida comme le *deus ex machina* de la psyché masculine japonaise, et elle pensait que c'était lui qui devrait exprimer son opinion au cours du film. J'ai acquiescé, tout en stipulant que quoi qu'il dise, il devrait s'abstenir de toute déclaration incendiaire. Claire m'a informée qu'elle comptait prendre la parole à un rassemblement prévu pour jeudi matin dans le parc de Pershing Square. Le meeting s'annonçait comme une foire d'empoigne de tous les mouvements populistes. Gerald L. K. Smith y déverserait sa haine antisémite au nom de la Croisade nationaliste chrétienne ; l'Alliance des jeunes socialistes et le Bund germano-américain seront présents également. Claire et Reynolds Loftis y parleront en leur nom propre.

Elle m'a dit :

– Ma chérie, c'est *vous* qui devriez prendre la parole. Je me fie à mon intuition, sur ce sujet. Vous seriez capable d'enflammer notre groupe, et l'équipe de tournage pourrait filmer ses réactions. Vous avez raison d'affirmer que les discours en tant que tels sapent la force de la mise en scène. Mais rien ne vous empêche de vous exprimer, afin que l'on puisse capturer la réaction de l'auditoire.

J'ai accepté avec enthousiasme. Je demanderai à l'équipe de filmer mon discours en captant intégralement le son, et je veillerai à ce que la séquence ne soit pas expurgée au montage. Elle exprimera ma défiance vis-à-vis de William H. Parker et elle frappera au cœur l'homme qui persécute Claire. Celle-ci ne connaîtra jamais la véritable intention qui m'aura motivée à accepter son idée. Le film me discréditera en tant que témoin d'un procès et en tant qu'accusatrice. Parker n'osera jamais prendre le risque de se couvrir de honte en me dénonçant publiquement. Il ne saura jamais que j'ai échafaudé ce plan tandis que je prenais un bain de boue, nue, avec la femme qu'il cherchait à détruire.

Je regarde le Strip, en contrebas. Scotty laisse sa main sur mon genou et il rumine. J'entends Lee garer sa voiture dans l'allée. Il rate le trou de la serrure une demi-douzaine de fois avant de parvenir à ouvrir la porte ; je comprends qu'il est ivre.

Scotty s'étire et joint ses mains derrière sa tête. Lee monte à l'étage et vient sur la terrasse. Son uniforme est froissé ; je vois qu'il s'est fait rincer chez Kwan.

Scotty se tourne et le regarde. Il lui dit :

– Salut mec. Comment ça va ?

– Pas si bien que ça, répond Lee.

– Et pourquoi donc, mec ?

– Ne m'appelle pas *mec*, espèce de jeune branleur, dit Lee.

Je veux m'interposer. Scotty me presse le genou et m'en empêche. Il a le bon réflexe : il passe le bras derrière lui et défait son ceinturon.

– *Blanchard*, alors. Comment ça va, *Blanchard* ? Comment ça se passe à Little Tokyo, *Blanchard* ? C'est une belle soirée, *Blanchard*. Pourquoi tu t'acharnes à vouloir la gâcher pour tout le monde ?

À son tour, Lee défait son ceinturon et le pose par terre.

– Dudley ne m'a pas dit un seul mot depuis qu'il bande pour toi, *Bennett*.

Scotty commente :

– Tu parles comme un vrai pédé, maintenant.

Lee serre les poings. Scotty se lève et me jette un regard, qui signifie : *Excuse-moi/Voilà que ça tourne mal/ce n'est pas moi qui l'ai voulu*. Je vais à l'autre bout de la terrasse. Mes jambes tremblent, mais elles me soutiennent.

– Pour moi, un homme capable de tromper une femme comme elle, c'est un sale pédé.

Un mètre à peine les sépare. Je sens que la situation peut basculer d'un côté ou de l'autre. Scotty laisse tomber par terre son étui d'aisselle. Et aussitôt ils passent à l'attaque.

C'est une charge avec un élan de trois mètres suivie d'une collision. Ils se percutent garde baissée et ne cherchent même pas à parer les coups. Lee place deux frappes au corps sous les bras de Scotty, baisse la tête, et laisse Scotty taper dans le vide. Déséquilibré, Scotty fait une embardée ; Lee place un uppercut du droit et lui fait valser la tête en arrière. Scotty titube ; Lee le frappe durement d'un coup de coude en plein sur le nez. J'entends des os céder. Lee lève la tête et reçoit un flot de sang qui provient du visage de Scotty. Cela l'aveugle. Il agite les bras et se frotte les yeux. Scotty lui saisit la tête et lui arrache un bout d'oreille avec les dents. Lee hurle. Scotty lui recrache le bout d'oreille au visage et lui donne un coup de tête. Le nez de Lee cède et pisse le sang. Il hurle de nouveau ; ses bras sont baissés ; il n'a plus de garde. Scotty se recule et se plante fermement sur ses deux jambes. Il envoie un crochet du gauche dans la cage thoracique de Lee et le frappe à la tête d'un direct du droit. Les deux coups portent ; Lee vacille mais reste debout. Il vacille et rentre la tête dans les épaules. Scotty frappe trop haut encore une fois et s'emmêle les pieds.

Lee a une ouverture. Toutes les rencontres de Bucky Bleichert auxquelles j'ai assisté m'ont montré ce schéma. Je veux que cela cesse, et peu m'importe de quelle façon. La science du combat me fascine et me répugne tout à la fois.

Scotty trébuche et tente de retrouver l'équilibre ; Lee décoche des coups au corps, du droit, du gauche, et des uppercuts à courte distance. Scotty recule en titubant et heurte un dossier de chaise. Lee arme un ample crochet du gauche, le décoche, rate la tête de Scotty et tombe vers lui. Scotty a retrouvé l'équilibre, à présent ; les deux hommes s'agrippent l'un à l'autre pour rester debout.

Scotty donne un violent coup de genou entre les jambes de Lee et le plie en deux. Lee hurle et crache du sang. Scotty balance l'ample crochet du gauche que Lee n'a pas réussi. Il vise haut et frappe la tête de Lee alors qu'elle remonte.

Sa tête pivote presque à angle droit. J'entends des os craquer et commence à crier *Non !* Ma gorge s'obstrue ; je m'étrangle sur ce simple mot.

Lee bascule en avant. Ses yeux se révulsent. Scotty distribue des coups au corps du droit et du gauche. J'entends céder les côtes de Lee. Il tombe la tête la première sur la terrasse. Du sang et des fragments de dents brisées s'échappent de sa bouche.

# 67

## LOS ANGELES | MARDI 16 DÉCEMBRE 1941

**20 h 21**

La cathédrale inhibe La Soif. Il a La Tremblote à présent. Il s'enferme et lutte contre Le Désir.

Le sanctuaire est à lui seul. Le gardien de nuit l'a laissé entrer. Sainte-Vivienne, une fois de plus.

Parker occupe un banc des premiers rangs. Il s'agrippe au banc placé devant le sien, tant et si bien que ses bras s'ankylosent. Il n'a pas bu une goutte d'alcool depuis la tirade de Miss Lake.

Il ne peut pas rentrer chez lui. Helen y sera. Elle verra ses tremblements et lui proposera une cure dans il ne sait quelle maison de repos pour prêtres alcooliques. Il ne peut pas se permettre que ce genre de détail figure dans son dossier.

Les tremblements gagnent ses jambes. Il plante ses pieds sur le sol et se contraint à l'immobilité. Il est dix fois au-delà de l'épuisement. Il a passé la journée à suivre la brigade des étrangers. Il s'endormait dans sa voiture à chaque halte.

Son corps et son cerveau sont déconnectés. Cela provoque chez lui une agitation cérébrale permanente. Il a appelé la compagnie téléphonique Bell pour exiger le relevé des appels vers les cabines publiques de Santa Monica. Un responsable lui a répondu qu'ils croulaient sous le surcroît de travail occasionné par la guerre. Parker a insisté. Le responsable a cédé. Attendez-vous à recevoir une réponse dans deux semaines.

Des spasmes lui traversent les genoux. Parker s'agrippe de nouveau au dossier du banc. La Suée ne va pas tarder.

Il a une réunion à 8 heures du matin. Il lui reste onze heures pour sortir de La Crise et se préparer. Le lieu : le bureau de Fletcher Bowron. Avec les participants devenus habituels : agents fédéraux et politiciens. Mais aussi : J. Edgar Hoover et Preston Exley.

Le Grand Chef du FBI. L'ancien flic devenu roi du bâtiment.

Preston a dirigé la brigade criminelle vers le milieu des années 1930. Son fils Thomas, flic lui aussi, a été tué dans l'exercice de ses fonctions. Preston a noyé son chagrin dans le travail. Il a lutté pendant des années pour se débarrasser de migraines récurrentes. C'est lui qui a construit l'Arroyo Seco Parkway. Il a bâti des habitations bon marché pour les Noirs et des maisons luxueuses pour les Blancs. Il a un projet lié au nécessaire internement administratif local – et il a l'oreille de plusieurs personnages haut placés.

Le Trac le prend. Parker arpente les travées. Il prend des Bibles et lit les Psaumes de bout en bout. Il prie pour son épouse qu'il délaisse. Il prie pour le succès de l'incursion de Miss Lake chez Miss De Haven et la destruction de la cellule de Claire De Haven. Il prie pour avoir le courage de ne pas se remettre à boire. Il prie pour Miss Conville et Miss Lake.

Ses prières consument sept heures. Il parcourt les travées au point qu'il ne sent plus ses jambes. Il s'approche de l'autel. Il allume des cierges pour ses chers disparus.

Son grand-père, membre du Congrès. Son père, l'éternel irrésolu. Les migrants qu'il a chassés de L.A. Les gens qu'il a laissés souffrir par lâcheté pendant son règne sous les ordres de Jim Davis.

Il s'allonge sur un banc. Il s'abstient de dormir et se lève à l'aube. Il ressort de la cathédrale et monte dans sa voiture de police noir et blanc. La Tremblote est interne, à présent.

Il se rend à l'hôtel de ville. Il fait sa toilette et change d'uniforme. Un café fort lui fouette le sang. Il rédige un rapport sur la pénurie de personnel. Il arrive au bureau de Fletcher Bowron à l'heure prévue.

493

La porte est ouverte. Le bureau est rempli de personnages importants.

Fletch, Appelez-moi-Jack, le shérif Gene. Ward Littell et Ed Satterlee. Le maniéré M. Hoover. Le séduisant Preston Exley.

Son épiderme le démange, il ressent des douleurs dans les os. Les poignées de main de rigueur l'effraient. Voilà, c'est le moment.

Il endure des poignées de main viriles à broyer les os. Il endure les rires obligatoires. M. Hoover lance des regards froids.

Preston dit :

– Vous travaillez trop, Bill. Exigez quatre semaines de vacances. J'ai le bras long, le maire ne me refuse rien.

Fletch rit. Hoover lui lance un regard. Fletch se reprend et dispose les sièges.

Hoover préside. Preston s'assied près de lui. Les autres sont relégués aux places de second choix. Parker, les pieds bien calés, fait pression sur ses jambes. Il sent venir les crampes.

Hoover annonce :

– Commençons par les sujets annexes. L'attaque du 10 décembre contre un fourgon blindé m'intéresse. La banque Sumitomo appartient au système de la réserve fédérale, et son origine japonaise n'entre pas en ligne de compte. Monsieur Littell, vous avez la parole.

Parker regarde Littell. Buzz Meeks a résolu l'affaire, officieusement. Les balles en caoutchouc. Les empreintes de Huey Cressmeyer.

– L'enquête est au point mort, monsieur le directeur, dit Littell. Je n'entrevois pas d'élucidation, pour ce cas précis.

Hoover se hérisse. Il se polit les ongles, il porte une chemise empesée. Son insigne maçonnique est en or rose.

– Il est intolérable que ne soient pas élucidées toutes les affaires criminelles directement ou indirectement liées à des enquêtes fédérales, ou rattachées même de loin à l'incarcération de tous les Japs de la région de Los Angeles. En février prochain, le FBI va enquêter sur le LAPD. L'affaire des écoutes téléphoniques illégales de l'hôtel de ville sera portée à la connaissance du public. Je suis prêt à disculper, à absoudre, et à cacher la poussière sous le tapis, mais je le serai d'autant plus si vous tenez compte de mes mises en garde.

– Monsieur Hoover, dit Jack, nous sommes tous dans le même bain. Ce qui est bon pour les uns est bon pour les autres, et les forces municipales et fédérales chargées de faire respecter la loi auraient tout intérêt à présenter un front uni. Vous savez peut-être qu'une famille japonaise entière a été assassinée, ici, à L.A., la veille de l'attaque contre Pearl Harbor. Le responsable de l'enquête pense que l'affaire sera résolue avant le Nouvel An. Nous avons à notre botte un plumitif qui travaille pour les torchons publiés par Hearst, et il va écrire dans le *Herald* une série de papiers qui monteront l'affaire en épingle. Je lui dirai d'y inclure un coup de projecteur sur le FBI. De la bonne propagande, monsieur Hoover. Une main lave l'autre. Nous ne sommes pas tout blancs dans l'imbroglio des écoutes téléphoniques. Nous avons franchi la ligne, alors le moment est venu pour nous de payer la note. Cela étant dit, je pense que nous sommes parvenus à un consensus dans cette histoire.

— Amen ! dit Fletch.

— Bravo, bravo, dit Gene.

Satterlee joue les Comanches :

— Homme blanc fumer calumet de la paix. Sagesse venir.

Sa pitrerie déclenche des rires. Parker lutte contre ses crampes d'estomac. Parker donne du volume à la pochette qui orne sa veste.

— Les rafles, Ed. Donnez-nous les dernières nouvelles en une minute maximum.

Satterlee explique :

— On s'attaque aux bateaux de pêche amarrés dans le port de San Pedro, avec le renfort des garde-côtes. On confisque des armes à feu japs et on pratique des tests balistiques pour les comparer avec les éléments récoltés dans des affaires antérieures, qu'elles soient locales ou fédérales. Nous sommes prêts à envoyer des agents fouiller les habitations, les commerces et les entreprises des Japonais qui sont déjà en détention.

Fletch commente :

— Ce que vous nous décrivez là, c'est une machine bien huilée.

Jack ajoute :

— On va faire bouffer à Hirohito un sandwich à la merde.

— Il y a un poids coq jap que j'aime bien, dit Satterlee. « Tornado » Tagawa. Il affronte Manny Gomez la semaine prochaine au Legion Stadium. J'ai parié sur lui. Ne m'obligez pas à le mettre en taule avant qu'il ait pu envoyer ce Mex au tapis.

Sa blague récolte des rires. Hoover sourit à Satterlee. Parker pressent un béguin torride.

Le shérif Gene Biscailuz ajoute :

— La semaine dernière, je suis tombé sur une dépêche du coroner. Elle avait trait à cette affaire d'homicide évoquée par Jack Horrall. Notre Nort Layman a trouvé sur les pieds des victimes des éclats de verre couverts d'huile de crevette, et il a sollicité des informations, dans tout l'État, de la part des hôpitaux et des commerces d'épicerie. Je me suis rendu chez un grossiste en épicerie de Lancaster. Justement, on venait de lui livrer une commande de crevettes pêchées et mises en conserve par des Japs, et les boîtes contenaient du verre pilé. La piste s'est arrêtée là, mais j'ai bien l'impression que cette histoire sentait à plein nez la cinquième colonne.

– Pour moi, Gene, dit Jack, ce que vous nous racontez là, c'est de l'hébreu. Je ne sais rien de cette affaire, mais je vais transmettre l'information à mon bras droit, Dudley Smith.

Satterlee frissonne.

– Le Dudster. Sacré bonhomme !

– Amen, mon frère, dit Fletch.

Jack ajoute :

– Et il saute Bette Davis ! Je ne blague pas. C'est une information pour *Incroyable mais vrai !*[1]

Le shérif Gene regarde Parker. Télépathie approximative.

Cette dépêche précisait que les informations devaient être transmises à Parker en personne. Le shérif le sait sans doute. Appelez-moi-Jack a viré Parker de l'enquête sur l'affaire Watanabe. Le shérif le sait sans doute. Le shérif Gene Biscailuz est obsédé par les méfaits de la cinquième colonne. L'affaire Watanabe ? Elle n'est pas de son domaine.

Hoover hume la fleur qu'il porte à la boutonnière. Elle exhale encore la fraîcheur du matin.

– Nous nous éloignons de notre propos, ici. Les crevettes en conserve et les meurtres de Japonais ne sont pas des priorités pour la sécurité nationale, contrairement à l'internement des Japonais pendant toute la durée de la guerre. Monsieur Exley, à vous de jouer. Je vous conseille de viser juste et vite.

Preston fait un clin d'œil.

– Monsieur Hoover, vous me demandez d'être bref, donc j'irai droit au but. Dans l'est de la vallée de San Fernando, une vaste portion du territoire est parsemée d'exploitations maraîchères appartenant à des Japonais. Ces exploitations, nous pourrions les acheter directement aux Japs, les louer pour la durée de la guerre, ou les confisquer légalement dans le cadre des lois fédérales ou de celles de l'État de Californie sur les saisies pour raisons de sécurité – une fois

---

1. *Ripley's Believe it or not !*, rubrique populaire créée en 1919, publiée dans plusieurs journaux.

496

que les propriétaires eux-mêmes auraient été incarcérés. Les camps d'internement pourraient être érigés sur ces sites, en utilisant les lois californiennes d'expropriation. Les détenus travailleraient les terres agricoles existantes sous la direction d'une garde privée employée par mon entreprise. Les profits seraient distribués à mon entreprise et au gouvernement local, ce qui contribuerait à compenser notre part du coût global de l'internement de masse. Les fermes louées qui généreraient des bénéfices *substantiels* reverseraient un pourcentage *minimal* de ces bénéfices aux propriétaires incarcérés eux-mêmes. On accorderait aux Japs « dignes de confiance » le privilège d'accéder à un programme de « permission de sortie du camp », des autocars les transportant vers des usines du centre-ville où ils travailleraient sous la surveillance de gardes armés avant de regagner leur camp le soir venu. Ils paieraient leur pension et on récompenserait leur coopération en leur permettant de conserver une petite partie de leur salaire. L'élément central de tous les aspects de cette proposition, c'est la *proximité*. La vallée de San Fernando est contiguë à la ville de L.A. elle-même. Le transport initial des Japs vers le lieu de détention se fera d'autant plus vite. La navette pour les Japs dignes de confiance, c'est un simple service quotidien de routine. Les exploitations maraîchères transformées en camps d'internement créeront une embellie des offres d'emploi et par conséquent une embellie économique pour la ville et le comté de Los Angeles.

*C'est faisable. C'est habile. Subrepticement pernicieux. C'est du réchauffé, au sens où ça nous rappelle...*

Ward Littell serre les poings.

— Superbe, monsieur Exley, commente Hoover.

— Un sans-faute, de mon point de vue, dit Appelez-moi-Jack.

— Bravo, Preston, dit Fletch. Cela nous permet d'héberger et de nourrir nos propres Japs, tout en les gardant sous la main.

Le shérif Gene ajoute :

— Cela lève les contraintes qui pèsent sur les prisons du comté et rend inutiles ces grands centres d'internement que projette le ministère de la guerre. Mes adjoints pourraient encadrer des détenus enchaînés de la vallée jusqu'à leur lieu de travail. Les Japs ont la main verte. Il produisent des légumes de qualité, que nous pourrons vendre à tous les restaurants de luxe de la ville.

Satterlee fait remarquer :

— Ward Littell et Bill Parker font la gueule, ça veut dire que nous sommes sur la bonne voie.

– C'est un projet épouvantable, dit Ward. C'est immoral. C'est une mesure que nous regretterons tous.

– Ward et Bill semblent avoir déjà oublié Pearl Harbor, ajoute Fletch.

*C'est de l'abus. C'est de l'exploitation pure et simple. C'est du réchauffé, au sens où ça nous rappelle...*

Parker lutte contre ses crampes d'estomac. Parker réexamine tout ce qui vient d'être dit.

*Cela fait penser à l'affaire Watanabe. Au rachat des maisons et des exploitations maraîchères révélé par Buzz Meeks. Des rachats effectifs. Des achats refusés. Des rumeurs de rachats. Enregistrés en secret – en aucune façon criminels.*

*Tout cela semble sans rapport avec l'affaire elle-même. Le projet de Preston paraît à la fois insidieux et légal. Il n'existe aucun lien entre les rachats des exploitations et le quadruple homicide.*

On lève la séance. Les ondes cérébrales de Parker se dispersent. Ses crampes redoublent d'intensité. Il ne sent plus ses jambes. Les participants sortent l'un après l'autre. Il leur dit au revoir d'un signe sans bouger de son siège.

Le shérif Gene revient.

– Comment ça va, Bill ?

– Je me sens en pleine forme, Shérif.

Le shérif Gene fait tourner son chapeau.

– Ça m'agace quand même, cette histoire de crevettes en conserve. J'ai fait examiner par un gars du labo cet échantillon qu'on a rapporté de Lancaster. Il m'a dit qu'il était rempli d'huiles humaines toxiques.

Parker bâille.

– On m'a retiré l'enquête, Shérif.

– Bien sûr, mais vous pourriez faire un saut à San Pedro et vous présenter aux garde-côtes. Aujourd'hui, ils vont inspecter des bateaux de pêcheurs de crevettes japs. Pour moi, cette histoire me fait toujours penser à la cinquième colonne. Vous pourriez descendre sur place et satisfaire notre curiosité commune, si le cœur vous en dit.

Appelez-moi-Jack donne un coup de sifflet. C'est strident à vous percer les tympans.

– Chinatown, Bill. Équipement anti-émeute. Vous et Jim Davis, en souvenir du bon vieux temps.

**9 h 42**

« Équipement anti-émeute », ça veut dire : un casque et un fusil à pompe. « Équipement anti-émeute », ça veut dire : des cartouches de gros sel.

Parker prend l'ascenseur. On bavarde dans le couloir de la brigade. Hier soir, Lee Blanchard et le môme Bennett ont échangé des coups. Le môme a envoyé Blanchard à l'hôpital. C'est la concubine de Blanchard qui est à l'origine de l'empoignade.

Et dans le genre « histoires de bonnes femmes », qu'est-ce que vous dites de ça : Dudley Smith saute Bette Davis. *Es la verdad, muchacho.* Elmer Jackson les a vus se peloter à l'école de police.

On bavarde beaucoup aussi dans les salles de réunion. Voilà Dudley et ses hommes. Remarque l'attelle qui maintient en place le nez cassé de Scotty Bennett. Remarque Sid Hudgens et Jack Webb, qui s'invitent dans les locaux.

Voilà Thad Brown et un pisse-copie du *Mirror* nommé Morty Bendish. Morty est tout excité par l'histoire du Jap abattu dans une cabine téléphonique. Il a envie de pondre un papier et d'y glisser Pearl Harbor. Le Jap mort avait annoncé l'attaque. Un espion jap l'a refroidi pour le faire taire. Thad dit qu'il trouve l'hypothèse tirée par les cheveux.

Parker touche son équipement et signe le registre. Il se harnache dans le couloir et se dégourdit les jambes en descendant l'escalier. Il parvient jusqu'au garage. Il se rend en voiture à Chinatown.

Il voit Jim Davis, devant chez Kwan. Davis porte un treillis de l'armée et trimballe un fusil à pompe grand modèle. Oncle Ace se tient près de lui. Sa cape bleu marine à la FDR traîne par terre.

Parker se débarrasse de sa voiture et les rejoint à pied. Ace expédie un crachat qui tombe devant ses chaussures. Davis dit quelque chose en chinetoque. Ace lui répond en chinetoque et s'en va.

— Bonjour, Bill.

— Bonjour, monsieur le directeur.

— Comme je le dis toujours, c'est « Jim » depuis que le jury d'accusation m'a sacqué.

— Très bien, dit Parker. Vous êtes un conscrit occasionnel, vous n'êtes plus le chef.

– Vous vous êtes mis au régime sec, à ce que je vois. On va vous commander un tonique chez l'herboriste de Ferguson's Alley.

La Crise l'étouffe. Il a l'impression d'être chaussé de brodequins en plomb. Son fusil pèse dix tonnes.

– Allons-y, Jim. J'ai hâte que cette journée se termine.

Ils remontent Broadway vers le nord. Davis aborde des passants et distribue des bons mots en chinetoque. Parker ne cesse de bâiller tant que cela dure. La Crise se ménage de nouveaux débouchés.

Ses jambes flageolent. Sa transpiration se fait abondante et imbibe ses chaussettes. Davis jacasse sans arrêt. *Ah, c'était le bon temps…*

L'expulsion des va-nu-pieds. Les rafles de sans-logis. Les déplacements de campagne de FDR, la marionnette des Juifs. Carl Hull et la Brigade Anti-Rouges. Vous vous souvenez de ce Boche enragé, Fritz Vogel ? Les émeutes Rouges dans Pershing Square.

Bill, vous vous êtes montré à la hauteur de la situation, là-bas. On a fait venir les troupes à cheval. On était des cosaques. Eux, c'était la populace. Amenez les sabres et les balalaïkas pour la musique.

Ils avancent. Des gamins tongs baragouinent et leur lancent des regards mauvais. La Crise atteint la tête de Parker. Son casque est trop grand pour lui. Il en imbibe la garniture de transpiration. La visière lui tombe devant les yeux.

*Bill, vous avez été héroïque. Comment va Helen, ces temps-ci ? C'est vous qui nous avez fait connaître Carlos Madrano. Vous avez peaufiné notre accord d'extradition avec la police d'État mexicaine. Bill le Cerveau. Vous m'avez guidé à chacune de mes dépositions. C'est aussi vous qui avez rédigé le laïus que j'ai fait devant le jury d'accusation. C'est encore vous qui avez négocié notre accord pour mettre fin à la grève des ouvriers agricoles. La clique des négociants en primeurs vous en est toujours redevable.*

Ils avancent. La Crise le ravage. Davis gagne les faveurs des mômes en leur distribuant du bubble-gum. Les deux hommes s'arrêtent à l'herboristerie. Davis commande une potion pour Parker. Elle a un goût de merde de grenouille mélangée avec de la boue. Elle lui donne une vision radioscopique. Elle lui donne des fourmis dans les jambes. Elle contient des racines broyées et de la poudre mystique. Le décor revêt des tons pastel.

Parker a appelé le shérif Gene. Il a accepté cette mission à San Pedro. Le shérif Gene lui a dit de se rendre à l'appontement n° 16 et de demander à voir le lieutenant Duguay.

Ils avancent. Parker transpire et titube. Ses papilles gustatives explosent. Il a des renvois de boue mystique.

On bavarde dans North Broadway. La trêve tong semble déjà abrogée. Des gamins tongs s'attroupent. Ils portent leurs foulards tongs et se curent les ongles avec des couteaux à cran d'arrêt. Ils emboîtent le pas au Chinetoque-o-phile et au flic qui transpire.

Parker et Davis avancent d'un pas de promeneur. Les commerçants abordent le Grand Bwana et lui chuchotent des renseignements. Dewey Lem, c'est un cambrioleur. Joe Chen, c'est un voleur à la tire. C'est un Chinois qui a descendu ce Jap dans la cabine téléphonique. Il y a une partie de dominos chinois chez Kwan en ce moment même. Les enjeux sont élevés, c'est un tournoi marathon qui attire le gratin de Hollywood.

Les deux hommes avancent toujours. Parker carbure encore à la boue mystique. Les gamins tongs qui rôdent derrière eux réduisent la distance. Ils sont à douze mètres, à dix mètres, à huit.

Les mômes du Hop Sing leur collent au train. Les mômes des Quatre Familles avancent à leur rencontre, droit devant eux. Parker se retourne sans cesse. Ces putains de Tongs se rapprochent.

Parker prend peur. La Crise et la boue mystique lui donnent des palpitations. Les branleurs du Hop Sing sont *six* mètres derrière eux. Les Quatre Familles sont juste de l'autre côté de Broadway.

Davis déclare :

– Ils sont trop près.

La boue mystique. La Peur et La Crise. Ils se rapprochent sur leurs semelles de crêpe…

Parker lève son fusil. Les branleurs se rapprochent encore. Ils sont à *quatre* mètres, maintenant. Il met une cartouche en place et fait feu.

Le fusil se cabre. Il crache sa charge de gros sel. Elle cueille quatre Chinetoques en une seule gerbe. Davis vise l'autre côté de la rue et presse les deux détentes.

Son canon double tire de plus grosses cartouches. Ses Chinetoques décollent du trottoir.

Ceux de Parker ont pris du gros sel en pleine poitrine. Leurs fringues tongs se vaporisent. Le gros sel leur laboure la peau. Ils hurlent et foutent le camp. Parker recharge son fusil et leur tire dans le dos. Il vise soigneusement. Il presse lentement la détente. Il les envoie au tapis et leur arrache les vêtements du dos.

Les coups de feu affolent les voisins. Ils font volte-face et s'enfuient en courant. Les Chinetoques de Jim brament deux fois plus fort. Un môme a perdu deux doigts. Un autre tente de ramasser des bouts de barbaque que la gerbe de gros sel lui a arrachés du cul.

Hurlements divers : ceux des mômes tongs et ceux des voisins. Tous à plein volume. Un ragoût de sonorités charabia.

Jim Davis sort sa queue et la secoue. Jim Davis braille des insultes en chinetoque. Les mômes avancent à quatre pattes. Ils sont lacérés, déchiquetés par les décharges de gros sel. Ils se traînent à quatre pattes dans les lambeaux de leurs vêtements et les mares de sang.

Davis traverse la rue. Parker le suit. Davis secoue sa queue au-dessus des mômes étalés par terre et les asperge de pisse.

– C'est une vieille coutume de chez nous, collègue. Leur âme m'appartient, désormais.

## 11 h 16

Parker détale. La boue mystique, les voyous aspergés de pisse. L'ancien directeur qui secoue sa queue.

Parker s'engouffre dans une ruelle. son fusil pèse six tonnes. Sa transpiration dégage une odeur putride. Il a l'impression que sa tête est passée dans une essoreuse.

En courant, il retourne tout droit chez Kwan. Un salopard a balancé des œufs sur sa voiture. Le pare-brise est couvert de jaune d'œuf. Il met en marche les essuie-glaces pour diluer les éclaboussures.

La voiture démarre et roule normalement. Personne n'a crevé les pneus. Les freins fonctionnent. Personne n'a ôté les garnitures.

Il se dirige vers le sud. Broadway mène tout droit à San Pedro. Il voit des nuages de gaz lacrymogène au-dessus de Little Tokyo. Les toits peu élevés grouillent d'agents en uniforme.

Il repense à l'Affaire. Le shérif Gene lui a donné son aval pour qu'il continue à travailler sur le sujet. Il s'est usé les dents sur l'Affaire. Il s'est usé les dents sur Dudley Smith et Hideo Ashida. Il fonce tout droit jusqu'à San Pedro.

L'air marin annonce la proximité du port. Parker contourne Fort MacArthur et le pont de Terminal Island.

Un poste de contrôle bloque l'accès au port. Les policiers militaires de service voient sa voiture de police blanc et noir et lui font signe de passer.

Le long des quais sont amarrés pêle-mêle les vedettes des garde-côtes et des bateaux de pêche en bois. Les équipes de six hommes chargées de les fouiller montent à bord. La route qui longe le quai est encombrée par les jeeps de l'armée et les berlines noires des fédéraux.

Les Japs font rouler des tonneaux remplis de poissons. Ils semblent effrayés. Des policiers militaires déambulent, armés de fusils M1 et tenant des chiens en laisse. Les chiens grondent contre les Japs et l'odeur de leurs poissons les fait baver.

Parker poursuit sa route jusqu'à l'appontement n° 16. Une vedette y est amarrée. Elle est équipée de grappins et de mitrailleuses montées sur la proue. Deux garde-côtes et deux adjoints du shérif sont sur le pont. Ils portent tous une carabine en bandoulière et scrutent l'horizon.

Un officier repère la voiture de police et s'en approche. Il porte un treillis de lieutenant. Parker descend de sa voiture. L'air marin embue ses lunettes.

Les deux hommes se serrent la main. Parker frappe le sol du pied pour faire circuler le sang dans ses jambes.

— Le shérif vous a prévenu de mon arrivée ?

— Effectivement, capitaine, répond le lieutenant. Je lui ai dit que si vous arriviez rapidement, vous pourriez voir quelque chose d'intéressant.

— Qu'avez-vous découvert ? demande Parker.

— Depuis quelque temps nous surveillons deux bateaux qui pêchent la crevette vers le nord, en remontant la côte jusqu'à Santa Barbara. C'est là-haut qu'ils vont pêcher, mais leur mouillage, c'est ici, toute l'année. Les patrons pêcheurs sont sur la liste A-2 des fédéraux, et leurs domiciles ont été réquisitionnés. Ils dorment tous sur leurs bateaux et ils débarquent leur pêche discrètement, la nuit.

Parker réfléchit un instant.

— La mise en conserve se fait-elle dans une exploitation maraîchère de la vallée ? Je pense à celle d'un Jap nommé Hodaka.

— Non, capitaine, répond le lieutenant. On nous a signalé que ces types-là livrent leur pêche à une conserverie de Little Tokyo.

Parker analyse l'information.

— J'ai lu une dépêche. Un sous-marin jap a lancé des torpilles contre un village de pêcheurs dans la crique de Goleta, juste au nord de Santa Barbara. C'était la semaine dernière. Vous pensez que ces deux bateaux ont pu être mêlés à cette histoire ?

Le lieutenant secoue la tête.

— En aucun cas, capitaine. Je l'ai lue, cette dépêche. Les bateaux que nous surveillons sont capables de naviguer en haute mer, et dans ce village de Goleta, on n'a retrouvé que des carcasses calcinées de bateaux qui ne s'éloignent pas de la côte. Et puis, il y a autre chose : ce que nous cherchons, ce sont des équipages entièrement japonais, mais la dépêche signalait que les villageois étaient des Japs de mèche avec des Chinetoques, ce qui est bizarre – sachant à quel point ils se détestent.

Sur l'appontement, une sirène se met à *huuuurler*. Un garde-côte lâche son téléphone et fonce vers le lieutenant

– On a reçu un signalement transmis par un avion de repérage, lieutenant. Le premier bateau s'est ancré à Ventura, et le shérif local a dit qu'il était irréprochable. De notre part, il y a erreur sur cette cible-là. Le patron du bateau a expliqué qu'il était parti pêcher le thon blanc depuis plus d'un an, et il a des documents à l'appui. Ils dorment sur le bateau parce que tous les hommes de l'équipage sont dingues des courses hippiques, et ils misent tout leur fric sur les canassons. Personne n'arriverait à prouver que ces gars-là sont de la cinquième colonne. Et pour couronner le tout, ils vendent toute leur pêche à La Grotte aux poissons, à Long Beach.

Le lieutenant mime une branlette. Les hommes à bord de la corvette prennent des gilets de sauvetage. Cela sent le départ immédiat. Parker s'attend à de l'action.

– N'en dites pas plus, fait le lieutenant. Le second bateau rentre au port.

– Oui, oui, dit le garde-côte. Il fonce vers nous.

Le lieutenant donne un coup de sifflet et monte la passerelle en courant. Parker le suit aussi vite qu'il le peut. Un shérif adjoint distribue des gilets de sauvetage. Parker attrape le sien au passage. Deux garde-côtes lèvent l'ancre. La vedette s'éloigne de l'appontement.

Les moteurs tournent et démarrent. Tout se passe trop vite. Parker se dirige vers la proue en titubant et s'accroche à un affût de mitrailleuse.

Une longue-vue est installée à la proue. Elle est braquée droit devant. Parker ôte ses lunettes et colle un œil à l'oculaire. Il découvre l'objet de toute l'agitation.

Un bateau de pêche à deux mâts. À trois kilomètres, peut-être. Des silhouettes minuscules sur le pont. Des Jaunes, sans doute.

La vedette fonce droit devant. Les vagues inondent le pont. Le bruit des moteurs couvre tous les cris et les ordres. Parker s'accroche à l'affût du canon et garde l'œil collé à la longue-vue.

La focale comprime l'horizon. La distance rétrécit entre la vedette et le bateau de pêche. Les petites silhouettes grossissent.

Des Jaunes – oui.

Ils ont l'air effrayé. Leur bateau est à l'arrêt. À l'arrière, deux hommes s'acharnent sur les moteurs pour tenter de les faire démarrer.

La vedette fend les vagues. La vedette s'approche.

*Elle n'est plus très loin.*

*Encore moins loin.*

*Elle est près du bateau de pêche, à présent.*

*Encore plus près.*

*TOUT PRÈS.*

*Elle est à vingt mètres...*

L'œil toujours collé à la longue vue, Parker voit les Jaunes effrayés et fous de rage. Parker met ses lunettes et plisse les paupières.

– *Les mains en l'air ! Tous ! Tout le monde sur le pont et les mains en l'air !*

Parker se redresse et s'accroche. Le choc des deux bateaux le fait tomber. Il voit la scène sous un autre angle.

Un garde-côte lance un grappin. Des hommes armés de mitraillettes sautent sur le bateau de pêche. Quatre Japs lèvent les mains...

Parker se relève. Sa perspective se rétablit. Il avance en trébuchant et saute sur le bateau de pêche. Les garde-côtes pointent leur arme sur les Japs, qui lèvent les bras, plus haut, plus *haut*.

Le bateau tangue. Une vague s'abat sur Parker. Il est aveuglé par l'eau de mer et s'agrippe au bastingage. Il croit voir...

Les Japs plongent les mains dans leurs poches.

Les Japs lèvent les bras et ouvrent la bouche.

Les Japs mâchent ce qu'ils avalent et tombent sur le pont.

Les Japs se convulsent et vomissent de la mousse et...

Un Jap se contorsionne aux pieds de Parker. La mousse qu'il vomit se répand sur ses chaussures. Parker lâche un cri hystérique et bondit en arrière.

Pas assez loin. Le Jap reste *trop* près. Le Jap a le bout des doigts trop lisse. Le Jap n'a *plus* d'empreintes digitales. Pour rendre lisse le bout des doigts, il faut les tremper dans l'acide et...

Un garde-côte panique. Il abaisse sa mitraillette et il *tire*.

Les planches du pont éclatent. La tête d'un Jap explose. Tous les garde-côtes pointent leur arme vers le pont et *tirent*.

Les Japs explosent, le pont explose, il est réduit en éclats de bois et en fumée.

Parker fuit.

Il fuit le carnage et le vacarme. Il court vers l'arrière du bateau. Le bateau fait une embardée. Parker tombe dans un escalier. Il plonge la tête la première et fait une roulade qui s'achève dans la cale. Il se retrouve devant une petite cabine. Il voit un type, peut-être un Jap, peut-être un Chinetoque, qui brûle des billets de banque et des tracts. Parker est *tellement* près qu'il les voit nettement. L'argent et le papier s'enflamment et deviennent des cendres noires.

Parker est *tellement* près qu'il distingue des reichsmarks et des yens. Les tracts sont rédigés en caractères japonais et en anglais. *Exactement comme tous les autres tracts dans ce mélange insensé de...*

Ce salopard de Jap croque un comprimé et se convulse. Parker lui piétine les mains et lui brise les doigts. Le bout de ses doigts est parfaitement vierge. Parker le constate *de visu*. Il est suffisamment près pour ça.

# 17 décembre 1941

# 68

**14 h 07**

Le sous-sol de Kwan. C'est formidable. C'est convivial.

*Tout le monde* côtoie tout le monde. La partie de dominos chinois dure depuis dix-huit heures et rien ne peut l'arrêter. C'est la guerre qui justifie ces écarts de conduite. Tout le monde le sait. Voilà ce qu'on ne dit pas :

La vie est courte. Vite arrivé, vite parti. Il y a des sous-marins japs au large de nos côtes. Les marins de Pearl Harbor n'ont pas eu le temps de voir ce qui leur tombait dessus. La prochaine fois, ça pourrait bien être notre tour.

C'est le thé à la benzédrine qui permet à la partie de durer. Oncle Ace a prévu un bar avec tous les alcools imaginables et un buffet ouvert en permanence. Le salon « O » est pris d'assaut par les camés. Lin Chung console les perdants avec de la morphine. Brenda Allen propose les services de ses filles à son nouveau tarif – qui tient compte de la guerre en cours. On voit rôder le léopard domestique de Salvador Dalí. Il a lacéré un aide-serveur et bouffé des nouilles sautées dans l'assiette de Count Basie. Tout le monde s'en fout.

Les minables se mêlent aux magnats. La fine fleur fricote avec les faisans.

On y voit Clark Gable et Appelez-moi-Jack. Voilà Nort Layman et Ed Satterlee. Voici Stan Kenton, en compagnie de la chanteuse de son orchestre. Elle n'a d'yeux que pour Scotty Bennett – couvert de bleus et de contusions. Pas de chance, ma petite – cette femme qui ne le lâche pas d'une semelle, c'est Joan Crawford.

Les gens serrés comme des sardines sont condamnés à rester debout. Le sous-sol retient la fumée de dix mille cigarettes. C'est comme un gigantesque poumon d'acier.

Dudley est avec Bette. Ils regardent les dandys poser des dominos. Dudley est debout depuis hier matin. La chasse aux pervers est ouverte. Il faut dénicher des témoins oculaires potentiels et des meurtriers compulsifs.

Examen des antécédents judiciaires. Nouvelle enquête de proximité. Où est donc cette aiguille japonaise dans une meule de foin ? Où est donc ce pervers qui surpassera tous les autres pervers ?

Dudley est exténué. Bette et lui ne vont plus se quitter jusqu'à demain. Ace leur a préparé une chambre à l'étage. Le mari de Bette est pris. Il reçoit un homme de ménage nommé Man-Oh-Man Manolo. Man-Oh-Man satisfait tous les besoins des gens du cinéma. Sa queue a plutôt la dimension d'un avant-bras.

Dudley observe la partie en cours. Ace distribue les dominos. Elmer Jackson fait le chien de garde. Il tient le fusil à pompe de Jim Davis.

Jim et Whiskey Bill se sont permis des écarts de conduite. Ils ont arrosé de gros sel deux cliques de mômes tongs. Chez l'un d'eux, les blessures ont dégénéré en septicémie. Un autre a perdu trois doigts. Oncle Ace est courroucé.

La partie dure depuis des siècles. Les joueurs vont et viennent. Ils sont terrassés par la fatigue du jeu et l'irritation des bronches. Cela fait seize heures que Harry Cohn est là. Il a joué contre le poids coq Manny Gomez et trois dentistes chinetoques.

Harry a déjà perdu 53 000 dollars. Il a remboursé sa dette précédente avec l'argent du braquage de fourgon. Harry doit 48 000 dollars à Ben Siegel. Ben surveille la partie avec les yeux d'un Juif qui veut rentrer dans ses fonds.

Le jeu est incompréhensible. Les joueurs piquent des crises au moment de poser leurs dominos. Bette regarde fixement Miss Crawford. Ces deux-là se haïssent. On sent une telle fureur chez ces femmes mi-déesses mi-garces.

Bette désigne le buffet. Clark Gable et le léopard bouffent des travers de porc.

— Clark est stupide. Il collectionne des poils pubiens de femmes. Il serait capable de sauter cet animal si quelqu'un en tenait la queue.

Dudley éclate de rire. Le sous-sol est une poudrière. Une serveuse qui passe lui donne un *mai tai*.

Bette dit à Dudley :

— Je vais aux toilettes du rez-de-chaussée. Celles du sous-sol sont occupées. Brenda taille une pipe au shérif Biscailuz.

Dudley lui donne un baiser dans le cou. Bette plonge dans la foule. Les gens paraissent insignifiants dans le sillage de sa robe qui virevolte. Dudley la perd de vue dans un nuage bas de fumée de cigarette. Ses poumons le brûlent.

La partie continue. Manny Gomez ramasse ses gains et quitte la partie. Harry Cohn a perdu quatre paris de suite pour un total de 8 000 dollars. Dudley fait un clin d'œil à Ben Siegel. Ben le lui rend.

Harry quitte la partie. Les spectateurs conspuent le célèbre misanthrope. Harry s'empoigne l'entrejambe et les insulte en retour.

Dudley l'emmène dans le bureau d'Ace. Harry est moite et rubicond. Heureusement, il n'y a aucune trace de fumée dans la pièce. Harry s'affale dans un fauteuil.

— Je dois 61 000 dollars à Ace. Pourquoi est-ce que je m'inflige ce genre de chose ? Je suis un homme puissant qui a une maladie de cœur. Pourquoi est-ce que je me complais à traîner dans les bouges ? Les Allemands massacrent mon peuple, et je ne peux rien faire pour les en empêcher. Pourquoi est-ce que j'aggrave tous les chagrins du monde ?

Dudley se penche vers lui.

— Harry, tu dois 48 000 dollars à Ben. Tu as 109 000 dollars de dettes de jeu à rembourser. Tu peux déplorer tes pertes inutiles ou bien me permettre de te proposer une solution.

— Va te faire foutre, enfoiré d'Irlandais, dit Harry. Ne va pas imaginer que j'ignore où tu veux en venir. Ne me crois pas incapable de te dire : « Je ne suis plus dans l'industrie du film pornographique, à présent. »

Dudley tousse.

— Tu m'as vu avec Bette Davis.

Harry tousse.

— Ne plastronne pas, enfoiré d'Irlandais. Je sais que tu la tringles, et ça ne m'impressionne pas. J'ai aussi remarqué ta brute juvénile en compagnie de Joan. Ça ne m'impressionne pas non plus. Des fendasses comme elles, ça saute toujours sur le premier costaud qui passe. À elles deux, Bette et Joan ont pompé toute la ville, et comme on parle de Los Angeles, ce n'est pas rien.

Dudley sourit jusqu'aux oreilles.

— Dois-je persuader Bette de quitter la Warner pendant quelques mois, le temps de faire une apparition chez Columbia ? Ma proposition te ferait-elle changer d'avis, en ce cas ?

– En ce cas, je me mettrais même à plat ventre, enfoiré d'Irlandais, et j'y prendrais un plaisir sans pareil.

Dudley fait un clin d'œil et retourne au sous-sol. Ben Siegel le voit et lui adresse une mimique qui veut dire : *Alors ?* Dudley hoche la tête et traverse un nuage de fumée. Scotty et Joanie se pelotent dans une embrasure de porte. Clark Gable et le léopard roupillent sur un canapé.

Flagorneurs, pécheurs et pécheresses. Un conflit mondial ? *Quel conflit mondial ?* Il y a les courageux d'un côté, les dépravés de l'autre.

Dudley remonte au restaurant, tout acquis à Bette maintenant. Les aides-serveurs tongs rôdent autour d'elle. Les clients lui tendent leurs carnets d'autographes. Bette accorde des accolades et pose pour des photos. La file d'attente s'étire bien au-delà de la porte, jusqu'au coin de la rue.

Bette distribue des cartes de visite. *Appelez ma secrétaire. Achetez des titres d'emprunt de guerre. Je vous signerai des photos sur papier glacé et j'y laisserai une marque de rouge à lèvres. Je vous les enverrai.*

Elle leur serre la main. Elle leur parle. Elle leur offre le spectacle de ses yeux. Elle les reçoit un par un et les séduit. Elle n'en éconduit aucun.

Bette tourne la tête et voit Dudley. Elle lui envoie un baiser. Il en a les larmes aux yeux.

La file d'attente s'allonge. Dans la rue, les camions de la radio déboulent et se garent le long du trottoir dans un crissement de pneus. *Chinatown sous le charme de Bette Davis !* Bon sang, *ça* c'est une bonne nouvelle !

Dudley monte à l'étage. La chambre est petite mais bien rangée. Il s'allonge sur le lit.

Le motif du papier peint se brouille. Le léopard saute sur le lit. Il tente de le caresser. L'image de l'animal se dissipe. Il n'en reste plus que les taches de son pelage.

Dudley fait des allers et retours entre l'état de veille et le sommeil. Le léopard saute sur le lit de nouveau. Veille puis sommeil. Le léopard ronronne et donne des coups de patte aux pieds de Dudley. Sommeil puis veille. Voilà Bette. Elle se laisse choir sur le lit et lui ôte ses chaussures.

– J'ai récolté 168 000 dollars en promesses d'achats de titres. Il a fallu six heures pour venir à bout de la file d'attente.

Dudley bâille et touche la jambe de Bette. Elle relève sa robe jusqu'à son porte-jarretelles. Dudley glisse la main dessous.

– Tu es l'incarnation même de la métamorphose, chérie. Il y a un moment à peine, tu étais un léopard.

Bette sort ses griffes.

– Je suis une tigresse, en fait. Elles sont beaucoup plus dangereuses.

Dudley défait les pinces des jarretelles. Les bas de Bette s'en séparent.

– Je suis très proche de Harry Cohn, tu sais ? Est-ce que tu accepterais de faire un film pour la Columbia ?

– Me faire une proposition pareille, mon cœur, c'est franchir la limite que je t'impose. Je te prie de ne pas recommencer.

Dudley encaisse le coup.

Son regard se brouille.

Des larmes coulent sur son visage.

# 69

## LOS ANGELES | MERCREDI 17 DÉCEMBRE 1941

**22 h 23**

Une sirène se déchaîne. Ashida se réveille. Il roule sur lui-même et regarde par la fenêtre.

Soudain, Los Angeles est plongée dans le noir. Les gradins du stade Belmont disparaissent. Des projecteurs se dressent et leurs faisceaux balaient le ciel.

Le vacarme de la sirène s'amplifie. Le moment de peur se dissipe. Aucun Jap Zéro ne descend en piqué sur la ville.

Ashida s'habille dans le noir. Il a pu dormir une heure. Cela ne lui a pas pris longtemps de revenir de la morgue à pied. Nort Layman vit là-bas et ne dort jamais.

Il sort dans le couloir. Quelqu'un a peint *JAP !* sur sa porte. Il est rentré chez lui à 20 h 30. Cela s'est passé entre ce moment-là et maintenant.

Ashida verrouille sa porte et descend l'escalier. La rue plongée dans le noir par le black-out est éclaboussée de jaune par les projecteurs de la défense antiaérienne. Il se dirige vers l'est. Les sirènes continuent de tourner à toute vitesse.

Il repense à Goleta. À l'eugénisme appliqué dans le domaine de la chirurgie esthétique. Aux films destinés à révéler des scandales. Il passe devant le palais de justice. Les employés qui y travaillent la nuit sont montés sur le toit pour profiter du spectacle.

Ashida arrive à la morgue. Les chauffeurs de corbillards jouent aux dés sur le toit. Un type pisse par-dessus le parapet.

La morgue fonctionne vingt-quatre heures sur vingt-quatre. Ashida retourne à la salle d'examen de Nort Layman. Elle est équipée de tables de dissection et de tiroirs réfrigérés pour conserver les corps. Nort a ajouté un canapé et un portant pour ses vêtements.

Nort est assis sur le canapé. Le châssis d'un lit à roulettes lui sert de repose-pied. Ashida prend l'unique chaise.

– J'espère que vous évitez d'entrer dans les cabines téléphoniques, dit Nort. J'ai autopsié Shigeta. On lui a explosé la tête. J'ai l'impression qu'il s'agit davantage d'un crime raciste que de n'importe quoi d'autre.

– Dites-moi pourquoi, demande Ashida.

– Son visage n'existe plus. Il me semble que le tueur, consciemment ou non, tenait à faire clairement passer ce message : extérieurement, rien ne permet plus d'affirmer que sa victime était japonaise. Il a éradiqué tous ses traits caractéristiques.

Ashida réfléchit à ce détail.

– Une application de la science raciale, d'une certaine façon. Une forme perverse de l'eugénisme.

Nort hausse les épaules.

– Vous avez des eugénistes progressistes qui veulent créer des gens plus sains, et des nazis qui veulent éliminer les races qu'ils n'aiment pas. L'affaire Shigeta m'intéresse, cela dit. Cela ressemble à un crime aléatoire, avec une victime prise au hasard. Et j'ai très nettement l'impression que le tueur a abattu M. Shigeta pour impressionner quelqu'un.

– Comme un chat qui rapporte une souris morte à son maître ?

Nort allume une cigarette.

– Exactement.

Ashida dit :

– Les Watanabe. Cela remonte à dix jours, à présent.

Nort désigne un tiroir à cadavres.

— Voilà des jours que je potasse les manuels sur les blessures. Non seulement les sabres trouvés dans la maison sont trop émoussés pour avoir provoqué les incisions, mais aucun sabre traditionnel existant n'aurait pu les occasionner.

— Permettez-moi d'extrapoler, s'il vous plaît, dit Ashida. Vous avez favorablement accueilli ma théorie, selon laquelle l'assassin a fait boire aux Watanabe du thé contenant un poison. Cela explique-rait la présence d'un poison rare dans le foie des victimes. De plus, il y a ce couteau que le capitaine Parker et moi avons vu dans Griffith Park, qui correspond à la blessure ancienne de Ryoshi Watanabe, et qui…

— … qui *pourrait* être l'arme qui a tué les Watanabe, mais sans être trempé dans le poison comme le faisaient les chefs de guerre japonais. Qui *aurait* pu être utilisé, une lame à la fois, pour tuer les Watanabe tout en simulant un hara-kiri.

Ashida sourit.

— C'est faisable ?

Nort sourit à son tour.

— C'est faisable, et même possible. Et, si je continue d'avoir des insomnies, j'inventerai sans doute de nouveaux tests que je mettrai en pratique.

La sirène de fin d'alerte retentit. Nort remonte ses stores. Les lumières de la rue entrent dans la pièce.

Les deux hommes parlent de crimes et de science. Nort s'use les dents sur l'affaire Shigeta. Ashida pense à Kay Lake. Elle l'a appelé avant qu'il ne s'endorme. Elle lui a vanté un rassemblement prévu dans le parc de Pershing Square. La camarade Claire a embauché une équipe de tournage. Ce sera la séquence d'ouverture de leur film.

Les crimes et la science. L'eugénisme. Nort parle du D$^r$ Lin Chung. Le D$^r$ Lin croit à la réalité scientifique de la notion de race. Le D$^r$ Lin est un spécialiste de la chirurgie esthétique du nez. Ashida évoque Terry Lux sans dire un mot sur l'opération à laquelle il a assisté. Nort n'a que du mépris pour le D$^r$ Terry. Il l'a connu à la fac de médecine. Terry se plie à tous les caprices des toxicomanes fortunés. Terry est très lié avec Ace Kwan. Terry connaît le Dudster. Ace fournit des opiacés à Terry pour ses cures de désintoxication. Le Dudster dirige un réseau de trafiquants qui opère dans les quartiers sud. Quelques Arméniens refourguent de l'héroïne sous sa bannière.

Les deux hommes parlent. Ils discutent. De biologie et de chimie. Des nouveaux modèles de spectrographes. Le soleil se lève. Nort s'endort au milieu de son exposé. Ashida se lève de sa chaise.

Nort a un sursaut. Nort lui conseille :

– Évitez les cabines téléphoniques.

# 18 décembre 1941

# 70

**7 h 28**

Putréfaction et relents pestilentiels : en ressortant de la morgue, Ashida se sent vaseux. Il marche dans la rue et s'emplit les poumons d'air frais.

Pershing Square n'est pas loin. Il traverse Little Tokyo et compte les commerces fermés par les autorités. Le total se monte à 68 % environ. Un gros bonhomme se penche à sa fenêtre et l'insulte.

Il atteint Hill Street. Le parc de Pershing Square est bondé et l'on y vocifère déjà à 8 heures du matin. Une estrade flanque le mémorial de J.J. Pershing. Un microphone est relié à des haut-parleurs installés dans les arbres.

Un turlupin harangue une foule compacte. Ashida descend dans l'arène. Il côtoie la populace de L.A.

Les orateurs se bousculent sur l'estrade. Voilà le D$^r$ Fred Hiltz. On a parlé de lui dans les journaux, après la descente de police à la Deutsches Haus. Hiltz bavarde avec Reynolds Loftis. Claire et Kay bavardent avec un Noir. Ashida le reconnaît pour avoir vu sa photo sur une fiche de la brigade des mœurs. C'est le *Burgermeister* de la Ligue des nazis de race noire.

Le turlupin, c'est Gerald L. K. Smith, prêtre de l'Église des disciples du Christ et célèbre pourfendeur de Juifs. Ashida garde la tête basse et tente de passer inaperçu. Smith excite la foule.

*On a beaucoup exagéré les atrocités commises par les Allemands. L'Appareil du Contrôle Rouge en rajoute à plaisir. Hitler chouchoute les Juifs. Lui, Gerald L.K. Smith, c'est un humaniste qui réchauffe les cœurs. Rejoignez la Croisade nationaliste chrétienne. Faites avorter*

le « *Jew Deal*[1] » du Président Franklin « *Déloyal* » *Rosenfeld.*
*Écrivez à la Boîte postale 8992/Glendale, Californie. Achetez nos*
*brochures éducatives.*

Une partie du public l'acclame. Une partie du public le conspue.
La foule balance des gobelets en carton. Un préservatif rempli d'eau
est lancé vers l'estrade et explose à l'atterrissage. Gerald L. K. Smith
serre dans ses bras le nazi noir. Ils se tournent tous les deux vers la
foule pour lancer : *Sieg Heil !*

Nouvelles acclamations. Nouvelles huées. Nouvelle volée de
bombes à eau. La foule enfle. Ashida est comprimé de toutes parts.
Un homme coiffé d'une calotte le frôle et lance : *Putain de Jap !*
Ashida voit les membres de l'équipe de tournage. Ils sont montés sur
des bancs, derrière la foule.

Kay Lake s'approche du micro. Elle porte une robe bleue, du
même bleu que celui des uniformes de la police. La foule se calme.
Ashida comprend pourquoi : C'est une femme. *Donne-nous du grain*
*à moudre, ma jolie. On a envie de passer à l'action.*

Ashida scrute le public. Il voit Bill Parker, là-bas, près de l'équipe
de tournage. Parker est monté sur une poubelle et il s'appuie contre
un arbre. Il est en civil. Il a une vue d'ensemble, comme s'il était au
balcon.

Kay empoigne le pied du micro. Kay regarde la foule.

– Nous vivons une époque qui justifie les actes les plus ignobles.
Ces actes ignobles engendrent en retour une injustice immédiate.
Une telle réaction est souvent masquée par une intention vertueuse.
La compassion née de cette catastrophe partagée crée un implacable
désir de pouvoir qui lie chacun de nous au monde extérieur et qui
s'ancre profondément en nous. Ce monde que nous partageons, nous
le traversons au péril d'un grand préjudice moral, et nous sommes
conscients de vivre un moment qui nous pousse à nous sacrifier. Ce
moment, nous l'appelons l'Histoire, et ce moment, c'est maintenant.

Kay marque une pause qu'Ashida déchiffre : elle reprend son
souffle, elle a capté son auditoire, pour l'instant.

Kay poursuit :

– L'Histoire influe à la fois sur le destin des individus et sur celui
des nations. L'Histoire prend la forme d'une dette commune que les
gens du peuple paient de leur sang. L'Histoire *est* ce moment, et *en ce*
*moment*, nous sommes censés aimer et haïr à l'échelle de la planète,

---

1. Jeu de mots sur le *New Deal* de Roosevelt, et *Jew* (Juif).

alors que nous agissons en tant qu'individus appelés à donner le meilleur d'eux-mêmes, alors que nous réagissons aux atrocités en minimisant les atrocités, car celles-ci prennent des formes à la fois subtiles et flagrantes et anéantissent tout ce qui se trouve sur leur chemin, et en tant qu'individus il nous incombe alors d'accomplir la tâche quasi impossible d'exprimer l'amour plus âprement encore, en nous sacrifiant avec une abnégation que nous n'aurions jamais connue si l'Histoire ne nous avait pas réquisitionnés. En cet instant précis, nos choix deviennent : *tout faire* ou bien *ne rien faire*.

Kay marque une nouvelle pause qu'Ashida déchiffre aussi : elle sait qu'elle ne les tiendra plus très longtemps si…

Kay enchaîne :

– La guerre, c'est l'emprisonnement général de la pensée individuelle et, paradoxalement, la libération de la parole individuelle. Dans ces conditions, le dévouement devient souvent l'expression d'un sentiment impopulaire dans le cadre d'une indignation qui jouit d'une popularité plus grande. L'Histoire est ce moment. Et ce moment doit admettre la conjonction de la voix individuelle et de la soif de pouvoir de notre nation, et la hisser jusqu'à un moment plus spécifique, celui d'une déclaration consciente et contradictoire. Nous devons nous venger de l'attaque japonaise contre Pearl Harbor en assumant totalement notre désir collectif d'exercer un pouvoir, qui concrétisera finalement nos volontés individuelles de combattre et de risquer la mort. Puisqu'on nous appelle, de façon honorable, à accomplir ce devoir, nous devons nous appeler nous-mêmes, tout aussi honorablement, à reconnaître ce fait sordide : en ce moment même, nous sommes coupables de diffamation xénophobe à l'encontre des honorables citoyens japonais de notre ville, car notre générosité profonde a cédé devant la peur et devant une haine irrationnelle, et…

*Huées. Quolibets. Sifflets.*

*Cris. Hurlements. Glapissements.*

Kay remue les lèvres. Les hurlements de la foule couvrent sa voix. Des voyous font dégringoler les haut-parleurs. Kay remue les lèvres. Aucun son ne sort de sa bouche.

Elle n'a plus de voix. On lui a volé sa voix. Quelqu'un hurle *JAP !* tout près d'Ashida. Un homme se rue sur lui et le frappe.

Il bascule vers l'avant. Il agite les bras et reste debout. Il entend *Putain de Jap* un million de fois.

Un homme le frappe. Un gamin le frappe. Une jeune fille le frappe.

Il lève les mains pour se protéger le visage. Une femme lui tire les bras en arrière.

Ashida tombe. Les gens le bourrent de coups de poing et de coups de pied. Il perd Kay de vue. Les gens le frappent. Les gens lui crachent dessus. Il se sent roué de coups et souillé et anesthésié par la douleur.

Quelqu'un s'attaque à ses agresseurs.

Ils arrêtent de le frapper. Ils reculent en trébuchant. Ils perdent l'équilibre. Ils tombent à leur tour. Quelqu'un les roue de coups et les met en fuite.

Ashida a du mal à voir ce qui se passe. Le sang lui brouille la vue. C'est peut-être Scotty Bennett et Bill Parker. Ils frappent les spectateurs. Ils leur donnent des coups de poing et des coups de pied et les font détaler.

## JOURNAL DE KAY LAKE

### 8 h 36

Je continue de parler. Personne ne m'entend. Le micro et les haut-parleurs ne transmettent aucun son. Je n'ai plus de voix. Celle de la foule déverse des obscénités.

Je continue de parler. Des papiers gras et des bombes à eau pleuvent sur l'estrade. Tout le monde saute à terre. Les détritus m'éclaboussent.

Je tiens le micro et je parle toujours. Mes lèvres bougent et ne produisent aucun son. Je m'exprime avec une ferveur intacte et je n'entends plus ma propre voix. La foule est juste devant moi, en contrebas. J'entends *Jap !* un millier de fois et j'assiste à un violent tabassage.

Quelqu'un gît sur le sol. Les gens lui lancent des coups de pied. D'autres personnes frappent les agresseurs et les obligent à se disperser. Je ne vois pas leurs visages. Il n'y a que des coups de pied et des coups de poing. Je tiens le micro et continue de parler.

Je prononce mon acte d'accusation. L'estrade vibre et fait chavirer mon champ de vision. Des gens courent devant moi. Il me semble voir Ed Satterlee. Il est possible que Bill Parker et Scotty Bennett soient passés devant moi. Ils sont échevelés. Le Parker potentiel a perdu ses lunettes. Les vêtements du Scotty potentiel sont en lambeaux.

Je regarde en direction du trottoir de la 5e Rue et je saute une ligne de mon texte. Mike Breuning et Dick Carlisle aident Hideo Ashida à monter dans une voiture de police. Hideo passe la main sur la lunette arrière et y laisse des traînées de sang.

La voiture démarre. *Ce mensonge selon lequel la race définit les êtres humains. Ce mensonge selon lequel une opinion différente définit la sédition.* La voiture tourne dans Hill Street en direction du nord. Je la regarde disparaître. Je reçois sur la tête un sac en papier rempli de déchets alimentaires. *Le mensonge ultime d'une haine terrifiante.* Des fruits pourris dans mes cheveux. Un homme jette une poubelle contre l'estrade et brise l'un des poteaux qui la soutiennent. L'estrade penche d'un côté ; le pied de micro bascule ; je trébuche et tombe avec lui.

L'estrade s'écroule. Je m'affale et me retrouve au niveau de la rue. Un homme court jusqu'à moi, me décoche un coup de pied et repart en courant se fondre dans la foule. Saul et Andrea Lesnick traversent les débris. Ils me prennent chacun par un bras et commencent à me soulever ; je sens à quel point ils sont frêles et je me relève par mes propres moyens.

Ils manquent de forces. Je suis commotionnée et je souffre du coup reçu. En trébuchant, nous atteignons le trottoir de Hill Street et une Chrysler garée en double file. Saul s'installe au volant ; je monte à l'avant avec lui. Andrea vacille et s'écroule sur la banquette arrière.

Saul engage la voiture dans le flot de la circulation. Andrea dit quelque chose à propos de ses nerfs et de l'hôpital Queen of Angels.

Nous roulons vers le nord. J'ôte la pulpe de pomme prise dans mes cheveux. Devant nous, la circulation est bloquée ; je vois l'antenne fouet de la voiture de police au-dessus de la file des véhicules immobilisés. Hideo sort par la portière arrière et part vers l'est. Il tient contre son visage un mouchoir taché de sang.

Saul traverse Bunker Hill et nous amène à l'hôpital. Il se gare près de l'entrée latérale ; il aide Andrea à descendre et me lance un regard – qui signifie : *Vous en avez assez fait comme ça.* Ils franchissent la porte ensemble – deux frêles camarades, bras dessus, bras dessous.

La chambre de Lee est au deuxième étage. Je fume une cigarette dans la voiture puis j'entre dans l'hôpital et me rends aux toilettes. Je me nettoie un peu et je repense à l'expression de Saul. *Enfant sans cœur, qui propage le chaos, tellement insensible aux souffrances des autres.*

Je prends l'ascenseur jusqu'à la chambre de Lee. Il dort, dans son lit calé en position mi-assise, mi-inclinée. Sa mâchoire est garnie d'agrafes et de points de suture. Son bout d'oreille arraché a été récupéré et recousu. Des sutures croisées maintiennent son nez en place.

Il a quitté la maison au bras de Scotty. *Sans rancune, hein ? Bon sang, cette Kay ! C'était comme le premier combat entre Joe Louis et Max Schmeling. Reste là, ma belle. C'est une affaire d'hommes.*

Ils sont partis en voiture, ensemble. Évidemment, je suis restée à la maison. Je propage le chaos, mais il se passe très bien de moi. Je ne traîne pas dans les parages pour voir l'étendue des dégâts.

J'approche une chaise du lit et je regarde Lee dormir. Leland Charles Blanchard, « Le grand espoir blanc du Sud ». Boxeur, ancien prétendant au titre de champion de sa catégorie ; policier ; braqueur de banque et meurtrier. Cela fait trois ans que je le connais. Voilà où nous en sommes aujourd'hui.

Je regarde Lee dormir. Il ne bouge pas. Une feuille de température est accrochée au mur, au-dessus de son lit.

— Vous avez été brillante, Miss Lake.

Il reste quelques souvenirs de la Prairie dans sa voix. Deadwood et Sioux Falls – la distance n'est pas grande.

Je fais tourner ma chaise pour le voir. Je remarque de petites coupures sur son visage, un hématome sur sa mâchoire. Sans ses lunettes, ses yeux paraissent plus grands.

— Vous m'avez suivie jusqu'ici ?

— J'ai vu Lesnick vous emmener dans sa voiture. J'ai deviné votre destination.

— Mon film est sans précédent. Il aura le statut d'un document impartial, quoi que vous nous fassiez subir, à Claire et à moi.

— Cessez de vous prendre pour des martyres, ce que vous n'êtes pas. Claire De Haven est une dilettante traître à sa patrie, et vous, la plus grande opportuniste qui se soit révélée après moi.

— Je le suis peut-être en esprit, mais je n'ai pas votre curriculum. Vous ne pouvez pas me le reprocher. Vous avez eu pour mentor « Deux-Flingues » Davis, mais moi, je n'ai que vous.

— Votre curriculum, c'est la liste des hommes avec qui vous avez couché pour obtenir ce que vous vouliez. En volume, il dépasse largement le mien.

– Qui est la grande femme rousse ? Que ferez-vous quand vous la trouverez et qu'elle verra que vous avez si peu à lui offrir ?

– Que ferez-vous quand votre film « sans précédent » sera étiqueté « première pièce à conviction » devant une cour fédérale ?

– Que ferez-vous lorsque le monde changera et que vous n'obtiendrez pas ce que vous désirez ? Que ferez-vous lorsque la Russie restera notre alliée une fois que nous aurons gagné la guerre ? Que ferez-vous lorsque le monde décidera que vous n'en valez pas la peine, et qu'il choisira un homme moins enragé que vous et plus présentable ?

Lee tousse. Je me détourne pour le regarder. Il tressaille dans son sommeil – un rêve, sans doute. Ses paupières frémissent. Il roule sur le flanc.

Je fais pivoter ma chaise. Parker est parti – et sans lui la chambre est trop calme et trop lumineuse. J'ouvre la fenêtre et je vois Scotty sur le trottoir. Il a les cheveux en bataille et il lit la Bible.

*Tôt ou tard, je referai l'amour avec lui.*
*Je m'horrifie moi-même.*
*Seul William H. Parker connaît mon cœur.*

# 71

## LOS ANGELES | JEUDI 18 DÉCEMBRE 1941

**10 h 19**

*Territoire occupé.*

Miss Lake doit connaître cette expression. Elle va de pair avec *calomnie xénophobe* et reste dans la logique de la même dialectique.

Ici, les flics et les Japs sont en nombre égal, à présent. Celui des flics a augmenté. Celui des Japs a diminué.

Tout se passe en plein jour. Irruption systématique chez les gens, au porte-à-porte. Palpation de sécurité dans la rue. Confiscation d'armes.

Parker se gare le long du trottoir. L'entrepôt se trouve près du carrefour de San Pedro Street et de la 1re Rue. C'est le lieutenant des garde-côtes qui lui a donné l'adresse. Il a téléphoné depuis l'hôtel de ville et n'a pas obtenu de réponse. Il a décidé alors d'y pénétrer par effraction.

La conserverie. C'est là que les pêcheurs de crevettes livrent leurs prises. Dans cet entrepôt sur trois niveaux. Derrière cette porte fermée par un verrou et un cadenas.

Parker a apporté un démonte-pneu et une lampe torche. Il n'a pas bu une goutte d'alcool depuis vingt-quatre heures. La nuit dernière, il a dormi sur le lit de camp de la brigade et n'avait pas de tremblements au réveil. Il a cassé ses lunettes dans la Pagode de Kwan. Il les a perdues dans le parc de Pershing Square. Il va commettre un cambriolage en plissant les paupières.

Il s'approche de la porte et fait sauter le cadenas. C'est la première fois qu'il force une porte en solitaire. Pour les visites chez Larkin, il faisait équipe avec Hideo Ashida. Celui-ci a disparu de Pershing Square. Roué de coups à un certain moment, il avait disparu l'instant d'après.

Parker entre dans le bâtiment et fait coulisser la porte derrière lui pour la refermer. Il promène le faisceau de sa lampe torche sur le sol et les quatre murs en ciment lisse. L'endroit est parfaitement vide. Une certitude absolue : on a fait un grand nettoyage par le vide, ici.

Le local est humide. Il sent le renfermé. Parker capte un vague relent qu'il ne parvient pas à identifier.

Il longe les murs, sa lampe à la main. Il découvre des traînées verticales, du plafond jusqu'au sol. Il en comprend l'origine.

*Des traces laissées par une toile à laver.* On a lessivé les murs. Pour effacer jusqu'à la dernière empreinte digitale.

Parker touche une marque de lessivage. Il sent des traces de condensation.

L'entrepôt a été lessivé *hier. Après* ce raid raté contre le port. L'information est revenue aux oreilles des propriétaires ou des locataires de l'entrepôt.

Parker monte au premier étage. Il y trouve aussi des traces de lavage du plafond jusqu'au sol. Il capte encore ce même relent.

Il l'identifie. C'est une odeur d'huile de crevette.

Il voit du papier carbonisé sur le sol. Carbonisé comme les tracts et les billets de banque sur le bateau de pêche. Tu vois *ça ? Des caractères japonais.*

Extrapole, à présent.

L'entrepôt a été construit avant les années 1900. Il a été vendu et racheté de nombreuses fois, passant des mains d'un Japonais à celles d'un autre Japonais. La paperasserie qui s'entasse en temps de guerre, son propre statut de franc-tireur au sein du LAPD, tout cela l'empêche de consulter les archives.

Il monte au deuxième étage. Mêmes traces de lessivage, mêmes relents. Il remarque une boîte de conserve vide sur le sol. Elle ne porte pas d'étiquette. Elle contient de l'huile de crevette et des éclats de verre.

Extrapole cette fois encore. Sa conversation avec Nort Layman. Les débris de verre dans les crevettes en conserve à Lancaster. Le shérif Gene mène l'enquête. Il pense que c'est un sabotage de la cinquième colonne.

Nort repousse cette conclusion. Nort extrapole.

Quatre Watanabe morts. Sous leurs pieds : des particules de verre éclaboussées d'huile de crevette.

*Quatre victimes à la plante des pieds calleuse –* « *Les Japs ont tendance à marcher pieds nus. Ce qui m'a surpris, c'est la répartition régulière des particules. Comme s'ils avaient délibérément marché sur des éclats de verre.* »

Parker retourne à sa voiture de police. Il laisse la porte de l'entrepôt entrouverte. C'est un geste qui signifie : Allez vous faire foutre/ Chez les flics, je suis un franc-tireur.

Il décroche le micro de son émetteur-récepteur et appelle aussitôt la morgue. C'est Nort qui décroche.

– D$^r$ Layman. Qui est à l'appareil ?

– Bill Parker, Nort.

– Ça ne me surprend pas, dit Nort, et je parie que vous avez des questions.

– Oui, et elles concernent une somme de deux facteurs. Des débris de verre et de l'huile de crevette. Quel intérêt y a-t-il à mélanger les uns avec l'autre ? Que peut-on espérer de leur combinaison ?

Nort s'éclaircit la gorge.

– Je me suis posé la question, moi aussi, et c'est pourquoi j'ai fait quelques recherches. J'ai trouvé une seule réponse, qui m'est apparue comme une impasse. En conjonction avec l'huile de crevette, les oxydes que contient le verre peuvent engendrer un niveau de toxicité délétère dans la couche arable et dans de nombreuses variétés de feuillages et de gazons.

– *Hein ?*

– C'est tout, Bill. Je sais que c'est un vrai casse-tête, mais on peut en dire autant de l'affaire dans son ensemble. C'est un casse-tête et une impasse, et j'ai épuisé toute ma gamme de tests.

– Merci, Nort, dit Parker.

– Vous savez où me trouver, Bill, répond Nort.

La ligne grésille et la communication se coupe. Parker raccroche le micro de sa radio et bascule le dossier de son siège.

Les corvées l'attendent. Pour commencer, il y a la pile de comptes rendus confiée par Appelez-moi-Jack. *Évaluez pour moi le contenu de ces pensums, Bill. Vous savez que ce n'est pas mon truc.*

Parker feuillette le premier de la pile. Il présente en détail le projet immobilier de Preston Exley destiné aux Japs. Statistiques prédictives. Sites potentiellement capables d'embaucher des détenus. Un article du *Mirror* consacré à l'entreprise Exley Constructions et à l'Arroyo Seco Parkway. Quelques notes sur un projet de bretelles d'accès à Highland Park. On s'extasie sur la carrière de flic de Preston. Une lecture d'un ennui total. Il faudrait évaluer *quoi ?*

Parker allume une cigarette. Il repense au massacre à bord du bateau de pêche à la crevette. Suicide collectif, papiers calcinés. Des liens, des liens et encore des liens. Des Japonais morts, et peut-être un Chinois.

Il repense à Pershing Square. Il s'est battu aux côtés de Scotty Bennett. À deux, ils ont sauvé un Japonais inconstant.

Par la prière, il repousse une offensive de La Soif. Il pense à Miss Lake.

À sa robe ravissante. Salie par les jets de détritus, irrécupérable. Il devrait lui en offrir une autre, exactement semblable.

# 72

## LOS ANGELES | JEUDI 18 DÉCEMBRE 1941

**11 h 37**

Dudley traverse le restaurant de Mike Lyman. Des flics et des gros bonnets locaux commentent les dernières nouvelles. Et la plus sinistre d'entre elles – cette histoire de tireur isolé à Santa Monica.

C'est tout récent. Ce salopard a tiré sur des sentinelles postées aux Palisades. Ce salopard a *flingué* un Jap à quinze cents mètres de la plage. C'est peut-être un membre de la cinquième colonne. C'est sûrement un dingue, en plus d'être une ordure, ça, c'est sûr.

Les discussions sur le tireur isolé enterrent celles qui concernent la guerre. Ce salopard tire sur des soldats *et* sur des Japs. Les flics ont compris ce qui se passe : c'est le règne du *chaos*. Cela rend perplexes les gros bonnets.

Dudley passe dans l'arrière-salle. Mike Breuning et Dick Carlisle ne tiennent pas en place. Scotty Bennett se met au garde-à-vous. Il porte encore sur le nez cette attelle disgracieuse. Buzz Meeks a son sourire narquois – il est toujours aussi sournois et porcin.

Les hommes s'affalent sur tous les sièges. Carlisle s'occupe du buffet. Il sert du café et des sandwichs au jambon.

Dudley demande :

– Au rapport, je vous prie.

– On a commencé nos recherches mardi matin, dit Carlisle, et on a trouvé neuf pauvres types qui témoigneront en tant que témoins oculaires. Ils sont tous visés par une révocation de libération conditionnelle ou par un mandat d'amener qu'on peut brandir contre eux. Ils habitent à proximité de la maison des Watanabe, et ils identifieront n'importe quel suspect qu'on leur demandera de reconnaître.

– Six Blancs, un Mex et deux Japs, précise Breuning. Les Japs, on les a dénichés à South Pasadena, mais ils étaient à une soirée dans l'Avenue 44 au jour dit. Par contre, on n'a pas pu trouver une seule femme, et ce n'est pas faute d'avoir essayé.

Dudley précise :

– Le jury d'accusation se réunira à huis clos, ce qui signifie que les casiers judiciaires de nos témoins seront sous scellés. Donc, heureusement pour nous, il n'est pas nécessaire de présenter des petits saints pour franchir cette première étape de notre entreprise. Si Vogel, Koenig et Waldner nous fournissent un suspect franchement abominable et suffisamment dérangé du cerveau, celui-ci sera déclaré inapte à passer en jugement, condamné à mort après négociation, et tenu au secret jusqu'au moment où un psychiatre complaisant le déclarera responsable de ses actes. Les fédéraux ont dans leur poche un médecin juif nommé Saul Lesnick. Il serait parfait pour déclarer notre type bon pour la chambre à gaz. Ce que nous devons éviter, c'est un procès dont tout le monde parle, et au cours duquel nos témoins oculaires rétifs risqueraient d'être discrédités.

529

Meeks déballe son sandwich.

– Je nous ai trouvé un pédophile jap. Il n'a pas d'alibi pour les 6 et 7 décembre, et il est à peu près aussi abject qu'un être humain peut l'être. On pourrait l'envoyer à la chambre à gaz sans en perdre le sommeil.

Dudley boit une gorgée de café.

– Je vais réfléchir à cette solution, mon garçon. Je veux d'abord entendre ce qu'ont trouvé Vogel, Koenig et Waldner.

Scotty lève la main.

– Écoutez, tout ça, c'est nouveau pour moi. On donne des instructions aux témoins ? C'est bien ça ? On les guide tout au long de leur déposition ?

Breuning et Carlisle rient. Dudley fait un clin d'œil à Scotty.

– Leurs dépositions, mon gars, je les leur *dicte*. J'y glisse quelques incohérences pour les rendre plus crédibles.

Breuning et Carlisle rient de nouveau. Scotty sourit. Vogel, Koenig et Waldner arrivent. Carlisle leur sert à déjeuner.

Il n'y a plus une seule place assise, à présent. Les nouveaux venus restent debout près de la porte.

Dudley leur demande :

– Au rapport, je vous prie.

Vogel allume une cigarette.

– Bill et moi, on a dégotté quatre Japs obsédés sexuels, tous en liberté et tous recherchés pour détournement de mineures. Si vous voulez mon avis, ça pourrait se présenter de cette façon : Notre type a mis en cloque Nancy Watanabe, et il a tué toute la famille pour étouffer l'affaire. Il a fait avorter Nancy à Tijuana, mais tout ça lui est monté à la tête et il a perdu les pédales. Le D$^r$ Layman nous a dit que le groupe sanguin du père était AB négatif. J'ai consulté le dossier des quatre types à la prison, et l'un d'eux est AB négatif.

Dudley lève la main. *Silence, s'il vous plaît.* Waldner ouvre la bouche. Carlisle le fait taire.

*Il a parlé à Huey Cressmeyer. Cela remonte à huit jours. Huey a cafté la cellule de Griffith Park. Huey lui a dit ceci :*

*« Le type qui a mis Nancy enceinte est un métis mexicano-japonais qui a sur le dos des kystes d'acné horribles. Il se vantait d'avoir tué une famille entière de Mexicains, à Culiacán. Il est retourné au Mexique. »*

*La cellule d'origine comptait quatre hommes. Ace Kwan et lui en ont tué trois. C'était une cellule de « collaborationnistes ». Ils ont abattu deux Japs et un métis. Le métis mexicano-japonais est un élément incontrôlable. Il est encore au Mexique, sans doute. Il ne menacera pas leur stratégie pour imposer un coupable 100 % japonais.*

Les hommes engloutissent leurs sandwichs. Les hommes ne disent pas un mot.

Dudley reprend la parole :

— Je préférerais, et de loin, un coupable AB négatif, mais cela ne sera peut-être pas essentiel. Tout ancien amoureux de la pauvre Nancy Watanabe serait soumis à un interrogatoire serré concernant la jeune fille elle-même, et malgré tous nos efforts pour le conditionner, l'intéressé pourrait se révéler incapable de fournir les réponses qu'on attend de lui. Je ne vois pas cette histoire de groupe sanguin comme une preuve de première importance, mais plutôt comme un détail pour appuyer une hypothèse. Ce qu'il nous faut, c'est un fou furieux motivé par un désir sexuel incompréhensible.

— Je l'ai trouvé, annonce Waldner. (Dudley sourit. Waldner est une brute motivée. Waldner n'a rien d'un fantaisiste.) C'est un rémouleur ambulant, nommé Fujio « Fuji » Shudo. Il a tiré six ans d'internement à Atascadero, un pénitencier qui est aussi un asile psychiatrique, et il a été remis en liberté conditionnelle le mercredi 3 décembre. On l'a vu faire du porte-à-porte dans Highland Park, en poussant sa charrette, les 4 et 5 décembre. J'ai perdu la trace de ses déplacements après cette date, mais je parie qu'il n'a pas d'alibi pour le 6 à l'heure présumée du décès des victimes, telle qu'elle a été établie par le D$^r$ Layman. Il se terre dans un hôtel minable de Little Tokyo depuis l'attaque de Pearl Harbor, le Kyoto Arms, un vrai trou à rats. Il a peur de sortir, à cause des rafles, je suppose. J'ai payé Elmer Jackson pour qu'il garde un œil sur lui. Elmer est incorporé dans la brigade des étrangers, donc il est souvent dans le quartier. Fuji est toujours planqué dans son hôtel, où il picole de la terpine.

Continuez, je vous prie, dit Dudley.

— Je ne connais pas son groupe sanguin, ajoute Waldner, mais il me plaît bien. C'est un spécialiste des armes blanches, ancien pensionnaire d'un asile d'aliénés, et il a purgé cette peine à Atascadero pour mutilations infligées à autrui. Son surnom, c'était « Pousse de bambou » Shudo. Il avait kidnappé des Mexicains sans papiers en 1934, et leur avait enfoncé des pousses de bambou dans le fondement.

Breuning frémit ; Carlisle dit *Aïe !* ; Vogel ajoute : *Ça fait mal !* ; Scotty avale sa salive.

Koenig dit :

– Penche-toi en avant et touche tes orteils ; tu vas voir où je range ma salsepareille.

Meeks commente :

– Bon voyage, chéri. La chambre à gaz, c'est pour bientôt.

– Je suppose, dit Dudley, que M. Shudo reste dans sa tanière ?

– Il n'en bouge pas, patron, répond Waldner. Elmer Jackson est son chien de garde. Si Fuji en sort, Elmer m'appelle.

– Convoquez les témoins oculaires à l'hôtel de ville à 19 heures précises. Je les mettrai au courant avant l'arrivée de M. Shudo.

On échange des sourires béats. Ils sont suivis d'une ovation. Breuning et Carlisle font tournoyer leurs matraques.

Dudley ouvre la porte. Sid Hudgens et Jack Webb ne sont pas loin.

– Nous avons identifié notre suspect, les gars. Soyez à l'hôtel Kyoto Arms ce soir à 8 heures. Nous réservons cette exclusivité à M. Hearst.

## 12 h 29

Les hommes sortent en file indienne. Dudley s'allonge sur le divan. Il est fatigué. Ses os le font souffrir.

Il maigrit. La benzédrine l'épuise. Hier, il ne se rappelait plus le prénom de sa femme. Il baise Bette Davies. Elle lui donne des frissons.

Elle lui a fait des reproches, hier soir. Il a cédé. Elle s'est radoucie et a tenté d'annuler sa réprimande. Elle a décelé une faiblesse en lui. Il lui a arraché ses vêtements et s'est jeté sur elle pour réaffirmer sa domination.

Ils ont conclu une trêve, à présent. Il faut qu'il la domine comme il domine tous les hommes. La méthode lui échappe pour l'instant.

Beth Short et Tommy Gilfoyle vont bientôt arriver en ville. Bette fera leur connaissance. Il manipule trop de gens à la fois. Il doit réfléchir à une vitesse folle. Il lutte pour rester conscient quand il a besoin de dormir.

Dudley bâille. Dudley tente d'attraper une pensée au vol mais elle lui échappe.

Le téléphone de la table de nuit se met à sonner. Dudley prend l'appel.

J. C. Kafesjian lui raconte ses soucis. Leur fournisseur d'héroïne s'est fait poisser au Honduras, le trou du cul du monde. J. C. fait valoir son lien très fort avec Appelez-moi-Jack Horrall. *Ça ne sert plus à rien si on manque de came à fourguer aux négros.*

Dudley se fait rassurant. Dudley ne propose aucune solution. Il supervise *J. C.*, il ne lui fournit *pas* sa came. Dudley lui sert des propos lénifiants. J. C. est fumasse mais il raccroche.

Dudley bâille. Dudley tente d'attraper une pensée au vol mais elle lui échappe. Le téléscripteur crépite. Dudley tente d'attraper une pensée au vol et il y parvient.

Il appelle un fleuriste du centre-ville. Il se présente comme gradé du LAPD et promet d'envoyer un chèque. Il lui commande trois douzaines de roses rouges. Il lui donne le nom et l'adresse de Bette Davis. Le commerçant lâche un sifflement admiratif. Bette Davis, *fichtre !* La carte ? Signez-la : *L'Irlandais qui vous admire en secret.*

Le fleuriste raccroche. Dudley bâille. Il se sent schizoïde et sur les nerfs. Il avale trois benzédrines et ouvre sa serviette.

*Watanabe/code pénal article 187.*

Il parcourt les rapports. Il se focalise sur les traces de pneus relevées près de la maison. Cette affaire lui porte la poisse. Ils ont Fuji Shudo, maintenant. Trouver le vrai coupable n'a plus de sens.

*Pourtant...*

Dudley range ses dossiers dans sa serviette. Thad Brown entre et approche une chaise.

— J'attends un télétype. La Quatrième force d'intervention de l'armée m'a confié l'enquête sur ce tireur isolé.

— On dirait qu'il tire sur tout ce qui bouge, dit Dudley. Il a visé des Japs *et* des militaires.

Brown allume un cigare.

— Effectivement, dit-il. Peu lui importe la cible. C'est comme ce meurtre de la cabine téléphonique. Un dingue voit un Jap et le descend. Vous voulez savoir ce que j'en pense ? Toutes ces histoires absurdes sont autant d'impasses.

Le téléscripteur crépite et crache du papier. C'est un test de balistique. Il reproduit une photo. On y voit les rayures laissées sur une balle par les stries du canon de l'arme.

Dudley prend la feuille. Une note dans la marge attire son attention : « Carabine de calibre .30-06 à canon scié. »

Il voit la configuration des rayures. Il voit les entailles habituelles provoquées par les canons sciés. Il passe la feuille à Brown. Il a tout compris au premier coup d'œil : il a identifié l'arme, il a identifié le tireur, sans aucun doute possible.

Brown examine la feuille.

– Les canons sciés, c'est de la camelote. Les balles font la culbute. Je parie que le tireur, c'est un abruti de militaire qui a un compte à régler avec la terre entière. On commence par regarder de près les vols dans les dépôts d'armes et on suit ces pistes-là.

– Il faut que je parte, Thad, dit Dudley.

– Allez-y, Dud. Offrez à Jack Horrall son coupable idéal pour clore votre enquête sur les victimes japs. Il nous faut au moins un coupable jap avant que cette putain de guerre ne se termine.

Dudley s'en va. La benzédrine commence à agir et lui donne un coup de fouet. Il sort du bâtiment par une porte latérale et monte dans sa voiture de police. Il se rend à l'hôtel de ville et prend l'ascenseur jusqu'au cinquième étage.

Dans les locaux de la brigade règne le calme habituel de l'heure du déjeuner. Dudley s'installe dans son box et déverrouille le tiroir inférieur gauche de son bureau.

*Voilà...*

Ses armes de poing intraçables et son stock de paires de menottes. Son dossier sur Huey Cressmeyer.

Il contient un extrait du casier judiciaire de Huey et un rapport sur son séjour en maison de redressement. L'été dernier, Dudley lui a injecté une dose de Pentothal. La drogue l'a fait parler. Huey a déballé tous ses vols et tous ses cambriolages. Dudley a enregistré puis retranscrit ses aveux. Il a effectué des tirs d'essai avec ses quatorze pistolets et ses quatre fusils. Il a les résultats des tests... *sous la main.*

La carabine à canon scié de Huey. Les rayures sont identiques. Elles correspondent à celles que Thad Brown vient de recevoir par télétype. Huey, si vif à la détente – et qui est revenu du Mexique.

Ses propres tests, Dudley les a effectués en secret. La feuille de Thad Brown ne correspond donc à aucune arme figurant dans les archives.

Dudley remet son dossier dans le tiroir, ferme celui-ci à clé, et redescend par l'ascenseur. Il avale deux nouveaux comprimés de benzédrine et court jusqu'à sa voiture.

Il prend la 1ʳᵉ Rue pour monter jusqu'à Boyle Heights. Ce quartier, c'est un grand canevas de Juifs et de Mexicains. C'est là que Ruth Mildred a installé sa clinique pour les candidates à l'avortement. Juste *là* – dans un ancien entrepôt derrière la cour d'une casse automobile.

Les deux niveaux de la clinique sont bondés de Filles, de Filles, de *FILLES*. Des filles en goguette, des filles en cloque, des filles qui ont fugué. Le rez-de-chaussée, c'est une résidence. Ruth et Dot y louent des chambres pour les lesbiennes de la marine nationale. Celles qui ont pris congé de Camp Pendleton en faisant le mur trouvent refuge ici, bien renseignées par la rumeur qui circule dans la communauté gougnotte. Hé, la Brouteuse, Ruth et Dot ont besoin de *Toi !*

L'étage, c'est le niveau où se pratiquent les avortements. L'établissement est protégé par les flics. On y trouve du matériel médical de luxe et des chambres pour les convalescentes. Parmi les clientes, on trouve les stars de Harry Cohn et l'élite de L.A. Les salles d'examen sont munies de judas. Les sœurs saphiques paient pour voir.

Dudley se gare chez le casseur. CARRO MONTEZUMA—SE HABLA ESPAÑOL. Il traverse la résidence. Des filles coiffées en brosse le regardent d'un sale œil. Il monte à la salle d'attente. Des laiderons en cloque y pleurent beaucoup.

Dudley connaît la réceptionniste. Il oublie toujours son prénom. Une fois, ils se sont accouplés dans une voiture. Elle s'en souvient encore.

– Huey, ma belle ? Je sais qu'il est là. Où aurait-il pu aller, sinon ?

– Chambre 4, mon chou. Je n'ai jamais su te dire non.

Dudley lui fait un clin d'œil et s'engage dans le couloir. La porte est fermée. Il la pousse. La chambre 4 est l'antre de Huey, à présent.

Note le tapis de couchage sur la table d'examen gynécologique. Note les caleçons suspendus aux étriers. Note les affiches à la gloire du Führer. Note la maquette d'avion – et les relents de colle à balsa.

Regarde Huey. Il construit un modèle réduit de Panzer près de l'évier. Il porte un suspensoir et un brassard nazi. Note le Mossberg .30-06, calé contre le mur.

Huey voit Dudley. Huey *s'étraaangle* en avalant sa salive. Il dit :

– S'il vous plaît, Oncle Dud, ne me faites pas de mal.

Dudley empoigne Huey et le gifle. Dudley lui arrache son brassard puis écrase sa maquette de tank. Huey glapit. Dudley le soulève du sol et l'expédie contre le mur du fond.

Dudley paye son effort. Il est à bout de souffle. Huey percute le mur et s'affale sur le sol. Huey se hisse péniblement sur la table d'examen de sa maman.

Dudley lui dit :

– Vendredi dernier, Carlos Madrano t'a trouvé une planque au Mexique. Tu avais ordre d'y rester, sans te plaindre de ton sort. Tu es revenu, malgré mes instructions, et tu as commis toute une série de méfaits inadmissibles. Explique-toi. Et n'oublie aucun détail.

Huey s'enfouit sous une couverture. Il remonte ses genoux jusqu'à son menton. Sa couverture molletonnée est de couleur rose.

*J'étais terré à Tijuana et je devenais dingue. Je buvais du rhum à 75 degrés et je sniffais de la coke. J'allais voir le spectacle de bourricot tous les soirs. Je lisais des illustrés et des tracts antisémites. Oncle Carlos m'a donné des films des discours du grand chef Hitler. J'ai acheté un projecteur et je les ai regardés sur mon drap du Klan.*

*J'ai ressenti le besoin de TUER. J'ai flingué un touriste juif près du champ de courses d'Agua Caliente. Il portait une kippa, alors j'ai su que c'était un youde. J'ai ressenti le BESOIN DE TUER un nègre. Je suis allé à San Diego en voiture et j'ai descendu un moricaud devant l'hôtel El Cortez. J'ai lu un article à propos du Jap qui s'est fait dézinguer dans cette cabine téléphonique. J'ai ressenti le BESOIN DE TUER un Jap. Je suis allé à Oceanside en voiture et j'ai plombé un Jap qui tondait la pelouse d'un Blanc.*

*J'ai ressenti le BESOIN DE TUER des soldats et au moins un Jap de plus. Je suis allé à L.A. en voiture et j'ai traversé Santa Monica. J'ai dessoudé un Jap qui attendait le bus, assis sur un banc. J'ai tiré sur des militaires à Pacific Palisades, mais ces enfoirés ont survécu.*

Dudley arrache la couverture. Huey suce son pouce. Dudley ébouriffe les cheveux du gamin.

– Terminé, tout ça. Je ne peux pas te laisser faire des ravages pareils.

– D'accord, Oncle Dud.

– Je vais devoir détruire ton fusil fétiche. On ne peut pas courir le risque qu'il soit retrouvé, identifié, et qu'on remonte jusqu'à toi.

Huey dit :

– Je vous ai rapporté un cadeau du Mexique. Quelque chose qui va vous plaire.

– Un souvenir ? demande Dudley. Un porte-clés en forme de sombrero ?

Huey se mouche dans la couverture.

– Mieux que ça. Quelque chose que vous avez envie d'avoir.

Dudley lui plante son index dans le bras.

– Accouche, petit !

– D'accord. Ça a un rapport avec la discussion de la semaine dernière. Vous vous rappelez, quand je vous ai dit que je traînais avec des Japs d'extrême droite.

— Oui, dont faisait partie feu Johnny Watanabe.

— C'est ça, Johnny. Il y avait lui, et puis ce type qui se vantait d'avoir mis Nancy enceinte. Vous vous rappelez ? Je vous ai dit que c'était un métis : mi-Jap, mi-Mex.

— Je m'en souviens parfaitement, mon garçon.

— D'accord, alors, voilà la fin de l'histoire. À Tijuana, j'avais une idée qui me trottait dans la tête. Je me disais : Il faut que je retrouve la trace de cet enfoiré de métis, que je l'enlève et que je le ramène à Oncle Dud. C'est peut-être lui qui a éventré les Watanabe, ou peut-être pas. Ça ne change rien, parce que prendre son pied, c'est prendre son pied, et je n'ai encore jamais kidnappé personne. C'est l'occasion rêvée. De toute façon, je parie qu'Oncle Dud aimerait bien lui parler, à ce type.

— Continue, je te prie.

— Bon. Alors, je commence à le chercher partout. Ça ne m'a pas pris longtemps, parce que les métis Jap-Mex, ça se remarque de loin. Je repère mon lascar dans un bordel à Ensenada, je drogue son verre de tequila, et je le balance dans le coffre de la vieille guimbarde que j'ai payée 30 dollars. Je lui fais traverser la frontière et je l'amène ici, à L.A. Son nom, c'est Tojo Tom Chasco, et je l'ai mis au frais. Il est dans la chambre d'à côté, en ce moment même. Une infirmière lesbienne le garde dans les vapes grâce à un goutte-à-goutte de morphine et de phénobarbital.

La Créature de la Nuit est un chien qui rapporte. Quel esprit d'initiative !

Dudley examine la chambre. Il voit des boîtes de seringues sur une étagère. Il voit un téléphone mural.

Il décroche le combiné et compose le numéro de la brigade. Il tombe sur Mike Breuning.

— Brigade criminelle, sergent Breuning.

— Envoyez Scotty à la clinique de Ruthie, sergent. J'ai une mission à lui confier.

— D'accord, patron, dit Breuning.

Dudley raccroche et rafle une seringue. Huey le tire par la manche. Il ressemble au personnage de Renfield, dans le film *Dracula*. *Maître, venez voir...*

Ils se rendent tous les deux dans la chambre voisine. Dudley voit.

Tojo Tom est attaché à une table d'examen gynécologique avec du chatterton. Il ne porte qu'un caleçon et il est inconscient. Il est musclé, il semble avoir dans les vingt-huit ans. Eugénisme. Il est japonais et mexicain à parts égales.

*¿ Qué pasó, Tomás ?*

Il leur faut un assassin *Jap à 100 %. Fuji Shudo* répond à ce critère. L'affaire est vieille de douze jours. Tojo Tom est leur premier suspect sérieux.

Huey rôde derrière Dudley et joue toujours les Renfield. Dudley plonge la seringue dans le bras de Tojo Tom. Il plante l'aiguille dans une grosse veine. Il extrait un échantillon sanguin qui remplit la seringue. Tojo Tom ne se réveille même pas. Il est dans les vapes.

Dudley plonge la main dans sa poche et en sort une poignée de comprimés de benzédrine. Il referme ses doigts et les réduit en poudre. Il verse celle-ci dans la poche à goutte-à-goutte de Tojo Tom. La poudre se dilue dans le liquide que contient la poche. Allez, debout, Tojo Tom !

Huey tapote la queue de Tojo Tom. Huey a viré tantouze en maison de redressement. Cela cadrait bien avec la combinaison Ruth-Dot.

Tojo Tom dort au paradis des camés. Dudley et Huey restent près de lui. Le jeune Scotty entre dans la chambre. Huey s'émeut, juste un brin.

Dudley passe la seringue à Scotty.

– Vous allez vous rendre à l'hôpital du Bon Samaritain, mon garçon. Au labo, il y a un certain Samuels. Dites-lui d'identifier rapidement le groupe sanguin auquel appartient cet échantillon, et rappelez-moi ici même dès que vous avez le résultat.

Scotty disparaît. Huey boude et se cure le nez. Dudley voit baisser le niveau du goutte-à-goutte. Il se sent légèrement *décalé*. Son pouls bégaie. Sa respiration a des ratés.

Il ne quitte pas des yeux la poche à perfusion. Le liquide s'épuise. Le téléphone mural sonne et fait sursauter Dudley. Il décroche le combiné.

– Je vous écoute, mon garçon.

– L'échantillon appartient au groupe O positif, dit Scotty. Ce n'est pas lui qui a pu féconder Nancy, si c'est de ça qu'il est question.

– Retournez à la brigade, mon garçon. La nuit qui nous attend sera chargée.

Scotty raccroche. Dudley raccroche. La poche à perfusion est vide. Des mouvements convulsifs agitent Tojo Tom.

Des pulsations parcourent ses veines. Il transpire abondamment. Il a des spasmes, comme provoqués par un électrochoc. Il y a conflit entre les deux médications. Tojo Tom est sous l'emprise d'une bonne pincée d'amphétamines.

Tojo Tom ouvre les yeux.

Tojo Tom plie ses membres.

Tojo Tom voit son vieux pote Huey. Tojo Tom voit un type qui est manifestement un flic.

Il parcourt la chambre des yeux. Il comprend. On l'a kidnappé. Il n'est plus au Mexique. Il n'est plus dans un bordel. Plutôt dans une sorte d'hôpital clandestin.

Il s'étire. Il agite bras et jambes. Il urine et trempe son caleçon. Il arrache un morceau de chatterton. Du sang coule le long de son bras.

Son regard s'éclaire un peu. Il remarque la poche à perfusion. Il comprend. *Pourquoi je me sens si bien ? Parce que j'ai une aiguille plantée dans le bras. Parce qu'il y a de la came dans ce sac.*

Il tousse. Ses yeux se promènent. Ils se braquent sur le grand flic. Ils *transpercent* Huey. Il lui dit :

— Salaud, tu m'as vendu.

Dudley intervient :

— *Hola, Tomás. ¿ Qué pasó ? Ojalá que se mejore pronto.*

Tojo Tom réplique :

— Les flics blancs qui parlent l'espagnol, ça ne m'impressionne pas. Il y en a plein, des comme vous. Vous réclamez toujours des informations, et vous dites toujours que vous avez deux façons de les obtenir, en douceur ou sans douceur. Si vous voulez m'impressionner, parlez le japonais.

Dudley sourit.

— Je parle l'espagnol couramment, mon garçon – mais mon don pour les langues s'arrête là. Si vous voulez, je peux faire venir mon ami Ryoshi Watanabe. Je suis sûr qu'il voudra bien faire l'interprète pour moi.

— *Ryoshi es estúpido. Es el pinche cabrón*, rétorque Tojo Tom.

— Vous avez parlé de lui au présent, Tomás. Je trouve ça intéressant.

— C'est une tournure parfaitement correcte, *pendejo*. Je suis à moitié mexicain, alors, je sais ce que je dis. Et d'où ça vient, cet accent bizarre que vous avez ? Vous êtes un de ces pédés de rosbifs ?

Dudley rit.

— C'est vous qui avez fécondé Nancy Watanabe, Tomás ? Huey m'a dit que vous aviez mis une Japonaise enceinte.

— Huey a brouté la chatte de Nancy à la fête de fin d'année du collège Nightingale. C'est *lui* qui me l'a dit, à *moi*. De mon côté, j'ai engrossé une nana qui s'appelle Shirley Yanagihara en 1939, et j'ai quelque part des triplés mongoliens pour le prouver. Pourquoi vous vous intéressez tellement à ces *estúpidos* Watanabe, *pendejo* ? C'est la guerre. Pourquoi vous n'êtes pas parti vous battre, du mauvais côté ?

– Huey a cru que vous parliez de Nancy Watanabe. Huey a dit aussi que vous vous êtes vanté d'avoir tué une famille entière à Culiacán.

Tojo Tom s'esclaffe.

– Je m'en souviens, de cette nuit-là. On a bu avec des collaborationnistes dans Griffith Park. J'ai raconté que j'avais tué une famille à Culiacán et baisé Betty Grabble. Huey a dit qu'il avait assommé Clark Gable d'un coup de pistolet et violé Carole Lombard. Un métis chinois-japonais a prétendu qu'il avait lancé une bombe incendiaire dans une église nègre en 1912, mais je crois qu'il est né en 1918. Ces collaborationnistes ont fini par se faire descendre, mais c'est le seul événement grave qu'on ait jamais vu, Huey et moi.

Dudley sourit. Huey fait la moue. Encore une fausse piste. La Créature de la Nuit n'a droit qu'au dédain.

Tojo Tom dit :

– Ce que vous m'avez injecté, ça doit être un genre de carburant pour fusée. Je me sens tellement bien que je ne suis pas aussi en rogne que je devrais l'être. Je m'endors dans un bordel à Ensenada, et je me réveille attaché à une table dans un endroit inconnu. Je buvais du mescal avant de m'endormir, et voilà que je parle à mon ancien pote Huey et à une sorte de flic rosbif. Je serais curieux de comprendre ce qui se passe, mais je ne voudrais pas casser l'ambiance.

Dudley explique :

– Tous les membres de la famille Watanabe ont été assassinés le samedi 6 décembre. Le meurtre a été perpétré ici, à Los Angeles. Je suis sûr que ce n'est pas vous qui les avez tués, et je vous présente donc toutes mes excuses pour le scandaleux désagrément que constitue votre enlèvement, dont M. Cressmeyer a pris l'initiative sans mon consentement. Puisque vous êtes là, j'aimerais avoir votre point de vue sur la famille elle-même.

Tojo Tom ricane.

– Qui se sert de l'épée périra par l'épée.

– Je comprends le concept, mais veuillez élaborer, je vous prie.

– Ça veut dire qu'ils appartenaient à la cinquième colonne. Ça veut dire qu'ils ont fini par se mettre à dos d'autres membres de la cinquième colonne, qui leur ont réglé leur compte. La cinquième colonne, c'est la cinquième colonne. Aucun de nous ne fait vraiment grand-chose, à part rencontrer les autres discrètement et parler de trahison. De temps en temps, il y a des rivalités qui se révèlent. Vous voulez mon avis, monsieur le rosbif ? Quelqu'un a dit ou fait quelque chose qui n'avait l'air de rien, mais qui a laissé des traces. C'est comme ça, chez les types de la cinquième colonne. Ils connaissent quelqu'un qui connaît quelqu'un qui place une bombe. Il se passe quelque chose une fois tous les 36 du mois, mais la plupart du temps, ça reste dans nos têtes.

— Vous êtes un esprit très brillant, Tomás.

Huey se vexe.

— Il n'est pas aussi brillant que moi, Oncle Dud. S'il est si malin, comment se fait-il qu'il soit ici ?

Tojo Tom se tortille.

— J'ai besoin d'aller aux toilettes.

— Dans un instant, mon garçon. En attendant, veuillez me raconter…

— … la vie des Watanabe, dont il n'y a presque rien à dire. Si c'était un bouquin, il faudrait l'appeler *Une famille de Japonais cinglés*. Nancy, c'était une traînée, et Johnny, il a goûté à toutes les soupes de l'extrême droite. Il copinait avec ces collaborationnistes, commettait des braquages dont il affectait le produit à la cause de l'Empereur. Ryoshi et Aya diffusaient des tracts racistes et blanchissaient des devises en provenance des forces de l'Axe. Ils correspondaient par radio à ondes courtes avec des Blancs, des fascistes américains et anglais dont je ne connais pas le nom, mais ils ne faisaient rien d'autre que parler, parler, et parler. Le seul avantage que je pourrais leur reconnaître, c'est qu'ils ont su avant tout le monde que Hirohito allait attaquer Pearl Harbor. C'était il y a environ huit mois, la dernière fois que je les ai vus. Ryoshi a dit quelque chose du genre : *Nous frapperons les premiers, à la base navale de Hawaï*. Il m'a semblé qu'il avait appris ça au cours d'une de ses conversations par radio à ondes courtes. Et puis ce qu'il a dit a eu lieu, et maintenant vous me dites que la famille entière a été liquidée la veille de l'attaque.

Huey dit quelque chose de stupide. Dudley le fait taire. Huey la ferme.

*Les Watanabe ne possédaient pas de poste radio à ondes courtes. Les Watanabe n'avaient pas de radio du tout. On a fouillé toute la maison. On a fouillé le garage. Ils n'avaient pas de cave. Il n'y avait pas de grenier. Il n'y avait pas d'installation pour émettre et recevoir par ondes courtes.*

Tojo Tom annonce :

— J'ai les dents du fond qui baignent. J'ai besoin d'aller aux toilettes.

Huey dit :

— J'ai faim. Vous pensez que Kwan enverrait un livreur jusqu'ici ?

— Réfléchissez, Tomás. Où les Watanabe cachaient-ils leur poste de radio à ondes courtes ?

— Ryoshi avait une planque aménagée dans les combles. C'est là qu'il cachait tous ses documents secrets.

*Il faut que je fouille la planque de Ryoshi. Il se pourrait qu'elle soit encore intacte. À moins qu'elle n'ait déjà été passée au peigne fin. La radio a pu disparaître. Cela voudrait dire ceci :*

*Hideo Ashida est venu avant toi.*

*Ashida a pu écouter les émissions en provenance du Japon. Ryoshi a peut-être conservé des transcriptions des émissions. Ashida a pu les lire. Ashida a pu dès le départ supprimer des preuves cruciales.*

« Ses documents secrets. » Des documents sans rapport avec l'affaire. Fuji Shudo finira dans la chambre à gaz. Tojo Tom a fourni un indice pertinent. Cet indice le rend, lui, non-pertinent.

Dudley sort le revolver à canon court qu'il porte à la cheville. Ses munitions de petit calibre perforent les crânes et se logent dans le cerveau. Cela minimise les écoulements.

Huey se met à glousser.

Tojo Tom chie dans son caleçon. Une puanteur effroyable se répand dans la chambre.

Dudley arme le chien de son revolver.

— Je sais où il y a de l'argent, dit Tojo Tom.

Dudley braque l'arme sur lui.

— J'ai livré de l'héroïne pour Carlos Madrano. Je sais où il planque son fric et sa drogue.

Dudley abaisse son arme.

Huey fait la moue.

*Le capitaine Carlos et l'héroïne. Cette même rumeur, encore une fois.*

— Il y a autre chose, mon garçon ? Je vous ai trouvé crédible, jusqu'à maintenant. Je vous conseillerais de continuer dans cette voie.

Tojo Tom ajoute :

— Carlos a une sorte de projet pour racheter des terrains, avec des gringos pleins de fric qui vivent ici, à L.A. Je ne connais pas leurs noms. Je crois que c'est une information valable, mais je n'en sais pas plus.

*Rachat de terrains. Cette même rumeur, encore une fois.*

Dudley se rend dans la chambre de Huey. Il décroche le téléphone mural. Il appelle un homme à lui qui travaille pour la compagnie téléphonique Bell et il lui transmet une demande urgente de renseignements :

Repérage d'appels longue distance. Le point de départ : le quartier général de la police nationale, à Baja – la ligne de Carlos Madrano. Répertoriez *tous* les appels vers Los Angeles, depuis trois mois.

Il promet un billet de cent dollars. *Rápidamente, por favor.*

Dans la chambre voisine, Huey se paye la tête de Tojo Tom. Dudley raccroche et les rejoint.

Huey lui demande :

– Laissez-moi le tuer, Oncle Dud. Je n'ai encore jamais tué de métis.

Dudley balance Huey contre le mur du fond. Huey pivote sur lui-même et s'écroule. Tojo Tom jubile.

– Je t'interdis de tuer M. Chasco, ni qui que ce soit d'autre. Tu vas veiller sur M. Chasco le temps que je vérifie ses déclarations. J'ai beaucoup de choses à faire, et je reviendrai plus tard lui demander des renseignements supplémentaires. Tu seras aux petits soins pour M. Chasco, Huey. Si tu ne le fais pas, je te tue.

## 14 h 51

Les lesbiennes du rez-de-chaussée lui envoient des baisers. Dudley entre dans la cour du casseur et rejoint sa voiture. Il avale trois benzédrines à sec. Son cerveau fait des étincelles.

*Des brochures racistes, à répétition. Dans toutes les affaires. Ashida a raflé les brochures en japonais. A-t-il menti au sujet de leur contenu ?*

Dudley ouvre le coffre. Les brochures en japonais sont rangées là.

Il les examine page après page. Son cerveau crépite. Il revoit cette brochure de la Deutsches Haus. Ils ont coincé Fred Hiltz à la Deutsches Haus. Hiltz est un spécialiste des brochures racistes.

Établis le lien entre la brochure de la Deutsches Haus et celles-*ci*. Deux langues différentes, deux mises en page différentes.

*Attends.*

Tu as oublié un détail, fais appel à tes souvenirs. La brochure de la Deutsches Haus d'un côté, ces brochures-ci de l'autre. *Réfléchis, réfléchis bien…* Oui, c'est ça.

Le papier provient de la même source, les feuillets sont collés de la même façon.

Dudley se dirige vers une cabine téléphonique. Les annuaires de la ville sont reliés par une chaîne à la paroi. *Réfléchis.* Suis l'ordre alphabétique.

L'annuaire des quartiers nord-est. Les « C » d'abord. *Croisade nationaliste chrétienne* : 2829 Chevy Chase, Glendale. Passons aux « H ». *Hiltz, D<sup>r</sup> Fred* : 2831 Chevy Chase, Glendale. Les « S », maintenant. *Smith, G.L.K.* : 2829 Chevy Chase, Glendale.

Le savoir-faire de l'enquêteur. Confirmer ce qu'on flaire instinctivement. Des éléments disparates finissent par avoir du sens.

Dudley monte dans sa voiture et fonce. Il franchit le pont de la 1<sup>re</sup> Rue pour rejoindre Broadway, puis il suit Broadway jusqu'à l'Arroyo Seco Parkway. Il avale deux benzédrines et parvient à l'Avenue 45.

Il se gare dans l'allée et traverse la pelouse. Un crétin a peint *JAPS !* sur la porte.

Il entre dans la maison et monte aussitôt à l'étage. Il arpente le palier et se redresse de toute sa hauteur. Il tapote le plafond. Il remarque une irrégularité dans le grain du bois. Il frappe cet endroit précis.

Gagné ! Un escalier rétractable se déplie et descend jusqu'au plancher du couloir.

Dudley en monte les marches. Il gratte une allumette. Il découvre un espace exigu dans les combles.

Pas de radio à ondes courtes. Une table et une prise de courant au mur. La radio *était* branchée sur cette prise.

Près de la table, des traces de pas visibles dans la poussière. Note la marque des fers qui garnissent la pointe et le talon. Les chaussures que porte Ashida sont *toujours* garnies de fers.

*Hideo Ashida est venu ici. Hideo Ashida a volé la radio. Hideo Ashida a volé les brochures. Tu es venu ici ce soir-là. Tu aurais dû fouiller sa voiture.*

Dudley a des frissons. C'est la benzédrine. Cette compétition entre enquêteurs… Sa considération chevaleresque pour ce garçon…

Il redescend l'escalier et le replie. Le panneau du plafond reprend sa place, quasiment invisible. Il remonte dans sa voiture et rejoint l'Arroyo Seco Parkway.

Il se sent étrangement déphasé. Il devrait manger quelque chose. Cette simple idée lui soulève le cœur.

Deux Smith : Le pasteur Gerald L. K. Smith d'un côté, le sergent Dudley Smith de l'autre. Lui, Dudley, c'est Smith l'Irlandais, le Papiste. L'autre, Gerald, c'est le Protestant. Gerald était le protégé du sénateur Huey P. Long. À l'époque, Gerald était un Rouge, un partisan du partage des richesses. Et puis, en 1935, Long est assassiné. Gerald vire alors à l'extrême droite. C'est un antisémite convaincu.

Dudley quitte le Parkway. Un pont l'amène à Chevy Chase. Il longe un terrain de golf et déchiffre les plaques pour trouver la bonne adresse.

C'est là. Deux maisons genre Tudor, près du terrain d'entraînement.

Il se gare le long du trottoir. Le n° 2831, c'est celui de la maison la plus proche. Le jardin est envahi par les herbes. Fred Hiltz manie ses clubs. Gerald L. K. Smith lui aligne ses balles.

Dudley se dirige tranquillement vers eux. Il suit une trajectoire oblique. Les deux hommes ont le coup d'œil pour repérer les représentants de l'ordre. Hiltz connaît Dudley depuis le raid sur la Deutsches Haus. Smith est un professionnel de l'agitation manipulée. Ils connaissent bien les flics.

Tiens... Hiltz l'a repéré. Tiens... il pousse Smith du coude. Ils forment une équipe à la Laurel et Hardy. Hiltz est petit, Gerald Smith est un grand gaillard. Convergence. Mike Breuning dit les avoir vus au rassemblement de Pershing Square.

Note la carafe de limonade. Elle est bleue, donc elle est additionnée d'alcool.

Hiltz empoigne un fer 3. La balle atterrit deux cents mètres plus loin.

Gerald L. K. Smith demande :

— De quoi s'agit-il, monsieur ?

— Mon révérend, c'est un honneur pour moi de faire votre connaissance, répond Dudley.

Hiltz fait tournoyer son fer 3.

— Il fait partie de la brigade des étrangers, Gerald. Il a participé au raid contre la Deutsches Haus. L'Appareil de l'Hégémonie Juive nous a envoyé des brutes.

Smith demande :

— Ami ou ennemi ? Allez, annoncez la couleur. Vous souriez, mais vous êtes flic, bien qu'en civil. Votre accent irlandais est désarmant ;

cependant, je n'aimerais pas l'entendre si vous aviez quelque chose à me reprocher.

Dudley sourit de plus belle. Sa bouche est agitée d'un tic. Il se sent déphasé.

– Je m'appelle Smith, mon révérend. C'est un nom auquel je réponds avec fierté, comme vous aussi, j'en suis sûr. Je suis né à Dublin, je suis catholique, je suis sergent dans la police de Los Angeles. Certains pamphlets, dont je vous crois à l'origine, ont attiré mon attention, en tant que preuves collatérales, dans le cadre d'une enquête déjà menée à son terme sur un homicide. J'ai quelques questions de pure forme à vous poser à ce sujet, mais le véritable objet de ma visite, c'est de solliciter votre avis sur un projet d'entreprise lucrative.

Hiltz propulse une balle de golf qui prend de l'altitude. Smith remonte son pantalon. Il possède toute une série de gestes stéréotypés qu'il ressort au bon moment. C'est un grand cabotin.

– Je n'ai aucune animosité envers les catholiques ou les Irlandais, sergent. Les Irlandais ont allumé des feux pour guider les avions de la Luftwaffe partis bombarder Londres. Ce sont des Juifs anglais qui ont écrit *Les Protocoles des sages de Sion*. L'Appareil de l'Hégémonie Juive dispose d'une entrée spéciale au n°10 Downing Street.

Dudley se mord la langue. Hiltz s'approche d'une table roulante et emplit trois verres de limonade. Smith fait signe : *Après vous.*

Ils apportent des chaises qu'ils disposent face au terrain de golf. Hiltz sert la limonade. C'est le larbin de Gerald Smith, qui collectionne les protégés capables de jouer les faire-valoir.

Hiltz lève son verre.

– *L'chaim !* C'est un toast que portent les Juifs. Si on ne peut pas les vaincre, autant rejoindre leur camp. Comme beaucoup d'autres chrétiens blancs, j'aime les sandwichs au bœuf fumé.

Dudley *Smith* s'esclaffe. Gerald L. K. *Smith* s'esclaffe. Il a la crinière léonine commune à beaucoup de cabotins.

Les trois hommes sirotent de la limonade. Elle est arrosée de bourbon à fort degré d'alcool. Dudley pique une suée.

– Huey P. Long, repose en paix. Messieurs, ce whiskey que vous dégustez provient de sa réserve personnelle. Il titre 84 degrés. Le sénateur aimait bien commencer sa journée par un bon coup de fouet.

– Ce dentiste juif l'a massacré, dit Hiltz. J'étais à l'école dentaire, à l'époque. Carl Weiss[1], Docteur en chirurgie dentaire. Ce salopard

---

1. Assassin du sénateur Huey P. Long.

de Juif a été l'opprobre de ma profession tout entière. J'ai entendu la nouvelle à la radio, et j'ai rejoint la Légion d'Argent le lendemain.

– Posez vos questions, sergent, dit Smith. *De pure forme*, avez-vous précisé. Dans mon esprit, cela signifie *trois* questions.

– Tous les membres d'une famille japonaise ont été assassinés le 6 décembre. Ils étaient en possession de brochures, dont une en anglais et des dizaines d'autres en japonais, dont je pense qu'elles ont été publiées par vous. Connaissiez-vous cette famille ? Lui avez-vous vendu ces pamphlets ? Connaissez-vous, ou pensez-vous connaître des gens qui ont pu la fréquenter ?

– Eh bien, fait Smith, voilà vos trois questions.

Hiltz intervient :

– Nous n'avons pas le moindre nom japonais dans nos listes d'abonnés ; point final. Nous livrons nos publications en japonais à un marchand de journaux qui tient un kiosque à l'angle de la 2e Rue et de San Pedro Street. Qui sait où elles échouent ensuite ?

Smith reprend la parole.

– Ils se font assassiner le 6 décembre. Pearl Harbor est attaqué le lendemain. Je ne m'étonne pas de n'avoir rien vu à leur sujet dans les journaux.

– Les personnes sensibles peuvent trouver vos pamphlets honteux, mais ce n'est pas mon cas. Cela ne me dérange pas que certaines de vos publications soient violemment antiaméricaines, anticatholiques, anti-police de Los Angeles, pro-japonaises et plus souvent qu'à leur tour rédigées d'un point de vue communiste. Cette période extraordinaire a créé un populisme radicalement hétéroclite, et vos pamphlets servent à lui donner une voix. Je nourris des opinions extrêmes, que la plupart de nos concitoyens américains pourraient considérer comme répréhensibles. Je vous félicite d'avoir le courage de faire connaître une palette de points de vue aussi variée.

Smith et Hiltz en restent bouche bée. Mais il sait *parler*, cet Irlandais !

– Les mauvais pamphlets financent les bons pamphlets, dit Hiltz. Nous soutenons le principe énoncé par le premier amendement, et nous sommes très attachés à notre droit à la libre expression. De plus, c'est amusant d'opposer des points de vue différents sur un même sujet, pour voir ce qu'il en ressort en définitive.

Dudley avale une gorgée de limonade. Il ressent une brûlure au passage. Elle se mélange avec la benzédrine et déclenche en lui des fourmillements.

– Qui rédige les pamphlets ? Qui les reçoit ? Combien d'abonnés comptez-vous ?

– Gerry, dit Hiltz, ce garçon nous bombarde de questions.

– Fred, annonce Smith, la retape ne va plus tarder. Smitty n'est pas venu ici pour nous faire perdre notre temps.

*Non, espèce d'infâme sac à merde de protestant – je ne suis pas venu pour ça. « Smitty » ? J'ai tué des hommes pour moins que ça.*

Dudley dit :

– « Smitty ! » Elle est bien bonne, celle-là.

Hiltz explique :

– « Smitty », c'est un Irlandais bouffeur de patates de l'ancien temps. Les Irlandais s'accouplent avec des Ritales dès qu'ils en ont l'occasion. C'est l'eugénisme qui veut ça. Ils engendrent de beaux enfants aux cheveux bruns et aux yeux bleus. La patate, c'est un aphrodisiaque. Smitty a probablement des rejetons à moitié ritals disséminés dans le pays tout entier.

Dudley porte la main à sa matraque. *Non, non, non – ne fais pas ça.*

– Je reconnais volontiers, docteur, que j'ai un faible pour les pommes de terre. Du point de vue de l'eugénisme, j'ai certainement ça dans le sang.

Dudley boit une gorgée de limonade. Il fait semblant de tousser et avale trois benzédrines.

– Bon, dit Smith, pour répondre à la question de Smitty : c'est moi qui écris les pamphlets de droite, le D$^r$ Fred Hiltz écrit les pamphlets de gauche, et un vieux fasciste britannique qui connaissait la langue les rédigeait en japonais, mais il est mort, renversé par une voiture, le matin de Pearl Harbor. Le marché des pamphlets en japonais a fondu depuis l'entrée en guerre, mais j'envisage d'embaucher un auteur chinetoque pour écrire des pamphlets anti-Japs et un auteur Jap pour écrire des pamphlets anti-chinetoques, chacun dans sa langue maternelle. Cela couvrira de nombreux marchés et renforcera notre position d'apologistes du premier amendement. Il y a une mondaine d'obédience communiste, une certaine Claire De Haven, qui achète nos brochures Rouges en gros, et pour sa part elle a même écrit un pamphlet anti-flics. Elle distribue nos publications à des Juifs de Hollywood, des agitateurs syndicalistes, des âmes sensibles, des moricauds, des admirateurs du Président Franklin « Déloyal » Rosenfeld, des nippophiles, des anti-Klan, des membres de la cinquième colonne, et aux parasites Rouges qui polluent les esprits de nos jeunes gens dans les *Youpin*universités américaines.

À bout de souffle, le cabotin met fin à sa tirade. Hiltz lève les yeux au ciel. *Il est toujours comme ça.*

Dudley demande :

— Mon révérend, combien de noms comporte votre liste d'abonnés ?

Hiltz remue sa limonade.

— Enfin, il en vient à ce qui l'amène.

— Laissons-le s'exprimer, dit Smith. Il ne s'est pas montré violent jusqu'à présent.

— Il l'a été à la Deutsches Haus, dit Hiltz.

Smith avale une lampée de limonade.

— Smitty, je ne suis pas homme à me vanter, mais le D$^r$ Fred et moi avons le plaisir de compter 68 981 abonnés à nos publications.

Dudley essaie de siffler pour signaler que le chiffre l'impressionne, mais il a la gorge sèche. C'est *son corps tout entier* qui lui semble desséché. Le terrain de golf se met à tournoyer sous ses yeux.

— Messieurs, je représente un groupe d'investisseurs qui envisagent de tirer des profits substantiels de la détention imminente des Japonais. Dans le cadre de l'un de nos nombreux projets, nous avons l'intention de produire des films osés, au contenu politique anti-Forces de l'Axe, mettant en scène des Japonais. Cette guerre est une mêlée générale, messieurs. Même si 15 % seulement de vos abonnés ont l'envie ou la tentation d'y participer, nous pourrions récolter des sommes non négligeables.

Hiltz demande :

— Et ce n'est qu'un de vos projets parmi d'autres ?

— Oui, répond Dudley.

Smith avale bruyamment une gorgée de sa limonade de plouc.

— Êtes-vous en train de nous dire que ce projet sera protégé par la police ? Il fut un temps où je buvais et allais à la messe avec Deux-Flingues Davis, alors je sais reconnaître une protection policière quand je la vois.

— Le directeur Horrall est moins flamboyant que l'ex-directeur Davis, mais tout aussi disposé à tirer profit de situations regrettables qu'il n'a pas lui-même contribué à créer.

Hiltz précise :

— Avec Pearl Harbor, les Japs ont perdu ma confiance. Ça ne me dérangerait pas de ramasser quelques dollars au bout du compte.

Nous pourrions reverser 10 % à la Croisade et nous laver les mains de l'aspect sordide de l'entreprise.

Smith fait un clin d'œil.

– On sait que le D^r Fred ne boude pas son plaisir lorsqu'il regarde, de temps à autre, un court-métrage grivois. Cependant, il s'est fixé une limite : ni mômes ni bestiaux.

– Comme nous tous, mon révérend.

Smith demande :

– Quelle mise de fonds comptez-vous exiger, Smitty ?

– Aucune, mon révérend.

Hiltz commente :

– Le mot magique. On ne peut pas faire confiance à un homme qui arrive en tendant la sébile.

Smith met un bémol :

– Le plus important, c'est de bien choisir les noms dans la liste. On ne peut pas imprimer 68 981 brochures pornographiques en espérant vendre le tirage complet tout en évitant la censure des autorités chrétiennes.

– Amen, dit Hiltz.

Dudley sirote sa limonade de plouc. Sa vue se brouille. Son col de chemise s'imbibe.

– Il y a une foule de détails à régler, messieurs.

– Vous m'avez l'air bien pâle, Smitty. Ça ne vous va pas très bien, rougeaud comme vous l'êtes.

– La réserve particulière de Huey Long, dit Hiltz, ce n'est pas pour les femmelettes.

Une balle de golf percute la maison. Dudley sursaute et porte la main à son arme.

– Satanés Juifs, dit Hiltz. Ils nous ont dans le collimateur, c'est sûr.

– C'est un club privé, Freddy, dit Smith. Celle-là, vous ne pouvez pas en rendre les youpins responsables.

– Vous avez raison, chef, dit Hiltz. C'est *Smitty* qui nous a en ligne de mire. Et il a la tremblote.

Dudley se lève. Il voit des taches sombres devant ses yeux.

– Messieurs, je crains de devoir vous quitter. J'ai un suspect à arrêter dans une affaire de meurtre.

Hiltz demande :

– Vous connaissez la dernière blague sur le Pape Pie XII et son dalmatien ? Juste un petit coup en vitesse avant que tu partes.

Smith dit :

— Allez, du vent, Smitty. Je vois bien que vous êtes surmené.

**18 h 03**

Il retourne à sa voiture. Les caddies chargés de sacs et qui passent près de lui ne sont que des formes indistinctes. Il se raccroche à son Saint Christophe. Martin Luther se moque de lui. Il démarre le moteur et descend la côte.

Un canyon, un terrain de golf, une ligne blanche sur la chaussée. Il se concentre sur ses roues avant et cette ligne blanche et floue. Il plisse les paupières. Son pied gauche s'engourdit. La voiture a des soubresauts quand il change les vitesses.

Il allume ses phares. Des insectes rampent sur le pare-brise. Il met en marche ses essuie-glaces et les élimine.

Il roule trop vite. Il roule trop lentement. Il avale quatre benzédrines. Il ne sait plus où il se trouve. Cela ressemble à Dublin. Les plaques des rues disent GLENDALE.

Il reste en seconde. Il freine les voitures qui le suivent. Il se précipite vers les carrefours pour stopper net au feu rouge et franchit les feux verts en zigzag. Les sapins de Noël et les drapeaux américains lui font monter les larmes aux yeux.

Est-ce qu'il pleut ? À moins que ce ne soit ses larmes. Il remet en marche ses essuie-glaces et chasse d'autres insectes. Il serpente en longeant le réservoir de Silver Lake. Roues avant/ligne blanche sur la chaussée.

Il voit double et triple. Il traverse le croisement Melrose-Virgil et revoit la cabine téléphonique. Goro Shigeta lui fait signe. Il lui crie : *Vous êtes mort, et moi je ne le suis pas.*

Il atteint Temple Street. Sa vision se brouille de nouveau puis redevient normale. Il jette un coup d'œil à son rétroviseur et voit Dudley Liam Smith. Il identifie un étal comme étant celui d'un vendeur de hot-dogs.

Il teste l'état de son cerveau. Il se rappelle les prénoms de ses filles. Il se souvient de certains événements sportifs. La seconde rencontre Joe Louis-Max Schmeling, le 22 juin 1938.

De Temple Street à Spring Street. De Spring Street à l'hôtel de ville.

Le garage est presque vide. Il range sa voiture avec beaucoup de précautions. Il atteint l'ascenseur en vacillant puis enfonce le bouton 6. Il se sent des fourmis dans les pieds.

L'ascenseur s'arrête. Il rejoint le couloir de la brigade. Il est désert, c'est l'heure du dîner. Le mur est une bande blanche sur la chaussée. Ses pieds sont des roues avant. Il parvient jusqu'aux toilettes.

Il pousse le verrou pour s'enfermer. Il se laisse glisser le long de la porte. Le carrelage le fait frissonner. Il rampe vers le lavabo et se hisse péniblement.

Il imbibe un morceau de papier toilette et se rafraîchit le visage. Le miroir est un miroir, pas une fourmilière.

*Dudley Liam Smith. Seigneur, il y a de quoi avoir peur.*

Il ressort dans le couloir. Il parvient à son box et se laisse tomber dans son fauteuil. Il réprime un sanglot de gamin hystérique.

Les cigarettes apaisent son rythme cardiaque. Son sang circule normalement de nouveau. Il reste vingt minutes avant la présentation des témoins oculaires. On est en train de les chapitrer en ce moment même.

Dudley suce des pastilles. Son pouls accélère puis se calme. Le téléphone de son bureau se met à sonner. Il décroche le combiné.

– Brigade criminelle, sergent Smith.

– Larry, Compagnie téléphonique Bell. Vous étiez pressé, alors voilà les résultats.

– Vous ne le regretterez pas, mon garçon. Vous savez que je récompense les services express.

– Au cours des trois derniers mois, dit Larry, les seuls appels passés par Madrano, de façon régulière, depuis Ensenada vers L.A. concernent trois numéros. D'abord, le domicile d'un certain Preston Exley, E-X-L-E-Y, numéro : WEbster-4821, qui dépend du central de Hancock Park. Ensuite, le numéro d'Exley Constructions, 6402 Wilshire Boulevard, OLeander-2758. Le troisième numéro concerne Beverly Hills. C'est celui du bureau d'un nommé Pierce Patchett, P-A-T-C-H-E-T-T. Le numéro : CRestview-7416. Je ne sais pas quel genre d'entreprise dirige ce Patchett, mais son adresse est 416 Bedford Drive.

Dudley note tous ces renseignements. Sa main tremble. Son crayon se casse.

Larry ne le lâche pas. Vous me devez cent dollars, bla, bla, bla. Dudley raccroche. Les liens et les détails qui relient les indices finissent par se superposer. Il a *connu* Preston Exley. Il a *servi* sous ses ordres. Preston a dirigé la brigade criminelle pendant un temps. Dudley a lu une note de service inter-brigades. Exley Constructions a proposé des projets pour résoudre les problèmes que pose la détention des Japonais. Les appels entre Madrano et Exley *suggèrent* des liens avec l'affaire Watanabe.

Carlos Madrano fournissait des Mexicains sans papiers aux maraîchers japonais. Ajoutons les « deux Blancs » impliqués dans le rachat des exploitations. Exley et Patchett pourraient bien être ces deux Blancs.

L'adresse de Patchett lui est familière : 416 Bedford Drive. Encore un recoupement.

C'est d'Ed Satterlee que Dudley la tient, cette adresse. Ils bavardaient chez Kwan. *On a retourné un psychiatre Rouge. Son cabinet médical se trouve dans Bedford Drive, en face de la pharmacie Klein.*

Dudley connaît la pharmacie Klein. C'est là que sa femme achète les pilules pour soigner son asthme. L'adresse : 419 Bedford Drive. Il se gare toujours devant le 416.

Recoupement.

Preston Exley souffre de migraines. Ils en ont parlé l'an dernier lors d'un déjeuner de la brigade. Preston a dit qu'en ce qui concernait son propre cas, un médecin juif avait fait des miracles. Cet homme s'impliquait beaucoup dans les recherches sur l'eugénisme. Son cabinet se trouvait juste à côté de la brasserie Marv's Hofbrau. Un ami résidant dans son immeuble le lui avait recommandé.

Marv's Hofbrau. En face de la pharmacie Klein. Juste à côté du 416 Bedford Drive.

Exley. Le médecin-mouchard Saul Lesnick. Le mystérieux Pierce Patchett. Des liens et des recoupements entre les diverses pistes.

Le téléphone sonne. En tâtonnant, il décroche le combiné.

– Brigade criminelle, sergent Smith.

– C'est Bette, et je ne tolérerai pas la moindre interruption ni le moindre boniment pendant que je te raconte que mon mari était présent quand les fleurs sont arrivées, tout comme étaient présents Willie Wyler, Myrna Loy et John Huston. Mon mari s'est mis à pleurer, devant tous mes amis. John a dit : *Qui te les a envoyées, Bette ? Un machiniste avec qui tu couches ?* Je me suis sentie extrêmement gênée, et même mortifiée de passer pour une moins que rien. Ne dépasse plus jamais les bornes avec moi, Dudley – tu m'as contrariée gravement, et je ne permettrai pas que pareille chose se reproduise.

Il tremble. Bette raccroche. Il allume maladroitement une cigarette. L'allumette lui brûle les doigts.

Buzz Meeks s'approche de lui. Il prend la pose. Il incarne l'insolence. Il agite un cigare.

– Vous avez l'air fâché, Dud. Le Dudster dans l'embarras, c'est à noter dans les annales.

– Vos commentaires sont-ils motivés ?

– Ils sont motivés par le fait que vous me devez trois avortements. Mes petites amies poussent les hauts cris, et je sais qu'il faut s'y prendre à l'avance pour réserver les services de Ruth.

Dudley inscrit sur son bloc-notes : *Pierce Patchett/416 Bedford/ Beverly Hills*. Il arrache la page et la tend à Meeks.

– Trouvez-moi un maximum de renseignements sur cet homme. Je vous donnerai 500 dollars. Au plus vite, sans perdre une minute. Vous m'avez contrarié gravement, mon garçon. Et je ne permettrai pas que pareille chose se reproduise.

Meeks ravale sa salive. Voilà – ce putain d'équilibre est rétabli.

Dudley se lève. Il se campe fermement sur ses jambes. Il se dirige d'une démarche sinueuse vers la salle des confrontations. Elle est pleine à craquer.

Il y a ses hommes. Les neuf témoins oculaires. Ce minable de Meeks, qui le suit en se dandinant.

Ça ressemble à une attraction de fête foraine. À un défilé de mode. Des petites frappes en pantalons de toile fendus à la cheville. Avec des favoris et des coupes de cheveux en queue de canard. Un Mexicain en costume zazou complet.

Les bavardages, une fumée étouffante. Dudley sent que la tête lui tourne. Dick Carlisle réclame le silence.

Dud dit :

– Bonsoir, et merci pour votre coopération. Nous renonçons à la confrontation initialement prévue en faveur d'une procédure plus expéditive qui se déroulera en deux temps. Vous verrez la photo du suspect sur une série de portraits anthropométriques, et ensuite l'homme lui-même à travers le miroir sans tain d'une salle d'identification. En récompense, vous aurez droit à un coupon d'une valeur de dix dollars échangeable contre des plats et des boissons à la prestigieuse Pagode Chinoise de Kwan.

Les minables exultent et tapent du pied. Dudley lève la main pour ramener le calme.

– Afin de concrétiser encore plus notre reconnaissance, nous allons annuler toutes vos révocations de libération conditionnelle ou vos mandats d'amener.

Nouvelles acclamations, nouveau tapage. Dudley est pris d'une nausée soudaine. Bette l'a réprimandé. Il secoue la tête et la fait taire.

Dougie Waldner distribue les photos d'identité judiciaire. Les bandes de papier photo rassemblent des portraits de face et des vues de profil. « Pousse de bambou » Shudo est du genre adipeux. Il a le front bas...

Les photos circulent. Les témoins regardent le tueur. *Hou qu'il est vilain ! Hou ! C'est qu'il fait peur ! C'est vrai qu'il a l'air mauvais – et c'est pas des conneries.*

Les photos reviennent entre les mains de Waldner. Le Mex ajoute : *On dirait un loup-garou.*

Dudley reprend la parole :

– Le 6 décembre, messieurs. C'était il y a douze jours, et les souvenirs tendent à s'effacer avec le temps. Paradoxalement, les souvenirs se fixent à proximité des événements importants. Nous nous rappelons tous où nous étions quand nous avons appris l'attaque contre Pearl Harbor. Cet épisode tragique a fixé pour toujours dans vos esprits l'image de notre suspect, tel que vous l'avez croisé à ce moment-là.

Les hochements de tête se succèdent. Le Mex hurle à la mort, comme un loup-garou. Cela déclenche une cascade de rires.

Dudley adresse un signe à Scotty : *C'est à nous deux, maintenant.*

Une voiture de police noir et blanc les attend. Elle contient une arme de poing intraçable et deux fusils à pompe Ithaca.

Les deux hommes descendent par un escalier latéral. Dudley titube encore par moments. Scotty tripote l'attelle qu'il porte toujours sur le nez. Elle le rend ridicule. Elle gâche son allure de gamin monté en graine.

Ils montent dans la voiture. Dudley se met au volant. Scotty regarde le matériel posé sur le siège arrière et siffle, impressionné. L'hôtel Kyoto Arms se trouve à deux minutes, à l'angle de la 1ʳᵉ Rue et d'Alameda Street.

Dudley déboîte et met en marche la sirène et les feux d'avertissement. Bette lui a dit : *Tu m'as contrariée gravement.* Il ressent des picotements partout. Il n'arrête pas d'entendre Bette lui répéter cette phrase.

Direction sud-est. Il fait frais comme à la fin de l'automne. Les commerces du quartier, vitrines brisées, sont plongés dans le noir. On a violé Little Tokyo. Les Japs qui ont échappé à l'incarcération restent terrés chez eux. C'est une nuit à hurler à la mort. *Il n'y a personne dans les rues, patron, à part nous, les loups-garous.*

Sid Hudgens et Jack Webb sont arrivés avant eux. Ils ont amené un photographe. Le Kyoto Arms est un hôtel minable comprenant un rez-de-chaussée et un seul étage. Voilà Elmer Jackson juché sur l'escalier de secours.

Dudley se gare le long du trottoir opposé. Sid et Jack rappliquent au petit trot. Dudley se dégourdit les jambes. Scotty charge les fusils à pompe.

Sid déclare :

– Je suis ravi que vous ayez amené le jeune Bennett. Nos lectrices vont adorer. M. Hearst sait que les grands costauds, ça fait vendre des journaux.

Jack ajoute :

– Mike Breuning nous a montré une photo anthropométrique. Ce salopard a une tête de loup-garou.

Sid hurle, façon vendeur de journaux à la criée :

– *L'immonde créature Jap appréhendée ! Des flics intrépides prennent d'assaut l'antre du monstre !*

Dudley rit. Tout à coup, il se sent bien. Scotty lui passe un fusil.

– Vous êtes beau gosse, Scotty, dit Sid. Mais c'est vraiment moche, cette attelle.

– Vous revenez d'où ? demande Jack à Sid Hudgens. De la planète Mars ? Scotty a mis Lee Blanchard K.O.

Dudley arrache l'attelle et la jette dans le caniveau. Scotty fait *Aïe !* Du sang coule sur sa joue.

Sid et Jack font *Aïe !* Elmer Jackson lance : *Il est dans la chambre 116 !* Il agite son fusil à pompe.

Dudley rafle le pistolet intraçable. Le photographe s'approche. Il dit : *Le petit oiseau va sortir !* Il prend un cliché du Dudster et du beau gosse.

Sid braille :

– *L'ex-arrière du lycée Hollywood marque son premier essai pour la Criminelle ! L'assassin loup-garou est sous les verrous !*

Jack dit :

– Bon sang, qu'est-ce qu'on se marre !

Sid conseille :

– Tirez quelques cartouches, Dud, vous voulez bien ? M. Hearst aime les photos d'action.

Dudley fait un clin d'œil à Scotty.

— J'entrerai le premier. S'il fait un mouvement brusque, tuez-le.

Le photographe monte un flash sur son appareil. Ils traversent la rue en courant et pénètrent dans l'hôtel. Pas de hall, pas de réceptionniste. Un escalier qui mène à l'étage.

Ils grimpent les marches l'un derrière l'autre. Elmer monte la garde devant la porte 116. Ils forment une ligne d'attaque. Le photographe occupe la dernière place.

Dudley ouvre la porte d'un coup de pied. Voilà le Loup-garou.

Il est couché sur son lit, en caleçon. Il avale des lampées de muscat.

Remarque les pousses de bambou, calées sur la table de nuit. Elles sont couvertes de merde et de sang séché.

Ils entrent en vitesse. Ils se positionnent à trois de front. Une ampoule de flash grille.

Le Loup-garou gronde et montre les dents. Dudley presse la détente et pulvérise la fenêtre. Une deuxième ampoule de flash grille. Elmer tire une cartouche et fait un trou dans le mur. Scotty en tire deux et arrache les pieds du lit. Le matelas et le Loup-garou s'effondrent sur le plancher. Une troisième ampoule grille. Dudley charge Bambou Shudo et lui donne un coup de pied en pleine tête. Shudo hurle. Elmer s'en mêle et lui écrase la gorge avec son pied. Une quatrième ampoule grille. La chambre devient phosphorescente. Dudley a la tête qui lui tourne. Il est aveuglé par la lumière du flash. Scotty intervient et saisit les poignets de Shudo. Dudley entend des os céder. Son vertige se dissipe. Scotty passe les menottes à Shudo, derrière le dos.

Ils le traînent sur le plancher.

Ils le traînent à plat-ventre. Ce n'est pas pratique. Leurs fusils les encombrent. Dudley saisit un pied. Elmer saisit un pied. Scotty saisit un bras et marche à reculons.

Shudo hurle. Ses dents rabotent le parquet. Ils le traînent jusqu'au bout du couloir et dans l'escalier. Sa tête rebondit sur les marches. Ses chicots mordent les chaussures de Scotty.

Dudley voit un attroupement dans la rue. Il lâche le pied de Shudo et le hisse sur ses jambes en lui agrippant les cheveux. Elmer et Scotty soutiennent le Loup-garou par les bras et le dirigent. Dudley ouvre la porte et le pousse dehors.

Les Japs du quartier hurlent à la mort. Les Blancs applaudissent. Les trois hommes pilotent Shudo jusqu'à la voiture de police. Sid et Jack restent en retrait.

Le photographe prend encore un cliché. *Clic !* Il a cadré les mains de Dudley dans la tignasse du suspect et le Loup-garou qui gronde en montrant les dents.

Shudo se débat. Elmer lui donne un coup de matraque sur les testicules. Shudo en a le souffle coupé et reste tranquille pendant deux secondes. Dudley pose son fusil et ouvre le coffre de la voiture.

Elmer pousse Shudo dans le coffre. Scotty referme celui-ci. Direction : hôtel de ville – Code 3.

Dudley prend le volant. Scotty s'installe près de lui. Elmer s'assied à l'arrière. Le Loup-garou s'agite dans le coffre.

Dudley allume une cigarette. Scotty mâche une tablette de chewing-gum et gonfle une grosse bulle. Dudley y plante sa cigarette. La bulle éclate sur tout le visage de Scotty.

Scotty s'esclaffe. Elmer rit. Ils rient tous les trois et poussent un grand *OUF !* La sirène *hurle*.

Ils arrivent à l'hôtel de ville. Dudley laisse la voiture tourner au ralenti près de l'ascenseur. Elmer et Scotty ouvrent le coffre et en extirpent Shudo.

À coups de pied, ils le forcent à écarter les jambes au maximum. Ils l'empoignent sans ménagement et le font entrer dans l'ascenseur. Les portes se referment.

Dudley reste assis dans la voiture. Il pique une suée et sent sa transpiration geler. Il cligne les yeux et voit Bette. Elle lui dit : *Tu m'as contrariée gravement.*

Il a encore dans la bouche le goût de la gnôle de Huey Long. Son haleine est chargée. Il a l'impression de flotter dans son pantalon. Ses pieds nagent dans ses chaussures.

*Repose-toi, maintenant – juste un moment.*

Il gare la voiture et incline le dossier de son siège. Bette répète les mêmes paroles. Il lui dit : *Silence, ma belle. J'ai du travail.*

Il reprend son souffle. Il s'éponge le visage et se dirige vers l'ascenseur. Il appuie sur le bouton. Les portes s'ouvrent en grand. *Dudley Liam Smith – le devoir t'appelle.*

Il monte au sixième niveau. Il se bichonne et sort de la cabine. Ses admirateurs l'attendent. Ils encombrent le couloir où se succèdent les salles d'interrogatoire.

*Ils se retournent, à présent. Voilà qu'ils applaudissent. Ils te rendent hommage.*

Appelez-moi-Jack Horrall. Le lieutenant Thad Brown. Ray Pinker et Hideo Ashida. Un Bill Parker à l'air morose.

Les témoins oculaires. Tous ses hommes. Sid Hudgens et Jack Webb. Le chien de garde du Loup-garou, Elmer Jackson.

Il va vers eux. Ils lui serrent la main. Ils lui tapent dans le dos. Ils le félicitent. Il entend *Loup-garou ! Loup-garou ! Loup-garou !* Il regarde à travers le miroir sans tain n° 1.

Fuji Shudo est menotté à une chaise vissée au plancher. Son sang tombe goutte à goutte sur la table, pareillement vissée au plancher.

Dudley sourit à ses collègues. Dudley adresse un clin d'œil au jeune Hideo et au morose Bill Parker.

Breuning lance une seringue. Dudley l'attrape au vol. Il fait signe à Scotty de le rejoindre. Les deux hommes entrent dans la salle.

Shudo tire la langue et l'agite. Scotty est tout près de Dudley. Il sent le chewing-gum tout frais sorti de son emballage. Dudley lui explique :

– Accompagnez les témoins oculaires, individuellement, jusqu'au miroir sans tain. Obtenez leur confirmation visuelle et notez dans votre carnet la date et l'heure précise de leur déclaration. Ensuite, vous irez au greffe chaparder une petite culotte de Nancy Watanabe et un soutien-gorge de sa mère. Vous retournerez à la chambre de Shudo, vous frotterez les sous-vêtements sur le plancher pour récolter une couche de particules. Vous mettrez ensuite les sous-vêtements dans la poche d'une des vestes de Shudo, et vous reviendrez ici parler au sergent Jackson. Vous lui direz qu'il a le feu vert pour fouiller la chambre d'hôtel du suspect.

Scotty s'en va. Le sténographe apporte sa machine. Shudo agite sa langue dans sa direction. Le sténo lui dit :

– Non, *franchement*, mon chou.

Dudley s'esclaffe. Le sténo installe sa machine. Shudo l'observe et secoue la chaîne de ses menottes. Dudley l'attaque par surprise.

Il attrape la tête de Shudo. Il lui plonge l'aiguille dans le cou et lui siphonne une quantité de sang. Shudo hurle. Dudley ôte l'aiguille et agite la main vers le miroir.

Breuning entre. Dudley lui lance la seringue.

– Hôpital du Bon Samaritain, mon garçon. Faites identifier le groupe sanguin le plus vite possible.

Breuning détale. Le sténo recule sa chaise, pour être hors de portée d'un jet de salive. Dudley s'installe à califourchon sur sa chaise. Shudo est assis à un demi-mètre de lui.

Dudley passe la main sous la table. Clic – l'interrupteur du haut-parleur installé dans le couloir.

Shudo reluque le sténographe avec des yeux énamourés. Dudley pose sur la table des cigarettes et des allumettes. Il fait semblant de tousser et avale trois benzédrines. Shudo agite sa chaîne.

Dick Carlisle entre en apportant du café sur une table roulante. Il en sert deux tasses et laisse la table à portée de main. Le sténo en prend une. Dudley prend la sienne. Carlisle quitte la salle.

Dudley allume une cigarette. Le regard de Shudo signifie : *Moi aussi*. Dudley fait glisser vers lui le paquet et la pochette d'allumettes. Shudo s'en allume une.

Ses lèvres sont lacérées. Ses dents brisées sont couvertes de sang. Il fume de façon élégante. Il est presque efféminé, mais pas tout à fait.

Dudley déclare :

– Pour commencer, je suis le sergent D. L. Smith, attaché à la brigade criminelle de la police de Los Angeles. À mes côtés se trouve M. George T. Eggleton, sténographe diplômé et fonctionnaire du comté de Los Angeles. Il est actuellement 21 heures et 23 minutes en ce jeudi 18 décembre 1941. Nous nous trouvons dans les bureaux de la brigade de recherche du LAPD. Ceci est notre premier interrogatoire de M. Fujio Shudo. L'adresse de M. Shudo à Los Angeles est le 682, 1ʳᵉ Rue Est.

Shudo finit sa cigarette. Dudley fait glisser le cendrier vers lui. Shudo écrase le mégot.

– Je veux rentrer chez moi.

– À l'hôtel Kyoto Arms, monsieur Shudo ? Au Japon Impérial ?

– Non. À Atascadero. J'avais une bonne planque, là-bas, à l'asile. J'avais pas besoin de penser à quoi que ce soit. Je pense trop quand je suis en balade.

– Vous pensez à quoi, monsieur Shudo ?

– À des trucs dingues. Vous pourriez pas comprendre.

– Je pourrais peut-être, monsieur Shudo. Ma largeur de vues vous surprendrait.

– Bon, d'accord, dit Shudo. C'est moi qui ai fait le coup.

– Quel coup, monsieur Shudo ? demande Dudley.

– J'ai kidnappé trois soûlards qui traînaient dans un bar à travelos de la 5ᵉ Rue Est. Je leur ai fait boire de la terpine pour qu'ils s'endorment. J'ai volé une voiture et je les ai emmenés sur la route de la corniche. Je connais une jolie forêt à la sortie de Castaic. J'ai séjourné au centre de réinsertion, là-haut. Vous connaissez mon mode opératoire, chef. Je suis le shérif de la Terre Jaune.

Dudley demande :

— Pourriez-vous expliciter ce dernier commentaire, je vous prie ?

Shudo répond :

— Les pousses de bambou. Dans la rosette. Imaginez le reste comme un grand.

— Monsieur Shudo, vous admettez commettre des actes de sodomie ou d'autres formes de déviance sexuelle ?

— D'accord, chef. Si c'est ça qui me permet de rentrer chez moi, j'avoue.

— Et où êtes-vous allé après avoir accompli les agressions sexuelles que vous venez de décrire de façon elliptique, mais pittoresque ?

— J'ai abandonné les poivrots dans la jolie forêt. Je leur ai laissé un dollar chacun pour le voyage de retour et j'ai mangé une pizza dans un petit restaurant sur la route de la corniche. La vieille chouette derrière le comptoir était vraiment gentille. Elle m'a dit qu'en général elle aimait pas beaucoup les Japs, parce qu'ils étaient alliés avec les Boches, et qu'elle était juive. Elle m'a dit qu'elle m'aimait bien parce que je ressemblais à un loup-garou, et que Lon Chaney avait flirté avec elle pendant une projection privée à Burbank en 1934. Elle m'a pas fait payer mon café. Elle était gentille, alors je lui ai laissé un gros pourboire.

— Et après, monsieur Shudo ? demande Dudley. Vous êtes censé avoir quitté ce restaurant. Pour aller où, ensuite ?

— Pour retourner à l'hôtel, répond Shudo.

— Au Kyoto Arms ? 682 1ʳᵉ Rue Est ?

— C'est ça.

— Vous avez décrit l'enlèvement et ses suites de façon assez concise. Pouvez-vous me dire *quand* cela s'est passé ? La *date*, monsieur Shudo. Vous rappelez-vous la date ou le jour de la semaine ?

Shudo se concentre. Dudley lui passe ses allumettes et ses cigarettes. Shudo en allume une.

— Il y a deux semaines. Mercredi. On m'a flanqué à la porte de l'asile. En descendant du bus, j'ai pris cette chambre d'hôtel. J'ai commencé à boire de la terpine et à plus pouvoir tenir en place. Ma queue s'est mise à me parler, alors je suis allé à la pépinière Murakami et j'ai acheté des pousses de bambou.

Dudley précise :

— C'est le mercredi 3 décembre que vous nous racontez. On vous a laissé sortir de l'asile à cette date. Vous avez pris une chambre au Kyoto Arms à cette date, vous avez acheté des pousses de bambou à la pépinière Murakami à cette date, vous avez enlevé les trois hommes à cette date pour leur faire subir les agressions sexuelles que vous avez décrites, vous êtes retourné à votre hôtel après avoir quitté le restaurant, à cette date également ?

Shudo fait la moue.

– C'est ça, chef. Vous avez pas besoin de me poser vos questions aussi vite, remarquez. C'est pas comme si j'avais pas envie de retourner d'où je viens. En plus, vous aviez pas besoin de cogner comme des brutes, vos copains et vous. J'avais une bonne planque à l'asile, là-haut, à Atascadero.

– Veuillez m'excuser, monsieur Shudo, mais vous ressemblez vraiment à un loup-garou. Mes collègues et moi-même n'étions pas préparés à découvrir un physique aussi terrifiant que le vôtre, et nous avons réagi sous le coup d'une vraie panique. De nouveau, monsieur Shudo, mes excuses les plus sincères.

Shudo sourit jusqu'aux oreilles. Ses dents cassées branlent dans sa mâchoire. Le sang suinte entre ses lèvres.

– Je vous aime bien, chef. Vous avez un drôle d'accent, et vous me parlez gentiment.

– Merci, monsieur Shudo. Vous êtes très perspicace, et j'apprécie que vous soyez bien disposé à mon égard. À propos, j'aimerais que nous parlions de votre apprentissage du métier de rémouleur.

– C'est tout moi, ça, dit Shudo. *Fuji le Loup-garou. Fuji le rémouleur.*

Dudley allume une cigarette.

– Depuis combien de temps exercez-vous ce métier, monsieur Shudo ? Si j'ai bien compris, vous faites du porte-à-porte ?

– *Fuji le rémouleur*, répète Shudo. J'ai commencé en 1931. J'étais à Preston pour cambriolage et exhibitionnisme. J'ai appris le métier à l'atelier d'affûtage.

Dudley lance un rond de fumée. Ça lui fait tourner la tête.

– Il y a deux semaines, vous êtes sorti dans les rues avec votre meule, n'est-ce pas, monsieur Shudo ? Je parle du jeudi 4 décembre et du vendredi 5 décembre. Vous avez traversé Highland Park, à quelques kilomètres au nord de Chinatown, du côté ouest de l'Arroyo Seco Parkway. C'est bien ça, monsieur Shudo ?

Shudo bâille.

– Ouais, c'est bien ça. Mais je comprends pas. Je vous ai dit ce que j'ai fait. J'ai *avoué*. Je vous ai raconté que j'ai kidnappé ces poivrots et que je me suis amusé avec eux. Vous avez pas besoin de parler autant. Je suis prêt à retourner là-haut, et tout ce que vous avez à faire, c'est de me donner le papier. Comme ça, je le signe, et je peux aller dans ma cellule et dormir.

Dudley écrase sa cigarette. Il est d'humeur maussade. Son alliance glisse et tombe sur la table.

Il la ramasse. Il voit des taches sombres devant ses yeux.

— Je me pose des questions, monsieur Shudo. On vous laisse sortir d'Atascadero le mercredi 3 décembre. Vous prenez une chambre à Little Tokyo, vous enlevez trois ivrognes auxquels vous faites subir des violences sexuelles dans un endroit perdu à cent kilomètres au nord de Los Angeles, vous mangez une pizza dans un restaurant non loin de là, et vous regagnez votre chambre d'hôtel, et tout cela en cette même journée du mercredi 3 décembre. Le lendemain, le jeudi 4 décembre, on remarque votre présence à Highland Park, où vous poussez votre charrette de rémouleur. J'aimerais comprendre, monsieur Shudo. Vous sortez tout juste d'une institution psychiatrique, et vous avez eu un emploi du temps bien chargé. Ma question est celle-ci : où, quand, et auprès de qui vous êtes-vous procuré la charrette de rémouleur qu'on vous a vu pousser dans Highland Park ?

Shudo bâille.

— Trop de dates. Les jours et les dates, ça se brouille, vous savez ? Moi, je carbure à la terpine. J'en bois tout le temps, et j'ai plus de repères. C'est pas ma faute. Personne s'y retrouve vraiment, dans les dates. Les gens se rappellent plus ce qu'ils ont fait le mardi il y a trois semaines. Tout ce que vous dites, pour moi, c'est du sanskrit.

Dudley pianote sur le plateau de la table.

— En temps normal, je vous donnerais raison, monsieur Shudo. Mais l'attaque japonaise du dimanche 7 décembre a eu pour effet de graver en chacun de nous un sens de la chronologie absolument unique. Nous nous rappelons avec une clarté accrue nos actions qui ont précédé cet événement et celles qui lui ont succédé. Vous comprenez cela, monsieur Shudo ?

— Trop de mots. Trop de bla-bla et trop de dates. Faut ralentir la cadence, chef. Moi, je carbure à la terpine. J'ai plus de repères.

Dudley voit des taches sombres devant ses yeux. Bette lui dit : *Tu m'as contrariée gravement.* Les taches disparaissent.

— La charrette de rémouleur, monsieur Shudo. Où l'avez-vous achetée ?

Shudo bâille.

— Devant les bains-douches Shotokan. À un vieux Jap qui

563

s'appelle Kenji. Il m'a vendu la charrette avec la meule, les couteaux de démonstration, tout le bazar.

– Et c'était quand ?

– Le matin. J'avais la gueule de bois. Je me suis dit, merde, me voilà revenu ici. Merde, je devrais retourner chez moi.

Dudley sourit.

– Et ce devait être le matin du jeudi 4 décembre ?

Shudo bâille.

– C'est ça, chef. Le loup-garou aux bains-douches Shotokan, et ça fait un jour qu'il est sorti de taule.

La lumière de la porte clignote. Dudley va l'ouvrir. Breuning et Scotty Bennett entrent.

– J'ai placé les objets où il fallait, annonce Scotty. Et j'ai donné le feu vert à Elmer pour la fouille.

Breuning ajoute :

– On a gagné le gros lot avec l'analyse. Le Loup-garou est AB négatif, donc il aurait pu mettre Nancy enceinte. J'ai appelé l'asile d'Atascadero, une intuition. Écoutez ça : le Loup-garou était de sortie, en permission, pendant la période, plus ou moins, où Nancy a dû être fécondée, donc on joue sur du velours, ici.

Dudley sourit.

– Réservez une cellule capitonnée au commissariat central. Appelez le geôlier. Dites-lui que c'est un cas qui nécessite une camisole de force.

Les deux hommes repartent. Dudley retourne à sa table.

– J'ai faim, dit Shudo. Je veux bien avouer l'enlèvement du bébé Lindbergh si vous me faites livrer une pizza.

Le sténographe hurle de rire. Dudley tambourine sur le plateau de la table.

– Revenons-en à jeudi et vendredi, les 4 et 5 décembre. Avec votre charrette de rémouleur, vous faites du porte-à-porte dans Highland Park. Qu'est-ce qui vous a poussé à choisir ce quartier-là plutôt qu'un autre ? Vous aviez une raison précise ?

Shudo hausse les épaules.

– L'instinct, je suppose. J'étais dans le bus pour Figueroa, et ça m'a semblé être un bon endroit pour travailler.

« *L'instinct.* » *Il emporte facilement la décision. Les fous succombent à des lubies.*

– Vous parlez d'*instinct*. Vous veniez de boire de la terpine, à ce moment-là ? Diriez-vous que cette substance a guidé votre *instinct* ?

— J'en sais rien. Je suppose que oui.

Dudley tapote la table. La tête lui tourne. Il allume une cigarette et voit des taches noires devant ses yeux. Il voit Bette dans le miroir mural. Il secoue la tête et lui fait signe de disparaître.

— Pourriez-vous être plus précis, je vous prie ? Buviez-vous de la terpine à ce moment-là, et pensez-vous que cela ait contribué à ce que votre *instinct* vous pousse à chercher des clients dans Highland Park ?

Shudo fait la moue.

— Je veux une pizza et des soins médicaux. Vous et vos copains, vous m'avez salement arrangé.

— Le moment venu, monsieur Shudo. D'abord, nous devons parler de vos tournées de rémouleur dans Highland Park.

— Highland Park et *Glassell* Park, rectifie Shudo. Ces quartiers-là, je les mélange. C'étaient les deux premiers jours après ma libération, peut-être plus. J'avais des renvois de terpine. On voit pas bien clair quand on rote de la terpine. On est dans les vapes et on perd la notion du temps.

*Trous dans l'emploi du temps. Pertes de mémoire dues à la terpine. Ils sont précieux, ces cinglés.*

— Donc, vous avez fait vos tournées dans Highland Park et *peut-être* dans Glassell Park le jeudi de cette semaine-là, ainsi que le vendredi et sans doute le samedi, c'est bien ça ?

— Exact.

— Vous avez trouvé des clients et vous leur avez parlé, n'est-ce pas ?

— Exact.

— Vous rappelez-vous certains clients en particulier ?

— Non, mais j'ai affûté des couteaux, parce que je me suis réveillé dans ma chambre avec de l'argent dans ma poche.

— Vous rappelez-vous des incidents marquants survenus pendant vos tournées ? Des gens à qui vous auriez parlé ?

Shudo glousse.

— J'ai parlé avec une petite fille. Elle m'a dit que je ressemblais vraiment au Loup-garou. Son papa m'a pris en photo.

— Et quel jour était-ce, monsieur Shudo ?

— Ça devait être samedi, vers midi peut-être. Son père m'a dit qu'un match de football inter-universités allait bientôt être retransmis à la radio.

— Et vous étiez à Highland Park, monsieur Shudo ?

– Oui, dans une de ces avenues qui portent des numéros. Quarante ou cinquante et des poussières.

– Et *ensuite*, monsieur Shudo ? Vous rappelez-vous des incidents ou interactions qui auraient pu se produire *après* votre rencontre avec la petite fille et son père ?

Shudo secoue la tête.

– C'est devenu tout flou, à ce moment-là. La terpine, chef. Ça monte au ciboulot.

La lumière de la porte clignote. Dudley se lève et va ouvrir. Le plancher bascule. Il se retient au mur.

La porte s'ouvre en grand. Appelez-moi-Jack sourit jusqu'aux oreilles. Un homme mince l'accompagne. Il a une tête de Juif. Il porte l'insigne d'un club d'étudiants prestigieux.

– Dud, voici Ellis Loew. C'est lui qui présentera l'affaire devant le jury d'accusation. Il sort de Harvard, et il est promis à un brillant avenir. Bill McPherson l'appelle *Le Caïd en Kippa*.

Loew frémit. Dudley s'esclaffe – *Elle est bien bonne, monsieur le directeur.*

– Enchanté, monsieur Loew.

– Tout le plaisir est pour moi, sergent.

Jack désigne Shudo.

– Lui, c'est le Loup-garou qui tue. Sid Hudgens va monter en épingle l'aspect maléfique du personnage.

Loew prend ses distances. Tout chez lui trahit le rabat-joie. Il n'a vraiment rien d'un comique.

Jack confie à Dudley :

– C'est un vrai pisse-froid, mais au tribunal, il est brillant. Il possède les qualités morales qu'on attend des gens comme lui.

Dudley pique une suée. Les murs l'oppressent. Il desserre sa cravate.

– Bouclez-le, Dud. Bouclez ce salopard de Loup-garou pour qu'on soit débarrassés de l'affaire Watanabe. Sid Hudgens pense que dans ce dénouement, il y a matière à faire un supplément du dimanche. Ça nous permettra de tenir le coup jusqu'à l'enquête des fédéraux, et ça va tellement redorer notre blason que l'autre tapette de Hoover n'insistera pas davantage. Les Japs ont eu Pearl Harbor, et nous, on a coincé le Loup-garou. Il a assassiné des compatriotes, et qu'il soit Jap ou pas, on va avoir sa peau. Bouclez-le, Dud. Je vais rejoindre la partie de dominos chinois, chez Kwan. Retrouvez-moi là-bas quand vous aurez fini. On boira quelques verres.

Dudley retourne à sa table. Appelez-moi-Jack ferme la porte. Shudo bâille. Dudley décide de changer de tactique.

– Il y a encore des questions que je me pose, monsieur Shudo.

– Moi aussi. Je me demande pourquoi vous me parlez de jeudi, vendredi et samedi à Highland Park, alors que vous m'avez coincé pour ce que j'ai fait mercredi sur la route de la corniche.

– En ce cas, monsieur Shudo, nos curiosités se recoupent. C'est votre *instinct* qui vous a emmené sur la route de la corniche mercredi, et à Highland Park les trois jours suivants. Je ne pense pas que nous puissions mettre complètement votre attirance *instinctive* pour Highland Park sur le compte de votre consommation de terpine, *n'est-ce pas*, monsieur Shudo ?

– J'en sais rien. Peut-être pas. C'est bizarre, les instincts. C'est le mot qu'on emploie pour expliquer les choses qui s'expliquent pas.

*Oui. Comme les idées de génie. Il pourrait embaucher Hideo Ashida. Ce garçon serait capable d'écrire une lettre en japonais. Adressée à Ryoshi Watanabe. De la part de Fuji Shudo. La preuve d'une amitié préexistante. La lettre renforce l'idée d'une mémoire défaillante. Il prend les empreintes du Loup-garou sur un ruban transparent. Il dépose une empreinte chez les Watanabe.*

– Monsieur Shudo, avant d'être interné dans un établissement psychiatrique, avez-vous appartenu à des associations amicales japonaises ?

– J'ai fréquenté des clubs. Pourquoi ? Je comprends rien à ce qui m'arrive, et je veux rentrer chez moi. Les clubs, ils étaient tous japonais, et les types que j'ai enfilés, ils étaient tous blancs. Je me rappelle plus rien de tout ça, et j'ai mal à la tête, et vous m'avez promis des soins médicaux et une pizza.

Dudley sent que la tête lui tourne. Dudley se penche au-dessus de la table.

– Je me rends bien compte, monsieur Shudo, que la plupart du temps vous n'avez plus que de vagues souvenirs des événements, étant donné votre consommation de terpine qui ne date pas d'hier. Cependant, je sais *pertinemment* qu'on vous voit souvent dans les amicales de la 2ᵉ Rue, et cela depuis le début des années 1930, et que vous avez fréquemment parlé politique et questions raciales avec un certain Ryoshi Watanabe. Vous souvenez-vous de Ryoshi Watanabe, monsieur Shudo ?

Shudo bâille, Shudo hausse les épaules, Shudo secoue ses menottes.

– Je sais pas. J'y allais, dans ces amicales, bien sûr. J'ai connu un type qui s'appelait Ginzo Watanabe, et aussi un Charlie Watanabe, et…

– Et après, ça devient flou, n'est-ce pas ? Tout devient flou, vous faites confiance à votre instinct, et quand vous vous réveillez dans votre chambre d'hôtel, il manque des couteaux dans votre charrette, et vous vous demandez où votre instinct vous a emmené avant que vous ne perdiez connaissance, et pourquoi il y a des excréments et du sang séché sur vos pousses de bambou, et quel acte atroce vous avez commis avec tel ou tel instrument tranchant, lorsque votre instinct vous a mené jusqu'à telle ou telle autre maison, où de vagues souvenirs de disputes datant de plusieurs années ont ressurgi avec violence, et que vous n'avez tout simplement pas pu vous maîtriser, alors vous…

Shudo crache sur Dudley. Le jet de salive atteint ses yeux. Dudley voit des taches sombres. Ses yeux le brûlent. Il entend : *Vous m'avez contrarié gravement.*

Le Loup-garou montre les dents. Dudley prend sa matraque et vise sa bouche.

Il le frappe. Il lui déchire les coins de la bouche et pulvérise les moignons de dents qu'il lui reste.

Dudley entend la porte s'ouvrir. Il entend des pas qui frottent le plancher. Il agrippe la tignasse du Loup-garou et l'attire fermement vers lui. Quelque chose bloque son bras. C'est Bill Parker, dans tous ses états, le visage rouge de fureur.

D'un coup sec, Dudley écarte le bras et repousse Parker. Parker est projeté latéralement. Le geste de Dudley fait tomber Parker.

Le Loup-garou crache de nouveau sur lui et brûle les taches sombres qu'il a devant les yeux. La porte s'ouvre avec fracas. Thad Brown entre en courant. Mike Breuning et Dick Carlisle parviennent les premiers jusqu'à Dudley. *Calmez-vous, chef !/Calmez-vous, chef !/Calmez-vous, chef ! – on a déjà vécu ça.*

Dudley se relâche. Il libère sa proie. Ses hommes lui prennent sa matraque et l'entraînent de force dans le couloir. La température chute de 12 000 degrés. Dans son cerveau, un rideau éteint toutes les lumières.

Il entend : *Allez chez Kwan.* Tout s'écroule autour de lui. L'ascenseur tombe en chute libre.

Il voit des chiffres verts : 5, 4, 3, 2, 1. Les portes s'ouvrent. Il voit des murs de marbre et Main Street devant lui.

Il sort du bâtiment. Les arroseurs automatiques tournent et

diffusent des nuages de gouttelettes. Il prend ses appuis sur ses jambes et traverse la bruine.

L'eau lui fait du bien. Il dérape sur l'herbe mouillée. Son pantalon glisse le long de ses hanches. Il se sent dans l'état qui semblait être celui de Bill Parker.

Parker n'est pas solide. Il a fait tomber Parker d'une pichenette. Cela lui rappelle 1938. Il a battu à mort un Mexicain dans le commissariat de Newton. Ses hommes lui disaient : *Calmez-vous, chef !*

*Tu m'as contrariée gravement.*

Il jette cette phrase puis efface l'image de Bette. *El Pueblo Grande* à minuit. Cette pleine lune pour faire hurler les chiens à la mort, et Chinatown droit devant.

*Dudley Liam Smith – le monde s'effondre.*

Il se rend directement chez Kwan. Il engloutit toutes les boules de gomme du comptoir. Il a une faim de Loup-garou. La serveuse du comptoir lui dit : *Dud, vous complètement malteau !*

Il gagne le sous-sol en titubant. La partie de dominos chinois meurt à petit feu. Ace distribue les dominos à Harry Cohn. Clark Gable et le léopard somnolent sur un canapé.

Il parvient jusqu'au bureau. Il passe dans la fumerie. Voilà la pipe, la cuvette et la résine.

Il s'enferme. Il ôte sa veste et son étui d'aisselle. Il se débarrasse de ses chaussures.

*Opium.*

Calmez-vous, chef. On a déjà vécu ça.

Des volutes de fumée et le Loup-garou. Sa nomination dans l'armée. *Capitaine* D. L. Smith. Au même échelon que le *capitaine* Bill Parker.

Ce sale cloporte. Il l'a écrasé comme une mouche.

Dudley fume de l'opium. Sa couchette survole l'Amérique. Il rend visite à ceux qui lui sont chers. Escale à Boston. Pour dire bonjour à Beth Short. Elle rit. Elle fait de l'humour sur son statut de fille illégitime. Elle l'appelle *Papa*. Escale à L.A. Il fourre son nez dans la fourrure de l'airedale de Bette. Bette est nue, Bette l'aime, en un éclair Bette devient une vieille ratatinée. *Il l'a contrariée gravement.* Elle lui jette des roses rouges au visage.

Dudley fume de l'opium. Escale au commissariat central, visite dans la cellule capitonnée du Loup-garou.

On a passé au Loup la camisole de force. Des flacons de terpine jonchent le sol. La cellule est garnie de pousses de bambou couvertes de sang et de merde. La puanteur le chasse. Il fait un petit saut jusqu'à la morgue.

Il passe près du bureau de Nort Layman. Il vole un flacon contenant un échantillon du sang de Ryoshi Watanabe. Il rend de nouveau visite à Fuji Shudo. Il prend ses empreintes et crée une trace sur un ruban transparent. Il revisite la maison et trouve une surface négligée par les enquêteurs. Il y laisse l'empreinte de Fuji Shudo bien visible au milieu d'une tache de sang – du sang de Watanabe.

*Opium.*

*Confectionnez une lettre pour moi, Hideo. Liez la victime à l'assassin en 1933.*

Escale, Nulle Part.

Son esprit est vide. Il cherche à saisir des pensées volatiles et n'attrape rien. Il tente de s'approprier des tableaux et ne décroche que des cadres vides.

*Tu m'as contrariée gravement.*

Escale, Dublin. Une galerie dans Sackville Street. À l'intérieur, des portraits dans des cadres dorés. Sa mère. Son père et son frère décédés. Son irascible Bette.

Il entend *Perfidia*. Il capte l'odeur des roses. Il sent les épines acérées se planter dans son visage.

Dudley fume de l'opium. Sous lui la couchette tombe dans le vide.

Dudley dit : *Ne me frappez pas.*

# 19 décembre 1941

# 73

**1 h 57**

Ils s'embrassent.

C'est une idée de Claire. Filmons la scène pour représenter le Comité Anti-Axe. Montrons des amants de races différentes qui s'enlacent tard dans la nuit.

C'est le baiser postérieur au rassemblement de Pershing Square. La scène exploite l'aspect défait d'Ashida roué de coups et l'impression laissée par le discours enflammé de Kay. Le tournage bat son plein, à présent. Kay expose ses dernières idées sur le scénario. Elle *veut* que le film penche vers la grivoiserie et la parodie. Elle *veut* qu'il torpille la croisade insensée de Bill Parker.

Le baiser nécessite une flopée de prises. Kay est ardente. Ashida simule l'empressement. Claire joue les réalisatrices. L'embrasure de la porte constitue leur décor.

Un projecteur au faisceau plongeant les taquine. Deux opérateurs et un éclairagiste s'agitent autour d'eux. Reynolds et Chaz entourent Claire. Saul Lesnick a apporté sa sacoche noire. Les figurants japonais sont payés un dollar chacun.

Ils s'embrassent de nouveau. Kay introduit sa langue dans la bouche d'Ashida. Les opérateurs filment le baiser sous tous les angles. Ils ont bourré les étagères de brochures antifascistes. Ils ont couvert les murs de panneaux « VENGEONS PEARL HARBOR ! »

Ils s'embrassent encore une fois. Kay caresse les hématomes de Hideo. Claire lance :

— C'est bon, les enfants.

Le tournage attire l'attention. Ashida voit une berline d'agents fédéraux garée de l'autre côté de la rue. Les amants enlacés se séparent.

— Encore une ! annonce Claire.

Une voiture passe dans la rue. Un homme hurle : *Putain de Jap !*

Ashida tressaille et bouscule le pied du projecteur. Kay le maintient en équilibre. Il se libère et part vers le fond de la pièce. Il s'arrête devant une étagère de jouets patriotiques : des poupées Kabuki vêtues en rouge, blanc et bleu.

C'est l'escalade… Pershing Square. Goro Shigeta. Le Japonais abattu à Santa Monica. Le suicide de Nao Hamano. Un autre suicide au bloc cellulaire de Fort MacArthur.

Claire parle à l'un des opérateurs. Leurs voix portent. Elle a soudoyé un flic de la prison de Lincoln Heights. Ils pourront filmer la cellule où est morte Nao Hamano.

Little Tokyo est décimé. Douze jours se sont écoulés jusqu'à aujourd'hui. Incarcérations, confiscations, liquidations. C'est de notoriété publique : l'internement administratif de masse commence en février. Irrévocablement. Une seule porte de sortie possible.

Dudley Smith. Qui s'est révélé de façon brutale ce soir. Il est étonnant. Il est attachant.

Cela a commencé avec Pershing Square et cet incapable de Bill Parker. Whiskey Bill n'est venu que pour reluquer Kay Lake. L'agression dont a été victime Hideo Ashida a bouleversé son sens de l'ordre public. L'intervention de Scotty Bennett, c'est une tout autre affaire.

Dudley savait que la haine raciale contre les Japonais prenait de l'ampleur. Dudley savait qu'il avait semé ses gardes du corps. Dudley a envoyé des hommes le surveiller de loin. Ce sont *eux* qui l'ont sorti de la mêlée. Bill Parker cherchait ses lunettes et donnait des coups de poing dans le vide.

La scène s'est répétée dans les locaux de la brigade. Voyant Dudley commettre un grave écart de conduite dans l'exercice de son métier, Parker a réagi encore une fois – moins choqué par la brutalité de Dudley que par la façon dont il manquait gravement à son devoir. Parker a une véritable haine du désordre. Et cette haine provoque des désordres dans son propre comportement. L'intervention de Parker était mollassonne et révélatrice de la vraie nature du bonhomme. L'accès de rage auquel a cédé Dudley a montré l'homme à vif que cachait une apparente désinvolture.

Ashida examine les poupées Kabuki. Kay se retourne et le voit. Elle lui envoie un baiser. Il risque un clin d'œil *à la Dudley* et rate son effet. *Personne* ne sait faire un clin d'œil comme Dudley.

Kay rit. Ashida pense à Bucky. Il est ému comme à chaque fois et rejoint le parking. Un agent fédéral relève les immatriculations. Il passe d'une voiture à l'autre, une lampe électrique à la main.

Il est 2 h 26 du matin. *Personne n'est dehors à part nous, les Fédés et les Rouges.*

Ashida monte dans sa voiture et rentre chez lui. L'inscription *JAP !* est toujours sur sa porte. Il entre aussitôt et se dirige tout droit vers la cachette qui contient ses photos et le prototype de son bidule photographique. Il sort les tirages et l'appareil. Son cœur palpite. Il pose les photos de Bucky sur ses genoux. Tenant fermement la pile de la main gauche, il cintre celle-ci et fait défiler les vues devant ses yeux, son pouce droit les libérant une à une, comme un cinéma rudimentaire. Il fait danser Bucky nu.

Son piège photographique, il l'a réparé récemment. Le deuxième exemplaire est toujours en place devant la pharmacie Whalen. Le magasin du boîtier est chargé avec dix mètres de film pour prendre 250 vues. Il serait temps de les développer et de recharger le boîtier. En voiture, cela lui prendra vingt minutes, porte à porte, pour aller le chercher.

Ashida ressort aussitôt. Il se gare devant chez Whalen. Il récupère l'appareil et rentre chez lui sans attendre.

Bon. Il faut développer la pellicule exposée, maintenant. Ashida s'enferme dans sa salle de bains. Dans l'obscurité totale, il enroule les dix mètres de film sur une spirale de grande capacité qu'il glisse dans sa cuve à développement. Révélateur, bain d'arrêt, fixateur, rinçage. Ashida met à sécher le film humide. Il réfléchit à la chronologie des faits. Les prises de vues ont commencé le samedi 6 décembre, le jour du braquage. C'était il y a treize jours. Dès que le film sera sec, il pourra regarder vue par vue tout ce qu'il a enregistré.

Voilà, il peut maintenant mettre l'amorce du film dans le passe-vues de son agrandisseur, et projeter chaque cliché sur le plateau blanc destiné à l'exposition du papier photo. La première vue est en place. Ashida affine la mise au point. *Clic* – Cette première voiture se gare. L'homme ressemble à Bucky. *Clic* – la voiture du braqueur. *Clic* – les photos se succèdent. La date et l'heure sont bien lisibles sous chaque image. *Clic* – des voitures se garent. *Clic* – une double exposition et une image floue. Le bidule est tombé du trottoir. L'objectif a basculé vers le haut et pris des photos des piétons. On voit qui est passé dans Spring Street. Ashida passe d'une photo à la suivante, toutes prises le 6 décembre 1941. *Clic* – 13 h 46, 14 h 04, 14 h 17. Une série prise avec l'objectif braqué vers le haut – certains piétons sont flous – 14 h 36, 14 h 42. Des photos nettes sous le même angle oblique – 15 h 08, 15 h 18, 15 h 19. – *ATTENDS !*

Attends un peu. Regarde bien, maintenant. *Clic* – Une scène de rue. Au premier plan : c'est *FUJI SHUDO*. Il a l'air de tituber, il est manifestement dans un état second. Sous l'influence de la terpine, sans doute. Autour de lui, les gens semblent agités, voire carrément effrayés. Ils ont raison de l'être. Ce bonhomme pratique des viols à l'aide de pousses de bambou.

*La photo a été prise à 15 h 19. Shudo est à plus de cinq kilomètres de chez les Watanabe. Il est entouré de témoins capables de réfuter les dires des témoins de complaisance. Et l'heure du décès des victimes, établie par Nort Layman, est précisément celle-là.*

*Les passants effrayés par Shudo se souviendront sûrement de lui, tellement son apparence est hors du commun. Les témoins de conni- vence ont juré avoir vu Shudo dans Highland Park vers 15 heures. Ils seront contredits par les vrais témoins oculaires. Évidemment, c'est un coup monté. Bien sûr, le Loup-garou finira dans la chambre à gaz. Oui, c'est justifiable. Mais cela aura les conséquences sui- vantes :*

*Les journaux du groupe Hearst vont exploiter l'affaire au maximum. Les détails des témoignages décisifs seront étalés dans leurs pages de la côte ouest jusqu'à la côte est. Les véritables témoins oculaires se souviendront du Loup-garou et feront capoter toute la manipulation.*

Ashida examine la photo. Des humains qui côtoient un loup-garou. Cela le terrifie.

Tous les jeudis ou presque, Appelez-moi-Jack donne des soirées entre hommes qui durent jusqu'à l'aube. Il faudrait le mettre au cou- rant.

Ashida fonce. Il descend en vitesse jusqu'à sa voiture et fonce vers l'hôtel de ville. Il se gare en double file sur un espace réservé aux fonctionnaires municipaux et file au sixième étage. Il entend des bribes de blagues salaces, depuis le couloir. Il remonte jusqu'à leur source. *Dudster ceci* ; *Dudster cela* ; *Comment on appelle une élé- phante qui fait le trottoir ? Une traînée de deux tonnes qui couche pour une poignée de cacahuètes.*

Ashida atteint la salle de réunion. Il y trouve un mélange de flics et d'agents fédéraux. Sans oublier les Tireurs d'élite de la compagnie Hearst. Tiens ! Voilà Brenda Allen, près du buffet entièrement fourni par Kwan.

Whiskies à l'eau et une partie de dés. Un drapeau japonais fait office de tapis de jeu.

Ashida s'arrête sur le pas de la porte. Appelez-moi-Jack le rejoint de sa démarche de canard. Le rouge à lèvres qui macule son col est de la même nuance que celui de Brenda.

— Docteur Ashida. Qu'est-ce qui vous amène ?

Un fusilier lance : *Banzaï !*

— La ferme ! dit Thad Brown. Il est de la maison.

Jack fait un signe pour désigner le couloir. Ashida obtempère.

— Excusez-moi de vous déranger, monsieur le directeur. Je ne serais pas venu si je n'avais pas jugé la situation urgente.

— *Urgent* est un mot qui retient toujours mon attention. N'oubliez pas, cependant, que j'ai eu une rude journée. Il y a quelques heures, c'était « Le Dudster contre le Loup-garou ».

— Ce que j'ai à vous dire est en rapport direct avec ça, monsieur le directeur.

— Très bien, mon garçon. Le Dudster contre le Loup-garou. Racontez-moi la suite.

Ashida explique :

— Le 6 décembre, Fujio Shudo se trouvait devant le drugstore Whalen, au carrefour de Spring Street et de la 6ᵉ, précisément à l'heure du décès des Watanabe – selon l'estimation de Nort Layman. Le piège photographique que Ray Pinker et moi-même avons installé ce matin-là le confirme indubitablement. Shudo était entouré de cinq passants manifestement effrayés par ce redoutable individu. Ces personnes n'auront pas oublié Fujio Shudo, monsieur le directeur. Elles se manifesteront lorsque les journaux et la radio parleront de plus en plus de l'affaire, elles contrediront *nos* témoins, et elles seront crédibles.

Jack hausse les épaules.

— Et alors ? Cinq témoins oculaires, ce n'est pas neuf témoins oculaires. Votre bidule semble sortir des aventures de Buck Rogers ou de *Tom Swift et sa soucoupe volante venue de la planète Mars*. Et puis, Ray Pinker et vous êtes les deux seuls Blancs qui comprennent comment il marche, et vous n'êtes même pas blanc. De toute façon, on a un autre atout. Ouais, le Dudster a piqué une crise au mauvais moment, mais il s'est repris, et vite. Il est retourné chez les Watanabe, et il a trouvé une empreinte identique à celles du Loup-garou sur huit points de comparaison. Vous voulez un atout supplémentaire, et de taille ? L'empreinte a été laissée dans une trace de sang – le sang de Ryoshi Watanabe.

Ashida se retient au mur. Le mur n'est pas là. Jack le rattrape au vol.

– Vous avez manqué une empreinte ? Et alors ? Je ne vous en fais pas le reproche. Dud manque de sang-froid, vous manquez une empreinte. Nous sommes tous humains, n'est-ce pas ? L'important, c'est la solidarité. La police de Los Angeles s'est vraiment mouillée pour vous protéger, docteur. Vous êtes bien trop intelligent pour ne pas le savoir, et puis il y a autre chose.

– C'est-à-dire, monsieur le directeur ?

– Dudley Smith tient beaucoup à vous.

# 74

## JOURNAL DE KAY LAKE

### LOS ANGELES | VENDREDI 19 DÉCEMBRE 1941

**4 h 14**

La cellule.

Elle est sinistre. Elle contient une couchette en métal, un évier et un siège de toilette dépourvu de couvercle. Le geôlier a vidé toutes les cellules du quartier des femmes. Une cloison mince le sépare du quartier des hommes, qui est plein à craquer d'*éléments subversifs* japonais et de spécimens divers de la racaille ordinaire.

L'équipe apporte son matériel dans la cellule et commence à l'installer. Je reste aux côtés de Reynolds et Chaz ; Claire et Saul Lesnick bavardent avec un éclairagiste. C'est ici qu'est morte Nao Hamano. Seule Claire figurera dans la séquence. Elle regardera directement la caméra.

Elle s'adressera aux autorités concernées et se livrera à un soliloque censé présenter le point de vue de M\ₘₑ Hamano. Je souhaite qu'elle s'exprime de façon excentrique et grandiloquente. Je redoute que son éloquence prenne le pas sur la grandiloquence au point de persuader un jury qu'elle se prépare bel et bien à trahir son pays. Nous devons tourner deux séquences ici, dans la prison. Dans la seconde, on verra Hideo Ashida traverser le quartier des hommes. Hideo, le chimiste du LAPD. Hideo, qui a survécu de justesse à une tentative de lynchage. Hideo, redevable envers ses maîtres, les flics blancs, et méprisé par son propre peuple parce qu'il joue trop bien son rôle.

Nous avons besoin de Hideo *ici* – mais Hideo est parti. Il y a deux heures, il a mis fin au long baiser qu'il me donnait devant la caméra, et il est parti. Claire m'a dit : *Ses baisers étaient bien timides, ma chérie. Je devrais sans doute vous louer une chambres d'hôtel pour que vous puissiez répéter.* Ce qui a pu le faire fuir, ce sont les baisers mis en scène et le fait que je sois une femme. À moins qu'il n'ait pressenti un péril – ce qui est mon cas en ce moment.

Nous sommes soumis à la « surveillance rapprochée » des agents fédéraux. Notre équipement et notre caravane/laboratoire sont à l'extérieur, dans le parking ; Ed Satterlee et Ward Littell sont garés de l'autre côté de la rue. Littell, l'ange gardien de Mariko Ashida, est opposé aux rafles ; Littell, en tant qu'agent fédéral, est malgré tout chargé de les organiser. Je pressens le péril. Mes antennes détectrices de flics ne cessent de vibrer.

Notre rythme de tournage est frénétique. Il dépend entièrement de ce que contient la sacoche noire de Saul Lesnick. Claire répète régulièrement : *J'ai besoin de faire ceci et de* « partir quelque part ». Je suis bien décidée à veiller au contenu du film et à ne pas laisser celui-ci présenter Claire comme la martyre qu'elle désire si désespérément incarner.

Je suis fatiguée. Depuis Pearl Harbor, je vis des journées de vingt-quatre heures, et je commence à payer l'addition. Le couloir du bloc cellulaire est jonché de câbles électriques et encombré de chariots de caméras. Les lignes de téléphone temporaires ont été installées. Claire consulte les coupures de presse consacrées à M$^{me}$ Hamano. Immersion, transfert, identité assumée.

Il y a une banquette-lit dans la caravane qui transporte notre matériel. J'ai besoin d'un petit moment de repos et d'un bon moment de solitude. Je sors et me rends dans le parking. Je vois Hideo entrer dans la prison. Il affiche son expression si particulière : soucieuse et guindée.

Je monte dans la caravane, j'ôte mes chaussures et je m'étends. J'entends un coup de tonnerre et je souhaite qu'il pleuve à l'aube. À Sioux Falls, les fins d'automne apportaient des orages. Je les aimais passionnément. J'ai passé ma jeunesse sur la terrasse de la maison, à implorer Dieu de déclencher des pluies torrentielles.

Le téléphone sonne. Je décroche le combiné et tire le fil jusqu'à la banquette.

– Allô ?

J'entends une voix d'homme au bout du fil.

– C'est Ward Littell, Miss Lake. J'ai obtenu ce numéro par l'intermédiaire de la police. Je suis sûr que vous savez qui je suis, et que cet appel représente un risque pour moi.

– Effectivement, je sais qui vous êtes, monsieur Littell. Je sais que vous avez été d'une grande aide pour Hideo Ashida et sa mère, mais vous ne m'avez rien dit de compromettant.

– Je suis sur le point de le faire, réplique Littell, et je serai bref. Je vous conseillerais de détruire les séquences déjà en boîte du film que vous tournez. M. Hoover est à Los Angeles. Il s'inquiète beaucoup de la possibilité que votre film soutienne l'effort de guerre japonais.

Je commence à lui répondre. Littell me raccroche au nez. Le *clic* de fin de communication devient un *clic* de prise de ligne. Quelqu'un passe un appel depuis la prison. Les deux communications s'enchaînent instantanément. Sans réfléchir, j'appuie sur le bouton de connexion et j'écoute la conversation.

J'entends quelques parasites, puis : *Les nouvelles vont vite, mon garçon.* L'accent est celui de Dudley Smith. Un homme dit : *Je ne savais pas où vous étiez, alors je suis allé voir le directeur Horrall.* C'est Hideo Ashida.

Ils parlent à voix basse. Hideo est a vingt mètres. Il passe son appel sans se cacher de Claire et de l'équipe.

Dudley dit : ... *votre extraordinaire invention photographique.*

– Je n'avais aucune intention d'intervenir dans votre enquête à charge contre Fuji Shudo. Je me suis contenté de pointer une incohérence aveuglante dans la chronologie des faits.

– Le directeur vous a-t-il dit que j'ai découvert une empreinte accablante ? Je l'ai relevée sur une tache de sang séché.

Hideo ne réagit pas. Son silence se prolonge. Il me semble que cette pause trahit le fait qu'il est choqué. Pour moi, leur conversation n'a aucun sens.

Dudley insiste :

– Vous ne m'avez pas demandé : *le sang de qui ?* mon garçon.

– Celui de Ryoshi Watanabe, réplique Ashida. C'est le directeur qui m'en a informé.

L'affaire Watanabe. Ils ont un suspect. Ils ont une piste sérieuse.

— On approche du dénouement, mon garçon, dit Dudley. Je vais rédiger pour notre copain juriste, Ellis Loew, un dossier regroupant toutes les preuves à charge. Le groupe sanguin de Shudo est AB négatif, donc je pense qu'on peut lui attribuer la grossesse de Nancy.

Hideo ne réagit pas. Son silence devient pesant. J'y vois une sorte de critique.

Dudley demande :

— Êtes-vous en proie à une douloureuse ambivalence, mon garçon ? Vous sentez-vous tiraillé entre l'idée d'une disculpation qui ne serait que justice et le nécessaire recours à des expédients qui garantiraient votre sauvegarde ? Suis-je témoin d'une tergiversation inspirée par une solidarité stupide entre Japonais ?

— J'ai tout simplement agi de façon instinctive.

— Ne jouez pas les naïfs, rétorque Dudley. Vous êtes bien trop circonspect pour suivre cette réaction à chaud qu'implique le mot *instinct*, et j'irais jusqu'à supposer que votre seul instinct, *c'est* la circonspection.

Nouveau silence. *Disculpation*, *expédients*. *Ambivalence*, *intervenir*. Cela ressemble à un dialogue au sujet d'un coup monté.

Dudley demande :

— Vous êtes toujours là, mon garçon ?

Des parasites brouillent la ligne. Je secoue le combiné et ils disparaissent. Hideo déclare :

— Je suis impliqué dans le tournage de ce film. Vous vous rappelez ? Vous m'avez donné la permission.

— Oui, répond Dudley.

Hideo poursuit :

— Ward Littell a informé ma mère que M. Hoover est en ville, à présent, et que les agents fédéraux vont opérer une descente sur le tournage. C'est pour cela que je vous appelle. Je regrette d'être passé au-dessus de votre tête pour la question concernant Shudo, mais mon intention était de signaler l'impossibilité chronologique à une personne aussi haut placée que possible dans la hiérarchie, et le plus tôt possible.

*Traître. Lâche. Pervers perfide esclave d'un homme intrépide qu'il aimerait tant sodomiser.*

— Voilà un excellent renseignement, mon garçon. Je vous déconseillerais d'en faire profiter Miss Lake, Miss De Haven, et les divers dilettantes impliqués dans cette aventure imbécile. Je vous assure que votre propre participation à cette entreprise sera dûment justifiée, par mes soins, à la première occasion qui se présentera. Nous sommes empêtrés dans les retombées des frasques de Whiskey Bill – et, en l'occurrence, je vous conseillerais de continuer de le ménager avec les précautions d'usage.

– Oui, Dudley, dit Hideo. Comptez sur moi.

*Vil, maniéré, lâche. Émasculé, impuissant, futile, insignifiant…*

Une alerte d'attaque aérienne se déclenche. Maladroitement, je repose le combiné sur son berceau et sors en courant de la caravane. Le jour se lève à peine. Les projecteurs de l'hôtel de ville balaient l'horizon vers le sud.

Des lumières rouges clignotent au-dessus de la prison. Des gardiens en uniforme sortent en courant et s'empilent dans leurs voitures. L'équipe de tournage les suit. Claire, Reynolds, Chaz et Saul Lesnick sortent d'un pas *nonchalant*. Ils sont décidés à paraître imperturbables en dépit de l'attaque aérienne. Le camarade Hideo a l'air de se *promener*. Il *sourit*.

Ils montent dans leurs voitures, démarrent, et prennent la direction de l'Arroyo Seco Parkway. Me voilà presque-mais-pas-tout-à-fait seule.

Ward Littell et Ed Satterlee sont garés de l'autre côté de la rue. Une voiture de police noir et blanc est rangée cinquante mètres derrière eux. Il fait encore trop nuit pour que je puisse voir à travers le pare-brise.

Ça ne peut être que *lui*. Et comme *moi*, je suis ici, comment aurait-il pu aller ailleurs ?

Je rentre dans la caravane et je m'enferme à clé. Je rassemble quatre bobines de film pas encore montées et les jette dans l'évier. Au-dessus de celui-ci, sur une étagère, se trouvent des bouteilles de solvant ; deux d'entre elles sont marquées d'une tête de mort et de deux tibias. Je les vide sur les bobines de film, je les regarde former des bulles et se dissoudre.

Un montage des séquences déjà tournées est resté sur une visionneuse. Celle-ci permet de regarder le film image par image. Le montage a été réalisé sommairement et reste provisoire. Malgré tout… c'est *mon* film qui doit être détruit. Il faut que je le voie, même dans une version imparfaite.

Le premier photogramme est une vue paisible de la 2e Rue. Même si cela prend du temps, je veux tout regarder de ce film. Je le fais avancer, photogramme par photogramme, image par image – c'est *mon* film. Les sirènes d'alerte aérienne me fournissent une bande-son. Je revois les rafles. Los Angeles, une semaine et demie après Pearl Harbor.

Des interpellations dans les rues. Des Japonais et des flics armés. Claire qui s'adresse à la caméra. Des passages de *Tempête sur Leningrad*.

William H. Parker a raison : ce sont des clowns de la didactique. William H. Parker a tort : les rafles sont barbares et Claire a le courage de les dénoncer. William H. Parker a raison : le film montre ses propres réalisateurs pour ce qu'ils sont : des provocateurs décidés à exploiter l'injustice. William H. Parker a tort : exprimer son indignation n'est pas trahir, et si ce film apporte à nos ennemis un certain réconfort, celui-ci doit être considéré comme secondaire et en aucun cas passible de poursuites devant un tribunal composé de personnes sensées.

Je fais défiler le film, image par image. Je vis mon film et un moment de ma vie dans l'Histoire en marche. J'identifie sans peine les gens que je connais, leurs silhouettes familières, leurs tenues vestimentaires.

Voici Thad Brown, coiffé de son feutre de couleur claire. Voici Elmer Jackson et son éternel cigare. Cette scène, c'est mon discours d'hier. Voilà l'émeute de Pershing Square.

Je vois la façade d'un immeuble situé à l'angle de la 1ʳᵉ Rue et de San Pedro Street. Oui, je connais ces piliers ronds et ce perron étroit. Oui, voilà Ed Satterlee. Il parle à un homme de type asiatique. Leurs couvre-chefs les identifient. Satterlee est grand et porte des chapeaux plats ornés de plumes. L'Asiatique présumé porte un chapeau de coolie. Je fais défiler les images et je découvre ce qui ressemble à un échange. Les deux hommes sont suffisamment près l'un de l'autre pour se donner l'accolade.

Quelque chose me force à m'arrêter net. C'est ce genre de moment où vous avez l'impression d'avoir *vu* un détail important. Je repasse la séquence, plus vite. Je comprends à quoi j'assiste avant de le visualiser réellement.

Leurs mains se touchent. Leurs mains s'écartent. Satterlee met quelque chose dans sa poche. Les deux hommes font volte-face. Les deux hommes s'éloignent. Dans des directions opposées.

*C'est un bakchich. Une discrète remise d'argent, filmée par hasard.*

Je reconnais le Chinois. Il a donné une somme à l'agent Satterlee, pour conclure un marché qu'il a passé avec lui. Ce Chinois est un homme de main du Hop Sing. Lee me l'a désigné au cours d'une fête de Noël à la brigade. C'est lui qui apporte les paniers garnis d'Ace Kwan à Appelez-moi-Jack et ses hommes. Du scotch à fort degré d'alcool et du canard frotté aux épices. Des billets de cent dollars pliés avec soin.

Lee était intarissable sur ce bonhomme. Il s'appelle Quon quelque chose ; il a été témoin du massacre de Nankin. Il exprime à voix haute sa haine féroce des Japonais. Sa rage dépasse de loin celle d'Oncle Kwan.

Je sors de la caravane et allume une cigarette. Les sirènes s'arrêtent ; les nuages noirs semblent sur le point d'éclater. La voiture des fédéraux a disparu. La voiture de police est toujours là.

*Moi*, je suis ici. Comment aurait-il pu aller ailleurs, *lui* ?

Je traverse la rue. Parker sort de sa voiture. Il est soigné de sa personne et porte un uniforme irréprochable. Il a perdu ses lunettes dans l'émeute. Maintenant, il porte des lunettes cerclées à monture d'acier.

– Miss Lake, me dit-il.

– Capitaine Parker.

Je prends mes cigarettes dans la poche de ma jupe et je lui en allume une.

– Dudley Smith est au courant de votre opération. J'ai surpris sa conversation avec Hideo Ashida. Ils sont de mèche dans l'affaire Watanabe, à ce que j'ai compris.

– On m'a retiré l'enquête, m'informe Parker. J'ai perdu la face aux yeux d'Ashida, et il s'est rallié à Dudley. Ce jeune homme perspicace se trouve dans une situation terriblement inconfortable. Ses intérêts seront mieux servis par Dudley. Je ne peux pas lui en vouloir.

Nous fumons et regardons les nuages d'orage. Le bourdonnement de la circulation nous parvient depuis l'Arroyo Seco Parkway. Je regarde vers le sud et vois l'immeuble fédéral. La file d'attente pour les engagements volontaires commence à grossir.

– Nous sommes visés par une descente du FBI qui va confisquer notre film. Nous serons tous arrêtés.

– Préviendrez-vous vos camarades ?

– Non.

– Parce que cela servira mieux votre cause de les faire accéder au statut de martyrs ?

– Oui.

– Révélerez-vous la présente opération ?

– En aucun cas.

– Croyez-vous que votre propre statut de martyre fera pencher la balance de la crédibilité de votre côté, à vous et à vos amis, plutôt que du mien ?

– Oui, je le crois, et il y a autre chose.

– C'est-à-dire ?

– Vous m'avez permis de devenir moi-même, et je ne vous trahirai pas.

Il commence à pleuvoir. Parker regarde le ciel et tend les mains comme pour le toucher. Nous nous regardons. Je m'avance sur le parking et laisse la pluie tomber sur moi.

Des nuages noirs éclipsent la flèche de l'hôtel de ville. Des éclairs jaillissent au-dessus du palais de justice. Je pense à la Prairie. Aux crues subites et aux tornades. Aux Indiens ivres, noyés dans leurs cahutes. À ces brefs désastres qui fauchent des vies absurdes et laissent des rêveurs impénitents repartir de zéro.

Ce ciel noir est écrasant. Je laisse se dissoudre le temps qui passe. Je sens la main de William effleurer ma cuisse. Je retiens ce moment tout contre moi et reste immobile sous la pluie.

# 75

## LOS ANGELES | VENDREDI 19 DÉCEMBRE 1941

**8 h 29**

Les Belles au bois dormant. La salle de repos transformée en dortoir.

Appelez-moi-Jack et Jim Davis somnolent. Mike Breuning et Lee Blanchard également. Jack et Jim sont des réfugiés de la soirée entre hommes. Breuning est épuisé par le travail fourni pour piéger le Loup-garou. Remarquez les séquelles de la bagarre que traîne Lee Blanchard. Lee se cache pour éviter Kay Lake.

Le plancher est recouvert de journaux du matin. DESCENTE DE POLICE DANS L'ANTRE DU LOUP-GAROU ! ARRESTATION

585

DU MONSTRE JAPONAIS ! STUPÉFIANT MYSTÈRE AUTOUR DU MEURTRE DE 4 JAPONAIS – TOUS LES DÉTAILS SUR L'AFFAIRE !

Gros titres à la une. Des photos à foison. Le Duster et le Loup. « L'Antre du Démon. » Scotty Bennett qui embarque Fuji Shudo. Scotty Bennett qui mâche son bubble-gum.

Les hommes dorment. Parker sort dans le couloir. Thad Brown l'aborde.

– J'ai quelques renseignements sur Joan Conville. C'est une briseuse de ménages carrément dévergondée.

– Racontez-moi ça, demande Parker.

– Je n'ai pas son adresse actuelle, mais jusqu'à l'attaque de Pearl Harbor, elle vivait avec un homme au carrefour de la 8ᵉ Rue et de New Hampshire. Lui, il s'est engagé dans l'armée le jour même, et elle, dans la marine. On l'a nommée enseigne de vaisseau et on lui a ordonné d'attendre sa convocation pour le camp d'entraînement. En ce moment, elle est en vadrouille. Elle a travaillé comme chercheuse en biologie dans un labo de Culver City, mais elle a touché sa dernière paye le 8, et puis elle a disparu. Elle a brisé le couple du type qui est entré dans l'armée et elle l'a quitté le jour où ils se sont enrôlés l'un et l'autre. Si vous voulez mon avis, c'est une source d'emmerdements sans fin, et vous feriez mieux de l'éviter.

Parker sourit.

– C'est tout ? Vous n'avez *rien* trouvé d'autre ?

Brown proteste :

– Ça ne vous suffit pas ? Et en plus – encore une déception – elle est *protestante*.

Parker rit. Appelez-moi-Jack et Deux-Flingues partent en titubant vers la salle de bains.

Brown dit :

– Bill, l'un de nous deux sera nommé directeur après la guerre. Quand les conseillers municipaux nous mettront sur la sellette, je jure de ne pas évoquer la grande rousse que vous cachez dans votre placard.

Parker sourit jusqu'aux oreilles. Son dernier verre d'alcool remonte à mardi dernier, à 2 heures du matin. Il a noté dans sa Bible les jours où il est resté sobre. Il a promis de donner à l'église cinq dollars par journée d'abstinence.

– Il faut y aller, dit Brown. C'est l'heure de l'entrée en scène de M. Hoover.

Ils montent en courant l'escalier situé à l'arrière du bâtiment. Appelez-moi-Jack et Deux-Flingues les ont devancés. Fletch Bowron est assis avec Hoover et Preston Exley. Les sièges sont disposés face à une estrade et un chevalet, sur lequel est posée une carte de la vallée de San Fernando.

Hoover porte à la boutonnière un œillet fraîchement cueilli. Preston Exley tripote une baguette. Appelez-moi-Jack et Deux-Flingues sirotent du bicarbonate. Parker et Brown prennent un siège. Hoover tapote sa montre. Personne ne fume – cela déplaît à Hoover.

Jack annonce :

– Eleanor Roosevelt s'est acoquinée avec cette nounou noire d'*Autant en emporte le vent*. Elles se retrouvent aux Los Altos Apartments quand FDR passe en ville. Gerald L. K. Smith a donné une soirée à la Première Église Chrétienne de Glendale, et Gerry ne mâche pas ses mots.

Hoover ajoute :

– Le pasteur Smith est depuis longtemps un informateur du FBI. Il dénonce ses rivaux sur le marché des pamphlets alarmistes. Il a d'excellentes accointances à droite.

Parker examine la carte installée sur le chevalet. Elle représente la partie est de la vallée. Des cercles entourent les terres cultivées. Les croix situent les emplacements des exploitations maraîchères. Elles appartiennent à des Japonais. Cela est en rapport direct avec les projets d'internement administratif conçus par Preston Exley. Cela *laisse supposer* que va être évoquée la rumeur qui court sur l'affaire Watanabe.

Hoover annonce :

– C'est à vous, monsieur Exley.

Preston s'approche du chevalet.

– Avant tout, ce que je propose est un rouage secondaire, inclus dans le rouage principal du plan d'internement administratif en temps de guerre conçu par le gouvernement fédéral – lequel rend nécessaire l'hébergement de centaines de milliers de suspects japonais dans des centres immenses sur tout le territoire de la Californie et de l'Arizona, et jusqu'au Wyoming et au Montana en montant vers le nord. Ma proposition nous permet d'opérer un tri parmi les détenus, de les loger sur place, et de veiller à ce que les revenus générés restent locaux, afin qu'ils contribuent à stimuler l'économie de Los Angeles en temps de guerre et au-delà. Quand je parle de « tri », je pense à un recours judicieux à l'eugénisme – la science qui étudie les races. Les

Japonais sont doués, industrieux, et accommodants. Nous serions bien inspirés d'en garder un certain nombre ici même, pour les avoir sous la main. N'oublions pas le fait qu'ils bénéficieront, eux aussi, de la reprise économique qui surviendra après la guerre, une fois qu'on les aura libérés.

– Je comprends, dit Jack. Les Japs ont la main verte, alors on les fait travailler dans leurs propres fermes et dans celles de leurs voisins, ou dans ces autres activités que vous avez évoquées la première fois. Je n'aime pas le terme de *bonus*, mais il s'applique ici. Il y a des profits potentiels pour tous ceux qui sont concernés. Nous soulageons le gouvernement fédéral d'un nombre important de Japs, ce qui bénéficie aux employés de M. Hoover. C'est à nous de gérer nos propres Japs, et donc nous gardons la part du lion des bénéfices réalisés.

Fletch demande :

– Et dans tout ça, Preston, où figure la « science des races » ? À quel genre de « tri » pensez-vous ?

Hoover intervient :

– Comme M. Exley et moi avons déjà débattu de ce sujet, j'aimerais répondre personnellement à votre question. Au cours des douze derniers jours, mes agents ont été les éléments moteurs des rafles d'éléments subversifs japonais. À cette occasion, ils ont observé de très nombreux Japonais, et ils ont constitué sur eux des dossiers individuels. Je vois dans cette initiative une expérience contrôlée à la fois dans le domaine de la pénologie et dans celui de l'eugénisme. Le Japon a conservé une culture féodale, évoluant parallèlement à la nôtre, mais handicapée par des codes sociaux ataviques, et ce, jusqu'à la fin de la révolution industrielle, alors que des sociétés libres s'épanouissaient en Occident. Aujourd'hui – malgré ou bien à cause de leur atavisme inné – ils ont mobilisé et nationalisé leurs ressources pratiquement au même niveau que notre propre nation de citoyens blancs. En ce moment, les Japonais menacent l'hégémonie des Occidentaux sur le monde entier – mais nous parviendrons, évidemment, à les écraser tôt ou tard. Pourquoi ne pas exploiter leur habileté et leur puissance cérébrale héréditaires tout en les détruisant sur le plan militaire, dans l'espoir que notre expérience nous éclaire sur une race à la fois inférieure et étrangement supérieure à la nôtre, et qui en diffère – et c'est révélateur – par une soif de domination absolument insensée ? Pourquoi ne pas les soumettre à des tests d'intelligence, à des tests de capacité mentale et physique, et sélectionner sur ces bases ceux de nos prisonniers potentiels qui resteront à Los Angeles ? Pourquoi ne pas étudier ces personnes pendant que nous les gardons en détention et que nous les employons de façon productive ?

— M. Hoover n'a pas la langue fourchue, dit Davis. Je crois depuis longtemps à la supériorité de certaines races sur les autres. Cet aspect du projet me fait saliver.

— Ne vous contentez pas de saliver sur cet aspect-là seulement, et je dis cela pour vous tous. Je pense que nous pouvons faire ces tests et sélectionner les meilleurs parmi les meilleurs, leur accorder des laissez-passer pour les zones de haute sécurité, et leur permettre de travailler dans les usines de la défense nationale, à Santa Monica. Là-bas, nous avons Lockheed, Boeing, Douglas et Hughes qui se succèdent sur une étendue de terrain très limitée, et Jim dirige déjà les forces de sécurité chez Douglas. Nous pourrions étendre les attributions de Jim à toutes les usines et détacher un groupe spécial de nos hommes pour surveiller exclusivement nos ouvriers japonais.

*Imaginatif. Lucratif. Usuraire au-delà de toute moralité. Calomnies xénophobes. L'esclavage réintroduit sur le sol américain.*

Parker regarde ses mains. *Ne lève pas la tête, ils vont deviner ce que tu penses...*

Preston ajoute :

— La conscription va imposer une pénurie totale de main-d'œuvre non qualifiée. Je propose la création d'une opération *Travailleurs invités* en collaboration avec la police mexicaine. Elle nous enverra des péons pour qu'ils tiennent les postes à pourvoir, on les hébergera à Chavez Ravine, les patrouilleurs de la base navale de Chavez Ravine feront la police. Une fois de plus, l'opération tout entière reste centralisée et dépend entièrement de Los Angeles.

Hoover hume son œillet.

— J'ai besoin d'un peu d'air frais. J'aimerais assister à quelques arrestations dans Little Tokyo, et je voudrais le faire sans attendre.

— J'ai deux voitures qui attendent, dit Appelez-moi-Jack.

Davis annonce :

— Il y a une bande de Rouges qui tourne un film. Dick Hood se prépare à y mettre un point final.

Ils se lèvent tous comme un seul homme. Parker les imite et les suit. Ils prennent l'ascenseur privé du maire.

Deux berlines du FBI tournent au ralenti dans le sous-sol. Ed Satterlee et Ward Littell sont au volant. Parker monte à côté de Ward.

Ils échangent un regard. Appelez-moi-Jack et Jim Davis s'installent à l'arrière.

Les autres montent avec Satterlee. Les voitures démarrent, le capot de la seconde dans l'échappement de la première. Parker ferme les yeux et serre sa croix.

Il ne voit rien du parcours, mais il le ressent. Chaque cahot le secoue. La radio de bord braille à intervalles réguliers. Le Comité Anti-Axe – dans une minute.

On a les tireurs d'élite de Hearst. Ils sont montés sur les toits. Il y a déjà quatre fédéraux sur place.

Cahots, virages à droite, virages à gauche. Nous sommes dans Little Tokyo. Encore une minute.

Parker compte les virages. Ward freine et se gare. Parker rouvre les yeux. La voiture de Satterlee est arrêtée, moteur au ralenti, juste devant eux.

Les guignols de chez Hearst surveillent les environs depuis des toits adjacents. Ils sont équipés de Mauser à lunette de visée.

D'autres guignols de chez Hearst occupent le trottoir : un photographe, Sid Hudgens, Jack Webb. La vitrine du local visé resplendit de couleurs – rouge, blanc, bleu.

Ward presse le bras de Parker et descend de voiture. Satterlee sort de la sienne. Quatre fédéraux sautent d'un fourgon de surveillance.

Ils sortent leurs armes de poing. Ils s'avancent vers l'entrée du local. La porte est grande ouverte. Ils entrent, leurs armes braquées devant eux.

Parker sort de la voiture. Les guignols de Hearst lui bouchent la vue et l'empêchent de voir l'entrée du local. Dans celui-ci, tout se passe en sourdine. Pas de protestations, pas de slogans, pas de cris.

Parker attend. Parker tend l'oreille pour entendre sa voix, à *elle*. Il n'entend que le cliquetis des menottes que l'on referme autour des poignets.

Elle sort la première, devant les autres. Quand il l'a quittée, elle est restée seule, debout, sous la pluie. Elle portait un ensemble marron, alors. À présent elle est vêtue de rouge vif.

# TROISIÈME PARTIE
# LA CINQUIÈME COLONNE

(19 décembre – 27 décembre 1941)

# 76

**10 h 19**

Meeks s'assied. Son haleine fétide pourrit l'atmosphère de leur box. Dudley a décidé qu'il tuerait Meeks en 1946. À ce moment-là, la guerre sera finie. Lui, il sera riche. Meeks ira pourrir dans le terrain vague d'Ace Kwan, recouvert de chaux vive.

Il n'y a pas un rat chez Vince & Paul. Il sont installés près de la sortie. Un serveur leur apporte du café et disparaît.

Meeks annonce :

– J'ai découvert des renseignements juteux sur Pierce Patchett. Vous me devez cinq cents dollars.

Dudley lâche les billets sur la table. Meeks les rafle.

– Je dirais qu'il a la quarantaine. C'est un grand gaillard, impressionnant, qui est très fort au jiu-jitsu, pour ce que ça vaut. C'est un *orientaliste*, ce qui veut dire qu'il adore les trucs qui viennent de ces pays paumés de l'autre bout du monde. C'est un promoteur immobilier, et il a ramassé beaucoup de fric avec des projets ici ou là. Il est aussi chimiste de profession, c'est une sorte de crypto-fasciste, et il s'est découvert une vocation de souteneur façon papa-gâteau qui chouchoute son cheptel. Il a un projet qui prévoit le recours à la chirurgie esthétique, ce qui pour moi relève de la science-fiction. Il veut faire opérer des filles pour qu'elles ressemblent à des vedettes de cinéma, ce qui va sûrement vous faire rigoler, étant donné ce que vous savez de la vie de ces femmes-là. Ce qui est nouveau, c'est qu'il a l'intention de mettre en place un système de rendez-vous par téléphone, comme nos copains Elmer et Brenda.

Dudley fait le tri dans ces informations.

– Continuez, je vous prie.

Meeks tambourine sur la table.

593

– Moi, la façon dont je vois ce bonhomme, et la kyrielle de types qu'il connaît, c'est qu'ils s'enculent tous en couronne. C'est une gigantesque partouze. J'ai examiné les relevés téléphoniques de Patchett, aussi bien ceux de sa maison que ceux de son bureau. Il y a une flopée d'appels à notre vieux copain Preston Exley, et d'autres à votre pote mexicain Carlos Madrano, à Ensenada. Les bureaux de Patchett se trouvent dans le même immeuble que le cabinet médical d'un médecin nommé Saul Lesnick, qui comme par hasard soigne Preston pour ses migraines. Et comme si ça ne suffisait pas, j'ai appris que Lesnick est une taupe des fédés, et qu'il a infiltré un genre de cellule Rouge. Enfin, pour couronner le tout, j'ai consulté le flic qu'on va toujours voir pour apprendre des trucs sur les gens de la cinquième colonne.

Dudley fait un nouveau tri.

– Continuez, je vous prie.

– J'ai cassé du syndicaliste sous les ordres de Carl Hull, alors je sais interpréter ses réactions. Dès que je dis *Lesnick*, il commence à baisser son caleçon. D'accord, je sais que vous avez parlé avec lui. D'accord, je sais que c'est Parker qui a propulsé la petite amie de Lee Blanchard dans cette cellule à laquelle Lesnick appartient. Je sais que vous vous tenez constamment au courant de tout ce que fait Parker, et que vous avez dit à Hull que vous laisseriez le pacte entre Parker et la petite Lake aller jusqu'à son terme. Une gigantesque partouze, Dud. La petite Lake couche avec Scotty Bennett et elle couche peut-être avec Hideo Ashida. Une gigantesque partouze. Exley, Patchett et Madrano ne sont pas liés à ce groupe anti-Rouges, mais ils appartiennent à quelque chose de plus vaste et de plus juteux.

Dudley fait encore un tri.

– Continuez, je vous prie.

Meeks se penche en avant. Remarque bien sa montre en or. Il a tué trois nègres dans une fusillade à l'angle de Slauson Avenue et de Broadway. Il a volé cette montre sur le cadavre d'un moricaud.

– Vous flairez une histoire de fric dans l'affaire Watanabe. Je le sais depuis que j'ai levé ce lièvre sur le rachat des fermes et des maisons, à la réunion de la semaine dernière. *Maintenant*, vous avez Exley, Patchett, et Madrano. Vous avez les flics mexicains qui font les contremaîtres pour que les sans-papiers fassent tourner ces exploitations maraîchères japonaises, dans la vallée. Vous avez ces Blancs prétendument *inconnus* qui rachètent ou tentent de racheter aux Japs leurs maisons et leurs terres, des transactions effectuées en secret, et les projets d'Exley pour que l'internement administratif se fasse sur les terres confisquées aux Japs, et dont parlent tous les bulletins internes qui circulent au LAPD et dans les services du maire. C'est une gigantesque partouze et vous flairez un gros tas de fric, et je parie que vous n'avez pas découvert tous les ressorts du montage, et qu'Ace Kwan est de mèche avec vous sur ce coup-là. Vous attendez que Shudo soit inculpé pour en être débarrassé, et alors vous ferez décoller vos projets pour de bon, et vous seriez content de savoir que Whiskey Bill ne risque pas d'être piqué par une mouche anti-Rouges ou anti-Dudley Smith, ce qui compliquerait encore plus votre vie qui est déjà trop compliquée comme ça.

Dudley applaudit. Il applaudit Meeks, qui pue de la gueule. Meeks, avec sa montre en or. Meeks a descendu deux Mex dans une fusillade au croisement de Wabash Avenue et Soto Street. Meeks leur a volé Dieu sait quoi.

— C'est un brillant résumé, clair, précis et bien pensé, mon garçon. Il m'inspire cette question : Combien voulez-vous ?

Meeks dépiaute un cigare.

— Je veux 5 % de tout ce que vous mijotez avec Ace dans le domaine des propriétés agricoles, et 5 % de tous les profits que vous comptez tirer des magouillages liés à l'internement administratif.

— C'est d'accord, fait Dud.

Meeks ajoute :

— Ça doit vous faire rager de savoir que vous ne pouvez pas me tuer.

— Oui. Je le concède.

Meeks se lève.

— Prenez bien soin de vous. Vous avez piqué une crise avec le Loup, et je sais que vous êtes à bout. C'est vous, le cheval sur lequel j'ai parié, et je tiens à ce que vous soyez en forme pour le grand prix.

### 11 h 36

Meeks sort de sa démarche de canard. Les 5 % qu'il a exigés avancent considérablement la date de sa mort. Ce salopard disparaîtra en 1942.

Dudley griffonne sur une serviette en papier. Il réduit en poudre un comprimé de benzédrine pour corser son café.

Hier, la guerre l'a rattrapé. *Aujourd'hui* annonce une nouvelle campagne. Il pense à Bette. C'est dans un rôle de sorcière, *sa* sorcière à lui, qu'elle jette un pont entre ces deux journées. De toutes ses forces, il tente de la faire apparaître. Il est armé du courage furieux des Irlandais dépossédés de ce qui leur est cher.

Dudley *convoque* Bette. Elle ne le sait pas encore.

La benzédrine lui titille le cerveau. Aide-mémoire : appeler Huey et se préparer à cuisiner Tojo Tom Chasco. Aide-mémoire : envoyer une bonne bouteille à Ellis Loew. Lui présenter des excuses pour le grabuge avec le Loup-garou. Lui souhaiter la bienvenue dans l'affaire Watanabe célébrée par le presse Hearst.

Dudley griffonne. Il passe au crible le laïus de Meeks et prend des notes en sténo. Gigantesque partouze, collusion à connections multiples. Aucune révélation d'un lien direct avec le meurtre. Les rachats de terrains et de maisons prennent forme.

Sténo. Des signes *égal* et des mots manquants. Des guillemets, des points d'interrogation, des capitales pour remplacer les noms propres. Tu vois de quelle façon les noms se répètent ?

« Les projets immobiliers d'E. pour l'internement administratif » ; « La maison W. directement accessible depuis le Parkway réalisé par E. Constructions ». Risquons un pas de plus dans la conjecture :

« *Expansion probable de L.A. après la guerre.* »

Serviettes en papier. Hiéroglyphes d'inspecteur de police.

Meeks dresse un portrait de Pierce Patchett. Il veut gérer une équipe de prostituées refaçonnées par un chirurgien. Qui est le roi de la chirurgie esthétique pour hommes ? Le docteur Terence Lux.

Dudley dessine des visages de Japs et des visages de Japs opérés pour ressembler à des Chinetoques. Il ne voit aucune différence sur le plan de l'eugénisme. Il dessine Terry Lux armé d'un scalpel. Il dessine Claire De Haven. Il dessine Claire De Haven nue dans le bain de vapeur de Terry.

Il dessine Hideo Ashida. Hideo regarde Terry opérer l'ivrogne japonais. Terry a de gros doutes sur le projet de chirurgie esthétique à la chaîne, mais il se passionne pour l'eugénisme.

Il se pose des questions sur Hideo et son piège photographique. Son petit jeu lui paraît irresponsable. Son discours sur les vrais témoins oculaires lui paraît tiré par les cheveux.

Il dessine des points d'interrogation et une carte. La carte concrétise la proximité.

L'Arroyo Seco Parkway. Du centre-ville de L.A. jusqu'à Pasadena. Un contrat pour l'entreprise Exley Constructions. Lincoln Heights à l'est. Highland Park à l'ouest. L'extrémité nord du Parkway atteint les quartiers sud de Pasadena.

Dudley dessine le tracé sinueux de la voie rapide. Il marque d'une croix les bretelles d'accès et les bretelles de sortie. Son crayon concrétise par des hachures les collines et les terrains inexploités.

Une poussée de benzédrine le décolle de sa chaise. Il se lève et quitte le restaurant. Il monte dans sa voiture de service et rejoint le Parkway.

Chavez Ravine en marque l'extrémité sud. Les Lincoln Heights se trouvent à l'est ; ce ne sont que des collines couvertes de broussailles et d'alignements de bicoques en planches. Elles sont bordées au nord par un fossé de drainage.

Voilà Highland Park, à l'ouest. Il y a moins de collines, ici, et moins de bretelles d'accès et de sortie. Les terrains inexploités sont contigus à la bordure ouest de la voie rapide. Il n'y a pas de cours d'eau pour compliquer le travail d'un promoteur immobilier. Le côté ouest n'est que terre aride, où sont dispersées quelques maisons qui font tache. Elles sont adossées à la barrière de sécurité de la voie rapide.

Dudley emprunte la sortie menant à l'Avenue 64 et décrit une boucle pour repartir vers le sud. Il observe la topographie et compte les parcelles inoccupées. Il rejoint l'Avenue 45 et La Maison des Watanabe. Il se gare dans Leur Allée. Il se dirige à pied vers Leur Cour de derrière. Celle-ci donne sur un *terrain inexploité* qui s'étend jusqu'à la voie rapide, sur une longueur de quatre cents mètres.

De la terre et des broussailles. Quelques arbres et des monticules. Cette parcelle *inexploitée* court aussi bien vers le nord que vers le sud. La topographie devient plus problématique dans ces deux directions. Cette maison-*ci* et ce terrain-*ci* représentent l'emplacement idéal pour une nouvelle bretelle de sortie de la voie rapide.

Dudley saute par-dessus la clôture et arpente la parcelle. Le terrain est inégal et jonché de brindilles. Il se dirige tout droit vers la barrière de sécurité de la voie rapide et revient aussitôt.

Ce terrain pourrait appartenir à la ville ou au Comté. Il pourrait faire partie de la propriété des Watanabe. Il a pu être acquis en secret par le duo Exley-Patchett.

Dudley ramasse une poignée de terre et la renifle. Il décèle un relent d'huile de crevette. Il retourne vers la clôture et la franchit dans l'autre sens.

Il reprend sa voiture et descend vers Figueroa. Il tente de réfléchir comme le ferait un magnat du bâtiment et des travaux publics.

Que peut-on reprocher à ces terrains inexploités ? Entre le centre-ville de Los Angeles et Pasadena, il n'y a pas un seul centre commercial contigu à la voie rapide. Ici, du côté ouest, l'endroit est parfait.

Highland Park est juste à côté de la voie rapide. Pas de fossé de drainage qui gâche tout. Pas de collines qui empêchent la circulation automobile. Une sortie possible pratiquée dans la barrière de sécurité à la hauteur de la cour des Watanabe.

Dudley s'arrête près d'une cabine téléphonique et appelle Nort Layman. Nort a envie de bavarder. Les résidus de crevette et la couche arable. Avez-vous une opinion sur le sujet ?

Oui. Nort a étudié la question, en rapport avec l'affaire Watanabe.

L'huile de crevette solidifie la terre et la contamine, la rendant impropre à toute culture. L'huile de crevette pourrait servir à solidifier les couches inférieures, fournissant ainsi une base solide avant qu'on ne la recouvre de ciment.

Dudley remercie Nort. Dudley raccroche. Dudley projette dans sa tête le court-métrage qu'il imagine. Les vedettes en sont les membres de la famille Watanabe. Sur l'écran, ils sont vivants. Ils s'enduisent la plante des pieds d'huile de crevette et déambulent dans leur jardin. Ils se dirigent vers la barrière de sécurité. Quelqu'un leur a donné l'ordre de le faire. *Une couche de terre arable rendue impropre à la culture facilite la pose du ciment.*

Dudley se rend en voiture à l'hôtel de ville. Il avale deux benzédrines. Il imagine à quoi ressemblera L.A. après la guerre. Il a vu le film allemand *Metropolis*. Une contre-utopie spectaculaire. Il combine sa propre vision avec celle de Fritz Lang.

Des terrasses où se succèdent restaurants et magasins et qui dominent de larges routes paysagées. Pas un seul moricaud en vue. Des voitures carrossées comme des fusées et qui filent vers le nord et vers le sud.

Il se gare et monte à la brigade. Mike Breuning l'intercepte.

– Je n'en reviens toujours pas. Je viens de parler au téléphone avec Bette Davis. Elle a dit que vous devriez l'appeler.

Dudley exulte. Il esquisse un pas de danse et fait la roue jusqu'à son bureau. Il voit une enveloppe sur son sous-main.

Une lettre de Tommy Gilfoyle. Cette écriture anarchique en lettres capitales. Tommy, aveugle, n'a jamais appris à taper à la machine ni à écrire en cursive.

Dudley ouvre l'enveloppe. La lettre fait deux pages. Dudley connaît la technique de Tommy pour aligner des majuscules. Les mots se dissolvent en une salade de lettres.

*Je sais que Beth vous a écrit pour vous informer d'une « chose horrible » qui lui est arrivée l'année dernière, mais elle ne vous a pas dit de quoi il s'agissait.*

Dudley sent ses cheveux se dresser sur sa tête. Les mots de Tommy se brisent. Regarde... de l'encre qui bave et des larmes séchées.

Beth s'est fait violer, à Boston. C'était en novembre 1940. Deux voyous l'ont agressée. La police de Boston les a repérés. Beth s'est effondrée à la confrontation et n'a pas été capable de les identifier. Les deux hommes ont été relâchés.

Beth a consulté un médecin. Il l'a examinée et lui a dit qu'elle n'était pas enceinte. Il a découvert des kystes bénins et lui a appris qu'elle était stérile. Elle n'aurait jamais d'enfant.

Beth est ressortie de chez lui anéantie. Elle avait tellement envie d'avoir des enfants. Tommy est resté en relation avec la police de Boston. Un flic lui a dit que les violeurs s'étaient engagés dans l'infanterie de marine. Ils étaient stationnés à Camp Pendleton, près de San Diego : le caporal John Arcinaux ; le deuxième classe Robert Ettig.

*Nous arriverons à Los Angeles le lundi 22 décembre, et nous resterons jusqu'au lendemain de Noël. Je voulais vous informer avant notre venue de ce qui est arrivé à Beth, mais, s'il vous plaît, ne lui dites pas que vous êtes au courant. Je pense qu'il y a des périodes pendant lesquelles ce drame ne lui pèse pas trop, et je veux que notre Noël soit l'une d'elles.*

Les pages se mouillent. Il ne sait pas pourquoi. Il soulève une chaise et s'apprête à la lancer à l'autre bout de la pièce. Il sanglote et la repose.

Ses sanglots l'étouffent. Il ne respire plus. Il ouvre grand la bouche et il en sort des cris de bête. *Loup-garou, Loup-garou.* Il se mord le bras pour étouffer ses propres cris. Ses dents transpercent sa peau.

# 77

**13 h 19**

Shudo le Loup-garou est phénoménal. C'est un loup-garou *jap*. La radio insiste beaucoup là-dessus.

Ashida écoute les informations à la radio. Il est seul au labo. La station KFI fait une émission spéciale entièrement consacrée aux Japs.

Un bref résumé de l'affaire Watanabe. *Aucune piste dans le meurtre du Jap de la cabine téléphonique ! Aucune piste dans l'affaire du Jap tué sur une plage ! – Les Japs qui se sont suicidés en prison : ils appartenaient tous à la cinquième colonne !*

Il a allumé la radio pour avoir des détails sur le raid Anti-Axe. Mariko l'a appelé et lui a décrit ce qu'elle a vu. Les fédéraux ont envahi le local. Ils ont embarqué une fille en robe rouge.

Les fédéraux vont mettre la main sur le film. Claire et les autres vont peut-être livrer son nom. Ses baisers à Kay Lake seront examinés de près.

Tout ça est arrivé si vite. Il avait la possibilité de détruire le film. Kay l'a devancé. Le film était dans la caravane. Pour rejoindre le lieu du tournage, il est passé devant la prison de Lincoln Heights. Kay était déjà enfermée là-haut.

La radio vante les mérites d'un dentifrice, puis elle revient à Fuji Shudo et au champion de football Scotty Bennett. La semaine dernière, le héros du lycée de Hollywood a tué un voyou tong ! Hier soir, il a pris d'assaut le repaire du Loup-garou !

– Vous avez l'air craintif, mon garçon. Étant donné les événements récents, je ne peux guère vous le reprocher.

*La porte est ouverte. Il ne projette aucune ombre. C'est lui, le Vrai Loup-garou.*

Dudley ferme la porte à clé derrière lui et s'approche d'Ashida. Il éteint la radio. Il sort un revolver et bascule le barillet.

Il montre le revolver à Ashida. Six chambres, cinq vides, une balle glissée dans la dernière.

Il remet le barillet en place et le fait tourner. Il appuie le canon contre la tête d'Ashida et presse deux fois de suite la détente. Le chien frappe des chambres vides.

Ashida ouvre les yeux. Il ne se rappelle pas les avoir fermés. Il n'est pas mort. Il est toujours assis à son bureau.

Dudley se penche sur le bureau. Il tapote un bloc-notes grand format.

– Vous allez faire en ma présence une déclaration écrite sous serment. Vous l'adresserez au District attorney William McPherson, au directeur de la police C. B. Horrall, au shérif Eugene Biscailuz et à l'agent spécial en charge Richard Hood du FBI de Los Angeles. Vous y avouerez toutes vos rétentions et autres suppressions de preuves matérielles dans l'enquête sur l'assassinat des Watanabe commis le 6 décembre 1941, qu'elles soient de votre seul fait ou qu'elles aient été commises de connivence avec le capitaine William H. Parker. Vous ajouterez que vous êtes au courant des menées occultes du capitaine Parker à l'encontre de Miss Claire De Haven. Vous signerez et daterez le document au bas de la dernière page. L'épouse de Dick Carlisle est notaire. Elle y ajoutera les cachets nécessaires.

Ashida met le bloc bien droit devant lui. Son stylo court tout seul sur la page. Il capte une odeur de teinture d'iode. Dudley s'est soigné pour une blessure au bras.

Samedi 6 décembre. Drugstore Whalen. Il chaparde des fragments de projectiles et des fibres métalliques tombées d'un silencieux.

Dimanche 7 décembre. Chez les Watanabe. Il découvre l'émetteur-récepteur radio à ondes courtes, l'enregistreur magnétique et le registre. Il revient les voler le mercredi 10 décembre. Il écoute la radio et apprend l'attaque contre Goleta. Confrontation avec Dudley quand il ressort de la maison. Il lui ment au sujet des tracts qu'il a volés. Ils s'en prennent tous les deux avec virulence à la police de Los Angeles.

Dudley lui touche le bras. Cela le récompense de sa franchise.

Lundi 8 décembre. Il rend visite à des maraîchers de la vallée. Ryoshi Watanabe a vendu son exploitation… mais à qui ? Dans toute la vallée, ce sont des Mexicains sans papiers qui ramassent les légumes. Ils sont supervisés par des flics de la police d'État mexicaine. Il voit Carlos Madrano derrière tout ça.

Dudley sourit. *Mon garçon, vous avez trouvé ça avant tout le monde.*

Lundi 8 décembre. Il force la porte de la Deutsches Haus et pille la cache d'armes – il repart avec des Luger et des silencieux. Il effectue des tests sur chacune des armes dans le tunnel de tir. Conclusion :

celles utilisées au drugstore et dans la maison proviennent du même lot de fabrication.

Dudley fait un clin d'œil. Ça, il le savait déjà, plus ou moins.

Jeudi 11 décembre. Il découvre les traces de l'attaque des sous-marins. Il voit un cadavre de *collaborationniste*. Il remarque sur lui une blessure en étoile pratiquée à l'arme blanche, semblable à celle que portait Ryoshi Watanabe. La plante des pieds d'une autre victime empeste l'huile de crevette. Cela rappelle l'huile de crevette sur les pieds des Watanabe. Il voit des boîtes de conserve de crevettes parmi les débris divers.

Dudley se tape sur les cuisses. *Mon garçon, vous me faites vraiment rire.*

Vendredi 12 décembre. Il découvre des traces de pneus bizarres dans l'allée des Watanabe. Le dessin des sculptures lui rappelle quelque chose. Il correspond à celui diffusé par une dépêche du shérif en date du 7 décembre. Un accident de la circulation avec délit de fuite. Une victime. James Larkin, britannique, 67 ans. Il habite Santa Monica Canyon. On a un signalement très vague du chauffard. C'est un Blanc qui porte un pull violet. Cela rappelle le Blanc aperçu devant la maison le 6 décembre.

Dudley en reste bouche bée. C'est touchant.

Vendredi 12 décembre. Il fait part de la piste Larkin au capitaine Bill Parker. Ils entrent tous les deux chez Larkin par effraction. Ils trouvent un registre tenu en japonais. Ils trouvent 17 Luger décorés de symboles nazis et une fortune en espèces des pays de l'Axe. Ashida traduit le contenu du registre. Il suppose que le document détaille les rachats de maisons et d'exploitations agricoles. Il ne trouve pas de preuve formelle.

Les deux hommes entrent une seconde fois chez Larkin par effraction. Ils constatent que Larkin n'a pas de téléphone. Ils se souviennent d'une dépêche du shérif. Parmi les objets trouvés sur le corps de Larkin figurent « trois jetons de téléphone ». Ils volent les 17 Luger. Au labo, ici même, Ashida cherche des empreintes sur les armes. Il en trouve une qui correspond à l'empreinte inconnue relevée chez les Watanabe. Son amitié complice avec Bill Parker finit par capoter. La tirade de Parker à la Pagode de Kwan en a sonné le glas. Il sait très peu de choses au sujet de l'infiltration de Kay Lake dans la cellule de Claire De Haven. Lui, c'est Kay Lake qui l'a *appâté* pour qu'il se joigne à leur aventure. Les motifs de Kay ? Spécieux et incompréhensibles.

Il passe sous silence Le Couteau trouvé dans Griffith Park. Bill Parker pense que ces trois hommes ont été tués par Ace Kwan et Dudley. Il ne dit pas un mot non plus de l'interrogatoire de Wallace Hodaka. Il n'a pas fourni la moindre piste supplémentaire.

C'est terminé. Signez là – Dr Hideo Ashida.

La main sur le cœur, Dudley lui déclare :

– Hideo, je vous trouve émouvant et je suis honoré de vous connaître. Vous avez vaillamment affronté l'éventualité d'une mort immédiate, dont la probabilité était d'une chance sur trois, et sur cette planète, vous êtes le seul inspecteur de police qui soit mon égal. Je vous promets de vous rester loyal alors que les coups du sort continueront de s'acharner sur vos concitoyens. Les prochains mois seront certainement très rudes, mais je ferai de mon mieux pour vous apporter tout mon soutien, à vous et vos proches, ainsi que mon indéfectible bonne humeur.

Ashida se pâme. Il a l'impression de rougir de la tête aux pieds.

– Mon frère irlandais.

– Mon frère jaune.

La pluie tambourine contre la vitre. Dudley sourit et allume une cigarette.

– Possédez-vous le talent nécessaire pour créer un document censément ancien, mon garçon ? Je pensais à une lettre que Fuji Shudo aurait pu écrire à Ryoshi Watanabe en 1933 ?

Ashida sourit.

– Oui, c'est dans mes cordes. Je suppose que vous voulez une lettre en caractères kanji ?

– Effectivement, répond Dudley. Il faudrait que le texte détaille une divergence d'opinion concernant la géopolitique asiatique, et qu'il laisse entrevoir à terme l'effondrement psychique du Fuji Shudo. Pouvez-vous, de façon convaincante, « vieillir » le papier que vous utiliserez, et imiter un cachet postal ?

– Oui, et la lettre devra avoir été adressée « poste restante », car rien ne nous prouve que les Watanabe possédaient déjà cette maison en 1933. Notre demande officielle de renseignements sur ce sujet n'a toujours pas reçu de réponse.

– Bien vu ! Je n'avais pas pensé à ce détail. Et le cachet de la poste ?

– Un colorant végétal violet.

– Le vieillissement du papier ?

– Une projection de phosphate de chloral et une exposition à un rayonnement ultraviolet.

Dudley lance des ronds de fumée.

– Avez-vous une opinion d'ensemble sur les rapports entre Kay Lake et Bill Parker ?

– Ils sont fous tous les deux. Ils sont amoureux l'un de l'autre, mais ils sont tellement cinglés qu'ils ne s'en rendent même pas compte.

# 78

## JOURNAL DE KAY LAKE

### LOS ANGELES | VENDREDI 19 DÉCEMBRE 1941

### 16 h 02

Me voici de retour dans le quartier des femmes, à la prison du commissariat central. Ma première visite remonte à onze jours. J'avais improvisé un esclandre au concert de Paul Robeson, afin de provoquer une rencontre avec Claire. Elle est dans la cellule voisine, à présent, et comme elle est privée de narcotiques, son état de manque s'aggrave de plus en plus. Nos camarades sont dans le quartier des hommes. Hideo Ashida se trouve sans doute au-dessus de nous, dans son laboratoire de police scientifique, à moins qu'il ne soit parti dévier le cours de la justice pour le compte de Dudley Smith.

Le quartier des femmes est rempli de Japonaises. Elles sont assises sur leurs couchettes, tout comme leurs compatriotes, il y a onze jours. L'attaque de Pearl Harbor remonte à *douze* jours. Le monde a-t-il existé avant cela ?

Je regarde Claire se débattre. Voilà bientôt six heures que nous sommes ici. On a relevé nos empreintes digitales, et on nous a obligées à nous changer pour passer des blouses fournies par la prison. Une infirmière attachée aux services du shérif, une certaine Dot Rothstein, nous a regardées nous déshabiller. C'est la lesbienne la plus corpulente que j'aie jamais vue – Andrea Lesnick m'a déjà parlé d'elle. Elle porte l'uniforme vert des adjoints du shérif, une matraque souple lestée de grenaille dans chacune des poches cousues sur le bas de son pantalon. Elle mâche vigoureusement son chewing-gum.

On m'a confisqué mon sac à main. Voyant Claire frissonner, Dot Rothstein lui a arraché son manteau. J'étais prévenue du raid imminent des fédéraux, et j'ai supposé qu'ils en avaient informé Saul Lesnick. J'ai brûlé mon film, détruisant ainsi une preuve matérielle. Je n'en ai conservé que deux courtes séquences, dissimulées dans la doublure de mon sac à main.

Claire s'agite. Je passe la main entre les barreaux et lui caresse les cheveux. Nous sommes inculpées pour mise en danger d'autrui par imprudence et détenues à la demande des autorités fédérales. Ed Satterlee fait les cent pas dans le couloir. Il nous a dit que les véritables motifs d'inculpation seraient déterminés par un jury fédéral d'accusation :

– Vous risquez la chambre à gaz, alors je vous conseille de coopérer.

Je me sens légère comme l'air. Cela me rappelle cette fois où j'ai eu la rougeole, quand je me suis enfuie de chez moi en pleine tempête de neige. J'avais neuf ans. Ma fièvre s'est déclarée pendant que je jouais dans la neige. Mon père m'a retrouvée à plusieurs pâtés de maisons de chez nous, vêtue d'une simple chemise de nuit. Je ne frissonnais pas, je ne transpirais pas. Depuis ce jour, mon père me croit possédée par le démon.

Claire enfouit sa tête dans son oreiller. Il y a neuf jours, deux femmes se rencontrent dans la salle d'attente d'un médecin. La première allume la cigarette de l'autre – et voilà où nous en sommes aujourd'hui.

Claire glisse sur son matelas. Sa blouse est trempée de sueur ; de l'ourlet jusqu'au col, le tissu en est assombri. Agrippée au bord de ma couchette, je reste assise, face aux Japonaises. Elles se détournent toutes de moi.

Mes mains s'engourdissent à serrer ainsi un rebord métallique aux arêtes vives. Un morceau s'en détache entre mes doigts. Je relâche ma prise et remets le morceau de métal en place d'un coup sec. Je me suis entamé les doigts, presque jusqu'au sang.

J'arpente ma cellule. Je compte cent allers et retours entre le mur et les barreaux. Je pense à Bucky et à Scotty.

Ed Satterlee s'approche. Il me dit :

– Rebonjour, Katherine.

Je vais jusqu'aux barreaux et me retrouve face à lui. Je lui réponds :

– Appelez-moi *Camarade*.

Satterlee s'esclaffe. J'ajoute :

– Faites venir un médecin pour qu'il soigne Miss De Haven.

– Les seuls médecins que nous pourrions trouver la laisseraient souffrir jusqu'à ce que ça lui passe. Cependant, si elle reconnaît plusieurs chefs d'accusation, je pourrais lui fournir quelques substances qu'elle apprécierait.

– Et l'habeas, espèce de salaud ? Vous êtes obligés de nous laisser demander notre remise en liberté.

– Pas avant 65 heures et 14 minutes, *Camarade*. On a encore tout ce temps-là devant nous pour vous taper sur les nerfs. Dimanche, à cette heure-ci, vous serez mûre pour cafarder votre crétin de grand-père qui vit à Sioux Falls.

– Vous n'êtes qu'une couille molle, Ed. On voit bien que vous n'avez jamais baisé.

Satterlee a un sourire tellement, tellement las.

– J'ai une nièce de votre âge, à Prairie du Chien, au Wisconsin. Elle est un peu dans votre genre, en moins prétentieux. Prairie du Chien, c'était trop petit pour elle. Elle ne savait pas quoi faire, alors elle a fugué avec un Rital qui l'a mise en cloque.

– Donnez-moi une cigarette. Ça me rendra plus loquace.

Satterlee secoue la tête.

– Je ne suis pas d'humeur à me montrer aimable. Je crois bien que c'est vous qui avez brûlé ce film, dans la caravane. En temps normal, je chercherais le coupable parmi les hommes, mais pas avec les gars de votre clique. C'est chez les abeilles, hein, que les femmes font la loi ? C'est pour ça que je penche plutôt pour Claire ou pour vous, et Claire ne me semble pas au mieux de sa forme, en ce moment.

Je lui répète :

– Habeas, Ed. Lundi matin à 10 heures.

Satterlee secoue la tête.

– Cette fois-ci, vous ne pourrez pas vous en sortir sur un coup de bluff. Vous êtes en détention à la demande des autorités fédérales, et vous ne pouvez pas brandir un insigne en fer blanc en disant que vous êtes la copine d'un flic.

Je lui brandis sous le nez le majeur de ma main droite. Satterlee fait semblant de trouver ça amusant et s'éloigne. Je m'étends sur ma couchette et me protège les yeux de mon avant-bras. L'éclairage du plafond diffuse une brume rougeâtre.

J'ai l'impression d'être de nouveau dans la tempête de neige. La brume rougeâtre me rappelle Sioux Falls sous la neige. J'entends qu'on introduit une clé dans une serrure et qu'on fait coulisser une porte métallique. J'ouvre les yeux et je vois Dot Rothstein s'asseoir sur le bord de ma couchette.

Elle me demande :

– Tu as fait de beaux rêves, ma chérie ?

– Appelez-moi *Camarade*.

– C'est un nom de vilaine fille, ça, *Camarade*. Toi, tu n'es pas une vilaine fille, tu es une petite mignonne.

Elle pose une main sur le matelas. Elle porte une chevalière à trois de ses doigts. Son genou droit frôle le bord du lit. Elle trimballe une matraque dans sa poche de pantalon. La poignée est calée sur son mollet.

Je capte l'odeur de son chewing-gum et celle de la brillantine qui fige ses cheveux coupés court. Je surveille ses yeux, je surveille sa main.

Elle répète :

– Toi, tu es une petite mignonne.

Elle pose la main sur mon genou. Elle la fait remonter lentement sur ma cuisse. Elle se penche sur moi puis écarte les lèvres pour m'embrasser. J'ouvre la bouche et fais glisser ma main sur sa jambe, vers la matraque. Elle change de position en se couchant sur moi. Ma main se déplace vers le rebord de la couchette et le morceau de métal que j'en ai détaché il y a quelques instants, pour m'en emparer et le tenir serré entre mes doigts.

Dot a la bouche grande ouverte. Son chewing-gum est collé à ses dents. Nos lèvres sont proches. Mon couteau de fortune fermement tenu, je frappe.

Je le lui plante dans le bras. Je le lui plante dans le flanc. Je ne lâche pas mon arme alors qu'elle glapit et me frappe au visage. Mon nez cède – je vois du rouge, du noir, du rouge. Le sang qui jaillit m'aveugle.

Je roule sur moi-même et tombe de la couchette. Je la frappe à la jambe au moment où j'atterris sur le plancher. Son hurlement est celui d'un homme affligé d'une voix de fausset. Son sang ruisselle sur mon couteau improvisé. Je le serre d'autant plus fort. Le bord tranchant m'entame la main.

Elle tombe de la couchette et s'affale sur moi ; elle me cloue au plancher avec ses genoux. Elle ferme le poing droit et frappe de toutes ses forces, de haut en bas. Je me tortille. Son poing frappe le plancher. Dans le coup qu'elle assène, elle a mis tout son poids.

Les os cèdent. Je les entends craquer.

Elle beugle. Je lui plante ma lame dans l'épaule, dans le dos. Elle continue de peser sur moi. Je sens une côte céder. Voici venir un nouveau baiser, sa tête se penche, ouvre la bouche.

Elle ouvre la bouche.

J'ouvre la bouche.

Je lève la tête et lui montre ma langue.

Elle ferme les yeux pour le baiser.

Je lui arrache le nez d'un coup de dents et le lui recrache au visage.

Elle *glapit* et roule loin de moi. Elle chasse de ses yeux le sang qui l'aveugle et *glapit* encore. Je me relève et lui décoche un coup de pied à l'endroit où se trouvait son nez. Avec mon couteau de fortune, je la frappe dans le dos, aux bras, aux jambes. Elle *glapit* toujours et tente de se glisser sous la couchette. Je sors de sa poche la matraque qu'elle porte le long de la jambe et j'écrase ses doigts agrippés au rebord de la couchette. Elle sanglote quelque chose qui ressemble à *Ruthie*.

Je bats des paupières pour en chasser des gouttes de sang. Des sonorités issues de gorges masculines déboulent dans le couloir. Dot implore Ruthie en sanglotant et rampe sur le plancher pour me fuir.

# 79

## LOS ANGELES | VENDREDI 19 DÉCEMBRE 1941

**20 h 22**

Il touche les objets qui appartiennent à Kay Lake. Elle est incarcérée un pâté de maisons plus loin. Il a garé sa voiture au croisement de Hill Street et de la 1<sup>re</sup> Rue, pour ne pas être trop loin d'elle. Il ne peut pas rentrer chez lui. *À qui appartient ce sac à main ? Helen, je te présente Miss Lake.*

Il a chipé le sac à main au greffe. Il y est entré et en est ressorti sans être vu. Les esclaves de Claire De Haven conspiraient à voix basse. Quant à la Reine Rouge elle-même, elle semblait être sous sédation. Miss Lake échangeait des plaisanteries avec son geôlier. Le bonhomme la trouvait irrésistible.

La photo de Joan Conville est posée sur le tableau de bord. *Miss Conville, je vous présente Miss Lake.*

Parker fouille le sac à main. Il est écossais en cuir grenu. Miss Lake possède un briquet bon marché. C'est un souvenir de rencontre sportive : le match de boxe Bleichert–Saldivar du 12 avril 1939.

Des mouchoirs en papier tachés de rouge à lèvres. Un foulard à motif cachemire. Le talon d'un ticket de cinéma : elle a assisté à la première d'*Autant en emporte le vent.*

*Il n'était pas prévu que ça se termine de cette façon. Ils étaient censés travailler ensemble jusqu'à la fin de la guerre. Il comptait sur elle pour gagner la confiance de Claire et ainsi découvrir peu à peu l'ampleur de sa perfidie. Ils auraient dû travailler ensemble tandis que les Alliés gagnaient la guerre et que la Reine Rouge s'employait à faciliter les menées du Kremlin. Ils étaient censés accumuler des éléments à charge et boire de la vodka russe pour fêter les conclusions d'un jury d'accusation trié sur le volet.*

Une croix au bout d'une chaîne. Typiquement protestant. Un peigne et une barrette en écaille de tortue.

*Ça n'aurait pas dû se terminer de cette façon. Elle était censée prendre des photos dans deux douzaines d'endroits. Ils avaient prévu de disséquer la mentalité des éléments subversifs au cours d'un millier de conversations nocturnes.*

La croix est écornée aux quatre coins. Elle l'a serrée très fort comme une gamine qui fait une prière, ou comme une sceptique en proie à une intense frustration. Sa brosse à cheveux est assortie au peigne et à la barrette. Elle retient encore quelques cheveux auburn.

Un tube de rouge à lèvres, un poudrier, un mouchoir bleu.

Il pose le tissu sur sa joue. Il se souvient du parfum de Kay, ce premier lundi, sous la pluie.

*Ça n'aurait pas dû se terminer de cette façon. Leur but était de créer un document impeccable à produire devant le tribunal. Leur but était de détruire une idéologie barbare. Ils étaient censés échanger des lettres, et s'adresser l'un à l'autre, le moment venu, en disant* Katherine *et* William.

Parker vide le sac à main complètement et remet tous les objets en place, impeccablement. Il remarque une fente dans la doublure. Il sent qu'il y a quelque chose à l'intérieur.

Il y glisse la main. Il touche une surface lisse. Il en sort deux bouts de films longs chacun de soixante centimètres. Deux séquences en noir et blanc, tournées avec une caméra de cinéma 35 millimètres. L'une est un négatif, l'autre est un tirage en positif.

Parker allume le plafonnier. Il présente les deux bouts de films, côte à côte, devant l'éclairage. La séquence tirée en positif montre deux hommes qui se parlent. Sur le négatif, il voit une silhouette immobile. Il reconnaît la coupe de sa robe. C'est son discours d'hier.

Calomnie xénophobe.

*« Il nous incombe alors d'accomplir la tâche quasi impossible d'exprimer l'amour plus âprement encore, en nous sacrifiant avec une abnégation que nous n'aurions jamais connue si l'Histoire ne nous avait pas réquisitionnés. En cet instant précis, nos choix deviennent : tout faire ou bien ne rien faire. »*

Katherine, pleine de bravoure et de naïveté.

Son regard parcourt la séquence de haut en bas. Elle bouge à peine. La série de photogrammes qu'il a sous les yeux représente une séquence d'à peine deux secondes. Il la voit en muet et en négatif noir et blanc, mais il entend chacune de ses paroles.

Calomnie xénophobe. Devoir moral et craintes ressenties par des esprits étroits. Sioux Falls et Deadwood. Des Indiens abrutis et des salopards de nativistes.

Il examine la séquence tirée en positif. Il reconnaît les détails et les suit, image par image. Le carrefour de San Pedro Street et de la 1re Rue. Il connaît cet immeuble. Il connaît ce grand type, avec ce chapeau. C'est Ed Satterlee. Il parle à un petit Chinois. C'est Quon Chin, le bras droit d'Ace Kwan.

Quon apporte les pots-de-vin destinés à Appelez-moi-Jack. Quon maquereaute des putes chinoises chez Brenda Lee. Quon verse des dessous de table aux fonctionnaires du Comté chargés de l'aménagement du territoire.

Quon a tué seize membres de la Tong rivale. Quon est censé avoir décapité quatre cents soldats japonais après le massacre de Nankin.

Parker examine la séquence. Félicitations à Kay Lake. Elle a compris ce qu'elle voyait.

Un porteur de sacoches, un fédé corrompu, un pot-de-vin.

Il prie pour repousser La Soif. La messe de dimanche marquera son cinquième jour sans alcool. Il entend des sirènes qui foncent vers l'est dans la 1re Rue. Il reconnaît la tonalité propre aux ambulances.

Il voit des lumières rouges clignoter devant le commissariat central. Quelque chose en lui crie *Non...*

Hill Street est envahie de piétons chargés de cadeaux de Noël. Des autobus bloquent les voies nord-sud. Un haut-parleur brame *Jingle Bells.*

Il court. Il abandonne sa voiture de police sans la verrouiller. Il court et le souffle lui manque au bout de deux secondes. L'étui de son arme brinqueballe, à deux doigts de se décrocher. Parker traverse Hill Street. Il bouscule un Père Noël maigrelet.

Une ambulance est garée devant le commissariat. Deux hommes s'en approchent en poussant un lit à roulettes. Une femme obèse est sanglée dessus. Elle porte l'uniforme vert des adjoints du shérif. Elle saigne de partout, lardée de coups de couteau.

Elle *glapit*. Elle *hurle* pour réclamer Ruthie et Huey. Parker contourne le lit à roulettes et monte les marches en courant.

Il franchit la porte. Le sergent de permanence le voit. *Oh, merde, Whiskey Bill, qu'est-ce qu'il y a encore ?*

Parker déboule à la réception. Il dit *Katherine Lake* d'un seul souffle. Le sergent de permanence en a la tremblote. Il opère un double débrayage et fait glisser une clé vers Parker sur le plateau du bureau. Il lui dit :

– Le cabanon.

Parker rafle la clé. Il fait volte-face et voit une douzaine de flics en civil, en groupe compact. Ils barrent l'accès au couloir et le regardent bien en face. Il les dévisage à son tour.

Ces regards font des allers et retours. Ces regards sont éloquents. Parker respire à fond et se dirige vers eux. Les flics échangent des regards entre eux et se passent le signal. Ils s'écartent et laissent passer Parker.

Il avance. Il atteint un couloir perpendiculaire et le prend sur la droite. La cellule capitonnée – c'est la porte blanche.

Il y enfonce la clé et la tourne. La porte pèse une tonne. Il la pousse de l'épaule.

Elle porte une camisole de force. Ses bras sont immobilisés, bien serré. Son visage est tuméfié et couvert de sang séché. Par endroits, ses cheveux trempés paraissent noirs, à d'autres, poissés de sang, ils sont rouges.

Parker s'approche d'elle.

Du regard, elle lui demande de la détacher.

Du regard, elle lui demande d'ôter cette croûte de sang sur sa joue.

Du regard, elle lui dit : *Portez-moi. Vous en êtes capable. Je me ferai légère pour vous.*

Il fait tout ce qu'elle lui demande.

À présent, ses yeux le supplient : *Emmenez-moi.*

# 80

## LOS ANGELES | VENDREDI 19 DÉCEMBRE 1941

**20 h 47**

Appropriation de terrains divers. La fièvre de la guerre et des combines pour ramasser de l'argent frais. Des prostituées charcutées pour ressembler à des stars.

Dudley établit un schéma sur un tableau mural. Scotty Bennett et Dick Carlisle le regardent faire. Le schéma est un palliatif. Il phagocyte l'*horrible chose* qui est arrivée à Beth.

Il a recouvert son box de papier blanc, du plancher jusqu'en haut des parois. Tout est noté en sténo.

Son schéma détaille l'Affaire et les affaires annexes. Il détaille les conspirations et ses projets communs avec Ace. Les fouineurs n'y verront que du charabia.

Les noms propres sont représentés par des initiales. Des cercles et des rectangles isolent les affaires d'argent. Il travaille de mémoire et s'aide des aveux de Hideo Ashida. Le laïus de Buzz Meeks est pris en compte.

Le schéma est une feuille de température. Il a découvert l'affaire Watanabe et a contracté la fièvre de la guerre. Le schéma est une ordonnance médicale. Il se prescrit de la benzédrine pour ne pas s'effondrer. Il s'est imposé d'élaborer ce schéma pour ne rien oublier.

Dudley complète son schéma. La benzédrine revitalise sa mémoire. Le fiasco Parker-Lake est mort, à présent. L'affaire Shudo fait la une des journaux. Le schéma est une antisèche. Le schéma va avancer la date d'arrivée du Loup-garou dans la chambre à gaz.

Des noms, des dates, des pistes. Les perspectives prometteuses sont mises en valeur. Les pistes menant à des profits sont repérées et suivies. C'est la fièvre de la guerre. C'est son rythme échevelé depuis douze jours.

Le téléphone sonne. Carlisle prend l'appel. Dudley travaille. Scotty le regarde travailler. Ce garçon est sacrément perspicace et il mémorise tout ce qu'il apprend.

Dudley travaille. Son cerveau carbure. Des interruptions surviennent de temps à autre.

Ruth Mildred l'a appelé pour lui faire un compte rendu : Tojo Tom Chasco est toujours sous bonne garde. Une espèce de folle a lardé Dot de coups de couteau. Sa chérie se trouve actuellement à l'hôpital Queen of Angels. Dudley dispense Ruth des détails. Dot l'a bien cherché, inutile de la plaindre. Voilà des années qu'elle pelote les filles qui se retrouvent en prison. Ruthie se demande si Terry Lux pourrait rafistoler la tronche de Dot. Dudley lui répond qu'il vient d'avoir un appel de Terry. Oui, Terry recoudra volontiers le tarin de Dot.

Cercles de connivence. Pierce Patchett a le projet de faire travailler des prostituées remodelées. Il connaît forcément Terry Lux. À Los Angeles, Terry est *le* spécialiste de la chirurgie esthétique.

Scotty dit :

– Je crois que j'ai compris. « H.B.P.V. », c'est « l'homme blanc au pull violet », pas vrai ? C'est lui le suspect numéro un pour les assassinats.

– Chut ! petit malin, dit Dudley. On tient un Loup-garou par la queue.

Carlisle raccroche le téléphone.

– Le Doc est chez Les Frères Taix. Il vous y attend dans une demi-heure.

Dudley lâche son stylo et prend sa veste. Bette traverse son esprit ; elle danse, elle est insaisissable, comme une volute de fumée. Il lui a laissé trois messages. Il s'est fait rembarrer trois fois – *Madame est sortie*.

Il décampe. Les Frères Taix, c'est un restaurant français d'Echo Park. Il avale deux benzédrines et s'y rend en voiture. Terry est gourmand. Il a un box réservé à son nom, dans cet établissement.

Dudley le rejoint. Terry est plongé dans ses rognons aux truffes. Sa sacoche noire est posée sur la table. Il se goinfre tout en examinant un dossier médical. Une photo est agrafée à la première page. Claire De Haven est blafarde. Sa coupe de cheveux évoque Jeanne d'Arc.

– Laissez-moi deviner, Terry. Les fédéraux ont autorisé Miss De

613

Haven à passer un coup de téléphone, ce qui veut dire qu'elle vous a appelé chez vous.

Terry agite sa fourchette.

— C'est la prison qui m'a appelé. Les fédéraux espèrent que je pourrai calmer Claire au point de la rendre capable de répondre à leurs questions.

Un serveur passe près d'eux. Dudley commande un double scotch.

— Je sens les constellations s'aligner, Terry. Je suppose qu'un certain Pierce Patchett a pris contact avec vous, au sujet de jeunes femmes à opérer pour qu'elles ressemblent à des vedettes de cinéma.

Le serveur apporte la boisson de Dudley. En véritable esthète, Terry hume son bordeaux.

— Il s'est assuré mes services, Dud. Et je peux opérer ses filles, parce qu'elles ne sont pas nombreuses, contrairement à vos Japs à transformer en Chinetoques qu'Ace et vous désiriez me confier. Je suis sûr que vous m'enverrez trop de patients à opérer avec un temps de récupération trop court, et beaucoup de Japonais nantis se sont déjà vu confisquer leurs avoirs, donc ce n'est pas comme s'ils avaient le fric pour nous payer, vous, Ace et moi. Il y a ça, et puis le fait que votre projet est farfelu, au-delà de l'aspect eugéniste effectivement séduisant.

Dudley avale une gorgée de scotch.

— Parlez-moi de Patchett, Terry. Il paraît que cet animal est carrément éclectique.

— On ne peut plus éclectique, Dud. Vous me connaissez, vous savez que je fréquente les spécialistes en tout genre, et que je me livre à une enquête approfondie sur mes collaborateurs potentiels. Patchett est venu me voir, alors mon premier travail a été de déterminer si le projet auquel il veut m'associer tient la route, ou bien s'il a les fonds pour me rétribuer.

— Continuez, je vous prie, dit Dudley.

Terry fait tourner son vin dans son verre.

— Patchett croit à la notion de race, je crois à la notion de race. Nous sommes d'accord sur ce plan-là, ce qui facilite la conversation. D'autre part, Patchett adore lâcher des noms de gens connus, alors il me raconte qu'il s'est associé avec Preston Exley dans une sorte de projet occulte pour racheter à un prix dérisoire, dans la vallée, des terrains appartenant à des Japonais, mais qu'ils manquent de liquidités pour le moment, et qu'Exley est un ancien flic qui n'encouragera pas son ambition de devenir maquereau. Je réfléchis posément à tout ce qu'il m'a dit, et j'annonce à Patchett qu'en échange de mes services chirurgicaux, je veux un pourcentage sur ses bénéfices, et Patchett accepte.

– Continuez, je vous prie, dit Dudley.

– Alors, à ce moment-là, je pense à mes amis Ace et Dud. Ils ont ce projet de films pornos dont ils m'ont informé, Ace a ses tunnels, et faire des films pornos avec des prostituées qui ressemblent à des stars, ça tombe sous le sens, ça doit être faisable. Je commence à me dire : Si Dud a un réseau pour distribuer ses films, ou s'il a une piste pour trouver des acheteurs potentiels, ça pourrait rapporter gros, parce qu'on est en guerre, maintenant, et les Blancs ont une sorte de rapport pervers avec les Japs, et les voir baiser et se faire humilier pourrait titiller une certaine catégorie de dégénérés.

Dudley sourit.

– Continuez, je vous prie, dit-il.

– Vous me suivez, Dud. Il nous faut des débouchés commerciaux, des caméras et du matériel, et, en attendant que j'opère ces filles pour les faire ressembler à Mirna Loy, Joan Crawford, Bette Davis et autres, des actrices blanches pour faire contraste avec notre écurie d'étalons japonais.

Dudley répond :

– J'ai des listes d'acheteurs et de clients potentiels, grâce à un célèbre éditeur de pamphlets racistes. J'ai des sources pour acquérir du matériel cinématographique, et je lève des fonds en ce moment même.

– Levez *encore plus* de fonds, conseille Terry. C'est ce que j'ai dit à Ace, il y a quelques heures à peine. Il m'a annoncé qu'il organisait demain une autre soirée de dominos chinois, pour gonfler notre capital. Je vais vous répéter ce que je lui ai dit, Dud : Si nous créons maintenant une source d'argent frais à haut rendement, nous pourrons financer nos projets Japs, et nous associer à celui de Patchett et d'Exley en apportant notre participation, puisqu'ils manquent de fonds.

Le restaurant scintille. Les banquettes rouges *s'embrasent*.

– Le mot *convergence* me vient à l'esprit, Terry. Miss De Haven a de l'argent, elle peut disposer du matériel cinématographique requis, et elle a besoin de vos soins au plus vite. Je suppose qu'elle obtiendra bientôt sa libération conditionnelle, elle a du talent pour jouer la comédie, et de plus elle est ravissante. Ses frères d'armes Loftis et Minear sont pareillement doués pour l'art dramatique, et ce sont des hommes séduisants, bien qu'efféminés. Vous faut-il un compte rendu plus explicite ?

Terry secoue la tête. Terry réagit *très vite*.

*Très vite* – il engloutit ses dernières truffes. *Très vite* – les deux hommes regagnent leurs voitures. *Très vite* – Dudley démarre en tête. *Très vite* – ils rejoignent le centre-ville en convoi.

La pluie menace. La lune des loups-garous luit dans le ciel.

Dudley hurle à la lune. Elle lui rappelle Belfast en 1921. Il vient de faire sauter un wagon transportant des Black-and-tans et il en a tué quatorze. Il a regagné Dublin par les routes empruntées par les camions, et il s'est arrêté sur la lande pour pisser. Un loup s'est glissé près de lui. Ils se sont raconté leurs vies respectives en échangeant des grognements. Depuis, il prie chaque nuit pour ce loup. Dudley espère qu'ils seront réunis au ciel.

La pluie menace. Dudley hurle à la lune et ordonne à la pluie de se hâter. Terry, qui vient de le doubler, se rabat devant lui. Ils parviennent au commissariat central *très vite*.

Terry est arrivé le premier. Dudley se gare sur le parking de la brigade et franchit la porte de la prison. Il est tard. Le calme règne dans le commissariat. Il entend une femme qui sanglote et un homme qui tente de la consoler.

Cherchons-les. Au bout du couloir, on tourne à gauche. La porte blanche est ouverte. Les murs capitonnés sont couverts de sang.

Claire De Haven porte une blouse de l'administration pénitentiaire. Elle est assise par terre, les jambes croisées. Elle se fait un garrot et regarde Terry lui piquer le bras. L'aiguille s'enfonce. Le piston descend dans la seringue. L'aiguille ressort. Dudley reste debout dans l'encadrement de la porte. Il voit Claire entrer en lévitation.

Son corps se cambre. Elle décroise les jambes et les déplie. Elle étend ses bras au-dessus de sa tête et se met à flotter.

Elle *lévite*. C'est réel ou ça ne l'est pas. Il n'en sait rien et peu lui importe. Il est de nouveau sur la lande avec son loup.

Elle les ignore. Elle est ailleurs. Dudley l'observe. C'est Jeanne d'Arc.

Terry lui fait son baratin. *Vous êtes une femme ravissante, dans une situation impossible. Votre coopération vous garantira la sécurité, ainsi que celle de vos camarades. Vous possédez un équipement dont nous avons besoin. Je continuerai d'assurer vos soins médicaux. Vous êtes une actrice-née et une libertine. Vous trouverez sans doute du charme à l'expérience.*

Claire s'étire. *Elle lévite.* Elle occupe toute la cellule.

Terry poursuit : *Vous adorez les films obscènes, Claire. J'ai assisté à des projections privées, chez vous. Vous vous rappelez ce film péruvien dans le style de Cocteau ? Vous pourriez rejouer la séquence de la nuit de noce. J'imagine déjà votre robe de mariée.*

Le tonnerre gronde. Le loup leur apporte la pluie. Terry continue de jacasser. C'est stupide. Il s'adresse à une louve. *Les films seront distribués sous le manteau. C'est vous qui déterminerez la radicalité de leur contenu. La soumission, c'est une séduction active. Je vous ai entendue le dire. C'est excitant de subir la coercition.*

Dudley est debout dans l'encadrement de la porte. Claire se tourne vers lui. Quelles métamorphoses ! La Reine Rouge, La Louve, Jeanne d'Arc.

– Je vous ai vu à l'église. Vous êtes ami avec Son Éminence. Monseigneur Hayes m'a dit que vous aviez tué des soldats anglais. C'est la foi qui façonne ce moment que nous vivons. Elle supplante l'avidité et la perversion. Pouvez-vous comprendre cela ?

## 22 h 53

Elle les a surpassés. Dudley s'en va, sans répliquer. Elle savait qui il était. Elle a profité de cet avantage. Elle a invalidé sa mission de coercition.

Elle a *lévité.* Un séjour en cellule et une dose de morphine la laissent de marbre. Non, il ne la forcera pas à tourner des films obscènes. Une jeune femme qui va à la messe et qui connaît Monseigneur Joe Hayes ? Cela prouve bien que le loup rôdait ce soir.

Dudley déambule dans le commissariat central. Aide-mémoire : envoyer des fleurs à Dot Rothstein. Aide-mémoire : obtenir les aveux en bonne et due forme de Fuji Shudo et cuisiner Tojo Tom.

Grand remue-ménage à la réception. Quatre Japs se sont évadés de Terminal Island. Ils ont défoncé une clôture et ont rejoint en courant une voiture qui les attendait. Leur sortie en force a eu lieu à 19 heures. Les Japs sont dans la nature depuis *looooongtemps.* Ce sont tous de *redoutables* fascistes.

La réception grouille de flics. Le sergent qui assure la permanence de nuit fait gueuler sa radio :

*Gigantesque chasse à l'homme à San Pedro ! Les services du shérif lancent les recherches ! Message à toutes les patrouilles ! Enquêtes de proximité ! Barrages routiers, arrêtez tous les véhicules !*

617

Le shérif Gene prend le micro. Sa voix trahit un vendredi soir bien arrosé. Il lance une mobilisation maximum pour aider aux recherches. *Appel à tous les agents ! Des primes spéciales seront accordées ! Au tarif répression d'émeute : douze dollars par jour !*

Les flics détalent. Ils montent à l'étage en courant et s'emparent des téléphones de la salle de garde. Le sergent de permanence décroche *son* téléphone. *Coincez les Japs ! Coincez les Japs ! Laissez tomber les appels entrants et les affaires de L.A. ! Profitez du tarif émeute ! On se marre et on ramasse douze dollars par jour !*

Dudley sort du commissariat central. Il trouve la pluie délicieuse. Il allume une cigarette. Il entend aboyer les haut-parleurs des radios et les téléphones de la salle de garde. Il lève la tête vers les fenêtres du troisième niveau.

Elles sont ouvertes. Il entend un autre appel radio. Il voit Hideo Ashida.

Ce garçon travaille tard. *Appel à tous les agents. Alerte maximale. Barrages routiers.* Hideo sourit en écoutant les annonces.

*Tiens ! Le loup irlandais dresse l'oreille. Le loup irlandais flaire une piste.*

Hideo habite au carrefour Beverly Boulevard-Loma Drive. Dudley connaît l'immeuble. C'est à trois minutes. Il prend sa voiture et s'y rend aussitôt. Le bâtiment, sans ascenseur, se trouve en face du lycée Belmont. Il offre un point de vue idéal sur le terrain de sport.

Dudley gare sa voiture et entre dans le hall. Il scrute la rangée de boîtes aux lettres. H. Ashida, n° 219.

Il monte l'escalier. Graffiti raciste : le mot *JAP !* peint sur la porte. *Le loup dresse l'oreille. Pourquoi Hideo n'efface-t-il pas un tel affront ?*

Dudley force la serrure à l'aide de son canif. Il allume la lumière du salon. La pièce est d'une propreté irréprochable. Dudley n'en est pas surpris. Un bec Bunsen sur un piédestal ? Un détail *très* Hideo.

Deux bidules photographiques sur une table basse. L'un paraît tout neuf, l'autre est usagé. Le nouveau modèle est pourvu de renforts latéraux. Hideo a amélioré son prototype.

Un appareil de prise de vues à déclenchement automatique. Hideo disculpe Fuji Shudo. Il utilise pour cela une invention toute personnelle. Hideo a également sorti son agrandisseur. Un long rouleau de film est engagé dans le passe-vues. Dudley éteint la lumière, tire le rideau, et allume l'agrandisseur. L'image se projette sur le plateau blanc.

618

Il voit la plaque d'immatriculation d'une voiture. Une date apparaît sous la photo. *Clic* – le 6/12/41 à 9 h 18.

Dudley fait défiler les images. Il voit Huey Cressmeyer. Quel crétin ! Un braquage minable. Dudley passe en revue la journée entière. Des voitures, des voitures, des voitures. Des cadrages inclinés braqués vers le trottoir. *Clic* – *Clic* – 14 h 04, 14 h 17, 14 h 36. *Quel cerveau, ce Hideo ! C'est lui qui a inventé ça !*

15 h 08, 15 h 18, 15 h 18. Le Loup-garou descend Spring Street.

Il est débraillé. Il titube, sans doute. Et les Blancs respectables qui l'entourent paraissent indéniablement perturbés.

*Mais :*

Les Blancs respectables déambulent *séparément*. L'aspect de Shudo est déconcertant, mais en *aucun cas* terrifiant. *Pourquoi les Blancs semblent-ils tous perturbés au même point ?*

*Tiens ! le loup dresse l'oreille. Tiens ! Il y a quelque chose de bizarre, ici.*

Dudley scrute l'image. Dudley se concentre sur l'image. Le regard de Dudley fait le tour du cadre. Là ! dans l'angle inférieur gauche. Un objet carré, tourné vers les passants. Dudley plisse les paupières. Il *pense* avoir bien vu, il a *presque* vu, il *voit*...

Un présentoir à journaux. Un gros titre à la une : LES JAPONAIS ATTAQUENT LA FLOTTE DU PACIFIQUE !

Donc, conclusion : l'appareil a mal fonctionné. Ce n'est pas le samedi 6 décembre, c'est le dimanche 7 décembre. Les Watanabe sont morts depuis vingt-quatre heures. L'attaque de Pearl Harbor a été annoncée à 11 h 30. Ce journal, c'est l'édition spéciale du *Herald*. Les Blancs respectables sont perturbés parce que nous sommes en guerre. Fuji Shudo et son aspect outrancier ? Une petite tache sur le radar de l'Histoire.

Hideo Ashida a commis une erreur. Hideo Ashida s'est précipité, et sa hâte s'est révélée autodestructrice. Hideo a tenté d'innocenter un concitoyen japonais, révélant ainsi son identité eugénique.

Dudley hurle à la lune. Dudley laisse son esprit vagabonder. Dudley laisse son regard vagabonder. Tiens ! Il n'y a pas que ses deux bidules photographiques que Hideo a oublié de ranger. Il y a aussi une pile de tirages en noir et blanc.

Des parois carrelées. L'intérieur d'une cabine de douche. Un jeune homme dégingandé, nu. Il est brun, il est musclé, il a de grandes dents en avant. Un visage connu. Une gloire locale. Dwight « Bucky » Bleichert.

Plutôt maigre, pour un poids lourd. Il va bientôt intégrer le LAPD. Il a mouchardé quelques Japs de la cinquième colonne pour être admis.

Voici Bucky, nu. Voici le jouet sordide de Hideo, soigneusement dissimulé pour prendre des photos en toute discrétion.

La pluie tambourine contre les carreaux. Dudley hurle à la lune.

Dudley pense : *Ah, c'était donc ça.*

# 81

## LOS ANGELES | VENDREDI 19 DÉCEMBRE 1941

**23 h 52**

あなたは、アメリカのファシズム、漁師の臆病な黄色い犬です。帝国日本 - 私たちの家族は、私たちの真の国家の影土地で何世紀にもわたって戦ってきた。今、私は白の抑圧者は、すべての日本人の彼の黄色の奴隷を作ることを目指してロサンゼルスでここに挑戦し、スローダウン。

Ashida écrit en japonais, avec un stylo et de l'encre rouge. La couleur symbolise la psychose de Fuji Shudo. Le Loup-garou écrit à l'aide d'un ersatz de sang.

*« Ryoshi, vous êtes le méprisable valet du fascisme américain. Pendant des décennies, nos familles se sont battues dans un pays qui n'était encore que l'ombre de notre véritable nation – le Japon impérial. Aujourd'hui, je vous jette le gant, ici, à Los Angeles, où l'oppresseur blanc cherche à faire de tous les Japonais ses esclaves jaunes. »*

Ashida a vieilli artificiellement le papier et l'enveloppe en y créant des taches çà et là. Il a utilisé un authentique timbre de 1933. Il a imité à la perfection le cachet de la poste. Pour écrire son texte, il s'est inspiré de l'interrogatoire de Fuji Shudo mené par Dudley.

Selon la version officielle, Shudo aurait décidé de sauter Nancy Watanabe et de tuer Ryoshi. Une querelle aux bains-douches Shotokan est devenue incontrôlable. Shudo était déjà délirant en

1933. Les confréries avaient beaucoup d'importance, alors. Son clan et celui des Watanabe se battaient depuis des siècles. Shudo voulait engrosser Nancy pour qu'elle mette au monde ses louveteaux. Shudo parlait aux animaux. Cette lettre constituait la première trace écrite de ses intentions profondes.

Il aura fécondé Nancy au cours de sa première permission de sortie de l'asile d'aliénés. Sa folie se sera aggravée durant ses années d'internement. Nancy s'est fait avorter et a détruit sa portée de louveteaux. Il est sorti de l'asile et s'est abruti à la terpine. Sa folie a explosé le 6 décembre.

Ashida travaille dans le labo. Le commissariat est une maison de fous. Les fédéraux ont bouclé Claire et ses disciples. Quatre hommes se sont évadés de Terminal Island. La nouvelle a mis la police de L.A. en état de siège.

Les téléphones n'arrêtent pas de sonner. *Appel à tous les agents. Aux hommes du shérif. Congés supplémentaires et prime de douze dollars par jour.*

Et puis une rumeur s'est répandue. Elle est montée par la colonne de chauffage. Ashida l'a entendue malgré les appels tonitruants à *coincer les Japs.* La petite amie de Lee Blanchard a poignardé Dot Rothstein.

*Ouais, la petite Lake. Oui, la grosse gouine. Combien elle pèse, Dot... 110 kilos ? Il paraît que la petite Lake lui a arraché le nez avec les dents. En ce moment même, Dot reçoit une transfusion à l'hôpital Queen of Angels.*

Ashida y croit. Ashida n'y croit pas. Il est tard. Ashida est fatigué. Il en a par-dessus la tête des *Japs.*

Les *Japs* assassinés dans Highland Park. Le loup-garou *jap* Shudo. Les *Japs* qui se suicident en prison. Le *Jap* assassiné dans une cabine téléphonique. Le *Jap* flingué sur une plage. Des flics partis à la poursuite d'évadés *japs.*

Il est fatigué. Il range son petit matériel de faussaire dans sa sacoche. Il descend l'escalier de derrière et court sous la pluie, tête baissée, jusqu'à sa voiture. Il prend la 1$^{re}$ Rue pour rentrer chez lui. Il gare sa voiture et monte l'escalier. Une enveloppe est collée à sa porte.

Il l'ouvre. Il en lit le contenu.

*Vous témoignerez devant le jury d'accusation du Comté de Los Angeles dans l'affaire État de Californie contre Fujio Shudo. Vous déclarerez sous serment que vous avez découvert l'empreinte digitale laissée dans une tache de sang le matin du 7 décembre 1941, et que vous avez négligé de mentionner ce fait dans votre rapport initial.*

*Votre nouveau piège photographique est défectueux et peut-être obsolète. La photo de Fujio Shudo a été prise à 15 h 30 le 7 décembre, et non le 6. Les piétons manifestement agités réagissent à la nouvelle de l'attaque contre Pearl Harbor. Une manchette de journal à ce sujet est visible sur la photo.*

La lettre n'est pas signée. Un grand cœur est dessiné au bas de la feuille.

Il est percé d'une flèche. À laquelle sont ajoutées des initiales : *H.A. + B.B.*

Ashida pousse un cri.

Il lui semble entendre hurler un loup quelque part, pas très loin.

# 20 décembre 1941

# 82

## LOS ANGELES | SAMEDI 20 DÉCEMBRE 1941

**0 h 09**

*De la gaze.*

C'est ce que je vois et j'en suis recouverte. Je sais que je suis dans une chambre d'hôpital et qu'on m'a anesthésiée. Les murs sont blancs, les draps sont blancs. Je traverse par intermittence un état de conscience pareil à une brume blanche. La gaze est juste assez poreuse pour me laisser entr'apercevoir le monde. Tous mes souvenirs immédiats sont d'un blanc brumeux.

Je me rappelle Bill Parker me soulevant dans ses bras ; les ambulanciers qui m'ont enveloppée dans des couvertures portaient des blouses blanches. Parker leur a dit de m'emmener à l'hôpital du Bon Samaritain. Une aiguille s'est enfoncée dans mon bras. Je me suis réveillée dans un lit blanc, couverte de gaze et flottant dans le blanc.

J'ai le nez cassé – j'ai entendu un médecin le dire. Je sais que je porte une sorte d'attelle, comme celles de Scotty et de Lee après leur bagarre. J'ai un tube dans le bras, qui m'alimente par perfusion. Le goût métallique que j'ai dans la bouche me rappelle celui du sang de Dot Rothstein.

Je me suis débattue quand les fédéraux m'ont extirpée de la cellule ; c'est la dernière chose que je me rappelle avant que tout ne devienne blanc. La cellule capitonnée était blanche, ma camisole de force était blanche. J'ai craché du sang au visage d'Ed Satterlee – ça, je m'en souviens.

Je souffre d'une légère commotion ; j'ai entendu une infirmière le dire. Je vais m'en remettre ; j'ai entendu deux médecins discuter de mon cas. Je ne suis pas dans le service médical de la prison ; j'ai

625

entendu Bill Parker exiger une chambre particulière dans l'aile est. Je suis à un pâté de maisons du Pacific Dining Car et du meilleur sandwich au bœuf du monde. J'en ai le goût sur la langue, malgré celui du sang qui persiste dans ma bouche.

J'avais l'intention de la tuer. C'est ce que je me suis dit dès l'instant où elle m'a touchée. Ma décision ne m'a pas choquée alors ; ma décision ne me choque pas maintenant. J'étais sur le point de la tuer quand les fédéraux ont déboulé dans ma cellule.

Elle survivra. J'ai entendu deux infirmières parler d'elle. Elle est en chirurgie à l'hôpital Queen of Angels. Un spécialiste lui regreffe son propre nez.

Tout est blanc. Toutes les sensations sont altérées. L'engourdissement phagocyte la douleur, la brume vaporeuse engloutit l'inconfort. La gaze est poreuse. La gaze me permet de faire semblant de dormir tandis que je jette des regards furtifs aux hommes qui viennent me rendre visite.

Lee est passé, en uniforme. Scotty est passé, en costume de laine marron et nœud papillon écossais. Ils sont arrivés séparément ; ils se sont assis de part et d'autre de mon lit et m'ont tenu chacun une main pendant qu'ils se parlaient. Ils ont échangé des plaisanteries au sujet de leurs propres fractures du nez. Scotty a pleuré et a essuyé ses larmes sur mon drap blanc que je vois brumeux. Lee a dit :

– Bon sang, Bennett, elle a bousillé la Dotstress.

Bill Parker m'a évité une inculpation pour coups et blessures – c'est ce que Lee a appris à Scotty. Parker a appelé Gene Biscailuz et lui a parlé franchement. Cela faisait des années que Dot se conduisait d'une façon inadmissible. Le shérif s'est rendu à ses arguments – aucune charge retenue contre Miss Lake.

Scotty a dit : *J'aurais bien voulu voir ça.* Lee a renchéri : *Ouais. Comme bagarre, c'était sûrement autre chose que la nôtre.*

C'est à ce moment-là que j'ai commencé à m'assoupir. Je me souviens qu'ils ont parlé d'aller au Dining Car et de « s'en jeter deux ou trois derrière la cravate ».

De la gaze et une brume blanche. Des odeurs familières. Brenda et Elmer sont passés. J'ai reconnu le parfum de Brenda et le cigare d'Elmer.

De la gaze et une brume blanche. Une nurse dit : *Téléphone, capitaine.* William H. Parker répond : *Merci.*

De la gaze et une brume blanche. Puis : *Il est minuit passé, sergent.* Une pause, et puis : *Oui, je sais que c'est moi qui ai proposé cette réunion.* Silence, et : *Le presbytère ? Certainement, si Son Éminence y tient.*

De la gaze et une brume blanche. Des odeurs. La fumée de sa cigarette et un soupçon de cette pluie torrentielle que j'ai appelée de mes vœux. La laine humide de son uniforme.

De la gaze et une brume blanche. Il est assis près du lit. *Dites-moi des choses, William. Dites-moi qui est la grande rousse. Dites-moi ce que vous attendez d'elle.*

De la gaze et une brume blanche. Il prie. Il garde les yeux fermés. Ses coudes sont calés sur ses genoux. Ses doigts sont entrecroisés et pressés contre son front.

De la gaze et une brume blanche. Je suis consciente, je ne le suis plus. Des chaises qui raclent le plancher, des pas qui s'éloignent. Une image fugitive à travers la brume – mais il est déjà parti.

Je sens l'odeur de la prairie. C'est lui qui l'a laissée là pour moi.

# 83

## LOS ANGELES | SAMEDI 20 DÉCEMBRE 1941

**1 h 53**

L'archevêque déclare :

– Je suis ravi de vous recevoir, mes enfants. Depuis le début de cette guerre, je souffre d'insomnies diaboliques. C'est pourquoi la perspective de devoir négocier une trêve entre deux catholiques extraordinairement brillants et qui n'appartiennent pas au clergé m'apparaît comme un plaisir rare.

Le bureau de Cantwell est une copie du bar du Wilshire Country Club. Les murs sont ornés de trophées de golf.

– Votre Éminence, dit Dudley, je ne regrette pas d'avoir pris la liberté de vous appeler. Le capitaine Parker a suggéré le recours à un intermédiaire, et je suis enchanté que vous soyez disponible à cette heure indue.

Les trois hommes s'installent dans des fauteuils. La pluie tambourine contre les vitres. Cantwell sirote un cognac. Dudley sirote un scotch. Parker sirote une boisson gazeuse.

Il en est à son quatrième jour au régime sec. Ses terminaisons nerveuses *hurlent*. Le monde libre lui tape sur le système. Sa pression artérielle devient stratosphérique.

Il a apporté le bout de film trouvé dans le sac à main de Kay Lake. Dudley a apporté un dossier. Cantwell et Dud se sont connus à Dublin. Cantwell était une étoile montante du clergé catholique. Le Dudster était encore un môme et déjà un assassin.

– Votre Éminence, sommes-nous dans la sphère des confidences au clergé ?

– Absolument, Dud. Vous pouvez compter l'un comme l'autre sur ma discrétion. Considérez cette pièce comme un confessionnal hautement recommandé, votre confesseur n'étant autre que moi-même.

Dudley passe son dossier à Parker.

– Voici la déposition de Hideo Ashida, dûment notariée, concernant l'affaire Watanabe, ce qu'il en sait, et ce qu'il a supposé de votre opération annexe et occulte.

Parker ouvre le dossier et prend connaissance de son contenu. Hideo Ashida – mon Dieu.

C'est l'expression d'un refoulement caractérisé. Le scientifique guindé se transforme en voyou et en mouchard. Il dévoile tous leurs écarts de conduite. Ce document est un brûlot. Il pourrait carrément anéantir sa vie tout entière.

Parker rend le dossier.

– J'admets aisément que j'ai le dos au mur. Je suis sûr que vous n'avez pas manqué de verve pour faire pression sur le D$^r$ Ashida.

Le regard de Cantwell pétille. Dudley lui adresse un clin d'œil. Parker lui tend la séquence du film. Dudley déroule le morceau de pellicule et l'examine.

Il scrute chaque photogramme, de haut en bas puis de bas en haut. Il recommence l'opération plusieurs fois. Il finit par dire :

– Oui, capitaine, j'admets me trouver dans une situation identique.

Parker insiste lourdement :

– Votre copain Ed Satterlee en compagnie de Quon Chin, celui d'Ace Kwan. Permettez-moi d'élucider la scène que ce film montre si clairement. C'est une remise de pot-de-vin. Ace Kwan et vous avez conçu des projets pour tirer profit des rafles et de l'internement administratif qui va être mis en place, et vous soudoyez à l'avance un agent fédéral bien placé. Si Ace agit indépendamment de vous, ça m'est égal. Ace Kwan et vous ne pouvez vous permettre de voir cet extrait de film livré au public ni remis à la police comme pièce à conviction. Ace Kwan et vous ne pouvez vous permettre de voir les rafles officiellement critiquées de quelque façon que ce soit.

Dudley rend le bout de pellicule.

– Vos hypothèses découlent d'un raisonnement logique et sont parfaitement exactes. Il faut que je demande à M. Kwan pourquoi il soudoie l'agent Satterlee. Connaissant M. Kwan, je dirais qu'il s'agit d'un règlement dans le cadre d'une affaire commune.

Cantwell pétille.

– Tout ça, pour moi, c'est de l'hébreu, mais quoi qu'il en soit, je passe un bon moment.

Parker dit à Dudley :

– Détaillez-moi votre versant de notre accord.

Dudley répond :

– Très respectueusement, je vous demande de me jurer que vous ne tenterez rien pour empêcher les démarches juridiques afin d'inculper Fujio Shudo pour les assassinats de Ryoshi, Aya, Johnny et Nancy Watanabe. Vous avez le droit, avec ou sans l'aide du D$^r$ Ashida, de poursuivre la tâche exaltante consistant à retrouver des hommes blancs en pull violet, mais vous n'aurez pas celui de présenter, ni aux autorités ni au public, les preuves qu'un suspect autre que M. Shudo a tué la famille Watanabe. Très respectueusement, je vous demande également de me jurer que vous ne vous opposerez d'aucune façon à mes projets communs avec Ace Kwan. J'ajouterai que je possède des documents éloquents illustrant les violences que vous avez fait subir à votre première épouse, Francine Pomeroy, et qui ont failli lui être fatales.

Cantwell se signe. Faisant appel à toute sa volonté, Parker parvient à éloigner sa main de son pistolet.

– En prenant Dieu à témoin, je vous en donne ma parole.

– Merci, capitaine. Et de votre côté ?

– Très respectueusement, répond Parker, je vous demande de me jurer que vous veillerez foutrement bien à ce qu'aucune charge, ni fédérale ni locale, ne soit retenue contre Katherine Lake, Claire De Haven, les membres de sa cellule et l'équipe de tournage. Il ne devra y avoir aucune forme de représailles contre Miss Lake pour son agression justifiée contre votre amie Dot Rothstein. Très respectueusement, je vous demande de me jurer que vous veillerez à la libération rapide de Miss Lake et des autres et à l'abandon de toutes poursuites à leur encontre. Très respectueusement, je vous demande d'informer immédiatement Richard Hood, l'agent spécial en charge du FBI de

Los Angeles, de ma menace de révéler publiquement la corruption avérée d'un de ses hommes. Dans le cadre de cette demande, je vous offre cette concession : plus jamais je ne chercherai à piéger des membres de la cinquième colonne quels qu'ils soient, avec ou sans la participation de Miss Lake.

Dudley tapote le matériel accroché à son ceinturon. Les stations du chemin de croix : coup-de-poing américain, matraque, couteau.

– En prenant Dieu à témoin, je vous en donne ma parole.

Parker se lève.

Dudley se lève.

Ils se serrent la main.

Cantwell se lève et applaudit.

– Des hommes d'honneur, l'un comme l'autre. De bons catholiques. Avec un esprit tellement caustique, et un tel sens des convenances.

Les murs se rapprochent. La température ambiante se met à grimper. Dans un âtre invisible, le feu ronfle. Voici venir une attaque de nerfs et ses tremblements.

Dudley dit quelque chose de drôle. Cantwell débite des boniments. Parker fonce vers la porte.

Il sort du presbytère. La pluie lui cingle le visage. Il suit un chemin et vomit dans une haie. Les murs reculent. La température redescend. Il n'a plus ses jambes. Il se sent poussé en avant. Il atteint le sanctuaire. La porte latérale n'est pas verrouillée.

Il parvient jusqu'à un banc. Il s'agenouille face à l'autel. Il remet de l'ordre dans son esprit et se met à prier.

*Seigneur, accordez-moi un répit. Débarrassez-moi de ma fausse vertu. Révoquez l'arrogance qui m'empêche de voir le malheur des autres et qui me pousse vers d'horribles erreurs et d'épouvantables mésalliances. Tempérez mon ambition en m'accordant la grâce, Seigneur. Pardonnez-moi d'avoir persécuté Claire De Haven. Je suis complice de calomnies xénophobes. Protégez les Japonais innocents de cette ville alors que le chaos les guette. Amenez-moi Joan Conville et dites-moi ce qu'elle présage. Accordez à Katherine Lake la volonté de s'amender, afin qu'elle puisse se repentir et juguler ses impulsions irresponsables. J'honorerai la promesse que je viens de faire en Votre nom. Ce serment de compromission me diminue à Vos yeux. Je succombe aux contingences terrestres en m'adressant ainsi à Vous. Je Vous parle en d'épouvantables circonstances. Je ne veux pas perdre ce pour quoi j'ai lutté si durement et ne peux que retenir et compromettre quand d'autres veulent me l'arracher.*

Il reste à genoux. Il prie. Il parvient à la lisière de ce qu'il doit dire et bat en retraite. Il sait les paroles à prononcer et il lutte contre elles. Il voit l'aube se lever à travers les vitraux. La nouvelle promesse se loge en lui et provoque des tremblements.

Il se décide. Il bat en retraite. Il parle pour ne pas devenir fou.

*Seigneur, faites en sorte que ceci soit ma dernière soumission au mal. Seigneur, il faut que jamais plus je ne refasse une chose pareille.*

# 84

## LOS ANGELES | SAMEDI 20 DÉCEMBRE 1941

**8 h 35**

Dick Hood déclare :

– C'est de l'extorsion. C'est du chantage pur et simple.

Dudley réplique :

– Nous devons nous soumettre. Il n'hésitera pas une seconde à mettre sa menace à exécution.

– Dites-moi qui « Il » est. Je reconnais que c'est une menace valable, et j'obtiendrai le feu vert de M. Hoover. Dites-moi simplement qui « Il » est.

Ils sont assis dans le box de Dudley. Les cloisons sont tapissées de papier blanc couvert de notes. Des flèches, des encadrés, des initiales. Des hiéroglyphes déroutants. Hood n'arrête pas d'y jeter des regards obliques.

Dudley garde bouche cousue. Hood allume une cigarette.

– Je parierais pour Thad Brown ou Bill Parker. Ce sont les candidats les mieux placés au poste de directeur quand Jack Horrall prendra sa retraite. Parker est un ivrogne fou de religion, et Thad est subtil. *Merde.* M. Hoover va sauter au plafond.

Dudley fait osciller son fauteuil.

– Il va falloir que vous en parliez au procureur général. Vous allez devoir relâcher Miss De Haven et les autres et renoncer à cette partie de votre enquête.

Hood mime une branlette.

– Je vais me mettre en condition, décrocher mon téléphone, et encaisser les engueulades. Et au cas où vous ne l'auriez pas remarqué, ce n'est pas vraiment une « enquête ». Il s'agit seulement de rafler tous ces putains de Japs pour qu'il n'en reste plus un seul dans la ville d'ici deux mois.

Dudley dit :

– J'ai parlé à Ace Kwan il y a une heure. Il m'a expliqué les pots-de-vin, et je dirais qu'ils partent d'une bonne intention. Ils concrétisent la reconnaissance d'Ace envers les agents qui ont travaillé avec tant de diligence pour mettre fin au désordre détestable qui régnait dans la ville. Ed Satterlee vous l'aurait expliqué lui-même avant le Nouvel An. Ace a l'intention d'organiser une grande fête pour vous tous, y compris la Hearst Rifle Team et certains membres de notre brigade des étrangers. Vous aurez droit à une semaine complète au Blue Lion Lodge de Cal Drake, à Victorville. Il y aura du bourbon, des cigares de Cuba, et une partie de chasse vous sera proposée. C'est le cadeau qu'Ace vous réserve, une fois que tous les Japs seront incarcérés.

Hood sourit.

– Cette putain de guerre, ces putains de Japs. On a des Japs évadés, maintenant. Gene Biscailuz aussi organise sa propre fête. Des congés supplémentaires et des primes de douze dollars par jour. Il a une armée de volontaires sur les bras.

La fable du Blue Lion ne sert qu'à noyer le poisson. Oui, il a appelé Ace. Oui, Ace lui a tout dit. Ed Satterlee vend des bons tuyaux pour racheter des propriétés détenues par des Japs. Ace en a acheté quelques-uns par l'intermédiaire de Quon Chin.

Dudley a appelé Ed Satterlee. Il lui a parlé du bout de film et de son importance. Ed a été franc. Dudley lui a dit de confirmer la fable du Blue Lion.

– Ace, je l'aime bien, dit Hood. Il nourrit mes hommes à crédit. Vous avez envie d'un pâté impérial à 3 heures du matin ? Allez voir Ace le Chinois.

– Ace est un homme d'une rare délicatesse, ajoute Dudley. Il sait que votre nièce Jane va se marier, et il a proposé d'organiser la réception, à ses frais.

Hood se lève. « À ses frais » résonne dans sa tête.

– Bon sang ! Le Blue Lion. Vous serez des nôtres ?

– Non, et je le regrette. Je rejoins le service armé au premier de l'an.

Hood s'étire.

– Je vais aller passer ces coups de fil. Bon sang ! M. Hoover va en pisser des lames de rasoir.

Dudley lui lance son chapeau. Les deux hommes se serrent la main et soupirent. *La vie, c'est une vraie vacherie.* Hood s'en va. Dudley fait passer deux benzédrines avec un café. Son schéma le réclame.

Il le complète. Il met à jour le rachat de terrains. Il détaille la stratégie d'appropriation du D^r Terry. Il dessine un loup qui hurle à la lune.

Dudley est sur les nerfs. C'est à peine s'il a dormi, la nuit dernière. Il appelle sans cesse Bette. La négresse qui décroche, une femme de chambre, fait barrage à chaque fois. Beth et Tommy vont arriver bientôt. Après quelques coups de téléphone, Dudley a localisé les deux violeurs qui servent dans la marine.

Il a parlé à Scotty. Il lui a reproché sa bagarre avec Lee Blanchard. Il lui a demandé un service en compensation. Scotty a accepté sans broncher.

Il s'est rendu chez Carl Hull. Carl-le-froussard a cafté à Buzz Meeks. Cela nécessite une sévère correction. Mais *Frau* Carl a appris à Scotty que *l'enseigne de vaisseau* Carl Hull était incorporé dans la marine.

Dudley est à cran. Il a besoin d'argent pour ses investissements. Il a besoin d'organiser son raid sur la planque de Carlos Madrano.

Dudley dessine des loups et le symbole du dollar en plusieurs exemplaires. De l'argent. Les billets de banque de Madrano et sa réserve de drogue. De l'argent. La partie de dominos chinois demain chez Kwan.

Dudley examine son schéma. Des flèches, des encadrés, des initiales, des contractions. Scotty vient vers lui. Scotty regarde les feuilles blanches couvertes d'annotations.

– C'est intéressant, la façon dont les initiales se répètent. Si on connaît les noms, on peut presque tout deviner.

– Excellente remarque. Je suis entouré de brillants jeunes gens, ces temps-ci.

Scotty sourit.

– Le Loup-garou est dans la salle d'interrogatoire n° 2. M. Loew m'a envoyé vous chercher.

Dudley prend sa veste.

– Je vous demanderai de m'observer et de réagir à mes signaux. Ça, c'est votre première tâche, ensuite nous irons en voiture à Oceanside.

C'est en rapport avec cette compensation que vous me devez. Je vous donnerai des explications en route.

– D'accord, Dud, dit Scotty.

Ils se rendent à la salle d'interrogatoire n° 2. Il n'y a pas de galerie, cette fois, pas de sténotypiste, pas de haut-parleur dans le couloir.

Ellis Loew est assis avec Fujio Shudo. Deux chaises supplémentaires entourent la table.

Shudo est menotté. La chasse est ouverte. Cet interrogatoire, c'est la battue. La curée, c'est pour ce soir.

Loew tripote l'insigne de son club d'étudiants. Dudley et Scotty s'assoient. Shudo se lève. Il déclare :

– Moi, je suis un exhibo.

Il descend la fermeture à glissière de sa braguette et sort sa queue.

Dudley fait signe à Scotty. Scotty improvise. D'une seule main, il saisit Shudo par le cou et le fait décoller du plancher. Il baisse le bras et le force à se rasseoir sur sa chaise.

Loew en reste ébahi. Shudo remballe sa queue et dit *Ouille !*

– Bonjour, monsieur Shudo, dit Dudley. Vous m'avez manqué. Et moi, je vous ai manqué aussi ?

– Non, répond Shudo.

Dudley sourit.

– Nous vous avions laissé dans les avenues de Highland Park, vers midi, le samedi 6 décembre. Vous avez posé pour une photo avec une petite fille qui vous trouvait une ressemblance avec un loup-garou, ce qui n'est pas faux. Auparavant, vous aviez absorbé de la terpine, vous gardez de cette journée un souvenir flou, et vous affirmez que c'est un « instinct » qui vous a attiré vers Highland Park. Vous vous êtes mis en colère lorsque j'ai abordé le sujet de votre fréquentation des amicales japonaises au début des années 1930, votre relation houleuse avec un certain Ryoshi Watanabe, et les disputes qui vous ont opposés sur des questions politiques. Vous rappelez-vous tout cela, monsieur Shudo ? Nous avons eu cette discussion pas plus tard que jeudi soir.

Shudo se cure le nez.

– Je sais pas. Je vous ai dit que je connaissais Ginzo Watanabe et Charlie Watanabe, mais j'ai pas souvenir d'un Ryoshi.

– Cela vous reviendra plus tard, monsieur Shudo. Nous sommes entrés en possession d'une lettre que vous lui avez écrite en 1933.

Loew regarde la lettre avec des yeux ronds. Il est dans le camp de ceux qui veulent la peau de Shudo. Il ne se doute pas un instant qu'il s'agit d'un coup monté. Il fait signe à Dudley : *C'est mon tour.*

— Monsieur Shudo, transportez-vous des couteaux de démonstration dans votre charrette de rémouleur ? Des couteaux bien affûtés pour montrer à vos clients que vous faites un excellent travail ?

— Bien sûr, répond Shudo.

Dudley reprend la parole :

— Nous avons remis les choses en place à votre intention, monsieur Shudo. C'est le samedi 6 décembre, et vous êtes venu à Highland Park poussé par un *instinct*. Vous avez bu de la terpine, et votre vision des choses est un peu floue.

— Je me rappelle pas avoir écrit de lettre à Ryoshi Watanabe, dit Shudo.

— Mais vous vous souvenez bien de vos disputes avec lui dans les amicales ?

Shudo hausse les épaules.

— Oui, je suppose.

*La réplique décisive ! Maintenant, repartons en arrière.*

— Vous êtes né à Yokohama, au Japon, en 1903. C'est bien exact, monsieur Shudo ? Votre dossier de l'asile d'Atascadero précise que vous avez émigré en 1908.

— C'est bien ça, dit Shudo. Je suis né dans l'Empire du soleil levant. Je suis pas un de ces Nisei de la dernière heure.

— Votre père était patron-pêcheur, et son bateau était amarré à San Pedro, n'est-ce pas, monsieur Shudo ?

— Exact.

— Avait-il des activités dans le domaine de la politique ?

— Non, mais il haïssait les Chinetoques, et il se bagarrait contre les tongs.

— L'éducation qu'il vous a donnée reflétait-elle les principes politiques du Japon impérial ?

— Non, répond Shudo. Il m'a élevé à coups de maillet de croquet.

— Et quand cette pratique a-t-elle commencé, monsieur Shudo ?

— Quand j'avais dans les huit ans. Quand il m'a vu sortir ma queue devant un môme mexicain.

— Et combien de temps cette pratique a-t-elle duré ?

— Jusqu'à ce que je m'enfuie de la maison. Je crois que j'avais quatorze ans. La Bête m'a dit de foutre le camp, et c'est ce que j'ai fait.

— Et qui est « La Bête », monsieur Shudo ?

— La Bête, c'est ma queue.

– Voyez-vous votre verge comme un être distinct de vous, monsieur Shudo ? Comme quelque chose ou quelqu'un relié à votre corps, mais capable d'agir et de vous parler de façon autonome ?

– Ouais. La Bête, c'est La Bête. Parfois elle me donne de bons conseils, parfois elle me met dans le pétrin.

Loew n'en croit pas ses oreilles. Scotty se bidonne en écoutant Shudo. *C'est quand même plus marrant que les cours de théologie !*

– La Bête est votre conseillère et votre confidente, c'est ça, monsieur Shudo ? ajoute Dudley. Elle guide fréquemment vos actes et vous suggère ce qu'il faut faire ?

Shudo confirme :

– C'est exact. La Bête, c'est mon bébé. Je suis un exhibo. Si je vois une chose dont je pense qu'elle va plaire à La Bête, je la lui montre. Votre gars, là, c'est tout à fait son genre, à La Bête, alors je lui ai permis d'y jeter un coup d'œil.

Dudley demande :

– Vous parlez de mon collègue ici présent, l'agent Robert S. Bennett ?

– C'est ça. La Bête, elle aime les grands costauds.

– Monsieur Shudo, demande Loew, êtes-vous homosexuel ?

– Non, répond Shudo. Je suis seulement l'*ichiban* de La Bête.

– Je serais curieux de savoir, dit Dudley, quel genre de conseil vous donne La Bête, monsieur Shudo. Pouvez-vous m'en donner quelques exemples ?

Shudo se gratte les couilles.

– La Bête me dit de prendre le tram pour Hollywood, alors je le fais. La Bête me dit de forcer des portes de maisons pour aller renifler des suspensoirs, alors je le fais. La Bête me dit de partager ma terp avec elle, alors je le fais.

Dudley sourit. Shudo reluque Scotty.

– Monsieur Shudo, on a trouvé une culotte de femme dans votre chambre d'hôtel. Vous le saviez ?

Shudo hausse les épaules. Une culotte de femme ? Et alors ?

– Monsieur Shudo, vous est-il arrivé d'entrer par effraction dans une maison dans le but précis de renifler des culottes de femme ? N'hésitez pas à consulter La Bête si nécessaire.

Shudo fronce le nez. Shudo semble réfléchir puissamment. Shudo acquiesce d'un signe de tête.

– Ouais. J'aime bien forcer des portes de maisons et renifler des culottes de femme.

– À l'occasion, prenez-vous du plaisir à copuler avec une femme, monsieur Shudo ? Vous permettez-vous cette pratique s'il n'y a pas de beaux garçons à l'horizon ?

Shudo fronce le nez. Shudo consulte La Bête. Shudo acquiesce d'un signe de tête.

– Ouais, chef. Je me contente d'une moule si j'ai pas un mignon troufignard sous la main.

Loew frémit. Dudley lance un pavé dans la mare.

– Monsieur Shudo, avez-vous eu un rapport sexuel avec Nancy Watanabe pendant une permission de sortie accordée par l'asile d'Atascadero, il y a six mois ?

Shudo fronce le nez. Shudo consulte La Bête.

– Ouais, j'ai baisé Nancy. Je l'ai baisée à fond.

Loew pousse Dudley du coude. *Il est entré dans la maison. Nous avons un mobile partiel. Nous avons fait la moitié du chemin.*

Scotty mâche un bubble-gum. Shudo le reluque. Voici venir le deuxième pavé dans la mare.

– Il y a longtemps que vous êtes avec M. Shudo, n'est-ce pas, La Bête ?

Shudo répond d'une voix de basse profonde :

– C'est vrai. *Trèèèèès* longtemps.

– Vous avez dû lui apprendre plein de choses, je suppose.

Shudo, voix de basse profonde :

– Plutôt, oui ! Fuji était un petit branleur avant que je m'occupe de lui.

– Pourquoi êtes-vous aussi sévère avec lui, La Bête ?

La Bête répond :

– Parce que c'est vrai. Fuji était une lavette avant que je fasse de lui un giton. Il a refilé de la bagouse à la YMCA de San Pedro et puis à la maison de redressement de Preston. Je l'ai emmené à la pépinière Murakami. Ils vendent des pousses de bambou, là-bas. « Pousses de bambou » Shudo. C'est à moi que Fuji doit ce surnom.

– Diriez-vous que c'est à vous aussi, La Bête, que M. Shudo doit sa carrière criminelle tout entière ? demande Dudley.

– Absolument, *ichiban*. C'est moi qui lui ai appris à affûter les couteaux et qui en ai fait un rémouleur. C'est moi qui lui ai trouvé un emploi dans une banque du sang à Long Beach, pour que je puisse voler le sang des jolis marins. C'est moi qui l'ai emmené voir *Dracula* au cinéma Marcal. Nous avons enlevé un marin dans le parking, pour pouvoir le taillader et boire son sang. Je lui ai montré comment mélanger de la terpine et du sang, pour faire un excellent cocktail. Je lui ai montré comment se taillader lui-même au cas où il ne trouverait pas un mignon troufignard à saigner.

Loew se penche vers Dudley. À voix basse, il lui énumère les détails cruciaux à élucider en vue de la procédure :

– Revenez-en au 6 décembre, et parlez-lui de ses armes. Nort a exclu l'emploi des sabres, mais ceci n'ira pas jusqu'au tribunal. Les sabres et sa charrette de rémouleur. Repartons de là.

Dudley hoche la tête. Scotty fait éclater une grosse bulle. Shudo glousse et se trémousse sur sa chaise.

– La Bête, est-ce que vous connaissez bien, M. Shudo et vous, les sabres japonais utilisés pour pratiquer le hara-kiri ?

– Oui, répond La Bête.

– D'autre part, est-ce que vous étiez, M. Shudo et vous, en possession de quatre sabres de ce type le samedi 6 décembre ?

– Ouais, chef, répond La Bête.

Dudley ajoute :

– Mais vous aviez perdu les fourreaux, n'est-ce pas, La Bête ?

– Exact, dit La Bête. On a perdu les fourreaux.

– Savez-vous ce qu'*est* un fourreau, La Bête ?

– J'en suis pas sûre, chef.

– La Bête, est-ce que vous transportez, M. Shudo et vous, un assortiment de couteaux de démonstration dans votre charrette de rémouleur ? Des couteaux que vous montrez à des clients potentiels pour leur faire apprécier la grande qualité de votre travail ?

– Ouais, dit La Bête, on a des couteaux de démonstration.

Dudley change de tactique. Il pose une *vraie* question, un véritable casse-tête.

– La Bête, nous n'avons pas trouvé la charrette de rémouleur dans votre chambre à l'hôtel Kyoto Arms.

– Fuji l'a vendue à un nègre, devant l'hôtel Rosslyn.

– Et quand était-ce ?

La Bête répond :

– Le dimanche 7 décembre 1941. Une date qui restera celle d'un jour de gloire pour le grand Japon Impérial.

Loew se penche vers Dudley :

– Et cette histoire de lettre écrite par Shudo ?

Dudley lui répond sur le ton de la confidence :

– Hideo Ashida l'a trouvée dans la maison et il me l'a traduite. Elle a été postée en octobre 1933. Fuji et Ryoshi avaient eu plusieurs querelles tonitruantes dans une amicale japonaise, et il apparaît clairement que Fuji était déjà tout à fait sous le charme de Nancy, même si cette dernière avait à peine huit ans, sans oublier qu'elle était de sexe féminin.

— Il y a quelque chose qui m'échappe, sur ce plan-là. Ce type est homo, et il sodomise des hommes avec des pousses de bambou.

Dudley soupire.

— La sexualité est un phénomène diaboliquement complcxc, monsieur Loew. De plus, n'oublions pas le fait que M. Shudo est un malade mental.

— Arrêtez de vous adresser à sa bite, vous voulez bien ? Ça me glace le sang.

Dudley sourit. Scotty fait des bulles. Shudo lui lance des œillades.

Loew se penche de nouveau vers Dudley :

— Poussez-le vers les aveux, sergent. Il déteste Ryoshi, il a fécondé Nancy, mais elle s'est fait avorter. Nous avons la lettre et l'empreinte digitale dans le sang de Ryoshi. Nous avons des témoins oculaires qui l'ont vu dans Highland Park ce jour-là. Les couteaux plutôt que les sabres, ça pose un problème, mais nous savons qu'il va avouer. Poussez-le jusqu'à la porte des aveux maintenant, et vous la lui ferez franchir cet après-midi pour le dernier acte. Jack Horrall va amener quelques gradés de l'armée pour qu'ils assistent au spectacle. Vous jouerez à guichets fermés.

— Vous chuchotez et vous conspirez contre moi, lance Shudo. C'est La Bête qui me l'a dit. Je lui ai expliqué que vous étiez des types bien. Les gardiens de prison font venir ma bouffe de la Pagode chinoise de Kwan. Aujourd'hui, pour le déjeuner, j'aurai du canard aux pêches.

Dudley sourit.

— Et vous aurez droit à une double portion, monsieur Shudo.

Shudo fait *Miam, miam*, puis il ajoute :

— J'ai rien contre les Chinetoques. L'eugénisme, c'est l'eugénisme, chef. Les Chinetoques font de la meilleure bouffe, mais nous, les Japs, on est la race supérieure.

Une idée lumineuse vient soudain à Dudley.

— Je suis d'accord avec vous, monsieur Shudo. Les Japonais sont incontestablement la race supérieure. Je me demandais, monsieur Shudo. Globalement, vous préférez les hommes aux femmes – mais au cours des années, vous n'avez jamais cessé de désirer Nancy Watanabe ?

— Ouais, Nancy. Une merveille. Elle vaudrait presque un giton.

– Vous étiez bien décidé à la mettre enceinte, n'est-ce pas, monsieur Shudo ?

– Ouais. Fuji et Nancy, et un petit louveteau dans le tiroir.

– En ce qui concerne votre relation avec Nancy, monsieur Shudo, l'envie de perpétuer la race supérieure était-elle votre préoccupation première ? A-t-elle pris le dessus sur vos désirs sexuels, étant donné votre attirance de longue date et quelque peu cruelle pour les hommes jeunes ?

– Ouais.

– Et la décision de Nancy de mettre fin à sa grossesse vous a-t-elle plongé dans une vague de désespoir ?

– Ouais.

– Et ces vagues de désespoir n'étaient-elles pas devenues en fait un raz de marée, au moment où vous tiriez votre charrette dans l'Avenue 45, à Highland Park, aux premières heures de l'après-midi en ce samedi 6 décembre 1941 ?

– Ouais, chef.

– Et vous étiez dans cet état brumeux, irréel, que connaissent bien tous ceux qui avalent régulièrement de la terpine ?

– Ouais, chef. De la terpine, et le sang d'un beau gosse blanc, fauché à la banque du sang.

– La Bête avait décidé, ce jour-là, de vous écarter du droit chemin, n'est-ce pas, monsieur Shudo ? Elle vous avait fait ressasser l'avortement de Nancy et toutes les indignités que vous aviez subies durant votre amitié houleuse avec Ryoshi Watanabe.

– Ouais, chef. La Bête me parlait. Je me souviens de cette journée. Elle m'a dit que *Frankenstein* passait au cinéma Wiltern. Et puis cette petite fille avait trouvé que je ressemblais au Loup-garou.

– Quand vous avez fait votre tournée de Highland Park ce jour-là, les résidents blancs ont posé sur vous un regard soupçonneux, n'est-ce pas ? Ils reconnaissaient en vous un membre de la race supérieure, qui allait bientôt entrer en guerre avec notre nation d'êtres inférieurs.

– C'est ça, chef. Pearl Harbor approchait. *Banzaï*, enfoirés de Blancs.

– Vous l'avez sentie venir, cette attaque aérienne, n'est-ce pas, monsieur Shudo ? Vous saviez qu'elle allait se produire. Ça vous a fait vibrer, ça vous a enthousiasmé, et ça vous a rempli de joie et aussi, paradoxalement, de rage. Vous étiez dans cette avenue, près de cette maison, vous aviez dans votre charrette des armes blanches bien affûtées, à portée de main. Vous enragiez. Vous auriez voulu être sur le pont d'un porte-avions en route pour Pearl Harbor. Bien qu'étant déjà un loup-garou, vous vouliez devenir un loup-garou du ciel, pour servir glorieusement le Japon Impérial, et cette frustration vous a rempli d'une rage insensée, d'une folie meurtrière. Nancy se trouvait dans cette maison, Nancy qui avait assassiné votre contribution eugéniste à la race supérieure japonaise. Ryoshi se trouvait dans cette maison, Ryoshi qui vous avait rabaissé au cours de nombreuses disputes depuis près de dix ans. Vous saviez qu'Aya et Johnny étaient dans cette maison, et vous avez soudain ressenti, de tout votre être, que vous touchiez au but : votre propre Pearl Harbor, rien que pour vous.

Shudo glousse.

– C'est ça, *ichiban. Banzaï*, enfoirés de Japs !

Dudley tapote l'épaule de Loew. Scotty se penche vers eux. On parle boutique, à voix basse.

– Appelez la Pagode de Kwan dans une demi-heure. Commandez du canard aux pêches, un chop suey et du porc avec du riz cantonais. Dites à Kwan d'y verser deux flacons de terpine.

# 85

## LOS ANGELES | SAMEDI 20 DÉCEMBRE 1941

**11 h 14**

On relâche les Rouges. Les vautours de la presse sont venus assister à leur sortie de prison. Ashida observe l'événement. Il a une vue d'ensemble depuis la fenêtre de son labo.

Claire marche en tête. Ses esclaves la suivent. L'équipe de tournage est à la traîne.

Les journalistes et les photographes les assaillent. Sid Hudgens et Jack Webb mènent la charge. Le raid Anti-Axe, la presse en a parlé – *un peu*. Elle aurait pu en parler *davantage*. Les Japs évadés et le Loup-garou ont monopolisé les unes.

Les ampoules de flash éclatent. Les journalistes hurlent. Claire les magnétise et fend la foule. Deux limousines sont garées le long du trottoir. Claire monte dans la voiture de tête. Ses esclaves s'entassent dans l'autre.

Les deux véhicules démarrent. Les membres de l'équipe de tournage se dispersent dans la rue. Les journalistes les ignorent. *Les Rouges décampent dans des Lincoln à châssis long !* Les photographes immortalisent la dérobade.

La scène s'évapore. Pffffuit ! C'est terminé. Tout le monde s'en va.

Les Rouges ont été libérés. Ashida y devine l'influence de Bill Parker le chevaleresque. Hier soir, il a sorti Kay Lake de la cellule capitonnée. On ne parle que de ça au commissariat central. Whiskey Bill a joué les sauveurs.

Ashida reste à sa fenêtre. Le labo est désert, comme tous les samedis. Il n'a nul endroit où aller. Dudley a mis son appartement sens dessus-dessous. Celui de Mariko est assiégé par les fédéraux. Los Angeles est en état de siège. Calomnies xénophobes. Le mythe de sa normalité a volé en éclats.

Ashida reste à sa fenêtre. Les téléphones de la salle de garde n'arrêtent pas de brailler. Les inspecteurs notent les derniers ragots relatifs à la chasse aux Japs.

Le Sidster et Jack Webb entrent dans le labo. Ils serrent chaleureusement la main d'Ashida et allument des cigarettes.

— Cette Claire De Haven, c'est une sacrée poupée, dit Jack.

— Oui, dans le genre poupée russe, ajoute Sid.

— Elle pourrait me tenir chaud au Kremlin, commente Jack.

Sid s'interroge :

— Hideo, qu'allons-nous faire de ce gamin de Jack ? Son emploi précaire de doublure de William Randolph Hearst en temps de guerre lui monte à la tête.

Ashida se force à rire. *Sid, vous êtes impayable.*

Jack annonce :

— Le Dudster m'a confié une mission pour demain soir. Ace Kwan organise une grande partie de dominos chinois, et un indicateur lui a appris que des nègres avaient l'intention de braquer les joueurs pour s'emparer des gains. Je suis chargé d'observer la partie et de l'avertir par téléphone.

Sid fait un clin d'œil.

— C'est bien ce que je disais, tout ça lui monte à la tête. Le Dudster d'un côté, M. Hearst de l'autre. Quelle différence ?

— Pourquoi m'en cacher ? réplique Jack. Jusqu'à maintenant, la guerre m'a bien servi.

Nouveau clin d'œil de Sid.

– Ce n'est pas le cas de tout le monde. Ce n'est pas le cas d'une foule de Japonais détenus à Los Angeles en ce moment même. N'est-ce pas, Hideo ?

Ashida rougit. Du point de vue de l'eugénisme, Sid est une anomalie. Il est moitié cafard, moitié nabot balourd.

– C'est vrai, Sid.

– Je pense écrire un article sur vous, Hideo. Dud a coincé le Loup, et vous avez joué un rôle important dans l'enquête. Qu'est-ce que vous dites de ça : *Hideo Ashida a contribué à résoudre la déconcertante énigme de l'affaire Watanabe, et il est Japonais lui-même.* C'est une bonne approche, étant donné la façon dont la situation se présente pour vous autres.

– Elle ne pourrait guère se présenter plus mal encore, commente Ashida.

– Bien sûr que si, dit Sid. Ces imbéciles qui se sont évadés ont semé la panique dans la ville, et les flics qui leur courent après veulent leur peau. Toutes les prisons sont bondées, alors il est question de vous parquer tous dans les paddocks de l'hippodrome de Santa Anita. Vous imaginez ça, hein ? Un jour, vous mangez votre anguille grillée au carrefour d'Alameda et de la 2ᵉ Rue, et le lendemain vous partagez une délicieuse balle de foin avec Rossinante.

Jack s'esclaffe. Ashida agrippe la barre d'appui de la fenêtre. *Bâtard raciste, cafard, nabot.*

Sid ajoute :

– Et pour couronner le tout, vous avez Fletch Bowron, complètement bourré hier soir au Jonathan Club. Vous croyez qu'il injurie les forces japonaises qui pillent en ce moment les Philippines ? Non, il peste contre un certain chimiste Nisei de la police.

La barre d'appui émet un craquement. Ashida demande :

– Vous l'avez *entendu* ?

– Fletch Bowron ? dit Jack. Elmer Jackson sait tout sur ce type-là.

– J'étais là, et je l'ai entendu, répond Sid. Il expliquait ses projets pour prélever des taxes sur les propriétés confisquées aux Japonais, et il disait des horreurs sur votre compte et sur celui de Whiskey Bill Parker. Il critiquait Bill Parker pour cette suppression des écoutes téléphoniques qui vous a permis de rester au LAPD, et il vous a qualifié de « tache jaune sur son bilan politique irréprochable ».

Ashida serre encore plus fort la barre d'appui. La barre tout entière se détache brusquement des scellements.

# 86

## LOS ANGELES | SAMEDI 20 DÉCEMBRE 1941

**11 h 51**

La brume blanche et la morphine ont disparu. Les douleurs que je ressens dans mon corps tout entier me font prendre davantage conscience de moi-même. Je dois rentrer chez moi cet après-midi. La commotion dont j'ai souffert commence à s'estomper. L'attelle posée sur mon nez me fait éternuer.

Lee et Scotty sont assis de part et d'autre de mon lit et ils me tiennent chacun une main. Nous portons tous des traces des empoignades qui ont marqué pour nous les premiers jours de la guerre.

Je montre mon nez.

– Vous auriez dû voir dans quel état est l'autre fille.

Cela fait rire Scotty et Lee. Scotty tapote mes oreillers. Lee annonce :

– J'ai tenté de m'engager. Je ne voulais pas en parler avant d'être accepté. Thad Brown a obtenu le feu vert de Jack Horrall. J'ai passé la visite médicale, mais je suis classé 4-F. À cause de ce tympan déchiré au cours de mon combat contre Jimmy Bivens.

Scotty gratifie Lee d'un regard théâtral. Lee ajoute :

– Ne te flatte pas trop, Bennett. Tu ne cognes pas si fort que ça.

Nous rions tous. Scotty me lance un regard. Lee l'interprète au passage. Il me pince les orteils et me dit :

– Il faut que je parte, maintenant.

Scotty lui lance :

– Attends-moi en bas, Blanchard. Je vais te ramener en voiture à l'hôtel de ville.

Lee m'envoie un baiser et quitte la chambre. Une douleur vive me traverse la mâchoire. J'éternue, et je sens lâcher des points de suture.

Scotty me tend un mouchoir en papier. Je le devance :

– Toi, tu as quelque chose à me dire.

– Oui. J'ai décidé qu'il valait mieux qu'on se sépare. Il vaut mieux suivre le bon chemin en boitant que le mauvais d'un pas ferme.

Je lui presse la main.

— J'avais envie de dire : *Une dernière fois lorsque j'irai mieux et que je serai plus présentable*, mais tu as raison.

— C'est la meilleure solution, dit Scotty.

— Tu vas devoir te contenter de Joan Crawford.

Scotty rougit.

— Qui te l'a dit ?

— Brenda Allen. Elle t'a vu avec la grande Joan au Trocadero. Elle m'a dit avoir vécu un moment étonnant. Tu étais avec Joan Crawford, et Dudley Smith avec Bette Davis. C'est à cet instant qu'elle a compris que la guerre avait tout changé.

Scotty frissonne. Je lui dis :

— Avoir peur de lui, ce n'est pas honteux. C'est une réaction normale.

— Il collectionne les protégés, et puis il s'en débarrasse. Toi-même, tu en as eu la preuve. Il a trouvé que Lee Blanchard n'était pas à la hauteur, et maintenant, c'est à moi qu'il offre une chance.

Je souris.

— Tu apprends vite.

— Dudley, c'est une sorte de mille-pattes. Il déploie des antennes dans toutes les directions, mais elles sont invisibles. Dans son box, il a collé du papier blanc sur les parois, pour y tracer un énorme schéma. Il est entièrement consacré à l'affaire Watanabe et ce qu'on pourrait appeler « les débouchés qu'elle offre », et entièrement rédigé dans une sténo spéciale qu'il a inventée. Je l'ai examiné de près quand j'étais seul dans le bureau, et j'ai déduit un certain nombre d'éléments. Tu ne croirais pas ce que j'ai découvert.

— L'important, c'est ce que tu fais avec ce que tu as appris.

Scotty hausse les épaules. Le brave garçon, le vilain garçon. Le garçon brillant qui résout des énigmes que les autres trouvent insolubles. Le garçon perturbé, toujours.

— Je m'engage dans la marine, juste après le Nouvel An. Je viens d'en parler avec Dud, et il a déjà obtenu le feu vert du directeur Horrall. Je peux partir faire la guerre et réintégrer le LAPD ensuite. C'est ça qui m'étonne chez Dudley : il est d'une telle générosité…

J'emprisonne ses doigts dans les miens.

— Ne te fais pas tuer, mon grand.

— Non, pas moi.

— Je vais tenter une deuxième fois de m'enrôler. Ward Littell m'a dit qu'un grand nombre des restrictions fédérales ont été levées.

Scotty me touche la joue.

– Ça, c'est bien toi, Kay. Tu arraches avec les dents le nez de la grosse gougnotte, et puis tu pars à la guerre. C'est comme dans ton discours : ton choix, c'est de tout faire ou de ne rien faire.

Mes yeux s'embuent. Scotty me tend un mouchoir en papier et devient songeur. Je lui demande :

– Dis-moi à quoi tu penses.

– Je pense à Dud. Il m'a dit qu'il avait une mission pour moi, plus tard dans la journée, et je ne sais combien d'autres entre aujourd'hui et le jour de l'An. Il sait que j'ai une nature à aimer l'action, et c'est pourquoi il m'utilise. J'ai simplement envie de débarquer sur une petite île tranquille, et de pouvoir tuer des Japs sans cas de conscience.

J'ajoute :

– Parle-moi de son schéma.

# 87

## LOS ANGELES | SAMEDI 20 DÉCEMBRE 1941

**12 h 21**

Parker brûle ses notes sur les problèmes du moment. Il détruit celles sur la circulation et celles sur les rafles. Il détruit *Affaire Watanabe/Détails-Chronologie* et *Lake/De Haven*. Il a trouvé une bouteille de bourbon sous l'évier et il en a fait flamber le contenu. Il s'en est dégagé une odeur puissante. Les flammes ont monté haut. Il les a noyées sous le robinet. L'évier est rempli d'une masse de boue noire. Parker ramasse le tout dans un sac qu'il jette à la poubelle. Il se lave les mains et aère la cuisine. Il regagne son antre. Appelez-moi-Jack lui a collé sur les bras de nouvelles tâches subalternes et assommantes.

C'est une mesure punitive. Il a fait capoter la première tentative de Dudley pour coincer le Loup-garou. Il se trouve donc rétrogradé au rang d'auxiliaire.

Appelez-moi-Jack est devenu très copain avec la Hearst Rifle Team. Ces gars-là sont ses auxiliaires préférés. Ils sont partis se joindre à la chasse à l'homme dirigée par le shérif. Appelez-moi-Jack rêve d'embaucher davantage d'hommes de cette trempe.

Donc, Parker examine des fiches de candidature. Ce n'est pas le dessus du panier, c'est le fond de la fosse.

Des vigiles de studios de cinéma affiliés au Klan. Un prédicateur nudiste. Un ouvrier d'entretien du collège de Le Conte sur qui pèsent de nombreux soupçons de viols sur mineurs.

Le fond de la fosse. Des créatures des abîmes.

Parker passe les fiches en revue. Il tombe sur une série de quatre rassemblées par un trombone.

Boudreau, Costigan, Gutridge, Palwick. Anciennement gardiens de prison au Nevada. Parlant tous l'espagnol couramment. Tous virés de leur emploi au service de l'État du Nevada – pour brutalités.

Des durs. Taillés pour intégrer une brigade de brutes. Un bordereau d'envoi et des photos sont joints aux fiches. C'est un coursier qui les a apportées. *Documents prêtés pour une semaine. Quatre fiches, envoyées à : Exley Constructions, 6402 Wilshire Boulevard.*

Des durs. Anciens gardiens de prison. Parlant tous l'espagnol couramment. Cela se résume à…

*Ceci :*

La vallée. Les exploitations maraîchères appartenant à des Japonais. Les ouvriers agricoles sans-papiers fournis par Carlos Madrano. Les liens de Preston avec la police. Le projet de Preston concernant l'internement administratif.

Tu as compris, maintenant. Ce n'était pas difficile. Tu aurais dû saisir plus tôt.

C'est Preston qui se trouve derrière les rachats de maisons et de terrains cultivables. Preston est lié à l'affaire Watanabe.

# 88

**13 h 04**

Le Loup-garou lit la lettre rédigée par Hideo. Il ressent les effets de la terpine. Il lit lentement en remuant les lèvres.

Dudley est assis avec Ellis Loew et un nouveau sténographe. Le couloir est bondé. Les haut-parleurs diffusent un son bien net.

Appelez-moi-Jack a invité des copains militaires. Lesdits copains sont venus avec leurs mômes. Les gamins et les gamines portent des masques de loup-garou en caoutchouc. Shudo, c'est un vrai spectacle, pour les mouflets.

Dudley demande :

— Vous rappelez-vous cette lettre, monsieur Shudo ?

— Ouais. Bien sûr. Il me semble.

— Tout en gardant cela à l'esprit, monsieur Shudo, revenons-en au samedi 6 décembre.

— D'accord, chef.

— Vous étiez à la fois en proie à l'agitation et au désir d'accomplir ce que vous aviez prémédité. Vous étiez, pour parler franchement, sous l'emprise de l'hydrate de terpine. Vous avez reconnu vous-même, monsieur Shudo, que le décor, tout autour de vous, était plutôt brumeux.

— La terp, chef. C'est comme les céréales : le petit déjeuner des champions.

— Vous aviez dans votre charrette, continue Dudley, des couteaux si affûtés qu'ils constituaient des armes mortelles. Vous aviez les sabres rituels japonais achetés par vous-même à Little Tokyo, mais vous ne vous rappelez pas où exactement, et dans votre état d'ébriété, vous avez égaré les quatre fourreaux. Vous aviez acheté quatre sachets d'un poison oriental rare à un pharmacien que vous connaissiez depuis l'époque où vous fréquentiez les amicales japonaises, mais vous ne vous rappelez pas son nom – et, une fois de plus, votre consommation de terpine avait rendu ce laps de temps plutôt vague.

Shudo se gratte le cou.

— Je crois me souvenir de ce pharmacien. Il était copain avec La

648

Bête, à cette époque-là. J'ai vendu ma charrette à un nègre devant l'hôtel Rosslyn. Ça, je m'en souviens bien.

— Nous en avons discuté, monsieur Shudo, dit Dudley. Ceci étant précisé, il faut que je vous rafraîchisse la mémoire. Vous avez vendu votre charrette le dimanche 7 décembre. Mais c'est encore du samedi 6 décembre que nous parlons en ce moment.

— D'accord, chef. Samedi. Cette petite fille a dit que je ressemblais au Loup-garou, et son papa a pris une photo de moi.

— C'est exact, monsieur Shudo, dit Dudley. Et d'après nos calculs communs, c'était juste avant que vous ne frappiez à la porte de Ryoshi Watanabe.

Shudo bâille.

— Ryoshi, c'était un sale type, chef. On se connaissait depuis l'époque des amicales. J'ai lu cette lettre. Y avait encore cette vieille rancœur entre nous. Je lui en voulais à mort, en arrivant chez lui. C'était grave, *ichiban*.

— Il a été surpris de vous voir, n'est-ce pas, monsieur Shudo ?

— Ouais, il a été surpris. *Salut, Ryoshi. Ça fait un bail, mon petit gars.*

— Ça vous a fait un choc de voir Nancy, n'est-ce pas, monsieur Shudo ? Elle portait vos petits louveteaux, mais elle les a tués dans sa matrice.

— Ouais, Nancy. C'était une sale gamine. La Bête la détestait. Elle m'a fait du mal.

Dudley allume une cigarette. Le Loup s'empare du paquet et s'en allume une aussi. Loew pousse Dudley du coude. Cela signifie : *Il faut conclure. Maintenant.*

Dudley reprend :

— Aya et Johnny étaient là. Vous aviez rangé votre charrette sur la terrasse, pour qu'on ne puisse pas la voir depuis la rue. La réunion avec votre ennemi juré et sa famille était un peu tendue au début, mais vous avez suggéré une bonne tasse de thé pour tout le monde. Le thé contenait un poison à effet lent qui les a plongés dans un état euphorique avant de les faire mourir. Les Watanabe, intoxiqués par le narcotique, ont vomi sur leurs vêtements, mais cela n'a pas semblé les contrarier, en raison de leur état d'euphorie. Cette manifestation de laisser-aller vous a choqué et a perturbé le fantasme qui s'était installé de façon si pénétrante dans votre esprit. Vous les avez forcés, tous les quatre, à se changer. Vous avez reluqué Nancy et Johnny et ressenti une certaine excitation à les voir dénudés. Vous ne vouliez pas qu'on vous voie, dans la rue, transportant leurs habits souillés de vomissures, alors vous avez fourré le tout dans la machine à laver. Votre fantasme a tourné à l'improvisation. Il exigeait, à présent, une période d'attente, post mortem. Vous alliez devoir attendre que leurs vêtements soient propres pour les suspendre à la corde à linge.

– Ouais, dit Shudo, ces salopards ont vomi. Ça m'a rendu vraiment fou de rage. Ça m'a… comment vous dites, déjà ? Ça m'a perturbé.

Loew lâche : *Ouuuf.* Dudley sourit.

– Ryoshi s'était vanté : il vous avait dit qu'une attaque japonaise contre la flotte du Pacifique était imminente, et son ton péremptoire vous avait rendu furieux. Vous vous sentiez réduit à l'impuissance, parce que votre ennemi abhorré restait un élément vital et bien informé de la cinquième colonne, tandis que vous moisissiez dans un asile, accusé de viols à l'aide de pousses de bambou. Vous avez improvisé de nouveau. Vous avez tiré profit de l'état euphorique de vos futures victimes, et forcé Ryoshi à écrire une lettre justifiant un suicide motivé par l'attaque japonaise – lettre qu'il a laissée sur le mur de sa chambre. Tout était prêt, monsieur Shudo. Vos victimes avaient été plongées dans un état euphorique de docilité et de soumission. *Fuji le rémouleur.* Ils vous sous-estimaient depuis longtemps. Vous leur avez suggéré, en guise de divertissement, de jouer aux charades, et pour cela vous leur avez demandé de s'étendre sur le plancher du salon, les uns à côté des autres, bien alignés.

Shudo lève les mains. Shudo fait tinter la chaîne de ses menottes. Shudo dit :

– Oui, chef.

– Et puis vous avez sorti un couteau tranchant de votre ceinture et vous les avez éventrés à la façon d'un *seppuku*. Est-ce exact, monsieur Shudo ?

Shudo s'exclame : *Heil Hitler !* Shudo dit :

– Ouais, chef.

– Et ensuite, vous avez retiré les vêtements de la machine à laver et vous les avez pendus à la corde à linge. C'est bien ça, monsieur Shudo ?

Shudo s'exclame : *Heil Hitler !* Shudo dit :

– Ouais, chef.

– Après quoi vous avez attendu que la nuit tombe, vous avez calmement repris votre charrette de rémouleur et vous avez soigneusement scruté les environs, puis vous avez poussé votre charrette jusqu'à Figueroa Street et poursuivi votre chemin en direction du sud, vers votre hôtel. Vous étiez extraordinairement réjoui, et vous avez absorbé encore plus de terpine pour fêter l'événement. Vous êtes monté à votre chambre et vous avez dormi jusqu'au lendemain. Nous voici donc parvenus au dimanche 7 décembre, monsieur Shudo. Vous sortez de votre hôtel et vous apprenez que vos concitoyens mal inspirés ont bel et bien, effectivement, attaqué la flotte du Pacifique. Vos pas vous ont mené vers le sud de la ville où vous avez vendu votre charrette de rémouleur à un Noir devant l'hôtel Rosslyn. Quant au couteau qui vous a servi à tuer les Watanabe, vous l'avez jeté à travers une grille d'égout. Est-ce exact, monsieur Shudo ?

Shudo répond :

– Ouais, *ichiban*. J'ai fait tout ça. Ryoshi m'a mis en rogne, Nancy a tué mes louveteaux, et Johnny a dit non à La Bête. Aya était méchante avec moi, alors il fallait qu'elle parte aussi. Pearl Harbor, chef. Cette histoire, c'est pas ça qui m'enverra à la chambre à gaz quand mes compatriotes auront gagné la guerre.

Ellis Loew soupire.

Le sténo soupire.

Dudley se lève et s'incline vers le miroir sans tain. La porte s'ouvre en grand.

Les spectateurs de la galerie se précipitent dans la salle. Ils Guerre-Éclairent Dudley et ils Banzaillent le Loup. Appelez-moi-Jack, Thad Brown, Fletch Bowron. Quelques fédés égarés, des petits mômes.

Ils tapent dans le dos de Dudley. Thad ôte les menottes du Loup. Les mômes se ruent sur lui et l'entourent de leurs bras. Cabotin, le Loup fait des grimaces et leur ébouriffe les cheveux. Les mômes portent des masques de la Momie et du Loup-garou. Le Loup fait des bonds, les mômes lui courent après, le touchent et glapissent.

Dudley s'éclipse. Une autre tâche l'attend. À Oceanside, 130 kilomètres plus au sud.

Il avale deux benzédrines et rejoint l'escalier de derrière. Scotty l'attend dans la Dodge de son pasteur de père. Dudley l'a chargée ce matin : un sac de marin, qui contient deux calibres .45 équipés de silencieux. Chargés avec des dum-dum fournies par Kwan. Eugénisme. Une seule balle élimine une dynastie entière.

Dudley saute dans la voiture. Scotty démarre. Dudley incline son dossier et ferme les yeux. *Ne me parlez pas.*

Il s'est entretenu avec Ace. La partie de dominos était réservée aux Chinois et les enjeux seraient élevés. Il a appelé Harry Cohn pour lui conseiller de ne pas y mettre les pieds. Il a appelé Jack Webb et lui a confié une mission : Surveillez la partie pour moi. Notez les noms des gagnants et des perdants. Appelez-moi, d'un téléphone public à un autre téléphone public. Je redoute un vol à main armée.

Le cartel Smith-Kwan a besoin d'argent liquide. Terry Lux s'est associé à eux, à présent. Son sens aigu des affaires donne à leurs projets une autre dimension. Terry pense qu'ils peuvent acheter leur participation au montage conçu par Exley et Patchett. Cela nécessite une énorme mise de fonds.

Scotty conduit. Dudley subit une montée de benzédrine et concocte un plan pour son expédition au Mexique. C'est risqué. En fait, il s'agit de jouer un sale tour à Carlos Madrano. Carlos est au mieux avec Exley et Patchett. Dudley projette, ni plus ni moins, de lui piquer sa came et sa réserve d'argent liquide. Il va devoir soigneusement brouiller les cartes et tuer à l'avance des suspects crédibles.

Scotty conduit. Dudley rouvre les yeux. Il voit la route du littoral. Un panneau annonce : OCEANSIDE 16 km.

L'air marin. Une brume de fin de journée. Une longue plage couverte de rochers.

Scotty lui passe un petit mot.

– Un message téléphonique pour vous. C'est Dick Carlisle qui me l'a confié.

Dudley glisse le bout de papier dans sa poche. La topographie retient son attention. Vers l'intérieur des terres, des collines couvertes de broussailles. Des restaurants au bord de la plage. Des parkings exigus. Tous vides. Des nuages d'orage qui surviennent à la tombée de la nuit.

– Deux jeunes fantassins de marine ont brutalisé une jeune femme qui m'est très chère. On m'a dit qu'ils allaient pêcher au même endroit tous les samedis. Ce sont des intrépides, le vent et le froid ne les découragent pas. On va les descendre au moment où ils regagnent leur voiture.

Scotty cligne des yeux. Dudley lui touche le poignet. Son pouls fait des bonds.

Dudley voit l'endroit où les deux types vont à la pêche. Il voit leur coupé Ford 1940. Il montre la direction à Scotty. Deux longues cannes à pêche s'inclinent vers le soleil couchant.

Scotty se gare près de la Ford. Il coupe le contact et serre le frein à main. Dudley tend le bras vers la banquette arrière et ouvre le sac de marin. Les silencieux sont vissés à fond.

Scotty veut se rassurer :

– C'est une fille bien, c'est ça ? Et c'est vraiment dégueulasse, ce que ces gars-là ont fait ?

Dudley lui passe son arme.

– Suis-je un esprit futile, mon garçon ? Derrière mon apparence un peu abrupte, n'avez-vous pas décelé une vraie conscience, et un respect mêlé de tendresse envers les femmes ?

Scotty sourit. *Ainsi soit-il.*

Deux hommes franchissent les rochers. Ils sont vêtus de treillis. Ils portent des cannes à pêche et des paniers en osier d'où dépassent des queues de poisson.

Ils s'approchent de la Ford. Un grand, un gros. Le gros regarde la Dodge. Le grand ouvre le coffre. Il y dépose les paniers. Le gros jette les cannes sur la banquette arrière. Ils s'installent dans la voiture. Le gros fait démarrer le moteur. Le grand allume une cigarette.

*Hein ? Des flics ?*

Ils n'ont aucun doute à ce sujet. Ils savent reconnaître un flic au premier coup d'œil. Sinon, ils ne seraient pas aussi insouciants.

Dudley sort de la Dodge. Scotty sort de la Dodge. Ils montent à l'assaut, un de chaque côté.

Les violeurs comprennent. Est-ce la détermination de ces deux hommes, un reflet métallique sur le canon d'une arme... enfin, *quelque chose.*

Le grand lâche sa cigarette. Le gros s'agite derrière le volant.

Dudley dit :

– Pour ma fille chérie, Beth Short.

Il tire. Scotty tire. Ils visent chacun les bouches grandes ouvertes. Les balles dum-dum font exploser leurs visages et tomber toutes les vitres.

Dudley et Scotty remontent dans la Dodge et repartent.

Le soleil se couche. La Ford reste seule sur le bitume. Dudley allume une cigarette et sort enfin le petit mot de sa poche.

*Appelez Claire De Haven. CR-4424.*

# 89

**17 h 49**

La Tache Jaune.

Il avance prudemment.

Il rôde la nuit.

Ce n'est pas *tout à fait* la nuit. L'emploi du verbe *rôder* est une hyperbole. Dans l'hôtel de ville règne un silence de mort et il se sent parfaitement en sécurité. Il se trouve deux étages au-dessus de la brigade. Il se fond pratiquement dans le décor.

« La Tache Jaune. » Cela va de pair avec « Le Loup-garou » et les mômes aux masques de monstres. Il a vu l'épilogue des aveux de Fujio Shudo. Shudo a signé des autographes et il a posé avec des enfants. C'était épouvantable et hilarant.

Le couloir est d'un silence absolu. Le bureau du maire est un tombeau. Le veilleur de nuit monte la garde derrière l'entrée de Spring Street. La Tache Jaune frappe…

*Maintenant.*

Un passe n° 3 lui ouvre la porte. Sa lampe torche explore la salle d'attente. Des sièges et la table du réceptionniste. Le bureau personnel de Fletch Bowron : c'est là.

Un passe n° 2 lui ouvre la porte du bureau. Ashida la referme en douceur derrière lui et promène le faisceau de sa lampe. La pièce n'est que fauteuils club et plaques commémoratives. Voilà la table de travail de Fletch Bowron.

Elle est carrément présidentielle. Un dictaphone à fil magnétique est posé sur la partie droite. Un fil relie le dictaphone au téléphone. Fletch enregistre ses conversations.

Ashida scrute les murs et le plancher. Le dictaphone et le téléphone partagent une prise murale. Fletch enregistre ses appels. Peut-être même les fait-il retranscrire, avant d'effacer le support magnétique. Cela dit, tomber sur une conversation pertinente en écoutant celui-ci tiendrait d'un hasard improbable.

Ashida s'installe dans le fauteuil de Fletch Bowron et prend ses repères. Il se met au travail, sa lampe torche entre les dents. Il examine le dictaphone. La bobine d'enregistrement est en place. Elle a déjà engrangé un certain nombre d'échanges. Ashida consulte sa montre. Il est 18 h 12, en ce samedi. La bobine contient peut-être des appels de la veille.

Ashida règle le bouton du volume. Il rembobine le fil et enfonce le bouton *Lecture*. Il entend quelques parasites et un bruit de fond, puis Fletch dit : *Nous sommes le vendredi 19 décembre.* Cela veut dire que la suite sera une série d'appels enregistrés. Ashida laisse le volume au minimum. Ashida tend l'oreille. Ashida avale péniblement les conversations sans intérêt. Le responsable de l'eau potable. Celui de l'électricité. Quatre conseillers municipaux. Nous sommes en guerre, maintenant. Faut-il annuler le match du 1er janvier ? Fletch appelle Ace Kwan. Ils discutent du menu de la soirée entre hommes que donnera le maire à Noël. Fletch parle avec un général de brigade. L'histoire des Japs évadés est une énorme gaffe. Mme Fletch Bowron appelle son mari pour dire du mal de leur domestique noire. Ace rappelle Fletch. Il propose de faire rôtir un cochon entier sur le toit de l'hôtel de ville. Fletch lui dit qu'il n'en est pas question. Il pourrait pleuvoir.

Ashida écoute toujours. Les silences et les propos sans intérêt s'accumulent. Le temps perdu aussi. Un appel du shérif Gene Biscailuz. Enfin du nouveau : les Japs évadés sont partis vers les collines de San Gabriel. Le détachement est à leurs trousses. Les tireurs d'élite de Hearst sont déchaînés et ils ont attaqué un campement de vagabond. Quelques blessures superficielles, pas de décès à déplorer.

Parasites. Silences. Félicitations à propos de l'affaire Watanabe. Vous avez vu la double page du *Herald* ? Appels de vendredi. Appels de samedi matin.

Le temps s'étire. Ashida regarde sa montre. Il est 20 h 41. Silence, Ace Kwan encore une fois. Le directeur du LAPD, Jack Horrall, au bout du fil.

Parasites, sifflements, craquements. Appelez-moi-Jack, belliqueux :

– ... et si nous annulons le défilé du 1er janvier, nous passons pour des dégonflés. Ça rapporte beaucoup d'argent, et ça renforce nos liens avec la police de Pasadena.

– Amen, mon frère, dit Bowron.

– Et puisque j'ai commencé à râler, permettez-moi de vous dire tout le mal que je pense de Dick Hood, de cette tantouse de Hoover, et des agents fédéraux en général.

655

Bowron confirme :

– Tout à fait d'accord avec vous, Jack.

Horrall poursuit :

– Quelqu'un a exercé des pressions pour faire sortir de prison des Rouges qui tournaient un film dans le quartier jap. Le Dudster est dans le coup, mais il ne veut rien dire, et Hoover est furieux. Ça signifie qu'il va nous tomber sur le râble encore plus méchamment avec cette enquête sur les écoutes téléphoniques. Bill Parker nous a sauvé la mise dans cette histoire, mais Dick Hood pense que c'est Parker qui a forcé la main à Dud.

– Cet enfoiré de Parker qui met son nez partout. Il a fait l'imbécile chez Ace Kwan, il est intervenu lors du premier interrogatoire du Loup-garou mené par Dud. Parker et son copain jap Ashida. Ces deux salopards me tapent sur le système.

Horrall annonce :

– Ashida sera viré en février. Telle est la marche de l'Histoire, mon frère. Whiskey Bill et le Dudster ne pourront rien pour lui, cette fois.

Bowron en rajoute :

– Ashida me sort par les yeux. C'est la tache jaune sur mon bilan politique irréprochable. J'en serai débarrassé en février, mais il y aura encore Parker pour remuer la merde.

– Il faut que je vous dise, Fletch, que je n'ai aucune envie que ce salopard me succède à la tête du LAPD. Dès qu'il aura prêté serment, il commencera à dénigrer tout ce que j'ai fait. Cet enfoiré n'a qu'une passion dans la vie : rabaisser les types bien et les humilier. Comme le dit mon bras droit Elmer Jackson : *Il parle à Dieu en remuant les lèvres.*

– À propos, fait Bowron, puisque vous parlez d'Elmer, ça me rappelle que je dois appeler Brenda. Je veux qu'elle me réserve une fille pour lundi soir.

– Quand je pense à Parker, dit Horrall, j'en ai des furoncles au cul. Je ne veux pas que mon héritage soit décrié par un petit saint qui va à la messe et qui lèche le cul impérialiste de Rome la papiste. Les contrecoups de cette histoire, Fletch, vous baiseront au même titre que moi. Parker va me diffamer, et calomnier votre propre administration par voie de conséquence. Et une fois qu'il sera directeur du LAPD, Fletch, il ne s'arrêtera pas en si bon chemin. Il voudra devenir ministre de la justice et visera le siège de gouverneur.

– Vous avez raison, Jack. Il faut barrer la route à ce salopard

pendant qu'il est encore temps. Nous allons constituer un dossier
à charge sur le personnage. S'il trompe sa femme ou commet le
moindre écart de conduite, nous le saurons et nous ajouterons le fait
au dossier. Le jour où vous passerez la main, nous montrerons le tout
à Bill Parker. *Désolé, Bill, mais vous avez mal choisi les types à qui
vous avez fait des crasses, et vous avez mis trop souvent les pieds
dans le plat. Le poste, il est pour Thad Brown, pas pour vous.*

— Amen, mon frère, dit Horrall. C'est ce qu'on va faire. La tête de
Parker est sur le billot, et c'est nous qui avons la hache.

— Il y a Parker, et il y a Ashida, ajoute Bowron. Ce petit sournois
est un intrigant. Aussi étrange que cela paraisse, Dud Smith ne jure
que par lui.

— Un dossier à charge, Fletch, dit Horrall. On joue sur du velours,
avec ça. Si on n'en constitue pas un sur le compte de Parker, on s'en
mordra les doigts.

— Comptez sur moi, Jack, dit Bowron. Mais il va falloir que vous
me laissiez, maintenant. Je dois passer ma commande à Brenda.

— Bonne chasse, monsieur le maire, dit Horrall.

— À plus tard, dit Bowron. Il faut que je descende à la brigade.
Dud remet ça avec le Loup-garou.

— Je vous retrouverai en bas, sahib, dit Horrall.

L'appel se termine. Ashida enfonce le bouton *Arrêt*.

La Tache Jaune.

La Peste Jaune.

Le Péril Jaune.

Le chouchou de Dudley.

Février 1942 – la diaspora Jap.

Ashida pose les pieds sur le bureau du maire. Mentalement, Ashida
établit un bilan.

# 90

**LOS ANGELES | SAMEDI 20 DÉCEMBRE 1941**

**23 h 47**

*Dudley Smith.*

Je n'arrive pas à penser à autre chose. En sortant de l'hôpital, j'ai pris un taxi pour rentrer chez moi, et j'ai pensé à Dudley Smith ; je porte des blessures infligées par une tortionnaire au service de Dudley Smith, Dot Rothstein. Dudley Smith, l'amant de passage de Bette Davis en ces premiers jours de la guerre ; Dudley Smith et son coup monté contre l'abominablement pitoyable Loup-garou. Dudley Smith et son bouquet d'affaires criminelles convergentes, ses relations complices avec Ace Kwan, ses appropriations de terrains et ses projets pour tirer profit de la guerre, qui vont jusqu'à la distribution de pornographie *Anti-Axe*, de connivence avec son célèbre homonyme, Gerald L. K. Smith. Dudley Smith, le courtois. Dudley Smith, si prompt à recourir au meurtre expéditif. Dudley Smith, qui n'hésite pas à corrompre ses jeunes collègues. Dudley Smith et son sens de la famille si étonnamment démocratique.

Ses « hommes ». Son archevêque catholique, sa copine lesbienne docteur en médecine qui vit en couple avec une femme obèse d'une brutalité bestiale.

Et plus que tout, son admiration sincère et profonde pour Hideo Ashida.

Je m'installe sur la terrasse de ma chambre pour siroter un whiskey à l'eau. Lee est parti quelque part ; j'ai la maison pour moi seule, et je savoure ce moment de silence qui me permet de réfléchir. Dudley Liam Smith a gravement sous-estimé, comme moi, les capacités mentales de Robert Sinclair Bennett. À présent, je sais tout ce qu'il a noté sur ce schéma mural prodigieusement complet mais conçu avec tant de légèreté. Dudley Smith n'y fait figurer que ses enquêtes de police et ses projets illégaux. Si Dudley Smith fomente des complots et se livre à des meurtres, ce n'est pas pour assouvir une rancune mesquine, ni pour obéir à un impératif autre que celui de la célérité, qui est pour lui la seule solution possible. Il opère en déployant une duperie extraordinairement complexe. Il reste loyal envers les siens : il n'a pas dénoncé son protégé qui a braqué la pharmacie Whalen et le fourgon du shérif rempli de billets de banque. Scotty présume que les trois hommes tués dans Griffith Park ont été assassinés par Dudley et Ace Kwan – mais sur le schéma, l'acolyte de Dudley est désigné par les initiales « C. N. », comme « complice non-identifié ». Sa participation à cette exécution sommaire était motivée par les valeurs qui sont les siennes en tant que père, et aussi par son désir de venger une jeune femme massacrée. Scotty a scruté soigneusement ce schéma à trois reprises. Il pense que Dudley a créé ce document afin de pouvoir se rappeler tout ce qu'il a fait depuis l'attaque de la pharmacie, l'assassinat des Watanabe, et l'attaque de Pearl Harbor. Il l'a conçu comme un objet de réflexion et un aide-mémoire. S'il me hante, à présent, c'est parce que j'y vois les aveux d'un homme fondamentalement malfaisant mais aussi incroyablement talentueux. Voilà des heures que je retourne ce paradoxe dans ma tête. J'ai fini par penser que Dudley avait omis un élément – peut-être horrible, peut-être banal, mais certainement révélateur – et que celui-ci est lié à ses relations avec Bette Davis.

D'autre part, je suis stupéfaite de ne pas éprouver de haine pour cet homme fondamentalement malfaisant. Et d'être son obligée comme je suis celle de Bill Parker. Leur échange de promesses a assuré ma liberté, et celle de Claire et de tous les autres. Le sergent Smith et le capitaine Parker tiendront le serment qu'ils ont prêté devant Dieu, je n'ai aucun doute à ce sujet. À mes yeux, cette promesse partagée ne manque pas de grandeur, et bien qu'elle soit entachée d'opportunisme, de corruption et d'égoïsme, elle prouve la capacité de l'infini à influer sur l'ordre du monde. Que des hommes aussi implacables aient accès à un tel pouvoir rabaisse mes récentes machinations et fait de moi une âme bien médiocre.

Les détails du schéma ne cessent de se révéler. Je reste effarée par le projet de Pierce Patchett qui veut utiliser la chirurgie esthétique pour recréer des femmes à l'image de stars de l'écran. Mon nez est cassé et maintenu par une attelle ; j'ai moi-même réussi une recréation partielle. Ma bagarre avec Dot Rothstein est comme un écho des sévices infligés à Claire par cette même Dot Rothstein. J'ai appris ce fait en lisant une brochure écrite par Claire. Elle l'a rédigée pour G. L. K. Smith – c'est ce que dit le schéma de Dudley.

Le téléphone sonne. Je rentre dans la maison pour prendre l'appel.

– Allô ?

– Kay ? dit Hideo Ashida. J'espère qu'il n'est pas trop tard pour vous appeler.

Le larbin de Dudley Smith déborde de déférence.

– Je suis toujours surprise d'avoir de vos nouvelles, et toujours ravie de parler, donc l'heure importe peu.

– J'ai entendu subrepticement deux appels téléphoniques passés par le maire, Fletcher Bowron, mais je ne peux pas vous dire comment j'ai procédé.

*Parce que vous ignorez ce que je sais précisément à votre sujet ? Parce que vous pensez que je suis prête à croire tout ce que vous direz ?* Je lui réponds :

– S'il vous plaît, racontez-moi ça quand même.

– J'ai entendu une conversation entre Bowron et le directeur de la police, Horrall. Ils ont l'intention de constituer un « dossier à charge » sur le capitaine Parker, pour l'empêcher d'accéder au poste de directeur. Il y a cet appel-là, et puis un autre au cours duquel Bowron demande à votre amie Brenda de lui réserver une fille pour lundi soir.

*Donc, vous m'avez appelée. Parce que le capitaine Parker sait de quel côté vous vous êtes rangé. Donc, vous m'avez appelée. Parce que le capitaine Parker aurait refusé de croire à votre histoire. Donc, vous m'avez appelée. Parce que vous pourriez avoir besoin du capitaine Parker un jour et que cette maladroite mise en garde vous servira peut-être alors.*

Je raccroche. Je pense à Pierce Patchett ; il me vient une idée et je reprends mon téléphone.

J'appelle Brenda. À minuit, elle ne dort pas encore. Elle commence à me poser des questions sur mon séjour à l'hôpital. Je lui coupe la parole, je lui dis de dénicher Elmer et de me rejoindre au bar Dave's Blue Room, immédiatement.

Brenda me bafouille *à tout de suite*. Je raccroche, prends mon manteau, et descends le Strip. Il y a peu de clients au Blue Room ; je trouve un box au fond de la salle. Le regard du serveur s'attarde sur l'attelle de mon nez. Je commande un whiskey à l'eau et lui dis :

– Vous auriez dû voir la tête de l'autre fille.

Il sourit et me laisse tranquille. J'écoute le bulletin d'informations que diffuse une radio fixée au mur.

On a repéré des sous-marins japs près de Monterey. Ces sous-marins ont attaqué des cargos au nord de San Francisco. La nouvelle me renvoie au schéma et à l'attaque contre la crique de Goleta.

Le serveur m'apporte mon verre. Je sors mon poudrier et je m'examine dans le miroir. J'ai de vilaines ecchymoses sous les yeux ; sur mon nez, les coupures ont séché et formé des croûtes. J'avale une gorgée de mon whiskey et j'arrache l'attelle de mon nez. Ça fait *mal* – mais ça ne saigne pas.

Brenda et Elmer me rejoignent. Elmer me dit :

– Je t'aimais mieux couverte de gaze. Cela te donnait un panache dont tu ne peux même pas rêver à ton âge.

Brenda me prévient :

– Il vaudrait mieux pour toi, citoyenne, que tes révélations en vaillent la peine.

Je leur fais de la place à tous les deux. Je leur livre mon compte rendu, moins quelques omissions soigneusement choisies. Jack Horrall et Fletch Bowron se sont entendus pour nuire à Parker. J'ai eu connaissance d'informations fiables qui pourraient nuire sévèrement à *leurs* affaires. Un entrepreneur jouissant d'une protection policière a pour projet de faire travailler un cheptel de prostituées remodelées par un chirurgien pour ressembler à des vedettes de cinéma. La nouvelle arrache un cri à Brenda. Elmer tripote son cigare.

Jack et Fletch ont décidé de constituer un « dossier à charge » contre Parker. Jack va certainement couvrir l'opération de l'homme d'affaires. Pour eux, Parker serait un excellent allié. Parker pourrait très bien accéder au poste de directeur du LAPD. Fletch leur a demandé une fille pour égayer sa soirée de lundi. Pensez : *chantage*. Pensez : *menace de révéler un écart de conduite*. Pensez : *mettre le holà à ce maquereautage de putes remodelées avant même son lancement*. Vous avez deux solutions : tout faire pour l'empêcher, ou ne rien faire.

Elmer objecte :

– Rien ne garantit que Parker décrochera le poste de directeur, et s'il ne l'a pas, nous n'aurons plus de protection.

Je lui réplique :

– C'est un risque à prendre. En attendant, vous aurez étouffé dans l'œuf ce nouveau concurrent, et nous aurons pris nos précautions pour que Fletch ne dise pas à Jack qu'on lui a forcé la main. C'est une manœuvre pour assurer votre tranquillité à l'avenir. Si vous faites chanter Fletch maintenant, il pourra préparer le terrain et dire à Horrall : *Jack, je ne suis plus tellement chaud, au sujet de cette idée.*

Brenda résume :

– Faire chanter le maire de Los Angeles, *maintenant*. Barrer la route à ce rival, *maintenant*. Et lâcher l'affaire si ton copain Bill n'obtient pas le poste et que ça tourne au vinaigre.

J'insiste :

– Oui. Et notre manœuvre ira jusqu'au bout, avec tous les gens qu'il faut aux bons endroits pour qu'elle réussisse.

Elmer ajoute :

– Si Parker est dans le coup dès le départ, avec une poignée de main convaincante, je serais tenté de dire : *D'accord !*

Brenda allume une cigarette.

– Je ne peux pas prendre le risque d'utiliser une de nos filles comme appât. Miss Katherine Lake, qui vient de mettre la Dotstress K.O., fait son intéressante – mais elle ne livre aucun nom, dans cette affaire. Je suis sceptique, citoyens.

J'enchaîne :

– Il y a des noms que vous reconnaîtrez, et des noms que vous respecterez. Vous voudrez que quelqu'un comme Parker soit de votre côté. Vous le voudrez, car même si vous ne lui faites pas confiance maintenant, vous aurez confiance en lui lorsqu'il vous aura donné sa parole.

Elmer rallume son cigare.

– Je suis tenté de dire oui, en ce cas. Puisque cette idée de putes refaites s'annonce comme un projet en béton soutenu par des gens puissants, nous serions idiots de ne pas tenter quelque chose.

J'allume une cigarette.

– C'est moi qui servirai d'appât. Un soupçon d'Helena Rubinstein n° 9, et Fletch ne se doutera jamais que je sors d'un crêpage de chignons.

# 21 décembre 1941

# 91

**00 h 52**

Parker patrouille dans Pacific Palisades. Black-out sur le littoral, pour la quinzième nuit.

On a fortifié Ocean Avenue. Alerte aux sous-marins. Alerte aux tireurs isolés. Des guetteurs de sous-marins sont alignés sur les hauteurs. De gros projecteurs balaient l'océan.

Ce salopard de tireur isolé rôde quelque part. Dans Ocean Avenue, on a triplé les effectifs. Thad Brown travaille en liaison avec la police de Santa Monica. Le tireur isolé est armé d'une carabine à canon scié. Thad fait examiner tous les relevés de ventes d'armes.

Les militaires campent dans les collines. Les tentes à deux places s'étalent depuis Pico jusqu'à Wilshire. On a posté un guetteur tous les dix mètres. La peur qu'inspirent les sous-marins est un truc bizarre. C'est un peu comme si on redoutait des loups-garous surgis des bas-fonds.

La peur du loup. Parker pense à Hideo Ashida et à l'attaque contre Goleta.

Il oblique vers l'est dans Wilshire. La circulation est inexistante. Les feux de signalisation sont entourés de cellophane. Le black-out s'étend jusqu'à la limite de la ville de Los Angeles. Parker roule au hasard. Sa maison est piégée.

Sa femme le harcèle. Il est assailli d'appels téléphoniques. Il n'arrive pas à dormir. Le dernier appel reçu l'a assommé.

C'était celui de Hideo Ashida. La rumeur a circulé d'une trêve Parker-Dudley Smith. Ashida s'est excusé de l'avoir mouchardé. Il lui a léché les bottes, sur un ton hypocrite.

*Lui*, Parker, a répliqué avec brusquerie. Le Dudster l'a surpassé dans le rôle de protecteur, et c'est ce qu'il dit clairement à Ashida.

665

Ce dernier lui rapporte deux conversations téléphoniques qu'il a surprises.

Appelez-moi-Jack et Fletch Bowron ont parlé de lui. Ils manigancent un « dossier à charge » contre lui pour briser sa carrière. Fletch a appelé Brenda Allen, pour qu'elle lui réserve une fille.

Ashida était dans tous ses états. Il a fait ses choix. Il s'est rangé du côté de Dudley. Cela a effacé l'ardoise de ses initiatives personnelles menées en franc-tireur. Mais cela ne lui permettra pas d'échapper à l'internement administratif.

La peur des sous-marins. Un dossier à charge. Parker roule au hasard. Parker se rappelle les paroles de Dudley Smith :

*Vous avez le droit, avec ou sans l'aide du D<sup>r</sup> Ashida, de poursuivre la tâche exaltante consistant à retrouver des hommes blancs en pull violet, mais vous n'aurez pas celui de présenter, ni aux autorités ni au public, les preuves qu'un suspect autre que M. Shudo a tué la famille Watanabe.*

Parker tourne en direction du nord et se gare. Il fait froid. Il laisse tourner le moteur et met le chauffage.

Il a lu des télétypes. Le nombre des accidents mortels sur la voie publique est en hausse. Les Japs évadés sont coincés au nord de Monrovia. Les collines grouillent de flics. La Hearst Rifle Team rôde.

Dossier à charge. Boomerang moral. Son profil de Claire De Haven. À présent, c'est Dieu qui l'inculpe.

Parker repart et se rend à Santa Monica Canyon. La villa de Larkin est toujours là, la rue toujours aussi déserte.

Il empoigne une barre de fer et une boîte de nourriture pour poissons. Il s'approche de la porte et la force. Il la referme derrière lui. Il bascule un interrupteur et obtient de la lumière. La compagnie d'électricité en sera pour ses frais. Les morts sont éclairés gratuitement.

Dans le salon, la rigole aux carpes scintille. Les koï remontent à la surface et le regardent. Il verse la moitié de la nourriture dans l'eau. Les koï l'avalent.

*Qui est l'homme blanc au pull violet ?*

Parker entre dans la chambre. Il allume la lumière et voit le bassin aux carpes à l'extérieur de la maison. Il ouvre la porte donnant sur la terrasse. L'eau du bassin miroite. Les carpes le regardent. Il les nourrit. Il vide la boîte de nourriture pour poissons. Les carpes foncent dessus et se gavent.

Son coup de poker est hasardeux. Les cachettes sont rares. Les Watanabe avaient une cache secrète ; Ashida l'a décrite dans ses aveux.

*Qui est l'homme blanc au pull violet ?*

Parker traverse la maison.

Il ouvre des placards. Il fouille des tiroirs. Il sonde les murs en tendant l'oreille. Il s'énerve. Il perd patience. Il dit aux carpes qu'il va leur construire un joli bassin dans son jardin. Qu'il les protégera des chats et des chiens.

*Bon, très bien.*

Il se plante au centre du salon. Il ramasse sa barre de fer et en frappe violemment le plancher. Il fend les lattes. À chaque fois qu'il assène un coup, un élancement lui transperce le bras. Sous le plancher, il ne voit que de la terre.

Il continue. Encore. Encore. Et encore. Il donne des coups de barre de fer au plancher et aux murs du salon. Il compte les coups. Il s'arrête à quarante-trois. Il ne voit que des plaques de plâtre et de la terre. Il continue le travail en retournant vers la chambre. Il ne sent plus ses muscles. Il passe dans la chambre et la démolit.

Il frappe à coups de barre de fer le plancher et les murs de la chambre. Il ne voit que des plaques de plâtre et de la terre. Il se déchire les mains. Elles saignent. Il soulève les lattes de parquet qui entourent le lit et renverse la literie dans la terre mise à nu. Il transpire tant que ses vêtements, trempés, s'assombrissent. Il s'épuise au point de ne plus sentir ses membres. Il détruit tout sur son chemin, jusqu'à la terrasse. Il réduit les murs en poussière et les planchers en copeaux de bois qui se mêlent à la terre.

Il voit l'aube se lever. Cela ne l'émeut pas. Il frappe le plancher, il détruit le plancher, il *bombarde* le plancher. Il continue de compter les coups. Il atteint le nombre de deux cent quatre-vingt-six.

Et il trouve un classeur, qui gît à plat sur la couche de terre. Il ressemble au *premier* classeur. Lorsqu'il est venu avec Ashida. Ils l'ont trouvé ensemble. Parker le ramasse et le feuillette. Les pages sont écrites en japonais.

## 92

**9 h 17**

Il a passé un costume à fines rayures blanches et apporté des fleurs. Il arrive tout droit de la messe. Whiskey Bill n'est pas venu. Cela a irrité l'archevêque.

C'est une résidence si majestueuse. Une demeure digne d'un propriétaire de plantation, sans moricauds aux alentours. Un homme d'une taille impressionnante tond le gazon dans le jardin voisin. C'est Serge Rachmaninoff.

Dudley sonne à la porte. Claire De Haven lui ouvre. Ses cheveux sont coupés court. Elle les a couverts d'un foulard bleu.

Il sent sur elle l'odeur de la messe. Elle a allumé des cierges et s'est couvert la tête pour se présenter devant Dieu.

Elle lui sourit et accepte ses fleurs. Il ôte son chapeau.

– Miss De Haven, dit-il.

– Sergent Smith, réplique-t-elle.

Il capte le parfum de ses sels de bain. A-t-elle remarqué celui de Bette ? Ils ont fait l'amour toute la nuit. Elle l'a quitté pour se rendre à un petit déjeuner donné par le studio.

Claire s'écarte. Dudley entre. Le décor dans lequel elle vit est stupéfiant.

Brocart de soie, ébène, jade. Toiles modernistes aux murs. Le classique, l'exquis, le chic.

– Désapprouverais-je les festivités qui se déroulent ici ?

Claire referme la porte.

– Non, parce que vous les observeriez d'un regard plus perplexe que désapprobateur. L'esprit des festivités pourrait vous plaire, mais les bavardages vous porteraient sur les nerfs.

Il lui passe son feutre. Elle l'envoie planer vers l'autre bout de la pièce. Il atterrit impeccablement sur le porte-chapeaux.

Dudley applaudit. Claire lui touche le bras et désigne un canapé de cuir rouge. Elle a servi le thé. Pour deux. Elle s'attendait à recevoir une visite.

Dudley s'assied à sa droite. Claire tient son bouquet sur ses genoux.

— Je savais que vous viendriez en personne, au lieu de m'appeler.

— Je vous aurais envoyé des fleurs, si vous n'aviez pas téléphoné et laissé ce message.

Claire lance le bouquet. Il vole à travers la pièce. Il atterrit sans mal sur une causeuse.

— Vous êtes habile. Vous êtes une cavalière douée, une excellente joueuse de tennis, et une golfeuse à petit handicap. Cela vous a-t-il déçue d'acquérir ces compétences avec tant de facilité ? Vous aimez vous divertir dans le luxe tout en méprisant celui-ci et en complotant contre lui. La débauche et la révolution étaient-elles les seules voies qu'il vous restait ?

— Vous êtes bien volubile, commente Claire. Vous êtes un inquisiteur et un interlocuteur aux talents hors du commun, et vous comprenez parfaitement que je n'accepte pas de compliments sans émettre de réserves. Vous avez pu découvrir mes prouesses sportives dans l'annuaire mondain de Los Angeles, ou les apprendre de la bouche de Terry Lux, comme j'ai recueilli des informations sur vous grâce à Terry et Joe Hayes. Vous ne l'avez pas fait, cependant. Vous avez préféré la voie de la conjecture, en suivant un raisonnement logique, et j'en suis flattée et très impressionnée.

Son foulard est assorti à la couleur de ses yeux. Claire s'aperçoit que Dudley a remarqué ce détail. Elle dénoue le foulard et s'en débarrasse. Sa chevelure à la Jeanne d'Arc resplendit.

— J'ai vu le film de Dreyer de nombreuses fois. Il a fait sensation à Dublin, m'ont dit mes cousins. L'extase religieuse et le martyre, le tout baigné de marxisme. Les apparatchiks de l'église ne savaient pas s'ils devaient se la mordre ou se la mettre derrière l'oreille.

— Ils ont fait les deux, réplique Claire. Et Dreyer était un protestant. Ils ont vu Luther d'un bout à l'autre de ce film.

— Y a-t-il jamais eu de plus grand tyran que Luther ?

— Je pense à Hitler.

— Et pas à l'Oncle Joe Staline ?

— Prenons les combats qui se déroulent actuellement sur le front russe. À l'est, « Oncle Joe » va saigner Hitler à blanc, et faciliter l'alliance occidentale dans la dernière division des possessions européennes. Ce qui doit vous déplaire, étant donné vos propres menées révolutionnaires contre la Grande-Bretagne.

— Les Irlandais ont allumé des feux pour guider les avions de la Luftwaffe partis bombarder Londres. C'est Gerald L. K. Smith qui me l'a rappelé récemment. Il m'a également appris que vous aviez acheté un bon nombre de ses pamphlets de gauche, et que vous en aviez écrit un vous-même.

Claire sert le thé.

— Il critiquait copieusement les agissements de votre police. J'ai choisi un de vos collègues et j'ai dressé son portrait parce qu'il me semblait typique. Je ne vous dirai pas de qui il s'agit, mais je suis sûre que vous le connaissez. Si vous n'avez pas lu mon pamphlet, vous serez capable d'extrapoler.

Dudley sourit.

— Je n'ai pas lu votre brochure, et je ne me risquerai pas à jouer aux devinettes. Mais vous allez peut-être me faire languir un moment et puis finir par me le dire.

Claire lui passe sa tasse et sa soucoupe.

— Aujourd'hui, sergent, avant que vous ne repartiez, je vais vous faire une avalanche de confidences. Je suis extrêmement curieuse de voir sur quels sujets vous ne me poserez pas de questions.

Dudley répond :

— Le pasteur Smith et moi avons discuté du populisme, des actions utiles, et des intérêts personnels mal définis qui remplacent et définissent pour l'essentiel la gauche et la droite. Je dirais que nous coexistons, vous et moi, sur cette orbite. Je me sens honoré que vous placiez les actions délictueuses que j'ai commises en Irlande dans le contexte d'une révolte ouvrière, mais je dois vous informer que je suis tsariste au même degré que votre voisin, M. Rachmaninoff.

Claire sourit, effaçant les rares traits qui donnaient une certaine dureté à son visage.

— Avez-vous entendu son Prélude Opus 32, numéro 10 ? C'est un peu son manifeste sur cette question.

Dudley avale une gorgée de thé.

— Je l'écoute régulièrement sur mon phonographe. C'est son traité sur l'exil. Je l'écoute lorsque l'Irlande commence à me manquer de façon excessive. Le maestro me rappelle que je ne pourrai jamais y retourner.

Claire ouvre un coffret en ébène. Dudley y prend deux cigarettes. Claire lui tend un briquet. Dudley les allume toutes les deux.

C'est un grand plaisir. Qui leur manquait pareillement. Ils en rient et lancent un nuage de fumée vers le plafond. Claire demande :

— Kay était-elle une taupe de la police ?

— Oui, répond Dudley. Mais une taupe terriblement prise au piège.

— Et prise au piège par qui ?

— Par le policier que vous avez décrit comme typique, mais dont vous avez judicieusement refusé de révéler le nom.

— Pensez-vous que c'est mon pamphlet qui l'a poussé à s'intéresser à moi ?

— Cela m'étonnerait qu'il l'ait lu. Cet homme est puissamment attiré par les femmes provocantes, et il échafaude avec elles des relations en forme de parcours dangereux.

— Et qui a obtenu ma libération ?

— Cet homme et moi avons conclu un pacte, en présence de l'archevêque. Votre libération en faisait partie, à l'instigation de cet homme. Il est coutumier des gestes généreux, ce qui n'est pas mon cas.

Claire écrase sa cigarette.

— Je contesterai le moment venu la dernière partie de cette affirmation, et je citerai notre rencontre dans une cellule capitonnée vendredi soir. Ce qui m'intéresse dans l'immédiat, c'est de savoir pourquoi vous avez accédé aux exigences de cet homme.

Dudley écrase sa cigarette.

— Vos camarades et vous ne me paraissez être ni des factieux, ni des traîtres, de quelque façon que ce soit. Je suis choqué par l'hystérie actuelle provoquée par la guerre, ainsi que par la haine raciale qui en découle. Puisque Monseigneur Hayes vous a brièvement résumé mes débuts dans la vie, et que vous étiez, la première fois que je vous ai vue, dans une période de débauche extrême que vous avez habilement transcendée, j'ai attribué à ce moment une signification dont je sais à présent qu'elle est juste. Il y était question de *la foi*. C'est vous-même qui me l'avez dit, et vous aviez raison. Je savais que l'éternel opportuniste Terry Lux vous détaillerait mes projets en cours avec Ace Kwan, Preston Exley et Pierce Patchett, et que vous seriez prête à prendre des risques, quitte à entamer votre capital et à bousculer vos idéaux, pour investir dans l'affaire.

Claire se touche les cheveux. Claire désigne un coffret en bois laqué, sur la table basse.

— Kay Lake m'a fragilisée. Je savais qu'elle n'était pas sincère, mais je n'avais pas la force de lui résister. Elle a ressuscité la comédienne qui était en moi et lui a donné un élan nouveau. Je me suis sentie prise d'un désir d'assumer un rôle dans des contextes périlleux qui mettraient mes convictions à l'épreuve, tout en me laissant conserver mon intégrité innée. Terry m'a appris que vous seriez nommé dans les services de renseignement de l'armée au Nouvel An. Quels que soient vos conflits d'opinion, vous partirez faire cette guerre. J'espérais que mes compétences naturelles et mon analyse du caractère de Kay Lake pourraient être utiles à la cause Anti-Axe, et que nous pourrions tous deux en tirer profit, à la fois sur un plan personnel et sur le plan financier.

Dudley boit du thé. Il entre en lévitation. La tasse et la soucoupe tremblent.

– Et qu'est-ce qui vous a poussée à cela ? En plus de la démarche logique que vous venez de me décrire ?

– Vendredi soir, j'ai vu de la clémence dans votre regard. J'y ai vu une réprimande adressée à Terry Lux, ainsi que le désir de ne pas me faire de mal.

Le coffret est rouge et or. Des dragons et des courtisanes le décorent. Claire soulève le couvercle. Des coupures de cent dollars y sont empilées.

– Il y a cinquante mille dollars. Non pas que j'approuve vos projets, mais c'est simplement que je vois l'internement administratif comme inévitable. Je me permets d'insister sur la nécessité de prendre des mesures qui empêcheront messieurs Kwan et Exley de saigner à blanc les gens qui voudront éviter l'internement, et je compte sur vous pour les traiter de façon plus humaine que ne le fait le gouvernement des États-Unis.

Dudley repose sa tasse. Elle heurte la soucoupe.

Claire dit :

– Je sens sur vous l'odeur d'une femme.

– Il y a une bête en moi, réplique Dudley. Je détruis ceux que je ne peux pas maîtriser. Je dois m'assurer que mes proches partagent mes centres d'intérêt. Dans les limites de ce cadre, je me montre bienveillant. Lorsque j'en sors, je suis exécrable.

– Je le sais, dit Claire.

– J'espère un poste au Mexique. Je parle l'espagnol couramment, et la cinquième colonne est très active à Mexico, tout comme les cellules allemandes de droite le sont dans la ravissante ville d'Acapulco. Un sacré pays, le Mexique.

Claire sourit.

– Je parle couramment l'espagnol et l'allemand.

Leurs regards se séparent. Celui de Dudley s'attarde sur certains objets. La toile de Kandinsky. Une partition de musique dans un cadre doré. C'est le prélude de Rachmaninoff inspiré par son exil. Il en est sûr.

Ils se regardent de nouveau. Dudley remarque des bosses symétriques sur son nez. Elle porte des lunettes, à l'occasion. À monture d'écaille, apparemment.

Claire lui dit :

– Il me semble que vous seriez l'homme idéal avec qui passer cette guerre.

– Vraiment ? C'est *vous* qui pensez cela ?

## 10 h 27

Claire a des taches de rousseur. Cela le ravit plus que tout le reste.

Le tour du propriétaire. Les choses qu'elle lui dit. La chambre, qu'elle garde pour la fin.

Chaque meuble, chaque bibelot le stupéfie. Leur esthétique satirise sa fortune et canonise son appartenance à la gauche. L'ensemble est à la fois homogène et discordant. Les volumes de sa bibliothèque vont des classiques au réalisme social. Elle possède les œuvres complètes de saint Augustin. Claire a étudié la poésie religieuse et concède que Marx a tort au sujet de Dieu. Elle a lu les ouvrages de Stanislavski sur le travail de l'acteur, et elle soutient que Kay Lake les connaît aussi. Ses disques sont classés par ordre alphabétique, de Bach à Wieniawski. Claire et Dudley aiment pareillement les symphonies de Bruckner.

Elle loue une chambre à deux de ses esclaves. Cela lui permet de les avoir à portée de main. Elle éprouve du dédain pour les hommes faibles et se sert d'eux pour satisfaire ses caprices. Elle évoque Hideo Ashida et dit de lui qu'il a sapé la vraisemblance du personnage que jouait Kay Lake. Le D$^r$ Ashida a fait tinter la sonnette d'alarme en présence de Miss Lake. Quand il incarnait l'amant de celle-ci, il n'était pas convaincant. Claire est devenue la proie de *La Grande Kay*. Pour sa part, elle était *La Grande Jeanne* et portée à un égalitarisme problématique. Kay Lake est une moins que rien venue du Dakota du Sud. Claire le sait depuis le début. Ce n'est pas de sa propre initiative que Kay a assisté au concert de Paul Robeson. Quelqu'un lui en a probablement donné l'ordre. Elle n'aurait jamais dû allumer la cigarette de cette fille.

Dans la chambre de Claire, les portraits qui décorent les murs sont ceux de *La Grande Jeanne* et de *Nao Hamano*. La Japonaise suicidée rappelle à Dudley la mort de Goro Shigeta. Ce souvenir s'accompagne de l'écho des détonations et du verre brisé. Sur son schéma,

Dudley n'a pas inscrit *G.S.* pour y inclure Goro Shigeta. Il garde cette révélation pour Bette. Elle lui a demandé : *Tue un Jap pour moi.* Il lui en parlera lorsque le meilleur moment pour cela se présentera. Il se demande si Claire remarque toujours l'odeur de Bette.

Elle lui montre le pamphlet qu'elle a écrit pour Gerald L. K. Smith.

Sa diatribe est tout à fait dans l'air du temps. Dans la police, sa bête noire est William H. Parker. C'est le catholicisme de ce dernier qui a déclenché la conversion de Claire à un humanisme de gauche. Sa croisade anti-Parker se résume au présent pamphlet. La croisade anti-Claire de William Parker ne mentionne pas ledit pamphlet, ni l'événement historique qui l'a suscité. Parker était à la recherche de jeunes femmes sur lesquelles il pourrait exercer son autorité, et il a choisi Kay et Claire. Heureux hasard ou funeste destin : Claire De Haven fréquentait la même église que D. L. Smith et W. H. Parker. Le sergent Smith et le capitaine n'ont jamais remarqué Miss De Haven. Miss De Haven, pour sa part, a noté leur présence.

Claire et Dudley ont un adversaire en commun. Il décide de ne pas le lui dire. Cela pourrait compromettre ce qui pourrait surgir entre eux deux. Cela pourrait compromettre la promesse qu'il a faite à cet homme.

Dudley lit le pamphlet de Claire tandis que celle-ci se tient à ses côtés. Il est ébloui par le portrait incisif qu'elle brosse de l'oppresseur botté. Plus ça change, plus c'est la même chose : Dot Rothstein pelote Claire dans une cellule du commissariat central. Kay Lake larde Dot de coups de couteau. Claire gît sans connaissance, deux cellules plus loin.

Ils sortent sur la terrasse. La vue englobe Beverly Hills et les montagnes de Santa Monica. Dudley raconte son dialogue avec le loup, sur la lande. Claire décrit deux de ses espiègleries, commises en 1924 ou peu après. Son père l'emmène à un gala, au Country Club d'Annandale. Elle est atterrée d'apprendre qu'aucun Juif n'est admis dans ce club. S'éclipsant discrètement, elle se rend dans la remise du jardinier et vole un sac de chaux vive. Sur le green du neuvième trou, elle brûle l'herbe en dessinant à la chaux vive les contours d'une étoile de David. Ça ne lui suffit pas. Elle a entendu dire que la Légion d'Argent organise un rassemblement, ce soir-là, du côté d'Angeles Crest. Elle emprunte la voiture de son père, avec une idée en tête : jouer les incendiaires. Le coffre contient une caisse d'alcool de grain, distillé illégalement. Elle trouve le campement de la Légion d'Argent et débouche les bouteilles dans l'abri qui contient leur matériel. Elle improvise une mèche à l'aide de bandelettes de papier journal. Une seule allumette fait brûler des douzaines de tracts racistes et des robes de nativistes.

Ces histoires font rire Dudley. Elle lui touche le bras. Elle lui confie :

– J'ai des taches de rousseur.

– Montrez-les-moi, s'il vous plaît, dit-il.

## 14 h 17

Ce qu'elle fait. Il tente de les compter et perd le fil vers deux cents et quelques. Il les embrasse par grappes.

Les fenêtres donnant sur la terrasse sont éclairées par le soleil. Au fil des heures, la chaleur qu'il dispense cède la place à la fraîcheur d'un crépuscule précoce. Ils gardent les yeux ouverts et se disent pourquoi. Nous ne devons pas rater la première fois que quelque chose nous arrive.

Dudley montre à Claire la cicatrice qu'il a gardée d'une émeute dans une prison d'Irlande du Nord. Elle a la forme d'une clé de cellule chauffée au rouge.

Elle lui fait revivre un meeting à Pershing Square en 1935. Ce jour-là, les collègues de Dudley ne portaient pas des uniformes bleus, mais des chemises brunes. Les cavaliers ont chargé. Le mors d'un cheval lui a entamé l'épaule. Un étrier lui a tailladé la cuisse.

Elle est plus grande et plus forte que Bette. Elle l'embrasse plus goulûment. Elle le manipule à sa guise selon son bon plaisir. Elle dit son nom plus souvent. Elle rougit davantage. Sa peau est plus chaude. Ils ne cessent de s'embrasser tout au long de l'étreinte. Claire transpire abondamment, comme ce jour où il l'a vue dans le sudatorium du docteur Terry. La sueur rend ses cheveux plus foncés et coule sur leurs lèvres.

Dudley embrasse les aisselles de Claire. Il frotte du bout du nez ce que le rasoir a laissé de sa pilosité. Il prend les doigts de Claire et les met dans sa bouche.

Ils partagent la même fièvre qui passe de l'un à l'autre. Claire en est reconnaissante à Dudley. Elle le lui dit. Elle répète son nom et le remercie. Combien de fois ? Il ne sait plus, il a perdu le fil. Claire le serre contre elle à chaque fois qu'il dit : *Claire*.

Elle s'endort près de lui. Son nom s'évanouit dans un murmure. Il sait alors qu'elle a succombé au sommeil. Il se rhabille dans le noir et descend au rez-de-chaussée. Il remplace le coffret laqué par un volume de Shakespeare qu'il laisse ouvert. Elle verra la page et trouvera la réplique qu'il lui destine. *Othello*. L'Irlandais fou dans le rôle du Maure fou :

*Que la perdition s'empare de mon âme, si je ne t'aime pas !*

Quand il regagne sa voiture, il ne touche plus le sol. Il se rend tout droit à Chinatown.

Breuning et Carlisle viennent le rejoindre. Leur point de rendez-vous, c'est le parking d'Alameda. Breuning et Carlisle vont apporter des fusils à pompe. Jack Webb les appellera à la cabine du carrefour.

La partie de dominos chinois devrait durer toute la nuit. L'exaspérant Jack Webb les tiendra au courant des pertes et des gains. Les sommes mises en jeu par l'établissement ne comptent pas : c'est de l'argent investi par Ace Kwan et Dudley Smith, pour commencer. Ce qu'ils doivent récupérer, c'est celui qu'apporteront les clients.

Les clients : des Chinetoques membres du même Tong, venus de San Francisco. Ils ont prévu de descendre jusqu'à Tijuana, en participant à une partie de dominos chinois à chaque étape. Leur projet pour le Nouvel An : on va fêter 1942 en fanfare. À minuit, on ira au spectacle de bourricot.

Ace a prédit un magot de 60 000 dollars en espèces. Ils auront peut-être le total avec eux. À moins qu'ils ne laissent une réserve dans leur voiture.

Dudley atteint Chinatown. Il tombe sur un barrage au carrefour Alpine Street-Broadway. Quatre agents en tenue montent la garde. Ray Pinker examine un coupé Ford 1932. C'est un modèle à toit surbaissé dont les ailes sont munies de cache-roues.

Un agent fait signe à Dudley d'avancer. Dudley s'arrête près de lui et lui montre son insigne. L'agent le salue.

– C'est les Japs, sergent. Quatre Japs ont abandonné cette guimbarde, et puis ils ont piqué une Ford 1936 décorée à la chinetoque. M. Pinker fait des relevés, sergent, et nous avons un témoin oculaire. Vous voulez mon avis ? S'ils ont fauché une bagnole qui venait de Chinatown, c'est pour se faire passer pour des Chinetoques.

Des Japs. *Les* Japs. Venus des collines de San Gabriel.

Dudley salue l'agent. Celui-ci déplace un cheval de frise et lui fait signe de passer. Dudley rejoint le parking. Breuning et Carlisle se tiennent près de leur voiture de police noir et blanc. Breuning se dirige vers Dudley.

– C'est la nuit rêvée pour faire ce boulot, sergent.

– Je crois qu'on veillera jusqu'à l'aube, dit Dudley, mais vous avez raison.

– Où est Scotty ? Ce serait bien dans ses cordes, le boulot de cette nuit.

– Il est un peu à cran, mon garçon. Pour un bleu qui fait ce boulot depuis deux semaines seulement, il a connu une avalanche de coups durs plutôt éprouvante. Je lui ai accordé la permission, qu'il mérite grandement, d'entrer chez les Marines.

– On entendra parler de lui. Il va prendre d'assaut une petite île de rien du tout, et il bouffera les Japs tout crus.

– Peut-être, ou peut-être pas, mon garçon. C'est un jeune homme plutôt torturé, et il n'a que vingt ans.

Breuning allume une cigarette.

– J'ai fait un tour dans la salle de jeu, il y a une heure. Ace prenait un bain, il avait une montagne de fric sur la table, mais je ne sais rien au sujet de la réserve des types du Tong.

Dudley tend le bras en direction du nord.

– Ray Pinker examine une guimbarde abandonnée au carrefour Alpine Street-Broadway. Ce sont les Japs évadés qui l'ont laissée là, à moins que ce ne soient des Chinetoques – le témoin oculaire n'est sûr de rien. Allez sur place, faites-vous discrets, et récoltez des indices permettant de retrouver une trace. Les Japs font de bien meilleurs suspects que des moricauds partis faire un braquage.

Breuning fait un clin d'œil et détale. Dudley regarde sa montre et avale trois benzédrines.

22 h 58 ; 22 h 59 – 23 heures précises.

Dans la cabine du trottoir, le téléphone se met à sonner. Réglé comme une horloge, ce Jack Webb.

Dudley se dirige vers la cabine. Il décroche à la quatrième sonnerie.

– Bonsoir, mon garçon.

Jack est désireux de bien faire. C'est le brave toutou de Randolph Hearst et du LAPD. Le petit qui rapporte, et qui ne vit que pour ça.

– Les Chinetoques sont en train de lessiver Ace complètement. Ils parlent de jouer toute la nuit, et je n'ai vu aucune trace de ces Noirs dont vous m'avez parlé.

677

– Avez-vous vu la voiture dans laquelle ces Chinetoques sont arrivés ? Je sais que vous avez l'œil pour repérer les plaques d'immatriculation.

– C'est une berline Cadillac de 1939, répond Jack. Vert menthe, pneus à flancs blancs, et un genre de drapeau chinois fixé à l'antenne. Immatriculée BHO44 dans l'État de Californie.

– C'est du bon travail, mon garçon. Rentrez chez vous, maintenant. Allez commettre quelques mauvaises actions pour M. Hearst, ou profitez d'une bonne nuit de sommeil.

– Bien reçu, chef, dit Jack.

Dudley raccroche. Carlisle s'approche. Sa mimique signifie : *Quoi de neuf ?*

– Ça se passera au petit matin, mon garçon. Les joueurs venus d'ailleurs n'arrêtent pas de gagner, donc je suppose que leur réserve de billets est toujours dans la voiture. Je prédis qu'on trouvera à l'avant un Chinois endormi, avec une mallette attachée à son poignet par une paire de menottes.

– J'y avais pensé. Et comme on ne veut rien perdre du butin, j'ai apporté une scie à métaux.

Dudley fait un clin d'œil. Carlisle retourne à la voiture de police noir et blanc et fait des réussites sur le tableau de bord. Dudley retourne à son véhicule et bascule complètement le dossier de son siège.

Bette/Claire, Bette/Claire, Bette/Claire. Il les voit nues. Il se souvient de leur odeur. Claire lui a dit : *Merci*. Bette lui a dit : *Tu m'as contrariée gravement.*

Il fume cigarette sur cigarette et regarde la garniture intérieure du toit. Le Nouvel An, l'armée. La camarade Claire et Acapulco. Des gamins mexicains qui plongent du haut des falaises pour quelques pesos. Allez chercher, muchachos, allez chercher.

Le temps passe à toute vitesse. C'est la benzédrine qui fait ça. Breuning s'approche. Il tient un sac en papier.

– J'ai ramassé de la poussière et des fibres du tapis. Pinker me tournait le dos, alors j'ai glissé trois balles derrière la roue de secours. Elles seront identiques à celles qu'on va utiliser.

– Vous êtes passé devant chez Kwan ?

– J'ai jeté un coup d'œil dans le parking. Le type qui fait le guet est assis à l'arrière. Il a une grosse sacoche attachée au poignet, et il porte un gros calibre à la ceinture.

– Je m'occuperai de lui, dit Dudley. On les flinguera tous dans leur voiture. Les trois autres, ce sera pour Dick et vous.

Breuning émet un sifflement. Carlisle verrouille la voiture noir et blanc et apporte leur équipement. Des Magnum munis de silencieux. Une scie à métaux aux dents acérées.

Les deux hommes s'installent dans la voiture de Dudley. Ils se rendent chez Kwan. Il est 3 h 16. La Cadillac est la seule voiture garée dans le parking.

Dudley s'arrête trois places plus loin. Le type qui fait le guet doit être allongé. Aucune tête jaune n'est visible.

Ils se recroquevillent sur leurs sièges. Ils bavardent. Ils ne parlent que de la guerre et des femmes.

Breuning est d'origine allemande. Il rêve de descendre des Boches sous les ordres de George S. Patton. Carlisle ne jure que par l'aviation. Il a un fils de huit ans. Tous les deux, ils construisent des maquettes du Jap Zéro et les font exploser à l'aide de pétards.

Propos à bâtons rompus. La concubine de Lee Blanchard a lardé la Dotstress de coups de couteau. Terry Lux s'est occupé de Dot Rothstein et lui a recousu son nez de Juive. Breuning s'extasie sur Bette. Bon sang ! Bette Davis *m'a adressé la parole !*

Le Nouvel An qui approche. La salle de bal. *Perfidia.* Claire a dit : *Merci.* Bette a dit : *Tu m'as contrariée gravement.*

Ils se mettent à leur aise. Ils parlent de tout et de rien. Dick révèle qu'il en pince salement pour Ellen Drew. Il l'a vue dans un western – Bon sang ! Quelle beauté !

Breuning lui balance une douche froide : Elle crèche à l'hôtel Los Altos. Elle fait la pute pour Brenda Allen. Elmer Jackson la saute.

Ils se *ré*installent confortablement. Ils vident la flasque. Breuning sert de sentinelle. Dudley réactive l'effet de la benzédrine avec une gorgée de Jim Beam.

Le soleil se lève. La bagnole tong ne bouge pas. Les quatre vitres sont baissées. Le guetteur reste allongé.

6 h 09 ; 6 h 20 ; 6 h 43.

Ils se préparent. Carlisle distribue les foulards. Breuning charge les Magnum. Ils se masquent le visage, jusqu'au nez.

Dudley prend son Magnum et la scie. 6 h 44 ; 6 h 45 ; 6 h 46. Là-bas – la porte de la cuisine.

Trois Chinois en sortent.

Ils sourient jusqu'aux oreilles. Ils zigzaguent et se bousculent. Ace leur a servi des *mai tai* bien corsés.

Ils portent des cartons que Kwan utilise pour les commandes à livrer à domicile. Remplis de billets de banque, à déborder. Chaque Chinois en trimballe deux.

Le guetteur s'ébroue et se redresse sur son siège. L'un de ses poignets est entouré d'une menotte. Les Chinetoques parviennent à la voiture et s'y installent.

Trois portières claquent. Dudley dit : *On y va !*

Ils jaillissent. Deux enjambées leur suffisent. Breuning se charge du conducteur, Carlisle du passager.

Ils tirent à bout touchant. Les dum-dum arrachent les visages et déglinguent la colonne de direction.

Dudley abat le guetteur d'une balle dans l'oreille, et le quatrième larron d'une dans le cou. Les silencieux font leur boulot.

Les explosions projettent des shrapnels de crânes. Les paupières s'agitent. Maintenant ils se convulsent.

Breuning et Carlisle se démènent. On ouvre les portières, on rafle les cartons, on fout le camp !

Le guetteur se convulse. Dudley ouvre la portière et lui saisit le poignet. Dudley lui scie la main.

Breuning et Carlisle font vite. Ils répandent la poussière et les poils de tapis provenant de la guimbarde abandonnée par les Japs, ils raflent les cartons remplis de billets, ils regardent de nouveau leur patron.

Dudley s'empare de la sacoche. Elle pèse lourd, elle est bourrée de billets. Une main crispée est restée serrée autour de la poignée.

# 22 décembre 1941

# 93

LOS ANGELES | LUNDI 22 DÉCEMBRE 1941

**6 h 49**

Les sirènes se déchaînent. Cela ressemble à une alerte générale. Ashida évalue la distance. Ce n'est pas très loin, au nord-est. Peut-être à Chinatown. Peut-être à Lincoln Heights.

Il est au labo. En ce lundi matin, il a été le premier à prendre son service. Ray Pinker a passé la nuit au carrefour Alpine Street-Broadway. Un boulot de type Code 3. Les évadés ont abandonné un coupé Ford 1932 et volé une Ford 1936. Les évadés *probables* – Pinker insiste sur ce point.

Les conversations de la salle de garde montent jusqu'à lui par les conduits d'aération. *Un quadruple homicide derrière chez Kwan.* Ça chauffe, ça chauffe, ça chauffe. Appel à toutes les voitures, *maintenant*.

Ashida sirote son café. Il n'a pas réellement de travail à faire. Son vrai boulot, c'est d'attendre. Lui, c'est la Tache Jaune, à qui on a tout repris.

Un homme titube dans l'encadrement de la porte. Un poivrot. Il empeste le muscat bon marché.

– Si vous êtes bien le Dr Ashida, j'ai un paquet à vous remettre. C'est un gamin, un géant, qui m'a donné un dollar et une bouteille pour que je vous trouve.

Il a la langue pâteuse, il porte le bracelet de la cellule de dégrisement. Il agite une enveloppe en papier bulle. Ashida s'en empare. Le poivrot le regarde de plus près. *Hé ! Vous êtes jap !*

– Parlez-moi de ce gamin.

– Eh bien, ce que je trouve marrant, c'est que le gamin, c'est un flic. Il mesure pas loin de deux mètres, et il a un flingue. Il porte un costume marron et un nœud papillon écossais.

Ashida lui donne un dollar. Le poivrot fait demi-tour et s'en va. Ashida referme la porte et s'y adosse.

Il ouvre l'enveloppe. Elle contient quatre pages dactylographiées. Scotty s'est servi d'une machine à écrire de la brigade. La frappe est reconnaissable.

Ashida parcourt les pages du regard. Il comprend : Scotty a déchiffré le schéma de Dudley.

Ashida a vu ce schéma. Pour *lui*, c'était incompréhensible. Mais Scotty a décodé les hiéroglyphes extravagants de Dudley.

L'affaire Watanabe. Les « Débouchés connexes ». L'appropriation des terrains. Les deux « hommes blancs » enfin nommés. Ses propres aveux, retranscrits. Bill Parker, co-inculpé. Les projets conjoints de Dudley et d'Ace Kwan pour tirer profit de la guerre.

Ashida lit toutes les pages. Ashida se laisse glisser jusqu'au sol et bloque la porte.

La guerre. Des relents de cinquième colonne. Manœuvres d'espionnage. Schémas, journaux de bord, registres. Lettres laissées par des suicidés, documents falsifiés. Aveux extorqués. Déclarations notariées. Griffonnages déchiffrés. Serments échangés devant des prêtres.

*Qui est l'homme blanc au pull violet ? Nous avons TOUTES CES INFORMATIONS. Comment se fait-il que nous ne connaissions pas son identité ?*

Quelqu'un pousse la porte ? Quelqu'un dit : *Hé !*

Ashida sort une piécette et la lance. Scotty a fait bande à part. Il faut en informer quelqu'un. Ne réfléchis pas aux conséquences, contente-toi du pile ou face. Face pour Dudley, pile pour Whiskey Bill.

Il a lancé la pièce. C'est face. Il se relève et ouvre la porte. Les hommes de la garde de jour entrent les uns derrière les autres et le regardent d'un drôle d'air.

Il s'en va.

Il descend l'escalier et quitte le bâtiment. Il traverse la 1re Rue hors des clous. Les passants le regardent. Ils tiennent des journaux devant eux et se déplacent deux fois moins vite que lui. Ils sont plongés dans la première édition du *Herald* qui annonce : DES SOUS-MARINS JAPS RÔDENT LE LONG DE LA CÔTE !

Il se met à courir. Il arrive à l'hôtel de ville et monte au sixième niveau par le monte-charge. Appel général – *Quatre morts chez Kwan !*

Dudley est parti. Son box est vide. Toute la brigade est mobilisée. *Quatre morts chez...*

Voilà le schéma. C'est génial. Et c'est ce gamin bâti comme une brute qui l'a décodé.

Ashida examine le schéma. Il a des compétences en mathématiques. Il a étudié la cryptologie. Il examine deux feuilles entières et ne comprend rien.

Il se rend aux toilettes. Il se passe la tête sous le robinet et se sèche avec une serviette. Il lance sa piécette : face, face, pile. Il cligne les yeux. Dudley tue des gens. *Qui est l'homme blanc au pull violet ?* Cet incapable de Bill Parker ne tue personne.

Ashida se dirige vers le bureau de Parker. La porte est ouverte. Parker est assis à sa table de travail. Il regarde fixement le contenu d'un classeur, qui ressemble à celui qu'ils ont trouvé ensemble chez Larkin.

La première page est couverte de caractères kanji. Très bien.

Parker est incapable de la lire. Parker voit Ashida, qui lui passe l'enveloppe de Scotty. Parker commence à en lire le contenu. Ashida fait pivoter le classeur et le lit en restant debout.

Parker lit. Ashida lit. Ils tournent les pages presque en même temps. Parker finit le premier.

Il se lève et va fermer la porte. Il s'y adosse. Il regarde Ashida terminer sa lecture.

Ashida a fini. Parker donne un tour de clé.

— Qui a écrit ceci ?

— Scotty Bennett. Horrall lui a accordé le droit de s'enrôler. Je pense qu'il voulait mettre de l'ordre dans toute cette histoire avant de partir.

— Thad Brown m'a parlé de ce schéma, dit Parker. Dud lui a dit que c'était son antisèche.

Ashida hoche la tête. Parker allume une cigarette.

— Tout y est noté. Pour autant que je sache, les deux seuls faits qui n'y figurent pas sont des éléments que je n'ai jamais révélés.

— Racontez-les-moi, demande Ashida.

— À San Pedro, j'ai été témoin de cette attaque de bateaux de pêche à la crevette. Les hommes qui se trouvaient à bord étaient tous des collaborationnistes. Juste avant qu'ils ne se suicident, je les ai vus brûler des billets de banque des forces de l'Axe, à l'aide de ce papier éclair qu'utilisent les bookmakers, et j'ai découvert une piste qui m'a mené à l'entrepôt où ils livraient leurs crevettes. J'y suis entré par effraction, mais on avait vidé et nettoyé les locaux, en lessivant les murs pour ne laisser aucune empreinte. Je n'ai remarqué que des boîtes de conserve, vides, qui avaient contenu des crevettes, et une odeur d'huile de crevette.

Ashida réfléchit à toutes ces informations. Parker désigne le classeur.

– Je vous écoute, docteur. Ne m'obligez pas à vous supplier.

Ashida explique :

– Larkin a tenu son journal, et nous savons à présent que c'était *lui*, l'auteur bilingue qui rédigeait en japonais, pour Gerald L. K. Smith, les pamphlets que nous avons vus surgir dans cette accumulation d'affaires. Il décrit ses amitiés avec des officiers de haut rang de l'armée et de la marine impériales japonaises. Il affirme avoir su que l'attaque contre la flotte américaine aurait lieu le 7 décembre, et il ajoute avoir eu des sentiments partagés sur l'inévitable entrée en guerre des États-Unis. Larkin ne voulait pas voir éclater un conflit nippo-américain, tout simplement parce qu'il aimait ces deux nations. Il était violemment antisémite, et ne voulait pas voir des vies japonaises et américaines « gaspillées » dans ce qu'il considérait comme « une guerre pour protéger les intérêts des affairistes juifs ».

– Poursuivez, dit Parker.

Ashida s'éclaircit la voix.

– Larkin avait un ami d'extrême droite. Il ne révèle pas son nom, mais je peux affirmer qu'il est de race blanche. Cet homme est un eugéniste virulent, comme l'était Larkin, et il possédait un récepteur radio à ondes courtes, comme Larkin, et comme Larkin encore, il parlait et écrivait couramment la langue japonaise.

– Poursuivez, dit Parker.

– Cet homme a capté les premières émissions radio en japonais concernant l'attaque imminente contre Pearl Harbor, comme l'ont fait – je le sais – les Watanabe. Cet homme souhaitait voir une guerre entre les États-Unis et le Japon, et il a contraint Larkin à garder le silence alors que la date de l'attaque approchait. Larkin s'est débarrassé de sa radio la veille de l'attaque et il a noté dans son journal son désir urgent d'emmener les gamins du Santa Monica Vélo-Club dans un lieu calme avant la date probable de l'attaque. Le reste du journal de Larkin ne contient que ses vues sur l'eugénisme. Il ne cesse d'y répéter que cette science a été « contaminée par l'intelligentsia juive de gauche » qui voulait que la reproduction humaine donne naissance à des êtres plus sains, plutôt que de créer une race supérieure. Les membres de sa « cellule » et de ses « satellites » avaient engagé un dialogue philosophique avec divers intellectuels de gauche, ce qui rendait Larkin furieux. Les derniers paragraphes de son journal montrent Larkin sombrant dans la démence, les divagations obscènes, et soutenant une thèse selon laquelle *Mein Kampf* serait le livre perdu de la Sainte Bible.

Parker jette un coup d'œil à l'horloge murale. Son expression signifie clairement : *Il faut que je parte.*

– L'ami de Larkin qui écoute comme lui la radio en ondes courtes, c'est l'homme au pull violet. C'est lui, probablement, qui a tué les Watanabe, et sans aucun doute, c'est lui aussi qui a écrasé Larkin.

– Oui, dit Ashida, c'est également ce que je pense.

Parker regarde la pendule.

– On tirera peut-être quelque chose du relevé des appels téléphoniques passés depuis les cabines publiques. Ces appels constituent notre seul lien tangible entre Larkin et Watanabe. Les relevés vont nous parvenir, mais il me semble qu'il nous faudra encore patienter une bonne semaine.

Ashida tousse.

– Et puis il y a ces deux empreintes identiques. Ce n'est sans doute pas Larkin, mais *quelqu'un* a touché un des Luger de Larkin puis laissé une empreinte chez les Watanabe. Ce détail établit un lien entre cet homme, Larkin, et la famille Watanabe.

– L'homme au pull violet, dit Parker.

Ashida hoche la tête.

– Les Watanabe avaient un récepteur à ondes courtes réglé sur la même fréquence. J'en conclurais que, tout comme Larkin, ils commençaient à avoir des doutes sur le bien-fondé de l'attaque contre Pearl Harbor, et qu'ils ont menacé de vendre la mèche. Ils étaient de connivence avec Larkin et l'homme au pull violet, mais cela a mal tourné entre eux.

Parker regarde l'horloge, Parker regarde sa montre.

– Et il y a autre chose : aucun enquêteur, qu'il travaille seul ou en équipe sur cette affaire, n'a été capable d'établir un lien entre les Watanabe ou Jim Larkin et Preston Exley, Pierce Patchett et leur projet de rachat de propriétés afin de tirer profit de l'internement administratif. Et maintenant, Dudley et compagnie tentent de s'associer à eux en achetant des parts de l'affaire.

Ashida secoue la tête.

– Nous ne saurons jamais le fin mot de l'histoire. Le Loup-garou va finir dans la chambre à gaz, et il nous manquera toujours une pièce du puzzle.

Parker fait un signe de dénégation.

– Ne dites pas *nous*, docteur. Je ne peux pas me permettre de jouer au franc-tireur dans cette enquête, et vous non plus. Je ne vous reproche pas de m'avoir nommé dans vos aveux, parce que je connais le pouvoir de persuasion de Dudley Smith. J'ai pris quelques mesures pour vous protéger, mais c'est fini. Il n'est plus question que j'enfreigne la loi pour vous. Dudley Smith le fera. Si le choix que vous devez faire, c'est *lui* ou *moi*, il me semble que vous seriez bien inspiré de prendre la première solution.

Ashida secoue la tête.

– Vous n'êtes pas *lui*. Vous n'avez jamais été *lui* et vous ne serez jamais *lui*. Ça vous irrite de savoir qu'il a plus de pouvoir que vous, qu'il vous sera toujours supérieur, quels que soient vos efforts désespérés pour prendre le dessus ?

– Vous grimacez, docteur, dit Parker. Vous minaudez. Je vous conseillerais de bien réfléchir à ce que vous dites et à votre ton efféminé.

# 94

## JOURNAL DE KAY LAKE

### LOS ANGELES | LUNDI 22 DÉCEMBRE 1941

### 9 h 41

Parker est en retard. J'ai laissé un message à son sergent de permanence et il ne m'a pas rappelée. La citoyenne Brenda a briqué sa maison et préparé un buffet pour le petit déjeuner. Le citoyen Elmer est intarissable sur les meurtres de Chinatown.

– À la brigade, il y a eu un appel général, alors j'y suis allé. On a vu quatre Chinois morts dans une automobile, et un globe oculaire dans une flaque de nouilles sautées au poulet. Tir à bout portant, citoyennes ! Ils ont tué les Chinetoques, ils les ont dépouillés. L'un des quatre avait une sacoche pleine de fric attachée au poignet par une paire de menottes, alors ils lui ont coupé la main. Ray Pinker dit que c'est un coup de ces quatre Japs qui se sont évadés de Terminal Island. Ils ont laissé une voiture pour en faucher une autre, en plein Chinatown. Dans la voiture des victimes, Ray a découvert des traces provenant de celle abandonnée par les Japs, et dans le coffre de cette dernière, des balles identiques à celles utilisées pour les meurtres. Il y avait de la cervelle et des bouts de pâté impérial plein les banquettes. Des barrages routiers ont été mis en place partout, jusqu'aux collines de San Gabriel. Le détachement compte jusqu'à quatre cents hommes, à présent. Les fédés distribuent des mitraillettes. Ace Kwan offre une récompense de 25 000 dollars, et M. Hearst en fait autant. Dudley Smith et Thad Brown sont chargés de l'enquête. Ace a dit à Appelez-moi-Jack qu'il versera 100 000 dollars à celui qui lui apportera les têtes des coupables dans un sac. Les fins tireurs de la Hearst Rifle Team ont acheté des têtes réduites de Japonais à Lin Chung, ce cinglé de médecin chinetoque. Lin est le chef de file chinetoque de l'eugénisme. Il fourgue ses têtes réduites de Japs depuis le massacre de Nankin. Les types de la Hearst Rifle Team en portent en sautoir.

Brenda commente :

– Le citoyen Elmer sait s'y prendre pour aiguiser l'appétit des dames. Le citoyen Bill a vingt-quatre minutes de retard, et les œufs refroidissent. Je commence à croire que la citoyenne Kay s'est trompée de cible quand elle a concocté sa petite machination, et que nous devrions tout simplement laisser le citoyen Fletch se faire essorer.

– Fletch est un exhibitionniste, précise Elmer. Ce n'est pas comme si Kay risquait de se retrouver à deux doigts de se faire sauter, ni rien de semblable. Fletch se contente de sortir sa queue, en espérant susciter certains commentaires. Pour être gentil, je dirai que Fletch apprécie que les filles pratiquent la surenchère.

Je ris et allume une cigarette. J'ai passé la nuit entourée de pains de glace ; mes ecchymoses se sont résorbées et elles ont pâli. Une petite quantité de poudre étalée sur mon nez et tout autour a suffi à camoufler mes blessures récentes. Je pourrai facilement incarner une call-girl ce soir.

Elmer agite son cigare.

– Lin Chung a installé un stand devant chez Kwan. Il fourgue ses têtes réduites deux dollars pièce. J'en ai acheté une pour ma voiture personnelle. Je l'ai baptisée « Tojo » et je l'ai accrochée à mon rétro-viseur.

Lin fait des affaires dans l'espace public. Appelez-moi-Jack s'est rué comme un fou sur ce marché des têtes réduites. Il a fourni des tronçonneuses et des sacs en toile de jute aux types de la Hearst Rifle Team. Dès que le jury d'accusation aura inculpé Shudo, Lin et Jack se mettront à commercialiser des produits vendus par deux : une tête réduite PLUS une photo de vous avec Le Loup-garou menottes aux poignets. Cinq dollars le lot, ou trois lots pour dix dollars. Noël, c'est jeudi prochain, citoyens. Pour acheter des cadeaux excitants, adressez-vous au docteur Chung et au directeur Horrall.

Brenda intervient :

– Moi, en fait d'excitant, je suis preneuse d'un petit verre de 10 heures du matin. J'ai amené la bonne de Nègreville pour qu'elle brique la maison, mais je ne vois toujours pas arriver le citoyen Bill.

La sonnette retentit. Elmer se lève et va ouvrir. Bill Parker fait son entrée. Il porte un uniforme impeccable et des lunettes neuves.

– Bonjour, mon capitaine, dit Elmer.

Le regard de Parker fait le tour de la pièce. Il enregistre mon aspect physique. Il dit :

– Miss Allen, Miss Lake.

– Pour vous, Cap, dit Elmer, on a mis les petits plats dans les grands.

Parker repère les bouteilles d'alcool sur la table et détourne les yeux.

Je ne l'ai pas encore remercié. Il faut que je le remercie pour moi, et pour Claire. J'ai besoin d'être seule avec lui un moment.

Parker tapote le cadran de sa montre.

– J'apprécie tout le mal que vous vous êtes donné pour moi, mais j'ai une réunion à l'hôtel de ville.

– Comme vous voudrez, dit Elmer.

Brenda explique :

– Jack Horrall et Fletch Bowron sont en train de constituer un « dossier à charge » contre vous, capitaine. Je pense…

Parker lui coupe la parole.

– Je suis au courant. Hideo Ashida m'a appelé pour m'en informer. Mais si, tous les trois, vous avez concocté une contre-offensive, j'ap-précierais que vous m'en donniez un aperçu.

– C'est la citoyenne Kay qui en a eu l'idée. Elle va vous l'expliquer elle-même.

Je prends la parole. J'insiste sur les intérêts personnels de Brenda et d'Elmer. Le projet de Pierce Patchett de constituer un cheptel de filles refaites va couler leur affaire. Ce soir, je vais incarner une prostituée. Un miroir sans tain équipe la chambre qu'utilise Brenda à l'hôtel Roosevelt. On va faire chanter Jack : pas question qu'il cautionne le service de call-girls de Patchett ; pas de dossier à charge contre le capitaine Parker. Mais : *Parker* cautionnera le service de call-girls de Brenda et Elmer… s'il est nommé directeur du LAPD.

– D'accord, dit Parker.

Pas d'hésitation. Il n'exprime pas la moindre réserve.

Parker me regarde.

– Je serai de l'autre côté du miroir sans tain. Contentez-vous de lui parler, je vous prie. Je ne veux pas qu'il vous touche.

# 95

## LOS ANGELES | LUNDI 22 DÉCEMBRE 1941

**11 h 09**

Depuis le seuil, elle lui adresse un signe de la main. Son sourire est oblique. Il aime bien son nouveau nez, un peu bosselé.

Parker prend Crescent Heights en direction du sud. Il est en retard pour la réunion. Celle-ci abordera trois sujets : les attaques de sous-marins contre le littoral, les Japs évadés, la tuerie chez Kwan.

Il a répondu à l'appel général. Il a dévié la circulation près de chez Kwan. Ce quadruple homicide est un cauchemar. Cela sent fortement le coup monté de l'intérieur. Un aide-serveur en veut à Oncle Ace. Une querelle interne au Hop Sing Tong. L'aide-serveur signale la partie de dés aux Quatre Familles. Les Quatre Familles mettent dans le coup des minables de collaborationnistes. Les minables en question ont des informations sur *Les Japs*. L'affaire tourne carrément hybride. C'est la rencontre entre la cinquième colonne et un braquage assorti d'un massacre. *Les Japs* quittent leur planque dans les collines et se pointent à Chinatown. Ils abandonnent une voiture, ils en volent une autre. Est-ce qu'ils repartent vers le nord ou vers le sud ?

Le détachement qui les cherche s'est déployé dans toutes les directions. L'affaire paraît bizarre et bancale. *Lui-même* se sent bizarre et bancal. Il en est à son sixième jour sans alcool. Il vient d'accepter de couvrir un chantage à caractère sexuel. Cela remet en cause son serment à Dieu. Sans l'abroger. Il n'a pas enfreint les stipulations de Dudley. Ce qui lui laisse une faille dans laquelle il pourra se glisser.

Du point de vue de la morale, il coupe les cheveux en quatre. Il sait pourquoi.

C'est à cause de la guerre et de cette ville qu'il adore. La guerre fait de la vie quotidienne *la vie in extremis*. Entre l'opportunisme et les principes moraux, la distance devient infime. Los Angeles regorge de paradoxes et de contradictions. Après la guerre, la ville ne manquera pas de s'étendre, de se déployer. Au bout de quelques années, elle sera méconnaissable. La guerre lui offre une ville qui propose mille buts à atteindre, tous plus insensés. La guerre le laisse aimer L.A. une dernière fois, pour ainsi dire.

Parker arrive à l'hôtel de ville. Les hommes du détachement traînent sur les marches. Bravo, Lin Chung. Les gars portent tous autour du cou une tête réduite au bout d'une chaîne.

Il gare sa voiture au sous-sol. Un enseigne de vaisseau manœuvre le monte-charge. Ils se rendent à l'étage de Fletch Bowron. La réunion déborde du bureau du maire jusqu'au couloir.

Des officiers de l'armée de terre bavardent avec les journalistes. Des flics et des politicards prennent d'assaut un plateau de beignets. Parker entre dans la salle de conférences. Un capitaine de frégate se tient devant un pupitre, une carte murale à côté de lui.

Des épingles de couleur indiquent les eaux territoriales et les récentes attaques de sous-marins. Avec sa baguette, l'officier de marine désigne plusieurs emplacements. Ici, les sous-marins ont attaqué des cargos américains ; là, des pétroliers américains. Les sous-marins menacent la côte mexicaine. Nos *amigos* de la police d'État mexicaine ont la trouille.

Rappelez-vous la crique de Goleta. Ces sous-marins, ce sont des francs-tireurs. Leur prochaine cible pourrait bien être le littoral de Los Angeles.

Ace Kwan et Lin Chung entrent dans la salle. Ils portent des têtes réduites autour du cou. Appelez-moi-Jack et le shérif Gene les serrent dans leurs bras. L'officier de marine se rassied. Quelques applaudissements modérés le remercient. Dudley Smith monte au pupitre.

L'Irlandais joyeux. Habitué depuis longtemps à monter en chaire.

Il scrute la salle. Il laisse les bavardages s'éteindre d'eux-mêmes. Il s'adresse à ses auditeurs, avec son accent le plus truculent.

– Le chaos guette notre belle ville. *Nous repoussons nos envahisseurs et crions : pas de quartier ! en libérant les chiens de guerre*[1]. *Les lauriers dans nos campagnes se sont tous flétris ; des météores viennent effrayer les étoiles fixes du firmament ; la lune pâle jette sur la terre une lueur sanglante, et des prophètes au visage hâve annoncent tout bas des changements effrayants*[2].

Le public comprend. Un grand flic, de fortes paroles. Il n'est pas américain. Dans sa bouche, ça passe.

– Accepteriez-vous que notre ville soit moins belle ? Devrions-nous ôter nos filets à capturer la beauté, ceux qui attirent jusqu'ici un tel mélange de races superbes et de monstres lycanthropes ? Le 7 décembre est le jour de la Genèse dans la Bible Impie. Les phases ordinaires de la lune ont été supprimées. Les loups-garous marchent parmi nous, sans boussole lunaire. Ils sont perdus. Ils ne savent qu'une seule chose : il leur faut détruire la beauté qui nous unit tous, la beauté qui nous a tous amenés ici.

Dudley marque une pause. Il scrute la salle. Il repère Parker. Il braque son regard sur lui.

– Il y a vingt ans, j'ai parlé avec un loup. Je communie avec lui dans la prière et j'ai eu récemment la bonne surprise qu'il me rende visite sur terre. Ce loup m'a dit que ses congénères n'étaient visibles que par un nombre très restreint d'êtres humains. Mon devoir est de les détecter et de les suivre jusqu'à des destinations où seul l'un de nous peut survivre. Nous portons des armes, et autour du cou des têtes qui appartenaient autrefois à des hommes. Nous portons les loups au plus profond de nous. Ils sont invisibles alors que nous devenons visibles pour les détruire. Nous aimons la beauté d'une façon qui ne leur est pas accessible. Elle phagocyte nos pulsions les plus viles et nous envoie les satisfaire. *Je ne suis fou que par vent de nord-nord-ouest. Quand le vent est au sud, je sais distinguer la poule de l'épervier*[3]. Le loup m'a dit qu'il n'y avait pas de cinquième colonne, parce que la cinquième colonne, c'est chacun de nous. Nous allons traquer les loups. Nous sommes pris de folie depuis notre allégeance à Dieu et voyons clairement l'invisible, à présent. Nous avons bu au

---

1. Shakespeare, *Jules César*, acte III, scène 1.
2. Shakespeare, *Richard II*, acte II, scène 4.
3. Shakespeare, *Hamlet*, acte II, scène 2.

calice rempli de sang impie et sommes devenus *eux* afin de pouvoir les tuer.

Parker sort dans le couloir. Dudley finit son prêche et enchaîne sur un discours de flic.

Parker entend des rires. Dudley lance des plaisanteries, maintenant. Il a fait son sermon. Celui-ci supplante son satanique échange de promesses.

*Je ne suis fou que par vent de nord-nord-ouest. J'ai exploité les calomnies xénophobes pour en tirer profit. Vous et moi ne sommes qu'un, William. Vous me laisserez faire tout ce que j'ai entrepris.*

# 96

## LOS ANGELES | LUNDI 22 DÉCEMBRE 1941

**13 h 29**

*DUD-LEY ! DUD-LEY !*

Ses auditeurs enthousiastes prennent l'estrade d'assaut pour lui taper dans le dos. Des hommes d'âge mûr lancent des hurlements de loups et agitent des têtes réduites.

Dudley fonce vers le monte-charge. Des admirateurs lui barrent le chemin. Ils brandissent des stylos et des photos du Loup-garou. Il signe *D. L. Smith* vingt fois de suite.

Les têtes réduites sont à la mode, à présent. Appelez-moi-Jack en porte une. Fletcher Bowron en porte *deux*. Deux-Flingues Davis en porte *trois*.

Dudley parvient jusqu'au monte-charge et envoie des baisers à tout le monde. Une femme lui glisse son numéro de téléphone. Les portes se referment.

Il enfonce le bouton *sous-sol*. Le monte-charge descend. Ace lui a envoyé une limousine qui l'attend en bas. La Pagode – *chop-chop !*

Benzédrine et Shakespeare. Dans le coffre de la voiture : 83 000 dollars. Ace récupère sa mise, augmentée de 41 000 dollars. Il est en même temps irrité et exubérant. *Vous auriez dû me prévenir, Dudster. Vous avez condamné l'accès à mon parking.*

Les portes s'ouvrent. La Lincoln est tout près, le moteur tournant au ralenti. Dudley se précipite et monte à l'arrière. Ace l'attendait. Une cloison vitrée les sépare. Le chauffeur agite une tête réduite et démarre. Ace dit :

— Mon frère irlandais ne me fait jamais faux bond. Il a l'argent, et il aura les Japs.

*Quels Japs ? Il n'y a pas de Japs.* Il a interrogé le témoin qui a vu le vol de voiture. Le bonhomme *pense* avoir vu des Japs. Il est en proie à la fièvre de la guerre. Des Japs, des Chinetoques… on les reconnaît comment ? La fièvre de la guerre prouve son utilité, dans ce cas précis. Ces voleurs de voiture, *on va en faire des Japs.*

Beth et Tommy seront bientôt là. Il a envoyé un taxi les chercher. Harry Cohn doit le rejoindre. La Pagode – *chop-chop !*

Dudley allume une cigarette.

— Quelle somme vous doit Harry, maintenant, mon frère ?

Ace caresse sa tête réduite.

— La bête juive me doit 116 000 dollars. Harry, c'est le pus qui gonfle le furoncle que j'ai sur mon cul de Jaune.

— Je vais marchander avec Harry, pour qu'il nous procure du matériel de tournage à la place de l'argent. J'ai la contribution de mon amie Claire, et ce soir je vais parler à mon amie Bette. Nous devons accumuler des espèces, pour convaincre MM. Exley et Patchett. Notre ami Terry m'a affirmé qu'ils sont à court de liquidités, et qu'ils nous accepteront en tant qu'associés.

Ils arrivent à la Pagode. Des cordes mises en place par la police interdisent l'accès au parking. Des agents en tenue encadrent la voiture fatale. Ray Pinker mesure les sculptures des pneus. Hideo Ashida passe l'aspirateur sur la banquette arrière.

Mike Breuning et Dick Carlisle jouent les chiens de garde. Lin Chung vend des têtes réduites sur le trottoir. Harry Cohn lui en achète une et entre dans l'établissement de sa démarche de canard.

La limousine se gare le long du trottoir et les dépose. Ace entre au pas de course dans la Pagode et fonce à la cuisine. *Le sang de l'infidèle !* Il crache toujours dans la soupe de Harry.

Dudley traverse le parking d'un pas nonchalant. Les agents en tenue le saluent. Il longe la voiture du massacre. Elle empeste les solvants. Hideo Ashida lève la tête. Les deux hommes échangent un regard. Dudley fait un clin d'œil. Hideo hoche la tête en retour.

Dudley entre dans le restaurant. Harry s'est accaparé un box près d'une fenêtre. Il porte une tête réduite autour du cou et boit sa soupe wonton à grand bruit.

Dudley se joint à lui. Harry pêche l'un des morceaux de porc qui flottent dans la soupe.

– J'ai besoin d'un délai pour rembourser Ace, dit Harry. Et ne me parle pas de ton projet foireux de films pornos, parce que ma réponse n'a pas changé : c'est *Niet*, camarade.

Dudley rétorque :

– Camarade, ta nouvelle réponse devra être *Da*. Tu nous fourniras sur demande du matériel de tournage. Tu nous laisseras utiliser les décors des films grandioses de Frank Capra qui exaltent l'esprit humain, et tu nous fourniras des robes superbes pour nos actrices, qui auront subi des interventions chirurgicales pour ressembler aux plus remarquables de tes propres vedettes. Tu feras tout cela, et plus encore, sans protester.

Harry agite sa fourchette.

– Sinon… quoi, mon ami ? C'est ça, ou tu me tues ? Comme si j'étais un braqueur nègre à qui tu règles son compte pour que Los Angeles reste une ville propre et sûre ?

– Non, répond Dudley. Mais je ferai circuler mes photos clandestines où on te voit faire des galipettes avec des gamines de quatorze ans qui portent la tenue des Jeunesses Hitlériennes.

Harry pique un fard. Ses artères rétrécissent. Dudley allume une cigarette et lui en souffle la fumée au visage.

– Fais *oui* de la tête et profite de ta soupe, Harry. Ace l'a améliorée spécialement pour toi.

Harry tousse. Harry avale sa soupe à grandes lampées. Harry allume une cigarette.

– *Oui*, enfoiré d'Irlandais.

– Tu seras en excellente compagnie, Harry. Nos copains Joe et Ben mettent de l'argent dans l'affaire, et je suis certain que Bette Davis le fera aussi.

Harry secoue sa tête réduite.

– Je te jette un sort, enfoiré d'Irlandais. Que des éléphants de cirque chient sur ta pelouse. Que des gargouilles aux yeux exorbités dévorent tes petits.

Un taxi se gare devant le restaurant. Là – une silhouette blonde illumine la vitre.

Dudley sort en courant. Il boutonne sa veste pour cacher son arme et rectifie la position de son nœud de cravate. Beth la ravissante pose le pied sur le trottoir.

Elle a dix-sept ans, à présent. Elle a encore grandi. Ses cheveux ont fini par prendre la couleur de ceux de son père.

Beth dit :

– Bonjour, papa.

– Ma belle enfant, dit Dudley.

Ils tombent dans les bras l'un de l'autre. Beth porte un manteau, elle est toute chaude. Dudley embrasse le dessus de son chapeau.

– Que se passe-t-il, là, dehors ? Je suis aveugle, mais j'ai des antennes pour ce genre de choses.

Dudley rit. Beth rit. Elle se hisse sur la pointe des pieds et embrasse le nez de son père. Ils s'engouffrent dans le taxi et se tassent contre Tommy.

C'est un Irlandais rondelet. Il travaille pour Packard Bell et construit des radios au toucher.

Dudley lui serre chaleureusement la main.

– Je suis content de te revoir, mon garçon. Tu me sembles en excellente forme pour notre grande aventure à L.A.

Tommy sourit. Il porte des lunettes noires et un joli costume. Beth le bichonne. Quand il se rase, il manque certaines parties du visage. Beth fignole son aspect physique avant qu'il n'affronte le monde extérieur.

– Je ne te vois pas, Oncle Dud, dit Tommy. Mais je t'entends, cela dit. Et tu sais que tu ne pourras pas me berner. Si tu essaies de me présenter une fausse Bette Davis, Beth la verra, et moi je l'entendrai.

Dudley rit. Beth rit. Dudley lui adresse un clin d'œil et tapote l'épaule du chauffeur de taxi.

– Brentwood, s'il vous plaît. Suivez Sunset jusqu'à Mandeville Canyon.

Le chauffeur fait demi-tour. Beth s'appuie contre Dudley. Tommy s'appuie contre Beth. Elle regarde L.A. à travers la vitre. Elle dit :

– C'est un rêve.

Les journaux de San Diego ont parlé des deux meurtres d'Oceanside. Ce sont les flics de Camp Pendleton qui ont été alertés les premiers. Leurs premières conclusions : c'est une énigme. Ce pourrait être l'œuvre du tireur isolé de Santa Monica. Ou bien celle des Japs évadés.

Tommy baisse sa vitre. Il fronce le nez et capte des odeurs. Beth lui dit :

— Il y a un grand mur de soutènement en ciment sur ta droite, avec des sycomores au sommet.

— Je les sens, dit Tommy. Les branches sont gorgées d'huile. C'est plus sombre que les eucalyptus.

Beth presse la main de Dudley.

— C'est sombre, comme le cœur irlandais de mon père.

Dudley s'esclaffe. Beth rit et se blottit contre lui. Le taxi passe devant un alignement de gargotes mexicaines. Tommy dit :

— Ça sent le porc frit.

Le taxi file vers l'ouest. Beth décrit Hollywood et le Sunset Strip.

— Il y a un homme qui promène un dogue allemand tacheté ; voilà le Mocambo, un cabaret célèbre dans le monde entier. Miss Davis nous y emmènera peut-être.

Ils atteignent Beverly Hills. Tommy dit :

— C'est plus vert, par ici. Il y a davantage d'oxygène dans l'air.

Dudley fait semblant de tousser pour avaler trois benzédrines. Beth décrit Will Rogers Park. Dudley sent les larmes lui monter aux yeux. Sa belle enfant et des palmiers géants. Un amour tellement inexplicable.

Ils franchissent la porte de Bel-Air. Sunset Boulevard devient sinueux. Le taxi plonge et fait des embardées. Beth et Tommy gloussent. Pour l'aveugle, c'est une attraction foraine. Il profite des moments de joie dès qu'ils se présentent.

Il exprime une telle gratitude. *Merci*. La douce Claire lui a dit ça aussi.

Brentwood, Mandeville Canyon. Voilà une maison de style Tudor. Une maison espagnole. Une maison qui ressemble à un château. Papa, elles sont *immenses*.

Dudley est le premier à voir l'airedale. Bette est sur sa pelouse et elle lui lance une balle. Le taxi s'arrête dans l'allée. Bette crie quelque chose. Beth se couvre la bouche – *Oh, mon Dieu*.

Dudley sort du taxi. Bette vient vers lui en sautillant. Elle porte un pantalon de gabardine et un pull bleu. Elle lui fait comprendre : *Pas devant les voisins* et le serre dans ses bras. Elle fait courir sa main le long de la jambe de Dudley.

Beth aide Tommy à descendre. Elle se calme. Cet accueil est très convenable. C'est plus *Smith* que *Short*.

Bette s'approche d'eux. Ce sont des accolades, des mains serrées, des palpitations. L'airedale saute sur Dudley. Il caresse le chien de la tête à la queue et lui embrasse la truffe.

*La Grande Bette.* Elle joue son propre rôle. Elle ne veut pas entendre de *Miss Davis ceci, Miss Davis cela.* Elle insiste :

— Appelez-moi Bette, s'il vous plaît. Il ne me viendrait pas à l'idée de vous appeler *Miss Short* et *Mister Gilfoyle.*

Beth et Tommy sont aux anges. Bette montre une limousine Rolls-Royce garée le long du trottoir. Elle donne une liasse de billets au chauffeur de taxi et lui signale qu'il peut déguerpir.

Le taxi fait demi-tour. Bette pousse l'airedale derrière le portail et rejoint ses visiteurs. Elle les rassemble, elle les touche tous les trois. Elle regarde Dudley, et elle regarde Beth. Elle fait : *Mmmmmmmmmmm,* qu'elle étire en neuf mille syllabes. Elle dit :

— Oui, je vois la ressemblance.

Dudley hurle de rire. Beth se plie en deux. Tommy glapit et tire la manche de Bette. Elle entremêle ses doigts à ceux du jeune homme.

— Je sais que vous ne pouvez pas les voir, Tommy. Mais ne trouvez-vous pas qu'il y a quelque chose de l'Irlande sur ces deux-là ?

Tommy se penche vers Bette.

— Je ne sais pas à quoi ressemble l'Irlande, mais Oncle Dud et Beth sentent tous les deux la chlorophylle.

Dudley sent sa gorge se serrer. Beth commente :

— Papa est beaucoup plus émotif qu'il ne le laisse paraître.

Bette secoue le poignet de Dudley.

— Oui, et je peux le confirmer, d'une façon plutôt intime. Alors, avant que je ne verse dans la paillardise, je pense que nous devrions aller au cinéma. Je n'ai pas vu *Citizen Kane,* et il ressort à Hollywood. Une séance en matinée, un lundi, ne devrait pas être prise d'assaut, et je pourrai observer la technique narrative de Beth.

Beth regarde Dudley. *On peut ? Est-ce qu'on doit s'imposer ?*

— Qu'en pense-t-il, le papa ? demande Bette. Les enfants et moi, nous sommes partants.

— En ce cas, dit Dudley, je me joins à vous pour que le quorum soit atteint.

Bette s'introduit deux doigts dans la bouche pour siffler son chauffeur. C'est une pure démonstration de ses talents de comédienne.

La Rolls s'avance. Dudley ouvre la porte. Beth aide Tommy à monter dans la limousine. Dudley fait un clin d'œil à Bette.

Elle lui dit :

— Combien de cœurs avez-vous brisés avec cette simple œillade ?

Il aide Bette à monter. Tommy hume l'air ambiant. Ce garçon est un vrai limier. Attendons son verdict.

– L'occupant précédent se parfumait avec une eau de toilette au citron vert et il avait une flasque. Il a renversé du cognac sur les coussins.

Son analyse lui vaut des applaudissements. Bette siffle. C'est moins réussi, cette fois. Elle monte trop dans les aigus. Elle en rajoute un peu trop dans le côté populo.

La limousine démarre. Les passagers sont assis en rang d'oignon et ils reprennent Sunset Boulevard, vers l'est. Beth *re*décrit le paysage.

Bette observe Beth. Avant l'heure du dîner, elle aura appris tous ses tics. Au dessert, elle sera capable d'imiter Beth avec finesse.

Dudley aime Beth plus qu'il n'aime ses filles légitimes. Elle possède cette volonté oblique que les autres n'ont pas. Elle confirme son propre penchant pour l'illicite. Elle ne l'assomme pas en lui débitant des banalités.

Ils longent le Sunset Strip, toujours en direction de l'est. Pour Tommy, Beth décrit le Trocadero. Bette ne sourit pas à Dudley, elle ne le touche pas. C'est là qu'il l'a vue pour la première fois. Ils ont fait l'amour à l'étage. Elle lui a dit : *Tuez un Jap pour moi.*

Claire, pour sa part, a un aspect sévère. Elle est grande et patricienne et se sert de son physique pour paraître brusque, mais elle succombe lorsqu'on la touche. Bette s'imagine qu'elle succombe aussi, mais ce n'est pas le cas. Miss Davis reste Miss Davis, elle incarne les pulsions à l'état brut. Son but, c'est de laisser un souvenir durable. La passion de Bette, c'est un aide-mémoire pour l'avenir.

Ils arrivent au cinéma Hawaii. Beth décrit le fronton. Les mots *Citizen Kane* entourés d'étoiles, des séances tard dans la soirée, chaque jour. Des palmiers pour rehausser le décor, des panneaux N'OUBLIEZ PAS PEARL HARBOR ! près de la caisse.

Bette met des lunettes noires. C'est une précaution typiquement Miss Davis. Dudley sort un billet de cinq dollars. Beth prend Tommy par le bras. C'est une manœuvre.

Ils foncent vers la caisse et achètent leurs billets. La présence de l'aveugle sert de diversion. Ils traversent le foyer. La salle est presque vide. La projection des bandes-annonces vient de se terminer. Ils guident Tommy qui marche devant eux et gagnent leurs sièges.

Bette fait *ouf !* Tommy affiche un visage de marbre, un visage d'aveugle. Dudley prend le siège qui borde l'allée centrale et étend ses jambes. Bette s'assied près de lui, Beth à côté de Bette, et Tommy complète leur rangée.

L'éclairage baisse de nouveau. Dudley se serre contre Bette. Elle s'écarte de lui et se serre contre Beth. Le film commence. Beth se penche vers Tommy et lui murmure à l'oreille. Elle lui lit le générique. Elle décrit le prologue, qui montre Kane sur son lit de mort. Le film proprement dit commence. L'action se déroule à la fin du XIX$^e$ siècle. Subtile, Beth saisit ce détail, et en informe Tommy aussitôt.

Dudley fait remonter sa main sur la jambe de Bette. Elle lui sourit et se tourne de nouveau vers Beth. Le film se déroule. Les scènes en plein jour illuminent la salle. Beth chuchote. Elle regarde l'écran et presse les mains de Tommy. La musique émeut l'aveugle. Les crescendos des instruments à cordes le font pleurer.

Dudley les observe. Betty garde la tête tournée. Il ôte sa main de la cuisse de Betty. Il pense qu'elle va la lui reprendre et la reposer au même endroit. Elle rectifie le pli de son pantalon.

Le film est irritant. Il dévoile des scandales de façon stupide, par le biais d'une technique envahissante. Beth en comprend le style et le communique à Tommy, scène par scène. Dudley laisse son esprit vagabonder. Il se rend au Mexique en voiture avec la camarade Claire. Il envahit le Mexique avec ses hommes.

Ce film de crétin. Sa Bette, frappée de stupeur. L'enfant prodige aux joues rebondies, Orson Welles. Harry Cohn a connu Welles quand celui-ci était jeune. Le jeune Welles baratinait des bonniches noires aux arrêts d'autobus, il les embobinait avec ses tours de magie et de la marie-jeanne. Il les sautait avec sa queue grosse comme une crevette et les ramenait en voiture chez elles, à Nègreville.

Dudley avale deux benzédrines. Il tape du pied. Il n'a plus aucune patience. Il a envie d'être seul avec des femmes. Avec Bette, avec Claire, avec Bette. Il a envie d'être seul avec ses filles. Il a envie de parler longuement avec Beth.

Le film n'en finit plus. Il est aussi long que l'Ancien Testament.

Bette continue de lui tourner le dos. Des séquences sombres se succèdent. Il ne voit plus Bette, il ne voit plus Beth. Il est naufragé sur la planète Mars.

Ça se termine. C'est la chute du grand Kane. Sa vie aura été une danse effrénée sur un tas de fumier. Tout ça à cause d'une saloperie de luge de môme.

Ses compagnons se lèvent et applaudissent. Bette bisse son sifflet prolétarien. Dudley sort du foyer et allume une cigarette.

Il transpire. L'effet de la benzédrine dans une salle où il fait trop chaud. Ce film tortueux... *Frappez-moi à coups de tuyau en caoutchouc et j'avoue tout.*

Bette et Beth guident Tommy vers la sortie. Elles semblent tétanisées par ce choc culturel. Bette lance un regard glacial à Dudley, l'ignare qui gâche la fête. *Vous n'avez pas compris à quel point c'est génial ?*

Elle propose un dîner au Brown Derby. Beth et Tommy en défaillent presque. Dudley tend son bras. Bette y passe le sien. Il trouve son geste machinal et dépourvu de chaleur. Elle le prive de son regard. Elle le réserve à Tommy et Beth. Tommy n'arrête pas de répéter : *Bon sang, quelle journée, Oncle Dud !* Il entend Claire lui dire : *Merci.* Beth s'accroche à son bras libre. Aussitôt, il exulte. Ils sortent du cinéma tous les quatre, bras dessus, bras dessous, pour rejoindre la limousine.

On étouffe, sur la banquette arrière. Bette lâche son bras et se met à bavarder avec Beth. Orson est un *génie*, il *faut* que vous fassiez sa connaissance, il comprend *tellement* de choses.

Dudley desserre sa cravate. Vine Street n'est pas très loin, vers l'ouest. Le trajet lui semble interminable. Le Gros Orson, le gamin génial. Pas le moindre souffle d'air à l'arrière de cette putain de limousine.

Ils arrivent au Derby. Bette ôte ses lunettes noires. Elle part devant. Elle ouvre la marche. Elle vient en tant qu'elle-même – *Hurricane Bette.*

Le maître d'hôtel homo lui lèche les bottes et leur dégotte un box. C'est *le* Brown Derby. Beth guide Tommy et décrit chaque centimètre carré du restaurant. Tommy bouscule une table. Bruce Cabot le foudroie du regard. Il a tenu le premier rôle masculin dans *King Kong*. La brigade des mœurs a un dossier sur lui. Ses préférences vont aux gamines encore mineures.

Hurricane Bette. Elle apostrophe ses potes du cinéma et leur envoie des baisers. Elle marche un bon mètre devant sa petite troupe. Les têtes se tournent : *C'est Bette ! C'est Bette !* Elle précède un grand costaud, qui veille sur un aveugle. Qui est cette jolie fille qui porte une robe à deux sous ? Bon sang, quelle procession ! Ce sont des Irlandais qu'on a expropriés de leurs taudis !

Ils atteignent leur box. L'homo les fait asseoir et s'éclipse en tortillant du cul. Dudley se glisse près de Bette. Il pose la main sur son genou. Elle se dérobe et se met à cuisiner Tommy. Son ton vire à la condescendance. Elle a un faire-valoir pour qui elle exprime à point nommé une profonde compassion. Sa voix devient BEAUCOUP TROP SONORE, BON SANG !

– Dites-moi, mon petit – *comment peut-on* assembler des radios quand on est privé de ses yeux ?

Tommy lui donne des explications. Ses mains tripotent la nappe. Il fait des grimaces d'aveugle. Il irradie d'amour pour Bette-Davis-qui-se-montre-si-gentille-avec-moi.

Beth est tout à l'autre bout du box. Dudley ne peut pas la toucher ni lui dire des gentillesses. Elle éponge le visage de Tommy et observe Bette. Demain, elle se coiffera comme Bette. Elle modifiera ses robes pour leur donner une coupe qui ressemblera davantage à celles de Bette.

Bette tient en haleine la salle entière. Les gens se tournent pour la regarder. Là-bas, c'est Gary Cooper. Il porte un coquelicot à la boutonnière pour honorer les anciens combattants.

Un serveur passe près d'eux. Dudley est le premier à l'alpaguer au passage. Il lui commande quatre petits verres de bourbon. Les menus arrivent. Beth lit à voix haute celui de Tommy. Dudley se rapproche de Bette. Bette se rapproche de Tommy. *Expliquez-moi comment vous connectez les antennes, mon petit.*

Les consommations arrivent. Beth a demandé une boisson gazeuse. Le scotch-citron de Tommy est accompagné d'une paille. Il en avale bruyamment une bonne gorgée. Ça s'entend de loin. Bette sirote un cocktail et son regard parcourt la salle.

Elle cherche les gens qui la reconnaîtront. Elle les gratifie d'un sourire et leur envoie des baisers. Elle chouchoute Tommy tout en gardant un œil sur les clients du restaurant.

Dudley avale son bourbon cul sec. Il touche le dos de Bette. Elle tend le bras et lui donne une tape sur la main. Le serveur réapparaît. Dudley lève quatre doigts. Le serveur prend les commandes. Bette demande la même chose pour Beth et Tommy : le filet de bœuf, saignant. Dudley commande un hamburger, bien cuit. Sa blague ne fait pas rire Bette.

Le verre de Dudley est vide. Son remplaçant arrive. Il en vide la moitié d'un coup. La salle redevient plus nette. Ses nerfs se calment. Il concocte un sujet de conversation. Quelque chose d'un peu osé pour sa progéniture. Orson Welles baise des bonniches noires. Mais *lui*, c'est M. Hearst qui va le baiser – et *bientôt*.

Il s'éclaircit la voix.

Bette presse la main de Tommy et s'extirpe du box.

*Conquistadora.*

Elle papillonne, d'un box à l'autre. Elle fauche un stylo à un serveur et demande aux gens d'acheter des titres d'emprunt de guerre. Tout le monde crache au bassinet. Bette note les noms et les promesses d'achat sur son bras. Gary Cooper raque. Jean Arthur raque. Un colonel de l'armée de terre lui signe un chèque. Bette lui fait une révérence et souffle sur le chèque pour faire sécher l'encre.

Dudley vide son verre. Ça lui monte à la tête. Il se sent des fourmis dans les jambes. Il regarde Bette virevolter. Mentalement, il lui intime de le regarder et de lui donner *quelque chose.*

Elle papillonne. Elle choisit ses clients. Elle couvre son bras d'encre bleue.

Le verre de Dudley disparaît. Un autre le remplace. Il en avale deux doigts et regarde Bette virevolter. John Wayne lui attrape le poignet, pose un baiser sur son bras, au-dessus de la limite des inscriptions à l'encre. Dudley sort son arme.

Il sent quelque chose de lourd dans sa main. Il baisse les yeux et se demande comment son pistolet est arrivé là. Beth le voit. Personne d'autre ne l'a remarqué. Tous les yeux sont sur Bette.

Beth le regarde. Elle fait un petit geste, qui signifie : *Papa, je t'en prie.* Il remet son arme dans son étui. John Wayne lâche le bras de Bette, qui s'éloigne d'un pas léger.

Dudley ferme les yeux. Beth chuchote quelque chose. Les genoux de Tommy heurtent la table. Dudley rouvre les yeux. Beth guide Tommy et lui fait contourner un serveur.

Dans le verre de Dudley, le serveur a complété le niveau. Il en avale la moitié. Le décor se brouille puis se stabilise. Il voit Bette qui virevolte vers lui.

Elle s'assied. Il la voit en triple exemplaire, en double, en *un seul.* Elle sourit. Elle lui montre son bras. Elle a remonté sa manche jusqu'à l'épaule. Des inscriptions à l'encre en couvrent chaque centimètre carré.

– Pour la guerre, dit-elle.

En écho, il entend : *Tuez un Jap pour moi.*

Il tend le bras pour lui saisir le poignet.

– Non, dit-elle.

Il vide son verre. Il la voit en triple, en double, en *un seul* exemplaire. Elle ajoute :

– Ce que vous voyez, c'est 100 000 dollars pour la guerre, récoltés en un quart d'heure de travail.

Dudley agrippe son verre.

– Je peux vous faire gagner cinq fois plus avec un investissement de 50 000 dollars qui ne vous manquera même pas. Il s'agit de produire des films pornographiques, ma chère – d'un niveau artistique et d'une portée perverse qui feront honte à ce film fumeux que nous venons de voir. Ne faites pas comme si vous n'aimiez pas l'obscène quand il se pare des atours de l'art. Ne faites pas comme si je ne comprenais pas cet aspect de votre personnalité. Ne faites pas comme si vous n'aviez pas envie que je vous saute ce soir, et ne faites pas comme si vous n'aviez aucune intention de me signer ce chèque.

Bette se rapproche de lui. Bette se penche. On pourrait croire à un tête-à-tête entre deux amants.

– Comment osez-vous formuler sur mon compte des hypothèses aussi répugnantes, à un moment pareil ? Comment osez-vous m'attribuer vos pulsions les plus basses ? Comment osez-vous me faire cette proposition sordide alors que votre fille et son ami très cher se trouvent à six mètres de vous, et qu'ils passent certainement la meilleure soirée de leur vie ? Comment osez-vous penser que vous et moi soyons autre chose qu'un post-scriptum émoustillant mais insignifiant à cette horrible période que nous vivons, et que *vous* puissiez m'imposer, à *moi*, vos volontés brutales avec autant de cruauté et de désinvolture ?

Dudley serre son verre de toutes ses forces. Un spasme parcourt sa main. Le verre se brise. L'alcool se répand. Les éclats de verre s'effritent. Ce qu'il tient, c'est un vrai shrapnel, et il le broie dans son poing. Le verre lui lacère la main. Le bourbon à fort degré d'alcool le brûle.

Bette se lève et quitte le restaurant. Le sang ruisselle entre les doigts de Dudley et trempe la nappe. Les gens le regardent. Sa veste déboutonnée est largement ouverte. Son étui d'aisselle est parfaitement visible de tous.

Il regarde sa main. Elle est couverte de sang. L'alcool le brûle, méchamment. Il voit trois salles de restaurant, deux salles, *une seule*. Il ramasse les serviettes de table. Il s'emmaillote la main et voit son sang imbiber le tissu.

Les gens le regardent. Les vedettes de cinéma en restent bouche bée. Beth aide Tommy à sortir des toilettes. Bette les pousse vers la sortie.

*Dudley Liam Smith. Tu t'es ramassé. Il est temps de prendre congé.*

Il sort deux billets de cent dollars et les laisse sur la table. Il se lève et s'extrait du box. Sa main le brûle et le lance. La douleur lui rend ses jambes.

Il laisse une traînée de sang jusqu'au trottoir. Il monte dans la limousine. Les deux femmes se détournent de lui. La limousine démarre. Les serviettes blanches se gorgent de rouge sang. Ils vont déposer Beth et Tommy devant l'hôtel Roosevelt. À tâtons, Tommy lui serre la main. Beth lui chuchote cette chose étonnante :

– Je *sais*, Papa.

Ils descendent. Beth guide Tommy vers le cinéma Grauman's Chinese. Dudley ferme les yeux et s'en va quelque part. Il sait que la voiture est repartie. Sa main l'élance. Il sent l'odeur de la cigarette que fume Bette.

La limousine roule. Le bourdonnement des pneus sur la chaussée l'apaise. *Dudley Liam Smith – tu es quelque part. Ce que tu sens, c'est Sa cigarette.*

*Conquistadora.*

Fumée, plus de fumée. Elle est là, elle est partie.

La limousine suit Sunset Boulevard en direction de l'est. Le pantalon de Dudley est imbibé de sang. Les coussins de la banquette sont poisseux.

Il frappe à la vitre de séparation. Il dit :

– Déposez-moi au carrefour Roxbury-Elevado, s'il vous plaît.

Le trajet prend cinq minutes. La maison est éclairée à flots. Il entend de la musique de la cinquième colonne. Subversion atonale. Dissidence dissonante.

Il lance un billet de cent dollars au chauffeur et se dirige vers la terrasse en titubant. Il enfonce le bouton de la sonnette avec son coude. Sa main perd toujours du sang et les élancements ne cessent pas.

Elle ouvre la porte. L'Impératrice Rouge. *Perdition, saisis mon âme.*

Elle sourit. Elle dit :

– Vraiment, c'est *vous* ?

# 97

**20 h 11**

Travail en plein air, travail de nuit, une lampe à la main. Du schéma de Dudley au décodage de Scotty pour revenir ICI. Ashida est venu avec un sac à dos et une lanterne. C'est un travail pour obtenir une confirmation, et aussi une façon pour lui de faire ses derniers adieux. Il arpente le terrain entre La Maison et l'Arroyo Seco Parkway. Jusqu'à maintenant, il a rempli quatre flacons avec des échantillons de terre. Deux d'entre eux empestent l'huile de crevette. Cela confirme le schéma et le décodage.

Vendredi dernier, Dudley a piétiné le même sentier. Dudley a échafaudé des théories.

Preston Exley et Pierce Patchett sont des tsars de l'immobilier. L'hypothèse de Dudley, fruit de ses réflexions : ils achètent des terrains et en détruisent la valeur agricole en les rendant impropres à toute culture. Ils construisent des rampes d'accès et des aires d'autoroute ICI MÊME.

Ashida a passé toute la journée loin de chez lui. Confirmations, adieux.

Il s'est rendu en voiture dans la vallée. Il est passé devant quatre exploitations maraîchères qui employaient des immigrés clandestins venus du Mexique. Ces équipes d'ouvriers agricoles quasiment esclaves ramassaient des récoltes qui semblaient souffrir de maladie. Il a prélevé quatre flacons de terre. Les quatre échantillons contenaient de l'huile de crevette. Il est passé devant trois exploitations au personnel *entièrement* japonais. Les récoltes lui ont paru saines. Il a rempli trois flacons de terre. Pas la moindre odeur d'huile de crevette.

Cela confirme la théorie de Dudley. Détruire les récoltes. Construire des centres d'internement administratif. S'approprier les fermes entièrement japonaises. Construire des centres d'internement LÀ-BAS.

En quittant la vallée, il s'est rendu chez Kwan. Il a travaillé sur la voiture du massacre et il lui est venu *Une Idée*. Son travail fini, il est passé à la brigade.

Dudley avait négligé de vérifier ses hypothèses. Son schéma n'en portait aucune trace.

Consulter les annuaires inversés. La propriété des Watanabe était destinée à devenir une bretelle d'accès et une aire d'autoroute. Dudley a supposé que d'autres bretelles et d'autres aires étaient prévues. Mais Dudley n'a pas creusé la question.

D'autres maisons ont été rachetées. Tous ceux qui ont travaillé sur cette affaire le savent. Buzz Meeks a découvert des ventes effectuées à Glassell Park et South Pasadena. L'Arroyo Seco Parkway dessert South Pasadena. Glassell Park ne se trouve pas sur le tracé du Parkway, mais n'en est pas loin. Les maisons de Glassell Park ont une certaine valeur, sans être essentielles. Les maisons situées tout près des rampes d'accès valent de l'or.

Il est retourné à la brigade. Il a consulté l'annuaire inversé du commissariat central. Il a utilisé l'index des adresses et celui des propriétaires fonciers. Les Watanabe étaient les seuls Japonais de Highland Park. Quelques *rares* Japonais habitent à South Pasadena. Il en trouve trois : Nagoya, Yoshimura, Kondo – tous proches du Parkway.

Le quartier de Lincoln Heights est parallèle au Parkway. Il commence juste au nord de Chinatown et s'étend sur trois kilomètres. Un fossé de drainage élimine les maisons construites à l'est de celui-ci. Et celles qui se trouvent *derrière* le fossé, mais encore assez proches du Parkway ? Vérifions tout de suite.

Ashida en trouve trois de plus : Takahama, Miyamo, Hatsuma. Trois maisons à ras du fossé. Il a pris sa voiture pour aller les voir, toutes les six. Les six maisons sont construites à ras du Parkway ou à ras du fossé. Il en a fait le tour à pied. Les six maisons ont été complètement vidées.

Dudley a découvert l'essentiel. Ashida a déniché le reste.

*Qui est l'homme au pull violet ? Nous avons tous les deux envie de le savoir.*

Ashida contourne la maison et s'approche de la porte de derrière. Il crochète la serrure. Il allume la lumière et parcourt les pièces. Disons *au revoir* à la maison. Tous les meubles sont encore en place. Le registre des arrivées et départs des enquêteurs est resté près de la porte d'entrée. Les dates inscrites vont du 7 au 19 décembre. Pour sa part, il y a marqué son nom quatorze fois. Dudley l'a signé douze fois.

Il examine toutes les cases qui ont été cochées.

*Empreintes latentes : surfaces susceptibles d'avoir été touchées.* Cochée. *Empreintes latentes : surfaces susceptibles d'avoir été saisies.* Cochée. *Inventaire : cuisine. Inventaire : chambres. Inventaire : salon.*

Cases à cocher des empreintes latentes. Cases à cocher des inventaires. Examiner les évacuations d'eau. Tester tous les solvants. Chercher des empreintes sur tous les récipients en verre. Laisser des carbones près du registre. Tout ce que contient La Maison est inventorié.

Ashida parcourt du regard la colonne des cases à cocher. Il reconnaît les coches qu'il a tracées lui-même. Il y a quarante-deux cases séparées qui sont cochées, pour finir sur :

*Penderie dans la chambre des parents/vêtements des victimes (étiquette de blanchisseur, argent, notes manuscrites, etc.)*

Case n° 43 – *non* cochée.

Une négligence. Ça arrive. Les corvées s'accumulent. Les enquêtes deviennent moins urgentes.

Case n° 43. Vérifie tout de suite. Pour rendre cet au-revoir plus officiel.

Ashida monte l'escalier. La case 43, c'est l'étape : *fouiller les poches.* On l'oublie souvent. Les vêtements qui *ont* été fouillés sont ceux trouvés sur les victimes.

Il entre dans la chambre. Il ouvre la penderie. Aya a laissé trois blouses. Elles n'ont pas de poches cousues à l'extérieur ni à l'intérieur. Ryoshi a laissé deux vestes de sport – une en serge bleue, une grise à chevrons. Quatre paires de chaussures. Des cravates sur un cintre. Des ceintures pendues à un crochet mural.

Ashida fouille la veste en serge bleue et ne trouve rien. Ashida tapote la poche de poitrine de la veste grise à chevrons et sent une bosse. Il glisse la main dans la poche et en sort l'objet. C'est une paire de chaussettes d'homme, retournées.

Elles sont en cachemire fauve, torsadées. Leur taille indique qu'elles appartenaient à un petit homme. Le dessous du pied est couvert de taches marron. Une matière qui a séché – à l'intérieur comme à l'extérieur.

Des chaussettes pour homme. Luxueuses – et petites. Ryoshi et Johnny Watanabe avaient de grands pieds. Ashida touche les taches. Il les renifle. C'est du sang séché.

*L'assassin a déambulé dans la maison sans ses chaussures. L'assassin a marché dans la mare de sang. Pris de panique, l'assassin s'est débarrassé de ses chaussettes.*

Non, ce n'est pas ça. Ça ne colle pas. Son assassin n'aurait pas fait une chose pareille.

Ashida examine le problème sous tous les angles. Ashida retourne en arrière. Les éclats de verre parsemés de gouttes de sang – le 7 décembre 1941. Les Watanabe s'enduisaient la plante des pieds d'huile de crevette. Pour contaminer le sol. Ils répandaient les éclats de verre sous leurs pieds, pour aérer le sol. Les Watanabe avaient la plante des pieds protégée par une *forte callosité*. Sur la plante de *leurs* pieds, les éclats de verre n'auraient pas produit autant de sang. Ces chaussettes-ci sont des chaussettes pour homme. Trop petites pour Ryoshi ou Johnny. Elles auraient pu aller à Aya ou Nancy.

Ashida descend l'escalier en courant. Ashida lit toutes les copies carbone. Chaque vêtement trouvé dans la maison a été répertorié. Il n'y avait pas de chaussettes en cachemire fauve, pas de chaussettes en cachemire d'autres couleurs, pas de chaussettes fauves – ni pour homme ni pour femme. Terminé.

Ashida ressort par la porte de devant. Il prend sa voiture et va à la morgue. Il y entre au pas de course. Un assistant l'intercepte et lui parle du crématorium.

Ashida s'y rend d'un pas vif. Nort alimente un incinérateur. Quatre cadavres recouverts d'un drap sont étendus sur des chariots brancards. Les draps sont imprégnés de solvant et prêts à s'enflammer.

– Bon sang, vous arrivez au bon moment. Vous êtes venu leur dire au revoir ?

– Dans quel état de décomposition sont-ils ?

Nort secoue la tête.

– Vous avez trouvé quelque chose, mon petit. Dites-le-moi avant qu'ils ne nous quittent.

Ashida lui lance les chaussettes.

– Je les ai trouvées dans la maison. Elles ne figurent pas dans l'inventaire, et elles sont trop petites et trop luxueuses pour avoir appartenu à Ryoshi ou Johnny. Regardez ces taches de sang. On ne peut pas les attribuer à des éclats de verre entamant des pieds protégés par une forte callosité.

Nort hoche la tête. Ashida capte L'Odeur. Passé la date limite, les corps se sont décomposés. La chair se détache des os. Il soulève les quatre draps. Leurs pieds sont encore intacts. Nort présente les chaussettes devant eux. Elles sont trop petites pour Ryoshi et Johnny. Elles sont trop petites pour Aya et Nancy. L'homme aux chaussettes en cachemire a des pieds *minuscules*.

Un microscope est fixé à la paillasse. À côté de lui s'élève une pile de dossiers. Nort prélève un échantillon sur l'une des chaussettes, le pose sur une lame de verre et le recouvre d'une lamelle, puis glisse la préparation sur la platine du microscope. Il fait le point. Il observe. Il prend un dossier et consulte un compte rendu d'autopsie. Il fait six allers et retours entre la fiche et le microscope. Il se retourne et sourit jusqu'aux oreilles.

– Le type en chaussettes a mis les pieds dans une flaque de sang viscéral. Celui de Ryoshi. Il avait eu récemment une infection intestinale. Cette tache de sang est pleine de leucocytes.

*Qui est l'homme au pull...*

Nort ajoute :

– Les pieds des loups-garous ne sont pas minuscules. Bien que je sache qu'il s'agit d'un coup monté.

L'incinérateur démarre. Ashida reçoit un puissant souffle d'air chaud.

Il rehausse les chariots brancards et les pousse vers le bord de l'incinérateur. Il fait tomber les corps dans les flammes.

Nort dit :

– *Sayonara*, les Watanabe. Je regrette qu'on n'ait pu en faire davantage pour vous.

# 98

## JOURNAL DE KAY LAKE

### LOS ANGELES | LUNDI 22 DÉCEMBRE 1941

**22 h 39**

Je me sens ridicule.

Je suis plantée devant l'entrée de l'hôtel Roosevelt, en face de l'esplanade du cinéma Grauman's Chinese. Je ne ressemble pas à une prostituée, mais à une fille de la Prairie qui s'est mal renseignée sur le climat local. Je porte une robe d'hiver, plissée, qui descend en dessous des genoux ; la veste assortie est plutôt ample. Mon chemisier en soie rouge ne dévoile pas un décolleté avantageux. Mon manteau de fourrure paraît déplacé à Noël en plein Los Angeles. Une odeur de naphtaline me fait éternuer.

Elmer, Brenda et Bill Parker sont déjà dans la suite 813, cachés derrière un mur muni d'un miroir sans tain. Une caméra de cinéma montée sur un trépied est braquée sur le salon. La pièce est équipée d'un microphone. Elmer et Brenda connaissent le fantasme de Fletch Bowron et m'assurent que la rencontre restera strictement localisée dans le salon.

Parker semble être à jeun. Il donne des ordres sur un ton brusque et se comporte avec une civilité bourrue. Il a accepté de mettre ce chantage en œuvre sans hésiter une seconde. Cela m'a étonnée.

J'attends. Le maire, Fletch Bowron, doit arriver d'un instant à l'autre. Des cosmétiques masquent mon nez cassé, qui ne porte nulle trace d'une fracture récente. Je fume cigarette sur cigarette ; je regarde les ploucs qui s'amassent devant le cinéma Grauman et qui glissent leurs pieds dans les empreintes laissées par les vedettes de cinéma. Une jolie fille guide un aveugle sur l'esplanade et l'aide à comparer ses pieds à ceux de Cary Grant. C'est charmant et déchirant à la fois.

Une berline Lincoln se range le long du trottoir, juste devant moi. Le chauffeur fait un appel de phares – c'est à moi que le signal est destiné. Je me penche vers la fenêtre du passager. Pincez-moi – c'est Fletcher Bowron.

Il se tourne vers moi et me jette un regard lubrique. Il porte à son revers les insignes des trois confréries auxquelles il appartient, et au bras un brassard de deuil pour honorer les morts de Pearl Harbor. Je lui dis :

– Suite 813. Veuillez me laisser quelques minutes, je vous prie.

Fletch me fait signe que c'est d'accord. J'entre dans l'hôtel, prends l'ascenseur, et entre dans la suite.

C'est là que se passent tous les rendez-vous organisés par Brenda. Le salon et la chambre sont équipés de miroirs sans tain. Derrière les murs, des réduits permettent à trois opérateurs accroupis de filmer les rencontres en toute discrétion. Brenda, Elmer et Parker sont postés derrière le miroir sans tain du salon. J'ai pour consigne de me tenir de profil à deux mètres cinquante du mur. Elmer m'a prévenue que Fletch risquait de se sentir nerveux et m'a conseillé d'avoir sous la main un verre contenant une boisson forte.

J'esquisse deux ou trois pas de danse et adresse un signe de la main au miroir transparent.

Brenda hurle :

– Pas de cabotinage, citoyenne ! On n'est pas à la fête du lycée.

Je ris et m'approche du bar. Je verse pour Fletch un triple whiskey et y ajoute une giclée d'eau de seltz. Je me lisse les cheveux et j'entends la sonnette. La boisson en main, je vais ouvrir la porte. Fletch m'arrache le verre et le vide d'un trait. Je referme la porte et pousse le verrou.

Il me déclare :

– Vous croyez avoir affaire à monsieur Fletcher Bowron, mais vous vous trompez. Ce type est une lavette. Le ministère de la guerre me force à voyager incognito, et je reconnais que je ressemble un petit peu à Fletch. Maintenant, je vous écoute, ma petite. Dites-moi qui vous avez devant vous.

Fletch s'appuie toujours sur un scénario. J'ai mémorisé mon rôle. Je lui réplique :

– Vous êtes Race Randall, l'as des espions. Vous venez de rapporter d'Europe des documents secrets, et votre mission vous a épuisé.

– C'est exact. J'ai observé l'évolution des combats sur le front est, et je commence à croire que nous devrions passer un marché avec Hitler tant qu'il est encore temps de le faire. Ces nazis sont gonflés à bloc, et comme j'ai moi-même de l'énergie à revendre, je m'en suis aperçu tout de suite.

Je m'approche du bar et lui prépare un autre triple whiskey. Je le relance :

– Je suis fascinée par la géopolitique. Dites-m'en un peu plus, je vous prie.

Race s'empare du verre. Il en avale une lampée et se pavane comme un paon.

– La Russie, ça va, si vous aimez le gruau et les lesbiennes qui pratiquent le lancer de disque, mais en Deutschland, il y a tout ce qu'il faut. J'y suis allé en 38 avec la commission du commerce extérieur de Los Angeles, et à mon avis, le *Führer* a été grandement calomnié. L'Abwehr a tenté de me recruter, mais Race Randall reste dévoué à ses bons vieux États-Unis. Vous savez ce qu'on dit à mon sujet, n'est-ce pas, ma petite ?

Évidemment, je le sais.

– Tout le monde a entendu parler de vous, monsieur Randall. C'est vous qui avez la plus grosse et la plus vaillante.

Race titube et renverse un peu de son bourbon.

– Marlene Dietrich peut en témoigner, ma petite. Nous étions avec quelques jeunes Allemands dans un restaurant qui sert des schnitzel, sur la Goetheplatz. Vous connaissez le *Horst Wessel Lied*[1] ? *Die Fahne hoch! Die Reihen dicht geschlossen! SA marschiert mit ruhig festem Schritt.*

Nous sommes juste en face du miroir sans tain. Race vide son verre et se met à arpenter la pièce au pas de l'oie. Il la traverse d'un bout à l'autre et revient de la même façon, trois fois. Je me recule et le suis des yeux ; j'entends des raclements de semelles dans le réduit, derrière le miroir, et j'assiste au clou de la soirée avant que Race Randall n'y ait droit lui-même :

La citoyenne Brenda, les citoyens Elmer et Bill se tiennent près de la porte de la chambre. Race les verra au moment où il fera demi-tour pour revenir vers nous au pas de l'oie.

Il lance une jambe devant lui, il se fige, il lâche son verre et hurle.

– On se connaît depuis des lustres, Fletch, dit Brenda, mais les affaires sont les affaires.

– Pas de « dossier à charge » contre moi, dit Parker. Demain matin à 8 heures, conférence à huis clos, approuvée par le jury d'accusation. Assignations à comparaître sans délai pour Preston Exley et un nommé Pierce Morehouse Patchett. Ils pourront venir accompagnés d'un avocat. Je serai le représentant temporaire du jury d'accusation.

J'ajoute :

– Race, c'est vous qui avez la plus grosse et la plus vaillante.

# 99

## LOS ANGELES | LUNDI 22 DÉCEMBRE 1941

**23 h 42**

Fletch se met à sangloter. Brenda joue les mères poules et le console.

---

1. Le Chant de Horst Wessel, hymne des SA.

*On reste copains, mon chou. Je continuerai de t'envoyer des filles.*
*Je vais te faire un bon café. Ça ira tout de suite mieux.*

Ces larmoiements sont insupportables. Parker s'éclipse. Il descend par l'ascenseur. Les chants de Noël qui résonnent dans le hall de l'hôtel lui tapent sur les nerfs. Il sort de l'établissement.

Il a garé sa voiture dans une rue adjacente au boulevard. Il a apporté ses livres de droit et du papier brouillon. Il rejoint sa voiture au petit trot et s'y installe. Il regarde sa montre. À 2 heures du matin, il aura passé six jours sans boire une goutte d'alcool. Il regarde les fenêtres de la suite 813. Fletch sanglote toujours. Miss Lake parle avec ses amis.

Parker sort ses crayons et ses calepins. Une jeune fille passe devant sa voiture ; elle guide un aveugle. Il leur envoie une prière.

Prier lui donne une idée. Cela donne de la densité au chantage infligé à Bowron. Une ordonnance de cessation et d'abstention ne suffisait pas. Le huis clos comportait davantage de risques pour Bowron. Cela réduisait la probabilité qu'il fasse bande à part et vende la mèche. L'idée contourne Le Serment. Parker négocie avec Dieu pour obtenir précisément ce résultat. L'allègre sermon de Dudley l'a convaincu d'essayer.

Cela *pourrait peut-être* persuader Exley et Patchett d'abandonner leur projet de camps d'esclaves. Cela pourrait peut-être instiller en eux *juste l'ombre d'un doute.*

Parker travaille. Il étudie des statuts. Il corne des pages. Il souligne des arguments juridiques. Il fume à s'en irriter la gorge. Il avale du café froid et il cogite. Il pense à l'enseigne de vaisseau Conville. Il pense à Miss Lake.

Hier, il est passé en voiture devant chez Coulter. Dans la vitrine, il a vu une jupe en tweed et il a pensé à Miss Lake. Cette jupe et des bas blancs. Miss Lake en gants blancs à l'église.

L'enseigne de vaisseau Conville est plus grande. Elle porte la tenue d'hiver, à présent. Elle mettra un uniforme kaki au printemps. Cela ira bien avec sa chevelure rousse.

Parker travaille toute la nuit. Il rédige une série de questions et les reformule pour en ôter toute faille éventuelle. À l'aube, il redémarre et part vers le centre-ville.

Il s'offre un petit somme dans la salle de repos. Il dort entre Thad Brown et Lee Blanchard. Il se lève à 7 h 40. Il se lave et se rase dans les toilettes.

715

Les dés sont jetés. Direction : Salle 546, celle du jury d'accusation du Comté.

Parker descend l'escalier. Fletch a rempli son contrat. L'annexe est prête : une table, cinq sièges. Une sténotypiste. Les participants et leurs avocats.

Bill McPherson et Preston Exley. Pierce Patchett – grand et émacié. Son avocat ? L'homme de Ben Siegel, Sam Rummel.

L'espace est restreint. Six personnes dans une pièce exiguë. Exley le blasé. Patchett le blasé. McPherson, le D.A. – attentif et zélé en ce début de matinée. Un avocat marron qui joue dans la cour des grands, et deux citations à comparaître notifiées à l'aube.

McPherson annonce :

– Tout le monde est là. Ne faisons pas comme s'il ne s'agissait que d'un fâcheux contretemps, et entrons dans le vif du sujet.

La sténotypiste prépare sa machine. Rummel pose trois feuilles de papier sur la table.

– Les engagements de confidentialité. Nous avons besoin des signatures de M. Exley, de M. Patchett, et du capitaine Parker.

Les stylos surgissent. Exley signe. Patchett signe. Parker signe. Rummel s'éclaircit la voix.

– Capitaine Parker, êtes-vous ici en tant que policier, ou en tant qu'avocat spécialement nommé pour représenter le jury d'accusation du Comté ?

– Votre seconde hypothèse est la bonne, monsieur Rummel. J'ajouterai qu'au regard de la loi, il m'est interdit de répéter tout témoignage recueilli ici même sous serment à quelque organisme extérieur que ce soit, y compris le LAPD.

McPherson tapote sa montre.

– Commençons sans plus attendre. Messieurs, levez la main droite.

Les quatre hommes s'exécutent. McPherson débite son laïus :

– Les témoins ici présents jurent-ils que leur déposition faite en privé et sous serment est parfaitement sincère et exempte de dissimulation et de faux-fuyants ? L'avocat représentatif du jury, ici présent, jure-t-il que ses questions seront posées en pleine connaissance des lois fédérales et des lois de l'État de Californie, et que cette enquête préliminaire est entreprise pour servir au mieux les intérêts de tous les citoyens du Comté de Los Angeles ? Toutes les parties concernées comprennent-elles qu'à l'issue de la présente confrontation, je déciderai s'il convient ou non d'entreprendre une enquête approfondie, et que ma décision sera sans appel et définitive ?

— Je le jure, et je le comprends, dit Exley

— Je le jure, et je le comprends, dit Patchett.

— Je le jure, et je le comprends, dit Rummel

— Je le jure, et je le comprends, dit Parker.

La sténotypiste retranscrit chaque mot. Rummel s'éclaircit la voix.

— Douze questions, capitaine Parker. Si mes clients refusent de répondre, je vous prierai de ne pas faire de commentaire et de ne pas les harceler.

Exley et Patchett prennent place. Parker s'installe en face d'eux.

— Toutes mes questions sont destinées à la fois à M. Exley et à M. Patchett. J'attends des réponses de l'un ou de l'autre ou même des deux, et ils pourront, s'ils le désirent, fournir des détails.

Rummel secoue la tête.

— Il ne désirent pas donner de détails, et ils ne le feront pas.

McPherson s'installe à califourchon sur une chaise.

— Entrons dans le vif du sujet. Nous avons trois ténors du barreau dans cette pièce. Il n'y aura pas d'entourloupes.

Rummel s'assied à son tour. Parker observe Patchett. Il remarque ses pupilles rétrécies. Il consomme sans doute des opiacés.

— Voici ma première question. Messieurs, vous êtes-vous associés pour racheter, ou tenter de racheter, depuis un certain temps et encore maintenant, des propriétés immobilières détenues par des Japonais à Highland Park, Glassell Park et South Pasadena, ainsi que des exploitations maraîchères japonaises de la vallée de San Fernando ?

— Oui, répond Exley.

Parker poursuit :

— Est-il dans vos intentions de raser lesdites maisons afin de construire des rampes d'accès à l'Arroyo Seco Parkway et des centres commerciaux près de l'Arroyo Seco Parkway ?

— Oui, répond Patchett.

Parker dit :

— Exley Constructions a déposé une proposition actuellement étudiée par le bureau du maire et le conseil municipal. En théorie, cette proposition remplace les projets antérieurs mis en œuvre par le gouvernement fédéral. M. Exley souhaite construire dans la vallée de San Fernando des camps de travail et d'internement destinés aux éléments subversifs japonais, pour toute la durée de la guerre. M. Exley, avez-vous acquis, et tentez-vous encore d'acquérir, des exploitations maraîchères japonaises afin de les raser et d'y créer des camps de travail et d'internement ?

– Oui, répond Exley.

Parker demande :

– Employez-vous, pour ramasser vos récoltes, des ouvriers agricoles mexicains entrés illégalement dans le pays ?

Exley et Patchett se penchent vers Rummel. Les poignets de chemise de Patchett remontent sur ses avant-bras. Ils dévoilent des tatouages en forme de symboles asiatiques.

Rummel intervient :

– Question sans objet, capitaine. Ces ouvriers ont reçu des visas temporaires des mains du capitaine Carlos Madrano, de la police d'État mexicaine.

Gigantesque partouze. *El Capitán* Carlos. *El Jefe, muy fascista.*

– Je change ma question, messieurs. Vos ouvriers détruisent-ils systématiquement des terrains maraîchers en imbibant la couche arable d'huile de crevette, afin de constituer une base pour les fondations en ciment de vos futurs camps de travail et d'internement ?

– Oui, répond Exley.

Parker demande :

– Avez-vous créé une entreprise fantôme pour enregistrer secrètement vos rachats de maisons et d'exploitations maraîchères ?

– Oui, répond Patchett.

– Êtes-vous disposés à présenter les documents afférents à vos acquisitions au jury d'accusation du Comté de Los Angeles ?

Rummel prend la parole :

– Seulement dans l'éventualité de l'ouverture d'une enquête approfondie, et après réception d'une citation à comparaître de source officielle.

Parker demande :

– Avez-vous racheté la maison de Highland Park et l'exploitation maraîchère de la Vallée appartenant l'une et l'autre à Ryoshi Watanabe ?

– Oui, répond Exley.

– Avez-vous demandé à M. Watanabe ou aux membres de sa famille de piétiner le terrain situé derrière la maison après s'être enduit la plante des pieds d'huile de crevette et d'éclats de verre, afin d'aérer la couche arable et de faciliter le coulage de ciment ?

– Oui, répond Patchett.

Parker dit :

– Les terrains situés derrière les maisons que vous avez acquises ou tenté d'acquérir sont des biens publics transférés par acte notarié au Comté de Los Angeles, assortis d'un droit de préemption accordé à Exley Constructions, en raison de leur proximité avec l'Arroyo Seco Parkway. Messieurs, avez-vous systématiquement tenté d'abaisser la valeur de ces propriétés par vos manœuvres de contamination de la couche arable, et étiez-vous conscients du fait que des personnes *arpentant* les terrains auraient davantage de chances de passer inaperçues que des engins mécaniques utilisés pour répandre l'huile de crevette ?

– Oui, répond Exley.

Parker demande :

– Avez-vous assassiné Ryoshi, Aya, Johnny et Nancy Watanabe le 6 décembre 1941 ?

– Non, répond Patchett.

– Savez-vous qui les a tués ?

– Non, dit Patchett.

– Avez-vous des alibis vérifiables pour le samedi 6 décembre, entre 14 et 17 heures ? Je souhaite votre réponse à tous les deux, s'il vous plaît.

– Oui, dit Exley.

– Oui, dit Patchett.

Parker demande :

– Êtes-vous disposés à présenter ces alibis valablement confirmés par un tiers ?

Rummel s'éclaircit la voix.

– Seulement dans l'éventualité de l'ouverture d'une enquête officielle approfondie, et seulement après réception d'une citation à comparaître adressée directement.

Douze questions. Quelques éclaircissements supplémentaires. Trente-quatre minutes, tout compris.

Parker regarde McPherson.

– En tant que représentant du jury d'accusation, je demande l'ouverture d'une enquête approfondie.

McPherson se lève.

– Demande rejetée. Le Loup finira dans la chambre à gaz pour ces meurtres. L'huile de crevette, les cultures maraîchères et les bretelles d'accès, qu'est-ce qu'on en a à foutre ?

# 23 décembre 1941

# 100

**8 h 53**

*« BET-TE ! BET-TE ! »*

La foule de ses admirateurs prend d'assaut le Miracle Mile. Elle réquisitionne les parkings et fond sur les badauds aux bras encombrés de cadeaux de Noël. Achetez des titres d'emprunt de guerre ! Venez voir Miss Davis. C'est Tante Sam – et elle a besoin de *VOUS !*

Achats de dernière minute. Hollywood. La fièvre de la guerre.

Les grands magasins se succèdent tout au long de Wilshire Boulevard : Desmond, Silverwood, Coulter. Les parkings sont juste derrière les bâtiments. On a installé des estrades près des sorties. Bette domine la foule et lui parle grâce à un microphone.

Elle subjugue ses admirateurs. Elle est encadrée de militaires porte-drapeau. Des flics régulent les files d'attente des futurs souscripteurs. Bette leur serre la main à tous. Bette pose pour les photos. Des policiers militaires récoltent les promesses d'achats et les sommes en liquide.

Beth et Tommy ne s'éloignent pas de Bette. Dudley reste à distance. Bette lui fait la gueule. La soirée d'hier pèse sur eux.

Sa main blessée fait cruellement souffrir Dudley. Claire a passé deux heures à en ôter les éclats de verre à l'aide d'une pince à épiler. Elle lui a momifié la main. Il n'a pas pu s'en servir pour la toucher. Ils ont fait l'amour de façon maladroite.

Il a mis sa blessure sur le compte d'une soirée arrosée entre flics. Quelqu'un a raconté une blague irrésistible et il a tellement ri qu'il a serré son verre trop fort. L'Impératrice Rouge a paru sceptique.

Ils ont discuté de leurs projets mexicains. Ils ont parlé pendant des heures. Elle lui a donné une pilule pour calmer la douleur. Ils se sont endormis dans les bras l'un de l'autre.

Il a quitté le lit de Claire à 7 heures du matin. Elle lui a demandé ce qu'il allait faire aujourd'hui. Il a répondu qu'on l'avait chargé de servir de garde du corps à Bette Davis. Claire la sceptique a hurlé de rire.

– C'est le parfum de Bette Davis que j'ai senti sur toi dimanche. Je l'ai croisée une fois, à une première. Je m'en souviens, de son parfum.

Dudley a ri. Claire a pris un vaporisateur pour l'asperger de *son* parfum à elle.

« *BET-TE ! BET-TE !* »

Dudley observe la foule. Les flics, bras dessus, bras dessous, forment une chaîne pour empêcher les débordements. Le grand magasin Silverwood est la deuxième étape de la journée. Pour la première étape, au Desmond, cinq cents admirateurs sont venus. Les plus mordus ont passé la nuit dans le parking.

« *BET-TE ! BET-TE !* »

La foule scande son nom. Hier, c'est le nom de Dudley qu'un groupe d'admirateurs a scandé. Bette lui fait la gueule. *Tu m'as contrariée gravement.*

« *BET-TE ! BET-TE !* »

Au magasin Desmond, il a utilisé le téléphone du flic de l'établissement. Il a appelé Huey, qui lui a fait son rapport. Huey lui a dit que Tojo Tom était toujours sous bonne garde. Dudley a parlé à Tojo Tom. Il l'a interrogé sur la planque où Carlos Madrano gardait sa drogue et son fric. Tojo lui a donné des réponses crédibles et l'a supplié de le relâcher. Dudley lui a dit : *Joyeux Noël, mon garçon. On vous relâchera pour le Nouvel An.*

Il a commencé à *voir* le raid qu'il projette. Utilisons ces sous-marins aperçus à Baja.

Appelez-moi-Jack est obsédé par les sous-marins. Il redoute des attaques dirigées contre le littoral de Los Angeles. Dudley a téléphoné à Appelez-moi-Jack pour l'embobiner.

*Monsieur le directeur, je redoute des attaques de sous-marins. Permettez-moi d'aller discuter du problème avec la police d'État mexicaine. J'emmènerai mes hommes avec moi.*

Ensuite, tout s'est goupillé pour lui faciliter le travail. Le destin est intervenu en sa faveur. Carlos Madrano *aussi* est obsédé par les sous-marins. Carlos a *déjà* téléphoné à Appelez-moi-Jack. Ces signalements de sous-marins à Baja lui flanquent la frousse. Appelez-moi-Jack est aussitôt tombé dans le panneau.

– Descendez discrètement au Mexique, Dud. Ne dites pas à Carlos que vous êtes sur place. Recueillez toutes les rumeurs qui courent au sujet des sous-marins. Ellis Loew planche devant le jury d'accusation, aujourd'hui, et nous obtiendrons l'inculpation du Loup-garou lundi prochain. Au Nouvel An, vous serez nommé au renseignement militaire, et je sais que vous souhaitez un poste au Mexique. Préparez le terrain et sautez quelques *señoritas*. Tenez-moi au courant de ce que vous aurez appris.

*Bien reçu, chef. C'est exactement ce que je vais faire.*

« BET-TE ! BET-TE ! »

Elle lui fait la gueule. *Tu m'as contrariée gravement.* Elle refuse de le voir.

Beth ne l'abandonne pas, et ne cesse de regarder dans sa direction. Sa main le fait souffrir. La foule acclame Bette.

Les flics amènent les pékins qui veulent la rencontrer. Elle leur sourit, à tous. Elle pose pour des photos et donne des accolades.

Bette est américaine. Lui, Dudley, appartient à la racaille des immigrants. Bette, protestante, est née en Amérique. Lui, il vient de la populace papiste. C'est sa guerre, à *elle* – pas celle de Dudley.

Il pense à l'Impératrice Rouge. Il pense au Mexique et à l'argent. Des écoliers envahissent l'estrade. Ils agitent des drapeaux américains fixés à des bâtonnets.

# 101

## LOS ANGELES | MARDI 23 DÉCEMBRE 1941

**11 h 04**

Ashida voit de la fumée. Elle s'élève en volutes au nord-est. Ce pourrait être une brume bleue. Ou les cendres des Watanabe crachées par la morgue.

*Qui est l'homme blanc au pull violet ? Il a marché dans le sang de Ryoshi. Il porte des chaussettes en cachemire et il a des pieds minuscules.*

Ashida est assis devant l'immeuble de Mariko. Elle est dans son appartement, elle dort. Le calme règne à Little Tokyo. Les fédéraux soufflent un peu, ils prennent des vacances. Plus de rafles dans les rues, pas de descentes dans les banques.

Une population réduite. Des sapins de Noël sur les trottoirs.

Ashida lit l'édition du matin du *Herald*. C'est sa récréation. Il doit retourner chez Kwan après le déjeuner.

Ils démontent entièrement la voiture tragique. C'est ça ou peigner la girafe. Les Japs évadés étaient déjà reconnus coupables au moment où ils ont fait la belle. Dudley va brutaliser des aides-serveurs du Hop Sing et coincer le type qui a mis les tueurs sur la piste des victimes. C'est couru d'avance.

Dudley lui manque. Il a envie de s'asseoir près de lui. Il a envie de le voir faire des clins d'œil.

Le *Herald* ne parle que des Japs et de Noël. LA FOULE ENVAHIT LE MIRACLE MILE ! BETTE DAVIS ATTENDUE CHEZ COULTER ! SOLDES SUR LES CHEMISES ARROW À LA WILSHIRE MAY COMPANY !

Dudley et Bette Davis. Il adorerait voir ça. Son appareil photo, un miroir sans tain.

Alerte aux sous-marins japs à Baja. Ce n'est qu'à 160 kilomètres. Cela *pourrait* se produire ici.

On a vu les Japs évadés dans le Comté de San Diego. Ils ont contourné tous les barrages. Le détachement est en route.

Ashida jette son journal. Des voisins intrépides balaient la rue. Les trois quarts de la population locale se sont dispersés. Les immeubles cadenassés en attestent. Le mois de février n'est plus très loin. Les journaux usent de périphrases pour éviter l'expression « camps de concentration ».

Un taxi s'arrête devant Ashida. Bucky Bleichert en descend. Il porte sa veste du lycée Belmont.

Le taxi fait demi-tour. Bucky fait sauter les piécettes que contient sa poche et regarde Ashida. Il est plus grand que Dudley. Ils ont l'un et l'autre de petits yeux marron. Les bras de Bucky sont plus longs. Les mains de Dudley sont deux fois plus larges.

Bucky s'approche. Il est hésitant, comme à son habitude. Il tend une enveloppe à Ashida. Elle semble contenir de l'argent.

– C'est une offrande pour faire pénitence ? Tu as dénoncé ma famille, et tu espères effacer ta trahison ?

Bucky hausse les épaules. C'est typiquement Bucky. Ses poses les plus dédaigneuses sont empreintes de grâce.

– C'est toutes mes économies. Je crois que tu vas en avoir besoin.

— Précise ta pensée, Bucky. Pourquoi en aurais-je besoin ?

Bucky explique :

— J'ai joué au basket-ball à l'école de police, et j'ai entendu des fédéraux parler. Ils disaient que tu étais impliqué dans le tournage d'une sorte de film pro-Rouges, mais que les charges qu'ils détenaient contre toi et les autres Rouges n'ont pas été retenues. Ils cherchent un os à ronger, alors ils vont court-circuiter ton copain Ward Littell et vous embarquer après Noël, toi et ta famille. Ils ont dit que vous apparteniez tous à la cinquième colonne depuis longtemps.

— Merci, Bucky. Tu n'étais pas obligé de me le dire, mais tu l'as fait quand même.

Bucky fait sauter des pièces de monnaie dans sa main.

— J'ai toujours su ce que tu éprouvais pour moi. Ça ne m'a jamais gêné, jusqu'au jour où tu t'es trouvé en travers de ma route.

— Quelque part, il y a une femme qui te cherche. Je suis sûr qu'elle te trouvera un jour, dit Ashida.

## 11 h 45

Il fonce. Il laisse en plan Bucky et le désossage de la Cadillac tragique chez Kwan.

Il se rend à l'hôtel de ville en voiture et grimpe l'escalier en courant. La Criminelle grouille de Japs et de Chinetoques. Mike Breuning et Dick Carlisle travaillent dans deux salles d'interrogatoire contiguës. Ashida regarde à travers les miroirs sans tain du couloir.

Des gars du Hop Sing sont menottés aux canalisations. Ses collègues les frappent à coups d'annuaires téléphoniques.

Thad Brown est dans la plus grande des salles de conférences. Il trace des itinéraires sur une carte murale. Il prêche à une quarantaine d'hommes en tenue de chasse.

Les Japs sont partis tout droit vers Dago. C'est un point de passage de la frontière. Les flics mexicains de la police d'État les attendent. Des avions de reconnaissance survolent la région. Les Japs sont planqués dans la brousse. Ils vont emprunter l'une des routes qui descendent vers le sud. C'est à ce moment-là qu'on les coincera.

Ashida compte les têtes réduites. Il arrive à 23 et s'arrête. Un homme sur deux trimballe une scie à métaux.

Ça suffit comme ça.

Ashida se rend au bureau de Bill Parker. La porte est ouverte. Parker porte un treillis de l'armée. Il est réquisitionné pour accompagner le détachement. Le bureau ressemble à une zone de fret. Masques à gaz, grenades, fusils à pompe Ithaca. Les avions de reconnaissance vont larguer des gaz sur les collines. Ils vont enfumer les Japs.

Ashida demande :

– Vous avez pu faire quelque chose ? Y a-t-il quoi que ce soit d'autre que nous puissions tenter ?

– J'ai tenté ma chance avec Exley, Patchett et le jury d'accusation. McPherson a refusé de poursuivre.

*Chaussettes en cachemire, chaussettes imbibées de sang. Qui est l'homme blanc au pull violet ?*

– Que reste-t-il à faire ?

– Nous pouvons attendre les relevés d'appels passés depuis les cabines publiques.

Ashida scrute la pièce. Il compte 20 mitraillettes Thompson.

– Les fédéraux ont décidé d'arrêter ma famille.

– J'en suis navré, dit Parker.

– Y a-t-il quelqu'un que vous pourriez appeler ?

Parker regarde la pendule murale.

– J'ai épuisé toutes les réserves de patience des fédéraux, docteur. Cela ne devrait pas vous étonner.

Dans le couloir, deux policiers militaires poussent un chariot chargé de munitions. Les roues métalliques attaquent le plancher.

Ashida fonce. Il traverse le couloir. Il entre à la Criminelle. Il atteint le box de Dudley.

Dudley est assis à son bureau. Sa main droite est bandée. Il porte un costume en tweed et des chaussures marron.

*Cela ne devrait pas être permis qu'un homme puisse être aussi dangereux que lui. Ni aussi séduisant. Ni aussi habile et aussi élégamment nonchalant.*

Dudley sourit. Il est entouré par les feuilles de son schéma. Deux traits d'encre noire les couvrent toutes les quatre.

*AFFAIRE WATANABE / RÉSOLUE / 7-12 au 23-12-1941.*

– Bonjour, mon garçon, dit Dudley.

Ashida se sent nerveux.

– Le FBI s'apprête à nous arrêter, ma famille et moi. J'ai pensé que vous pourriez nous aider.

– Je m'en occupe immédiatement, répond Dudley. En contrepartie, j'aurai besoin de vous pour une grande expédition mexicaine.

# 102

## LOS ANGELES | MARDI 23 DÉCEMBRE 1941

**12 h 39**

*Tout ce qui a précédé ce moment cesse d'exister. La guerre arrive.*
*Je vais m'enrôler.*

J'ai écrit ces mots à cet endroit même, il y a dix-sept jours. Je savais la guerre inévitable, et je croyais pouvoir enrayer l'attaque par mes actes personnels et mes déclarations d'intention.

Jeune présomptueuse. Regarde-toi dans la glace et affirme de façon convaincante que tu le crois encore aujourd'hui.

Scotty Bennett s'est engagé. Je doute que son service actif dans le Pacifique se révèle aussi mouvementé que ses deux semaines dans la police de Los Angeles comme engagé spécial en temps de guerre. J'ai reçu une lettre de Scotty il y a quelques heures ; il l'a écrite alors qu'il était en route pour le centre de recrutement de l'infanterie de marine. Il n'y parle pas de Dudley Smith, ni de l'affaire Watanabe, de l'assassin présumé qu'il a abattu à Chinatown, de son raid intrépide contre le repaire du Loup-garou, ni d'aucune autre mission abjecte qu'il a pu accomplir sous la férule du Dudster. Il n'y mentionne pas son décodage du schéma de Dudley – qu'il a envoyé à Ashida en prenant des risques considérables. Il n'y révèle pas non plus que cette fuite précipitée dans la guerre, c'est la façon dont il a, horrifié, choisi de répudier le mal et sa propre docilité à le servir. Il y déclare qu'il s'efforcera de se rendre utile à son pays en tant qu'adjoint d'aumônier militaire. Il me remercie pour l'amour que je lui ai donné en ce mois où l'Amérique est entrée en guerre et lui-même est devenu policier.

C'est en lisant cette phrase que j'ai pleuré. J'ai sorti d'un tiroir la médaille de saint Christophe que j'ai reçue à l'église luthérienne de la Trinité en 1929. Je sais que je ne reverrai jamais Scotty Bennett. Je porterai cette médaille jusqu'au jour où j'apprendrai qu'il est rentré sain et sauf ou qu'il est mort au combat.

Il y a dix-sept jours de cela, je ne connaissais pas Scotty. Je ne connaissais pas William H. Parker, Hideo Ashida, ni Claire De

Haven. Ce n'est pas de mon plein gré que je me suis impliquée dans un pogrom politique. Je n'ai pas de mon propre chef manœuvré à une douzaine de niveaux d'allégeance et de trahison. Je n'ai pas délibérément exercé de chantage sur une personnalité publique connue, ni défendu ma peau, un couteau en main, dans la cellule d'une prison. C'est la guerre qui m'a apporté tout cela, par l'intermédiaire d'un homme qui a interprété la guerre, de façon erronée, en fonction de ses actes personnels et de ses propres déclarations d'intention. Cela ne me réconforte nullement de savoir que le capitaine William H. Parker est aussi inconséquent et imprudent que moi.

J'ai appelé à plusieurs reprises l'appartement de Hideo et n'ai jamais eu de réponse. Il m'a trahie, il a trahi Claire, il a trahi un projet cinématographique qui aurait dénoncé la brutalité des calomnies xénophobes dont souffre son propre peuple. Je l'ai appelé parce que nous sommes en guerre, et parce que j'ai appris à comprendre comment naissent les allégeances immédiates et les trahisons soudaines. J'ai appelé Claire de façon répétée et n'ai jamais obtenu de réponse. Je l'ai trahie. J'ai trahi mes idéaux les plus nobles. J'ai trahi le courage dont Claire a fait preuve en combattant l'injustice, et sa capacité à surmonter les sophismes et à la débauche extrême.

J'ai appelé le cabinet médical de Saul Lesnick. J'ai laissé des messages à sa secrétaire, et il ne m'a jamais rappelée. J'ai appelé Reynolds Loftis et je lui ai parlé. Il m'a informée que Claire avait fini par croire que j'étais une taupe de la police. Reynolds a ajouté : *Claire pense que vous possédez des dons surprenants pour la comédie, mais pas de caractère ni de conviction*. Il m'a demandé si j'étais *vraiment* une taupe de la police. Je lui ai répondu que oui ; il m'a traitée de pauvre idiote et m'a raccroché au nez.

Je ne peux pas mettre sur le compte de la guerre la façon dont Claire m'a accablée. Elle a bien résumé ce qu'a été ma vie ces derniers temps.

La guerre. Cette tempête. Cette tempête qui à présent m'accuse.

Dudley Smith et son schéma. Appropriation de biens immobiliers et l'assassinat des Watanabe. Lee Blanchard qui tue un témoin de la mafia. Le pas de l'oie exécuté par un Fletch Bowron ivre. Une rumeur que Brenda a partagée avec moi : Dudley fume de l'opium dans le sous-sol de Kwan.

Scotty me manque. Hideo me manque. Claire me manque. Le cinéma Film-Art programme *La Passion de Jeanne d'Arc*. J'irai le voir et je penserai à elle.

Je pense à Dudley. Il me hante. Je le revois échanger des regards avec Bette Davis. Des œillades énamourées de part et d'autre d'une piste de danse.

La guerre. Ma propre invasion japonaise. Hideo. La crique de Goleta. Des sous-marins, de Monterey jusqu'au Mexique. Les suicides en prison. Goro Shigeta dans la cabine téléphonique. Je ne sais pas où est Lee Blanchard. Je suppose qu'il s'est joint au détachement. Les hommes qui le constituent portent des têtes réduites autour du cou. Lee en a acheté une pour décorer sa voiture.

Je ne sais pas où est Hideo. Nous sommes tous deux amoureux d'un boxeur perfide aux dents protubérantes.

La guerre. Actes irréfléchis et injustice. Je possède des dons surprenants pour la comédie, mais pas de caractère ni de conviction.

Ils me manquent, tous ces gens que j'ai trahis et qui m'ont trahie. Je ne sais que deux choses : l'Amérique gagnera la guerre, et je me retrouve seule avec William H. Parker.

# 103

## COMTÉ DE SAN DIEGO | MARDI 23 DÉCEMBRE 1941

**14 h 06**

Détachement militaro-policier. Attaque en tenaille. Vingt véhicules et un biplan pour pulvériser les cultures.

Ils se dirigent vers le sud. Deux cents chasseurs de Japs. La topographie leur est favorable.

Ils avancent sur deux flancs. Ils ont l'avantage stratégique que leur donne l'altitude. Les routes goudronnées dominent un ravin orienté nord-sud. En contrebas : feuillage épais, monticules envahis de broussailles, chemins plus ou moins praticables. Le couvert des arbres et une échappatoire vers le Mexique.

Les Japs se trouvent quelque part dans ce ravin. Les hommes du détachement sont plus nombreux et peuvent les déborder. Grâce à leurs jeeps et leurs blindés semi-chenillés de l'armée. Grâce à leurs voitures de police noir et blanc à suspension tout-terrain. Grâce à

leurs fusils, leurs mitraillettes et leurs grenades. Grâce à leur matériel de décapitation. Grâce au vaudou malfaisant des têtes réduites.

Les deux flancs progressent vers le sud. En tenaille. À droite
comme à gauche, les routes de crête offrent une vue plongeante sur
le ravin. Derrière eux, le biplan vole à basse altitude au fond de celui-
ci. Il vaporise un toxique jaunâtre à trente mètres du sol.

Le nuage toxique débusque les oiseaux et les immigrés clandestins. Il pousse tous les organismes vivants *vers le sud*. La substance
toxique brûle et ronge l'épiderme. Le nuage tombe vers le sol et y
stagne. Sortez de là, allez respirer l'air pur, vers *le sud*, tout de suite.

Parker roule *vers le sud*. Sur le flanc ouest. Il voit l'océan sur sa
droite. Sa voiture de police est équipée d'une radio. C'est un membre
de la Hearst Rifle Team qui tient le volant.

Parker est assis à l'avant. Sur la banquette arrière s'empilent des
masques à gaz et bombes lacrymogènes. Ils sont quelque part du côté
de San Marcos. Le nuage jaune flotte en contrebas. Le vent le pousse
*vers le sud*.

Le parcours est sinueux et cahoteux. Parker tend le cou pour
regarder *en bas*. Les clandestins sortent des arbres en courant. Ils se
frottent les yeux. Ils déboulent pêle-mêle. Ils fuient le nuage jaune et
courent *vers le sud*.

Les Japs se cachent quelque part sous les arbres. Le biplan les
repère et transmet leur position par radio.

*Les Japs. Dans une voiture marron. Ils sont en bas. Il faut qu'on
les force à se montrer. Il faut qu'on les fasse fuir vers le SUD.*

Les routes du ravin se dirigent *vers le sud*. Elles sont étroites,
conçues pour un seul véhicule, et pour moitié en terre battue. Ce
sont des voies de dégagement. Les flics du coin appellent l'ensemble
*le couloir sanglant*. Le couloir mène tout droit au Mexique. Il évite
les points de franchissement de la frontière et se termine par une
barrière en barbelés. Une centaine de fugitifs l'ont emprunté, pas un
seul n'a survécu.

Détachement. Convoi. Horde de lyncheurs. Jeu de kamikazes.

Parker réfléchit à toute cette histoire. Il repense au discours de
Dudley, hier, et il le pousse vers les extrêmes. Il a pu l'interpréter de
façon erronée. Il fait une fixation sur Dudley et voit Dudley partout.
Il souffre de Dudley-mania et de Dudley-paranoïa. C'est peut-être
Dudley qui a détroussé et tué ces quatre Chinois. Ou peut-être pas.
Il a peut-être assassiné le Président Lincoln et attaqué Pearl Harbor

lui-même. Parker souffre *gravement* de la magie noire exercée par Dudley.

*Pourtant...*

Cette fuite des Japonais n'a pas de sens. Pourquoi tenter de gagner le Mexique ? Les Japs ont le magot de la partie de dominos chinois, ils peuvent donc rétribuer généreusement des compatriotes prêts à les cacher. Pourquoi changer de voiture à Chinatown ? Pourquoi saccager la leur si près de l'endroit prévu pour leur braquage ? Cela ressemble à une convergence à la Dudley et une opération concoctée par le cerveau de Dudley.

La radio grésille puis annonce du nouveau. Provenance : le détachement de San Gabriel. Ils ont découvert le campement des Japs. Cela ressemble à l'endroit de Griffith Park où le massacre a eu lieu. Ils ont trouvé des rongeurs cuits en brochette. Ils ont trouvé une radio portative à ondes courtes et des monticules de papier carbonisé. La radio ne fonctionnait pas, elle ne pouvait plus recevoir, ni émettre.

Les Watanabe possédaient une radio à ondes courtes. C'est grâce à elle que Hideo a appris l'attaque contre la crique de Goleta. Les sous-marins japs rôdent le long de la côte mexicaine *en ce moment*.

Confluence. Superposition. Des pistes qui s'effilochent et qui paraissent *bidon*.

Les convois avancent vers le *sud*. Ils roulent bien plus haut que le nuage jaune qui se déplace au fond du ravin.

La radio lâche un rot indéchiffrable et puis soudain, elle *BRAILLE*.

*Alerte aux Japs*. Ils sont sortis du bois. Ils courent pour échapper au nuage jaune. *Regardez leur voiture, regardez leur voiture*. Elle fonce tout droit sur un barrage tenu par les flics mexicains. Tournez à gauche après le prochain bouquet d'arbres.

Voilà les arbres. Les Japs sont droit devant nous.

Parker regarde vers le fond du ravin. Parker regarde *vers le sud*. Nuage jaune, nuage jaune, le Couloir Sanglant. Voici la voiture des Japs. Elle est en bas. Elle s'est extirpée du nuage, elle est à l'air libre. La voiture de police descend en dérapage contrôlé un épaulement à moitié goudronné. Parker voit le barrage. Sa largeur est celle de six chevaux de frise bout à bout. Il est gardé par des flics mexicains. Ils sont en culotte de cheval et chemise noire façon Mussolini. Ils tiennent des mitraillettes, pointées *droit devant eux*.

La voiture de police dérape et stoppe. Parker et le chauffeur en descendent. Parker regarde l'autre côté du ravin. Huit jeeps et huit blindés semi-chenillés sont arrêtés sur l'épaulement d'en face.

*Une trentaine d'hommes.*

Ils ont des mitraillettes et des fusils de guerre. Ils ont des fusils de chasse chargés avec des balles sous-calibrées. Ils sont accroupis et visent *droit devant eux.*

Parker saisit ses jumelles. Son chauffeur épaule un Mauser équipé d'une lunette. Voici la voiture des Japs. Elle fonce sur le barrage. Elle est grossie par les jumelles, *maintenant.*

Les armes font feu. *Toutes* les armes font feu. *Toutes* les armes font feu, en contrebas, *sous ses yeux.*

Parker ne perd rien du spectacle, grossi par ses jumelles. Il *voit* le métal frapper le métal. Il *voit* le métal percer le métal. Il *voit* les vitres de la voiture voler en éclats. Il *voit* les pneus éclater et la voiture faire une embardée sur les jantes.

Il *voit* un nuage de balles. Un nuage indéniablement *noir.* Il *voit* les tirs de grenaille – comme une brume épaisse.

Parker regarde à gauche. L'épaulement sur lequel il s'est arrêté est noir de monde, à présent. Soixante hommes qui tirent *vers le fond du ravin.* La voiture des Japs fait un tête-à-queue. Les flics mexicains ouvrent le feu et l'arrosent. La voiture crache du rouge.

Les Japs en jaillissent et partent en courant. Des Japs en feu, des Japs qui tentent d'étouffer les flammes de leurs mains. Des essaims noirs fondent sur eux – balles de fusils de guerre, grenaille de fusils de chasse, balles tirées par des canons lisses. Les Japs sont déchiquetés. Parker *voit* tout cela, à fort grossissement.

Ils avaient encore une tête. Ils n'ont plus de tête. Leurs bras, leurs jambes disparaissent. Ils se vaporisent.

Puis vient une pause.

Puis les échos et le vent.

Puis la pause se prolonge.

Puis les hommes du détachement *se ruent* vers leurs cibles.

Parker court avec eux. Il dévale l'épaulement en trébuchant et fonce vers le barrage. Cent hommes convergent et se figent. Les Japonais ne sont plus que de la charpie tombée dans la poussière.

Les flics mexicains s'approchent. Parker examine la voiture des Japs. Elle brûle et dégage une fumée noire. Il remarque des débris sur le sol. Il s'en approche pour les regarder de près.

Des éclats de bois. Un tube pour poste de radio. Trois objets métalliques ronds. Des jetons de téléphone.

# 104

**14 h 48**

Rencontre au sommet. L'alliance Smith-Kwan d'un côté, la paire Exley-Patchett de l'autre.

Dudley entre dans l'arrière-salle, chez Wyman. Un buffet est servi. Dudley s'exprimera seul au nom de l'alliance. Oncle Ace et Terry Lux le soutiendront.

Exley et Patchett s'exprimeront en leurs noms propres. On entrera tout de suite dans le vif du sujet, et ça se terminera par des poignées de main. Pour la suite, Dudley a prévu un thé de Noël. Beth fera la connaissance de l'Impératrice Rouge.

Il a deux maîtresses. Beth, sa fille illégitime, a été élevée clandestinement. Elle a aujourd'hui dix-sept ans. Boston est une ville provinciale. Il est bon que Beth puisse observer à quel niveau se situent, en temps de guerre, les principes moraux d'une ville comme Los Angeles, particulièrement touchée par les événements récents.

Elle a fait la connaissance de Bette. Cela s'est aussi mal terminé que possible. Beth est restée, malgré tout, éblouie par Bette Davis et son statut de star. La campagne de Bette pour les titres d'emprunt de guerre a épuisé Dudley. Sa main l'élance toujours et les douleurs remontent le long de son bras. Il a appelé Bette il y a une heure. Une bonniche noire l'a éconduit.

Il a appelé Terry Lux, sans obtenir de réponse. Il voulait que Terry assiste à cette réunion. Terry est un investisseur essentiel. Terry trouve trop risqué leur projet de chirurgie esthétique pratiqué à la chaîne sur des Japs. Sur le plan médical, son efficacité est improbable. Du point de vue de la logistique, il est trop bancal. L'aspect eugénique l'intrigue, mais son intérêt ne va pas au-delà.

Terry devrait déjà être arrivé. Il a promis de venir. Ace a réglé les détails ce matin. Terry a dit qu'il rappellerait pour confirmer.

Dudley avale trois benzédrines. Dudley fait les cent pas dans la salle.

Il a disposé ses pions en rangs serrés. En ce moment même, Mike et Dick travaillent les gars du Hop Sing à coups d'annuaires téléphoniques. Cela va renforcer le boniment du complot interne sino-chinois. Les meurtres d'Oceanside ne seront jamais élucidés. Il vient de recevoir un télétype. Le détachement a fini par coincer les Japs près de San Diego. Les assassins présumés des joueurs de dominos : *muertos*.

Dudley fait les cent pas. Dudley fume cigarette sur cigarette. Sa main lui fait un mal de chien.

Il a pris toutes ses précautions. Ses pions sont en place. Il reste neuf jours jusqu'au Nouvel An. Réglons les derniers détails encore en suspens.

Il a parlé à Hideo. Ils ont discuté du Mexique. Hideo lui a dit qu'il avait préparé une batterie de pièces à conviction : des cheveux, des échantillons de tissu humain, du sperme en préparation microscopique. Il apportera aussi un assortiment de douilles.

Ils vont créer un scénario : une bisbille entre voleurs. Trois voyous dérobent l'argent liquide et l'héroïne de Carlos Madrano, et ils se lancent eux-mêmes dans le trafic de drogue. Les esprits s'échauffent. La folie prend le dessus. Résultat : trois morts.

Mike a trois camés à portée de main. De la racaille de Tijuana. Ils volent l'héroïne et se terrent quelque part. Le fric et la drogue disparaissent. Ils s'injectent des barbituriques pour la remplacer. Ils meurent d'une overdose.

Dudley a conçu le plan avec Hideo. Ils ont collaboré à toutes les étapes. Dudley a appelé Dick Hood et fait pression sur lui. Dick a accepté de repousser la détention de la famille Ashida. Dick a promis de leur réserver un traitement de faveur à partir de maintenant.

Il est 15 heures. La rencontre au sommet doit commencer. Où est Terry Lux ?

Sa main l'élance. La benzédrine accélère l'afflux de sang vers sa blessure. Il se verse un double scotch. L'alcool transforme l'élancement en brûlure.

Oncle Ace arrive. Preston Exley le suit. Il voit la main blessée de Dudley et lui donne l'accolade ; un *abrazo*, ce geste amical des Mexicains.

— Preston, je suis ravi de vous voir. Vous connaissez M. Kwan, bien sûr.

Exley donne l'accolade à Ace Kwan.

— Combien de dîners gratuits vous ai-je extorqués, Ace ? Vous avez assuré les repas qui ont accompagné la moitié des grands événements de ma vie.

– Homard à la Kwan et porc *lo mein*. Cela voulait dire : *L'inspecteur Exley travaille tard.*

Dudley s'esclaffe. Un homme de haute taille entre à son tour. Pierce Patchett, sans aucun doute. C'est l'homme en noir, de la tête aux pieds.

Costume noir, chemise noire, cravate noire. *Muy fascista.* Le style Carlos Madrano.

Patchett dit :

– Sergent Smith, M. Kwan. C'est un vrai club privé, que vous avez ici.

Pas de poignée de main. Pas d'*abrazo.* Ace jauge le bonhomme. Ace lui décoche un vrai regard de Chinetoque. *Qu'est-ce qui débloque, chez vous ?*

Dudley dit :

– Nous devons discuter de projets importants, bien que notre associé Terry Lux semble absent. Je crois que nous…

Exley lui presse le bras.

– Un collègue va nous rejoindre, Dud. Je pense que nous devrions l'attendre.

Ace braque sur Exley un vrai regard de Chinetoque. Patchett prépare un scotch avec des glaçons. La main de Dudley le brûle. Il sent encore la morsure des éclats de verre au plus profond des plaies.

Sammy Rummel fait son entrée. *Un collègue ?* L'avocat suppléant de Ben Siegel dans l'affaire du meurtre de Greenie Greenberg.

Rummel lâche sa sacoche. Ses gestes sont empreints de brusquerie.

– Bonjour, Sam, dit Dudley. Ça fait une paye.

– Je vous serrerais bien la main, réplique Rummel, mais de la main gauche, ça porte malheur.

– Je vous connais, Sambo, dit Ace. Mon ami Lin Chung a refait le nez de votre fille.

– Je sais, réplique Rummel, et ça n'a rien donné de bon. Elle a épousé un cuisinier goy qui travaille chez Don-le-Plagiste. On y sert une nourriture infecte, qui n'a rien à voir avec la bouffe de votre cantine.

Les rires forcés fusent. Dudley se hérisse. Il explique :

– Pour résumer la situation : monsieur Kwan, le D$^r$ Lux, aujourd'hui absent, et moi-même, formons un gentil petit cartel. Ce qui nous intéresse, c'est de nous joindre à *votre* gentil petit cartel, en vue d'une expansion des projets inspirés par les contingences de la guerre. Je parle des projets que les deux parties ont conçus de façon indépendante, mais qu'elles seraient bien inspirées de mettre en œuvre en tant que partenariat unifié. M. Kwan vous a informés de nos projets, et nous avons appris l'existence des vôtres de façon quelque peu détournée, voire clandestine. Un homme averti en vaut deux, messieurs. Nous savons qui vous êtes, et vous avez entendu parler de nous. Ce n'est pas nous qui avons déclenché ce conflit mondial, ni ordonné l'emprisonnement systématique des Japonais de Los Angeles. Cela étant précisé, nous aurions tort de ne pas en tirer profit.

– Bien dit, Dud, même si c'est dans un style un peu trop fleuri à mon goût. Nous avons tous eu d'excellentes idées, bien que les vôtres, sur le plan légal, soient plus contestables que les nôtres. Je dis « les nôtres » parce que je suis l'associé à part entière de messieurs Patchett et Exley, ainsi que leur avocat. Vos idées complètent et enjolivent les nôtres, et les deux parties ajoutent du bon sens, du sérieux et des concepts raisonnables à l'ensemble. Voilà, c'était la conclusion. La version courte ? Si vous voulez vous joindre à nous, vous êtes les bienvenus. La condition : vous devez apporter un capital de départ pour sceller votre partenariat. Nous encaissons des mises minimales remboursables sur les premiers bénéfices potentiels, et le seuil d'entrée est fixé à 400 000 dollars, en liquide, à verser lors de l'accord de principe. Je négocie pour mes associés, vous pouvez amener votre propre avocat. Et le plus vite possible, messieurs. Vous n'êtes pas les seules cavalières sur notre carnet de bal.

Bing. Le couperet tombe. Pas de claques dans le dos, pas de clins d'œil, pas d'au revoir chaleureux.

Exley sort. Patchett sort. Rummel les pousse dehors.

Dudley cligne des yeux. La porte s'ouvre. Les trois salopards se dispersent dans le restaurant.

Bing. Le couperet est tombé. La mise de fonds minimale est prohibitive.

– Ces salopards de Blancs, dit Ace. Un enfoiré quelconque est venu les trouver avec un magot et nous a baisés.

Dudley cligne des yeux. Sa main l'élance. Le bourdonnement des conversations lui parvient depuis la salle du restaurant elle-même. Beth et Claire sont au bar. Elles se sont trouvées. Elles bavardent comme deux frangines.

Ace s'en va. Bouillant de rage, il prend la tangente. Il sort sa tête réduite et la caresse. *Sayonara*, mon frère irlandais.

Dudley avale deux benzédrines. La douleur est plus lancinante que jamais. Marché non conclu. Ils se sont fait doubler. À cause de ce youde faux comme un jeton, le dénommé Rummel. Ils avaient reçu une offre prioritaire.

Dudley rumine ce sale coup. Il ferme les yeux et parle au loup de la lande.

Beth et Claire passent dans l'arrière-salle. Elles le bousculent. Elles lui foudroient sa main blessée et le font hurler. Il les rapproche de lui et les tient entre ses bras. Claire referme la porte d'un coup de pied.

— J'ai reconnu Miss De Haven d'après ta description, dit Beth, et j'ai commencé à bavarder avec elle. De ma part, ça faisait tellement Boston et tellement pauvresse Irlandaise…

Dudley sourit. Leurs yeux bleus. Leurs tailleurs élégants. Leurs taches de rousseur, à toutes les deux.

Claire dit :

— J'ai fait à votre fille un exposé succinct sur les hommes et les femmes, et sur la façon dont la guerre a faussé leurs rapports. J'espère ne pas en faire une blasée avant sa majorité.

Beth ajoute :

— Cela m'a fourni un contexte dans lequel je peux placer mon père, Miss De Haven et Miss Davis.

Dudley rit.

— Explique-moi ça, ma chérie. Tu sera majeure en juillet. Dis-moi, pendant que tu possèdes encore une certaine innocence.

Beth secoue la main valide de son père.

— D'accord. La guerre a tout chamboulé, si bien que les hommes et les femmes sont désorientés et s'efforcent de prendre du bon temps à chaque fois que l'occasion se présente à eux.

Claire secoue la main valide de Dudley.

— C'est bien votre fille, Dud. Elle n'a plus toute sa tête, en ce moment, mais elle sera bientôt de retour à Boston, où elle retrouvera ses sœurs et ses études, et c'est en soi-même un tout autre contexte.

Dudley touche les cheveux de Claire.

— Avez-vous vu Terry Lux, ma belle ? Il était censé nous rejoindre il y a quelques instants.

— Depuis quelque temps, il a entrepris de me sevrer, et il est venu chez moi aujourd'hui. Lin Chung l'accompagnait. Vous connaissez Lin Chung, n'est-ce pas ? Il pratique la chirurgie esthétique, et je l'invite à mes soirées.

Bing. Tout s'explique. Eh bien, la situation est limpide, à présent. *Trahison. Revenons au mardi 9 décembre. Lin Chung opère Jimmy*

739

*Namura pour qu'il ressemble à un Chinois. Terry lui a menti. Terry a qualifié le remodelage de Japs en Chinetoques de pari intenable. La science des races. La confrérie des eugénistes. Terry a parlé à Lin Chung. Entre chirurgiens, ils ont noué des liens. Ces opérations sont-elles faisables ? Rien n'est sûr, mais les deux hommes se sont juré de trouver un moyen de contourner le problème, et ils ont formé leur propre cartel. Ce sont eux qui ont mis de l'argent dans le cartel Exley. Le capital de départ, c'est celui de Lin Chung. Ses propres idées ont convaincu Terry d'accélérer la manœuvre pour entrer dans l'affaire.*

– Papa a l'air songeur, dit Beth.

– Il réfléchit, explique Claire.

Dudley touche les cheveux de Claire. Il devrait revoir ce film sur Jeanne d'Arc. Il est programmé quelque part à Hollywood.

Claire fourre son nez au creux de sa main valide.

– Bette était dans le *Herald*, ce matin. Elle veille toujours à ce que ses bonnes actions soient relatées dans la presse. Son mari et elle reçoivent un groupe de soldats pour un souper de Noël. Je ne pense pas qu'elle vous invitera, mais Beth et vous pourriez vous joindre à moi et à quelques amis de gauche.


# 105

## LOS ANGELES | MARDI 23 DÉCEMBRE 1941


**16 h 03**

*Qui est l'homme blanc au pull violet ?*

Ashida braconne dans la bibliothèque de droit de l'université de Californie du Sud. Les étudiants de race blanche le suivent d'un regard soupçonneux. Il travaille avec des traités et des calepins. Il s'appuie sur des notes chapardées dans le bureau de Bill Parker.

Parker est descendu à San Diego. Ashida a quitté le box de Dudley et fouillé les tiroirs de Parker, qui lui a dit avoir concocté un coup de poker avec l'aide du jury d'accusation. Parker espérait coincer

Preston Exley et Pierce Patchett. Il s'est probablement documenté avant la confrontation prévue. Et s'il avait laissé des notes ?

C'était le cas, effectivement. Ashida les a trouvées et s'en est emparé. Un détail a pu échapper à Parker. Cette possibilité l'a poussé à voler.

Son hypothèse est la preuve d'un orgueil insensé. Ashida sait bien qu'*à lui aussi*, un détail a échappé. Quelqu'un a vu, a fait, a dit quelque chose. Cela lui procurerait une information qui lui donnerait des réponses.

*Qui est l'homme blanc…*

Un détail lui a échappé. C'est comme l'absence des fourreaux chez les Watanabe. La *gestalt* du détail qui vous échappe s'est imposée à lui ce matin. Quelqu'un a vu, a fait, a dit quelque chose. C'est une pièce de puzzle. Il ne parvient pas tout à fait à la saisir.

Parker a laissé des notes. Parker a inscrit les titres des ouvrages étudiés et les références des passages utiles. Ashida consulte lesdits ouvrages. Les caractères d'imprimerie sont minuscules. Ils lui fatiguent les yeux. Les étudiants blancs le lorgnent avec mépris. Qui c'est, ce putain de *Jap* ?

Ashida parcourt les notes de Parker. Il a écrit : « Nombre de questions autorisées ? » et « Restrictions quant à la nature des questions ? » Cela signifie que Parker n'a pas pu poser toutes celles qu'il avait prévues.

Réfléchis en fonction de cette perspective : Qu'est-ce que Parker *n'a pas pu* demander à Exley et Patchett ?

Ashida analyse les notes de Parker. Ashida cherche leur source dans les ouvrages de droit. Il travaille à partir des notes et de sa propre lecture de l'antisèche de Scotty Bennett. Il y ajoute ses connaissances personnelles. Il imagine les questions potentielles et obtient ceci :

*Exley et Patchett étaient-ils prévenus de l'attaque contre Pearl Harbor ? Est-ce ce renseignement qui leur a donné l'idée de racheter des propriétés et des exploitations maraîchères, et de tirer profit de l'état de guerre ?*

Parker ne leur a pas posé cette question-là. Il aurait dû. Retour à la *gestalt* du détail qui vous échappe.

Une idée rôde dans sa tête et le turlupine. Quelqu'un a fait quelque chose. Quelqu'un a vu quelque chose. *QUELQU'UN A DIT QUELQUE CHOSE.*

*Clic, clic, clic.*

Les roues dentées s'engrènent. Les synapses crépitent. C'est : « *a dit quelque chose* » qui le met sur la voie. C'est un souvenir récent.

Jeudi 11 décembre. Vers 2 heures du matin, à Beverly Hills. Il est sur le point de partir à Goleta. Il est chez Linny, une gargote ouverte toute la nuit, en compagnie de Kay Lake.

Kay lui a dit : *J'ai vu Preston Exley pas plus tard qu'hier. Il sortait d'un bureau, à quatre pâtés de maisons d'ici.*

*Clic, clic, clic.* À présent, suivons cette piste :

La gargote de Linny se trouve dans Beverly Drive. Passons au lundi suivant : il a parlé à Saul Lesnick lors de la soirée chez Claire De Haven. Lesnick lui a dit que son cabinet médical se trouvait sur Bedford Drive, au numéro 416. Bedford Drive se trouve à quatre pâtés de maisons de Beverly Drive. Kay lui a raconté que sa mission, en tant que taupe de Parker, a commencé par une consultation chez Lesnick. Quelqu'un a dit quelque chose – oui. Cela fait même *deux* personnes, jusqu'à maintenant, qui ont dit quelque chose. Bon, n'oublions pas ceci :

Quelqu'un a Vu, a Fait, a Dit Quelque Chose. Quelqu'un a Écrit Quelque Chose. Attends… de nouveau, les roues dentées s'engrènent. *Clic, clic, clic.*

Ashida se replonge dans les notes de Parker. Oui, voilà :

Quelqu'un a Écrit Quelque Chose. *Parker* a Écrit Quelque Chose. Parker a écrit ceci :

Adresses professionnelles : Exley : 6402 Wilshire Boulevard. Patchett : 416 Bedford Drive, Beverly Hills.

*Clic, clic, clic.*

Ashida range ses notes et ses calepins et quitte la bibliothèque. Des étudiants blancs le suivent des yeux, l'air mauvais. *Hé, le Jap ! Où t'as garé ton avion de chasse ?*

Il est 16 h 53. Des nuages d'orage s'amoncellent à basse altitude et hâtent la tombée de la nuit. Ashida reprend sa voiture et se dirige vers Beverly Hill. Il s'engage dans Bedford Drive. Il trouve une place le long du trottoir, se gare, et sort ses outils. Le numéro 416 est un bâtiment blanc du genre château.

Trois niveaux. Anodin. Les portes ferment à 18 heures.

Ashida s'en approche. Le crépuscule précoce lui sert de couverture. Il se sent aussi invisible qu'un *non-Jap*. Il entre dans le hall de l'immeuble. Il examine le tableau qui répertorie tous les occupants.

Saul Lesnick – suite 216. Pierce Patchett – suite 217.

*Clic, clic.* Confluence et convergence.

Il monte au premier étage et s'introduit dans les toilettes pour hommes. Il s'enferme dans une cabine et s'installe sur le siège. Il s'adjure intérieurement de rester immobile.

Il s'assied sur ses talons. Il entend des portes claquer. Il entend des hommes aller et venir dans les toilettes. Il entend des robinets couler et les chasses d'eau des urinoirs se déclencher.

Ses jambes tiennent bon.

Quelqu'un entre dans les toilettes pour hommes. Ce quelqu'un éteint les lumières.

Il est 18 h 11. D'autres portes claquent. Puis aucune porte ne claque plus. Le silence s'installe, ainsi que l'obscurité totale.

18 h 21, 18 h 37, 18 h 49, 18 h 53, 18 h 58, 19 h 00.

C'est le moment.

Ashida descend de son perchoir. Il tape du pied pour faire circuler le sang dans ses jambes. Il sort sa lampe torche et l'allume. Patchett d'abord. Ce *quelqu'un*-là, c'est l'Inconnu.

Il sort en silence des toilettes pour hommes et suit le couloir plongé dans le noir. Le tapis étouffe ses pas.

Voilà la suite 217. Le cylindre de la serrure est monté sur ressort. Ashida le titille à l'aide d'un passe n° 4, en vient à bout, et entre dans les locaux de Patchett. Il coince la lampe torche entre ses dents. Il tourne la tête pour diriger le faisceau. Il s'enferme dans la salle d'attente et sa lampe lui révèle ceci :

Le bureau de la réceptionniste, deux fauteuils, un canapé. Une estampe murale qui représente le mont Fuji. Patchett le je-m'en-foutiste. Nous sommes en guerre, à présent. Le mont Fuji se trouve au Japon.

Des relevés d'appels téléphoniques. Un fichier rotatif et un carnet d'adresses. Des livres comptables. Il va falloir fouiller tout ça.

La porte du bureau du patron est entrouverte. Ashida y entre et promène sa lampe électrique. Des estampes murales représentent des geishas et des macaques japonais. Encore un coup de Patchett le je-m'en-foutiste.

Patchett a un grand bureau flanqué d'un meuble classeur vertical. Les tiroirs du bureau sont entrouverts, la porte du meuble classeur n'est pas verrouillée, et elle est restée ouverte de quelques centimètres.

Ashida retourne dans la salle d'attente. Il s'assied dans le fauteuil de la réceptionniste et fouille le bureau.

Rien n'est fermé à clé. Cela ne semble pas normal. Ces locaux lui donnent l'impression d'être loués pour la frime, pour servir de couverture. Pierce Patchett est un entrepreneur véreux. Tout chez Pierce Patchett trahit son incompétence.

Ashida éclaire le tiroir supérieur. Il voit des crayons, des stylos, des feuilles de papier carbone, des trombones, des timbres-poste, des gommes. Il referme le tiroir du haut puis ouvre celui du milieu. Il voit les factures de téléphone d'août à décembre.

Les enveloppes portent le nom de la compagnie PC Bell. Voyons les cachets de la poste. PC Bell envoie une facture intermédiaire pour le mois de décembre. Ashida a reçu la sienne ce matin. Elle couvre la période du 1er au 21. C'est une stratégie pour faire rentrer de l'argent juste avant les congés du Nouvel An.

Ashida passe en revue toutes les enveloppes. Août, septembre, octobre, novembre, décembre. Les factures comptabilisent tous les appels depuis le 1er août jusqu'à maintenant. Ashida déplie les relevés. Il les classe par ordre chronologique et commence par le mois d'août. Il cherche d'abord des noms qui lui sont familiers.

Il voit des noms anodins. Des fleuristes, des magasins de confection, des pharmacies et des magasins de fournitures pour les radio-amateurs. Il parvient très vite aux noms qui lui sont déjà connus.

Des noms familiers. Des noms à confirmer. Mais dans quel but ?

Patchett a téléphoné à *Preston Exley.* Il l'a appelé de nombreuses fois à son domicile et à son bureau. Ces communications remontent au 3 août 1941.

Patchett a téléphoné au *Dr Saul Lesnick.* Il l'a appelé de nombreuses fois à son domicile. Ces communications remontent au 4 août 1941.

Patchett a téléphoné au *Dr Terry Lux.* Il l'a appelé de nombreuses fois à son domicile et à sa clinique de désintoxication. Ces communications ne s'étalent que sur trois mois. Elles ont commencé le 9 septembre 1941.

Ashida scrute les factures. Ligne par ligne. Il garde pour la fin la facture intermédiaire de décembre. Août, septembre, octobre, novembre. Des appels anodins. À *Exley, Lesnick, Lux.* Un numéro revient sans cesse. C'est incongru. Pas de nom de famille ni de raison sociale d'entreprise ne suivent le numéro lui-même.

*GL*adstone-4782.

Réfléchis bien, maintenant.

Ça te rappelle quelque chose.

Réfléchis encore.

*Clic, clic, clic.*

Déclenche cette tempête sous un crâne. Fais exploser cette ampoule de flash.

*Clic, clic, CLIC.*

Et ce *tic-tac*, à présent ? Ce n'est pas une pendule. C'est ton rythme cardiaque qui s'emballe.

*GL*adstone-4782.

*Voilà, voilà – c'est ça.*

*Ce genre de numéro appartient toujours à une cabine publique. En l'occurrence, celle de Lincoln Boulevard. À Santa Monica. Elle se trouve près des usines Boeing, Lockheed et Douglas. Les Watanabe passaient des appels depuis cette même cabine. Jim Larkin habitait non loin de cette cabine. Jim Larkin l'a sans doute, l'a probablement utilisée. Bill Parker a demandé un relevé des appels pour cette cabine-là et pour deux autres. PC Bell est débordé pour le moment.*

Ashida tremble. La transpiration lui coule dans les yeux. Il claque des dents. Sa lampe torche tombe. Il la ramasse. Il s'éponge le visage. Il se jette sur la facture de décembre. Où est le *GL*-4782 ?

Il le trouve aussitôt. Il y a neuf appels : les 1er, 2 et 3 décembre, et six appels répartis sur le 4 et le 5. Plus aucun appel après le 5 décembre.

Nous arrivons au *6 décembre 1941. Le jour où les Watanabe ont été assassinés.*

Ashida scrute la facture. Le nombre des appels de *Patchett* à *Exley* décroît. Le nombre des appels de *Patchett* à *Lesnick* augmente, puis ils cessent le 6 décembre. Les appels de *Patchett* à *Lux* sont sporadiques. Ils cessent le 19 décembre.

Ensuite, nous constatons ceci :

*Patchett* appelle *Lux* seize fois : les 19, 20 et 21 décembre.

Confluence, convergence, coïncidence. Une chronologie *absurde*. Qui ne prouve absolument rien.

Voici une nouvelle convergence. Les 19, 20 et 21 décembre. Patchett appelle le Dr Lin Chung. Le Dr Chung pratique la chirurgie esthétique. Ashida l'a rencontré à la soirée de Claire De Haven. Une joute oratoire a opposé le Dr Chung à Saul Lesnick. La querelle portait sur l'eugénisme.

*Eugénisme. Chirurgie esthétique. Le décryptage par Scotty du schéma de Dudley. Le projet de Dudley pour opérer des Japonais afin qu'ils ressemblent à des Chinois. L'opération ratée de Lin*

*Chung sur Jimmy Namura. Lin Chung, entrepreneur. Lin Chung, commerçant prospère qui vend à foison des têtes réduites.*

Cette convergence est confondante, dans ce qu'elle a de…

Ashida retient son souffle.

Il remet les factures dans les enveloppes. Il range les enveloppes dans le tiroir du milieu. Il fouille le suivant. Il ne trouve que le fatras habituel qui encombre les tiroirs. Il passe dans le bureau du patron. Là aussi, il fouille tous les tiroirs.

Des stylos fantaisie. Du papier à lettres. Des cartes à jouer pornographiques. Une boîte de préservatifs. Un coupe-papier orné d'une croix gammée en relief.

Le trésor banal d'un pervers ordinaire. Et une nouvelle confirmation de tout ce qu'il savait déjà. Mais pas une seule preuve tangible.

Ashida referme les tiroirs et se plante devant le classeur vertical. La porte bâille. Il l'ouvre en grand et en éclaire l'intérieur.

Patchett le je-m'en-foutiste. *C'est aussi simple que ça.*

Une radio à ondes courtes. Un registre à reliure cuir. Identique à celui des Watanabe – *c'est aussi simple que ça.*

Ashida tremble. Le faisceau de la lampe oscille. Il fait tourner le réglage de longueur d'onde et tente de capter un signal. Aucun son. Aucun cadran ne s'éclaire.

Il suit le câble d'alimentation jusqu'à la prise murale. La radio est branchée. La radio est hors d'usage.

Ashida remarque une liasse de feuilles volantes maintenues ensemble par un trombone. Elles sont posées *aussi simplement que ça* sur une étagère.

Il s'en empare et les parcourt du regard. C'est un rapport rédigé par un géologue.

Le document rend compte de la composition des sols. Cela concerne East Valley, South Pasadena, Glassell Park et Highland Park. Il confirme les rachats de propriétés. Il corrobore les réponses que Parker a obtenues au nom du jury d'accusation.

Ashida repose les feuilles. Ashida prend le registre et en tourne les pages. Elles sont toutes vierges. Il s'en échappe une feuille pliée en deux. Il la déplie et l'éclaire avec sa lampe. C'est une carte qu'on croirait dessinée par un môme un peu perturbé.

La côte ouest, tracée au crayon. Des requins et des sous-marins surgissent des vagues. Les requins crient *Mort aux Juifs !* Les bulles qui entourent le texte sont deux fois plus grosses que les requins eux-mêmes.

L'océan est parsemé de svastikas, gribouillées n'importe comment. Des croix sont tracées le long du littoral. Des sous-marins rôdent. Remarquez leurs soleils levants.

Le dessin est simpliste, unidimensionnel. Patchett le je-m'en-foutiste. Patchett le *cinglé*, maintenant.

On y voit aussi l'intérieur des terres, le Comté de Los Angeles. Le dessin comporte des numéros et des croix. Il y a des petits sous-marins le long de la côte, au nord comme au sud. Il y a un requin géant qui nage dans les eaux territoriales du Mexique. Il hurle : *Mort aux Juifs !* Un sous-marin patrouille à ses côtés. La coque est couverte de soleils levants et de symboles du dollar. Il se dirige vers la presqu'île de Colonet.

Ashida repère quelque chose. Ashida se dit : *pas si vite.*

*Oui, il y a de la folie dans ce dessin. Mais j'y vois autre chose. Une intention.*

Les nombres : ce sont des listes de longueurs d'onde en mégahertz et kilohertz. Les croix sur le dessin désignent des emplacements précis. Les petits sous-marins représentent des criques sur la côte.

Le Comté de Los Angeles est représenté de façon correcte et dans les bonnes proportions. Tiens, voilà qui est intéressant : la partie nord-est de L.A. est plus fouillée que le reste. Une croix indique l'emplacement de la maison des Watanabe. Santa Monica et Malibu sont détaillés avec soin. Une autre croix situe la clinique pour dingues de Terry Lux.

Une autre croix côtoie chacune des cabines publiques de Lincoln Boulevard. Ce petit sous-marin au-dessus de Santa Barbara ? Il indique l'attaque contre la crique de Goleta.

Ashida transpire. Des gouttes de sueur tombent sur la carte. Il s'essuie les yeux et plaque la carte contre le mur. Il l'éclaire du faisceau de sa lampe pour scruter les détails, du nord au sud et d'est en ouest. Il retrouve ce sous-marin dessiné près de la crique de Colonet. Les journaux ont prédit des raids de sous-marins sur Baja. *Confluence.* Appelez-moi-Jack a donné ordre à Dudley de faire une reconnaissance de la région. Dudley a dit à Ashida que cet ordre l'avait bien fait rire – ladite « reconnaissance » étaye leur « Mission mexicaine ».

*Ici* : une *double* croix. *Ici* : les collines de San Gabriel. *Ici* : une *convergence* possible. Les évadés se sont cachés *ici* – puis ils ont fui vers le *Mexique*.

Ashida s'essuie les mains sur ses jambes de pantalon. Il replie la carte. Il la remet dans le registre puis examine la pièce. Il scrute de nouveau la pièce. Il la passe en revue une troisième fois. Il passe dans la salle d'attente et l'examine trois fois également.

*Intacte ?* Oui.

Il entrouvre la porte donnant sur le couloir et y jette un coup d'œil. *Personne en vue ?* Non, personne. Le noir complet à 20 h 14.

Ashida quitte les locaux de Patchett-le-Cinglé. Il se plaque contre le mur du couloir. Il referme la porte du bout du pied et sort son passe n° 4. Il se retourne. Il est face à la porte du D$^r$ Lesnick. Il braque sa lampe sur la serrure. Maladroit… il lâche son passe. Il le ramasse. Maladroit encore… le passe lui glisse entre les doigts. Il coince sa lampe torche entre ses mâchoires et s'abîme une dent. Il tient son passe à deux mains et vise le trou de la serrure. Il lui faut *huit* tentatives pour l'y faire entrer. Il s'essuie les mains et titille la gorge. Il lui faut douze passages du crochet pour débloquer toutes les goupilles.

*Vertige.*

Il entre chez Lesnick et referme la porte. Il retrouve un semblant d'équilibre. Il tourne la tête pour que la lampe torche éclaire toute la pièce. *Celle-ci* a un aspect très professionnel. *Celle-ci* est bien meublée. *Celle-ci* ne ressemble *pas* à un local bidon servant de couverture à un maquereau fasciste.

Un canapé. Un porte-revues. Des étagères à livres et des meubles classeurs. Le bureau de la réceptionniste. La porte du cabinet médical : équipée de serrures de sûreté en acier renforcé.

Ashida secoue les portes des placards. Elles sont toutes fermées à clé. Il secoue les tiroirs du bureau. Ils sont tous verrouillés. Il examine la serrure du cabinet médical. Rien à espérer avec un modèle pareil.

Le D$^r$ Lesnick est prudent. Ses serrures sont incrochetables. Impossible de cambrioler ses locaux.

Ashida s'assied sur le canapé. Il retient son souffle. Il éclaire la pièce. Les livres qui garnissent l'étagère concernent tous Marx et Freud.

Il voit quatre livres sur le bureau. Il se lève pour lire les titres. Des ouvrages médicaux. Des livres de médecins *nazis*. Des traités d'eugénisme. Ashida connaît un peu l'allemand. Il feuillette les livres et en saisit l'essence. Ce sont des manuels pratiques de chirurgie nazie. La science des races appliquée. *Chirurgie de reconstruction.* Opérer des Slaves pour qu'ils ressemblent à des Aryens.

Une note, coincée sous les bouquins.

*Lynn – Je sais que le sujet de ces livres est assez épouvantable, mais pourriez-vous s.v.p. les faire porter au D$^r$ Chung ? Ils concernent une discussion que nous avons eue.*

*Clic, clic, clic.*

Ashida sort de chez Lesnick. Il éteint sa lampe torche et descend l'escalier dans le noir. La porte donnant sur la rue est pourvue d'un pêne à ressort. Ashida la franchit et la claque derrière lui. Il est 21 h 08. Il rejoint sa voiture. L'air frais lui brûle les poumons et gèle sa transpiration.

Il traverse Beverly Hills et emprunte Coldwater Canyon. Il atteint la Vallée et repart vers Malibu. Il a mémorisé la carte. Les croix indiquaient sûrement les endroits où se trouvaient les radios à ondes courtes. Il a en mémoire, également, les distances respectives entre les différents repères. Il est capable de les situer avec précision.

Il atteint la route du littoral. Il détermine le premier emplacement. Oui – le Pacific Sanitarium est équipé d'une radio à ondes courtes.

*Convergence. Terry Lux et Pierce Patchett communiquent par radio.*

La route de la côte file tout droit jusqu'à Santa Monica. Il ferait mieux de l'éviter. Le front de mer grouille de guetteurs de l'armée, et lui, c'est un Jap qui sort la nuit.

Il revient sur ses pas par l'intérieur des terres et retrouve Lincoln Boulevard. Il passe en voiture près des trois cabines publiques. Oui – les cabines sont proches d'une croix de la carte indiquant une radio à ondes courtes.

*Quelqu'un, tout près d'ici, possède une radio à ondes courtes – l'un des compères de Pierce Patchett.*

Ashida fait demi-tour et roule vers l'est. Sans perdre de temps. Il rejoint l'Arroyo Seco Parkway au-dessus de Chinatown. Il parcourt trois kilomètres en direction du nord. Il parvient à la maison des Watanabe.

Cela confirme la carte des divers émetteurs-récepteurs à ondes courtes. Cette certitude et cette fatalité le stupéfient. *Les Watanabe correspondaient par radio avec Pierce Patchett.*

Il ne lui manque plus qu'un seul endroit signalé sur la carte – et par deux croix au lieu d'une. Il confirmera ou contredira ses approximations.

Avant tout, il rejoint en voiture la cabine téléphonique la plus proche. Il consulte l'annuaire. Il trouve l'adresse personnelle et professionnelle du docteur Lin Chung. Il réside au 282 Ord Street. C'est à quatre pâtés de maisons de la Pagode Chinoise d'Ace Kwan.

Ashida reprend le Parkway. Il en ressort pour virer vers l'est par San Marino. La double croix désigne les collines de Monrovia. Thad

Brown devrait encore s'y trouver. L'ancien campement abandonné par les Japs en fuite fait l'objet de recherches approfondies.

Ashida trouve une route d'accès qui mène aux collines. Il grimpe en seconde jusqu'au sommet. Il voit de la lumière devant lui. C'est sûrement celle d'une lampe à arc de la police.

La lueur se fait de plus en plus vive. Il franchit le sommet d'une colline et découvre le campement. Voilà Thad Brown. Il y a des flics qui emballent des pièces à conviction.

Ashida gare sa voiture et en descend. Thad l'aperçoit et lui adresse un signe de la main. Ashida lui répond. Deux flics embarquent un émetteur de radio hors d'usage.

*Pierce Patchett était de mèche avec les Japonais évadés. Ils communiquaient tous par radio à ondes courtes.*

En contrebas, une rumeur circule d'un flic à l'autre, enfle, et parvient jusqu'à Ashida : Le détachement a eu la peau des Japs dans le *couloir sanglant* ! Alors qu'ils tentaient de passer au Mexique !

Oui, ils tentaient de passer au Mexique. Voici pourquoi : ils avaient un rendez-vous imminent avec un sous-marin. Appelons ça un débarquement de saboteurs. Vous voyez cette croix sur la carte tracée par un nazi infantile ? Elle indique une crique à Baja, au Mexique. Thad ôte son chapeau et l'agite. Ashida fait de même. Thad a l'air heureux.

Le détachement a supprimé les Japs. Cela clôt l'enquête sur le massacre perpétré chez Kwan. Le Loup-garou met un point final à l'affaire Watanabe.

Il est bientôt minuit. Ashida retourne à Chinatown. Il passe devant chez Kwan. Plus un seul flic sur le parking. Les cordes isolant la scène de crime ont disparu, la Cadillac tragique également.

Affaire résolue. Le détachement a flingué les Japs dans le *couloir sanglant*.

Ashida se rend au 282 Ord Street. Les fenêtres en façade sont éclairées. Lin Chung est un oiseau de nuit. Ashida se gare devant chez lui et reste en planque.

Lin Chung ne vit que pour la médecine. Les murs de son salon sont tapissés de planches anatomiques. Des planches maxillo-faciales. Des planches occipitales. Des planches qui représentent des lambeaux cutanés relevés au maximum.

Ashida ne quitte pas les fenêtres des yeux. De nouvelles sources de lumière apparaissent dans le salon. Lin Chung et Saul Lesnick apparaissent.

Ashida n'est pas surpris. Rien ne le surprend. La guerre dure depuis seize jours. Le monde est obscur et apathique. Les voitures sont des sous-marins.

Lin Chung et Saul Lesnick passent d'une planche anatomique à la suivante. Ils discutent et chacun pointe des endroits précis à l'aide d'une baguette. Lesnick arpente la pièce. Ashida remarque qu'il a de petits pieds. Cela ne l'étonne pas. Rien ne l'étonne.

Ils déambulent et discutent interminablement. Ils tapotent les planches anatomiques et fument dix mille cigarettes. Ashida les observe. Deux interlocuteurs hargneux. Le Chinois qui vend des têtes réduites et le Juif de gauche.

Rachats de propriétés, chirurgie esthétique, calomnies xéno-phobes. Flics voyous, attaques de sous-marins, un massacre perpétré par une meute de lyncheurs. Des téléphones publics. Un homme blanc en pull violet. Des radios clandestines et des faux *seppukus*. La Gauche hautaine et la Droite belliqueuse. Une grandiose alliance de profiteurs de guerre.

Il va raconter tout ça à Dudley Smith ou à William H. Parker. Il ne dira rien à personne si cela l'arrange. Il a découvert la véritable cinquième colonne. Ce n'est pas ce que tout le monde croit.

# 24 décembre 1941

# 106

**LOS ANGELES | MERCREDI 24 DÉCEMBRE 1941**

**9 h 16**

Je m'ennuie. Je possède « des dons surprenants pour la comédie, mais pas de caractère ni de conviction ». Je suis lasse de regarder mon nouveau visage. Mes amis de gauche refusent de me parler. Hideo ne décroche plus son téléphone. Il n'y a plus d'hommes avec qui je peux coucher grâce au désœuvrement qu'engendraient les premiers jours de la guerre. Elmer et Brenda sont perdus dans les brumes des tâches policières et de la prostitution. Lee est revenu du « Couloir sanglant » et il s'occupe du surplus de détenus japonais à la prison de Lincoln Heights. La première projection de *La Passion de Jeanne d'Arc* est programmée à 11 heures. J'entends sans cesse les paroles de Claire et je pense tout le temps à Dudley Smith. Mes propres paroles me reviennent constamment : *tout faire ou ne rien faire*. Je fume et fais les cent pas dans la maison. Je ne tiens plus en place.

La maison elle-même me rend folle. Sa perfection démontre que mes préoccupations sont futiles. J'ai pensé à Scotty et j'ai relu sa lettre. J'ai lu le journal, trois fois. Les Japonais évadés ont été massacrés dans le Comté de San Diego. Un Philippin a entendu, à la radio, une chanson intitulée « Johnny le tueur de Japs », et il l'a prise pour un message divin. Il est aussitôt sorti de chez lui et à tué d'un coup de couteau le premier Japonais qu'il a croisé. En réalité, sa victime était d'origine chinoise.

Je m'ennuie. C'est assez courant chez les personnes futiles, telles que moi. À la moindre contrariété, nous nous laissons séduire par des idées grotesques. Dans l'annuaire, j'ai cherché « Bleichert, Dwight W. » et j'ai composé son numéro simplement pour entendre la voix de

Bucky. Son « Allô ? » m'a semblé quelque peu tendu, prononcé d'une voix de baryton. J'ai raccroché en gloussant. Je me sentais ridicule.

Le réveillon de Noël, c'est ce soir. Je n'ai pas de projets et n'ai reçu aucune invitation. Il n'y a pas de sapin entouré de cadeaux dans la maison Blanchard-Lake. Mon seul projet est d'écouter les derniers quatuors de Beethoven et d'imaginer la Prairie sous la neige.

Je suis allée faire un tour en voiture. J'ai tout regardé au passage en m'efforçant de mémoriser ce que je voyais. J'ai aperçu des gens bizarres. Oui, celui-là, je m'en souviendrai. Oui, celle-là, je me la rappellerai. Vous ne me connaissez pas et vous ne savez pas que je vous ai consacrés. Je me sentirai moins seule quand je me remémorerai vos visages dans vingt ans.

J'ai roulé vers l'est pour m'arrêter devant le lycée Belmont ; j'ai imaginé Bucky et Hideo sur le stade et Jack Webb cherchant à récolter des voix pour être élu chef de classe. Un poivrot est passé près de moi en titubant. Je suis sortie de ma voiture et lui ai donné cinq dollars. Tout joyeux, il a exécuté un pas de danse et j'ai trouvé cette manifestation embarrassante. Je suis remontée dans ma voiture et suis partie à Hollywood.

Le cinéma venait d'ouvrir. J'ai acheté mon billet et me suis installée au balcon. J'ai vu quelques spectateurs assis au rez-de-chaussée – artistes et bohèmes n'ayant nul endroit où aller la veille de Noël.

Le film a commencé. Je me suis enfoncée dans mon fauteuil et j'ai ôté mes chaussures. La copie était granuleuse et rayée, la musique décalée par rapport à l'image. J'ai regardé Renée Falconetti dans le rôle de Jeanne d'Arc et je voyais en elle, en même temps, Claire Katherine De Haven. Claire en Jeanne d'Arc m'a parlé et m'a fustigée pour mon inaction. J'ai ressenti la violence de sa fureur. Jeanne la pieuse, Jeanne la gémissante, Jeanne prise d'une colère impulsive. Mon choix était de tout faire ou de ne rien faire. Mes dons surprenants pour la comédie l'ont emporté sur mon caractère inconsistant et mon manque de conviction.

Je suis sortie en trombe du cinéma. J'ai traversé le hall en courant, à demi aveuglée par mes larmes. Un homme grand vêtu d'un costume de tweed m'a frôlée au passage. L'espace d'un instant, j'ai cru que c'était Dudley Smith, mais j'ai écarté cette idée délirante. Il pleuvait, le temps m'a donné l'idée de m'enfuir quelque part et de me cacher dans la foule. J'ai repris ma voiture pour me rendre à Little Tokyo. C'était la distance idéale. Elle m'a donné le temps de me concentrer sur les rues mouillées et de reprendre mes esprits.

La Maison de Thé de la Lune Bienveillante m'a fourni une destination. C'est un lieu vénérable du quartier japonais, qui est devenu le rendez-vous préféré des flics pendant les deux premières semaines des rafles. Ce choix était arbitraire et franchement injuste – mais il avait permis au propriétaire et à toute sa famille d'échapper aux mesures d'incarcération. Pourquoi ? Ses gâteaux de riz sont légendaires, et le patron permet aux flics d'y apporter des bouteilles d'alcool.

L'atmosphère qui règne à Little Tokyo n'est pas encore celle des congés de Noël ; Lee m'a dit que les fédéraux restaient en retrait en attendant le début des grandes rafles, après le Nouvel An. Au LAPD, la brigade des étrangers est mise au repos et reprendra ses activités pour les rafles du 2 janvier 1942.

Le mois de février 1942 promet d'être brutal. L'*Évacuation de masse*, le transport jusqu'aux camps, l'enquête du FBI sur les écoutes téléphoniques du LAPD. Une véritable tempête. Elle n'épargnera aucune des personnes que je connais.

Je me gare le long du trottoir et j'échappe à la pluie en m'engouffrant dans le salon de thé. Je suspends ma veste au portemanteau, près de la porte, et j'entends quelqu'un dire : *Miss Lake*. Me retournant, je vois Ward Littell, assis à une table près de la fenêtre. Devant lui, une théière et une assiette de gâteaux de riz ; il me fait signe de m'installer sur une chaise libre.

Je le rejoins et je m'assieds. Il m'explique :

– Je m'octroie une pause avant de retourner auprès de Mariko Ashida.

– Je sais qu'elle n'est pas facile à vivre, lui dis-je. Hideo m'a raconté des histoires sur son compte.

Littell me sert un thé.

– Je suis un enfant de l'orphelinat. Je trouve une famille quand elle se présente à moi.

– J'ai oublié à quoi ressemble la mienne.

– Probablement à vous, avant que vous n'ayez ce nouveau nez.

Je ris et allume une cigarette.

– Vous vous êtes montré plein d'égards envers Claire et moi, lors de notre arrestation. Je saisis cette occasion pour vous en remercier.

Littell commente :

– Au bureau de L.A. du FBI, on ne parle que de vous et de Dot Rothstein, et en même temps de Dudley Smith et Bill Parker, et du pacte avec le diable qu'ils ont dû signer pour vous faire libérer, vous et tous les autres.

Il est en quête d'indiscrétions. J'esquive sa manœuvre grâce à une question.

— Votre affectation privilégiée se termine bientôt. Les Ashida seront incarcérés, et je me demande comment vous allez prendre cela.

— Pour les Ashida, ça ne sera pas pour tout de suite, j'ai le plaisir de vous en informer. Dudley Smith a fait jouer quelques relations et a obtenu qu'ils soient rayés de la liste des Japonais qui seront arrêtés et détenus. On les escortera jusqu'à un train privé à la toute dernière seconde.

Je souris.

— Hideo est des plus utiles. Beaucoup d'hommes de pouvoir ont une dette envers lui.

Littell sourit à son tour. S'ensuit un silence poli. Je pense à Dudley Smith, omniprésent. Je me représente le conclave de 1534. C'est après la confession d'Augsburg. Luther est à Wittenberg et il faut compter avec lui. On y envoie le Dudster, à cheval. Des accords sont scellés et des têtes tombent, en secret.

— Que savez-vous, au juste, sur Dudley Smith, monsieur Littell ?

— Tout et rien. Il manipule des preuves constamment, ou bien seulement en tout dernier recours. Il rend des services à certaines personnes. Il tue des gens ou il n'en tue pas. L'affaire Watanabe est limpide ou sent le faisandé, selon votre interlocuteur. De toute façon, ça n'a pas d'importance, parce que le jury d'accusation vient de rendre sa décision et d'abonder en son sens.

J'écrase ma cigarette.

— Et vous ne savez rien de plus ?

Littell sourit et fait tourner sa tasse de thé.

— Une rumeur court selon laquelle il coucherait avec Bette Davis. Rumeur à laquelle j'ai choisi de ne pas croire, car j'ai toujours apprécié le talent de Miss Davis.

Je ris. Au comptoir, une femme lance :

— Votre bureau, monsieur Littell.

Littell se lève et prend sa communication. Je bois mon thé à petites gorgées et mange les deux gâteaux de riz qui restent. Littell revient, tenant son imperméable et son chapeau.

— Je dois partir, m'annonce-t-il. On m'attend au tribunal.

Je me lève et lui tends la main.

— Joyeux Noël, monsieur Littell. Et merci. Vous êtes d'une courtoisie exquise.

— Prenez bien soin de vous, Miss Lake. Et tâchez d'être prudente.

Je souris. Littell met son imperméable et son chapeau et sort sous la pluie. Je me rassieds à la table et regarde les nuages éclater. Je pense à Scotty et à son dîner de Noël au camp d'entraînement. Je serre ma médaille de saint Christophe.

Le soleil reparaît. Je sors du salon de thé et musarde devant le magasin voisin. C'est autre chose qu'une brocante sans être une vraie galerie. De superbes tapisseries sont exposées en vitrine, ainsi qu'une étagère garnie de masques Kabuki.

Les visages sont reproduits avec goût, peints sur du bois sculpté. Leurs traits me paraissent très semblables – sauf ceux d'un seul masque qui sort du lot.

Je l'identifie aussitôt. C'est un masque de martyr. Il rend hommage à une âme perdue et torturée. Il s'inspire de la tradition théâtrale. Il est censé réclamer une juste vengeance pour le martyr torturé et l'aider à trouver le repos.

Les traits peints sur le masque sont ceux de Goro Shigeta. Il a été abattu à l'aide d'une arme à feu dans une cabine téléphonique, il y a une dizaine de jours. J'ai vu son portrait dans les journaux. Le meurtre n'a pas été élucidé.

J'entre dans la boutique et j'achète le masque. Il coûte trente-deux dollars. La caissière désapprouve mon choix. Cela me paraît évident.

# 107

## LOS ANGELES | MERCREDI 24 DÉCEMBRE 1941

**12 h 14**

La file d'attente s'étire jusqu'au trottoir. Les recruteurs portent des chapeaux de Père Noël. Il s'est passé dix-sept jours depuis Pearl Harbor. L'afflux d'engagés volontaires ne faiblit pas.

Les bureaux sont placés à l'intérieur des bâtiments, à présent. Les offices régionaux ont réduit le flot des candidats qui se présentent à l'immeuble fédéral. La file avance à une allure d'escargot. Cela fait deux heures que Parker attend son tour.

Il est en civil. Il a apporté son acte de naissance. Son pari a peu de chances de réussir. La guerre sème le chaos dans la paperasse officielle. Appelez-moi-Jack a établi une liste des éléments indispensables au LAPD dont l'armée doit refuser la candidature. Ladite liste a pu être égarée.

La file progresse lentement. Parker a encore dans le nez l'odeur du *couloir sanglant*. Wake Island ne peut pas être pire.

Une file de femmes s'est formée parallèlement à celle des hommes. Elle est dix fois moins fournie. Parker la scrute de loin. Kay Lake est la troisième à partir de la fin. Elle ne peut pas le voir.

Il cherche à fuir. Elle cherche à fuir. La guerre fait fuir les gens. Hier soir, un Philippin a poignardé un Chinois. Il avait un alibi : « J'ai cru que c'était un Jap. »

Le tour de Parker arrive. Il montre son insigne et son acte de naissance. Le recruteur consulte ses listes marquées *Police*. Il lève les yeux vers Parker. Il fait *non* de la tête.

– Je regrette, capitaine. Il y a une impossibilité, dans votre cas. Vous avez été déclaré *élément indispensable*.

Parker quitte la file d'attente. Il regarde le bureau de recrutement des femmes. C'est au tour de Miss Lake. Le recruteur lui dit quelque chose. C'est facile à deviner. L'homme lui a dit : « Non, madame. »

*Katherine, la chasseresse écervelée. La raison de notre présence ici m'échappe.*

# 108

12 h 29

Dudley traverse Mandeville Canyon. Sa main le fait souffrir et lui envoie des ondes de douleur dans le bras. Il porte son costume en tweed gris et une branche de houx à la boutonnière.

Il va chez Bette ce soir. Il sera au Mexique demain. Pour voler et tuer. Il sera de retour pour le réveillon de Noël. Claire servira une oie braisée.

Bette l'a appelé à l'improviste et l'a invité à venir chez elle. Elle l'a cueilli au vol alors qu'il partait voir *La Passion de Jeanne d'Arc*. Il a cru voir Kay Lake dans le hall du cinéma. C'était bizarre.

Le film lui a paru étrange. C'était une clé pour comprendre Claire. Il y a glané quelques aperçus de son martyre. Il s'est promis de lui apprendre la joie spontanée.

Dudley conduit d'une seule main. Il fume cigarette sur cigarette pour calmer la douleur. Ses hommes viendront le retrouver devant chez Bette demain. L'artillerie est déjà rangée dans le coffre de la voiture.

Il se gare dans l'allée et rectifie sa tenue d'une seule main. Cravate, col, manchettes amidonnées bien en place. Il apporte un bouquet de roses blanches. *Je me rends, chérie.*

Il traverse la pelouse en courant et appuie sur la sonnette. Les élancements transpercent son bras et atteignent sa nuque.

C'est Bette qui lui ouvre la porte. Elle porte une culotte de cheval et des bottes. Dudley la prend dans ses bras. Elle se dérobe. Son genou barre l'entrée.

La main de Dudley l'élance. Bette lui arrache son bouquet et le jette sur le sol.

— Nous devons arrêter ça, Dudley. Cette histoire a fini par nous échapper. Je sais que c'est Noël, mais…

*Élancements. Dans sa main. Dans son bras. Dans ses genoux pire qu'ailleurs. Il plonge en avant.*

Le ciel tombe. Il voit Jésus-Christ et Bette Davis, à l'envers.

**13 h 12**

À l'envers, à l'endroit. Un airedale qui bondit, puis Ruth Mildred. Une aiguille dans son bras. Une vague de chaleur qui s'empare de lui. Ce n'est pas de l'opium et le sous-sol de Kwan. Il est étendu sur le lit dans lequel il a sauté Bette avant qu'elle ne devienne cruelle.

L'Irlande. La bonne sœur du couvent. Mets ta bouche ici, mon garçon. Une nouvelle seringue qui se plante dans son bras. Une traversée de la Bible en fusée spatiale. L'airedale se couche avec le lion et l'agneau.

Une cabine plongée dans le noir. Un confessionnal. Monseigneur Joe Hayes et le torrent de ses péchés.

La fusée spatiale, en orbite. Ruth Mildred, avec un stéthoscope. Bette dit :

— C'est une sacrée contrariété.

761

Ruth Mildred dit :

— Sa fièvre est retombée. Il est robuste, l'Irlandais.

Bette. Un vrai défilé de mode à elle toute seule : succube, cavalière, bonne sœur. Elle le frappe à coups de cravache. Dominatrice, cavalière.

*Ne me frappe pas.*

Ne me frappe pas.

Nouvelle piqûre. Calme-toi, maintenant. Tu transpires tellement que les draps sont trempés. Ace et ses tunnels. La science des races et le sous-sol où l'on parie de l'argent. Bette lui dit : *Tue un Jap pour moi.*

Le visage de Goro Shigeta explose. Bette tient un couteau, à présent. Le ciel lui a donné une permission de sortie, ou bien elle se tient près du lit. Ruth Mildred, avec des éponges. Bette, avec sa cravache. Une sacrée *contrariété*. J'avais *invité* des gens. C'est le réveillon de Noël.

*Je suis confus.*

Ne me frappe pas.

*Je suis confus.*

Ne me frappe pas.

Ruth Mildred dit :

— Tais-toi, Dud. On n'est pas à confesse. Tiens bon.

— Bon sang, Ruthie, mais il me gâche *ma soirée*. J'avais tout organisé. C'est une sacrée *contrariété*.

*Ne me frappe pas. Ne me frappe pas. Mets ta bouche ici, mon petit.*

La fusée spatiale se gare dans la cabine. L'airedale saute sur le lit. Ils parlent du métier de policier et de la chasse aux chats. Le chien lui dit qu'il a mordu le mari de Bette. C'est bon de mordre les humains. Tu devrais essayer.

La cabine noire rétrécit. Joe Hayes dit :

— *Te absolvo.*

Claire dit :

— *Ce n'est pas elle, c'est moi.*

**8 h 00**

Des cloches sonnent. La fusée spatiale disparaît. La lumière du jour anéantit la cabine noire.

762

L'airedale dort près de lui. Bette a épinglé un petit mot à la tête de lit.

« Je suis partie chez une amie. C'est fini. Tu m'as contrariée gravement. »

Ruth Mildred dort sur deux fauteuils placés en vis-à-vis. Une aiguille plantée dans le bras de Dudley est reliée au tuyau d'un goutte-à-goutte. Il arrache l'aiguille.

Il est nu. Sa main est entourée d'un nouveau pansement. La douleur a disparu.

Il entend sonner les cloches d'une église. C'est Noël. *Dudley Liam Smith – tu t'es rétamé en beauté.*

Il embrasse l'airedale. Il se lève et tient sur ses jambes. La tête lui tourne. Il a faim. Il a du mal à marcher droit. Il s'appuie sur les dossiers de chaises pour atteindre la fenêtre. Il regarde à travers la vitre.

Voilà Mike et Dick. Voilà Hideo. Ils se tiennent près de sa voiture. Ils sont tout beaux tout propres en ce matin de Noël.

Ruth Mildred ronfle. Elle tient dans sa main un flacon de pilules antigrippe. Dudley lui desserre les doigts et avale trois pilules. Ruthie continue de ronfler.

Dudley entre dans la salle de bains. Il se rase et prend une douche. Il se peigne et se sèche. Son regard fait le tour de la chambre. On a lavé ses vêtements. Son étui d'aisselle est suspendu à un dossier de chaise. Il passe ses vêtements et sent son corps retrouver ses forces. Il envoie une prière au ciel pour l'airedale. Il met les pilules dans sa poche et embrasse Ruthie. Le superbe chien et la lesbienne continuent de ronfler.

Il descend l'escalier et sort de la maison. Ses hommes l'accueillent chaleureusement. Dick Carlisle a les yeux embués. Le jeune Hideo tient une sacoche. Mike Breuning est constellé de miettes de beignets.

— Miss Davis nous a offert le petit déjeuner. Elle a dit que tu mettrais peut-être un certain temps à sortir des vapes.

— Elle est généreuse avec les gens ordinaires, dit Dudley. Ils lui donnent l'impression d'être authentique. Elle convoite leur admiration à doses raisonnables.

Carlisle ouvre la portière arrière. Dudley bâille et lance les clefs à Breuning. Ashida monte à l'arrière. Dudley s'installe à côté de lui.

Ashida annonce :

— J'ai une piste sur ce sous-marin solitaire à Baja. Je crois savoir où il pourrait bien faire surface. Je vous expliquerai ça plus tard.

Dudley fait un clin d'œil. Hideo rougit. Breuning démarre. Dudley bâille et ferme les yeux. Il tient sa main blessée sur ses cuisses. Il compte les taches de rousseur de Claire et abandonne à quatre-vingts. Il passe en revue les étapes de leur braquage-exécution de Noël 1941.

Ils franchissent la frontière sans aucun problème. Les flics mexicains travaillent en effectifs réduits au moment de Noël. Le capitaine Carlos ne sera pas informé de leur présence.

Dudley a visité la clinique. Tojo Tom leur a décrit la planque de façon convaincante. Ils tueront les cerbères au milieu de leur tour de garde. Cela leur donnera six heures pour liquider les types qui porteront le chapeau pour le massacre et mettre en place les pièces à conviction qu'ils ont apportées. Ils ne peuvent pas les supprimer *avant* d'avoir tué les gardes. Il faut qu'ils apportent sur la scène de crime l'héroïne volée.

Dudley parle l'espagnol couramment. Il simulera une dénonciation par téléphone en appelant le quartier général de la police d'État mexicaine. *Hola, hombres* – Y a du grabuge dans la Calle Calderón. Les flics découvriront des cadavres et *un peu* d'héroïne volée. Cela coïncidera avec les gardes trouvés morts à la fin de leur service.

L'alarme donnée sera *muy explosivo*. Où est passé le *dinero* ? Où est le reste de l'héroïne ? Les flics mexicains supposeront qu'il s'agit d'un drame provoqué par la drogue ou d'un braquage qui a mal tourné. Ils ne soupçonneront pas des Américains à la recherche de sous-marins.

Dudley ferme les yeux. Dudley somnole. Dudley rouvre les yeux à Tijuana.

*Feliz Navidad. Próspero año y felicidad.*

Des enfants qui mendient. Des hordes de bébés rats. Ils fourguent des médailles religieuses et font les clowns pour récolter des piécettes. Des boîtes de nuit plus ou moins rances. Le Renard Bleu, El Perro Blanco, El Gato Rojo.

Des salles qui promettent des spectacles de bourricots. Gérées par des flics mexicains ; les patrons droguent les boissons des clients blancs aux portefeuilles bien garnis, puis ils les dépouillent. Des ateliers qui refont les garnitures des sièges de voiture et les bourrent de crottin de cheval. Des prostituées rongées de chancres. Des marins en permission. Des femmes travesties en hommes qui portent des tenues de toreros.

*Avenida Revolución*. Des flics en uniforme qui vendent des crèches de Noël, fabriquées par des détenus de la prison locale. Ils les confectionnent à partir de pochettes d'allumettes et de bâtonnets d'esquimaux glacés.

Dudley allume une cigarette et avale trois pilules antigrippe. Carlisle se retourne. *¿Qué pasa, jefe?*

Dudley lui répond :

— Tourne à droite au prochain carrefour. Calle Calderón. Ralentis en passant devant le 229. C'est là qu'habitent nos boucs émissaires.

Carlisle regarde Ashida. *¿Es kosher, jefe?* Breuning le fait taire. *El Jefe* connaît son affaire.

Ils prennent la première à droite. Breuning ralentit. Voilà l'adresse qu'il cherchait. C'est une baraque au toit en tôle ondulée perchée sur des piliers en boîtes de bière écrasées.

— On les trouvera à l'intérieur. Leur dossier de police dit qu'ils vivent en reclus. Ils se contentent d'injections de sédatifs quand ils n'ont plus d'héroïne sous la main. Je suis sûr qu'on les trouvera chez eux et qu'ils se révéleront bien dociles.

— On ne nous a pas contrôlés à la frontière, dit Breuning. Personne ne sait que nous sommes ici.

— Sauf Appelez-moi-Jack, rectifie Carlisle. N'oublions pas que notre mission officielle, c'est la poursuite infernale d'un sous-marin. Jack est copain-copain avec le Capitaine Carlos. Il lui dira : *Quelle coïncidence ! Le Dudster se trouvait à Baja quand il y a eu du gra-buge chez vous.*

Dudley secoue la tête.

— Carlos ne dira rien à Jack. Il ne sait pas que Carlos vend de l'héroïne. Carlos ne lui révélera pas le vol dont il aura été victime.

C'est maintenant Breuning qui secoue la tête.

— Moi, ce qui m'inquiète, c'est l'enquête criminelle qui va suivre. Les flics mexicains envoient leurs pièces à conviction à un labo de Juarez, qui possède tout un équipement dernier cri.

— Oui, mon garçon. Mais nous avons Hideo Ashida, ce qui nous redonne largement l'avantage.

Voilà que Hideo se pâme.

Breuning ajoute :

— Je regrette qu'on n'ait pas fait une reconnaissance avant ce raid. Oui, j'ai bien étudié les documents sur nos guignols, mais c'était un dossier prêté par un flic mexicain, et comment savoir si ce dossier était à jour ?

Carlisle répond :

– Ce sont des toxicos. Ils ne font rien d'autre que se droguer jusqu'à leur mort. Ce dossier, tu ne l'as pas *réquisitionné*, donc on ne pourra pas remonter jusqu'à toi. Tu ne vas pas nous gâcher la vie le jour de Noël.

Breuning fait un geste obscène à Carlisle. Les quatre hommes traversent Tijuana et atteignent la route du littoral. La peur des sous-marins est partout visible – guetteurs de la police d'État, sacs de sable et projecteurs, c'est la copie conforme de la côte de L.A. Les chemises noires patrouillent sur la plage.

Dudley sort sa carte. Il l'a dessinée d'après la description de Tojo Tom, qui l'a répétée trois fois.

Passez Ensenada. Arrivé à San Vicente, partez vers l'intérieur des terres pendant six kilomètres. Prenez à droite au premier croisement. Il y a des broussailles qui peuvent servir de couverture. Roulez encore pendant un kilomètre et demi. Vous verrez l'ouverture d'une grotte. Il y aura trois flics mexicains pour garder l'entrée. Chaque équipe monte la garde pendant douze heures. Il y a deux coffres forts. L'un contient le *dinero*, l'autre l'héroïne.

Les flics connaissent les combinaisons des coffres. C'est des *hombres muy feos*. Ils risquent de ne pas parler. S'ils se taisent, tuez-les. Si vous les tuez, retenez bien ça : Carlos a caché quatre flacons de nitroglycérine. Comptez douze pas vers la droite. Les flacons sont dans une caisse en acier doublée de plomb, sous un buisson.

Dudley étudie la carte. Ashida serre sa sacoche contre lui. Ce garçon est loyal à la manière des Japonais refoulés. Il s'acquittera bravement de sa tâche.

Ils dépassent Ensenada. Toits de tuiles et toits de tôle. Des communautés dans des cimetières de voitures abandonnées. Sur les docks, au bord de l'océan. Dans des *casitas* à l'intérieur des terres.

Dudley voit déjà leur attaque. Ils avancent en tenaille, armés de fusils à pompe. Ils visent les gardes aux jambes. En état de choc, ceux-ci lâchent les combinaisons des coffres.

Le panneau – SAN VICENTE.

Breuning tourne vers l'intérieur des terres. Mentalement, Dudley évalue les six kilomètres. Il fait fonctionner sa main valide. Il sait tirer de la main gauche. La précision ne compte pas. La chevrotine se disperse.

Breuning tourne à droite. Il rétrograde. La voiture roule au pas, le moteur fait moins de bruit. Breuning regarde le compteur. Les hectomètres défilent. Breuning freine et arrête la voiture à trois cents mètres du but.

La chaussée est entourée de broussailles. La route plonge vers le bas de la colline et tourne à gauche. La grotte doit se trouver juste après le virage.

— Attendez-nous ici, Hideo, dit Dudley.

Ashida hoche la tête. Breuning et Carlisle sortent de la voiture et ouvrent le coffre. Dudley se joint à eux. Le vent souffle dans leur direction. Il pousse vers eux des feuilles mortes et des brindilles qui raclent le bitume.

Le silence est trop profond. Ce n'est pas *normal*. Ils en sont tous conscients. Dudley et ses deux acolytes sont des hommes de terrain. Dudley dit :

— On devrait les entendre parler. Ce n'est pas possible qu'ils dorment tous.

— Les flics mexicains, ajoute Breuning, il n'y a pas moyen de les faire taire.

— Surtout, dit Carlisle, s'ils n'ont rien d'autre à faire que monter la garde.

Dudley lui passe les jumelles. Carlisle monte sur le capot de la voiture et les braque vers le bas et sur la gauche. Breuning sort les fusils.

Carlisle redescend.

— Pas de flics. On voit l'entrée de la grotte et les deux coffres, bien en évidence. Personne aux alentours. Je n'en suis pas sûr, mais j'ai l'impression que les portes des coffres sont entrouvertes.

Dudley désigne les broussailles. *On s'approche en diagonale. On tire en aveugle ou on ne tire pas du tout.*

Les trois hommes s'enfoncent dans les fourrés. La végétation freine leur marche. Ils tiennent leur fusil en biais contre la poitrine, dans la position du *présentez armes*.

Dudley voit la grotte et les coffres. Il voit des traces de pas qui s'en éloignent. Il tire une cartouche en l'air.

Le vacarme est impressionnant. Il ne provoque aucune réaction. Dudley compte dix secondes. *Nada.*

Il descend la pente en courant. Breuning et Carlisle courent derrière lui. Ils sortent des broussailles et entrent dans la grotte. Les portes des coffres sont bel et bien entrouvertes. Il n'y a plus rien à l'intérieur.

Dudley ressort de la grotte et regarde dans toutes les directions.

Totalement à découvert, ils risquent de se faire tirer comme des lapins.

– Huey, dit Breuning.

– Ce petit salopard de nazi nous a caftés, résume Carlisle.

– Je ne crois pas, dit Dudley. Je pense qu'il a pu laisser Tojo Tom passer un coup de téléphone, ce qui expliquerait les coffres vides.

– Alors, s'étonne Breuning, comment se fait-il qu'on soit encore vivants ? On est des cibles faciles, ici.

– Je suis trop précieux aux yeux de Carlos, mon garçon, répond Dudley. Il ne lui viendrait pas à l'idée de me tuer. Il m'appellerait plutôt à L.A. pour me demander poliment de laisser tomber l'affaire.

– Bon, fait Breuning, il nous reste encore Noël à L.A.

– Et puis il y a la nitroglycérine, ajoute Carlisle. Mon gamin et moi, on pourrait bien s'amuser avec ce truc-là.

Dudley se dirige vers le buisson. Il se trouve à douze pas, exactement. Il voit la caisse en acier et s'en empare. Elle est doublée de plomb et mesure trente centimètres sur trente. C'est une épreuve de force de la soulever d'une seule main.

Breuning rejoint Dudley et prend la caisse à son tour. Carlisle arrive en renfort. À deux, ils la transportent jusqu'à la voiture.

Ashida a gardé la même pose. Il serre sa sacoche dans ses bras et regarde droit devant lui.

Ils chargent la caisse et les fusils dans le coffre qu'ils ferment à clé. Dudley s'assied à l'arrière. Ashida fait : *Alors ?*

– Les flics mexicains ont été prévenus, dit Dudley. Nous allons devoir déterminer si on nous a dénoncés. Tout ce qu'on a gagné pour notre peine, c'est une caisse remplie de nitroglycérine.

Ashida conseille :

– Il vaudrait mieux la faire exploser avant de rentrer à L.A. Ça supporte mal le voyage. On ne devrait pas prendre le risque d'une explosion subite.

Dudley cligne de l'œil. Ashida rougit. Breuning et Carlisle montent dans la voiture. Ils regagnent la route du littoral et repartent vers le nord.

Des guetteurs de sous-marins sont alignés sur les falaises. Ils ont des projecteurs et scrutent l'océan avec leurs jumelles. Breuning roule *rápidamente*. Dudley voit une cantina devant eux. Elle n'a pas d'enseigne, le toit est en tôle, les chaises disposées sur le trottoir sont toutes différentes. Dudley tape sur l'épaule de Breuning et la montre du doigt. Breuning se gare.

Dudley descend de voiture et entre dans l'établissement. C'est un repaire d'ivrognes. Les *borrachos* boivent du mescal au goulot en évitant d'avaler les vers qui flottent dans l'alcool. La scène évoque une forte probabilité de visions hallucinées et de suées nocturnes.

Dudley s'adresse au type qui porte un tablier. Il paraît lucide et en mesure de gérer son affaire.

– *Un teléfono y una oficina privada para llamar a Estados Unidos, por favor, señor. Pagaré sesenta dólares norteamericanos por este privilegio.*

L'homme désigne une porte. Dudley lui glisse un billet et passe dans la pièce voisine. C'est un bureau de trois mètres sur trois. Les étagères murales sont remplies de bouteilles de mescal. Deux cents vers barbotent dans un liquide trouble et toxique.

Une table, une chaise, un téléphone. À Rome, il faut vivre comme les Romains…

Dudley décroche le téléphone et réveille une opératrice. Son espagnol prononcé avec l'accent irlandais semble la ravir. Il débouche une bouteille et en fait tourner le contenu. Le ver monte dans le goulot. D'un coup de dents, il le coupe en deux et il en mange la moitié supérieure.

– *Los Ángeles, AX-catedral-2921, por favor. Y llamo a cobro revertido. Su nombre es Hubert Cressmeyer. Mi nombre es Dudley Smith.*

L'opératrice lui dit *sí, sí*. La ligne crépite et il obtient son numéro. Une infirmière prend son appel. Dudley négocie le paiement en PCV dans les deux langues. L'opératrice s'efface.

L'infirmière semble gênée. Dudley avale une gorgée de mescal et grignote le ver. *Allez me chercher Huey, ma petite. Son oncle Dud a besoin de lui parler.*

L'infirmière s'en va porter sa gêne ailleurs. La ligne crépite mais la communication n'est pas rompue. Dudley reprend du mescal et bouffe le reste du ver. C'est une coulée de lave qui lui descend dans le gosier. Cette saloperie doit bien titrer 80 degrés.

Huey prend l'appareil. Il gémit et il pleurniche. Dudley le fait taire.

– Tu nous as foutus dans la merde, mon petit gars. Tu as laissé Tojo Tom appeler le Mexique.

Huey geint et chigne. Huey bafouille et bégaie. Huey a une frousse à chier dans son froc.

– Il a pas téléphoné, Oncle Dud. Une de ces lesbiennes qui surveillent les dortoirs est venue en douce ce matin et elle l'a fait sortir.

Dudley raccroche quand il entend Huey chialer à l'autre bout du fil.

*Ils vont nous attendre à la frontière. Ils vont installer des barrages. Tu aurais dû être prévenu et escorté jusqu'en Californie par...*

Les chemises noires ouvrent la porte à coups de pied. Ils portent des bottes de cheval. Ils ont des petites moustaches en forme de brosse à dents, à la Hitler...

## 13 h 49

Sa main l'élance. C'est ce qui l'a réveillé. Des crans d'acier lui entament les poignets. Il est menotté à une chaise. La chaise est vissée au plancher. Il examine la pièce. Elle mesure quatre mètres sur quatre. Son équipement est outrancier, comparé à celui d'une salle d'interrogatoire ordinaire. Une table, deux chaises. Des prises murales pour les électrodes à poser sur les testicules. Un présentoir à couteaux. Une cage contenant des scorpions.

Debout, Carlos Madrano le domine. Il porte la même tenue que Mussolini, assortie d'une cape à la FDR.

Dudley dit :

– Tojo Tom vous a appelé.

Carlos agite son fume-cigarette. Ce geste, c'est du pur FDR.

– Oui, il m'a téléphoné. Mais s'il n'y avait eu que lui, je me serais contenté d'un avertissement, par exemple : *Mon cher ami, je vous prie de ne pas me voler mon argent et mon héroïne.* C'est l'autre appel téléphonique qui m'a alarmé.

Dudley plie les bras. Carlos lui ôte les menottes et lui donne une cigarette.

– Parlez-moi de cet autre appel. C'était Patchett ou Exley ? Ils craignaient que j'investisse dans des entreprises qui vous concernent de façon tangentielle ?

Carlos fait tomber de la cendre sur la table. Mike Breuning hurle dans la pièce voisine.

– C'est Sam Rummel qui m'a appelé. Il m'a dit que Parker avait tenté quelque chose contre eux trois, et qu'il subodorait votre participation à la marge. C'était en rapport avec les activités de mes ouvriers agricoles et votre affaire Watanabe. Il a ajouté qu'il n'avait jamais vu Parker aussi acharné, et à présent je vois que vous avez succombé à la tentation d'un écart de conduite aux antipodes de l'éthique de notre profession.

Dudley se masse les poignets. La douleur est lancinante dans ses mains, dans sa tête. C'est l'alcool à 80 degrés et les vers toxiques.

— Énoncez-moi les conditions de ma remise en liberté.

— Vous serez libéré lorsque toutes les conditions suivantes auront été remplies : vous veillerez à ce que votre affectation au renseignement militaire vous envoie au Mexique, et vous travaillerez avec moi à contrecarrer le sabotage entrepris par les forces de l'Axe, en dépit de nos sympathies envers l'Axe. La libération de vos hommes est subordonnée à la remise d'une importante somme d'argent. Il ne vous sera pas possible d'appeler Ace Kwan pour qu'il vous procure rapidement des liquidités. Je suis bien décidé à ne rien laisser filtrer de votre mission.

La salle d'interrogatoire est pourvue de vitres latérales. Dudley se lève pour regarder au travers. Il voit Mike Breuning à sa gauche, Hideo à sa droite.

Deux Mex torturent Mike. Ils le frappent à coups de tuyaux de caoutchouc et envoient des décharges dans les électrodes fixées sur ses oreilles. Hideo est assis, il n'est pas menotté. Des scorpions grouillent autour de sa chaise. Hideo reste raide et immobile.

Il tourne la tête vers la vitre. Il voit Dudley. Il sourit et dessine dans le vide le symbole du dollar.

Dudley dit :

— Carlos, je vous conseillerais de parler au D$^r$ Ashida. Je crois qu'il a quelque chose à vous dire.

**14 h 16**

Il somnole sur sa chaise. Ils lui ont laissé sa pénicilline et lui ont apporté une assiette d'*arroz con pollo* et de la bière. Sa main le fait souffrir. Sa tête le fait souffrir. Il est moulu, foutu, à moitié mort.

Il somnole puis s'ébroue. Il compte les jours depuis Pearl Harbor et les jours qui le séparent du Nouvel An. Il compte les taches de rousseur de Claire. Il somnole, il s'ébroue. Il somnole, il s'ébroue.

Il regarde à travers la vitre latérale gauche. Mike a disparu. Il regarde à travers la vitre latérale droite. Hideo a disparu. Le plancher est couvert de bouillie de scorpions. Ces saloperies ont été piétinées, elles ont rendu tout leur jus.

Sa main cesse de l'élancer. Il pisse à travers un trou du plancher.

Il somnole. Il se réveille et fume une cigarette. Il remarque un bout de papier par terre. Il se lève et le ramasse. C'est un petit mot qui lui est destiné. Il reconnaît l'écriture de Hideo.

*J'ai tenté quelque chose. C'est en rapport avec ce sous-marin dont je vous ai parlé. Pour l'instant, le capitaine Madrano est d'accord.*

Dudley sourit. Dudley compte les taches de rousseur de Claire. Dudley s'endort sur sa chaise vissée au plancher.

### 9 h 29

La serrure de la porte s'ouvre dans un bruit de ferraille. Dudley se précipite sur son arme mais il n'a plus d'arme. Hideo entre. Ses chaussures sont couvertes de bouillie d'insectes.

– J'ai convaincu Madrano de poster une douzaine d'hommes à l'entrée de la crique de Colonet. Cela a payé. Ils ont coincé un sous-marin.

– Et comment avez-vous deviné qu'il ferait surface à cet endroit ?

– J'ai vu une carte bizarre dans le bureau de Patchett. Elle était parsemée de sous-marins couverts de dollars. Elle m'a rappelé votre schéma.

Dudley sourit. Il entend la pluie qui tombe dehors. Quatre *fascistas* se tiennent derrière Hideo.

– Et votre mission en cours, mon garçon ?

– On fouille le sous-marin. Et moi, j'interroge l'équipage.

Dudley attrape sa veste. Les Chemises Noires les poussent pour qu'ils sortent plus vite. Deux berlines Cadillac tournent au ralenti devant la caserne. Elles ont été confisquées à des touristes. Les flics mexicains adorent les voitures de juifs.

Celles-ci ont des portières qui s'ouvrent vers l'arrière et une double banquette derrière le conducteur. Les Chemises Noires les poussent à l'intérieur. Breuning et Carlisle sont assis à l'arrière. Ils ont le teint cireux. On les a torturés. Leurs cous portent des traces de brûlures.

Les bagnoles démarrent. Dudley fait signe qu'il veut trancher la gorge à quelqu'un et ses lèvres forment les syllabes Ma-dra-no.

Mike et Dick sourient. Leur Cadillac rejoint la route du littoral et monte vers le nord. La pluie redouble. Les deux voitures des flics mexicains se *traînent*.

Les nuages sont bas et noirs. Le soleil est parti au plus profond de nulle part. Dudley voit des lampes à arc briller devant eux, à 10 heures.

C'est un camp près de la plage, sur un promontoire. Des Chemises Noires et des Japs capturés. Des tentes canadiennes pour se protéger de la pluie. Les bagnoles s'arrêtent sur le promontoire. Dix lampes à arc sont installées. Vingt flics mexicains font le pied de grue. Ils portent des cirés par-dessus leurs chemises noires.

Dudley sort le premier. Il se fraie un chemin entre les flics et pénètre dans la tente la plus proche. Le capitaine Carlos est assis dans une chaise longue. Six Japs sont étendus à plat ventre, le nez dans la terre, les fers aux pieds.

Leurs uniformes sont trempés. On les a maltraités et roués de coups. Ils ont la bouche fermée par un pansement adhésif.

Carlos dit à Dudley :

– Le D$^r$ Ashida m'a promis de l'argent. J'espère qu'il ne s'est pas trompé. Ses renseignements se sont révélés valables jusqu'à maintenant.

## 10 h 51

Le sous-marin est échoué sur le sable, contre les rochers. Carlos délègue à Dudley et Hideo le soin de le fouiller. Les deux hommes montent à bord de ce foutu submersible et plongent dans ses entrailles. Cinq flics restent plantés autour de l'écoutille.

À partir de maintenant, c'est : on fouille et on trouve, ou : on ne trouve pas ct on mcurt. Lc pari, c'est de croire aux hiéroglyphes délirants tracés par Patchett.

Les deux hommes fouillent. C'est Hideo qui mène les opérations. Le sous-marin n'est que plaques vissées, panneaux de jauges et cadrans, instruments fixés aux parois. Hideo connaît tout ce qui concerne la mécanique, la recherche d'une aiguille dans une meule de foin, la chasse au dahu et la *gestalt* des hiéroglyphes délirants.

Ils fouillent. Ils commencent par le poste d'équipage. Ils retournent les casiers des marins. Ils trouvent des guides touristiques de L.A. et des manuels consacrés à la culture chinoise. Ils trouvent des guides pour apprendre le chinois. Dudley réfléchit à la question.

Cette expédition a tout l'air d'une infiltration par la cinquième colonne et d'une opération de sabotage. Ces Japs avaient l'intention de se noyer dans la foule en se faisant passer pour des Chinois et saper L.A. de l'intérieur.

Ils fouillent. Hideo travaille avec des clés à douille et ses mains nues. Il dévisse des écrous et fouille derrière des panneaux. Il débranche les panneaux d'instruments et passe les mains sur les parois qu'il a rendues accessibles. Il démonte la fixation intérieure du périscope pour éclairer le mécanisme avec sa torche.

Ils fouillent. Carlos les rejoint. Son baratin de mouche du coche ne concerne que le football et la guerre. Les Chicago Bears. Le quart-arrière juif Sid Luckman. La prise de Wake Island par les Japs. Vous souffrez du racisme ambiant, docteur Ashida ?

Carlos fait copain-copain avec eux. Dudley lui demande ses clés de voiture. Il n'a plus de cigarettes et la voiture est sur le promontoire.

Carlos lui lance les clés. Dudley rejoint la voiture, sous escorte. Il prend ses cigarettes. Il empoche un flacon de nitroglycérine.

Il retourne au sous-marin. Il lance un clin d'œil à Hideo, qui lui répond de même.

Ils fouillent. Dudley trimballe les plaques d'acier d'une seule main. Sa main blessée l'élance. Il avale trois benzédrines et des pilules anti-grippe. Carlos n'est pas idiot. Il sait très bien que ces deux-là aime-raient prendre la fuite. Il garde une main sur son pistolet.

Ils fouillent. Le submersible est une étuve qui rend claustrophobe. La transpiration imbibe leurs vêtements. Ils s'entaillent les mains. Dudley s'arrache la moitié d'un ongle.

Leur fouille est systématique. Après les plaques d'acier des parois, ils démontent celles des passerelles. Tout est étroit et conçu à l'échelle des Japs. Dudley n'arrête pas de se cogner la tête.

Ils fouillent. Hideo soulève une plaque du plancher et sourit.

Pierce Patchett. Ses hiéroglyphes de même perturbé.

Cinq sacs marins entassés dans un compartiment. Tous pleins à craquer de billets de cent dollars.

Carlos est content.

– Le destin a décidé que vous resterez en vie. Maintenant, le Dr Ashida doit procéder aux interrogatoires.

**14 h 37**

La pluie persiste. Ils travaillent sous une tente. Les Chemises Noires détachent les Japs et les rattachent à des chaises. Hideo arrache les pansements adhésifs qui leur couvrent la bouche. Les moustaches à la Hitler restent collées aux pansements.

Dudley le regarde faire. Breuning et Carlisle le regardent faire. Ils ont cette mine attendrissante qui signifie : *Ouf, on n'est pas morts, finalement.* Carlos fournit le mescal. Tout le monde en avale une gorgée. Hideo fait preuve de panache et mange le ver.

Les Japs jacassent et secouent leurs chaînes. Ils sont Fuji-Shudoesques. Hideo les harcèle. Ça dure et ça dure. Ça devient assommant et frustrant. Pas besoin de traduction. Les Japs ne lâchent rien.

Hideo regarde Dudley.

Dudley regarde Carlos.

Carlos passe ses gants à Hideo.

Ils sont lestés de billes de plomb et fétichistes façon fasciste.

Les Japs roulent les yeux et gloussent. *Petit con, t'oseras jamais.*

Hideo les frappe.

Il distribue des baffes du bras droit et du gauche comme un moulin à vent. Les têtes des sous-mariniers pivotent d'un côté et de l'autre presque à angle droit. Des dents s'envolent. Des morceaux de cuir chevelu aussi. Leurs dents tombent comme de la grêle. Ils crachent du sang. Leurs arcades sourcilières ouvertes pendent devant leurs yeux.

Ils marmonnent des sons confus et décident de tout déballer.

Les six Japs caquettent en même temps, à qui parlera le plus fort. Hideo s'accroupit et capte tout. Les aveux se chevauchent mais se complètent. Hideo ne manque rien. Il traduit :

– C'est Terry Lux et Pierce Patchett, avec Preston Exley en coulisse. Patchett connaît des gens au siège du renseignement maritime. C'est lui qui a inspiré aux Japs ces attaques de sous-marins contre des cargos tout le long de la côte, et il était en contact avec les Japonais évadés par radio à ondes courtes. Lux a repris le projet que vous avez en commun avec Ace Kwan et l'a transformé en ligne de front du sabotage. Les évadés étaient en route pour retrouver ici même l'équipage du sous-marin quand le détachement a eu leur peau. Lux a décidé de travailler avec Lin Chung et de cacher des saboteurs à Chinatown. En ce qui les concerne, Chung a des projets eugénistes qui semblent draconiens. Au minimum, il compte leur faire infiltrer la communauté chinoise et les laisser perpétrer leurs sabotages de l'intérieur.

Dudley sourit.

– Bravo, bravo ! Vous êtes un petit génie.

Un gros Jap se tortille et crache du sang au visage d'Ashida. Il fouille sa mémoire pour s'exprimer dans la langue de ses tortionnaires. Il dit :

– Sale pédé !

Hideo saisit le Luger de Madrano et le braque sur le type. Les autres Japs se figent. Tous les occupants de la tente se figent.

Dudley observe Ashida. Il voit tourner les engrenages de son cerveau. Oui/non, oui/non, oui/non.

Hideo baisse son arme.

Hideo dit :

– Je suis un citoyen américain.

## 17 h 18

Les Japs brutalisés se requinquent difficilement, et ça prend du temps. Les Chemises Noires se détendent. Ils laissent les gringos aller et venir librement.

Dudley traîne sur le promontoire. La pluie lui sert de couverture. Il repère la voiture de Madrano. Il coince le flacon de nitro dans le passage de roue arrière, du côté gauche.

Ils saucissonnent les Japs et les balancent dans le submersible. Les Japs se tortillent, ils crient, ils supplient. Breuning les bâillonne avec du pansement adhésif. Tout près d'eux, Hideo improvise un détonateur de son invention, à l'aide de nitroglycérine et de cartouches de fusil. Il faudra déchirer trois pantalons pour en faire des bandelettes de tissu, les nouer bout à bout pour confectionner une longue mèche qui sortira par l'écoutille, puis imbiber d'essence ladite mèche. Il suffira ensuite d'éloigner le sous-marin d'une vingtaine de mètres. Un coup de fusil, une gerbe de plombs tirée contre la coque, et la combustion se déclenchera.

Hideo examine le moteur du submersible. Il parcourt une série de manuels d'utilisation en japonais et comprend le principe des opérations à effectuer. Breuning et Carlisle déchirent les pantalons et nouent les lambeaux ensemble pour constituer la mèche. Dudley l'arrose d'essence et garnit de cartouches et d'un flacon de nitro l'extrémité qui doit exploser. Ils arrosent la mèche d'acide sulfurique pour la rendre imperméable. Ils calent les explosifs près des Japs. L'autre bout de la mèche pend le long de la coque.

Hideo fait démarrer le moteur et inverse le sens de rotation de l'hélice. Le sous-marin s'ébroue et fait un soubresaut en arrière. Les trois hommes sautent à terre. La pluie crépite et les trempe. Ils rejoignent les Chemises Noires et le mescal circule. Les Chemises Noires distribuent des fusils chargés de cartouches pour gros gibier.

Cela prend l'allure d'une cérémonie. Tout se passe sous la pluie et dans l'obscurité.

Le submersible s'éloigne d'une vingtaine de mètres. Bon, c'est maintenant :

– *Uno, dos, tres...*

C'est Dudley qui compte. Ils tirent tous à *cuatro*.

Vingt-quatre hommes font feu. Vingt-quatre gerbes de plomb mitraillent la mèche imbibée d'essence. L'explosion envoie vers le néant le sous-marin en flammes.

## 19 h 08

Le ciel rougeoie un bref instant. Tous les hommes crient *adiós* et foncent vers leurs voitures. Carlos s'en va dans la sienne avec quatre copains Chemises Noires.

Les vagues éteignent les flammes. Des jets de vapeur surgissent à la surface de l'eau. Breuning met la gomme. Carlisle est d'humeur élégiaque. Dudley et Hideo sont assis à l'arrière.

Dudley touche le bras de Hideo.

– Je ne vous refuserai pas une dernière tentative pour résoudre l'affaire Watanabe. Faites tout ce que vous estimerez prudent de faire, sans mentionner mon nom. Vous serez envoyé en détention vers la fin du mois de février. Je vous ferai sortir début mai.

Hideo sourit et lui fait un clin d'œil. Dudley s'esclaffe et se tape sur les cuisses.

Le chemin du retour est une épreuve. Avec cette putain de pluie. Les éboulements sur la route, les voitures abandonnées, les péons qui surgissent sur la chaussée. Carlos habite à deux heures d'Ensenada, vers le sud. Avec un peu de chance, il fera peut-être la moitié du chemin.

Retour en Amérique. Pas de problème pour passer la frontière. La traversée de San Diego se fait au pas. Pour le départ, ils s'étaient donné rendez-vous devant l'hôtel particulier de Bette Davis. Ils avaient prévu d'y retourner pour se disperser là-bas.

Ils font une halte au restaurant drive-in du Frère Tuck. Les serveuses portent des cirés par-dessus leurs robes. Pour le dîner, c'est Hideo qui régale. Ils se goinfrent de cheeseburgers et de milk-shakes corsés au mescal.

Allure d'escargot. Ils se *traînent* le long de la côte, jusqu'à Sunset. Il est près de minuit. Dudley se requinque. Il va voir une dernière fois la maison de Bette. Sunset Boulevard vers l'est. Mandeville Canyon vers le nord. Le voilà de retour dans sa rue, devant sa maison. Toutes les lumières sont allumées.

Les quatre compères se disent *adiós* sur le trottoir. Les *abrazos* se prolongent. Les trois autres se hâtent de rentrer chez eux, mais Dudley s'approche d'une fenêtre et regarde l'intérieur de la maison. Les arbres l'abritent de la pluie.

C'est le « Souper de Noël de Bette Davis ». Les journaux l'ont monté en épingle.

Elle reçoit un groupe de soldats. Ils sont impeccables dans leur uniforme d'hiver. Le petit mari de Bette virevolte. L'airedale saute sur les genoux de Tommy Gilfoyle.

Bette est entourée de sa cour. Les convives boivent un lait de poule. Beth, en dansant, entre dans le champ de vision de Dudley. Elle porte sa robe de jeune fille de couleur vert irlandais.

Elle passe devant la fenêtre et disparaît. Dudley retient ses sanglots.

# QUATRIÈME PARTIE

# LA CHASSERESSE

**(27 – 29 décembre 1941)**

# 27 décembre 1941

# 109

**0 h 04**

Dudley est à sa fenêtre. Ashida s'en aperçoit. Il passe au feu vert et tourne vers l'est. Dudley disparaît.

La pluie se calme. Il se regarde dans le rétroviseur toutes les dix secondes. Son visage n'a pas changé. Il a fait cette expédition au Mexique avec le Dudster. Il pensait qu'en revenant il aurait un visage différent. Kay Lake a poignardé une femme, et elle a changé, à présent. Il pensait subir le même genre de métamorphose.

C'est le week-end de Noël. Il pleut. La circulation est inexistante. Dudley lui a dit : *Ne mentionnez pas mon nom. Faites tout ce que vous jugerez prudent de faire.*

Il connaît presque toute l'histoire. Il a compris tout ce qui concerne la cinquième colonne. Saul Lesnick a de petits pieds. Ce n'est pas une preuve décisive. Il ne sait pas qui est l'homme blanc au pull violet. Jack Webb en a fait une description. C'est un homme « d'âge mûr » et « corpulent ». Saul Lesnick est vieux et maigre.

La bibliothèque de l'université est ouverte toute la nuit. Les étudiants en droit sont des oiseaux de nuit. Ashida aussi est un oiseau de nuit. Il a mijoté une manœuvre pendant le voyage de retour.

Mercredi matin, il a quitté le numéro 282 d'Ord Street à 8 heures. Lin Chung et Saul Lesnick n'en finissaient pas de discuter en arpentant la pièce. Sur une intuition, il s'est rendu aux archives. Son intuition s'appuyait sur les appels téléphoniques que Pierce Patchett a passés à Lin Chung, les 19, 20 et 21 décembre. Les seuls appels de Patchett à Chung. Au cours de ces trois mêmes journées, Patchett a appelé Terry Lux *seize* fois.

Les archives croulent sous la paperasse. Il parcourt rapidement une liste de transactions récentes. Lin Chung possède douze maisons dans la vallée de San Gabriel. Il a pris une hypothèque de second rang sur *toutes* ses propriétés. Les transactions ont *toutes* été effectuées le lundi 22 décembre.

Patchett, Lux, Chung. Des listes d'appels téléphoniques. Des sommes d'argent qu'on rafle dans la précipitation. La théorie d'Ashida est la suivante :

Lux et Chung veulent entrer dans l'affaire des camps de prisonniers. Patchett les a exhortés à apporter des fonds. Des projets convergents se concoctent. Allons-y, on va surenchérir sur Dudley et Ace Kwan.

Ashida est allé ensuite voir les douze maisons concernées. Il a regardé à travers les vitres. Il a vu des caméras de cinéma sur des trépieds et des chambres qui ressemblent à des décors de films pornographiques. Il a vu des pièces aux planchers couverts de matelas.

*Logeons les Japs au vu de tous*. Les grands esprits se rencontrent. Dudley et Ace ont concocté ce projet. Nous allons nous en emparer.

À présent, voilà ce qu'il sait : les maisons sont des studios de tournage. Cette seule explication suffit. Les maisons auraient également hébergé des saboteurs japonais.

*Démence. Délire raciste.*

Lin Chung est chinois et anti-Japonais. C'est un fasciste eugéniste et un ami de Saul Lesnick, homme de gauche. Leur envie de tirer profit de la guerre a été plus forte que les liens raciaux et politiques. Faisons du fric sur le dos des Japonais innocents et aidons l'ennemi Jap.

La pluie s'estompe. Ashida parvient à l'université et se gare devant la bibliothèque. Il y entre en courant. Il connaît les lieux, à présent. Il sait précisément de quels ouvrages il a besoin.

*Tout ce qui vous semblera prudent.*

Empêchons tout sabotage ultérieur. Annihilons le projet des camps d'esclaves. Exley, Patchett, Lux et Chung sont susceptibles de renoncer à leur entreprise. On pourrait les en convaincre en ayant recours à la loi. Ce ne sont pas des tueurs de la trempe de Smith et Kwan. Ashida consulte des livres de droit et prend des notes. Elles incluent un dossier juridique. Mémorandum à l'intention de William H. Parker : Voici douze questions destinées au D$^r$ Terence Lux. Elles appellent toutes une réponse par *oui* ou par *non*. Pas une seule d'entre elles ne concerne Dudley. Elles se limitent aux révélations glanées à Bedford Drive et au Mexique. Elles révéleront à Parker quelques bribes supplémentaires. Elles diront à Lux *ceci* :

*Je sais TOUT sur vos manœuvres. Vous et vos acolytes :*
*RENONCEZ-Y !*

Ashida rédige tout cela noir sur blanc. Ashida plie ses notes et les glisse dans une carte de Noël qu'il met sous enveloppe.

Il se sent léger comme l'air. Il sent sur sa peau l'odeur de la veste de tweed de Dudley, mouillée par la pluie.

L'atmosphère est étouffante dans la bibliothèque. Ashida sort dans la rue et s'emplit les poumons d'air froid. Il récupère sa voiture et se rend à Silver Lake. Il se gare devant chez Parker.

Il y a de la lumière dans le salon. Il s'approche de la porte et glisse la carte dans la fente destinée au courrier. Il jette un coup d'œil à travers la vitre.

Parker est assis dans un fauteuil. Il regarde une photo. C'est sans doute un portrait de la grande rousse.

# 110

## JOURNAL DE KAY LAKE

### LOS ANGELES | SAMEDI 27 DÉCEMBRE 1941

**2 h 11**

Lee me dit :

— Ce n'était pas brillant, comme Noël.

Je lui réponds :

— Non, mais nous avons vécu un mois de décembre incroyable.

Nous sommes assis sur la terrasse de ma chambre et nous buvons un scotch vieilli en fût. C'est un cadeau d'Oncle Ace Kwan. Tous les membres du détachement en ont reçu une bouteille, ainsi qu'une tête réduite et un bon pour un repas gratuit à la Pagode Chinoise de Kwan.

— Un de ces jours, me dit Lee, on devrait se raconter ce qu'on a fait l'un et l'autre, chacun de notre côté, pendant ces quatre semaines. Scotty est parti à la guerre, on a tous les deux pris des coups, et tu t'es fait démolir le figure encore pire que moi. Moi, je me suis caché pour t'éviter, mais je suis sûr qu'on a des choses à se dire.

Nos chaises sont tournées vers le sud. Les clubs du Strip ont éteint leurs enseignes il y a quelques minutes. L'air est frais, le ciel limpide. Le bourdonnement de la circulation nocturne m'hypnotise.

— Donne-moi d'abord ta version. C'est ta dissertation de fin de trimestre à la fac, et le sujet, c'est : « Un mois de décembre incroyable ».

— C'est toi qui as fait la fac, me répond Lee. C'est toi qui écris des trucs dans un cahier.

Je souris et bois une gorgée du scotch d'Ace Kwan. Oncle Ace et son meilleur ami, le Dudster. Tous les chemins mènent à Dudley Smith. Toutes mes pensées reviennent vers lui.

Je dis à Lee :

— Cela fait un moment que tu m'évites. Quand tu gardes pour toi quelque chose que tu rumines depuis quelque temps, je le sens. Et tu as quelque chose à me raconter. Alors, nous allons rester ici à savourer le cadeau d'Oncle Kwan jusqu'à ce que tu me le dises.

Lee fait tourner l'alcool dans son verre.

— Appelez-moi-Jack fait venir Count Basie pour la fête du Nouvel An de la brigade. Le Count a percuté une voiture de police près du Club Alabam, et les agents en tenue ont trouvé des joints sur lui. On lui a donné le choix : jouer pour nous, ou faire six mois de placard.

Je lui plante mon index dans le bras.

— Tu éludes. Dis-moi ce que tu sais et puis on continuera à parler de tout et de rien.

Lee pose son verre et se prépare à inventer des manchettes de journaux. C'était le mode de fonctionnement de Leland C. Blanchard, cette façon dont il tournait en ridicule les moments importants de sa vie avant de les enterrer.

— *À l'Olympic Bivins affronte Blanchard dans un pugilat pugnace ! – Le Caïd du Casse se fait piquer la Poupée de la Pègre par le Flic Héroïque ! – Le grand espoir blanc du Sud entre dans la Police de L.A. !*

Je ris. Ces trois manchettes-là sont parmi ses meilleures.

Lee fait *Bang ! bang ! bang !* et enchaîne :

— *Représailles iniques contre Les Japs de L.A. ! L'ex-prétendant au titre poids lourds vide son sac : « La plupart de ces pauvres bougres n'ont rien fait du tout », déclare l'agent L. C. Blanchard. « C'est la faute à la guerre qui donne la fièvre et aux bobards patriotards ! »*

J'applaudis sa prestation et ses bons sentiments. Lee salue et retourne à son verre. Il me dit :

– Cette guerre me laisse en rade. Dud va servir dans l'armée avec le grade de capitaine, bon sang ! – pendant que j'entasserai dans des fourgons à bestiaux des Japs qui n'ont rien à se reprocher et que je ramasserai des poivrots dans le caniveau. Toi, tu soutiendras le moral des troupes au plumard, et tu en tireras sans doute de quoi écrire un bouquin.

Il s'arrête et invente de nouvelles manchettes :

– *La Courtisane de l'arrière dit tout dans ses croustillants « Souvenirs ». Los Angeles retient son souffle, car elle cite des noms !*

J'exploite l'ouverture qu'il m'offre. Je lui dis :

– Commençons par le nom de Dudley Smith.

Lee s'effondre. Il baisse les bras. Il me dit :

– Ah, non, merde ! Enfin, Kay…

Je l'encourage :

– Tu peux faire mieux que ça.

– Voyons, Kay…

Je mime ses manchettes de journaux – *Bang ! bang ! bang !* comme si je tirais en l'air.

– *Un flic Irlandais bat un homme à mort au commissariat de Newton Street ! – Un flic Irlandais fait tomber le Loup-garou dans un piège ! L'inculpé risque la chambre à gaz ! – Un flic Irlandais suborne les jeunes recrues pour grossir sa clique de francs-tireurs ! – Un jeune flic cherche refuge dans les périls de la guerre ! Il préfère affronter les Japs plutôt que le sergent D. L. Smith !*

– Enfin, Kay, Dudley est Dudley, et on a besoin de types comme lui.

Il est fatigué. Il est vaincu. La guerre, les rafles, sa bagarre avec Scotty. Son voyage à New York, à la mi-novembre. Il a tué un homme avec le Dudster. Il aurait pu lui tenir tête et dire non. Il avait le choix, mais il a cédé, et j'étais là pour lui quand il est revenu. Et je possédais des dons surprenants pour la comédie, mais pas de caractère ni de conviction. Et j'étais trop fascinée par son univers de manœuvres détestables pour faire le choix de le quitter.

Lee lève les yeux au ciel. Je l'ennuie. Je l'importune avec mon idéalisme de collégienne. Il lève les yeux au ciel ; il regarde sa montre ; il me fixe de ce regard qui veut dire *Enfin, Kay ! Enfin, Kay ! Enfin, Kay !*

J'invente d'autres manchettes – *Bang ! bang ! bang !*

*– L'ex-boxeur assassine un témoin de la mafia ! – Le canari sait chanter, mais il ne sait pas voler ! – L'assassinat facilite la sortie de prison du parrain de la mafia ! – L'ex-boxeur pleurniche auprès du flic Irlandais : Je suis un petit gars qui sait pas dire non.*

Lee jette son verre par-dessus la terrasse ; il se brise dans l'allée. Il renverse sa chaise d'un coup de pied et me regarde. Il n'est pas offensé ni blessé. Il est simplement vaincu. Avant qu'il ouvre la bouche, je sais ce qu'il va dire :

– Va te faire foutre, Kay.

C'est tout ce qu'il lui reste. Il me laisse seule avec ça. Il retourne dans le salon et sort de la maison et claque les portes derrière lui. Il monte dans sa voiture, claque la portière, et démarre en laissant de la gomme sur le bitume du Strip.

Il me laisse seule avec Dudley Smith.

# 111

## LOS ANGELES | SAMEDI 27 DÉCEMBRE 1941

**3 h 08**

Oiseau de nuit. Café noir et *la photo*. Onze jours sans alcool.

Le lieutenant Joan Conville. La rebelle du Wisconsin est montée en grade. La photo est déchirée de partout. Il va bientôt devoir la jeter.

Helen ronfle dans la chambre. Elle le hait, à présent. Il a manqué le repas de Noël pour deux accidents de la circulation et une expédition afin de récupérer les carpes koï.

Trois Mexicains ont creusé un grand bassin dans sa cour et l'ont carrelé. Il a monté lui-même une clôture tout autour. Il s'est rendu chez Jim Larkin en voiture et en a rapporté les carpes dans des seaux.

Elles ont toutes survécu. Elles adorent leur nouveau logis. Il leur donne de la nourriture de qualité. La clôture rebute les chats et les chiens et garantit leur sécurité.

Helen le hait. Il a sacrifié son couple pour des photos et des poissons exotiques. Il s'assied dans la cour et regarde les carpes. Il pense à Miss Lake.

Parker se frotte les yeux. Le salon devient flou. Il jette un regard vers la porte. Il voit une enveloppe sur le plancher, sous la fente du courrier. Il va la ramasser. L'enveloppe lui est adressée. Il n'y a pas de cachet de la poste. C'est sans doute une carte de Noël un peu tardive.

Il ouvre l'enveloppe. La carte représente un cerf sur Wilshire Boulevard. Elle contient un rapport plié en deux. Le D$^r$ Ashida lui envoie ses meilleures pensées.

Ashida a fouillé son bureau et trouvé les notes qu'il avait prises pour le jury d'accusation. Ashida les a étudiées, puis il a lui-même consulté les mêmes livres de droit. Il lui livre sans autres explications ses conclusions concernant une clique qui communiquait par radio sur les ondes courtes : Patchett, Terry Lux, les Watanabe.

Le Dudster n'est pas nommé. Il qualifie Preston Exley de « conspirateur hors cinquième colonne ». Le rapport d'Ashida contient des renseignements supplémentaires sur le Couloir Sanglant. Ashida implique Pierce Patchett dans les attaques menées par les sous-marins japonais le long de la côte. Ashida utilise des termes tempérés. Il lui suggère un plan d'action : *interrogez Terry Lux – il pourrait bien plier.* C'est elliptique. Ce qu'il sous-entend est accablant. Aucun élément concret ne permet de le confirmer, mais son raisonnement, fondé sur les faits avérés, est parfaitement logique.

Parker se soûle. Il bouscule la table située près de la porte. Une pile de courrier tombe sur le plancher. Il la ramasse. Il a entre les mains d'ultimes cartes de Noël dans des enveloppes carrées. Une enveloppe longue sort du lot.

L'adresse de l'envoyeur l'interpelle : « PC Bell/642 South Olive Street/Réponse officielle. »

Ils téléphonent *toujours*. Ils n'écrivent *jamais*. Il a pensé qu'ils *appelleraient*.

Le cachet de la poste porte la date du 23 décembre. L'afflux de courrier au moment de Noël a retardé la distribution.

Parker fend l'enveloppe. Enfin... la liste des appels passés depuis les cabines publiques. Il parcourt la première page. Le mur le soutient. Un seul coup d'œil suffit à l'éclairer : *C'EST LUI.*

Oiseau de nuit. Oiseaux de nuit, au pluriel. Il ne sera sûrement pas couché. L'insomnie provoquée par la guerre vire à l'épidémie.

Il pleut de nouveau. La chaussée est mouillée. Tu es soûl. Ne quitte pas la route des yeux.

Parker roule vers Santa Monica. Il suit Sunset Boulevard jusqu'à Lincoln Avenue puis pique vers le sud. Il y a deux cabines téléphoniques un pâté de maisons plus loin. *La* cabine est sur le trottoir d'en face.

Il se gare le long du trottoir. L'usine est entourée de barbelés. Parker s'approche de l'entrée et montre son insigne au gardien. L'homme est un ancien du LAPD. Il confirme : *Oui, le patron est là.*

Le patron occupe son propre abri militaire en tôle galvanisée. Parker passe sous les filets de camouflage et s'en approche, plié en deux. Il est soûl. La pluie le fait avancer.

La porte est ouverte. Jim Davis affalé sur un grand canapé en cuir vert. Son bureau est tapissé de vitrines contenant des armes et de sous-verre protégeant des drapeaux de guerre.

Davis porte ses deux calibres .45 et se cure les dents avec un couteau. C'est Le Couteau.

Le drapeau au soleil levant est maculé de sang. Le drapeau chinois est criblé d'impacts de balles.

Davis demande :

– Les cabines téléphoniques ?

Parker hoche la tête.

Davis explique :

– Un soir, j'ai claqué la porte de mon bureau en laissant mes clés à l'intérieur et me suis retrouvé bien embêté. Il n'y avait pas de gardien de service à l'entrée, alors j'ai utilisé la cabine publique pour appeler chez moi. Mais Bill Parker veillait. J'ai commis *une* erreur, et il l'a repérée. Je pensais que Dudley arriverait ici avant vous, la main tendue, non pas pour m'aider, mais pour me faire chanter.

Parker ferme la porte à clé. D'un coup de pied, Davis envoie une chaise dans sa direction. Elle glisse sur le plancher et heurte les genoux de Parker.

Il s'assied. Il ôte de son étui l'arme qu'il porte à la ceinture. Davis dégaine ses deux .45, les pose par terre, et les expédie vers Parker d'un nouveau coup de pied. Ils s'échouent contre les chaussures de Parker.

– C'était davantage *mon* enquête que celle de Dudley. J'aurais dû tiquer quand la mort de Jim Larkin est survenue. La solution figurait dans tous les rapports sur l'affaire Watanabe, mais personne n'y a prêté attention. Les Watanabe appelaient des cabines publiques situées près des usines Lockheed, Boeing, *et* Douglas. Vous dirigez la police privée de l'usine Douglas depuis 1938. Vous êtes aussi fasciste que Hitler. Nous avons chassé la caille ensemble, un jour. Vous portiez un pull violet.

– J'ai trois pulls violets, dit Davis. Et ce n'est pas votre enquête, c'est celle du petit Jap. Si je dois finir sur le bûcher pour ce que j'ai fait, je veux que ce soit lui qui frotte l'allumette.

– Je sens que c'est vous le coupable, Jim. Tout vous désigne, dans cette affaire.

La pièce empeste le tabac à chiquer saturé d'alcool. Davis ramasse sur le plancher la tasse dans laquelle il crache son jus de chique.

– Vous avez été mon second, autrefois, un second digne de confiance. Il serait bon que je vous raconte de quoi il retourne.

**4 h 09**

*Vous me connaissez, Bill. J'adore l'Orient, sa culture et ses femmes, mais j'ai cédé à la pression eugéniste et j'ai épousé une Blanche. C'est dans un bordel chinois que j'ai appris à parler la langue. Cela m'a donné un aperçu de la culture chinoise, qui s'est révélé utile lors de mon affectation à Chinatown, pour mon début de carrière dans la police. Je me suis passionné pour la culture Jap quand Hirohito a commencé à faire parler de lui, et mon cœur appartenait à Hitler depuis le Putsch de la Brasserie. J'ai fait la connaissance, dans un bar pas très loin d'ici, d'un vieil Anglais sympathique nommé Jim Larkin. Pendant la Grande Guerre, il était plus ou moins déchiffreur de dépêches dans l'armée britannique. Il nourrissait une haine assez légitime pour les Rouges et il savait pratiquement tout du rôle tenu par les Juifs dans la naissance de la révolution russe. Jim était un fervent nipponophile, et il jouissait d'avance à l'idée d'une révolte se muant en conquête de la Russie par le Japon, pour compenser l'enlisement du conflit sino-soviétique. Jim m'a appris à lire et à écrire le japonais, ce qui n'a pas été difficile pour un type comme moi qui parle le chinois couramment. À présent, Bill, vous voyez le groupe se former : j'ai fait la connaissance de Jim Larkin, et je connais déjà Preston Exley avec qui j'ai*

791

travaillé au LAPD. De plus, Jim appréciait les femmes japonaises, et il connaissait un nipponophile proxénète en herbe et prétendument homme d'affaires nommé Pierce Morehouse Patchett.

Pierce était chimiste de profession, et il portait un intérêt particulier à l'eugénisme et la pharmacie asiatique. À franchement parler, c'était un drogué, et son activité secondaire c'était de fournir des prostituées japs aux Marines et aux matelots de la marine marchande, à San Diego. Tout ce qui est illicite et générateur de profit, Pierce l'a fait ou a envisagé de le faire, mais je ne n'avais pas entièrement confiance en lui. Il était trop égalitaire à mon goût. Il était trop populiste, et trop friand de discussions bizarres. Il parlait de la science des races avec tous les mordus de la médecine hindoue, avec toutes les bonnes âmes, y compris avec ce Rouge passionné d'eugénisme dont le cabinet médical se trouve juste en face de son bureau, le D$^r$ Saul Lesnick. Celui-là, il rêvait de fabriquer des êtres humains parfaits pour combattre la Bête Fasciste. Comme je suis moi-même une bête fasciste, je ne supporte pas le vieux Saul, mais Pierce Patchett en raffole.

Preston Exley n'avait pas de position politique. Nous sommes en 1937, et il y a un coup de tonnerre à droite – mais Preston est déconcerté par les événements. Il reste neutre, alors que Jim, Pierce et moi sommes des fascistes virulents. Il y a L'Amérique d'Abord, la Légion d'Argent, le Bund germano-américain, les Vipères Cuivrées, la Légion Thunderbolt. Je suis un personnage public, donc, je ne suis pas aussi fanatique que Jim Larkin et Pierce, que j'ai toujours trouvés mous et apolitiques, ce qui n'est pas peu dire, venant de moi.

Nous fréquentons des clubs japonais dont aucun Blanc ne peut prononcer le nom à part Jim et moi. C'est de cette façon que nous rencontrons Ryoshi Watanabe. À ce moment-là, Ryoshi est de loin le plus grand fasciste ichiban de l'hémisphère occidental. J'adore toujours les Chinetoques, mais les Chinetoques haïssent les Japs. Ce n'est pas que j'aie un esprit confus ou que je sois ambivalent, je me conforme à l'esprit du moment, pour ce qu'il vaut. Ryoshi est un ex-collaborationniste, et son fils Johnny un pro-collaborationniste de la seconde génération, au grand dam de Ryoshi. Ryoshi porte une cicatrice qui est éloquente, et notre ami ex-collaborationniste Jim Larkin a la même. Les collaborationnistes avaient un rituel, Bill – qu'un homme blanc civilisé tel que vous aura sans doute du mal à comprendre. Ils se combattaient avec des couteaux plongés dans du poison pour voir qui survivrait – ce que Jim et Ryoshi *ont fait, à plusieurs reprises. Les collaborationnistes étaient, avec virulence, pro-japs et anti-chinetoques, malgré leur descendance métissée. C'est parce qu'ils considéraient le fascisme jap comme l'avant-garde du nouvel ordre racial asiatique. Les collaborationnistes étaient violemment anti-Tongs, parce que les Tongs étaient violemment anti-Japs et représentaient un défi a l'hégémonie que les Japs voulaient imposer à tous les yeux bridés. Vous avez bien compris, Bill ? Le monde patauge jusqu'aux genoux dans le chaos économique, et quelques visionnaires plutôt tapageurs et portés sur les rituels bizarres entrevoient une solution. Les collaborationnistes revendiquent le droit de dépouiller les Tongs et de s'approprier leurs rackets, et les moyens qu'ils emploient sont les tactiques de la terreur. Qu'est-ce que vous dites de ça, en matière de rituel ? Ils tuent des Chinetoques à l'aide de couteaux trempés dans le poison, ils violent et tuent les femmes de l'entourage des chefs tongs, ils vivent dans la nature en groupes multiraciaux dans lesquels règne l'harmonie. Ça vous rappelle quelque chose, Bill ? Ce multiple homicide dans Griffith Park ? Je parie que c'est Dud S. et Ace K. qui ont massacré les mômes auteurs du viol et de l'assassinat de la nièce d'Ace.*

*Donc – Jim, Pierce et moi sommes au mieux avec les Watanabe. Nous avons nos auxiliaires chez les jeunes : Johnny et Nancy Watanabe, et le mouchard nazi du Dudster, Huey Cressmeyer. Huey, c'est le vilain petit canard, dans toute cette histoire, et j'ai fait en sorte que Jim, Pierce et moi n'ayons aucun contact avec lui, parce qu'il est très proche de Dudley. Nous formons une famille qui partage les mêmes idées. Pierce a ses projets d'acquisition de propriétés, il a son cheptel de prostituées japs, et il vend des répliques de couteaux féodaux aux collaborationnistes, du nord au sud de la côte. Je leur ai montré comment effacer leurs empreintes digitales en se trempant le bout des doigts dans l'acide, et ils l'ont fait sans hésiter. Je suis le fameux ancien directeur de la police qui a été crucifié par le jury juif d'accusation pour avoir sauté des mineures dans le Comté de Ventura, alors je fais profil bas, ici, en tant que chef de la police privée chez Douglas. Larkin corrompt des gamins avec son « Santa Monica Vélo-Club » et il écrit des pamphlets selon tous les points de vue, et en boche et en jap. Il y a de l'argent à faire dans cette activité, mais je n'investis pas. C'est là que je me reconnais un certain manque de clairvoyance. Bill, j'avoue m'être un peu laissé emporter. Je sais que la guerre est inévitable, et je crois fermement que les forces de l'Axe vont gagner. Je mets de l'argent de côté, je fais quelques opérations de change avec Ryoshi, les collaboration-nistes et les gars de la Deutsches Haus. J'ai un faible pour le yen et les reichsmarks, parce que je sais que la guerre approche et que le côté que je soutiens va gagner, c'est dans la poche.*

*Mais certaines poches ont le malheur d'être percées, Bill – sur-tout quand l'argent et l'idéologie s'entremêlent. Parce que Preston connaît un fédé bien informé, un certain Ed Satterlee. Ed dit que les fédéraux constituent des dossiers « cinquième colonne » sur les Japs de L.A., parce qu'ils prévoient des rafles dès que cette guerre inévitable éclatera. Preston est un puissant promoteur immobilier et un roi du bâtiment et des travaux publics, et Pierce a gagné de l'argent en achetant et revendant des terrains. Pierce est chimiste et il connaît les propriétés de la couche arable. Preston a construit l'Arroyo Seco Parkway, et il a toujours eu envie d'y ajouter de nou-velles sorties et bretelles d'accès, avec des centres commerciaux, pour combler le vide qui sépare L.A. proprement dite de Pasadena. Alors, cette guerre inéluctable et l'inévitable internement adminis-tratif à grande échelle stimulent son raisonnement – qui n'est pas fasciste, mais reste pragmatique. Il me connaît, il connaît Pierce, il a fait la connaissance de Jim Larkin. Il ne sait même pas que la famille Watanabe existe, mais il échafaude le projet d'acheter des maisons de Japonais situées au bord de l'Arroyo Seco Parkway et des exploitations maraîchères, japonaises également, dans l'est de la vallée de San Fernando, pour remplacer ses idées d'amélioration du Parkway par un projet axé sur la détention des Japs, indépen-damment des mesures prises par le gouvernement fédéral.*

*Nous sommes déjà en 1940, à ce moment-là, Bill. Tout le monde sait que la guerre approche. Preston est un type franc et direct. Il envoie Pierce et Jim, qui maîtrisent la langue, pour qu'ils parlent affaires avec les Japs qui souhaiteraient prudemment se débar-rasser de leurs propriétés. La guerre arrive, vous êtes baisés. Vous serez incarcérés, vos maisons et vos fermes seront saisies. Celle-là, vous ne la gagnerez pas, Tojo. Mais on vous fera parvenir de l'argent quand vous serez derrière les barreaux. Votre choix, c'est de vous faire royalement baiser par l'Oncle Sam, ou bien de vous laisser exploiter prématurément par nous, qui vous aiderons aussi par la suite, en secret. Bill, Dudley et vous, j'en suis sûr, aviez déjà deviné la majeure partie de cet aspect-là de l'affaire. Donc, nous parve-nons à convaincre certains Japs du Parkway et certains maraîchers* japs de vendre leur propriété, mais certains refusent. Nous faisons intervenir Carlos Madrano et ses hordes de sans-papiers qui commencent à saboter les sols, pour qu'on puisse construire des rampes d'accès au Parkway et des camps d'emprisonnement. La conscience non fasciste de Preston est soulagée, ce qui est impératif sur le plan fiscal. Lui, dans notre petite mare, c'est le gros poisson du bâtiment et des travaux publics, et nous voulons qu'il soit content. Bien sûr, nous adorons les Japs, mais la plupart d'entre eux sont des fascistes tonitruants, tout comme nous. Un dollar, c'est un dollar, et pour nous, c'est l'Amérique d'Abord.

L'idéologie et l'argent ne font pas bon ménage. Vous connaissez l'histoire de la prostituée qui a fait faillite parce qu'elle n'était pas cotée en bourses ? Ce qu'il faut à Preston, à ce moment-là, c'est un argument pour fourguer son projet de camp-de-prisonniers-dans-un-camp-de-prisonniers à nos dirigeants locaux et aux fédéraux. Pour l'aspect « restons autonomes, encourageons l'économie locale », Fletch Bowron joue sur du velours – mais Preston a besoin d'un facteur décisif pour convaincre J. Edgar Hoover. Vous savez qui le lui fournit ? Saul Lesnick, qui vient de comparer ses vues sur l'eugénisme avec Pierce Patchett et un médecin chinetoque nommé Lin Chung.

Et c'est l'eugénisme qui fait pencher la balance. Vous voyez pourquoi, Bill ? Nous logeons les meilleurs Japs, les plus intelligents, les plus robustes, et nous les étudions pour découvrir ce qui les rend différents de nous. C'est Lesnick qui a concocté ce scénario. Hoover adore cette idée. Hoover hait les Juifs et les Rouges, Lesnick est juif et communiste et sert d'indicateur aux fédéraux, mais le populisme n'est rien d'autre que le grand programme que nous partageons tous. En arriverons-nous à étudier la torture et à relier des cerveaux japonais à des pattes de marsupiaux atteints de la rage ? À vous de me le dire, Bill. Nous nous retrouverons en 43 pour en discuter.

Donc, nous savons tous que la guerre approche. Nous sommes tous calfeutrés avec nos radios à ondes courtes – sauf Preston, qui n'y connaît rien. Mais Jim Larkin a son copain nipponophile, Terry Lux, qui a une installation ondes courtes surpuissante, et qui a refait le nez d'une des copines japs de Jim. Nos projets se précisent. Nous allons détruire les cultures maraîchères et la couche arable et vendre de l'huile de crevette et du verre pilé à des conserveries dont les propriétaires veulent tuer des Américains blancs. Je sais que vous avez été témoin de ce raid contre le bateau des pêcheurs de *crevettes, Bill. Nos copains collaborationnistes et ceux de l'entrepôt vous ont pris de vitesse, dans cette affaire. Vous n'êtes pas véritablement un enquêteur, mais je m'aperçois que vous me suivez.*

*Tout cela s'est résumé à une histoire de radios, en fin de compte. Il y a Pierce, Jim, Terry, et moi. Jim enseigne le japonais à Terry. C'est en japonais que nous suivons tous les événements qui vont mener à la guerre. C'est là que Ryoshi se révèle utile. Il connaît toutes les fréquences utilisées par la marine de guerre japonaise.*

*Nos projets progressent. Vous avez besoin de crevettes farcies aux éclats de verre ? Vous savez à qui vous adresser. Preston est dans l'ombre. Terry est collé à sa radio et ne fait pas grand-chose d'autre, parce qu'il passe beaucoup de temps à caresser dans le sens du poil ses amis drogués de la haute société. Ed Satterlee nous donne des informations sur les rafles potentielles. Pierce a le projet d'opérer des prostituées pour qu'elles ressemblent à des vedettes de cinéma, et Terry, malin, réfléchit à la question. Pierce et Terry financent les villages collaborationnistes. C'est contraire aux codes de loyauté japonais, mais l'Amérique est une démocratie, même si cela ne nous plaît pas. Les villageois blanchissent de l'argent et ils colportent ces bonnes crevettes farcies de verre pilé. En attendant, nous n'avons rien d'autre à faire que d'écouter nos radios pour capter les dernières nouvelles militaires codées, en direct depuis la marine de guerre Jap. Nous sommes encore en 1940, Bill. Et voilà qu'apparaît un personnage implacable, nommé Hikaru Tachibana.*

*Je l'aimais bien, Tachi, mais ce salopard était un authentique espion japonais. Les flics de Santa Monica ont coincé son petit cul jaune juste devant cette usine, sur Lincoln Boulevard. Il avait sur lui un petit appareil photographique espion, un Minox, ce qui lui a tout de suite valu d'être incarcéré en attendant d'être expulsé. Je l'ai libéré discrètement et j'en ai fait mon espion personnel. Je commençais à penser que Ryoshi Watanabe était un fasciste pas tellement ardent, et qu'il n'était pas vraiment loyal envers notre petite clique. Ils nous a embobinés pour qu'on lui achète sa maison et sa ferme plus cher que prévu, ce qui nous a fortement déplu, parce que nous l'avions eugéniquement élevé au Statut d'Homme Blanc Sacré et que nous l'estimions énormément. J'ai fait embaucher Tachi comme ouvrier agricole dans l'exploitation maraîchère des Watanabe, vers le milieu de l'année 1940. Il me transmettait ses comptes rendus, qui m'ont confirmé que Ryoshi était une planche pourrie.*

Ce que disait Tachi, Bill, il ne fallait jamais le prendre au pied de la lettre. Il était lunatique et fantasque, et encore plus porté que moi sur le détournement de mineures. Il maquereautait des filles qui faisaient le trottoir, et il vendait de la marie-jeanne à des lycéens, ce qui est hautement immoral pour un homme qui souscrit aux codes d'honneur des samouraïs. Cela dit, j'ai laissé couver la situation pendant un bon moment, parce que nous savourions tous la montée en puissance de l'armée japonaise, facile à suivre sur nos récepteurs de radio. De plus, j'aimais bien Tachi. Jusqu'à l'été dernier, quand nous avons tous compris qu'il avait mis enceinte Nancy Watanabe.

Aya a appris que sa fille était enceinte, et elle en a informé son mari. Ryoshi nous a vendu la mèche, à Pierce et à moi. Nous avons pensé que ce devait être un exploit de Johnny, car Johnny faisait une fixation sur sa sœur, et il avait dit à Pierce qu'il droguait Nancy pour la sauter avec une capote, parce qu'il ne voulait pas de mômes mongoliens. Ryoshi a flanqué une raclée à Johnny, et il a acquis la certitude qu'il n'était pas le père, alors nos soupçons se sont portés sur Huey Cressmeyer. Ryoshi a interrogé Huey. Huey lui a raconté qu'un collaborationniste mi-Mex, mi-Jap se vantait d'avoir mis Nancy en cloque. Terry Lux a analysé le sang de Nancy et celui de Huey et il a innocenté celui-ci. Nous avons ensuite soupçonné Tachi et demandé à Terry de déterminer son groupe sanguin. Terry a trouvé une correspondance entre le groupe sanguin de Tachi et le zygote de Nancy. Le salaire du péché, c'est la mort, Bill. Johnny et moi avons tué Tachi. Nous l'avons poignardé avec des lames trempées dans le poison et balancé son cadavre dans un puits, à la ferme.

C'était ainsi, Bill. J'étais amoureux de Nancy. Ryoshi me l'avait déjà vendue. Elle avait fait le serment de devenir ma concubine, mais je ne l'avais pas encore sautée. Nous devions vivre ensemble à Tokyo ou à L.A., selon l'issue de la guerre. Ne me regardez pas comme ça, Bill. Je sais qu'elle n'avait que seize ans, mais j'étais prêt à l'attendre, même si elle n'était déjà plus toute neuve.

Nous arrivons à l'automne 41, maintenant. Nos projets avancent, et chacun de nous poursuit ses petites machinations personnelles. Pierce est imprudent, il se promène sur toutes les fréquences des ondes courtes pour bavarder avec ses copains fascistes, alors que pour ma part, ici, à l'usine, mon émetteur réglé sur ma propre fréquence est caché derrière un faux récepteur ordinaire d'ondes longues et moyennes.

*Dès que l'occasion se présente, Pierce prend un café et bavarde avec le D<sup>r</sup> Lesnick, parce qu'ils sont voisins de palier. L'eugénisme, Bill. Juif ou pas, Lesnick est nazi dans l'âme, mais un nazi rempli de bonnes intentions : il veut créer des êtres humains plus efficaces, et il sait que cela demandera beaucoup de travaux de laboratoire. Il espère créer des* Übermenschen *dotés de queues géantes calibre nègre, avec le cerveau des Juifs, la ruse des Japs, la résistance des Russes face aux maladies, et le physique avantageux des Nordiques. Je ne vous raconte pas de salades, Bill – Lesnick a laissé Pierce écouter ce qu'il dit pendant ses séances de psychiatrie, et ce vieux Saul parle toujours à ses patients de la science des races.*

*Donc, l'automne avance. Nous gardons l'oreille collée à nos radios, et nous savons que les Japs vont bombarder Pearl Harbor. Pierce a des contacts avec les services de renseignement de la marine nationale et avec les compagnies maritimes de fret, et il fait suivre à la marine de guerre jap et à nos copains collaborationnistes les renseignements sur les transports d'armement par cargos. La marine jap et les collaborationnistes se haïssent, mais ça nous est égal – tout ce que nous voulons, c'est encore plus de destructions. Ces attaques de sous-marins contre les cargos, près de la côte, dont parlent tous les journaux ? Elles sont toutes inspirées par les renseignements que fournit Pierce Patchett. Ces Japs évadés de Terminal Island ? Pierce leur a fourni de l'argent, des jetons de téléphone pour utiliser les cabines publiques, des pistes pour trouver des endroits où se cacher, le grand jeu. C'est lui qui a financé toute leur escapade, et ces guignols fonçaient droit vers le sud pour rejoindre un sous-marin à Colonet, au Mexique, quand vous autres flics les avez massacrés dans le Couloir Sanglant.*

*Nous sommes intrépides ici, nous sommes prudents là-bas. J'ai bloqué ma fréquence, mais Pierce et Terry se répandent sur les ondes. Je suis à l'antenne, Jim est à l'antenne. Il a un poste à ondes courtes planqué dans un garage, près du dispensaire de Terry, à Malibu. Les téléphones publics ne chôment pas, car c'est une précaution que j'ai moi-même prise par mesure de sécurité. En plein milieu de ce raffut qui précède l'entrée en guerre, je m'aperçois que Ryoshi et Jim commencent à se dégonfler à cause de la guerre en général et de Pearl Harbor en particulier. Je redoute qu'ils vendent la mèche au sujet de l'attaque, et qu'ils changent le cours de l'histoire du monde pour l'éternité. Je suis un optimiste, Bill. Je suis un partisan du laisser-faire. Nous allons entrer en guerre. Si les Japs et* les Boches la gagnent, très bien. Pareil pour les U.S.A. Je passe du temps avec Nancy. Je veux qu'elle mette au monde cet enfant, pour avoir un gamin japonais de race pure avec qui je pourrai plaisanter, tirer au pistolet et jouer au ballon. Et puis elle me joue un sale tour en se faisant avorter par un charlatan mexicain de Tijuana. Je décide que la famille entière doit disparaître, et aussi cet enfoiré de Rosbif, Jim Larkin. J'ai un double mobile : je me venge de l'avortement de Nancy, et je confirme mon allégeance à l'effort de guerre japonais.

Je ne sais pas précisément à quel moment les Japs vont frapper Pearl Harbor, Bill. Pour parler franchement, j'ai passé tout l'automne imbibé de whiskey et d'hydrate de terpine. Saul Lesnick revendait à Pierce de la cocaïne de dentiste, celle dont ils se servent pour les anesthésies, et Pierce me laissait mettre le nez dedans autant que je le désirais. J'ai dit à Pierce que les Watanabe devaient disparaître, et il m'a donné raison. Il a préparé une sorte de thé empoisonné qui leur fera perdre les pédales avant que je ne joue du couteau, et il me l'a emballé dans de petits sachets. Je fixe la date au 6 décembre, et j'achète les sabres dans une boutique de curiosités d'Alameda Street. Mais j'oublie d'acheter les fourreaux pour compléter la mise en scène. Je n'ai pas les idées très claires, en ce jour fatal, Bill. J'ai fixé la date, et j'apprends grâce à ma radio à ondes courtes que les Japs ont décidé d'attaquer Pearl Harbor le lendemain matin. Jim Larkin m'a dit qu'il allait emmener les jeunes de son vélo-club en balade jusqu'à San Bernardino le dimanche avant l'aube. Alors, je décide de régler tous les problèmes en suspens, de rentrer chez moi, de dormir et d'être en pleine forme, bon pied bon œil, quand la grande nouvelle arrivera.

Donc, je me rends à Highland Park en voiture, mais je me dégonfle en cours de route. Je m'arrête près d'une cabine publique dans Figueroa Street, j'appelle Pierce et je lui demande de me soutenir. « Est-ce que tu peux venir et me regarder faire, mon vieux ? Ne serait-ce que pour l'intérêt de la chose sur le plan de l'eugénisme ? » Pierce me rabroue, parce qu'il a des billets pour le match de football entre les Trojans et les Bruins au Coliseum, mais il me conseille d'appeler Saul Lesnick, parce que le vieux youde pourrait prendre son pied à voir un quadruple seppuku. Alors, j'appelle Saul, et il me dit qu'il essaiera de venir, et je me rends en voiture, un peu vaseux, chez ces putains de Watanabe. Heureusement pour moi, la famille est au complet, et se montre enthousiaste à l'idée de déguster un thé « spécial » apporté par leur Kamerad blanc, Jungle

*Jim Davis. Je suis vaseux, ils deviennent vite vaseux. Le thé que j'ai apporté provoque des nausées, et ils vomissent sur leurs vêtements. Je les oblige à se changer, ce qu'ils font sans discuter dans l'état euphorique où ils se trouvent. Je dis à Ryoshi d'écrire en kanji cette lettre qui parle de « L'apocalypse qui s'annonce », c'est-à-dire l'internement administratif auquel on s'attend. Ryoshi la rédige, et puis Saul Lesnick et Lin Chung se pointent à la porte de derrière, et j'en chie presque dans mon froc parce que j'ai oublié que j'avais appelé Saul, et voilà qu'il amène son copain chinetoque, pour qu'ils puissent voir ensemble l'ancien directeur du LAPD James Edgar « Deux-Flingues » Davis commettre un quadruple assassinat.*

*Mais Saul et Lin sont prudents, ce dont je leur suis reconnaissant. Ils ont laissé leur voiture dans Figueroa et sont venus à pied en longeant le grillage du Parkway, et personne ne les a vus. Ils m'expliquent qu'il leur a fallu un bon moment pour trouver le courage d'assister au spectacle, alors ils sont restés près du grillage à fumer quelques cigarettes et puis ils se sont dit, Bon, celui-là, il ne faut pas le manquer.*

*Ryoshi, Aya et leurs enfants sont tellement dans les vapes qu'ils remarquent à peine Saul et Lin, qui sont venus pour observer l'épisode tout entier d'un point de vue scientifique et l'évaluer selon leurs perspectives divergentes. Je leur dis « Excusez-moi », je cours jusqu'à ma voiture et je prends les sabres, enveloppés dans une couverture. Saul et Lin me regardent de très près, et ils ôtent leurs chaussures parce qu'ils ont une hantise ridicule : celle de laisser des traces de pas. Plus l'instant fatidique approche, moins j'ai les idées claires. Mais je fais s'allonger les Watanabe sur le plancher du salon, je sors mon couteau féodal et je les éventre, jusqu'au sternum. Ils se convulsent et meurent, et il y a du sang partout, et Saul marche dedans, trempe ses chaussettes, les ôte, et court aussitôt à l'étage. J'essuie les sabres couverts de sang et je les pose sur les cadavres, mais j'ai oublié les fourreaux et tout le rituel jap nécessaire pour simuler un* seppuku *de façon convaincante. Lin Chung m'observe sans rien dire, puis il m'interroge sur mon état mental, ce qui me fout en rogne, parce qu'il se prend pour ce Juif Rouge de Sigmund Freud et qu'il me traite comme une bonne femme neurasthénique. Je dis à Lin et Saul de déguerpir et de me laisser seul, et ils disparaissent par la porte de derrière. Je lave les vêtements souillés de vomissures et je les mets à sécher sur la corde à linge. Je tente de découvrir l'endroit où Ryoshi cache son poste à ondes courtes, mais je ne trouve absolument rien. Je me contente de regarder les cadavres, je leur parle, je me nettoie et je quitte la maison discrètement, à la nuit tombée. La suite est vraiment floue, Bill. Je fais un somme, je me réveille, je ressors quand j'entends l'appel général à cause de cet accident de la circulation et je bavarde avec vous, là-bas, au carrefour Wilshire-Barrington. Je quitte les lieux après avoir parlé avec mon vieux copain Bill Parker puis je me rends à Valley Boulevard, où je percute mon vieux copain Jim Larkin. Ensuite, je rentre chez moi pour que le sommeil me fasse oublier tout ça, et ma femme me réveille et me dit : « Jim, les Japs ont bombardé Pearl Harbor. »*

*Donc, c'est le LAPD qui hérite de l'enquête, dirigée par Dudley Smith, l'homme blanc le plus intelligent du monde – il est au sommet, avec vous. Je retiens mon souffle, à présent. Ensuite, Dud découvre les rachats de terrains, et puis arrive le projet de Pierce et Terry de faire travailler des prostituées opérées pour ressembler à des stars, après quoi Dud et Ace Kwan échafaudent leurs propres machinations dans le même genre, que Lin Chung cafte à Pierce. Ensuite, Dud expose leurs projets à Terry, et Terry extrapole et leurs idées lui montent à la tête, alors il contacte grâce à sa radio la marine de guerre jap – on peut faire entrer des Japs pour qu'ils travaillent de l'intérieur cette bonne vieille cinquième colonne, et tous les Blancs de L.A. les prendront pour des Chinetoques. À peine a-t-on le temps de respirer que Dud et Ace se retrouvent opposés à Lin Chung dans une guerre à qui mettra le plus gros tas de fric sur la table, et vous frappez à ma porte, parce que je suis soûl et paresseux et que j'ai appelé chez moi depuis l'un de nos propres téléphones publics de fascistes virulents.*

Davis se tait. Il est pâle, tirant sur le vert.

On entendrait une mouche voler. Parker décharge les pistolets posés sur le plancher.

Davis dit :

– Je souffre d'une insuffisance cardiaque congestive, Bill. Quel que soit le vainqueur de cette guerre, je ne vivrai pas assez vieux pour voir l'armistice. Je ne tiendrais pas assez longtemps non plus pour voir le bout des procédures judiciaires et l'intérieur de la chambre à gaz.

– Êtes-vous lucide, Jim ? demande Parker. Voyez-vous des choses qui n'existent pas ? Parlez-vous à des gens qui ne sont pas dans la pièce avec vous ?

– Vous parlez de *vous*, Bill. L'homme que vous décrivez, ce n'est pas *moi*. Et il n'est pas question de m'envoyer dans un asile de fous. Je ne suis pas le Loup-garou, et je ne suivrai pas ses traces. Vous n'avez que deux solutions.

Voici la première : le capitaine William H. Parker, ancien second et larbin de l'ex-directeur du LAPD, l'amplement vilipendé Jim Davis, emmène ledit Jim Davis menottes aux poignets et le remet entre les mains de la justice. C'est le premier mois d'un stupéfiant conflit mondial, et l'ex-directeur Davis est accusé d'avoir horriblement massacré quatre Japonais, dont deux femmes. C'est le fait divers le plus sensationnel du siècle. Le peu de prestige que le LAPD a pu regagner depuis l'éviction de l'ex-directeur Davis est à présent réduit à zéro, et la période pendant laquelle l'ex-directeur Davis a occupé ce poste est examinée au microscope. Voici un fait connu de tous : l'homme de main de l'ex-directeur Davis est un puritain papiste alcoolique nommé Bill Parker, un personnage impitoyable et d'une ambition démesurée qui sacrifie ses idéaux stupides dès qu'il entrevoit la moindre occasion d'améliorer sa situation personnelle ou professionnelle. Parmi les dégâts collatéraux de l'inculpation de Jim Davis pour assassinat, les plus importants sont ceux que subit Bill Parker. Pendant son procès, l'attaque du flamboyant Jim Davis contre le LAPD possède la précision implacable d'un directeur qui a vu et fait tout ce qu'il dénonce avec des hommes qui sont encore en fonction dans ce même service de police. C'est vous qui sautez le premier, Bill. J'ai une déclaration sous serment de votre ex-femme, dans laquelle elle raconte les brutalités que vous lui avez fait subir. Jack Horrall vous suivra de près. J'ai un enregistrement magnétique de Brenda Allen en train de lui faire une fellation. Pendant toutes les années où j'ai exercé mes fonctions, j'ai enregistré tout ce qui se passait dans l'arrière-salle de Mike Lyman. Vous sautez, Thad Brown saute aussi. Le temps que j'en termine avec vous tous, on aura comme directeur un nègre venu du Congo belge. Cela peut se résumer de cette façon, Bill : si vous m'embarquez, je vous la mettrai tellement profond, à vous et tout le LAPD, qu'on vous entendra hurler jusqu'à Tokyo et Berlin.

Et maintenant, votre seconde solution, Bill : vous sortez d'ici, tout de suite. Vous adressez quelques prières à votre enfoiré de Dieu de la Rome papiste, puis vous vous branlez devant la glace en pensant très fort aux petites étudiantes qui vous font bander mais que vous n'avez pas les couilles de draguer. Vous me recevez cinq sur cinq, papa-san ? J'ai tué quatre Japs la veille de Pearl Harbor, et m'envoyer à la chambre à gaz pour si peu, ça vous coûtera plus cher que ce que ça vaut. Moi, je n'ai rien à craindre, et je vous emmerde, parce que l'Histoire est de mon côté.

Parker se lève.

Davis dit :

– Du vent, Bill.

Parker sort sous la pluie.

# 112

## LOS ANGELES | SAMEDI 27 DÉCEMBRE 1941

**9 h 32**

C'est l'heure du thé. Service pour trois personnes.

Ace Kwan fournit le ravitaillement pour la petite fête. Ses trois invités se détendent dans le box de Dudley. Son thé, à lui, est additionné de benzédrine. Ceux de Beth et Tommy ne le sont pas. Tommy lit la version en braille du *Herald*. LE JURY D'ACCUSATION INCULPE LE LOUP-GAROU ! est un titre qui le ravit.

Beth grignote des biscuits aux amandes. Dudley fume et plane sous l'effet de la benzédrine. Beth et lui feuillettent des catalogues. Phelps-Terkel propose des uniformes sur mesure. Le grand magasin Bullock de Wilshire Boulevard fait l'article pour sa collection féminine.

Beth dit :

– Le bleu, c'est la couleur de Claire, mais ce n'est pas une teinte pour l'hiver. Au Mexique, il ne fera pas trop froid, alors elle devrait acheter des robes plutôt que des tailleurs.

Dudley ne parvient pas à chasser le Mexique de son esprit. Ses revers lui apparaissent comme des victoires. L'attitude de Hideo a été une révélation pour lui.

Tommy demande :

– Est-ce que je pourrais être pris en photo avec le Loup-garou,

Oncle Dud ? Je ne la verrai pas, mais mes copains, à l'usine, trouveront ça épatant.

*Quelle gentillesse. Quelle gratitude.*

– Bien sûr, mon garçon, répond Dudley. Je m'en occupe immédiatement.

Appelez-moi-Jack les rejoint. Il est pâle, tirant sur le verdâtre.

– Carlos Madrano est *muerto*. Sa voiture a explosé sur la côte, au sud d'Ensedana. Je viens de lire le télétype. Il y a sûrement un coup des Japs là-dessous.

– Il me manquera, dit Dudley. C'était vraiment un grand fasciste.


# 113

## LOS ANGELES | SAMEDI 27 DÉCEMBRE 1941

**9 h 35**

– Nous ne savons pas où votre famille et vous serez envoyés, dit Littell, mais ça ne sera pas avant la fin février. En attendant, Dudley Smith vous a trouvé un hébergement confortable. C'est une suite avec trois chambres au Biltmore, à crédit. Les frères de Mike Breuning iront travailler dans votre exploitation maraîchère jusqu'à votre libération. Vous continuerez à percevoir votre salaire et vous récupérerez votre emploi. Dudley a réglé toutes ces questions avec Jack Horrall.

Ils se tiennent sur le palier de l'escalier d'incendie. Ashida examine attentivement le salon. Akira remplit des cartons. Mariko somnole sur le canapé.

Un homme siffle, vers l'est. Ashida le repère. Elmer Jackson arpente un toit voisin. Il agite son fusil. Il lance :

– Hé, Hideo !

– Hé, Elmer ! répond Ashida.

Ashida pense : *Je suis un Américain.*

# 114

## LOS ANGELES | SAMEDI 27 DÉCEMBRE 1941

### 9 h 42

Brenda m'a fourni l'adresse, mais n'est pas allée jusqu'à me rédiger une lettre d'introduction. Cela aurait été gênant. Le mari se fait envoyer des garçons par un ami de Brenda, qui gère un cheptel de gitons. C'est ça, L.A. Tout le monde connaît quelqu'un d'important – et avant toute chose, important dans un domaine hors de la légalité. J'ai un seul nom à citer. Elle mordra à l'hameçon ou elle n'y mordra pas. Je me plante devant la porte et j'appuie sur la sonnette.

Ces pas qui s'approchent, c'est *Elle*. Des talons compensés sur un plancher. *Mais quelle est donc cette interruption inopportune ?*

Bette Davis m'ouvre la porte. Elle est vêtue d'une chemise à carreaux et chaussée de bottes de cheval. Elle n'a pas l'air aimable. Inutile de lui faire du charme, ça ne marchera pas. Je me contente de lui dire :

– Dudley Smith.

Elle est interloquée. Son expression passe de *peu aimable* à *exaspérée*. Elle me demande :

– Qui êtes-vous, et qu'espérez-vous obtenir de moi en me jetant ce nom au visage ?

Je lui réponds :

– Je m'appelle Kay Lake, et je ne cherche pas à obtenir quoi que ce soit. J'espère simplement que nous pourrons l'une et l'autre tirer avantage, ou du moins un certain soulagement, d'un bref entretien.

Elle tient sa porte ouverte. Elle me dit : *Je peux vous consacrer quelques minutes* et s'écarte pour me laisser entrer. Elle me désigne deux fauteuils qui ressemblent à des trônes. Cela signifie : *Vous, prenez place.*

Je me plie à son injonction et obéis. *Bien, nous y voilà.* Elle me quitte et se dirige vers l'arrière de la maison, qui n'est pas accueillante et bien trop alambiquée. De grosses poutres et des meubles imposants à l'excès. Trop de bois foncé. La demeure d'une baronne britannique – et un airedale turbulent qui bondit vers moi. Je pose mes mains sur lui et le tiens à distance ; il se moque de mes efforts pour le forcer à s'asseoir. Il veut accaparer toute mon attention et semble conscient de son charme irrésistible. Je lui cède et lui fais des mamours.

Miss Davis revient et continue son numéro. Elle reste brusque – mais à présent elle semble mieux disposée. Elle porte un plateau d'étain en équilibre sur une main, comme une serveuse de drive-in, et fonce sur moi. Elle pose le plateau sur une table, près de nos trônes. La baronne et sa demanderesse. Le pichet et les chopes en étain. La mise en scène et les accessoires sont censés masquer sa nervosité. Elle brûle de savoir ce que j'ai à lui dire.

Elle remplit les chopes de punch. Elle ouvre un coffret d'étain et me désigne un briquet en étain également. J'allume une cigarette et me cale dans mon trône ; Miss Davis fait de même. L'airedale saute sur une ottomane et s'endort.

– Dudley s'était entiché de ce chien. Certains hommes ont une façon particulière de se comporter avec les animaux. Ils régressent, en quelque sorte. Dudley *embrassait* ce chien, ce que j'ai trouvé déconcertant.

J'avale une gorgée de punch.

– Je vis dans l'univers d'un policier. En un certain sens, cet univers m'a séduite. Voilà mes qualifications pour discuter de Dudley Smith.

Sur son trône, Miss Davis replie ses jambes sous elle. Elle pose un cendrier en étain entre nous deux, sur le rebord de la fenêtre.

– Je connais la séduction, comme vous vous en doutez. J'ai cru reconnaître le genre d'homme qu'il était, et puis je me suis persuadée que je l'avais cerné et que je pourrais le maintenir à l'intérieur des limites que j'impose à mes amants. C'est l'erreur que j'ai commise, et je ne le reverrai jamais. Ce qui ne veut pas dire qu'il cessera de me hanter.

– Vous ne m'avez pas demandé, lui dis-je, de clarifier ce que j'appelle mes qualifications, ni cherché à savoir si ma visite avait un objet précis.

– Pourquoi le devrais-je ? Vous représentez un imprévu qui ne manque pas de subtilité, et pour le moment votre approche me séduit. C'est samedi matin, tout va bien, et nous bavardons gentiment. Nous allons nous noircir, et nous exprimer avec un manque de réserve toujours plus grand, parce que la guerre nous permet de prendre nos aises avec les convenances. Votre introduction a pleinement rempli son office.

J'avale une gorgée de punch. Rhum brun, Pernod, jus de fruit. Pincez-moi – suis-je vraiment ici ?

– Parlez-moi de vous et de Dudley Smith, s'il vous plaît.

Miss Davis commence :

– Il est tombé malade, ici même, mercredi après-midi. Il s'est mis à délirer et a marmonné des choses dans son sommeil.

## 10 h 26

Il n'y a pas de révélations immédiates. J'en comprends aussitôt la raison. Miss Davis est un peu désemparée. Elle se sent seule et a besoin d'un auditoire ; elle sait qu'elle peut me tenir en haleine, dans mon fauteuil du premier rang. Elle me priera de parler à mon tour, le moment venu. Elle ignorera les appels téléphoniques et les intrusions, que ce soit celles de son mari et de je ne sais quels amants qu'elle mène par le bout du nez. Je m'attends à une autobiographie, et j'y ai droit.

Miss Davis, l'ingénue de Broadway. Elle se brouille avec sa famille et se rend à New York. Les années 1920. La prohibition. Les intellectuels juifs qui rêvent de la sauter. George Gershwin y parvient. Pauvre George. Il était peut-être ou peut-être pas homo. Bette assiste à la création du concerto en fa. Elle fume du haschisch avec Scott Fitzgerald et se retrouve en larmes dans la cathédrale Saint-Jean le Divin. Elle est témoin du défilé du Premier Mai qui fait trois morts. Elle est devant la prison le jour où Sacco et Vanzetti passent sur la chaise électrique. Je ne dis pas un mot et mon regard ne la quitte pas. Je ne fais aucune tentative d'intrusion dans l'exposé que fait cette femme sur son sujet préféré : Elle-Même.

Les épisodes se suivent. La journée s'écoule en un long monologue. Nous passons d'une pièce à l'autre. Miss Davis prépare des crêpes épaisses et en fait des enchiladas aux œufs qu'elle plonge dans la friture. Tous ses gestes sont gracieux et calculés pour paraître nonchalants. Elle me dispense un cours sur l'art de se comporter en société. La baronne et sa protégée. Elle sait que je l'observe et s'imagine que je vais l'imiter jusqu'à la fin de mes jours. Miss Davis est très forte en technique mais peu douée en psychologie. Ce en quoi elle diffère complètement de Claire De Haven. Claire est passionnée d'art dramatique, et c'est la seule arme qu'elle utilise pour parvenir à ses fins lorsqu'elle s'attelle à une tâche.

Nous sirotons du punch, nous fumons des cigarettes, et nous restons à la frontière de l'ivresse. Miss Davis n'a qu'une seule histoire à raconter. Cet inconvénient finit par l'emporter sur l'attrait de la nouveauté et me pèse à la longue. Je fais de la résistance face à son récit, malgré le côté accompli de sa séduction. Je vois bien qu'elle est devenue, irrémédiablement, la proie du superficiel et du clinquant, et avec quel acharnement elle a transformé tout cela pour en faire le Grand Roman de Sa Vie. Sa Marche Forcée vers Hollywood. Sa Conquête des Hommes Célèbres, tous plus faibles qu'elle. Ses Bisbilles avec les Responsables des Studios et les Réalisateurs.

Cela se poursuit tard dans la nuit, avec le renfort de deux bouteilles de vin rouge et un coq au vin. L'airedale reparaît régulièrement, à point nommé. À un moment, il apporte à la baronne un écureuil qu'il vient de tuer. Je nettoie soigneusement les taches de sang, alors que Dudley Smith menace d'apparaître dans son récit. Le chien la fait penser à lui. Miss Davis n'est qu'artifice, sauf quand elle exprime sa peur et sa rage – sa peur du néant et sa rage de voir ses craintes se concrétiser. C'est le conflit entre son appétit pour les hommes et son besoin d'orchestrer chaque instant de son existence. Dudley Smith la terrifie. Il représente la page blanche de son inconscient dans toute sa brutalité, et il lui a fait découvrir les limites de son propre entendement. Chacun d'eux a brisé la façade de l'autre.

Miss Davis se rend à Hollywood. Miss Lake se rend à Hollywood. La vedette de cinéma, la serveuse de drive-in aux mœurs légères. Elle était présente à la première d'*Autant en emporte le vent* – et elle a bien failli obtenir le rôle de Scarlett O'Hara, qui aurait dû lui revenir. J'ai assisté à la première projection publique et j'ai toujours le talon du billet d'entrée dans mon sac à main.

Ma visite se prolonge tard dans la nuit et même jusqu'à l'aube. Je finis par me rendre compte qu'elle fait souvent cela ; elle se sent seule, elle s'est lassée de tous les gens qui meublent son existence. Elle a besoin d'un nouveau public. De quelqu'un qui pourrait lui renvoyer un nouveau reflet enfin parfait. Elle se sentirait libérée de devenir une femme moins furieuse et moins condescendante.

Elle me donne enfin mon ouverture. C'est sa critique de Victor McLaglen dans *Le Mouchard*. Je lui dis que Dudley Smith me fait penser à McLaglen, en plus suave.

Alors, elle me dit tout. Elle raconte cela dans le même style qu'auparavant, comme un nouveau chapitre de l'Histoire de Bette Davis. Miss Davis et son Amant Diabolique. Sa main infectée, son délire, l'avorteuse du studio qu'elle a fait venir. C'est elle qui a fait venir Dudley pour coucher avec lui une dernière fois avant de le bannir. Elle a changé d'avis en lui ouvrant la porte. Il s'est effondré sur le sol et a dit des chose dans son sommeil.

*Quelles choses, Miss Davis ? Dites-le-moi, s'il vous plaît. Je vois bien qu'elles vont ont perturbée.*

Elle m'explique qu'elle a entendu Dudley se confesser. Il divaguait en latin de l'église catholique et en anglais. Ses déclarations l'ont choquée.

Extorsion et vol. Meurtre. L'assassinat qui a fait comprendre à Miss Davis les limites de son entendement – *Parce que c'est elle qui l'a provoqué.*

– J'étais à une fête en l'honneur de Ben Siegel, il y a un peu plus de deux semaines, au Trocadero. Je loue une chambre, là-bas, au-dessus du club.

*Oui, Miss Davis. Et ensuite ?*

– J'ai passé la nuit là-bas, avec Dudley, et au moment où je m'endormais, j'ai lâché une blague inoffensive. J'ai dit : « Tue un Jap pour moi. » Le lendemain, j'ai lu le journal, et il y avait un article horrible sur ce Japonais qui s'est fait tuer dans une cabine téléphonique. Dudley a avoué ce meurtre dans son sommeil.

Sur ces paroles, Miss Davis se met à pleurer. C'est le crescendo de sa prestation. Elle avait envie que la soutienne, alors je l'ai soutenue. J'ai pensé à mon masque Kabuki et j'ai entendu de la musique japonaise. J'ai tenu Bette Davis dans mes bras et je l'ai laissée pleurer sur ma poitrine.

# 28 décembre 1941

# 115

**7 h 53**

L'église. Une grand-messe pour les morts de Pearl Harbor.

L'archevêque fait son sermon. Il prône la bonté dans un monde devenu fou. Il cite des statistiques – le nombre de vies perdues et celui des cuirassés coulés.

Parker est assis au quatrième rang. Dudley se trouve deux rangs devant lui. L'archevêque s'en prend à la folie des nations et des hommes.

Parker sent le tabac imbibé de bourbon. Parker se représente Pierce Patchett devant sa radio à ondes courtes. Parker entend exploser des cargos civils.

À l'aube, il est passé à *La Maison*. Il s'est approché du Parkway et il a vu des mégots de cigarettes. Saul Lesnick et Lin Chung ont tué le temps ici même.

L'archevêque fait son sermon. Il prêche devant une église bondée. La messe a attiré des non-croyants venus simplement pour le spectacle. Fletch Bowron est venu. Bill McPherson est venu. Appelez-moi-Jack est venu. Le rouge à lèvres de Brenda Allen est bien visible sur son cou.

La guerre. La volonté de commettre des atrocités. Une subversion invisible. Qu'il est possible de détecter et d'éliminer. C'est le devoir des hommes inspirés par Dieu.

Parker fixe Dudley. L'archevêque passe du sermon au boniment. Un rassemblement sera organisé demain soir, à Hollywood, pour vendre des titres d'emprunt de guerre. L'entrée sera gratuite, et les vedettes de l'écran s'y bousculeront. Une belle histoire pour finir : À la fourrière, un setter catholique et un épagneul protestant sont tombés amoureux l'un de l'autre.

Les fidèles pouffent. Dudley s'esclaffe – *Votre Éminence, elle est bien bonne !*

L'archevêque annonce le *Gloria Patria*. Les fidèles se lèvent. Hideo Ashida entre dans l'église.

Il lance des rayons. *Jap, Jap, Jap*. Il y a les regards et les murmures. Il se glisse dans la deuxième rangée. L'archevêque est outré.

Ashida se dirige tout droit vers le Dudster. Dudley passe son bras autour des épaules d'Ashida.

Les fidèles en suffoquent, à présent. Ils en frémissent. Ils disent clairement *NON*.

L'archevêque ne veut pas tolérer ça plus longtemps. L'archevêque met fin au spectacle.

*Gloire au Père, au Fils, et au Saint-Esprit. Comme il était au commence...*

Parker s'en va. Il quitte son banc en trébuchant. Il titube jusqu'à l'allée centrale et parvient jusqu'à une porte latérale. Le suisse a un hoquet et détourne les yeux.

Parker rejoint le parking et sa voiture de service noir et blanc. Il donne un coup de pied à une bouteille de soda qui se brise. Un troupeau de bonnes sœurs fait le signe de croix.

Parker démarre pleins gaz et prend Wilshire vers l'ouest. Sur le Miracle Mile et à Beverly Hills règne le calme du dimanche matin. Parker part vers le nord et laisse sa voiture au carrefour Bedford-Dayton. Il fouille sous son siège.

Là – les gants lestés de grenaille de plomb. Le gardien de nuit les rangeait toujours à portée de main.

La porte d'entrée de l'immeuble est ouverte. Parker traverse le hall et prend l'escalier. Tout est calme au premier étage. La porte de Saul Lesnick est fermée. La porte 216 est ouverte. Parker entre aussitôt.

Patchett trie son courrier. Il porte une tenue de joueur de tennis – un short et un pull à torsades par-dessus une chemise polo.

– Tiens, c'est le flic-avocat. Et pourquoi ces gants ? Ils font bien trop sexy pour un type comme...

Parker s'élance et le frappe. Un uppercut décoché de très près lui referme la mâchoire et le projette en arrière. Parker pèse de tout son poids derrière le gant lesté. Il s'approche encore de Patchett et le voit *prendre peur*.

Patchett tend les mains devant lui. *Ne me frappez pas – nous pouvons discuter de tout ça.*

Parker se rapproche encore et l'attaque au visage. Il le frappe. Des os cèdent. Il a des petits plombs cousus dans les deux gants. Patchett trébuche et s'effondre contre la porte. Parker le coince pour qu'il n'en bouge plus.

Parker frappe Patchett. Il alterne les droites et les gauches. Il lui brise le nez. Il lui fracture la mâchoire. Il lui déchire une narine et la lèvre inférieure.

Le sang coule en abondance. Le blanc des os transparaît çà et là sous le rouge. Patchett hurle. Parker hurle plus fort que lui : *Pas de sabotage, pas de prisons, pas de bretelles d'autoroutes, pas d'eugénisme.*

Les yeux de Patchett se révulsent. Parker sent l'odeur de son urine et celle de ses excréments liquéfiés.

Il le frappe. Il lui écrase le nez. Il le frappe. Il lui détruit la bouche. Il le frappe. Il lui brise les dents jusqu'au cœur des gencives. Tiens, une oreille qui pend. Tiens, le cuir chevelu qui se détache. Tiens, il n'a plus de sourcils. Tiens, les manches de ta veste sont imprégnées de sang.

Tiens, il est à moitié mort.

Tiens, il est éliminé.

Tiens, tu es inspiré par Dieu, à présent.

# 116

## LOS ANGELES | DIMANCHE 28 DÉCEMBRE 1941

**9 h 02**

*Opium.*

La couchette, la résine, la pipe. Ôte tes chaussures, fais jaillir cette flamme.

La fumée passe dans son sang. C'est immédiat. Le corps humain n'est qu'un immense circuit de canalisations. Dans la journée, Monseigneur Meehan enseigne la biologie, et la nuit, il introduit clandestinement des armes dans le pays. Dublin, 1918. Mitraillette Meehan sait ce que c'est que le sang.

Opium. Trois allumettes à gratter, et la couchette commence à dériver.

Première étape : Los Angeles. Des avions atterrissent, d'autres décollent. Tout excité, l'airedale regarde à travers le hublot.

Il a emmené Beth et Tommy à l'aéroport. Ce furent de doux adieux en ce début de guerre. Demain, il prêtera serment. Joe Kennedy viendra spécialement, en avion.

Il a invité Hideo. Cela fera plaisir à Claire.

Deuxième étape, Acapulco. Des plongeurs qui s'élancent depuis le haut des falaises et de la salade au homard. Claire vêtue de robes provenant de catalogues de luxe et Claire sortant nue d'un bain de vapeur.

Dudley fume de l'opium. Il part à la dérive à travers son propre corps et nage dans des artères rouge sang.

Il entend quelque chose. Cela ne provient pas de son voyage sur cette couchette. C'est un *cliquetis*. C'est un *craquement*.

Il entend quelque chose. C'est un bruit de pas. C'est une lame de plancher qui grince.

La Chose frôle la couchette.

Il ouvre les yeux.

La Chose tient un couteau.

La Chose, c'est Goro Shigeta, ressuscité. Il est revenu chez les vivants avec un visage en bois.

Dudley se couvre le visage. Il n'a plus de voix pour dire *S'il vous plaît, ne me frappez pas.*

Un couteau s'abat. La Chose le poignarde. La Chose lui laboure les bras et le cou. Il cache son visage. La Chose le poignarde. Il n'a plus de voix. La Chose lui lacère le dos, les jambes, les pieds.

Il entend des voix qui s'expriment en chinois. Elles sont lointaines, elles sont proches. La Chose disparaît. La couchette tombe au fond d'un gouffre. Son sang est glacé sur ses lèvres.

# 117

LOS ANGELES | DIMANCHE 28 DÉCEMBRE 1941

**9 h 43**

Le Loup-garou dort.

Il a une cellule pour lui seul, à présent. Il peut y recevoir ses admirateurs. Les gardiens de prison vendent des photos. Le Loup-garou montre les dents. Il vous mord la nuque pour cinq dollars.

Ashida le regarde dormir. Le besoin de le voir lui est venu de nulle part. Cela lui change les idées et l'empêche de penser au Mexique.

Le Loup-garou dort. Il s'est pelotonné autour de ses oreillers. Il n'est pas rasé et il est assommé par la terpine.

Ashida se tient sur la passerelle. Les rangées de cellules avoisinantes ne sont remplies que de Japonais. Il réside à l'hôtel Biltmore, à présent. Sa suite donne sur Pershing Square.

Ray Pinker le rejoint.

– Je ne sais pas ce que cela signifie, alors vous allez me l'expliquer. Dudley Smith a été agressé, chez Kwan. J'ai trouvé votre nom sur une carte, dans son portefeuille. « À prévenir en cas d'urgence », vous voyez ?

**9 h 51**

Sa voiture est coincée. Il écrase la pédale des gaz et fauche une rangée entière de poubelles, puis il fait une embardée pour foncer vers l'est. Il brûle un feu et atteint Main Street. Un embouteillage le retient. Temple Street est bouchée. Des types agitent des drapeaux, d'autres jouent du tambour. Ils bloquent la circulation. C'est une sorte de manifestation de la racaille. Ils scandent *Rappelez-vous Pearl Harbor ! N'oublions jamais !*

Ashida titille l'accélérateur. Il broute le pare-chocs de la voiture qui le précède. Le conducteur se retourne et voit un *Jap*. Il fait un doigt à Ashida – *N'oublions jamais !*

L'embouteillage se disperse. Ashida contourne l'homme au doigt brandi et brûle deux feux rouges. Il traverse Temple Street en louvoyant et s'engage dans Broadway. Il voit qu'on s'agite devant chez Kwan.

817

Mike Breuning et Dick Carlisle abandonnent leur voiture de service. Lin Chung pousse un chariot brancard. Des poches de transfusion se balancent sur leur support.

Ashida donne un coup de volant et se gare sur le bord du trottoir. Un groupe de gens entre en force chez Kwan. Nort Layman et une grande femme s'y précipitent.

La voiture crache de l'huile et de la vapeur d'eau. Ashida en descend en trébuchant et lutte contre les crampes qui lui nouent les jambes. Il parcourt la distance, mi-courant, mi-marchant. Il capte une puissante odeur d'antiseptique. Il entre en force.

On a repoussé les tables, on a dégagé un espace au sol. Dudley est étendu sur une nappe tachée de sang. Lin Chung lui injecte des liquides. Ace Kwan agite une tête réduite. Ashida croit voir… non, il *voit* Claire De Haven. La grande femme, c'est elle. Elle presse les grains d'un chapelet.

Tous les regards sont braqués sur Dudley. Toutes les prières sont pour Dudley. Il est en caleçon. On l'a taillladé, lacéré.

Nort Layman confectionne des garrots avec des lambeaux de nappes. Lin Chung nettoie le cou de Dudley avec de l'alcool et y plonge une seringue. Une femme mince prépare les poches de transfusion. Mike Breuning l'appelle *Ruthie*.

Dick Carlisle lui dit :

– Vous n'étiez pas loin, c'est une chance.

– Dudley en a bavé, ces derniers temps, répond Ruthie.

Ashida s'approche. Dudley est exsangue, son teint est passé du rose au pâle. Claire se tient tout près de lui. Ses pieds touchent la nappe. Du sang s'infiltre dans ses chaussures.

Les aides serveurs parlent en pidgin. *Quatre Familles attaquer Dudster. Garçon foulard bleu. Très petit. Foulard sur visage. Lui traverser bureau en courant. S'échapper dans ruelle.*

Nort désinfecte les bras de Dudley. Lin Chung fait rouler Dudley sur le ventre pour soigner les blessures de la face dorsale. Nort dit :

– La plaie du cou est superficielle.

– Celles du dos aussi, ajoute Lin Chung.

Ruthie suspend une poche de plasma. Nort compte les blessures. Ace accourt avec une bouteille de vodka. Ruthie nettoie le dos de Dudley à la Smirnoff. Nort constate :

– Jusqu'ici, tout va bien. La lame a manqué les artères.

Les garrots étanchent le sang. Ruthie plonge la main dans son sac de médecin. Elle en sort ce dont elle a besoin pour suturer les plaies :

fil, aiguilles, agrafes. Breuning hurle. Carlisle hurle. Le consensus : *pas d'hôpital, pas de flics.*

Ruthie monte une longueur de fil sur plusieurs aiguilles. Chung soulève les bras de Dudley. Nort lui transperce les veines et distribue les sacs de goutte-à-goutte. Les aides serveurs se hissent sur la pointe des pieds pour les suspendre aux poutres de la salle.

La bouteille de vodka circule. Nort et Ruthie en avalent des lampées. Dudley s'ébroue et tousse. Il lève les mains et serre les poings.

Tous les occupants de la salle l'acclament. Ruthie adresse un clin d'œil à Claire. C'est une superbe imitation du clin d'œil à la Dudley.

Ashida regagne la ruelle. Ses jambes le trahissent. Il s'assied sur une pile de vieux pneus et sanglote.

Des hourras retentissent dans le restaurant. Nort roucoule la chanson irlandaise *Kilgary Mountain.* Ace annonce qu'il va faire servir à tout le monde, gratuitement, des assiettes de viande ou de fruits de mer, accompagnées de boissons.

Ashida essuie ses larmes et envoie à coups de pied des cailloux de l'autre côté de la ruelle. Sa blouse de laboratoire est trempée de larmes.

— Vous étiez vraiment l'amant de Kay ?

Ashida se tourne. Claire est assise sur sa propre pile de vieux pneus. Sa robe est couverte de sang. Ses joues aussi – elle s'est agenouillée pour embrasser Dudley.

— Non, je ne l'ai jamais été.

— Je trouvais cette jeune femme miraculeuse et troublante. Elle m'a appris des choses.

Ashida hoche la tête. Claire se tamponne les joues.

— C'est un sentiment très fort que d'aimer quelqu'un qu'on ne devrait pas aimer.

— Oui, dit Ashida. Je sais ce que vous voulez dire.

# 118

## LOS ANGELES | DIMANCHE 28 DÉCEMBRE 1941

### 13 h 28

J'ai brûlé dans l'incinérateur de la cour tout ce qui aurait pu m'incriminer : les vêtements tachés de sang, le foulard bleu, le masque Kabuki. J'ai roulé en boule des feuilles de papier journal pour recouvrir le tout. Une seule allumette a suffi à tout enflammer.

Mon intention était de le tuer ; j'y suis peut-être parvenue, ou peut-être pas. S'il y a lieu, les bulletins d'information de la radio confirmeront le meurtre. Le manque de nouvelles trahira une convalescence clandestine et me préparera à attendre qu'un destin fatal frappe à ma porte. Dans un cas comme dans l'autre, je serai prête.

Il se pourrait que je ne sois jamais inquiétée. Il se pourrait aussi qu'on m'envoie dans la chambre à gaz de la prison de San Quentin. Je franchirai les derniers mètres crânement, comme le ferait Bette Davis, ou dans l'esprit de Claire De Haven incarnant Jeanne d'Arc. Dans tous les cas, je montrerai mes dons surprenants pour la comédie. Du caractère ? De la conviction ? Peut-être, peut-être pas. Je n'ai que vingt et un ans, et cette guerre n'est commencée que depuis trois semaines. Ces derniers jours prouvent que je suis prompte à me lancer avec insouciance dans n'importe quelle aventure. Le destin me donnera ou pas l'occasion de le faire. En attendant, je ne bougerai pas d'un pouce.

Ce qui m'a forcée à fuir, c'est un bruit de pas qui s'approchait de moi. Des aides serveurs m'ont vue m'échapper par la ruelle, déguisée en petit Chinois. J'ai ôté mes vêtements masculins dans les toilettes pour hommes d'une station-service, dont je suis ressortie sous l'aspect d'une femme en pantalon et chemisier. Personne ne m'a vue entrer dans ces toilettes pour hommes, ni en sortir, et j'avais caché un sac à main sous des cailloux, au carrefour Temple Street-Main Street. J'y ai fourré le masque et les vêtements ensanglantés ; le couteau taché de sang a disparu à travers une grille d'égout. Je me suis jointe à une manifestation et j'ai scandé *N'oublions jamais !*

Les vêtements et le masque ont brûlé. J'ai regardé la fumée s'élever au-dessus de Wetherly Drive et dériver jusqu'au Strip. Je me suis assise à la table de la terrasse et j'ai écrit une lettre à Scotty.

*Mon cher Scotty, je porterai ma médaille de saint Christophe jusqu'à ce que tu reviennes sain et sauf. À quoi penses-tu en ce moment ? La guerre totale te semblera-t-elle prosaïque après ce que tu as vu ici ? J'aimerais pouvoir m'enfuir en Écosse avec toi. Nous pourrions faire l'amour dans un cottage sur la lande et gambader avec un chien que je viens de rencontrer. Nous n'avons passé que quelques semaines ensemble, et je ne t'ai jamais vu en kilt.*

J'ai laissé la lettre devant la porte, pour le facteur, et je suis rentrée me mettre au piano. Je manquais cruellement de pratique, mais j'ai retrouvé mon rythme en jouant. Lee n'a pas daigné se montrer. Le téléphone n'a pas daigné sonner. Personne n'a frappé à la porte. Le Chopin fut pour Claire, le Grieg pour Scotty, l'étude glaciale et moite de Rachmaninoff pour Hideo. J'ai dédié un Beethoven magistral au seul qui l'ait durement gagné.

J'ai appris à jouer dans le noir. J'ai eu le sentiment d'acquérir instantanément ce savoir-faire. J'ai enchaîné des variations sur des harmonies déjà apprises et les ai restituées en une seule et longue sonate *reminiscenza*.

Je n'ai pas dormi de toute la nuit ni de la journée du lendemain ; j'ai improvisé des thèmes contrastés et les ai échafaudés en m'inspirant de l'essence brute de la guerre toute neuve – et en m'inspirant aussi des hommes et des femmes, eux aussi à l'état brut. Je plaquais des accords dans les graves pour annoncer les conflits de l'homme que j'avais fini par aimer tendrement.

La guerre. Les calomnies xénophobes. Vingt-trois jours, cette tempête, *reminiscenza*.

C'était pour eux tous et pour lui en priorité. C'était un mémoire transcendantal. Nous étions ici, à Los Angeles. Nous étions en conflit, lui et moi, et en proie à la folie du devoir à accomplir. C'était comme si nous ne faisions qu'un, et que nous étions liés par une allégeance implacable à l'époque de Pearl Harbor.

# 29 décembre 1941

# 119

**18 h 17**

Dudley prête serment.

La cérémonie se tient autour de son lit. Un major de l'armée lit le serment. Joe Kennedy et Hideo font fonction de témoins. Oncle Ace a prêté une chambre, au-dessus de la Pagode. Il a fait l'amour à Bette Davis sur ce même lit.

Dudley répète les paroles du major. Sa voix tremble un peu puis s'affermit. Claire épingle ses barrettes de capitaine à sa blouse. Ace entre dans la chambre en poussant un chariot chargé de pâtés impériaux et de *mai tai*.

Capitaine D.L. Smith, de l'armée des États-Unis. *Dudley Liam Smith – vous avez été attaqué par un fantôme.*

Il a survécu. Ruth Mildred en attribue le mérite à l'opium, qui lui a épargné le choc de l'agression tout en lui procurant une anesthésie de base. L'opium a également ralenti l'hémorragie.

Les hommes de Dudley proposent une descente chez les gamins tongs. Pour trouver le coupable et le dépecer. Dudley a opposé son veto.

– Cette créature n'était pas humaine, et c'est moi-même qui l'ait fait venir par mes mauvaises actions. Je n'ai pas été exemplaire, ces temps-ci, et j'ai provoqué mon propre châtiment. Les meilleurs d'entre nous commettent des fautes et des péchés, et je suis tout simplement reconnaissant au Créateur d'avoir choisi de m'épargner.

Ils le croient fou. Ce sont tous des empiristes convaincus. Lui, c'est un mystique. Les loups lui parlent.

Claire reste près de lui. Elle s'est agenouillée dans le sang qu'il perdait. *Loyale amie, qui es-tu ? Est-ce moi qui t'ai fait apparaître, ou toi qui m'as inventé ?*

Ace distribue des amuse-gueules et des boissons. Le groupe distribue des toasts.

– Félicitations, capitaine, dit le major.

– Vous êtes le plus veinard des Irlandais, dit Joe.

– Je suis honoré d'être ici, dit Hideo.

– Ce qui fait de vous un Chinois honoraire, dit Ace.

Claire rit et tapote son oreiller. Dudley embrasse sa main et lui fait un clin d'œil.

# 120

## LOS ANGELES | LUNDI 29 DÉCEMBRE 1941

**18 h 29**

Un mouvement de masse qui tourne à l'émeute. Au croisement de Hollywood Boulevard et de Las Palmas Avenue.

La foule atteint les 200 000 personnes. Les flics sont 200. Notez les doubles barricades et les haut-parleurs sur les réverbères.

Des projecteurs de cinéma plongent sur le boulevard. Une estrade est installée à six mètres de hauteur. Elle occupe toute la chaussée, d'un trottoir à l'autre. Ces crétins de badauds s'entassent sur une longueur de cinq cents mètres.

Les rues perpendiculaires au boulevard sont interdites à la circulation. Les voitures sont déviées vers d'autres itinéraires. Les bouchons s'étirent jusqu'à Melrose Avenue au sud et jusqu'au Hollywood Bowl au nord.

Le rassemblement doit commencer à 19 heures. Ann Sheridan et Ellen Drew. Ronald Reagan et Joan Crawford. Et deux des Ritz Brothers, à moitié beurrés.

L.A. est une grande partouze. Miss Sheridan est une taupe de la brigade des stups. Elmer Jackson saute Miss Drew.

Parker arpente un bout de trottoir. Le vacarme de la foule l'assomme. Au même titre qu'une rumeur toute neuve : *Hier, chez Kwan, un gamin tong a lardé le Dudster de coups de couteau.*

826

Dudley a survécu. Il est à présent incorporé dans l'armée et doit bientôt rejoindre son poste, au Mexique.

Les célébrités sont planquées au restaurant-grill Musso & Frank. Un « Buffet U.S.A. » y est servi. Les Ritz Brothers pelotent le cul de Miss Sheridan et de Miss Drew.

Parker a les nerfs à vif. Voilà treize jours qu'il ne boit plus. Il n'avait vraiment pas besoin de tout ce cirque.

Il entre chez Musso. Le vacarme de la foule s'atténue. Le barman l'aperçoit et brandit un téléphone.

Parker s'approche du bar. Les célébrités ont toutes une photo épinglée à leur veste. Les photos rendent hommage à Nos Soldats au Combat. La grande partouze : Miss Crawford arbore le portrait de Scotty Bennett, U.S. Marine.

Le barman tend le téléphone à Parker, qui couvre de sa main son oreille libre.

– Oui ?

– C'est Preston Exley, Bill. Je vous appelle pour vous informer que nous plions notre tente. Ça veut dire : toutes les opérations prévues. Vous nous avez persuadés que le jeu n'en valait pas la chandelle. Quoi qu'il en soit, vous avez gagné.

– Merci, dit Parker.

Exley ajoute quelque chose. Le grill du restaurant commence à servir les plats. Parker raccroche et ressort dans la rue.

Il s'arrête sur le trottoir. Il se sent vidé, anesthésié. Ce gigantesque vacarme l'engloutit. Il fume une cigarette et scrute la foule. Les projecteurs balaient le boulevard à hauteur d'homme. Ils éclairent des gens au hasard.

Parker scrute la foule. Le vacarme s'accentue. Les célébrités montent sur l'estrade. Les projecteurs épinglent les badauds des premiers rangs.

Il saisit la moitié d'un coup d'œil. Le faisceau s'écarte. Il a entraperçu sa haute stature et sa chevelure rousse. Le faisceau revient. Il voit le galon doré sur son uniforme.

Il court vers elle. Il saute du trottoir et traverse la rue en courant. Des gens voient *un flic* et s'écartent. D'autres voient une forme floue en mouvement et ne bougent pas. Il la voit, il la perd, il la voit. Il croit la voir exhaler la fumée d'une cigarette.

Il se heurte à la foule. Il la perd. Il se fraie un chemin en jouant des coudes. Les gens s'écartent et vacillent sur son passage. Il trébuche et sa casquette tombe. Il la voit, il la perd.

827

Il écarte les gens à coups de coude. Il les repousse. Il la voit, il la perd. Il bouscule des gens. Ils le bousculent à leur tour. Il titube et reste debout. Il la voit de près, il la perd, il la voit de plus loin.

Il tente de se tourner vers elle. Les gens lui barrent la route. Il les pousse. Ils le poussent. Il pousse plus fort. Ils poussent plus fort. Il voit le galon doré de son uniforme.

Il reçoit un coup de coude. Il reçoit des coups sur la nuque. Quelqu'un l'asperge de café. Quelqu'un tend une jambe et le fait tomber. Il s'étale sur la chaussée et entend des gens rire.

Il se relève tant bien que mal et tente de courir. On le fait tomber de nouveau. Il se relève, il tombe, il se relève. Il croit la voir. Il trébuche et la perd. Les gens se moquent de lui et lui décochent des coups de pied. Il se plie en deux et court. Il renverse un gros bonhomme et atteint le trottoir sud.

Son pantalon est déchiré. Il a perdu sa casquette. En trébuchant, il atteint un réverbère et se hisse sur le rebord, qui se trouve un mètre au-dessus du trottoir. Il voit par-dessus les têtes et son regard peut plonger dans la foule et il tente de repérer sa chevelure rousse.

Il lâche prise. Il glisse jusqu'au bas du réverbère et retombe sur le trottoir. Les gens se moquent de lui. Une musique patriotique éclate. Deux mille crétins hurlent.

Il retrouve son équilibre et s'éloigne du boulevard. Il voit une enseigne qui annonce COCKTAILS, un peu plus loin, en descendant Las Palmas Avenue.

Il s'y rend tout droit. La porte est maintenue ouverte par une cale. Au-dessus du bar, sur l'étagère à bouteilles, la rangée supérieure est éclairée par derrière.

Le barman le voit et comprend aussitôt ce qu'il veut. Il pose aussitôt une serviette en papier sur le comptoir. Parker désigne l'Old Crow et brandit deux doigts.

Le barman lui sert un double. Il le vide d'un trait. Le barman le remplit. Il le vide d'un trait. Le barman le remplit. Il le vide d'un trait et laisse un billet de vingt dollars sur le comptoir.

La chaleur de l'alcool l'envahit très vite. Elle l'accompagne quand il ressort du bar. Des projecteurs en mouvement l'épinglent au passage. Il voit un taxi.

Il monte à l'arrière. Le chauffeur lui demande, *Vous allez où ?* Il répond, *À deux pas du Strip.*

Le chauffeur fait demi-tour. Parker le guide pour lui faire contourner les embouteillages et le sort du bourbier. Ils tombent sur un moment de calme. Ils franchissent tous les feux au vert jusqu'au Strip. Parker montre le sommet de la colline.

Il y a de la lumière sur la terrasse. Parker ne voit pas la voiture de Blanchard. La sienne, *à elle*, est garée dans l'allée.

Il paye sa course et s'approche de la maison. Il n'y a pas de lampes allumées dans le salon. La porte est entrouverte. La seule lueur est celle de l'âtre.

Elle est là. Elle dort, recroquevillée, sur le canapé.

Il entre. Il attrape une chaise au passage et l'emporte. Il s'assied devant elle. L'un de ses bras est étendu vers lui. Il voit des coupures de fraîche date qui entament l'épiderme. Doux Seigneur, c'était donc *elle*.

Il rapproche encore sa chaise. Ses genoux heurtent le canapé. Elle bat des paupières. Elle dit, *William*, et se rendort.

Une légère brise ravive le feu et baigne d'une teinte rouge sa chevelure. Il sent l'odeur de la Prairie. Il lui touche le visage et dit, *Katherine, mon amour.*

# LISTE DES PERSONNAGES

*Perfidia* est le premier volume du Second Quatuor de Los Angeles.

Le Quatuor de Los Angeles (*Le Dahlia noir, Le Grand Nulle Part, L.A. Confidential, White Jazz*) couvre les années 1946 à 1958 à Los Angeles même.

La Trilogie *Underworld USA* (*American Tabloid, American Death Trip, Underworld USA*) couvre les années 1958 à 1972, à l'échelle du pays tout entier.

Le Second Quatuor de Los Angeles met en scène à Los Angeles pendant la Deuxième Guerre mondiale, alors qu'ils sont beaucoup plus jeunes, des personnages réels et des personnages de fiction figurant dans les deux premières séries d'ouvrages. Globalement, les trois séries couvrent une période de trente et un ans et constitueront une vaste fresque historique romancée. La liste ci-dessous indique les apparitions précédentes des personnages de *Perfidia*.

BRENDA ALLEN. Personnage réel, présente dans *Le Grand Nulle Part*.

AKIRA ASHIDA. Frère du chimiste du LAPD Hideo Ashida.

HIDEO ASHIDA. Ce personnage est cité dans *Le Dahlia noir*.

MARIKO ASHIDA. Mère de Hideo et Akira Ashida.

L'agent SCOTTY BENNETT, LAPD, présent dans *Underworld USA*.

LEONARD BERNSTEIN. Personnage réel, pianiste, chef d'orchestre et compositeur.

EUGENE BISCAILUZ. Personnage réel, shérif du Comté de Los Angeles.

L'agent LEE BLANCHARD, LAPD, présent dans *Le Dahlia noir*.

BUCKY BLEICHERT. Ce personnage apparaît dans *Le Dahlia noir*.

FLETCHER BOWRON. Personnage réel, maire de Los Angeles.

Le sergent MIKE BREUNING, LAPD, présent dans *Le Grand Nulle Part, L.A. Confidential* et *White Jazz*.

Le lieutenant THAD BROWN, LAPD. Personnage réel, policier connu.

L'archêque J. J. CANTWELL. Personnage réel, archevêque de L.A.

Le sergent DICK CARLISLE, LAPD, présent dans *Le Grand Nulle Part, L.A. Confidential* et *White Jazz*.

« TOJO TOM » CHASCO. Criminel mexicano-japonais, membre de la cinquième colonne.

D$^r$ LIN CHUNG. Spécialiste de chirurgie esthétique et adepte de l'eugénisme.

MICKEY COHEN. Personnage réel, présent dans *Le Grand Nulle Part*, *L.A. Confidential* et *White Jazz*.

HARRY COHN. Personnage réel, patron de la Columbia.

Le lieutenant JOAN CONVILLE. Infirmière de la Marine, à la dérive dans Los Angeles.

JOAN CRAWFORD. Personnage réel, actrice de cinéma.

HUEY CRESSMEYER. Ce personnage apparaît dans *American Tabloid*.

Le D$^r$ RUTH MILDRED CRESSMEYER apparaît dans *American Tabloid*.

BETTE DAVIS. Personnage réel, actrice de cinéma.

JAMES EDGAR « Deux-Flingues » DAVIS. Personnage réel, ancien directeur du LAPD.

CLAIRE DE HAVEN apparaît dans *Le Grand Nulle Part*.

ELLEN DREW. Véritable actrice de films de série B.

PRESTON EXLEY. Ce personnage apparaît dans *L.A. Confidential*.

ARTHUR FARNSWORTH. Personnage réel, second mari de Bette Davis.

TOMMY GILFOYLE. Ce personnage apparaît dans *Le Dahlia noir*.

M^me NAO HAMANO. Personnage réel, Japonaise, femme au foyer.

MONSIGNOR JOE HAYES. Prêtre catholique et confesseur du capitaine Parker.

Les Tireurs d'élite de la compagnie HEARST. Personnages réels, employés par le magnat William Randolph Hearst.

D^r FRED HILTZ. Ce personnage apparaît dans *Underworld USA*.

WALLACE HODAKA. Japonais soupçonné d'appartenir à la cinquième colonne.

RICHARD HOOD, FBI. Personnage réel, directeur du FBI à Los Angeles.

J. EDGAR HOOVER, FBI. Personnage réel, apparaît dans *American Tabloid, American Death Trip* et *Underworld USA*.

BOB HOPE. Personnage réel, acteur comique de cinéma et de radio.

CLEMENCE B. « Appelez-moi-Jack » HORRALL. Personnage réel, directeur du LAPD.

SID HUDGENS. Ce personnage apparaît dans *L.A. Confidential*.

LAURA HUGHES. Fille illégitime de Joseph P. Kennedy et Gloria Swanson.

Le lieutenant CARL HULL, LAPD. Ami et alter ego du capitaine William H. Parker.

Le sergent ELMER JACKSON, LAPD. Personnage réel, policier célèbre.

L'enseigne de vaisseau JACK KENNEDY. Personnage réel, Kennedy apparaît dans *American Tabloid*.

JOSEPH P. KENNEDY. Personnage réel, Kennedy *père* apparaît dans *American Tabloid*.

Le sergent BILL KOENIG, LAPD. Koenig apparaît dans *Le Dahlia noir*.

ROSE EILEEN KWAN. Nièce d'Oncle Ace Kwan.

ONCLE ACE KWAN. Ce personnage apparaît dans *L.A. Confidential*.

FIORELLO LA GUARDIA. Personnage réel, maire de New York et responsable de la direction nationale de la défense civile

KAY LAKE. Miss Lake apparaît dans *Le Dahlia noir*.

JIM LARKIN. Personnage réel, espion britannique qui s'est retiré à Los Angeles.

Le D<sup>r</sup> NORT LAYMAN apparaît dans *Le Grand Nulle Part* et *L.A. Confidential*.

ETREA LESNICK. Miss Lesnick apparaît dans *Le Grand Nulle Part*.

Le D<sup>r</sup> SAUL LESNICK apparaît dans *Le Grand Nulle Part*.

WARD LITTELL, FBI. Littell apparaît dans *American Tabloid* et *American Death Trip*.

ELLIS LOEW. Apparaît dans *Le Dahlia noir, Le Grand Nulle Part* et *L.A. Confidential*.

REYNOLDS LOFTIS. Apparaît dans *Le Grand Nulle Part*.

Le D<sup>r</sup> TERRY LUX apparaît dans *Le Grand Nulle Part*.

Le capitaine CARLOS MADRANO, police nationale du Mexique. Sympathisant nazi et membre supposé de la cinquième colonne.

Le district attorney BILL McPHERSON apparaît dans *L.A. Confidential*.

Le sergent TURNER « BUZZ » MEEKS, LAPD, apparaît dans *Le Grand Nulle Part* et *L.A. Confidential*.

CHAZ MINEAR. Apparaît dans *Le Grand Nulle Part*.

« JIMMY LE JAP » NAMURA. Japonais membre de la cinquième colonne.

ROBERT NOBLE. Personnage réel, sympathisant nazi.

Le capitaine WILLIAM H. PARKER, LAPD. Personnage réel, Parker apparaît dans *L.A. Confidential* et *White Jazz*.

PIERCE PATCHETT. Apparaît dans *L.A. Confidential.*

JEROME JOSEPH PAVLIK. Un violeur qui sévit dans Los Angeles.

RAY PINKER, LAPD. Personnage réel, apparaît dans *L.A. Confidential* et *White Jazz.*

SERGE RACHMANINOFF. Personnage réel, pianiste et compositeur.

PAUL ROBESON. Personnage réel, acteur, chanteur et paratonnerre politique.

ELEANOR ROOSEVELT. Personnage réel, Première Dame.

HOOKY ROTHMAN. Personnage réel, malfrat de seconde zone.

DOT ROTHSTEIN. Miss Rothstein apparaît dans *L.A. Confidential.*

SAM RUMMEL. Personnage réel, pénaliste.

ED SATTERLEE, FBI. Satterlee apparaît dans *Le Grand Nulle Part.*

GORO SHIGETA. Homme d'affaires japonais, victime d'un meurtre.

ELIZABETH SHORT. Miss Short apparaît dans *Le Dahlia noir.*

FUJIO « BAMBOU » SHUDO. Psychopathe japonais.

BENJAMIN « BUGSY » SIEGEL. Personnage réel. Présent dans *Le Grand Nulle Part* et *L.A. Confidential.*

Le sergent DUDLEY SMITH, LAPD. Présent dans *Le Grand Nulle Part, L.A. Confidential* et *White Jazz.*

GERALD L. K. SMITH. Personnage réel, fasciste américain.

GLORIA SWANSON. Personnage réel, actrice de cinéma.

Le sergent FRITZ VOGEL, LAPD. Présent dans *Le Dahlia noir.*

DOUGLAS WALDNER, adjoint du shérif du Comté de L.A. Flic local membre du Klan.

RYOSHI WATANABE. Chef de famille d'un clan de Japonais félons.

AYA WATANABE. Épouse de Ryoshi.

JOHNNY WATANABE. Fils d'Aya et Ryoshi.

NANCY WATANABE. Fille d'Aya et Ryoshi.

conception
réalisation
mise en page
44405 Rezé cedex

Achevé d'imprimer en avril 2015
sur les presses de Normandie Roto Impression s.a.s.
à Lonrai (Orne)
pour le compte des Éditions Payot & Rivages
106, bd Saint-Germain – 75006 Paris
N° d'imprimeur : 1501590
Dépôt légal : avril 2015

*Imprimé en France*